De weg naar democratie

Vertaald door Hans van Riemsdijk

DE WEG NAAR DEMOCRATIE

LESSEN VAN WERELDLEIDERS

SERGIO BITAR & ABRAHAM F. LOWENTHAL

UITGEVERIJ POLIS

VOORWOORD

Op 17 december 2010 steekt Mohamed Bouazizi, een jonge werkloze Tunesiër, zichzelf in brand en wijst zo alle Tunesiërs — om niet te zeggen de hele wereld — op de miserabele mensenrechtensituatie in zijn land. Intussen houdt het politieke regime het beeld hoog van een gelukkig land waar weinig mensen zich zorgen maken over hun leven, toekomst en vrijheid, waar men economische groei en welvaart kent, en waar iedereen kansen krijgt. Het is echter één grote leugen. De opstand die zich voltrok van 17 december 2010 tot 14 januari 2011 ontplofte in een sfeer van onzichtbare onderdrukking. Tunesië is een land met een 'legale' politieke oppositie, die krachteloos is als gevolg van eeuwige verdeeldheid en een tekort aan plannen en ambities, en het land kent een 'illegale' oppositie die of gevangenzit of werd gedwongen het land voor onbeperkte tijd te verlaten.

Het regime stort snel in elkaar. Driehonderddertig mensen komen om tijdens de gebeurtenissen onmiddellijk na 17 december 2010, terwijl de staatsstructuren weten te weerstaan aan de revolutionaire deining, aan de roep om redelijke — en onredelijke — veranderingen.

De Tunesische revolutie is geen lokale gebeurtenis, maar het startschot voor een grote golf die de situatie in de hele regio op haar kop zet. Vanaf die dag eind 2010, waarop Tunesiërs de straat op gingen, vastbesloten hun waardigheid te heroveren en te bouwen aan de democratie, spoelt er een golf van transities naar democratie over de Arabische regio. Naast de Tunesiërs slagen ook de burgers van Egypte, Libië en Jemen erin om lang zittende dictators af te zetten en een jonge, door frustraties en kansarmoede verwoeste bevolking weer hoop te geven. Het is echter van het begin af aan duidelijk dat sommige dictaturen niet bereid zijn om naar hun onderdanen te luisteren. Die regimes bieden fel weerstand en veroorzaken onnoemelijk veel menselijk leed.

Kort na de aanvankelijke euforie onder de jonge generaties die naar vrijheid hunkeren, ontdekken hervormers in de hele regio dat het creëren van een democratisch bestel veel complexer, hachelijker en veelomvattender is dan verwacht. Als dictators vallen, beseffen mensen dat de vertrekkende heersers niet zo sterk zijn als men had gedacht en dat alleen angst de mensen heeft doen geloven dat het regime alles controleerde. Mensen ontdekken ook dat de dictator niet de enige is aan wie ze hun problemen te wijten hebben.

Dictators onttronen is slechts een eerste stap op een veel langer pad naar echte verandering. De weg naar een democratische transitie wordt vrijgemaakt door een verandering van opvattingen, mentaliteit, waarden en gedrag. Vooral in de Arabische regio blijkt dit cruciaal te zijn. Als dergelijke veranderingen niet ernstig worden meegewogen, bestaat het risico dat een democratisch bestuur dat voldoet aan de verwachtingen van mensen, dat allen de ruimte biedt en wortel kan schieten en in stand blijven, niet meer is dan een illusie.

In deze context is ook de vrije meningsuiting van levensgroot belang. Wie betrokken is bij het leiderschap van een land tijdens een moeilijke transitie, moet zijn vrijheid van meningsuiting verdedigen en gebruiken om de waarheid te vertellen. Leiders moeten bereid zijn kritisch naar zichzelf en hun gesprekspartners te kijken, om de ontwikkelingen bij te sturen die door een moeilijke maatschappelijke of onveilige situatie worden gedicteerd. Leiders moeten inspelen op de toekomst van de natie en het algemeen belang voorrang geven. Ongeacht de moeilijkheden waar ze voor staan, moeten ze vermijden dat de mensen al te hoge verwachtingen koesteren; dat is zowel hun ethische plicht als een verstandige manier om geloofwaardig te blijven bij burgers die snelle resultaten van de revolutie verwachten.

Goede wil, toewijding en de offers die velen — zowel leiders als de bevolking — zich getroosten, lijken echter niet te volstaan. Het is cruciaal dat er systematisch wordt gewerkt aan de definitie, introductie en toepassing van hervormingen die de solide fundamenten van een democratische samenleving moeten gaan vormen. Dat vereist de ontwikkeling van tal van vaardigheden en technieken. Bij dat leerproces kunnen de verzamelde ervaringen van anderen die voor dezelfde reeks uitdagingen hebben gestaan nuttig zijn, mits rekening wordt gehouden met belangrijke contextuele verschillen.

Als een van de initiators van de eerste 'schakel' in de ketting van transities in de WANA-regio (West-Azië en Noord-Afrika), ben ik van mening dat *De weg naar democratie, lessen van wereldleiders* een stimulerend boek is dat inzichten en overwegingen verzamelt van vooraanstaande politieke leiders die een belangrijke rol hebben gespeeld in de transitie van hun land naar een doeltreffend democratisch bestuur. Het bevat indringende interviews met dertien wereldleiders die de afgelopen vier decennia een transitie hebben meegemaakt. Deze staatslieden spreken over de dilemma's waarvoor ze stonden en de keuzes die ze hebben gemaakt, over de gevolgen van cruciale beslissingen en over wat zijzelf beschouwen als hun voornaamste successen.

Deze vernieuwende publicatie is een unieke en tijdige bijdrage aan het huidige debat over de vraag hoe een vreedzame overgang van autoritarisme naar democratie het beste kan worden bevorderd en gestuurd. De inhoud kan waardevol zijn voor leiders van hedendaagse overgangsprocessen, democratische bewegingen en gemeenschappen die werken aan een democratisch bestel.

Ik heb veel voeling met de centrale boodschap van dit boek: het mobiliseren van de bevolking kan transities weliswaar aanwakkeren, maar op langere termijn heeft een democratiserend land vaardige, stabiele en empathische leiders nodig om versnipperde politieke en sociale contexten met elkaar te verzoenen, om te bouwen aan de capaciteiten van regeringsinstellingen en om hun land door een kritieke transitieperiode te loodsen.

Het boek is van bijzonder belang voor de WANA-regio, omdat de lessen van de geïnterviewde leiders van uitzonderlijke waarde zijn voor al degenen die de kernvoorwaarden voor democratisch bestuur, inclusiviteit en waardigheid op solide wijze willen vastleggen. Dit geldt dus ook voor de bevolking van de Arabische wereld, die al eeuwen lijdt onder een schrijnend gebrek aan relevante ervaring met de democratie. De lessen die dit boek aanreikt kunnen verstrekkende gevolgen hebben en zullen voor de leiders van democratiseringsprocessen in de hele wereld van groot nut zijn.

Mensenrechten ontwikkelen zich als de ideologie van deze tijd. En dat heeft de mensheid werkelijk nodig: een wereld waarin ieder individu eenvoudigweg zijn of haar fundamentele rechten als mens geniet. Ik denk dat de WANA-regio een nieuw tijdperk inluidt in de geschiedenis van de mensheid en moet laten zien dat alle mensen, ongeacht hun culturele of historisch achtergrond, het pad naar democratie kunnen openen. Er is geen enkele cultuur die de hunkering van mensen naar democratie kan negeren of tegenwerken. In alle landen en culturen koesteren de mensen doorgaans de ambitie om zelf hun leiders te kiezen, en wel in een sfeer die vrij is van dictaten en onderdrukking.

Mohamed Moncef Marzouki
Voormalig president van de Republiek Tunesië

TEN GELEIDE

In 2015 viert International IDEA zijn twintigste verjaardag. Alweer twee decennia versterken we wereldwijd democratische instellingen en processen. In die twintig jaar hebben we waardevolle technische informatie verstrekt aan mensen overal ter wereld die een duurzame democratie nastreven. We hebben in het bijzonder vergelijkende kennis verzameld en verspreid over de organisatie en praktische uitvoering van verkiezingen, maar ook over de formulering van grondwetten, de toetsing van democratische processen en over politieke partijen. Wat wij noch anderen tot op heden hebben aangeboden, zijn getuigenissen uit de eerste hand van vooraanstaande politieke leiders over de wijze waarop transities naar democratie op verschillende continenten zijn verlopen. Deze prikkelende publicatie vult die belangrijke leemte.

Politieke leiders bepalen in aanzienlijke mate de uitkomst van overgangsperiodes. Terwijl democratie om inclusieve processen draait, gaan democratische transities ook over cruciale beslissingen die personen aan de top uiteindelijk moeten nemen. Vaak liggen die beslissingen bij één iemand, want overgangsprocessen zijn verstorend, ontwrichtend, ontregelend. Verstorend, omdat ze niet in de gevestigde raamwerken en procedures voor collectieve besluitvorming passen, en omdat ze betrekking hebben op een probleem dat voor het eerst rijst, en ook omdat gewicht en omvang van de situatie en de uitdaging andere besluitvormers er mogelijk van weerhouden verantwoordelijkheid te nemen. Het meest 'verstorende' aspect van die beslissingen is echter dat ze de loop van de geschiedenis veranderen.

Deze ontregelende dilemma's en uitdagingen confronteren politieke leiders met de essentie van leiderschap en verantwoordelijkheid — reageren, beslissen, leiden op basis van een goede inschatting van de situatie, van de voor- en nadelen van de beschikbare opties, van het openbaar belang dat op het spel staat, en van de waarden waarop het engagement van een leider is gebaseerd.

Deze beslissende momenten in oprecht leiderschap vereisen een toekomstgerichte benadering, de moed om verzet het hoofd te bieden en persoonlijke risico's te nemen, en het geduld om te wachten op positieve resultaten. En bij dit alles moet een leider gehoor geven en verantwoording afleggen aan de burgers van het land en hun vertegenwoordigers.

International IDEA is dan ook trots een boek te mogen presenteren met de lessen van dertien politieke leiders die ooit voor deze uitdagingen stonden. *De weg naar democratie, lessen van wereldleiders* onderzoekt de cruciale rol van politiek leiderschap bij het bevorderen en realiseren van een democratische transitie en biedt hedendaagse leiders vergelijkende ervaringen met een brede reeks kwesties die cruciaal zijn tijdens de transitie naar democratisch bestuur.

Velen hebben een belangrijke bijdrage geleverd aan deze publicatie, in het bijzonder de politieke leiders die hun unieke ervaringen hebben gedeeld. Maar mijn dank gaat vooral uit naar mijn voorganger Vidar Helgesen, voor zijn visie en overtuiging dat we de ervaringen moeten delen van leiders die hebben bijgedragen tot democratische verandering. Dank ook aan senator Bitar en professor Lowenthal, die de interviews hebben voorbereid en uitgevoerd, en die met hun intellectuele scherpzinnigheid en politieke inzicht dit project hebben aangedreven. Wij hebben grote bewondering voor hun inzet, energie en talent.

International IDEA hoopt dat dit veelzijdige boek in de komende decennia een bron van inspiratie, reflectie en advies zal zijn voor een nieuwe generatie leiders bij transities van een autoritair en discriminerend bewind naar een inclusief democratisch bestuur.

Yves Leterme

Secretaris-generaal van International IDEA

INLEIDING

SERGIO BITAR EN ABRAHAM F. LOWENTHAL

Dit boek laat zien hoe dertien voormalige presidenten en premiers van negen landen – twee uit Afrika, Azië en Europa, en drie uit Latijns-Amerika – meewerkten aan de succesvolle transitie van een autoritair bewind naar een democratisch bestel. Wij kennen geen andere bron vol praktisch inzicht en weloverwogen meningen over de uitdagingen die dergelijke transities met zich meebrengen en hoe deze werden aangepakt.

In de periode van januari 2012 tot juni 2013 interviewden we Fernando Henrique Cardoso (Brazilië), Patricio Aylwin en Ricardo Lagos (Chili), Fidel V. Ramos (Filipijnen), John Kufuor en Jerry Rawlings (Ghana), B.J. Habibie (Indonesië), Ernesto Zedillo (Mexico), Aleksander Kwaśniewski en Tadeusz Mazowiecki (Polen), Felipe González (Spanje), en F.W. de Klerk en Thabo Mbeki (Zuid-Afrika). De interviews geven een mooi beeld, in één geval zelfs voor het eerst, van de wijze waarop deze leiders hun persoonlijke rol bij de historische transformaties zien.

De interviews bestrijken een reeks transities van diverse autoritaire regimes naar een duurzaam – en tot dusverre gehandhaafd – democratisch bestuur.[1] Elke transitie is uniek en elke leider speelde een specifieke rol. De Klerk, Habibie en Zedillo waren sleutelfiguren in diverse autocratische regimes die hun landen in de richting van een legitiem democratisch bestel voerden. Aylwin, Cardoso, González, Kufuor, Lagos, Mazowiecki en Mbeki waren actief in oppositiebewegingen die een einde maakten aan een autoritair bewind en hielpen bij het invoeren van de democratie. Kwaśniewski, Ramos en Rawlings waren overgangsfiguren die de kloof van autocratie naar democratie overbrugden. Zij hebben allen een aanzienlijke bijdrage geleverd aan de democratische transitie in hun land.

De interviews bieden een boeiend inzicht in *wat* deze leiders deden en *waarom* ze het deden. Ze vertellen over de achtergronden en kenmerken van acties die leidden tot de val van het autoritaire bewind en de vorming van een democratisch bestuur. Ze leggen uit hoe ze de belangrijkste problemen inschatten en aanpakten, welke specifieke doelen ze wilden bereiken, welke strategieën en tactieken ze gebruikten en hoe en waarom die veranderden.[2] Ze belichten de cruciale, soms gevreesde beslissingen die ze moesten nemen. Daarnaast staan ze ook stil bij de lering die mensen in huidige en toekomstige transities uit hun ervaringen kunnen trekken en bij de verschillen tussen de mogelijkheden voor democratisering vandaag de dag en in hun tijd.

Uit de interviews blijkt duidelijk dat dit soort transities kampt met problemen die steeds terugkeren. Hoe organiseer en verenig je verdeelde politieke en maatschappelijke krachten voor de confrontatie met een autoritaire regering? Hoe leid je krachten binnen een autoritair regime naar een politieke opening? Hoe smeed je werkbare compromissen, zowel tussen de verscheidene oppositiegroepen als tussen oppositiegroepen en vertegenwoordigers van het oude regime? En waarom (en hoe) versterk je politieke partijen en zet je democratische instellingen op? De staatslieden bespreken tevens de invloed van het maatschappelijk middenveld en van internationale spelers — en de begrenzing daarvan.

Ze nemen ook netelige kwesties onder de loep, zoals de civiele controle over leger, politie en veiligheidsdiensten; het evenwicht tussen de noodzaak van *transitional justice* en herstelrecht enerzijds en anderzijds de realiteit van het moeten samenleven met voormalige tegenstanders; het vertrouwen winnen van het bedrijfsleven en ondernemingen overtuigen te investeren tegenover de eisen en verwachtingen van de bevolking omtrent gelijkheid en herverdeling; en de consensus over grondwettelijke principes en kiesprocedures. Deze uitzonderlijke figuren bieden ieder op hun eigen manier iets wat in de meeste onderzoeken naar democratische transities ontbreekt: politieke wijsheid die door ervaring is opgedaan.

De transitie naar democratie is niet uitsluitend, of misschien niet eens hoofdzakelijk, het werk van de top van de politieke hiërarchie. Massabewegingen, maatschappelijke organisaties en de instrumenten die zij hanteren — stakingen, protestacties, straatdemonstraties en andere pressiemiddelen van onderaf — hebben allemaal een cruciale rol gespeeld in vrijwel alle transities. Op diverse manieren en in verschillende mate geldt dit voor alle negen transities, van de Diretas Já-campagne in Brazilië tot People Power in de Filipijnen, van de massademonstraties tegen Soeharto in Indonesië tot de algemene stakingen van Solidarność in Polen en de studentenprotesten van 1968 in Mexico. Politieke partijen, vakbonden, vrouwenorganisaties, studenten- en beroepsverenigingen, religieuze groeperingen en internationale druk zijn medeverantwoordelijk voor de veranderingen in deze landen. Sociaaleconomische structuren, demografische en geopolitieke feiten en het nationale verleden en de eigen cultuur gaven ook vorm aan de eisen voor democratie en aan de wijze waarop hindernissen die men tegenkwam werden overwonnen.

Toch tonen deze interviews ook duidelijk aan dat politiek leiderschap wel degelijk telt. Individuen speelden overal een sleutelrol in de overgang van een autoritair bewind naar democratie. De Zuid-Afrikaanse transitie was er niet gekomen zonder Nelson Mandela, F.W. de Klerk, Oliver Tambo en Thabo Mbeki. In Indonesië is de overgang van het langdurige Soeharto-regime niet los te koppelen van de beslissende rol van B.J. Habibie; de Chileense transitie steunt in belangrijke mate op de uitzonderlijke bijdragen van Patricio Aylwin en Ricardo Lagos; in Spanje hebben koning Juan Carlos, Adolfo Suárez en Felipe González een cruciale rol vervuld, en de Poolse democratie is onlosmakelijk verbonden met Lech Wałęsa, Wojciech Jaruzelski, Tadeusz Mazowiecki en Aleksander Kwaśniewski. Structuren zijn belangrijk, maar personen ook. Politicologen hebben de neiging het belang van leiderschap te minimaliseren. Dit boek benadrukt het juist.[3]

De interviews vormen de kern van dit boek. We hebben ons voorbereid op deze gesprekken, die twee tot soms vijfenhalf uur duurden, door veel te lezen en een beroep te doen op mensen die gespecialiseerd zijn in deze landen. We kozen voor centrale thema's en problemen, en trachtten ook in elke casus de specifieke omstandigheden te belichten. We gebruikten geen strikte vragenlijst, maar voerden dynamische gesprekken met de individuele leiders, waarbij we ons lieten leiden door het doel de transitie in hun land te begrijpen en van hen te horen hoe ze dat hebben bereikt en welke lessen we eruit kunnen trekken.

Met de goedkeuring van alle geïnterviewden hebben we de transcripties geredigeerd om nutteloze herhalingen te vermijden en hebben we de commentaren thematisch geordend. Ook onze eigen commentaren en vragen hebben we compacter geformuleerd. In twee gevallen (Ramos en Habibie) hebben we ook relevante passages opgenomen uit gepubliceerde werken van beide geïnterviewden om punten die te kort aan bod zijn gekomen in het interview zelf beter te belichten. We hebben tussenkopjes ingevoegd om de teksten overzichtelijker te maken voor de lezer. Elke casus is voorzien van een lijstje aanbevolen literatuur en achter in het boek vindt de lezer een in onze ogen nuttig overzicht van vergelijkende en theoretische literatuur. Tijdlijnen per land dienen om leiders, mensen, partijen en gebeurtenissen beter te situeren. Elk interview wordt voorafgegaan door een korte biografische schets. Kenners van de geschiedenis en politiek van de respectieve landen hebben per hoofdstuk gezorgd voor een situatieschets die de inleiding vormt op de interviews en die het verloop van de transitie en de rol van elke leider belicht.

Jammer genoeg zijn de vrouwelijke leiders van deze transities allen overleden en konden maar weinig van onze geïnterviewden meer inzicht geven in de specifieke rol van vrouwen bij elke overgang. Op ons advies heeft International IDEA Georgina Waylen van de University of Manchester verzocht hierover een hoofdstuk te schrijven. Haar bijdrage is gebaseerd op interviews die ze in de loop der jaren heeft gevoerd en op een aantal nieuwe gesprekken met vrouwelijke activisten die een beslissende rol hebben gespeeld in deze landen, zij het niet in een leidinggevende functie.

Ons eigen afsluitende essay belicht de belangrijkste principes rond de overgang van een autoritair bewind naar een democratisch bestuur. Transities van autoritarisme naar democratie kampen vaak met dezelfde problemen. De casussen bieden in dat opzicht relevante informatie aan toekomstige leiders en activisten. Dit boek wil een waardevol instrument zijn voor huidige en toekomstige politieke leiders en burgers wereldwijd die streven naar een democratisch bestel; voor activisten op het maatschappelijk middenveld; voor de media en de internationale gemeenschap; en voor iedereen die democratische transities wil begrijpen, bevorderen, leiden en steunen.

Het was een prachtige ervaring om deze interviews samen te voeren en om naderhand te reflecteren over hetgeen we hadden geleerd, vooral vanwege de onverminderde relevantie van de vraagstukken die we aansneden, en vanwege de bijzondere ervaringen en menselijke eigenschappen van de geïnterviewden. Om deze klus te klaren steunden we op de waarden die we delen en op onze diverse levenservaringen, wat onze langdurige vriendschap nog hechter heeft gemaakt.

We waarderen het enorm dat International IDEA dit project heeft geïnitieerd en gesteund. De politieke leiders zijn we dankbaar voor de bereidheid hun herinneringen met ons te delen. Nu nodigen we onze lezers uit om, net als wij, van hen te leren.

OVER INTERNATIONAL IDEA

International IDEA (voluit 'International Institute for Democracy and Electoral Assistance') is een intergouvernementele organisatie die wereldwijd democratische instellingen ondersteunt.

International IDEA levert praktijkkennis en instrumenten voor verkiezings- en grondwetsvormingsprocessen die politieke participatie en vertegenwoordiging stimuleren in relatie tot gender, diversiteit, conflict en veiligheid.

International IDEA draagt deze kennis over aan mensen die op nationaal en regionaal niveau streven naar democratische hervormingen, en faciliteert de dialoog ter ondersteuning van democratische veranderingen.

In zijn werkzaamheden streeft International IDEA naar:

- versterking van de capaciteit, legitimiteit en geloofwaardigheid van de democratie;
- bevordering van inclusieve democratische participatie en verantwoordingsplichtige vertegenwoordiging;
- intensivering van doeltreffende en legitieme samenwerking rond democratiseringsprocessen.

De hoofdzetel van International IDEA is gevestigd in Stockholm en de organisatie heeft kantoren in Noord-Afrika, Sub-Saharisch Afrika, Azië, het Caribisch gebied, Latijns-Amerika en in de Pacific.

1
DE BRAZILIAANSE TRANSITIE: VAN GEDWONGEN LIBERALISERING TOT BRUISENDE DEMOCRATIE

FRANCES HAGOPIAN

Het Braziliaanse leger heerste over Brazilië van 1964 tot 1985. Tijdens een lang transitietraject richting democratie speelde de oppositie de helft van de tijd geduldig het spel volgens de regels van het regime. Het Braziliaanse democratiseringsproces laat goed zien hoe strategische beslissingen van zowel autocraten als democraten kunnen uitmonden in een vreedzame overgang, en hoe mettertijd een echt democratisch bestuur, afgedwongen door institutionele en inhoudelijke compromissen, bereikbaar wordt.

DEMOCRATIE EN DICTATUUR

Eind negentiende eeuw voerde Brazilië een competitief politiek systeem in, maar het oligarchische bewind dat tientallen jaren heerste, ontzegde de overgrote meerderheid van de Brazilianen de uitoefening van hun burgerrechten. Zelfs toen het politieke systeem na de Tweede Wereldoorlog meer ruimte liet voor bredere politieke participatie en concurrentie, had het regime de laagste klassen in de steden nog stevig onder controle, was het landarbeiders verboden zich te organiseren in vakbonden, en mochten ongeletterden niet stemmen. Hoewel het land eind jaren vijftig floreerde — investeringen in infrastructuur, import ter vervanging van industrialisering, de bouw van de nieuwe nationale hoofdstad Brasilia — kwam het politieke systeem toch onder druk te staan. De zwakte van de Braziliaanse instellingen, geïllustreerd door versplinterde politieke partijen en een krachteloos congres, kon weinig doen om de angst te temperen van een elite die zich bedreigd voelde door de mobilisatie van boerenbonden, de opmars van een populistische arbeiderspartij en de linkse retoriek van de president.

In april 1964, op het hoogtepunt van de Koude Oorlog, reageerde het Braziliaanse leger, gevoed door de ideologische angst voor een communistisch geïnspireerde opstand en een burgeroorlog, op de rampzalige situatie die was ontstaan door steile inflatie, kelderende buitenlandse reserves, eisen voor landhervormingen, het evidente onvermogen van de burgerregering en het aanzwellende protest van arbeiders en studenten. De legertop pleegde een coup en vestigde een militair autoritair regime. De militaire leiders stabiliseerden de economie, herstelden de kracht van de staat en breidden de invloed van die staat op de economie uit. Ze verboden bestaande politieke partijen en voerden een sterk repressief beleid waarbij ze het *habeas corpus* opschortten — het recht te worden ontslagen uit onwettige detentie en niet te worden vastgehouden voor langere tijd zonder formele inbeschuldigingstelling. De junta censureerde de pers en kondigde de staat van beleg af. Zoals andere Latijns-Amerikaanse legers in die tijd onderwierp ook het Braziliaanse regime daadwerkelijke en vermeende vijanden aan willekeurige detentie, foltering, ballingschap en zelfs de dood. Niettemin gebeurde dat, ook op het hoogtepunt van de repressie, minder wreed dan in de buurlanden. Krijgsraden oordeelden bijvoorbeeld stelselmatig dat aangeklaagden niet schuldig waren; tegenover 15.000 politici in Uruguay verloren in Brazilië zo'n 500 politici hun politieke rechten en dus ook het recht een openbaar ambt uit te oefenen. Het regime was verantwoordelijk voor 'slechts' 333 doden — een aantal per capita van de bevolking dat in Chili en Argentinië respectievelijk vijftig en honderd keer groter was.

Fernando Henrique Cardoso stelt dat het uitermate belangrijk was dat het Braziliaanse regime zich hulde in een zweem van wettelijkheid, dat het geregeld parlements- en gemeenteraadsverkiezingen organiseerde en representatieve instellingen — zoals de volksvertegenwoordiging en een officiële regeringsgezinde oppositiepartij — liet functioneren. Hoewel het regime verkiezingen voor de gouverneurs van de deelstaten en burgemeesters van de deelstaathoofdsteden afschafte, de kieswetten manipuleerde en verkozen gezagsdragers belangrijke constitutionele bevoegdheden ontnam, maakten competitieve verkiezingen uiteindelijk toch de weg vrij voor het unieke Braziliaanse democratiseringsproces.

DE POLITIEKE TRANSITIE

De Braziliaanse transitie naar democratie verliep geleidelijk, werd van bovenaf ingezet en stond beperkte mobilisatie toe van politieke partijen en maatschappelijke organisaties. Een breuk tussen legerofficieren van de harde lijn (die geloofden dat Brazilië zijn potentieel alleen kon realiseren onder een langdurig militair bewind) en aanhangers van de zachte lijn (voor wie het militaire regime een tijdelijke en behoedende rol speelde, en die vreesden de steun van de burgers voor het leger als instelling te verliezen als ze de repressie van de hardliners niet inperkten) creëerde de opening voor politieke liberalisering. Begin 1974 maakte generaal Ernesto Geisel, de nieuwe president van de 'zachte lijn', bekend dat hij het militaire gezag zou versoepelen, de perscensuur zou verlichten en meer vrijheid van meningsuiting alsook verkiezingen zou toestaan. Zeven jaar groei met dubbele cijfers, politieke en sociale stabiliteit, en een oppositie die zo ontmoedigd was dat ze in 1972 overwoog de partij op te heffen, gaven Geisel het vertrouwen dat het regime de competitieve verkiezingen kon winnen.

De oppositie stond voor een vertrouwd dilemma: de verkiezingen boycotten die nooit tot de onvoorwaardelijke machtsoverdracht zouden leiden, of de ruimte die het regime bood gebruiken om zich te organiseren, standpunten uit te dragen en steun voor een democratiseringstraject te mobiliseren. Ze koos voor het laatste. Tegen de beschuldiging dat ze de dictatuur legitimeerden, voerden Cardoso en anderen aan dat deelnemen aan het systeem – en het systeem in hun voordeel aanwenden – de meest betrouwbare weg naar democratische verandering was. Ze kregen gelijk. De oppositie won in 1974 onmiddellijk 16 van de 22 senaatszetels, vergrootte de vertegenwoordiging in het lagerhuis van 28 naar 44 procent en verwierf een meerderheid in nog eens vijf regionale parlementen. Het was een pijnlijke nederlaag voor de regering. Volgens Cardoso was die niet te danken aan de hang naar democratie onder de bevolking, maar eerder aan de geslaagde campagne van de oppositie over economische kwesties die de mensen direct raakten – met name de uitholling van de koopkracht van arbeiders ondanks een economische *boom*. Op langere termijn zou deelname aan verkiezingen de oppositie beter in staat stellen om kiezers te mobiliseren en druk uit te oefenen op de regering om het klimaat van openheid te handhaven. De oppositie omarmde Cardoso's logica – een transitie was niet te realiseren door een frontale aanval op het bolwerk van het regime, maar door dat fort te belegeren totdat het leger bereid was te onderhandelen – en hield zich staande ondanks het feit dat de junta steeds weer handig de regels wijzigde om het politieke proces te manipuleren. Dat gebeurde bij de verkiezingen voor de gemeenteraden (1976) en het parlement (1978), en ten slotte bij de gouverneursverkiezingen (1982). De oppositie begreep ook dat ze de noodzaak van structurele veranderingen én de tijd aan haar zijde had. Economische groei en industrialisering hadden miljoenen Brazilianen naar de steden gelokt en een sterke middenklasse gecreëerd, die zich allerlei consumptiegoederen – van ijskasten tot auto's – kon veroorloven, en die de arbeidersklasse tot bijna 30 procent van de bevolking had doen groeien.

Er ontstond ook een energiek maatschappelijk middenveld in de ruimte die was gecreëerd door het wat opener politieke klimaat. Gezaghebbende opiniemakers waren de eersten die uiting gaven aan hun bedenkingen tegen het regime; zo veroordeelden kerkelijke leiders in het bijzonder de repressie. De Kerk hield voorts dossiers bij van door de staat gesteunde moorden en geweld op het platteland, bood stakende arbeiders een schuilplaats, omarmde de democratie en ondersteunde organisaties in steden en dorpen die ijverden voor participatie. De dood in oktober 1975 van de prominente joodse journalist Vladimir Herzog, door toedoen van de veiligheidsdienst van het Tweede Leger in São Paulo, zette de normaliter gedweeë vereniging van Braziliaanse advocaten ertoe aan een verklaring uit te geven waarin ze de regering van foltering betichtte. In de kathedraal van São Paulo organiseerde kardinaal Evaristo Arns moedig een gezamenlijke katholiek-joodse dienst voor Herzog, die uitliep op de eerste massademonstratie tegen het regime. Een groep vooraanstaande ondernemers voerde in 1974 ook dapper campagne tegen de staatsbemoeienis met het bedrijfsleven en legde een paar jaar later een direct verband tussen die verregaande inmenging en de belangen van de dictatuur. Omdat volgens hen de samenleving de staat diende te controleren in plaats van andersom, achtten zij democratisering de enige oplossing.

Naarmate er meer manoeuvreerruimte ontstond, kwamen religieuze groepen in dorpen en steden, buurtverenigingen en een sterke vrouwenbeweging in het geweer voor specifieke belangen en meer politieke vrijheid. Eind jaren zeventig was Luiz Inácio (Lula) da Silva de voorman van een nieuwe vakbondsbeweging die wars was van staatsbemoeienis en haar kracht ontleende aan de relaties met de werkvloer in plaats van aan staatspatronage. De beweging kreeg een imposante menigte van duizenden mensen op de been in het industriële hart van São Paulo, die staakten voor hogere lonen en het recht te onderhandelen over cao's. Mobilisatie van maatschappelijke krachten binnen de gegoede klasse, op straat, in fabrieken en via opiniepeilingen versterkte de onderhandelingspositie van de politieke oppositie. Tegenover een leger dat nooit eerder een nederlaag had geleden in oorlogssituaties of bij referenda, en dat had onderhandeld over zijn vertrek uit het centrum van de politieke macht, gaf de niet te stoppen golf van enthousiasme voor politieke vernieuwing kracht en moed aan de democratische oppositie.

De transitie versnelde met de gouverneursverkiezingen van 1982. In een poging het plebiscitaire karakter dat de verkiezingen sinds 1974 hadden aangenomen om te buigen door de oppositie te verdelen, stond het regime begin 1979 de vorming van nieuwe partijen toe. Zoals verwacht viel de oppositie uiteen in vijf partijen – van de linkse arbeiderspartij PT (Partido dos Trabalhadores) van Lula tot een gematigde rechtse partij (die zichzelf ophief in 1981 nadat de regering met weer nieuwe regels coalitievorming had verboden) – maar de beslissing van deze oppositie om, ondanks de flagrante manipulatie van de kiesprocedures, toch deel te nemen aan verkiezingen wierp eens te meer haar vruchten af. Toen de jaarlijkse inflatie meer dan 200 procent bedroeg en de economie in een diepe recessie was beland door de stijgende lasten van een torenhoge buitenlandse schuld, verkozen oppositiepartijen tien gouverneurs in de meest geïndustrialiseerde en ontwikkelde deelstaten van Brazilië, onder meer São Paulo, Minas Gerais en Rio de Janeiro, die drie vijfde van het nationale electoraat vertegenwoordigden en drie kwart van het bruto binnenlands product. Nadien dwong een krappe oppositiemeerderheid in het lagerhuis de regering tot onderhandelingen over omstreden wetten en waren zelfs gouverneurs van de regeringspartij eerder geneigd verantwoording af te leggen bij hun achterban dan bij de militaire regering.

Zelfs na die electorale nederlagen hield het leger, ervan overtuigd dat zijn presidentskandidaat het pleit zou winnen in een kiescollege met duizenden regimegetrouwe burgemeesters en leden van de deelstaatparlementen, zich aan de toezegging om in 1985 de macht over te dragen aan een burgerpresident. Met het doel een grondwetswijziging af te dwingen voor directe presidentsverkiezingen, startte de oppositie in 1984 een campagne die miljoenen demonstranten op de been bracht om rechtstreekse verkiezingen te eisen tijdens opeenvolgende massabetogingen in de hoofdsteden van de grote Braziliaanse deelstaten, te beginnen in São Paulo in januari. Het leger trad niet op. Hoewel de oppositie de vereiste tweederdemeerderheid voor een grondwetswijziging net niet haalde, besloot ze toch deel te nemen aan de indirecte verkiezingen. De partij van het regime nomineerde een zeer omstreden presidentskandidaat, wat ervoor zorgde dat velen uit die partij overliepen naar de oppositie, waarna de kandidaat van de oppositie – Tancredo Neves, de gematigde gouverneur van het belangrijke Minas Gerais en een gezaghebbende en consensusgerichte politicus – de verkiezingen won.

EEN DEMOCRATIE OPBOUWEN – DE ROL VAN FERNANDO HENRIQUE CARDOSO

De Braziliaanse transitie naar democratie zette zich voort nadat het leger in 1985 de macht had overgedragen aan een burgerpresident. De Brazilianen stonden voor de zware taak om uit het niets een democratisch bestel op te bouwen. De eerste uitdaging was het leger onder civiele controle stellen zonder de militairen tegen zich in het harnas te jagen. Het leger wilde vervolging voor mensenrechtenschendingen vermijden — nadat de Argentijnse regering topofficieren voor de rechter had gedaagd, waren alle Latijns-Amerikaanse legers daar bang voor — en zeggenschap houden over militaire aangelegenheden, zoals bevorderingen, budgetten en wapenaankopen. Ook wilden de militairen een constitutionele rol blijven vervullen als 'garanten van de binnenlandse orde'. Hoewel er geen legerofficieren werden vervolgd, openden burgerregeringen na verloop van tijd de archieven van de militaire onderdrukking en compenseerden ze de families van 265 slachtoffers die ten tijde van het militaire regime waren gedood of verdwenen. Burgerregeringen zetten ook de rem op de ambities van het leger ten aanzien van de veiligheid in het Amazonegebied, ze verboden officieren in actieve dienst politieke uitlatingen te doen, schortten de aankoop van jachtvliegtuigen op en beëindigden het nucleaire verrijkingsprogramma van het land. Aan het einde van zijn eerste termijn als president verminderde Cardoso met een serie initiatieven, die hierna in het interview aan bod komen, definitief de macht van de geüniformeerde legerofficieren in het kabinet door de drie afzonderlijke militaire ministeries af te schaffen en een niet-militair aan te stellen als hoofd van een nieuw departement van Defensie.

Democratische leiders moesten ook een balans vinden tussen eisen voor economische herverdeling en gerechtigheid enerzijds, en anderzijds de noodzaak om eigendomsrechten te formuleren en de angst van de economische elites te sussen. Landbouwhervormingen en eigendomsrechten waren explosieve kwesties, aangezien de Movimento dos Trabalhadores Rurais Sem Terra (beweging van landloze arbeiders) zich met meedogenloos geweld land van grootgrondbezitters en veeboeren toe-eigende. Uiteindelijk werden de vraagstukken van de landherverdeling en eigendomsrechten geregeld in de volksvertegenwoordiging. Dat congres trad ook op als de grondwetgevende vergadering die een nieuwe democratische grondwet opstelde, besprak en in 1988 invoerde. Rechts slaagde erin om ingrijpende landbouwhervormingen te blokkeren, maar andere rechten die de grondwet verleende — arbeidsrechten, rechten van inheemse volken en het universele recht van alle burgers op gezondheidszorg — werden permanent verankerd in de Braziliaanse democratie. In 1989 koos de bevolking uiteindelijk een president.

Tijdens de transitiejaren was Fernando Henrique Cardoso de intellectuele leider van de oppositie en een van de meest uitgesproken en invloedrijke critici van het regime. Cardoso zocht een middenweg tussen het radicale en het gematigde kamp, en voorkwam zo een verbrokkeling van de oppositie. Hij steunde stakingen en Lula's vrijlating uit de gevangenis, maar zorgde er wel voor dat de oppositie niet te snel te veel eiste. Cardoso, een bewonderaar van het Spaanse model, was van het begin af aan een heel zichtbare figuur in de campagne voor rechtstreekse verkiezingen geweest — hij had namens de oppositie ook de redevoering in de senaat gehouden waarin hij het belang van grondwetswijzigingen bepleitte — en hij was ervan overtuigd dat de oppositie ondanks alle obstakels een reële kans maakte om de kandidaat van het regime te verslaan en overtuigde de oppositie ervan zich niet terug te trekken uit de verkiezingen. Hij haalde de belangrijke oppositieleider Ulysses Guimarães over om de campagne van Tancredo Neves te coördineren. Cardoso speelde ook een belangrijke rol bij het opstellen van de democratische grondwet van 1988, als rapporteur van de commissie voor interne procedures en van de systematiseringscommissie. In 1993 werkte hij als minister van Financiën met een groep economen aan het Plano Real om de inflatie onder controle te krijgen en wendde vervolgens al zijn overtuigingskracht aan om dat plan goedgekeurd, ingevoerd en geaccepteerd te krijgen op een moment dat het congres uitermate zwak was, zoals hij onthult. In 1994 verkoos de bevolking, dankbaar voor zijn succesvolle aanpak van de inflatie, Cardoso tot president. De economische hervormingen tijdens zijn ambtstermijn legden de basis voor economische en democratische stabiliteit.

De Braziliaanse transitie naar een echt democratisch bestuur was uiteindelijk op bepaalde vlakken moeilijker dan andere transities — zoals die van Argentinië, waar de militaire nederlaag de geloofwaardigheid van het leger had ondermijnd. De complexe Braziliaanse maatschappelijke structuur, de sterk verstedelijkte samenleving en de door de electorale geschiedenis gevormde politieke cultuur stonden echter geleidelijke democratisering via het electorale proces niet in de weg. De democratische oppositie aanvaardde de regels en het tempo van het regime, en sloot talloze compromissen. Of die compromissen de transitie onnodig hebben doen aanslepen, zoals sommigen destijds beweerden, is niet met zekerheid te stellen. Met de kennis van nu is het echter duidelijk dat ze de democratie niet permanent hebben tegengehouden. Het leger staat onomstotelijk onder civiele controle, de sociale voorzieningen zijn enorm uitgebreid, de economische groei is rechtvaardiger verdeeld en de democratie in Brazilië is levendig, vernieuwend en stevig verankerd.

BIOGRAFISCHE SCHETS VAN FERNANDO HENRIQUE CARDOSO, PRESIDENT VAN BRAZILIË (1995-2003)

Fernando Henrique Cardoso vestigde zijn professionele reputatie als socioloog. Zijn proefschrift en eerste boek behandelden de rassenverschillen in Brazilië. Hij gaf al snel blijk van politiek en bestuurlijk talent in het bestuur van de universiteit van São Paulo. Toen het militaire regime zijn vaste aanstelling nietig verklaarde, ging Cardoso in ballingschap in Chili, waar hij als coauteur meewerkte aan een baanbrekend boek over afhankelijkheid en ontwikkeling. Hij weigerde aantrekkelijke academische functies in het buitenland en keerde in 1968 terug naar Brazilië. Met behulp van de Ford Foundation richtte hij het Braziliaanse Analyse- en Planningscentrum (CEBRAP) op, een onafhankelijk sociaalwetenschappelijk onderzoekscentrum waar hij onderzoek opstartte naar de metropool São Paulo, toegespitst op inkomensverdeling en andere thema's met beleidsimplicaties. In dat onderzoek klonk geregeld kritiek op het militaire regime door. Cardoso betrad de politieke arena tijdens de gedeeltelijk vrije parlementsverkiezingen van 1978, speelde daarna een almaar belangrijkere rol in het congres als lid van de oppositie, en was medeoprichter van de sociaaldemocratische partij van Brazilië.

Als oppositieleider in de geleidelijke transitie van Brazilië bouwde Cardoso bruggen tussen tegenstanders van het militaire regime, wat hij ook later deed in opeenvolgende democratische regeringen. Hij was rapporteur in de kamercommissies die de Braziliaanse grondwet van 1988 voorbereidden. Als minister van Financiën, een functie die hij in 1993 opnam, gebruikte hij zijn academische expertise om met het Plano Real de inflatie in te dammen en won hij de steun van de bevolking door de nieuwe economische agenda in heldere bewoordingen uit te leggen. Het succes van het Plano Real droeg voor een groot deel bij aan zijn verkiezing tot president in 1994. Cardoso zette vervolgens zijn persoonlijke en relationele vaardigheden in om een regeringscoalitie te vormen. Hij kon terugvallen op de militaire achtergrond van zijn familie om de gevoeligheden van de Braziliaanse officieren te begrijpen en hun steun te winnen voor belangrijke hervormingen, waaronder een ministerie van Defensie geleid door een niet-militair. Cardoso diende twee ambtstermijnen, stimuleerde economische hervormingen die nieuwe markten openden en moedigde een actieve internationale diplomatie aan. In 2002 droeg hij de macht rimpelloos over aan de toen verkozen vakbondsleider Luiz Inácio (Lula) da Silva, die Cardoso's economische en sociale beleid voor een groot deel voortzette en uitbreidde.

INTERVIEW MET PRESIDENT FERNANDO HENRIQUE CARDOSO

Welke elementen hebben volgens u het meeste bijgedragen aan de transitie van het militaire regime naar democratisch bestuur in Brazilië?

Een belangrijk gegeven is dat de Braziliaanse transitie zich voltrok tijdens de Koude Oorlog, in de tijd dat de wereld was verdeeld in twee sferen. De militaire coup van 31 maart 1964 kan niet anders worden uitgelegd. De afloop van de Koude Oorlog hielp op zijn beurt de transitie. Internationale omstandigheden speelden dus een rol, al waren ze op zich niet doorslaggevend.

Doorslaggevend zijn de interne factoren. De ervaring in Brazilië leert hoe belangrijk het is om sociale pressie te combineren met het bezetten van de institutionele ruimte, al is die aanvankelijk beperkt. Het Braziliaanse leger handhaafde het congres, met uitzondering van een korte periode, en politieke partijen mochten actief blijven. Bestaande partijen werden weliswaar verdrongen, maar het regime schiep twee nieuwe partijen terwijl het tegelijkertijd typisch dictatoriale mechanismen in het leven riep. Conform het nationale veiligheidsbeleid kon en wilde het leger de schijn van liberale instellingen niet loslaten. En juist het bestaan van die instellingen was cruciaal voor de dynamiek van de transitie. Sociale druk vond een uitlaatklep in de verkiezingen. Kleine overwinningen versterkten op hun beurt de druk op het regime.

In dit proces groeiden een nieuwe samenleving en nieuwe vormen van ongewapende strijd. Gewapende strijd was een ramp en diende als rechtvaardiging voor de ergste periode van politieke onderdrukking door het militaire regime tussen 1968 en 1973.

SOCIALE MOBILISATIE

Hoe raakte u betrokken bij het politieke proces?

Ik wierp mezelf in deze strijd en nam daarmee een groot risico. Mijn weg liep van de samenleving naar de politiek. In 1973 begon ik een luidere publieke stem te krijgen. De Braziliaanse vereniging voor wetenschapsbevordering was een soort conglomeraat van onafhankelijke oppositiefiguren — professoren, wetenschappers en andere intellectuelen die zich roerden tegen het regime — met een forum voor debat en kritiek dat een belangrijke rol speelde bij de ondermijning van het regime.

Het CEBRAP was ook een instrument om de intelligentsia te mobiliseren. We richtten dit centrum op met steun van de Ford Foundation. Het feit dat dat een Amerikaanse organisatie was, deed intern behoorlijk wat stof opwaaien. Mensen vroegen zich af of het wel klopte dat een Amerikaanse stichting ons steun verleende, maar ik had al voor de ECLA (Economische Commissie voor Latijns-Amerika van de VN) gewerkt en deelde die twijfels niet. Het CEBRAP werd een belangrijk centrum en veel mensen die later een sleutelrol vervulden in het Braziliaanse intellectuele leven zijn hier gepasseerd, onder wie Pedro Malan, José Serra en Luciano Coutinho, die later respectievelijk minister van Financiën, gouverneur van São Paulo en presidentskandidaat, en president van de nationale ontwikkelingsbank werden. We behoorden niet tot een partij en accepteerden ook mensen die uit de gevangenis kwamen, mits ze de gewapende strijd afzwoeren. We werkten samen met de Kerk, met name met kardinaal Paulo Evaristo Arns van São Paulo. Ik gaf veel voordrachten in kloosters en in 1975 schreef ik met andere onderzoekers van het CEBRAP een boek over groei en armoede in São Paulo, een aanklacht tegen de sociale situatie van Brazilië in die tijd.

Hoewel de economische groei 7 procent per jaar beliep, verslechterde de sociale situatie als gevolg van binnenlandse migratiestromen en een enorme bevolkingsaanwas. De staat had geen middelen voor meer gezondheidszorg, onderwijs of openbaar vervoer. Daarnaast voerde het regime een nietsontziend beleid om de lonen laag te houden.

Hoe ontstond de hang naar vrijheid en hoe sloeg dat gevoel aan bij maatschappelijke bewegingen? Hoe begonnen de politieke krachten zich te organiseren?

Er was politieke ruimte voor maatschappelijke kritiek. De Kerk deed veel in dat opzicht. Zo verzette kardinaal Evaristo Arns zich zeer actief tegen folterpraktijken. In 1975 hielden we een grote betoging na de moord op de directeur van TV Cultura, Vladimir Herzog. Arns besloot heel dapper een protestmis te organiseren met rabbijn Henry Sobel en de protestantse predikant James Wright.

Paulo Egídio Martins, de door president Geisel benoemde gouverneur van São Paulo, was een vriend van ons en iemand van conservatief-liberale overtuiging. Arns stuurde een boodschapper naar de minister van Binnenlandse Zaken, die liet weten dat Arns met zijn initiatief een bloedbad zou kunnen veroorzaken. Vervolgens belde de kardinaal mij voor overleg en uiteindelijk besloot hij de mis te laten doorgaan. Het werd de eerste demonstratie van de bevolking tegen het regime. Hij hield een snoeiharde preek. Ik stond tussen de priesters bij het altaar. Bisschop Hélder Câmara was er ook bij.

EEN COALITIE OPBOUWEN

In 1974 was er een opmerkelijke verandering in de oppositie. Oppositieleider was de parlementariër Ulysses Guimarães, een bijzondere man van de voormalige sociaaldemocratische partij — voor de staatsgreep de grootste regeringspartij. Guimarães had een conservatieve achtergrond en ontpopte zich langzaam als een voorvechter van de terugkeer naar de democratie. Hij wilde de Braziliaanse Democratische Beweging MDB, de enige legale partij die zich verzette tegen de dictatuur, nieuw leven inblazen. Toen er in 1974 verkiezingen op komst waren, kwam hij me met een ander bevriend parlementslid bezoeken in het CEBRAP-gebouw. Guimarães had artikelen van mij gelezen waarin ik betoogde dat het tijd werd dat links zich meer in de richting van de MDB bewoog. Destijds beschouwden veel mensen die oproep als een doodzonde. Collega's benadrukten dat we zuiver moesten blijven, dat de echte oppositie zich niet mocht inlaten met een oppositie die de goedkeuring genoot van het regime. In een artikel had ik aangevoerd dat we de militaire overheersing nooit zouden kunnen doorbreken zonder een alliantie van de verschillende oppositionele geledingen. Guimarães kwam naar mijn kantoor zonder te weten wat het CEBRAP precies was. We waren een onderzoekscentrum, geen politieke organisatie. Om politiek actief te worden moesten we nagaan wie daartoe bereid was. Een aantal collega's bood aan een campagneprogramma voor te bereiden voor de MDB in 1974. Daaraan werkten onder anderen Francisco Weffort en Francisco de Oliveira mee, die jaren later lid werden van de arbeiderspartij PT; en ook Bolivar Lamounier, professor Maria Hermínia Tavares de Almeida, en Paulo Singer, die nog altijd PT-lid is. Dat programma vormde het raamwerk voor toekomstige programma's. Het was niet genoeg om kritiek te leveren op het geweld en de folteringen, om te praten over democratie; we moesten ook praten over vrouwen, zwarten, inheemse volken, het maatschappelijk middenveld en de vakbonden, en reageren op de enorme sociale druk om oplossingen te vinden voor misstanden. Het werd een sociaaldemocratisch programma.

CONSENSUS VOOR VERANDERING BEREIKEN

Op dat moment zagen sommigen van onze groep sociaaldemocratie als puur verraad. In mijn ogen was dat in de praktijk niet meer zo. Ulysses Guimarães nodigde Chico Oliveira en mij uit om naar Brasilia te komen en het programma te presenteren aan de kopstukken van de MDB – de oude politieke leiders die hadden gestreden tegen de militaire regering, zoals Tancredo Neves en André Franco Montoro. We dachten dat ze het niet zouden aanvaarden, maar tot onze verrassing keurden ze het allemaal goed. Zij vonden het vooral belangrijk meer mensen bij de oppositie te krijgen en waren, behalve Ulysses Guimarães, verder niet zo bezig met het programma.

Toen waren er de verkiezingen van 1974. Van de 22 zetels die te behalen waren in de senaat, won de oppositie er 16. In het lagerhuis schopten we het tot 161 zitjes. Minder dan de regeringspartij, maar veel meer dan bij de verkiezingen van 1970. Die resultaten sloegen in als een bom bij het regime. De oppositie deed het goed omdat het economisch zo slecht ging met de meerderheid van de bevolking, niet omdat het grote publiek zo tegen het regime was. Toen begon zich de opening af te tekenen. Golbery do Couto e Silva was Geisels belangrijkste politieke minister, ook al was hij militair. In 1964 had hij de nationale inlichtingendienst opgericht, die een sleutelrol speelde bij de repressie. Toch wendde Golbery zich tot de regering met de vraag hoe de macht van extreemrechts en van het repressieve apparaat kon worden ingeperkt.

Geisel had twee gezichten. Op een dag kwam de politie naar het CEBRAP en arresteerde verscheidene onderzoekers. Die mensen hadden niets met subversieve acties te maken, maar ze werden wel gefolterd in het politiebureau van São Paulo. Toen ze werden vrijgelaten, heb ik ze meegenomen naar het huis van mijn vriend Severo Gomes, destijds een van Geisels ministers en later senator voor de oppositiepartij. Severo vroeg me een brief te schrijven over wat er was voorgevallen en hij zou die brief dan aan Geisel bezorgen. Geisel zei tegen Gomes dat ik ook een communist was, wat Gomes bestreed. Geisel was keihard, maar hij stond onder de invloed van zijn stafchef Golbery do Couto e Silva. Met een zekere versoepeling van het regime begon de pers meer risico's te nemen. Er was een dagblad, de *Gazeta Mercantil*, dat onder invloed stond van een aantal voormalige communisten, onder wie een paar belangrijke intellectuelen. Het was in 1977, meen ik, dat ze een forum oprichtten met de tien belangrijkste bedrijfsleiders van Brazilië, en die club uitte kritiek op de belachelijke omvang van de 'ondernemersstaat'. Het was vreemd dat de pers een gezaghebbende groep had gecreëerd die in feite geen groep was. Het ging niet om de voorzitters van ondernemersverbonden, maar om belangrijke individuele bedrijfsleiders die zelf economisch zeer sterk stonden.

De stem van de pers klonk stevig door in de regering. De twee grootste kranten van São Paulo speelden hierin een rol. Sinds de invoering van het beruchte decreet AI-5[4] van 1968 had *O Estado* van São Paulo geprotesteerd tegen de perscensuur door gedichten van Luís de Camões te publiceren op de plaats waar artikelen hadden moeten staan die door de regering waren gecensureerd. Het verzet tegen de censuur (en de actie voor opheffing van decreet AI-5) won momentum. Met name Golbery voelde aan dat het regime diende te liberaliseren. Het plan was om dat democratiseringstraject in te zetten onder de slogan 'Langzaam, geleidelijk en zeker'. We waren het daar niet mee eens; we wilden sneller vooruitgang boeken, en ook was het resultaat niet zo 'zeker'. De transformatie was geen lineair proces: Geisel stond soms behoorlijk onder druk, waarna hij weer meer ruimte had om te liberaliseren.

In 1977 volgden er andere interessante ontwikkelingen. Guimarães was de tegenkandidaat die het opnam tegen Geisel in het door de dictatuur beheerste kiescollege. Tegelijkertijd ontstond er een beweging van in vakbonden verenigde arbeiders die geen banden had met de communistische partij of met andere voormalige partijen op de linkervleugel. Toen verscheen Lula ten tonele. Hij was de secretaris-generaal en later voorzitter van de vakbond van São Bernardo. Hij had geen politieke achtergrond en was gekant tegen politieke partijen, maar Lula was een begenadigd spreker. Aangezien hij niet van links kwam, bekeek hij dingen vanuit een ongebruikelijk perspectief. Met steun van de Duitse vakbonden, die sterk vertegenwoordigd waren in de automobielsector, organiseerde de nieuwe vakbond stakingen rond economische eisen, zonder een bredere politieke agenda. Toch veranderden de economische grieven van lieverlede in eisen voor rechten. Een groep met de vakbonden gelieerde advocaten — onder wie Almir Pazzianotto, later minister van Arbeid onder Sarney — speelde daarbij een voorname rol. Dankzij deze nieuwe insteek nam het belang van de vakbonden toe.

In 1977 trad ik toe tot de MDB. Het jaar daarna ging ik voor het eerst naar Lula's vakbond als kandidaat-senator. Lula had me een bericht gestuurd dat hij me wilde steunen. Daar was ik van onder de indruk aangezien hij over een machtig apparaat beschikte. De vakbonden raakten gepolitiseerd. Een aantal stakingen van Lula, vooral in 1978 en 1979, kreeg de brede bevolking, de Kerk, intellectuelen en een deel van de MDB op de been.

HET AUTORITAIRE SYSTEEM VAN BINNENUIT VERSLAAN

In 1978 waren er nieuwe congresverkiezingen. De oppositie behaalde geen meerderheid in het lagerhuis noch in de senaat — in 1977 had het regime de zogeheten 'bionische senator' ingevoerd, die indirect was verkozen en de meerderheid van de regeringspartij in de senaat moest waarborgen. Toch wonnen we een behoorlijk aantal stemmen, vooral in de sociaal en economisch meest dynamische deelstaten en steden. Toen werd het voornemen bekend dat een dissidente legerofficier aan de verkiezingen zou deelnemen als opvolger van Geisel. We wisten dat de kans om te winnen in het kiescollege klein was. Ondanks de groei van de oppositie in het congres, zeker in het lagerhuis, had het regime het kiescollege stevig in zijn greep met onder meer vertegenwoordigers van de deelstaatparlementen. Ons doel was niet te winnen, maar het regime te laten zien hoe sterk we waren.

Ik was in Rio met Severo Gomes, die inmiddels uit de regering was gestapt en zich had aangesloten bij de oppositie. Hij stelde voor generaal Euller Bentes Monteiro op te zoeken, die zich leek te verzetten tegen de kandidaat van het regime, generaal João Batista de Figueiredo. Bij die eerste vergadering vertelde generaal Euller Bentes ons dat hij wel wilde opkomen als kandidaat namens de oppositie. Severo zou daarover overleggen met Ulysses Guimarães. Deze reageerde koeltjes, omdat hij de kandidatuur steunde van Magalhães Pinto, de voormalige gouverneur van Minas Gerais die zich had gedistantieerd van het regime en nieuwe standpunten was gaan huldigen. Guimarães wilde dat Magalhães opkwam omdat hij geen militair was en weliswaar dicht bij het regime stond, maar toch het interne verzet daartegen vertegenwoordigde. Op een bepaald moment, ik was toen senator, belde Magalhães me met de vraag of ik wist dat onze kinderen een relatie hadden. Hij wilde niet dat dat bekend zou worden. Later zijn mijn zoon en zijn dochter met elkaar getrouwd. Inmiddels zijn ze gescheiden, maar mijn kleinkinderen zijn ook zijn kleinkinderen.

Guimarães was van plan met Magalhães een breuk in het regime te forceren en nu kwam er een generaal aanzetten die ook wilde kandideren. Mijn voorkeur ging uit naar de generaal, omdat hij het regime dieper in het hart zou kunnen raken. Het duurde een tijd voor Guimarães een beslissing nam. Hij belde me en vroeg wat ik echt van die generaal dacht. Ik antwoordde dat ik vermoedde dat hij hem niet zou steunen, waarop hij repliceerde dat São Paulo liever een burger als staatshoofd zou zien. Ik zei dat ik dat ook wel wist, maar dat we nu eenmaal met een militair regime zaten en dat het de eerste keer was dat een viersterrengeneraal in actieve dienst was overgelopen. En tot slot zei ik tegen Guimarães: 'We zullen nooit winnen als we ze niet van binnenuit verslaan.'

Ik dacht altijd dat een transitie niet mogelijk was zonder directe confrontatie. Ik gebruikte altijd het beeld van het regime als fort. Die vesting moeten we omsingelen en als we een stevig cordon leggen, krijgen de mensen in het fort honger en zullen ze contact zoeken. De transitie zal het resultaat zijn van een soort instroom van krachten die zich van de regering afscheiden en naar de oppositie overstappen. Velen dachten echter dat het regime van mijn visie zou kunnen profiteren.

Ik geloof dat mijn visie het uiteindelijk won. Euller Bentes werd uiteindelijk de kandidaat, maar hij verloor — het was een verkiezing die gedoemd was te mislukken — omdat hij onmogelijk had kunnen winnen. Maar de breuk was een feit.

Welke strategie koos het leger en hoe probeerde het regime het groeiende verzet te bestrijden?

In eerste instantie wilde Golbery dus een langzame transitie. De oppositie won in 1974 en 1978 verrassend veel stemmen en de junta reageerde daarop door de verkiezingen voor de deelstaatregeringen (in ere hersteld en aangekondigd voor 1978) uit te stellen. Hiermee kwam pas in 1979 een einde aan de politieke tweepartijenregeling. Deze maatregel was bedoeld om verdeeldheid te zaaien in het oppositiefront. In deze context kwam de PT op. De nieuwe vakbondsbeweging genoot aanvankelijk de sympathie van de regering. Nooit eerder had een vakbondsleider zo prominent op de voorpagina's van tijdschriften gestaan. Lula was nieuw en werd niet in verband gebracht met de Koude Oorlog of de oude linkervleugel. Hij stond voor een ander verhaal. De meest gematigde vleugel van de MDB probeerde onder aanmoediging van de regering ook een partij op te richten: de Partido Popular (PP) aangevoerd door Tancredo Neves. Olavo Setúbal, een belangrijke bankier die door Geisel tot burgemeester van São Paulo was benoemd, sloot zich aan bij de PP. Toch was die partij een kort leven beschoren. Het kader keerde grotendeels terug naar de MDB, die voortaan de Partij van de Braziliaanse Democratische Beweging (PMDB) zou heten.

Hoe kwam de strijd voor democratie in deze nieuwe fase van de transitie op gang?

Op dat moment ontstonden er ook andere bewegingen: een sterke beweging voor amnestie, zelfs tegen het einde van de ambtstermijn van Geisel, plus de door Lula georganiseerde stakingen. Opmerkelijk was dat Lula geen voorstander was van amnestie, omdat hij dacht dat echte amnestie voor arbeiders het einde zou betekenen van Vargas' arbeidswetgeving, die de staat aan de bonden linkte. De nieuwe vakbondsleiders hadden een meer onafhankelijke visie, waren veelal katholiek en wilden zich ontworstelen aan de staatsinvloed. De nieuwe vakbeweging wilde de banden met de regering verbreken. Ze vochten voor meer autonomie voor hun vakbonden. We waren betrokken bij de strijd voor politieke amnestie. De belangrijkste figuur in die strijd was senator Teotônio Vilela, van moederszijde een familielid van mij. Hij steunde het regime, maar veranderde uiteindelijk van visie. Veel mensen gingen andere standpunten innemen. Vilela werd een held van de oppositie. De stichting van mijn partij is naar hem genoemd, ook al was hij ooit lid van ARENA, de regeringspartij ten tijde van het tweepartijensysteem.

Rond die tijd werd de amnestiewet van kracht. De terugkeer van de ballingen had invloed op de vorming van nieuwe partijen, vooral de PT en de democratische arbeiderspartij (PDT) van Leonel Brizola. Het leger was erin geslaagd hem de PTB — de voormalige Braziliaanse arbeiderspartij — te ontnemen en die over te dragen aan Ivete Vargas, een achternicht van president Getúlio Vargas. Golbery en de regering hadden het zo geregeld dat deze dame, en niet Brizola, de symbolische fakkel van de PTB mocht dragen.

DE INBRENG VAN BALLINGEN

In veel transities zijn er spanningen tussen dissidenten in ballingschap en de leiders van de binnenlandse oppositie. Welke lessen kunnen anderen trekken uit de ervaringen van de Brazilianen op dit vlak?

Er zijn altijd spanningen tussen mensen die in het land zelf strijd leveren tegen het regime en degenen die in het buitenland vertoeven, de ballingen. Zelf heb ik het proces deels vanuit het buitenland, deels vanuit Brazilië meegemaakt. Wie de situatie in het land dagelijks aan den lijve ondervindt, weet beter wat er gebeurt in de verschillende stadia van het proces. Vaak heerst in die kringen een zekere minachting voor de ballingen.

Ik herinner me een gesprek met Brizola in Parijs. Hij wilde dat de MDB na zijn terugkeer naar Brazilië zou overgaan in de PTB, zijn oude partij en die van Getúlio Vargas. Hij geloofde niet in het voortbestaan van de MDB en meende dat de PTB even sterk zou terugkeren als in oude tijden. De tijd verstreek en na de amnestie keerde hij terug naar Brazilië. We gingen naar het huis van de journalist Claudio Abramo, naar een bijeenkomst met jonge en niet meer zo jonge mensen. Opeens stond er een man op die een paar uitspraken van Brizola over de vakbondsbeweging corrigeerde. Dit irriteerde Brizola zo dat hij riep: 'Wat weet jij daar nu van? Wie ben jij eigenlijk?' Het bleek Almir Pazzianoto te zijn, de advocaat van Lula's vakbond. Brizola's beeld van de vakbonden was achterhaald; hij besefte niet dat we inmiddels in een ander tijdperk waren beland. Hij dacht echt dat hij na zijn terugkeer de zaken weer gewoon kon overnemen. Iets heeft hij wel kunnen voortzetten, maar het zou nooit meer zijn als voorheen en de MDB was veel sterker dan Brizola's partij.

Ik herinner me dat Ulysses Guimarães, de grote voorman van de democratiseringsbeweging, neerkeek op Brizola en Arraes, als politici van de oude stempel in ballingschap. Als Guimarães naar Europa reisde, wilde hij ook niet met hen praten. Er heerste een zekere spanning tussen de oppositieleiders hier en de dissidenten in het buitenland. Aangezien ik met beide groepen contact had, functioneerde ik als een soort bruggenbouwer. Guimarães belde me een keer en vertelde dat Arraes, in zijn ogen de leider van de communistische partij, zou terugkeren. Het lukte niet altijd om raakvlakken te vinden en het was niet gemakkelijk om de twee groepen te laten samenwerken.

HET AUTORITAIRE SYSTEEM VAN BINNENUIT VERSLAAN

Hoe werd u senator en Franco Montoro gouverneur?

Ik kwam op voor de senaat bij de verkiezingen van 1978, maar het was nog niet duidelijk of de kiesautoriteiten mijn kandidatuur zouden aanvaarden. Het AI-5-decreet had ervoor gezorgd dat ik in 1969 van de universiteit werd gegooid. Ik moest gedwongen met pensioen. Ik was 37 jaar en professor aan de universiteit van São Paulo. Volgens de wet kon mijn kandidatuur niet worden aanvaard. Zo kon ik mijn vrouw geruststellen dat die kandidatuur gewoon een vorm van protest was en niet het begin van een politieke loopbaan.

Op dat moment was er een systeem in voege waarbij interne partijverkiezingen werden opgenomen in de algemene verkiezingen. Net als in Uruguay kon elke politieke partij drie kandidaten voor de senaat benoemen en de stemmen voor die kandidaten werden bij elkaar opgeteld om te bepalen welke partij had gewonnen. Van die drie mensen won de kandidaat met de meeste stemmen de zetel. Het doel van mijn kandidatuur was het aantal stemmen op de MDB op te voeren door onder meer jongere mensen, intellectuelen en kunstenaars aan te trekken. Er volgde een bijeenkomst in het huis van mijn vriend José Gregori, die later minister van Justitie zou worden in mijn regering. Op dat moment was hij lid van de gerechtigheid- en vredescommissie die de Kerk had ingesteld. De aanwezigen concludeerden dat ik de enige was met een zekere maatschappelijke status, hoewel dat toen niet zo duidelijk was omdat ik geen parlementslid was en geen politiek leven leidde. De rechtbank van São Paulo verwierp inderdaad mijn kandidatuur, net als het hof van beroep. Maar twee weken voor de verkiezingen kreeg ik alsnog het fiat van het federale hooggerechtshof. Een rechter oordeelde dat een aanstelling aan de universiteit voor het leven was en dat niemand levenslang zijn politieke rechten kon worden ontzegd.

Ik kreeg 1.300.000 stemmen, meer dan de kandidaat van regeringspartij ARENA en minder dan Montoro. Daarom verzonnen ze in 1978 het begrip van 'plaatsvervangend senator', een niet-bestaande functie. Toen we kennismaakten, had Montoro een plaatsvervanger en ik ook (die Lula voor me had gekozen). Mijn plaatsvervanger was Maurício Soares, die banden had met de vakbond van de metaalarbeiders; die van Montoro was de burgemeester van Campinas.

Toen Montoro in 1982 gouverneur werd, nam ik zijn plaats in als senator. Ik was gastdocent in Berkeley en professor Robert Bellah had me een vaste aanstelling aan de universiteit aangeboden. Ik sloeg zijn aanbod af omdat ik net besloten had terug te keren naar Brazilië om in de senaat te gaan zetelen.

DE CAMPAGNE VOOR DIRECTE PRESIDENTSVERKIEZINGEN

Er brak een andere fase aan in de democratiseringsstrijd, een strijd die nu op straat werd gevoerd: 'Diretas Já', de campagne voor rechtstreekse verkiezingen. Dit gebeurde omdat bij de verkiezingen van 1982, toen voor het eerst sinds 1965 ook weer gouverneursverkiezingen plaatsvonden, de oppositie São Paulo, Minas en Rio de Janeiro had veroverd, met respectievelijk Montoro, Neves en Brizola.

De beweging voor directe verkiezingen ontstond tegen deze achtergrond. Het regime opereerde vanuit de loopgraven van Brasilia, gesteund door loyale gouverneurs van economisch minder dynamische en sociaal minder gemobiliseerde deelstaten, terwijl de oppositie in de drie grootste Braziliaanse staten de gouverneurspost had gewonnen en daarmee belangrijke machtsbases had verworven. André Franco Montoro, gouverneur van São Paulo, speelde een beslissende rol in de Diretas Já-campagne.

Nu Montoro was verkozen als gouverneur van São Paulo, trad ik in 1982 aan als senator. Ik werd ook voorzitter van de PMDB in São Paulo omdat zittend voorzitter Mário Covas door Montoro tot burgemeester van São Paulo was benoemd (er waren eerder rechtstreekse verkiezingen voor de deelstaatregeringen dan voor de burgemeesters van de hoofdsteden). Ik was destijds voorzitter van de MDB bij de campagne voor rechtstreekse verkiezingen. Dat vertel ik om te benadrukken hoe belangrijk Montoro was. Eind 1983 belde Montoro me. Hij achtte de tijd rijp voor een grote manifestatie voor directe presidentsverkiezingen. Ik was het niet met hem eens en overlegde met de partij. Het bestuur oordeelde unaniem dat een betoging waanzin was en dat we onszelf zouden blootstellen aan grote risico's. Ik stelde Montoro voor om de andere oppositiepartijen te raadplegen. Ik legde mijn oor te luisteren bij de PT, maar die partij, die op dat moment niets van coalities wilde weten, werkte liever alleen.

In oktober of november 1983 demonstreerde de PT voor rechtstreekse verkiezingen. Ik was erbij. Er klonk geen schamper protest toen ik een minuut stilte vroeg ter nagedachtenis van Teotônio Vilela. Het was een heel kleine, wat sektarische manifestatie onder PT-vlag. Montoro wilde het veel breder opzetten met Brizola, Lula, Ulysses Guimarães en de leiders van alle andere oppositiepartijen. Daarom organiseerde hij op 25 januari 1984 een manifestatie van de verschillende oppositiegroepen op het plein voor de grote kathedraal van São Paulo.

Vijfentwintig januari is de dag van de stichting van de stad São Paulo, maar ook de dies natalis van de universiteit van São Paulo. Als professor woonde ik de viering bij de universiteit bij. Tijdens de ceremonie belde José Gregori, toen parlementslid, ons vanaf het plein voor de kathedraal met de boodschap dat we moesten komen. We trokken daarheen en waren verrast door de mensenmassa. De opkomst was zo groot dat de luidsprekers niet alle mensen bereikten en ondanks de regen bleef de menigte groeien. Dat was de eerste grote manifestatie en er zouden er nog veel volgen. Iedereen was er: Lula, Montoro, Neves. De mensen reageerden zich af op de reportagewagens van TV Globo – de zender had lang geaarzeld om de campagne de aandacht te geven die ze qua omvang en betekenis verdiende. Dit was het begin van de enorme campagne voor een grondwetsherziening die rechtstreekse presidentsverkiezingen mogelijk moest maken op basis van het amendement-Dante de Oliveira, genoemd naar het PMDB-parlementslid uit Mato Grosso die het voorstel had ingediend.

In april 1984 stemde het congres over het amendement, dat met een grote meerderheid in het lagerhuis werd aangenomen, maar niet het vereiste aantal stemmen haalde om de grondwet te veranderen. Wat nu gedaan? Een paar weken verstreken.

Hoe reageerde u op de verwerping van het voorstel voor directe presidentsverkiezingen?

Ik ging naar de senaat en gaf een speech met als centrale boodschap dat er nu dingen moesten veranderen, wat betekende dat we in het congres zouden vechten voor de verkiezing van een nieuwe president. We zouden er ons eens te meer bij neerleggen mocht er wederom sprake zijn van indirecte verkiezingen. Dat was geen gemakkelijke beslissing. We wilden namelijk het regime met zijn eigen instrumenten veranderen, maar als we daarin niet slaagden, zou dat het regime juist legitimeren. Op een diner met vier of vijf man van onze groep – Ulysses Guimarães was er ook – vertelde ik dat ik de hoogste prijs had betaald onder het militaire regime. Ik was in ballingschap gegaan, had mijn baan aan de universiteit verloren, had gevangengezeten en was met de dood bedreigd. Geen van de anderen had dit meegemaakt. Ik zei dat ik de situatie in Brazilië niet langer kon aanzien en dat we volgens mij kans maakten om zelfs via niet-rechtstreekse verkiezingen te winnen en veranderingen te kunnen doorvoeren. Guimarães, voor wie ik grote bewondering heb, zei me dat de beslissing aan ons was, maar dat hij dat pad niet zou volgen, dat hij bleef geloven in de mobilisatie van de bevolking om rechtstreekse verkiezingen te eisen.

HET AUTORITAIRE SYSTEEM VAN BINNENUIT VERSLAAN

Voor de directe verkiezingen was Ulysses Guimarães onze kandidaat, maar niet voor de indirecte verkiezingen. Daarvoor had hij de confrontatie met het leger te fel opgezocht, was hij harder en directer geweest in zijn kritiek, en ook kon hij rekenen op minder stemmen in het congres. Montoro en Neves maakten wel kans op goedkeuring van het parlement. We waren dus uit op rechtstreekse verkiezingen, maar toen we die strijd hadden verloren, besloten we de strijd in het congres te voeren. En daarmee brak er een nieuwe fase aan. De vraag was hoe een oppositiekandidaat zou kunnen zegevieren in het kiescollege. En wie werd onze kandidaat, Montoro of Neves?

Montoro was gouverneur van São Paulo en had een bredere achterban dan Tancredo Neves. Neves daarentegen maakte een betere kans in het congres. Hij huldigde standpunten die ook voor het leger beter te verteren waren en hij was aangenamer in de omgang dan Ulysses Guimarães. Toen ik voorzitter was van de PMBD-afdeling van São Paulo, zocht Guimarães me op in ons hoofdkwartier, een villa met een mooie tuin. We stonden bij het raam vlak bij een grote boom. Hij vroeg mijn mening over een interview van Montoro's minister van Binnenlandse Zaken in het tijdschrift *Veja*, waarin die minister aangaf dat hij Tancredo Neves zou kunnen steunen. 'En Montoro zelf? Denk je dat hij Neves ook steunt?' vroeg hij. 'Ik denk van wel,' zei ik, 'als we willen winnen, moeten we voor Neves gaan.' Hij was niet blij met mijn antwoord, maar hij was een groot man en vroeg me wat hij moest doen. Ik antwoordde dat hij Neves moest steunen en diens campagne moest leiden. Dat wilde hij eerst direct uit de mond van Montoro horen.

Er volgde een akelig diner in het paleis met Montoro, Roberto Gusmão (minister van Binnenlandse Zaken), Guimarães en mijzelf. Guimarães wilde dat iedereen zijn onomwonden mening op tafel legde, in het besef dat dit Neves' moment was. Het duurde niet lang voordat hij zijn bezwaren liet varen en ermee instemde zich volledig in zetten voor de campagne van Neves. Om te winnen in het congres had je brede steun nodig, ook van regeringsgezinde facties. Er ontstond een groep die zich het Liberaal Front noemde, een afsplitsing van de regeringspartij. De partij was al van naam veranderd toen het pluralisme was ingevoerd. Oorspronkelijk was het ARENA, vervolgens Partido Democrático Social (PDS) en nu dus Partido del Frente Liberal (PFL).

Wij wilden Aureliano Chaves of Marco Maciel als kandidaat-vicepresident, maar de PFL kwam op de proppen met José Sarney, die kort tevoren het voorzitterschap van de PDS had neergelegd. Sarney was dus niet onze eerste keus, maar hij werd het wel. Als we de steun wilden van Frente Liberal, dan moesten we akkoord gaan met Sarney. We gingen dus de verkiezingen in met het duo Neves-Sarney. Het kostte nog veel moeite om in onze partij, de PMDB dus, de goedkeuring te krijgen voor dit duo, maar op de partijconventie stemde uiteindelijk tachtig procent van de vijfhonderd afgevaardigden voor de tandem Neves-Sarney. In januari 1985 verkoos het kiescollege Tancredo Neves als president.

Ulysses Guimarães heeft heel wat gewicht in de schaal gelegd bij de samenstelling van het kabinet-Neves. Ik had trouwens met beiden een goede relatie. Ergens tussen de verkiezingen van januari en de inhuldiging van de nieuwe president in maart, nodigde Neves me uit in zijn kantoor in Brasilia en liet me in zijn gebruikelijke stijl weten dat hij me graag als minister wilde, maar dat hij al vier ministers uit São Paulo had en het er met mij erbij dus vijf zouden worden. Ik zei dat ik geen kabinetspost ambieerde. Ik gaf mijn zetel in de senaat liever niet op en wilde de senaatsfractie van de PMDB leiden als Pedro Simon, de andere kandidaat voor het fractievoorzitterschap, een ministerspost zou krijgen. Neves zou inderdaad Simon aanstellen. Maar toen Humberto Lucena, die namens mijn partij had gekandideerd voor het senaatsvoorzitterschap, niet in die rol werd verkozen en fractievoorzitter wilde blijven, vroeg Neves mij om die ambitie te laten varen.

Twee of drie dagen voor ik het partijvoorzitterschap zou overdragen, liet Guimarães me weten dat Neves me net had aangesteld als leider van de regeringsgezinde krachten in het congres. Dat was een volslagen verrassing, ook al omdat die functie niet bestond! Ik ging naar Neves, die op zijn ranch was met Miguel Arraes. Hij beëindigde zijn gesprek met Arraes en kwam naar mij toe. Ik vroeg hem wat de benoeming behelsde en hij zei me dat ik me geen zorgen moest maken. Hij had de senaat al gebeld en opdracht gegeven wat muren neer te halen zodat ik het grootste kantoor zou hebben. Op die manier was het voor iedereen duidelijk wie het voor het zeggen had. Bovendien was het belangrijker om een leider dan een minister te zijn. Vervolgens gingen we lunchen: Neves, zijn vrouw, Arraes en ik. Arraes was de voorman van de linkervleugel, maar een dierbare vriend van mij en Neves.

TEGENSLAG

De plotselinge ziekte en het overlijden van de nieuwgekozen president Tancredo Neves moet een schok zijn geweest voor het transitieproces. Wat gebeurde er toen u de eerste burgerpresident na het militaire regime moest vervangen?

Aan de vooravond van de inauguratie was ik op de Portugese ambassade met Mário Soares, Ulysses Guimarães en andere politieke leiders toen we per telefoon vernamen dat Neves was opgenomen in het ziekenhuis. Een aantal van ons ging naar het ziekenhuis om te weten te komen wat er aan de hand was. We zaten in een wachtruimte, terwijl een chirurg aan het opereren was. Alom grote onzekerheid. Er kwam een discussie op gang over de vraag wie Neves voorlopig zou vervangen. De behendige Sarney zei dat hij het niet zou doen. Hij voerde aan dat hij nog niet was beëdigd als vicepresident en dat de volgende in lijn voor de opvolging de voorzitter van het lagerhuis was, Ulysses Guimarães dus. Maar die vond dat Sarney het presidentschap moest overnemen tot Neves genezen was. Deze discussie voerden we daar in het ziekenhuis. We besloten te gaan praten met Leitão de Abreu, stafchef van het presidentieel kabinet. Hij was een ultraconservatieve jurist uit het zuiden van Brazilië, maar een correcte man. Hij was ook degene die destijds als rechter aan het hooggerechtshof had geoordeeld dat ik in 1978 mocht kandideren voor een senaatszetel.

Ulysses Guimarães, senaatsvoorzitter José Fragelli, generaal Leônidas (kandidaat-minister van Defensie) en ik kwamen om één uur 's nachts aan bij huize Leitão de Abreu. De stafchef werd gewekt, kleedde zich aan — hij deed zelfs heel formeel een das om — en de discussie ging van start. Ook hij vond dat Guimarães president ad interim moest worden. Ik herinnerde me nog het geval van de nieuwgekozen president Rodrigues Alves, die in 1918 nog voor zijn inauguratie was overleden en door zijn vicepresident was vervangen, maar wist niet meer precies hoe dat in zijn werk was gegaan. De beslissing, vooral genomen door Guimarães en Leitão de Abreu, en bijgevallen door de senaatsvoorzitter, was helder: José Sarney zou Tancredo Neves moeten vervangen.

We verlieten de woning van Leitão de Abreu, gingen naar het congres en kwamen samen in het kantoor van de senaatsvoorzitter. Andere parlementsleden en politici druppelden binnen. Mijn partijgenoten waren woest; ze wilden Ulysses Guimarães en niet Sarney. Ik herinner me dat de speech van Afonso Arinos de doorslag gaf. Arinos was een befaamde grondwetdeskundige en daarnaast de biograaf van president Rodrigues Alves. Hij zei dat het Sarney moest worden. Ik weet trouwens niet waarom ook Guimarães per se Sarney wilde. Sommigen zeggen dat het uit berekening was: als hij nu het presidentschap aanvaardde, zou hij zich niet kandidaat kunnen stellen voor de volgende termijn. De waarheid is dat niemand wist dat Tancredo Neves zou overlijden; wij dachten dat Neves er met een weekje wel weer bovenop zou zijn. Niemand had het over de toekomstige president van Brazilië. Het gesprek ging erover wie eventjes zonder kleerscheuren de positie van interim-president zou innemen. Guimarães was dus helemaal niet bezig met de volgende verkiezingen, maar vreesde een felle reactie van het leger als hij die interimtaak zelf zou oppakken. Guimarães pakte het leger meestal flink aan. Hij was een grandioze man die nooit over pietluttigheden debatteerde; wat hij te berde bracht was nooit klein of onbeduidend.

Deze episode toont wel aan hoe ongewis de omstandigheden rond de transitie waren. We stonden op het punt de junta op te volgen en waren nog steeds heel voorzichtig. Transities zijn ingewikkeld. Je moet goed rekenen en redeneren omdat je nooit weet wat de volgende dag brengt. Je moet het overzicht houden en altijd het hoofddoel voor ogen houden. En het voornaamste doel was aan de macht komen. Maar hoe? Onder welke omstandigheden? Wanneer? Wat is er nodig om te kunnen regeren? Met wie kun je een coalitie aangaan en met wie niet? En hoe pak je dat aan? Niets is zeker. In ons geval overleed Neves en werd Sarney de eerste niet-militaire president. Sarney nota bene, ooit een van de politieke kopstukken van het militaire regime! De situatie was uitermate delicaat, en dat is zo gebleven tijdens de hele ambtstermijn van Sarney, die een kabinet erfde dat Neves met Guimarães had geformeerd. Guimarães was de grote leider; Sarney had feitelijk geen gezag in het congres, zeker niet in het begin van zijn termijn.

Wat waren de belangrijkste beslissingen van Sarney en hoe handhaafde hij de cohesie tussen de democratische krachten?

Toen Sarney eenmaal president was, organiseerde Ulysses Guimarães een diner bij hem thuis met alle ministers, behalve de minister van Financiën, Francisco Dornelles, die niet van de PMDB was. Ik ben nog naar het huis van Dornelles gegaan om uit te leggen dat dat diner geen bijeenkomst tegen hem was. Enfin, Guimarães had dus alle ministers uitgenodigd en dat had veel weg van een uitdaging aan het adres van Sarney. Op een gegeven moment wist Sarney het allemaal niet meer. En zolang Neves in leven was, had hij het moeilijk. Sarney had de leiding, maar anderzijds ook weer niet. Het moment brak aan dat we hem zeiden dat hij het heft in handen moest nemen, omdat Neves niet zou terugkomen. Maar hij was besluiteloos, en dat stemde ons ongerust. Sarney was gewoonlijk wel slim. Ik wilde mijn fictieve functie van leider van de voltallige oppositie in het congres neerleggen, maar Sarney hield me tegen omdat het er dan op zou lijken dat hij steun verloor, en vooral omdat hij iemand nodig had voor de dialoog met links. Ik bleef dus nog een jaar als Sarneys voorman in het congres. Het ging heel stroef allemaal, vooral vanwege de politieke spanning tussen Sarney en Guimarães. Bij elk crisismoment zocht Sarney de steun van het leger. Hij stond nog altijd dicht bij het leger en kende de generaals goed.

EEN NIEUWE GRONDWET EN EEN NIEUW REGERINGSSTELSEL

Onder druk, maar wel op eigen gezag benoemde Sarney een nationale grondwetgevende vergadering. Dat was altijd het oogmerk van de oppositie geweest: het vorige regime en de door het leger gedecreteerde grondwet daadwerkelijk wijzigen. Het was een heel belangrijk moment voor het land. De grondwetgevende vergadering heeft bijna twee jaar bestaan — van begin 1987 tot eind 1988. De meerderheid van de oude oppositie wilde een heel sociale, democratische grondwet die alle rechten en vrijheden volledig zou waarborgen, en die de sociale rechten zou uitbreiden. De groep die Sarney samenstelde was conservatiever.

Het voornaamste punt van debat op politiek vlak was de vraag of het presidentiële systeem moest worden vervangen door een parlementair stelsel. Een deel van de PMDB was voorstander van het parlementaire systeem — zij zouden later de PSDB vormen. Ulysses Guimarães was voor een presidentieel stelsel, net als Sarney en het leger. Ik heb geprobeerd de militairen uit te leggen hoe zo'n parlementair systeem zou werken en weet nog goed dat ik een pittig debat heb gevoerd met de minister van Legeraangelegenheden. Bij de besprekingen over de bestuursvorm kwam ook de duur van Sarneys termijn ter sprake. In de vorige grondwet gold een termijn van zes jaar. Sarney wilde niet dat de grondwetgevende vergadering de duur van de ambtstermijn zou aanpassen, maar de meerderheid van de oppositie was voor een termijn van vier jaar. Uiteindelijk wist Sarney voldoende draagvlak te organiseren voor een vijfjarige termijn. Antonio Carlos Magalhães, minister van Communicatie, speelde daarbij een sleutelrol. Net als Sarney was ook ACM, zoals we Magalhães noemden, tijdens het militaire regime een belangrijke politieke figuur geweest.

DE ROL VAN HET LEGER BIJ DE CONSTITUTIONELE HERVORMINGEN

Ik vind dat het leger zich redelijk opstelde. Ze benoemden adviseurs voor het grondwettelijke proces. Als je de grondwet bekijkt, is er maar één passage die over het leger gaat. Het debat draaide vooral rond de vraag of de strijdkrachten zich moesten beperken tot de verdediging van de grenzen en het grondgebied, of dat ze ook een rol moesten spelen bij de handhaving van de binnenlandse orde. De door de grondwetgevende vergadering goedgekeurde tekst stelt dat de strijdkrachten verantwoordelijk zijn voor het verdedigen van het vaderland en van de grondwettelijk ingestelde autoriteiten, en dat ze op verzoek van die autoriteiten ook kunnen worden ingezet voor ordehandhaving. Zo zou een noodtoestand alleen worden afgekondigd op verzoek van de president, na overleg met de Raad van de Republiek en mét goedkeuring van het congres.

POLITIEKE EN SOCIALE RECHTEN

We boekten vooruitgang op het vlak van zowel politieke als sociale rechten. Het resultaat was een goede grondwet, ook al volgde hij op economisch vlak een nationaal-etatistische logica, wat betekende dat een sluitende begroting van secundair belang was. Er gebeurden veel gekke dingen in de grondwetgevende vergadering. Men creëerde veel voorzieningen zonder de begrotingsmiddelen om die te kunnen betalen. Om die reden moesten we de grondwet tijdens mijn regering aanpassen. Zonder die wijzigingen hadden we de economie nooit kunnen stabiliseren of moderniseren. In elk geval was de grondwet van 1988 in politiek en sociaal opzicht een hele vooruitgang. Ik weet niet of de grondwet zo sociaaldemocratisch zou zijn geworden met Neves als president. Hij was conservatiever. Sarney ook, maar die had niet het politieke gewicht om de strijd aan te binden met de oude oppositie bij zijn inspanningen om 'de sociale schuld' van het militaire regime aan te pakken.

EERSTE RECHTSTREEKSE PRESIDENTSVERKIEZINGEN

De eerste directe presidentsverkiezingen vonden plaats in 1989, toen de regering kampte met ongunstige economische omstandigheden. Aan het einde van Sarneys termijn stonden we op de rand van een hyperinflatie. De regering was politiek enorm verzwakt. Lula en de PT en ook Brizola en de PDT waren tegen. Binnen de PMDB was de steun voor Sarney minimaal. Franco Montoro, Mário Covas, José Serra (die in 1986 als federaal afgevaardigde was verkozen) en ik waren een jaar tevoren uit de PMDB gestapt om de PSDB op te richten. Al binnen de PMDB hadden we geijverd voor een parlementair stelsel en een vierjarige termijn voor Sarney. We beseften dat de PMDB steeds dichter bij de staat kwam te staan en een traditionele politieke formatie begon te worden. Met de PSDB wilden we een alternatieve sociaaldemocratische partij vormen. In het licht van de transformerende wereldeconomie maakten vooral Serra en ikzelf ons zorgen over de geïsoleerde positie van Brazilië. Samen schreven we een stuk dat een belangrijke rol ging spelen in de campagne van Mário Covas, onze kandidaat bij de verkiezingen van 1989. Vertaald luidde de titel 'De kapitalistische shock'. Het was voornamelijk een pleidooi voor integratie van Brazilië in de wereld.

Maar het was Collor de Mello die de verkiezingen won, in de tweede ronde met een zege op Lula. De PSDB had besloten de PT te steunen in die tweede ronde. Het was mijn taak om met de PT te onderhandelen. Hun programma telde dertien kernpunten. Mijn gesprekspartners waren José Dirceu en Plínio Sampaio, die ik allebei goed kende. De PT pleitte voor onmiddellijke landbouwhervormingen zonder bemoeienis van overheidswege en wilde dat kranten bestuurd zouden worden door een redactiecomité. Dat waren zulke radicale voorstellen dat ik besloot te gaan praten met João Amazonas, de oude voorman van de communistische partij (PCB) en lid van de coalitie die Lula steunde, om hem te zeggen dat het ging om verkiezingen, niet om een revolutie. We werden het niet eens, maar de partij besloot toch te stemmen op Lula, ook al stonden we niet achter dit programma. De opwinding nam toe aangezien we bij winst van Lula ook in de regering zouden komen. Collor won echter en achteraf was dat een goede zaak. Lula zelf heeft meer dan eens bevestigd dat het maar goed was dat hij toen verloor, omdat hij nooit had kunnen regeren met de ideeën die hij destijds had.

Dus geluk en verrassingen zijn terugkerende factoren bij een transitie?

Zeker. Wanneer het onvermijdelijke nadert, doet zich iets onverwachts voor, zeg ik altijd. In de politiek gaat het zoals in het gewone leven. Collor was een interessante figuur. Hij had ooit nog geprobeerd Covas' kandidaat voor het vicepresidentschap te worden. Inmiddels is hij voorzichtiger, maar in die tijd maakte hij kolossale fouten. Recentelijk nog heeft Collor, die nu in de senaat zit, de huidige president Dilma Rousseff gewaarschuwd: 'Doe niet wat ik heb gedaan. Ik minachtte het congres.'

Collor wilde zonder de partijen regeren. Hij had aanvaringen met zijn jongere broer, die medio 1992 zware beschuldigingen uitte over corruptie binnen de regering. Het congres richtte een commissie op om dat te onderzoeken. De PT nam het voortouw in die commissie. De pers was tegen hem en zonder de steun van het congres moest Collor aftreden. De PSDB stemde voor afzetting. Ik had dit resultaat niet verwacht. Ik heb toen ergens gezegd dat de afzettingsprocedure een atoombom is die je maar beter niet kunt gebruiken, maar Collors positie was onhoudbaar.

Collor was heel jong. Hij gooide de economie abrupt wijd open en voerde zonder enig overleg wijzigingen door. We hadden allemaal kritiek, maar zonder die ingrepen zou de Braziliaanse economie volgens mij potdicht zijn gebleven. Toen ik na de regering-Collor minister van Financiën werd, pleitten de industriëlen van São Paulo en economen voor meer staatsinterventie, meer protectie, meer subsidies. Dat was de heersende cultuur, maar bracht geen modernisering. Collor voerde veranderingen door en ontmantelde het openbaar bestuur volledig. Hij had innovatieve ideeën, maar zijn optreden sloeg vaak nergens op. Hij stond niet met beide benen op de grond. Veranderen doe je niet door plotselinge breuken te forceren. Als je wilt winnen, moet je juist krachten bundelen. Collor wilde het hele land op slag veranderen, maar slaagde daar niet in. Daardoor verloor hij zijn steun in het congres en werd hij afgezet.

Itamar Franco, Collors vicepresident, nam het over van 1992 tot 1995. Hij was een vreemd figuur en ooit Neves' tegenstander in de deelstaat Minas Gerais. In het kiescollege wilde hij niet stemmen op Neves. Hij was van de PMDB, maar volgde de partijlijn niet en stemde zoals het hemzelf zinde. Toen we allemaal dachten dat hij Covas zou steunen, koos hij voor Collor. Toch was hij te goeder trouw en vormde hij een coalitieregering. De PFL en de PT bleven in de oppositie. Een prominente dame van de PT toonde zich bereid om minister te worden en werd om die reden uit de partij gezet.

Itamar Franco, een man met nationalistische ideeën, liep op dat moment hoog met me op en ontbood me in zijn kantoor toen duidelijk werd dat het lagerhuis een procedure tegen Collor zou starten. Het resultaat daarvan was dat de president werd afgezet en de vicepresident diens plaats innam. Franco was bang voor São Paulo omdat hij uit Minas kwam, en hij vroeg me in dit gesprek wat de mensen van São Paulo van hem dachten. Ik vertelde hem dat ik hem koppig vond, dat hij altijd zijn ideeën doordreef en overal bij betrokken wilde zijn. Hij vroeg me of ik hem een domkop vond. Dat niet, zei ik, maar wel heel koppig. Daarop ontspon zich een gesprek en tegen het einde daarvan gaf hij me toestemming om een interview te geven aan een krant uit São Paulo met als centrale boodschap dat Itamar Franco een verstandige president zou worden.

REAGEREN OP ECONOMISCHE CRISES

Het moet moeilijk zijn geweest om de economie te stabiliseren en de transitie te consolideren met een eerste president die overleed en een tweede die werd afgezet. Hoe pakte de nieuwe president de economische moeilijkheden aan?

Eerst benoemde hij me tot buitenlandminister en zeven maanden later tot minister van Financiën – de vierde in zeven maanden tijd. De situatie was gecompliceerd. De inflatie versnelde en de regering vond geen oplossing. Nieuwe verwachtingen werden gecreëerd met mijn aanstelling als minister van Financiën. Ik wist en zei dat het beteugelen van de inflatie prioriteit had, maar dat ik geen nieuw stabiliseringspakket met prijsafspraken, loonstops en zo wilde aannemen. We moesten een alternatief verzinnen.

Ik stelde een klein team samen van economen uit mijn naaste omgeving. Zij waren behoorlijk sceptisch en betwijfelden of we meer konden doen dan de situatie een beetje in het gareel te houden. Ze wilden de 'fouten van het verleden' niet herhalen en vreesden dat Itamar de verleiding niet zou kunnen weerstaan om een nieuw en drastisch plan tegen de inflatie te presenteren. Daarnaast kampte het congres met een eigen crisis, want medio 1993 was er een schandaal losgebroken rond de machtige begrotingscommissie waarbij veel partijen en parlementsleden waren betrokken. Hoe zouden bijvoorbeeld begrotingsmaatregelen kunnen worden goedgekeurd zonder de onvoorwaardelijke steun van de president en met partijleiders die in het defensief waren gedrongen door toedoen van een schandaal waarvan niemand de afloop kon voorspellen?

Ik probeerde mijn economen ervan te overtuigen dat de crisis ons de kans bood om een agenda van maatregelen goed te keuren die het congres onder normale omstandigheden nooit zou aanvaarden. Itamar Franco was een onvoorspelbare politicus, maar we hadden samen in de senaat gezeten en konden goed met elkaar opschieten. Ik wist hoe hij in elkaar zat en hoe hij de dingen zag, en hij vertrouwde mij. Ik had ook de steun van mijn partij, met name van Mário Covas en Tasso Jereissati. Uiteindelijk wist ik mijn team ervan te overtuigen om met mij een stabiliseringsprogramma op te zetten. In die context was het geen hersenschim.

Ik trad aan in mei, maar pas in december 1993 legden we het land een programma voor dat voorzag in begrotingstechnische noodmaatregelen en een innovatief monetair mechanisme om over te schakelen op een nieuwe munt. Nieuw was dat er voor het eerst zonder verrassingen en met totale transparantie over de werkwijze actie zou worden ondernomen om de economie te stabiliseren. Het succes was afhankelijk van de goedkeuring van het congres voor de begrotingsmaatregelen en de vrijwillige toetreding van de economische actoren tot het monetaire mechanisme dat tot de nieuwe munt zou leiden.

Tussen mei en december kampten we met tal van problemen. De inflatie bleef hoog en dreigde te blijven stijgen. De druk binnen de regering en vanuit de samenleving voor onmiddellijke ingrepen van mijn departement nam almaar toe. Franco was boos op de president van de centrale bank voor een futiliteit en ontsloeg hem. Ik nam de gelegenheid te baat om mijn team uit te breiden en overtuigde de president ervan om Pedro Malan te benoemen als nieuwe bankpresident. Franco had ook een probleem met de bestuursvoorzitter van de BNDES, de nationale bank voor economische en sociale ontwikkeling. Ik overtuigde hem ervan Persio Arida als zijn vervanger aan te stellen.

Arida was een van de vaders van het Plano Cruzado dat de regering-Sarney een jaar lang heel populair had gemaakt, maar dat uiteindelijk toch mislukte. Itamar moet in mijn raad om Arida aan te stellen als BNDES-president een signaal hebben gezien dat ik klaar was om een soortgelijk plan te lanceren en verzette zich niet tegen Arida's benoeming. Ik wist niet dat Arida heel kritisch stond tegenover het Cruzado-plan, maar hij en André Lara Resende zouden samen met Edmar Bacha een sleutelrol spelen bij de theoretische opzet van het mechanisme dat omschakeling naar de real mogelijk maakte. Het was aan mij om het land toe te spreken, om uit te leggen wat we van plan waren, om Itamar ervan te overtuigen dat er risico's bestonden maar dat we op de goede weg waren, en om de goedkeuring van de partijen te verwerven voor de budgettaire maatregelen.

In februari keurden we de begrotingsoperatie goed, waarna we vervolgden met de overgang naar de nieuwe munt. We legden geen datum vast voor de uitgifte. Dat hielden we open en alles hing af van het vertrouwen van de economische actoren in de Unidade Real de Valor (URV of reële waarde-eenheid), een protomunt zonder inflatie. De prijzen van goederen en diensten werden uitgedrukt in URV, maar betaald in cruzeiro's, de aan de inflatie gekoppelde munt waarvan we dagelijks de waarde aanpasten. We doodden de inflatie met haar eigen gif, maar wisten niet hoelang het zou duren voor de URV volledig werd aanvaard en conform de wet moest ik het ministerie tegen april verlaten om mijn kandidatuur voor het presidentschap te kunnen stellen. Ik vreesde dat vervroegd opstappen het welslagen van het stabiliseringsprogramma in gevaar zou brengen.

Tijdens dit proces begon zich een alliantie af te tekenen tussen de PSDB en de PFL die de kern van mijn presidentiële kandidatuur zou vormen. Itamar Franco wilde dat ik kandideerde, maar aanvankelijk verzette ik me daar hevig tegen. Maar hij had gelijk: als het programma als politieke wees zou achterblijven, zou dit fataal zijn geweest voor de stabiliseringsinspanningen. Lula, in alle peilingen de favoriet, was faliekant tegen het programma. Hij, zijn partij en de bij de CUT, de grootste vakbondscentrale, aangesloten vakbonden noemden het Plano Real verkiezingszwendel. Dat was een ernstige fout die ze in oktober 1994 het presidentschap heeft gekost.

HET LEGER ONDER CIVIEL GEZAG

Wat was uw relatie met het leger voor en tijdens uw regering, en hoe heeft u de strijdkrachten onder civiel gezag gebracht?

Ik kon het goed vinden met de militaire ministers van Itamar Franco. Laat me dit even illustreren met een verhaal. Tijdens het carnaval in februari 1994 ging Franco naar Rio om de parade van de sambascholen bij te wonen. Een laaghartig parlementslid huurde een vrouw in die uitdagend was verkleed als politieagente om de presidentiële loge binnen te stappen van waaruit de president de stoet volgde. Het was opgezet. Fotografen onder de loge namen foto's van de vrouw naast de president. Franco werd verliefd op haar. De volgende dag stond hij op het punt haar te bellen voor het oog van de televisiecamera's.

Ik was in Brasilia en generaal Cahim, minister van Bestuurszaken, zocht me op en zei te spreken namens zijn collega's binnen de strijdkrachten. Ze waren gechoqueerd door het gedrag van de president, en hij en zijn collega's wilden Franco afzetten. Ze meenden hem op wettelijke wijze te kunnen vervangen door senator Jarbas Passarinho — een respectabel man, gewezen legerkolonel en conservatief — en wilden weten of ik onder de nieuwe omstandigheden zou willen aanblijven als minister. Ik maakte een eind aan het gesprek en heb Franco nooit verteld over het plan van zijn militaire ministers om hem te vervangen. Op dat moment had het leger al minder te zeggen dan onder Sarney, toen de terugkeer naar de democratie aanving. Ik adviseerde Itamar om uit te zoeken wat er speelde in het militaire milieu, dat het er niet best voorstond vanwege die foto en het telefoontje. Ik zei ook dat het de moeite waard was om uit te zoeken of er legerofficieren in actieve dienst betrokken waren geweest bij de val die men voor hem had uitgezet in Rio. Hij ondernam geen actie en trad ook niet af. Hij was een goede kerel en uiteindelijk beseften de mensen dat hij naïef was geweest en zeker geen slechte bedoelingen had gehad.

Toen ik werd verkozen tot president van de republiek besloot ik het ministerie van Defensie op te richten. Ik sprak met de hoge officieren die ik als minister van de marine, luchtmacht, landmacht en als stafchefs wilde aanstellen, en vertelde dat ze de baan kregen mits ze meewerkten aan de oprichting van het nieuwe ministerie van Defensie. Het kostte drie jaar voordat het er was. Ik stuitte maar één keer op een probleem. Dat was meen ik in 1998, in de laatste fase van de opzet van het ministerie. Ik was toen op zoek naar bevelhebbers voor de krijgsmachtonderdelen die onder de burgerminister van Defensie zouden ressorteren. De minister van Marine wilde me spreken in mijn ambtswoning. Hij meldde zich in uniform met de boodschap dat hij commandant van de marine wilde worden. Ik zei hem dat hij het niet zou worden, maar admiraal Lacerda, de tweede man in de marinetop. Generaal Alberto Cardoso, minister tijdens het militaire regime, nodigde Lacerda namens mij uit, maar de admiraal weigerde de positie. Ik belde Cardoso met de boodschap dat we een derde admiraal zouden benoemen, Sergio Chagastelles, en zei: 'Als hij ook nee zegt, zet ze dan alle drie gevangen, want dan is het geen bedanken voor de eer, maar insubordinatie.' De derde kandidaat aanvaardde de functie.

Toen in 1999 het ministerie van Defensie werd opgericht, dwong ik de bevelhebber van de luchtmacht, generaal Walter Bräuer, af te treden na een paar uitspraken voor TV Globo die de indruk wekten dat hij het gezag van de niet-militaire minister van Defensie ter discussie stelde. Ik belde het hoofd van het opperbevel van de luchtstrijdkrachten en vertelde hem dat ik Bräuer had ontslagen vanwege diens uitspraken in de media. Er gebeurde niets. Er kwam geen reactie van de legerofficieren in actieve dienst; alleen een paar gepensioneerde officieren organiseerden uit solidariteit een lunch.

GERECHTIGHEID EN VERZOENING

Aan het begin van mijn ambtstermijn, in 1995, dineerde ik bij de minister van Marine met alle andere militaire ministers en generaal Alberto Cardoso. Er waren vijf generaals en ikzelf en we wilden een toast uitbrengen op de democratie. Ik vertelde ze dat ik een dag gevangen had gezeten tijdens operatie-Bandeirantes, een clandestien initiatief van de dictatuur waarbij gevangenen werden gefolterd. Ik vertelde dat ik getuige was geweest van martelingen en dat de mensenrechten voor mij meer betekenden dan een retorisch stokpaardje. Ik deelde ook mee dat ik een commissie zou oprichten om herstelbetalingen te doen en excuses aan te bieden namens de Braziliaanse regering voor gewelddaden gepleegd door de staat.

Ik stelde een commissie in om de straffen te herzien die ten tijde van de dictatuur zonder enige vorm van proces waren opgelegd. Veel mensen die daarom vroegen, kregen schadevergoedingen uitgekeerd. Tot het moment waarop de officier Carlos Lamarca postuum zou worden bevorderd. Lamarca was guerrillastrijder geweest, had een legerofficier gedood en werd later zelf omgebracht. Zijn familie kreeg een pensioen, maar de commissie probeerde hem tot kolonel te bevorderen en dat ging te ver. De vertegenwoordiger van de strijdkrachten in de commissie, een gepensioneerde generaal, vroeg of hij me thuis kon spreken. Hij vertelde me dat hij lid was van de commissie voor herstelbetalingen, maar dat geen mens naar hem luisterde. De commissie was volgens hem bevooroordeeld, maar toch wilde hij niet opstappen. Destijds had hij een comité om mij in zijn stad te steunen tijdens mijn campagne. Hij vertelde me dat hij veel respect voor me had, maar dat hij ermee stopte als Lamarca zou worden bevorderd. Ik antwoordde dat ik de commissie bij de oprichting volledige beslissingsbevoegdheid had gegeven en dat ik me bij haar besluiten zou neerleggen. Persoonlijk vond ik de bevordering van Lamarca tot kolonel ook nogal overdreven, maar als de commissie die goedkeurde, zou ik het uitvoeren. Zijn vertrek uit de commissie zou me echter politiek schade berokkenen. De generaal was zo correct om zijn ontslag niet in te dienen, ook al heb ik de bevordering van Lamarca goedgekeurd.

De enige officier in actieve dienst die protesteerde tegen de beslissing van de commissie was een generaal die het bevel voerde over het leger in het noordoosten. Zonder al te veel heisa hebben we hem uit zijn functie ontzet en overgeplaatst naar de reservetroepen. De legerofficieren hebben dus de overgang naar gehoorzaamheid gemaakt en hebben zich daaraan gehouden onder Lula en nu ook met de nieuwe president — die een waarheidscommissie heeft opgericht om te onderzoeken wie zich schuldig heeft gemaakt aan misdrijven onder het militaire bewind. De transitie naar democratie gebeurde langzaam, geleidelijk en grillig, maar de dreiging van een militaire coup is inmiddels volledig verdwenen. Het leger had de gewoonte om 1 april te vieren — de dag van de revolutie volgens hen, die van de staatsgreep volgens ons. Daaraan kwam een einde tijdens mijn ambtstermijn. Militairen praatten niet langer over hun rol bij het 'herstel van de democratie'. Tijdens mijn termijn was het afgelopen met dit soort verwijzingen of vieringen.

HET LEGER ONDER CIVIEL GEZAG

De Braziliaanse transitie duurde jaren en het kostte decennia om tot een werkbare relatie tussen leger en burgerregering te komen. In het Egypte van vandaag zou het moeilijk te aanvaarden zijn als het nog eens 25 jaar zou duren om het militaire vraagstuk op te lossen. Had dit proces in Brazilië sneller kunnen verlopen of zou dat de hele transitie in gevaar hebben gebracht?

Belangrijk is dat de oppositie de strijdkrachten nooit heeft verslagen. Er hadden interne veranderingen plaats binnen het regime en externe veranderingen in de samenleving. In Argentinië en Uruguay ontstond er een breuk in het leger. Ook in Chili werden de strijdkrachten niet verslagen. Pinochet bleef nog acht jaar aan. Ook daar verliep het proces geleidelijk en zonder een breuk. Het eerste teken van zo'n breuk was de grondwetgevende vergadering in 1987–1988, omdat tot op dat moment de transitie zich voornamelijk had ontwikkeld volgens de regels van de junta, zij het enigszins gewijzigd door toenemende druk vanuit de oppositie.

Eén ding bleef onopgelost: de wederzijdse amnestie. Het Braziliaanse congres keurde in 1979 de amnestiewet goed, maar dat was nog onder het militaire regime, zonder stemrecht, zonder volledige vrijheden. Vandaag is er onenigheid over de amnestie voor iedereen — ook voor de opdrachtgevers en uitvoerders van martelingen. Zo'n twee jaar geleden besliste het hooggerechtshof dat de amnestie ook voor hen gold. Met de oprichting van de waarheidscommissie werd de hele kwestie weer opgerakeld. Om het leger te kalmeren werd besloten dat de commissie de feiten wel zal onderzoeken, maar de schuldigen niet zal straffen.

Is men ooit bang geweest dat een militaire interventie een ommekeer zou kunnen bewerkstelligen? Welke rol hebben maatschappelijke organisaties gespeeld om een optreden van het leger te voorkomen?

Een van de eerste stappen van Tancredo Neves na zijn verkiezing als president was de benoeming van de minister van Legeraangelegenheden, een generaal die ons hoogstwaarschijnlijk zou hebben beschermd tegen een mogelijke militaire interventie. Ik heb al naar hem verwezen: generaal Leônidas Pires Gonçalves. Hij was geen hardliner, maar een typische beroepsmilitair en na de dood van Neves stelde hij Sarney min of meer gerust dat er geen weg terug was. Het hoofd van de inlichtingendienst, ook een sleutelpositie, was eveneens een correcte man. Vanaf dat moment, toen de grondwetgevende vergadering haar taak aanvatte, wisten we dat er geen terugval zou komen. De vergadering werkte alsof er volledige vrijheid heerste, en die was er ook.

Het leger had nooit een autoritaire ideologie omarmd. De legertop heeft altijd gezegd dat het bewind maar een korte periode zou regeren om de weg vrij te maken voor een democratisch bestel. Het was voor hen ook moeilijk. Aan de macht blijven creëerde ook problemen voor de strijdkrachten als instelling. Geisel probeerde weer controle te krijgen over de geledingen die het meest in verband werden gebracht met folteringen en die tijdens de wreedste periode van de repressie aan kracht hadden gewonnen. Hij is erin geslaagd de militaire hiërarchie te herstellen. Toch bleef er intern altijd verzet bestaan tegen een opener en vrijer beleid. In 1980–1981 pleegde uiterst rechts een aantal aanslagen met rechtstreekse medewerking van hooggeplaatste militairen.

Als conservatieve liberaal die het militaire regime had gediend, was Sarney cruciaal bij het voorkomen van een terugval. Opeens begon hij openlijk contact te zoeken met vertegenwoordigers van links. Hij ontving hen bijvoorbeeld op het paleis. Met zulke initiatieven gaf hij het signaal af dat de jaren van kogels en geweren tot het verleden behoorden. Toen kwam de val van de Berlijnse Muur in 1989; de Koude Oorlog was voorbij. En wel in die mate dat de arbeidersbewegingen en andere groepen zich massaal en krachtig manifesteerden toen Lula het bij de presidentsverkiezingen opnam tegen Collor. Nee, toen al heerste er geen vrees meer voor een militaire coup.

Veel transities ondervinden problemen met de politie en het veiligheidsapparaat dat ze van de militaire regimes erfden. Hoe ging dat in Brazilië?

Onder het militaire regime viel de staatspolitie onder direct gezag van het leger. De militaire politie bleef in elke deelstaat — soms met veel macht, zoals in São Paulo en Minas — in handen van het leger zelf. Zelfs na de invoering van rechtstreekse gouverneursverkiezingen in 1982 was dat nog zo. Pas met de nieuwe grondwet van 1988 kregen de gouverneurs in hun respectieve staten het wettelijk gezag over de militaire politie.

Hadden mensen kritiek op de politie en eisten ze vervolging voor wie bij de repressie betrokken was geweest? Wat was de oplossing?

Ja, natuurlijk. Dat is de hele controverse rond de amnestiewet. De wet is niet veranderd. Maar als er nu iemand uit die repressieve groepen aanspraak maakt op een bepaalde post, wordt er enorme druk op die persoon uitgeoefend. De pers en de verdedigers van de mensenrechten zijn heel alert en houden benoemingen en promoties van deze officieren serieus in de gaten. Die functionarissen zijn niet in de gevangenis beland, maar hun loopbanen zijn min of meer bevroren.

Hoe keek het leger naar u — als politicus die ook de zoon en kleinzoon was van militairen? Heeft dit u geholpen de dynamiek te begrijpen?

Ja, dankzij mijn familieachtergrond begreep ik de codes. Ik besteedde veel aandacht aan het leger. Ze wilden hogere lonen en materieel — geschut en vliegtuigen en zo. Ik had alleen geen geld om hun lonen te verhogen of veel aan te kopen. Ze wilden aandacht. Ik woonde de viering van belangrijke dagen voor het leger bij. Ik was aanwezig bij manoeuvres van de marine. Ik trok het oerwoud in en bracht daar de nacht door om trainingen te bekijken. En wanneer een officier werd bevorderd tot generaal, ging ik daar steevast met mijn vrouw heen. Dat is een belangrijke carrièrestap en ze waren daar allemaal met hun echtgenotes. Ik hield dan meestal een korte speech waarin ik instructies gaf. Op die manier ontwikkelden we een Braziliaanse verdedigingsstrategie die niet echt bestond.

Beschouwden ze u als lid van de militaire familie?

In zekere zin wel. Niet expliciet, maar ze wisten dat mijn familie tien of twaalf generaals telde, van wie er twee of drie minister waren geweest.

Er was dus die traditie, maar mijn familie is ook altijd heel progressief geweest. Vanaf de oorlog tegen Paraguay heeft het leger zich verzet tegen slavernij en ook actief deelgenomen aan de campagne ertegen. Ze beschouwden zich als een soort 'hoeders van het vaderland'. Het leger heeft altijd afstand bewaard van het bedrijfsleven. Ze bemoeiden zich wel met de staat, maar niet met de markt. Mijn vader was naast militair ook advocaat.

Mijn vrouw Ruth is afkomstig uit São Paulo en was heel erg gekant tegen het leger. Ze werd uitgenodigd op de militaire academie om er les te geven. Dat vond ze fantastisch omdat ze besefte dat er al heel veel was veranderd, dat de strijdkrachten gemoderniseerd waren. Ook op technisch vlak was er veel veranderd, vooral bij de marine, die veel mensen naar het buitenland stuurde, met name de VS, om er te studeren. De echtgenotes en kinderen van legerofficieren volgden universitaire studies. En ook daardoor veranderde de mentaliteit van officieren geleidelijk. Ik betwijfel ten zeerste of er binnen het leger nog mensen zijn met autoritaire politieke ideeën of mensen die denken dat ze verheven zijn boven de rest als de enige en ware verdedigers van het vaderland.

HERZIENING VAN DE GRONDWET

Heeft u een grondwetgevende vergadering opgericht? Wat waren de belangrijkste politieke kwesties die u heeft behandeld? Welke wijzigingen werden er doorgevoerd in het kiesstelsel? Wat had u anders kunnen aanpakken?

Er ontstond een stevige discussie over de vraag of er een bijzondere grondwetgevende vergadering moest komen of dat er een gewone assemblee werd opgezet met de bevoegdheid de grondwet te herschrijven. Uiteindelijk viel de keuze op de tweede vorm. Er is een subtiel verschil: in beide organen worden de vertegenwoordigers verkozen, maar de gewone vergadering verleent bevoegdheden aan mensen die tegelijkertijd bezig zijn met hun herverkiezing.

De regering-Sarney koos voor de gewone assemblee en kreeg daarvoor de goedkeuring van het congres. Eigenlijk werd er gezegd: bij de verkiezingen van 1986 krijgen de verkozen afgevaardigden en senatoren een constitutioneel mandaat om een nieuwe originele grondwet goed te keuren met een eenvoudige meerderheid (50 procent plus 1).

Dit congres met constitutionele bevoegdheden was politiek vooral bezig met het federale vraagstuk. Het punt was dat het leger alles had gecentraliseerd, met inbegrip van het belastingstelsel, en zodoende de deelstaatregeringen en lokale overheden had verstikt. Nog voor de oprichting van de grondwetgevende vergadering, onder Figueiredo, oefenden de lagere overheden druk uit en hevelde men bepaalde heffingen over naar lokale bestuursorganen om ze meer inkomsten te garanderen. De nieuwe grondwet benadrukte die decentralisering van inkomsten. De belastinginkomsten van gemeenten en deelstaten groeiden en ook het deel van de federale belastingen dat bestemd was voor de subnationale regeringen nam toe. De helft van de inkomsten uit de twee belangrijkste federale heffingen werd uitgekeerd aan de deelstaten en gemeenten, naargelang de omvang van de bevolking en het inkomensniveau. De vraag over de verdeling van de belastingen was een belangrijk discussiepunt in de grondwetgevende vergadering.

Op zeker moment hield de toen zetelende president Sarney een toespraak waarin hij zei dat Brazilië onbestuurbaar zou worden omdat de nieuwe grondwet wel de inkomsten had gedecentraliseerd, maar niet de verantwoordelijkheden evenredig had overgedragen. De volledige sociale zekerheid, nog uitgebreid met de door de grondwetgevende vergadering gecreëerde sociale rechten, viel onder de bevoegdheid van de federale regering. Zo zagen wij ons gedwongen om tijdens mijn regeringsperiode de federale belastingen te verhogen en die niet te delen met de deelstaten en gemeenten. De totale belastingdruk steeg daardoor.

HET KIESSTELSEL

De grondwet definieerde ook het kiesstelsel. De onevenredige vertegenwoordiging van de deelstaten in het lagerhuis — een erfenis van het democratische regime van 1946–1964 die door het leger was overgenomen — bleef gehandhaafd. São Paulo heeft slechts zeventig zetels in het lagerhuis; dat zouden er meer dan honderd zijn als het principe van één persoon, één stem werd gevolgd. Het systeem maakt dat de meest achtergestelde deelstaten oververtegenwoordigd zijn, terwijl die gemeenschappen en het electoraat weinig autonomie hebben met betrekking tot de lokale overheden.

Het ware beter geweest als we op zijn minst hadden aangedrongen op een correctie van die vertekende, weinig representatieve zetelverdeling. Terugblikkend meen ik dat we beter een soort districtenstelsel hadden ingevoerd. In de grondwetgevende vergadering waren de 'progressieve krachten' niet zo te vinden voor een op kiesdistricten gebaseerd systeem. Ze vreesden dat dit de macht van lokale politieke bazen zou versterken.

We beseften niet dat die redenering niet meer opging met de migratie van het platteland naar de steden. Met stemmen per district en naar rato van het bevolkingscijfer zouden de mensen in de stedelijke metropolen (waar meer dan een derde van de bevolking woont en waar mensen 'progressiever' zijn) politiek beter vertegenwoordigd zijn. Momenteel verbiedt de grondwet dit districtenstelsel. De stemming moet evenredig zijn.

HET REGERINGSSTELSEL

Ook de vorm van het landsbestuur kwam aan bod. De commissie die de kwestie onderzocht, sprak zich uit voor het parlementaire stelsel, maar de plenaire vergadering volgde die aanbeveling niet. We kregen het wel voor elkaar dat er binnen vijf jaar een referendum zou komen over het bestuurssysteem. In 1993 pleitte de PSDB voor een parlementair stelsel met een op districten gebaseerd kiessysteem, zoals in Duitsland. Het presidentiële stelsel won echter toen de kwestie in een referendum aan de bevolking werd voorgelegd.

In de grondwetgevende vergadering ontwikkelden we een instrument geïnspireerd op het parlementaire stelsel in Italië – met voorlopige maatregelen om de decreten van de dictatuur te vervangen. We wilden de uitvoerende macht een instrument in handen geven waarmee te werken viel zonder dat impasses in het congres het bestuur zouden lamleggen. Dat zou verstandig zijn geweest in een parlementair systeem en het systeem werd ook ingevoerd met de aanname dat we uiteindelijk op een parlementair stelsel zouden overschakelen. Zo ging het echter niet en die voorlopige maatregelen belandden in het presidentiële systeem. Dit verleende de president buitensporige bevoegdheid – een van de factoren die tot de verzwakking van het congres hebben geleid. Als het congres zijn macht ernstig nam, zou het veel meer initiatief tonen. Steeds wanneer de behoefte ontstaat om de ministers ter verantwoording te roepen, volgt een klein debat, maar de meeste parlementsleden wisselen liever gunsten uit in plaats van zich te kwijten van hun taak en toezicht uit te oefenen op de uitvoerende macht.

Vandaag de dag zou het moeilijk zijn om te regeren binnen een parlementair stelsel. In een federaal systeem met zulke machtige gemeenten, een verspreide bevolking – met zoveel ongelijkheid en concurrerende belangen – is de president een echte machtsfactor. Op de keper beschouwd is de president van Brazilië een soort monarch die versplintering moet vermijden. De mensen kiezen voor een president en dat geeft hem of haar veel symbolische, maar ook feitelijke macht. Ik durf te stellen dat de president van Brazilië veel meer macht heeft dan de president van de Verenigde Staten om de agenda te bepalen.

MECHANISMEN VOOR WIJZIGING VAN DE GRONDWET

Hoe ging het verlenen van constitutionele bevoegdheden aan het congres in zijn werk? Wat heeft u hiervan geleerd?

Kamervoorzitter Ulysses Guimarães werd verkozen tot voorzitter van de grondwetgevende vergadering en hij gaf mij de opdracht om de regels op te stellen voor de werkwijze van de vergadering. Het was niet eenvoudig om zo'n pakket regels aanvaard te krijgen, omdat de leden van de vergadering vreesden dat ze erdoor aan macht zouden inboeten. De houding van de meeste afgevaardigden deed me denken aan mijn tijd als professor in Frankrijk in 1968. Er werd toen zo veel gepraat over het 'verbieden van verboden' dat men zelfs overwoog om als vertrekpunt het scenario van nul verboden en alle vrijheden te kiezen. Ze verwierpen een voorontwerp opgesteld door een groep notabelen onder leiding van Afonso Arinos – een gerenommeerd jurist die na het voorzitterschap van de regeringscommissie die de grondwet moest ontwerpen, werd verkozen tot senator voor Rio de Janeiro.

We volgden het Portugese model en werkten met acht themacommissies: rechten en waarborgen, de organisatie van de drie machten en de politieke orde, de economische orde, de sociale orde en sociale rechten, en zo nog vier. Er waren ook 24 subcommissies. Hiermee werd het grondwetsmodel vanuit formeel standpunt geformuleerd. Elke partij benoemde leden voor deze commissies en subcommissies (volgens het aantal zetels in het parlement). Daarnaast werd er een systematiseringscommissie in het leven geroepen die de voorstellen van de verschillende commissies tot één geheel moest smeden. Senator Bernardo Cabral was de hoofdrapporteur die tot taak had een zo georganiseerd mogelijke grondwettekst te creëren. Die systematiseringscommissie vormde het hart van de nieuwe grondwet. Ze zeggen dat onze grondwet met bijna 250 artikelen wel heel uitgebreid is, en dat klopt ook. Je mag echter niet vergeten dat die tekst tweeduizend artikelen extra zou tellen als alle door de commissies en subcommissies goedgekeurde teksten erin waren opgenomen. De systematiseringscommissie deed een bovenmenselijke inspanning om de honderden voorstellen in een beter werkbare vorm te gieten.

We verkozen een liberale jurist en voorstander van het parlementaire stelsel, senator Afonso Arinos de Mello Franco, tot voorzitter van de systematiseringscommissie. Senator Jarbas Passarinho en ik werden samen met een afgevaardigde van Rio de Janeiro aangeduid als uitvoerend vicevoorzitters ad hoc. Het eerste voorstel van de hoofdrapporteur ging uit van een parlementair bestel. We stemden hierover in de systematiseringscommissie en het parlementaire stelsel won.

EVENWICHT DER MACHTEN

Die overwinning leidde tot grote verwarring in het land, omdat Sarney niet van een parlementair stelsel wilde weten. Op zeker moment kwam hij met het voorstel om de presidentiële ambtstermijn te beperken tot vijf jaar, mits de president een parlementaire premier kon benoemen. Mário Covas, onze partijleider destijds, aanvaardde dat voorstel niet. Het had wellicht een parlementair stelsel mogelijk gemaakt. Sarney reageerde met de oprichting van Centrão, de meest conservatieve groep in de grondwetgevende vergadering, en daarmee was het parlementaire stelsel als optie van de baan. Het presidentiële systeem kwam uiteindelijk ter stemming en werd goedgekeurd. En zoals gezegd: het systeem van de voorlopige maatregelen in een presidentieel stelsel verleende de president enorme uitvoerende bevoegdheden.

Deze maatregelen geven de president de mogelijkheid om bij belangrijke of dringende zaken de beslissing te nemen die hij of zij wenst in afwachting van een standpunt van het congres. Het congres heeft dertig dagen de tijd om een commissie op te richten om te oordelen of de voorlopige maatregel aan de criteria van dringendheid of relevantie voldoet. Er is tot nu toe echter nog geen enkele commissie ingesteld om de honderden voorlopige maatregelen van de uitvoerende macht te beoordelen. Aan het einde van mijn ambtstermijn probeerde het congres de verlenging van voorlopige maatregelen te beperken (de belangrijkste maatregel, die van het Plano Real bijvoorbeeld, werd jaar na jaar verlengd totdat het congres het plan eindelijk aanvaardde). Het bepaalde dat de voorlopige maatregel maximaal zestig dagen van kracht zou zijn en dat vanaf dag 45 de agenda van het congres geblokkeerd zou worden totdat er gestemd was over de hangende voorlopige maatregelen. Maar in plaats van het initiatief van het congres te intensiveren, vergrootte deze verandering juist de agenderende bevoegdheden van de uitvoerende macht. In de praktijk oefent de president van de republiek dus ook de wetgevende macht uit! Het ging zelfs zo ver dat het hooggerechtshof het congres inmiddels gedwongen heeft commissies te vormen die over de voorlopige maatregelen móéten stemmen.

De rechterlijke macht en het openbaar ministerie (OM), beide krachtiger geworden dankzij de grondwet van 1988, geven de uitvoerende macht wél stevig tegengas. Het hooggerechtshof is eigenlijk een grondwettelijk hof geworden en stelt zich actief op als het gaat om constitutionele toetsing. Het heeft de macht het congres te dwingen beslissingen te nemen als het oordeelt dat het uitblijven van een beslissing de praktische uitvoering van een grondwettelijke bepaling belemmert. Bovendien verleent de grondwet het OM volledige autonomie. De leden zijn belast met de verdediging van de uiteenlopende rechten van de samenleving. Ze kunnen onderzoeken instellen naar gouverneurs, presidenten of ministers, hen in staat van beschuldiging stellen en voor de rechterlijke macht brengen om zich te verantwoorden. Ze handelen onafhankelijk van de uitvoerende instellingen. Dat is goed en het werkt. In eerste instantie was het OM sterk gepolitiseerd en leek het haast een onderdeel te zijn van de PT, die toen in de oppositie zat. Recentelijk heeft het openbaar ministerie zich echter verder ontwikkeld. Het is een belangrijke component van de rechtsstaat geworden en dat is van belang omdat de uitvoerende macht buitengewoon veel zeggenschap heeft in Brazilië.

We hebben een complex systeem dat de president aanzienlijke macht verleent, maar tegelijkertijd beschikken we over andere mechanismen waarbij de rechterlijke macht toezicht houdt op de politiek. Het congres kan een wet goedkeuren, maar zo'n wet kan nietig worden verklaard als iemand voor de rechter bepleit dat hij in strijd is met de grondwet. Het besluitvormingssysteem is heel omslachtig.

ECONOMISCHE CONTEXT

Welke rol speelde de economie bij de Braziliaanse transitie? In welke mate droeg de economische situatie bij tot sociale mobilisatie? In hoeverre verzwakte die de militaire regering? En vormde de economie een risico voor de transitie?

Aanvankelijk riepen organisaties uit de particuliere sector op om de coup te steunen. In 1964 voerde de eerste militaire president, generaal Castelo Branco, belangrijke economische hervormingen in die een nieuwe groeifase moesten bewerkstelligen. De inflatie daalde, het belastingstelsel werd gestroomlijnd en nieuwe mechanismen werden in het leven geroepen om de regering en haar ondernemingen te financieren. De resultaten werden pas goed zichtbaar tussen 1968 en 1973, onder de tweede militaire regering, toen het zogeheten economisch wonder zich voltrok. De groei was spectaculair, maar het waren de bezittende klasse en de middenklasse die er in onevenredige mate van profiteerden.

De aanvang van de versoepeling van het regime viel samen met het einde van het economisch wonder. De eerste oliecrisis van 1973 trof Brazilië heel hard omdat we bijna alle olie importeerden. Toch bleef de economie groeien: de regering besloot buitenlandse leningen aan te gaan — profiterend van de beschikbaarheid van zogeheten oliedollars — en voerde een ambitieus investeringsprogramma door. Dat programma leidde tot de eerste grote negatieve reactie van het bedrijfsleven op het regime. Liberale krachten vonden dat de regering, destijds geleid door generaal Geisel, te etatistisch was. Sommige van die mensen zochten toenadering tot de oppositie. Ze waren tegen de mix van de enorme staatsbemoeienis met de economie en politiek autoritarisme. In die groeiperiode steeg de inflatie onder invloed van de toenemende buitenlandse schuldenlast. De koopkracht kwam in het gedrang en dat blies de vakbewegingen nieuw leven in. Dat bleek ook bij de congresverkiezingen van 1974 en 1978, toen de oppositie hoge ogen begon te gooien.

De economische situatie bereikte een nieuwe fase met de tweede oliecrisis en de abrupte rentestijging in 1979. De inflatie steeg met meer dan honderd procent op jaarbasis en de groei daalde gevoelig. In 1981 belandde Brazilië voor het eerst sinds halverwege de jaren zestig in een recessie en dat gaf de campagnes van de partijen die oppositie voerden tegen de deelstaatgouverneurs een krachtige impuls. De strijd voor democratisering, die voor het herstel van de economische groei en die voor hogere lonen balden zich samen tot één beweging. In 1982 vroeg Brazilië het Internationaal Monetair Fonds om hulp, omdat het land de rente op zijn buitenlandse schulden niet meer kon betalen. De regering moest een hoge politieke tol betalen voor de steun van het IMF. Ik herinner me nog dat we de goedkeuring blokkeerden van een regeringsdecreet voor salarisverlagingen zoals opgelegd door het IMF. Een collega-senator van de oppositie en ik zetten senaatsvoorzitter Nilo Coelho van de regeringspartij onder druk en overtuigden hem ervan het besluit van het lagerhuis goed te keuren om tegen het decreet te stemmen. Dit werd een beslissende slag. Eén week later kreeg de senaatsvoorzitter een zware hartaanval. De politieke situatie was zo dramatisch dat die hem het leven heeft gekost.

Na 1982 verloor het regime duidelijk zijn belangrijkste bron voor legitimiteit: economische groei. Het bedrijfsleven was niet langer bang voor gewapend links, want dat was tussen 1968 en 1976 onderdrukt en verslagen. Zonder de angst voor onlusten enerzijds en zonder vooruitzichten op groei anderzijds, was het bedrijfsleven bereid in te zetten op beëindiging van het militaire regime. Toch waren de topondernemers, een paar liberale en moedige uitzonderingen daargelaten, over het algemeen traag en laat in hun reactie.

Veel nieuwe democratische regeringen kampten in het begin met ernstige economische moeilijkheden. De inflatie steeg opnieuw en gaf mensen het idee dat democratie geen enkel nut had om de economie te verbeteren. Gebeurde dit ook in Brazilië?

Ja en nee. De democratie zorgde inderdaad niet voor een verbetering van de economische situatie. De inflatie bleef juist stijgen, slechts af en toe en tijdelijk onderbroken door opeenvolgende stabiliseringsplannen. De geldontwaarding kregen ze nooit echt onder controle. De politiek bleef echter met nieuwe agenda's komen en creëerde nieuwe hoop met de grondwetgevende vergadering, de herinvoering van directe presidentsverkiezingen en de afzetting van de eerste verkozen president.

De inflatie was verschrikkelijk, maar de economie of de samenleving raakte er niet volledig door ontwricht. Brazilië beleefde de unieke ervaring van 'gecontroleerde hyperinflatie'. Er was een 'indexering' van de activa — een afstemming van activa en lonen — door een correctie van deposito's en schulden op basis van een officiële inflatie-index. De hyperindexering van de economie creëerde een zekere normaliteit, hoe labiel ook, want die indexering bemoeilijkte de groei en zorgde voor een scheve inkomensverdeling. Die 'vreemde normaliteit' van de sociale en economische situatie begrijpen — en mogelijkheden zien die te overwinnen — was essentieel voor de creatie van het Plano Real.

SOCIALE MOBILISATIE

Wat was de verhouding tussen de sociale bewegingen — de katholieke gemeenschappen in dorpen en steden, advocaten, arbeiders, bedrijfsleiders, vrouwen — en de politieke partijen die de transitie mogelijk maakten? En wat gebeurde er nadat rechtstreekse presidentsverkiezingen waren ingevoerd? Verzwakten de sociale organisaties?

Tijdens de transitie was het maatschappelijk middenveld zeer actief en de partijen probeerden met al die groepen in contact te komen. Vervolgens trachtten de partijen de zeggenschap binnen die bewegingen te krijgen — vooral de PT. Die partij kreeg zo veel invloed op de bewegingen dat ze het niet overleefden. Veel groepen op het maatschappelijk middenveld werden ondergeschikt aan het politieke project van de partij. Ze werden deel van het partijapparaat en raakten gebureaucratiseerd. Toen de PT het presidentschap won, kregen die organisaties meer publieke middelen, maar dat ging opnieuw ten koste van hun autonomie. Een aantal groepen zijn als het ware staatsorganisaties geworden. De beweging van de landarbeiders zonder grond (MST), die sterk radicaliseerde, vormt hierop een gedeeltelijke uitzondering.

De vakbonden verloren hun vermogen om mensen op de been te krijgen, vooral in de particuliere sector — deels om structurele redenen en deels omdat ze werden gecoöpteerd door de staat. Lula slaagde erin de autonomie van de bonden ten opzichte van de staat te versterken. Toen hij naam maakte als vakbondsleider was het zijn belangrijkste streven een einde te maken aan de verplichte vakbondstaks en aan de eis dat bonden door de staat moesten worden erkend om officieel te kunnen bestaan. Als president handhaafde Lula de verplichte vakbondstaks, keerde hij een deel van die inkomsten uit aan de vakcentrales en maakte hij het ministerie van Arbeid tot een instrument voor politieke steun door nieuwe vakorganisaties te erkennen.

Speelden vrouwenbewegingen een rol tijdens de transitie?

Ja, vrouwen speelden een belangrijke rol, vooral in de campagnes voor amnestie en rechtstreekse verkiezingen. Veel van de betrokken kunstenaars en intellectuelen waren vrouwen. Maar vrouwen bleven slechts mondjesmaat vertegenwoordigd in de politieke partijen en de vakbonden. De industriële bonden zijn heel *machista*.

De partijen streven nu naar een betere afspiegeling van de rol van vrouwen in de samenleving. Almaar meer vrouwen zijn kostwinner en de deelname van vrouwen aan het arbeidsproces is beduidend toegenomen. Er is ook een wet die politieke partijen verplicht om een minimumaantal vrouwen als kandidaat voor het congres aan te duiden.

Beleid en wetten veranderen echter langzaam, veel langzamer dan de samenleving. Misschien dat president Rousseff het veranderingsproces versnelt met haar eigen voorbeeld en doordat ze veel vrouwen heeft benoemd op belangrijke posten.

HEDENDAAGSE TRANSITIES

Hoe kijkt u naar de huidige democratiseringstrends in de Arabische landen en elders in de wereld? Welke invloed hebben de nieuwe communicatietechnologieën? Wat zijn voor u de dominante krachten bij transities die vandaag de dag spelen? En welke lessen zijn nuttig voor de toekomst?

De nieuwe technologieën bieden mensen de kans zich te uiten. Het probleem hierbij is dat het gemakkelijk is om mensen op te roepen om dingen stuk te maken, maar moeilijker om ze te bewegen tot heropbouw. De nieuwe technologieën volstaan op zich niet om de volgende stap voorwaarts te zetten. Je hebt instellingen nodig, het vermogen om duurzaam leiderschap te begrijpen, te vormen en uit te oefenen. Het is niet duidelijk hoe nieuwe technologieën inzetbaar zijn om iets nieuws te bouwen. In een gesloten en autoritair land met economische problemen is het gemakkelijk om te mobiliseren. Voor ons was de televisie van fundamenteel belang. Toen TV Globo verslag begon te doen van de demonstraties voor rechtstreekse verkiezingen, veranderde alles. Nu heb je geen televisie meer nodig, internet maakt mobilisatie veel gemakkelijker. Maar als je eenmaal de aandacht hebt, wat doe je dan?

Dit is een moeilijk moment omdat het democratische kapitalistische systeem in een crisis verkeert, met variërende dieptepunten en herstelmomenten. Er is bewondering voor het Chinese model, dat echter autoritair is. Zowel China als Chávez en vergelijkbare spelers vertegenwoordigen een vorm van etatisme, aansturing door de staat. Chávez had geen eenpartijsysteem, maar had dat heel graag wel willen hebben. Er is geen specifiek model dat je moet volgen. Er zijn mensen die beweren dat de kapitalistische democratie naar westers model op haar laatste benen loopt. Ik denk daar anders over, niet alleen omdat politiek liberalisme me ter harte gaat, maar ook omdat ik denk dat het economisch herstel zal doorzetten als we ons openstellen voor nieuwe investeerders, technologieën en innovaties. Ik denk dat de VS op dit moment meer potentieel heeft om te creëren en te innoveren dan Europa of China. Maar zolang een echte economische ommekeer zich niet aandient, zullen autoritaire regeringen aan prestige winnen.

Brazilië zet wat stappen terug: meer centralisering, minder vertrouwen in het maatschappelijk middenveld en meer vertrouwen in de staat. Regelgeving is altijd nodig, maar die mag niet uitdraaien op politieke interventie, want dat is schadelijk. Argentinië is daarvan een duidelijk voorbeeld.

Ik denk niet dat het volstaat om alleen democratie te preken. Misschien gaat het eerder over rechtvaardigheid en gelijkheid. Het moment breekt aan dat er zo'n grote kloof gaapt tussen de politiek en de bevolking dat er onrust ontstaat. Die situatie verergert nog als er sprake is van culturele en etnische verschillen. Hier in Brazilië hebben we de armoede aanzienlijk kunnen terugdringen en de ongelijkheid in zekere mate. In bepaalde landen is er niets veranderd en blijft het moeilijk om de democratie te bevorderen zonder dat dat voortvloeit uit een concreet respect voor anderen, voor burgerrechten en voor gelijke kansen.

De situatie in Afrika is in dat opzicht verontrustend. Hoewel het continent er economisch zienderogen op vooruitgaat, moet er op andere terreinen nog veel gebeuren. Wat nu gaande is in Zuid-Afrika — zwart racisme, gigantische corruptie en tribalisme — boezemt me angst in. Mandela was uitzonderlijk omdat hij in staat was zijn volk te leiden en een systeem te creëren dat de rechten van de blanke etnische minderheid respecteerde, ook al had die minderheid de macht verloren.

Er bestaat geen verlicht pad naar vooruitgang en democratie. Een autoritair regime afzetten is gemakkelijker dan het doen ontstaan van een echte democratische cultuur met bijbehorende handelwijzen.

BASISPRINCIPES

Als, bij wijze van voorbeeld, een Russische voorvechter van de democratie u aanspreekt en zegt dat er veel Russen zijn die oprecht in democratische liberale ideeën geloven omdat ze verwachten dat de democratie tot een betere toekomst leidt, welk advies kunt u hun dan geven? Hoe vergroten ze hun kansen om te bereiken wat Brazilië heeft bereikt?

Heb geduld en besef dat verandering stukje bij beetje komt, omdat democratie tijd nodig heeft om zich te vestigen en omdat de markt de tijd moet krijgen om zich te ontwikkelen. Het probleem in Rusland is dat de economie groeit met monopolies en oligopolies en dat kan mettertijd nog slechter worden. Het is moeilijk te voorzien hoe snel de geschiedenis zich zal ontwikkelen. Je hebt nu de indruk dat deuren gesloten zijn, maar je mag niet vergeten dat de Sovjet-Unie snel ineen is gestort. Het is zaak dat je blijft hopen in de haalbaarheid van een betere situatie. Wie had zich ooit kunnen voorstellen wat zich recentelijk in de Arabische wereld heeft afgespeeld?

Wat Rusland betreft denk ik niet dat je de illusie moet koesteren dat de hele wereld ooit democratisch zal zijn. De grote fout van Bush is dat hij verder is gegaan toen hij moest stoppen, toen hij had moeten consolideren in plaats van stimuleren. Dit is niet het moment om de democratie op te dringen, maar om haar te verdedigen.

Als je kijkt naar de enorme diversiteit van de verschillende transities en de uiteenlopende persoonlijkheden die erbij betrokken waren, welke lering is er dan te trekken uit oudere transities die nu en in de toekomst relevant kan zijn?

In Brazilië gebeurde de verandering niet abrupt. We hadden geen D-Day; het was een proces. Het was een transitie met instemming van alle partijen, zonder formele akkoorden, wel met onderhandelingen. We hadden politieke strijd en onderhandelingen, een stem in de samenleving en de institutionele ruimte, confrontaties met het regime en toenadering tot groeperingen die ontevreden waren over het regime. We begonnen met een enkel oppositiefront, dat in de loop der jaren uiteenviel toen er een einde kwam aan de tweepartijenpolitiek. Ondanks de vele visies en belangen binnen de verschillende opkomende oppositiepartijen slaagden we erin ons te scharen achter gemeenschappelijke doelen. Zo ontwikkelde een cultuur van onderhandelingen en dialoog zich tot een belangrijk aspect van de Braziliaanse democratie. Als dit echter uitmondt in coöptatie en belangenvermenging, dan kan dat de democratische politiek verzwakken, de burgers ontmoedigen en afbreuk doen aan het vermogen van de staat om op te treden voor het algemeen belang. De stijl van de transitie conditioneert het democratische bestuur ten goede of ten slechte.

INTERNATIONALE INVLOED

Wat is de invloed van internationale factoren op de Braziliaanse transitie geweest?

Aanvankelijk was Spanje ons voornaamste referentiekader. Later werd het Chili, toen het democratische bestuur daar werd versterkt. We keken naar wat er in Chili met de Concertación gebeurde. In Brazilië hadden we niet zo'n unieke brede coalitie als de Concertación was, maar toch beseften de PT en de PSDB vanaf mijn ambtstermijn dat beide onderdeel waren van één democratiserings- en moderniseringsproces, ook al waren ze het vaak oneens. Welke nieuwe fenomenen dienden zich aan na de dictatuur? Lula en ik. Onze partijen hebben elkaar bestreden over iets heel simpels: wie van de twee er aan de macht zou komen. Dit gevecht was politiek en draaide om wie de uitvoerende macht in handen zou krijgen.

Ruziën de partijen over de te kiezen weg? Hoe ze moeten reageren op de mondialisering en Brazilië moeten moderniseren?

Ja, in zekere mate wel. Er zijn verschillen omdat de PT bijvoorbeeld een op de staat en partij gerichte visie heeft. Wij van de PSDB zijn pluralistischer en minder hiërarchisch ingesteld. Maar beide partijen zijn sterk sociaaldemocratisch. Op macro-economisch vlak zijn er geen grote verschillen. Zij noemden ons neoliberalen, maar dat zijn we nooit geweest; wij noemden hen stalinisten, maar dat zijn zij ook nooit geweest.

Het is jammer dat Lula zich liet opslorpen door onze traditionele politieke cultuur. Hij aanvaardde de politieke dynamiek te gemakkelijk. Ik kwam uit een traditioneler nest en heb moeite gedaan om de politieke cultuur te veranderen. Toen ik de regering verliet waren de oligarchische groepen een stuk zwakker; Sarney en Antonio Carlos Magalhães waren niet meer zo sterk na hun strijd tegen mij. Lula zette hen echter weer op de politieke kaart en aan het einde van zijn tweede termijn vloog hij naar São Paulo met hetzelfde vliegtuig als Sarney — voor mij hét symbool van de oligarchie. In die zin zette de regering-Lula een stap terug. Maar de Braziliaanse democratie is niet meer weg te denken. We zullen nooit terugkeren naar een autoritaire heerschappij.

TIJDLIJN

Maart 1964: Geconfronteerd met massademonstraties en een hoge inflatie kondigt president João Goulart 'basishervormingen' aan die herverdeling beogen en een doorn in het oog zijn van conservatieve politieke groeperingen, waaronder een groot deel van het leger. Op 31 maart reageert het leger met een staatsgreep tegen Goulart.

Oktober 1965: Het leger houdt gouverneursverkiezingen, maar scoort slechter dan verwacht. Militaire hardliners voeren met succes de druk op om bestaande partijen te verbieden en richten de Braziliaanse Democratische Beweging (MDB) op als enige legale oppositiepartij.

Maart 1967: De door het leger gedomineerde volksvertegenwoordiging benoemt generaal Artur da Costa e Silva tot president, met de steun van de semiofficiële Aliança Renovadora Nacional (ARENA). Hij wordt later opgevolgd door een andere hardliner, generaal Emílio Garrastazu Médici. Onder deze leiders bereikt de repressie een hoogtepunt.

December 1968: De militaire regering vaardigt het decreet AI-5 uit dat de president de bevoegdheid geeft om de nationale volksvertegenwoordiging en de deelstaatparlementen te ontbinden, de wetgevende macht te grijpen, de pers te censureren en het habeas corpus voor politieke misdrijven op te schorten.

Maart 1974: De regering benoemt de gematigde generaal Ernesto Geisel tot president. Hij kondigt een beperkte politieke liberalisering (*distensão*) af.

November 1974: Met een op economische kwesties gerichte campagne wint de MDB 16 van 22 vacante senaatszetels, 44 procent van de zetels in het lagerhuis en de meerderheid in nog eens vijf deelstaatparlementen. Dit bekrachtigt de omstreden beslissing om deel te nemen aan de verkiezingen.

Oktober 1975: Journalist Vladimir Herzog overlijdt in militaire hechtenis na te zijn gemarteld. Religieuze leiders houden een oecumenische begrafenis die uitloopt op de eerste demonstratie tegen het militaire regime. Geisel gelast een minder repressief optreden van het veiligheidsapparaat en ontslaat de generaal die verantwoordelijk is voor Herzogs dood.

April 1977: De regering vaardigt het 'Aprilpakket' uit dat een einde maakt aan de directe verkiezingen van een derde deel van de senaat, de toegang van de oppositie tot de media voorafgaand aan de verkiezingen beperkt en zorgt voor een oververtegenwoordiging in het congres van uitdrukkelijk regimegezinde deelstaten.

Mei 1978: De arbeidersbeweging Novo Sindicalismo organiseert, deels onder leiding van Luiz Inácio (Lula) da Silva, grote stakingen tegen het regime en het stelsel van arbeidsvoorwaarden.

November 1978: Bij verkiezingen voor het congres haalt de oppositie de meeste stemmen in de senaat, maar ze verwerft vanwege het Aprilpakket in kamer noch senaat de meerderheid.

Maart 1979: Het door het leger gedomineerde kiescollege benoemt de gematigde generaal João Figueiredo tot president. De dissidente generaal Euller Bentes Monteiro neemt het op tegen Figueiredo en brengt zo de onenigheid binnen het leger aan het licht. Eenmaal aan de macht bevordert Figueiredo een beleid van meer openheid (*abertura*).

Augustus 1979: Figueiredo kondigt een amnestieregeling af, ook voor misdrijven gepleegd door het leger. Oppositieleiders komen geleidelijk aan terug uit ballingschap.

November 1979: De regering maakt een einde aan het tweepartijenstelsel en geeft alle partijen de kans om op te komen. De MDB wordt omgedoopt tot Braziliaanse Partij van de Democratische Beweging (PMDB) en ARENA wordt de Democratische Sociale Partij (PDS). Er verschijnen ook nieuwe partijen, zoals de linkse arbeiderspartij (PT) onder leiding van Lula en andere voorlieden van Novo Sindicalismo.

December 1980: Een grote groep landloze boeren bezet landbouwgrond en eist herverdeling. Dit leidt tot de oprichting van de beweging van landloze arbeiders, die een formele status krijgt en de volgende twee decennia snel groeit.

Augustus 1982: De Mexicaanse bankencrisis breidt zich uit naar Brazilië. De gevolgen voor de economie zijn desastreus en leiden tot woede onder de bevolking en tot een felle inflatie die opeenvolgende regeringen trachten te beteugelen.

November 1982: Bij de algemene verkiezingen wint de oppositie de meerderheid van de zetels in het huis van afgevaardigden en in de belangrijkste deelstaatparlementen, waardoor het regime wordt gedwongen te onderhandelen over wetgeving. De oppositie verwerft niet de controle binnen de senaat of het kiescollege.

Januari 1984: De Diretas Já-campagne, die pleit voor rechtstreekse presidentsverkiezingen, organiseert het hele jaar door protesten en krijgt daarbij vaak de steun van gouverneurs. Een voorstel voor een grondwetswijziging met betrekking tot directe verkiezingen haalt de vereiste supermeerderheid in het congres niet.

Januari 1985: Een factie van de PDS scheurt zich af tijdens de indirecte presidentsverkiezingen en richt de Liberale Frontpartij (PFL) op. De partij werkt samen met de PMDB om Tancredo Neves, een gerespecteerd politicus uit Minas Gerais en voorman van Diretas Já, tot president te verkiezen. PFL-kandidaat José Sarney wordt vicepresident.

Maart 1985: De dag voor de inauguratie wordt Neves ernstig ziek. Sarney wordt eerst beëdigd als president ad interim en vervolgens als president, wanneer Neves kort nadien overlijdt.

Mei 1985: Het congres keurt wetten goed die rechtstreekse presidentsverkiezingen mogelijk maken, stemrecht verlenen aan ongeletterde burgers en de registratie van politieke partijen vergemakkelijken.

November 1986: Er worden verkiezingen gehouden voor beide kamers van het congres, die samen een grondwetgevende vergadering zullen vormen. De PMDB wint een meerderheid van de zetels.

Oktober 1988: Na een jaar onderhandelen presenteert de grondwetgevende vergadering, met senator Fernando Henrique Cardoso uit São Paulo als rapporteur, de nieuwe grondwet. Die grondwet voorziet in een uitbreiding van politieke en sociale rechten, decentralisatie van de macht, een beperktere rol van het leger bij de binnenlandse veiligheid, de oprichting van sterke rechtbanken en de voortzetting van het presidentiële systeem.

December 1989: Fernando Collor de Mello, gouverneur van een kleine deelstaat die de steun geniet van het bedrijfsleven en de media, verslaat PT-kandidaat Lula bij de rechtstreekse presidentsverkiezingen. Collor de Mello voert een beleid in om de inflatie te beteugelen, zij het met matig succes.

December 1992: Op grond van beschuldigingen van corruptie binnen zijn regering neemt Collor de Mello ontslag om een afzettingsprocedure te voorkomen. Vicepresident Itamar Franco volgt hem op.

April 1993: In een referendum bekrachtigen de kiezers de voortzetting van het presidentiële systeem ten nadele van de invoering van een parlementair systeem.

December 1993: Franco en minister van Financiën Fernando Henrique Cardoso presenteren het Plano Real, een nieuw macro-economisch beleid dat de inflatie onder controle krijgt.

Oktober 1994: Cardoso wordt met steun van Franco verkozen tot president. Met 54 procent van de stemmen verslaat hij PT-kandidaat Lula, die 27 procent van de stemmen haalt.

December 1995: Cardoso tekent een wet die de betrokkenheid van de regering bij sterfgevallen onder het militaire regime erkent en hij stelt een bijzondere commissie inzake politieke moorden en verdwijningen in om schadevergoedingen uit te keren aan de families van de slachtoffers.

Juni 1997: Het congres keurt een grondwetswijziging goed die voorziet in de herkiesbaarheid van de president. Cardoso lobbyt zwaar bij het congres voor goedkeuring van het amendement.

Oktober 1998: Cardoso wordt herverkozen met 53 procent van de stemmen. Lula, zijn voornaamste tegenstander, haalt 32 procent van de stemmen.

Juli 1999: Cardoso roept een eengemaakt ministerie van Defensie onder een civiele minister in het leven en schaft zodoende de door militairen geleide ministeries van de afzonderlijke legeronderdelen af.

April 2001: De federale regering introduceert Bolsa Escola, een alom geprezen sociaal welzijnsprogramma dat arme gezinnen geld geeft als ze hun kinderen naar school sturen.

Oktober 2002: Bij de presidentsverkiezingen verslaat Lula de door Cardoso gesteunde kandidaat. In de slotronde wint hij 61 procent van de stemmen. Tijdens de campagne matigt Lula een aantal eerdere standpunten, zoals zijn plan om de afbetaling van buitenlandse schulden aan voorwaarden te koppelen.

2
CHILI'S GESLAAGDE TRANSITIE: VAN FELLE POLARISATIE NAAR EEN STABIELE DEMOCRATIE

GENARO ARRIAGADA

In 1970 had Chili ongeveer 9 miljoen inwoners en het op twee na hoogste inkomen per capita in Latijns-Amerika. Het was een politiek vooruitstrevende samenleving en het goed ontwikkelde partijstelsel, in drie bijna evenredige delen opgedeeld, was duidelijk op Europese leest geschoeid. Op de linkervleugel waren er twee marxistisch-leninistische partijen. De grootste daarvan was de Sovjetgezinde communistische partij, die ook de op twee na grootste communistische partij in de westerse wereld was — na die in Italië en Frankrijk. In het centrum overheersten de christendemocraten, die meer bij links aanleunden dan hun Europese collega's en qua relatieve omvang ongeveer even groot waren als de christendemocraten in Italië en Duitsland. De rechtervleugel kende een democratische traditie en de conservatieve partijen in Chili waren beter georganiseerd dan in andere Latijns-Amerikaanse landen. De strijdkrachten stonden al lange tijd onder stevige civiele controle.

In deze context won Salvador Allende in 1970 de verkiezingen met zijn Volksfrontbeweging. Allende won het presidentschap met 36 procent van de stemmen, maar zijn partij had een minderheid in beide kamers van het congres. Waarnemers zijn het nog altijd niet eens over de ware aard van de ambities van Allende. Tegenstanders zagen zijn werk als een poging om nog een 'daadwerkelijk socialistisch' land te doen opstaan. Voor veel van zijn aanhangers was het een niet eerder vertoond project dat een alternatief en pluralistisch model voor de overgang naar het socialisme trachtte te construeren. Weer anderen meenden dat het Chileense experiment nooit zou kunnen ontkomen aan de 'wetten van het wetenschappelijk socialisme', inclusief een onvermijdelijke periode van de 'dictatuur van het proletariaat'. Wat de bedoeling van de regering-Allende ook was, Chili belandde geleidelijk in een sfeer van intolerantie. Sociale en politieke conflicten (met bijbehorend geweld) werden almaar scherper.

DE BREUK VAN 1973

De militaire interventie onder leiding van generaal Augusto Pinochet, die eindigde met de val en de dood van Allende op 11 september 1973, was buitengewoon gewelddadig. Hoewel er geen sprake was van gewapend verzet, kwamen in de eerste dagen na de coup zo'n drieduizend mensen om het leven – de overgrote meerderheid van hen werd standrechtelijk geëxecuteerd. De gevangenissen zaten vol politieke gevangenen en er kwamen verscheidene concentratiekampen. Niet minder dan honderdduizend mensen gingen gedwongen in ballingschap. Tienduizenden mensen verloren hun baan in het openbaar bestuur, aan universiteiten en scholen, en bij overheidsbedrijven en particuliere ondernemingen. Foltering werd een standaard werkinstrument van het regime.

De regering ontbond het parlement, de vakbonden en de politieke partijen. Ze verbrandde de kiezerslijsten en bemoeide zich met het bestuur van de universiteiten door legerofficieren in actieve dienst aan te stellen als rector. Ook doekte het regime de kranten op die hen in hun ogen niet onvoorwaardelijk zouden steunen en voerde het een censuur in op de pers en op boeken. Nieuwe dagbladen en tijdschriften konden niet verschijnen zonder goedkeuring van het ministerie van Binnenlandse Zaken. De regering stelde een avondklok in die langer dan een decennium van kracht bleef.

Zo'n gewelddadige staatsgreep had moeten stuiten op resolute verwerping in een land met zo'n democratische staat van dienst als Chili. Maar dat gebeurde niet. De samenleving was uitermate gepolariseerd en het hele maatschappelijke weefsel was doordrongen van politieke en sociale haat. Met massale demonstraties van alle partijen was chaos in de straten dagelijkse kost. Groeperingen bezetten bedrijven, universiteiten en landerijen en wilden dat de staat die zou overnemen of dat ze juist uit handen van de staat zouden blijven.

Een aanzienlijk deel van de bevolking zag de militaire coup als een oplossing – het herstellen van de orde – en steunde deze onvoorwaardelijk en met één toegeknepen oog (één oog zag de orde en een zekere economische welvaart, het andere bleef blind voor de gruwelijke mensenrechtenschendingen). De top van het bedrijfsleven steunde de coup, in eerste instantie dankbaar voor de teruggave van de door de staat gecontroleerde of bezette bedrijven, en later voor de invoering van een orthodox neoliberaal economisch beleid. Het is onjuist om te stellen dat de maatschappelijke steun voor het regime hier eindigde; die steun breidde zich in verschillende mate uit naar alle sociale klassen.

EEN MOEILIJKE WEG VOOR DE OPPOSITIE

De wreedheid van de staatsgreep veroorzaakte een breuk in de alliantie tussen het leger en de christendemocraten die het tegen Allende hadden opgenomen. De omvang van de mensenrechtenschendingen en de afschuw van de dictatuur voor politieke partijen maakten dat de christendemocraten eind 1973 in verzet kwamen tegen het regime. Pinochet reageerde door hen illegaal te verklaren en hun eigendommen en kantoren te confisqueren. Deze ontwikkeling maakte echter geen einde aan het antagonisme tussen de christendemocraten en de coalitie van socialisten en communisten. Beide kampen bleven verwikkeld in een giftige polemiek over wie verantwoordelijk was voor de ondergang van de democratie.

En zo kenmerkte een verdeelde oppositie de eerste jaren van het militaire bewind: de christendemocratische partij was het sterkst in Chili zelf, terwijl socialisten en communisten domineerden onder de Chilenen in het buitenland.

Toch was er een interessante confrontatie tussen de militaire junta en de oppositie in de maak. Het militaire inlichtingenapparaat was sterk en opereerde zonder moreel of wettelijk toezicht, maar steeds meer mensenrechtenorganisaties begonnen de misdrijven van die diensten te melden. De regering had volledige controle over de universiteiten, maar overal doken oppositionele denktanks op die een groot deel van de intellectuele gemeenschap in zich verenigden. Na opheffing van de vakbonden had de junta een 'gele' vakbond opgezet, maar ze kon zich niet ontdoen van de invloed van voorlieden van de arbeidersbeweging, die gelieerd waren aan de linkse partijen en de christendemocraten, en die zowel in Chili zelf als in het buitenland golden als legitieme woordvoerders. De partijen waren weliswaar murw geslagen door de repressie, maar toch bleef een deel van hun structuren behouden. De Katholieke Kerk vormde met instemming van bisschoppen en parochiepriesters een koepel die mensenrechtenadvocaten en diverse maatschappelijke organisaties bescherming bood.

Verschillende factoren maakten dat de oppositie na 1980 beter georganiseerd raakte. In plaats van te debatteren over de vraag wie verantwoordelijk was voor de teloorgang van de democratie, begonnen de partijen zich te concentreren op hun eigen fouten; intellectuelen met diverse achtergronden droegen bij aan die trend. De belangrijkste factor was echter dat voormalige politieke vijanden uit de jaren zestig en zeventig elkaar ontmoetten binnen de organisaties die streden tegen het militaire regime. Politieke meningsverschillen uit vroegere tijden bleven bestaan, maar kwamen op de tweede plaats; concrete inspanningen om levens te redden, schendingen aan te klagen, demonstraties tegen het regime te organiseren en gaarkeukens te financieren om de gezinnen van werklozen te eten te geven, kregen voorrang.

In 1980 schreef het regime een referendum uit — zonder de staat van beleg op te heffen en zonder kiezerslijsten, fora, debatten of publiciteit — om een nieuwe grondwet goed te keuren. De oppositie hekelde het hele proces als frauduleus, maar het initiatief van de junta bood socialisten en christendemocraten een concrete gelegenheid om samen te werken. Er voltrok zich een hergroepering, zowel in Chili als in het buitenland, die het karakter van de oppositie veranderde. Een meerderheid binnen de socialistische partij brak met het internationalistische, door de Sovjet-Unie geleide 'socialistische' kamp en smeedde nauwere banden met Europese sociaaldemocratische partijen. Tegelijkertijd koos de Chileense communistische partij een tegenovergestelde koers. Met politieke middelen, maar ook met paramilitaire en militaire acties, met inbegrip van terreurdaden, wilden zij een verder gevorderde vorm van socialisme bereiken. Binnen de oppositie veranderden de machtsverhoudingen. Enerzijds was er de communistische partij, anderzijds een steeds bredere samenwerking tussen christendemocraten en socialisten, die van mening waren dat het verzet tegen het regime de weg moest kiezen van vreedzame sociale mobilisatie en een betere organisatie van partijen en van het maatschappelijk middenveld. Met als doel een democratische transitie via onderhandelingen af te dwingen.

In die nieuwe context voerde de gematigde tak van de oppositie de acties op en richtte de Alianza Democrática en de Asamblea de la Civilidad op. De Alianza was een pact tussen een aantal politieke partijen georganiseerd rond de socialisten en de christendemocraten. De Asamblea was een sociaal akkoord van beroepsverenigingen, vakbonden, studentenorganisaties en groepen die de belangen van kleine ondernemingen behartigden. Een paar jaar later, in 1985, organiseerde de Kerk het Nationaal Akkoord, met onder meer een aantal vertegenwoordigers van rechtse signatuur die voorheen hadden samengewerkt met de dictatuur. Al deze initiatieven werden ondernomen ter ondersteuning van een gematigd programma dat een zo breed mogelijk maatschappelijk draagvlak wilde bereiken, een programma dat alleen de communisten uitsloot, die 'de juistheid van alle vormen van strijd', inclusief geweld, bleven verdedigen.

De oppositie boekte in de eerste helft van de jaren tachtig opmerkelijke vooruitgang, maar faalde op twee belangrijke gebieden. Ten eerste lukte het niet om toonaangevende rechtse sectoren te incorporeren. Liberaal-rechts, een constante factor in de geschiedenis van Chili als republiek, was sinds de coup van 1973 weggekwijnd en vervangen door een mix van civiele militaristen en katholieke integrationisten (*integristas*) die de democratie wantrouwden, en een aantal neoconservatieven, wier liberalisme zich beperkte tot de economie. De tweede moeilijkheid was het gevolg van de botsende strategieën van de Alianza Democrática en de communisten, wat leidde tot een splitsing binnen de oppositie. Het gematigde discours en de uitnodiging om te komen tot een geweldloze oplossing voor de crisis werden voortdurend in de weg gezeten door gewelddaden — variërend van excessen tijdens betogingen tot het opblazen van hoogspanningsmasten en moordaanslagen.

Deze tegenstrijdige situatie kwam tot uitdrukking in de *protestas* — de demonstraties die vanaf 1982 eens per maand plaatsvonden. Overdag waren er vreedzame demonstraties en tijdens de avondschemering klonk er uit de huizen in de meest uiteenlopende wijken een gekletter van potten en pannen dat Santiago met oorverdovend lawaai vulde. Maar 's avonds laat raakten extremistische groepen slaags met de politie, wat leidde tot zware vernielingen en de dood van jonge mensen, meestal uit de armste buurten. Extreemlinks bleek intussen betrokken te zijn bij de moord op politieagenten, bij bomaanslagen in de metro en vandalisme. De regering reageerde meedogenloos: vakbondsleider Tucapel Jiménez en andere voorlieden werden vermoord, drie communistische professoren werd de keel afgesneden en op een van de protestdagen overgoot een militaire patrouille twee studenten met benzine om hen vervolgens in brand te steken. De radicaalste geledingen van het regime verwelkomden dit klimaat van geweld en verdedigden de aanpak met 'de ijzeren vuist' (*la mano dura*) als de enige manier om de bestuurbaarheid van het land en de openbare orde te waarborgen, en om tegelijkertijd de oppositie (zonder enig onderscheid) te brandmerken als één grote anarchistische bende.

Ondanks deze omstandigheden bleef de gematigde oppositie zich inspannen om de interne eenheid te bewaren en tot verdergaande onderlinge afspraken te komen. De strategie van de communistische partij daarentegen beleefde haar Waterloo. In de tweede helft van 1986 ontdekte het regime een enorm wapenarsenaal op een afgelegen strand in het noorden van Chili. Het Frente Patriótico Manuel Rodríguez (FPMR), de gewapende vleugel van de communistische partij, had de wapens vanuit Cuba het land binnengesmokkeld. Een maand later pleegde het FPMR een aanslag op Pinochet. De poging mislukte, maar zes lijfwachten van de dictator kwamen om. Het jaar 1986 eindigde met een versterkt regime, met een Pinochet die de absolute controle over het leger had en met het bankroet van de communistische strategie. Toch bleek de alliantie van socialisten en christendemocraten, al roeiden ze tegen de stroom van polarisatie en geweld in, sterk genoeg om met steun van het maatschappelijk middenveld en de heropgeleefde politieke partijen de strategie van sociale mobilisatie voort te zetten.

HET BEGIN VAN DE TRANSITIE

Tegen 1987 — de junta was inmiddels veertien jaar aan de macht — werd het plaatje almaar complexer. Regering en oppositie hadden een zeker machtsevenwicht bereikt. De macht van Pinochet bleef groot en concentreerde zich hoofdzakelijk rond staatszaken en het leger. Hij was de president van een staat die functioneerde en daarbij opperbevelhebber van de strijdkrachten, over wie hij de absolute macht uitoefende: ze waren eendrachtig, gehoorzaam, hielden zich buiten de politiek en waren hun opperbevelhebber trouw. Pinochet genoot ook de steun van de gegoede burgerij en van de top van het bedrijfsleven.

Maar de oppositie deed het niet slecht. Een van de belangrijke kenmerken van de oppositie was de kracht van haar instellingen, wat betekende dat het leiderschap collectief was en niet zozeer leunde op charismatische persoonlijkheden. De macht van de oppositie was politiek, sociaal en internationaal. Partijen waren weliswaar illegaal, maar goed genoeg georganiseerd om op te roepen tot manifestaties die honderdduizenden mensen op de been brachten. De oppositie kon ook rekenen op organisaties die onafhankelijk van de staat opereerden, zoals kerken, vakbonden, studentenorganisaties, beroepsfederaties, vrouwenorganisaties en buurtverenigingen. Ze wist zich verzekerd van de solidariteit van de internationale opinie en van de vrijwel unanieme sympathie van de regeringen in Europa en Noord- en Zuid-Amerika. De oppositie ondervond ook veel baat van de inzet van sterke persoonlijkheden, die een fundamentele rol speelden in het verenigen van de oppositionele krachten en bij de ontwikkeling van strategieën. Het betrof met name Patricio

Aylwin en Ricardo Lagos, twee sleutelfiguren in de oppositie tegen Pinochet en in de samenwerking tussen de centrumpartijen en gematigd links. Beiden werden president van Chili na het herstel van de democratie.

In de jaren tachtig bereikte Chili een rampzalig evenwicht. Pinochet was sterk genoeg om aan de macht te blijven, maar niet om zijn tegenstanders te verpletteren. De oppositie op haar beurt was ondanks de enorme pressie — met onder meer de staat van beleg — taai genoeg om de controle over het maatschappelijk middenveld en de politieke gemeenschap te behouden, maar niet bij machte om de regering te veranderen.

In de tweede helft van de jaren tachtig slaagde de politiek sterke leiding van de oppositie erin de agenda vast te leggen en zich niet van haar doelstellingen te laten afleiden. De oppositie besloot deel te nemen aan het referendum over de grondwet, dat Pinochet had voorzien voor eind 1988, om een beslissende confrontatie uit te lokken. Met een ja-stem bleef de dictatuur nog acht jaar aan de macht, een nee zou leiden tot verkiezingen. De oppositie aanvaardde het tijdschema van 1988, maar stelde onvermoeibaar alles in het werk om het referendum door vrije verkiezingen te vervangen. De regering gaf echter resoluut te kennen dat er alleen een referendum zou komen en de oppositie stemde in met de voorwaarden van het regime — mede omdat ze vreesde dat competitieve verkiezingen uitdagingen met zich mee zouden brengen waarop ze niet volledig zou zijn voorbereid (zoals overeenstemming bereiken over één kandidaat en één platform). De beste kans om de eenheid te bewaren was een nee-stem tegen voortzetting van Pinochets bewind. De oppositie waarschuwde echter wel dat zij zich zou terugtrekken als niet werd voldaan aan minimale voorwaarden voor een eerlijk referendum en dat ze dan het referendum — in Chili en internationaal — als frauduleus zou verwerpen.

Nu volgde de organisatie van de NEE-campagne, waarvoor vele politieke en sociale actoren hun krachten moesten bundelen. De campagne bepleitte een geweldloze transitie naar democratie, een transitie die afstand nam van het idee van een revolutie of gepolariseerde confrontatie, en die niet zozeer uit was op de 'totale overwinning', maar 'een vaderland voor iedereen' (*una patria para todos*) beloofde waarin allen (behalve plegers van misdrijven) 'een plek onder de zon' zouden hebben — dus dezelfde rechten en respect voor ieders waardigheid.

Op 5 oktober 1988 zegevierde de oppositie. De NEE-campagne won 56 procent van de stemmen. Het was het begin van het einde voor de dictatuur. In december 1989 werd bij open verkiezingen voor het staatshoofd en de beide kamers van het congres Patricio Aylwin verkozen als president van de republiek. Tien jaar later werd Ricardo Lagos het nieuwe staatshoofd.

EEN LASTIGE, MAAR GESLAAGDE OVERGANG

De Chileense transitie vertoont een merkwaardige tegenstrijdigheid. In het begin verliep een en ander zo stroef dat de overgang gedoemd leek slechts magere resultaten op te leveren, terwijl nu vrijwel iedereen deze beschouwt als een van de succesvolste ooit.

Politiek gezien was het uitgangspunt uitermate ongunstig. Hoewel Pinochet de verkiezingen had verloren, had hij in 1988 toch nog 44 procent van de stemmen behaald. Het oude regime stond de macht af terwijl het leger nog als één man achter de dictator stond, met de militante steun van twee politieke partijen die bij de eerste parlementsverkiezingen ook 44 procent van de stemmen hadden gehaald. Rechts genoot daarbij de bijna volledige steun van de top van het bedrijfsleven, een van de meest conservatieve in Latijns-Amerika. Ondanks de krachtige steun van die aanhangers deed het militaire regime een stap terug na een groot economisch succes te hebben geboekt; Chili gold als schoolvoorbeeld van neoliberale economische hervorming.

Het institutionele kader was nog erger. Volgens de grondwet zou Pinochet nog acht jaar aanblijven als opperbevelhebber van het leger – tweemaal zolang als de ambtstermijn van Aylwin. Een 'binomiaal' kiesstelsel zorgde op het vlak van parlementszetels voor een impasse tussen regering en oppositie, die alleen te doorbreken was in districten waar een van de coalities tweemaal zoveel stemmen zou winnen als de andere (dus minstens 67 procent). De 'remise' in het hogerhuis van het congres werd doorbroken ten voordele van het oude regime doordat Pinochet acht van zijn aanhangers benoemde tot senator voor het leven. Daarnaast stipuleerde de grondwet een bijzonder quorum voor het aannemen van belangrijke wetten, wat het in wezen onmogelijk maakte om wetten te veranderen zonder goedkeuring van de oppositie. Tijdens zijn laatste jaar had het militaire regime veertien van de zeventien rechters van het hooggerechtshof benoemd en zichzelf amnestie verleend met betrekking tot mensenrechtenschendingen.

Was het politieke bedrijf beperkt gebleven tot wat het institutionele kader mogelijk maakte, dan zou de Chileense transitie heel vroeg een stille dood zijn gestorven. In de strijd om het geërfde institutionele kader te doorbreken, zouden de kwaliteit, eenheid en kracht van de Concertación — het politieke instrument van de transitie — fundamenteel blijken. De Concertación dankte haar succes aan het feit dat ze de voornaamste politieke alliantie vormde die Chili in meer dan een eeuw had gekend. Het was Chili's langst levende regeringscoalitie die vier presidenten op rij leverde: Patricio Aylwin, Eduardo Frei, Ricardo Lagos en Michelle Bachelet. De Concertación nam twintig jaar deel aan alle presidents-, parlements- en gemeenteraadsverkiezingen. De leiders — van de presidenten van de republiek tot en met het kader van lokale afdelingen — deelden één politiek programma en één methodiek om dat in te voeren. In de opeenvolgende regeringen waarborgde die strategie de continuïteit van het fundamentele actieprogramma dat gericht was op de transitie naar een democratisch bestel en vervolgens op de verankering daarvan.

Wat betreft schendingen van de mensenrechten in het verleden gold als eerste prioriteit de erkenning van die schendingen, een officiële erkenning dat die feiten daadwerkelijk waren gepleegd. De oprichting door president Aylwin van de waarheids- en verzoeningscommissie was cruciaal. Die commissie documenteerde de enorme schaal van de misdrijven tijdens de dictatuur zodat het hele land wist wat er gebeurd was. Jaren later installeerde president Lagos een commissie inzake politieke detentie en marteling die dertigduizend mensenrechtenschendingen optekende. De impact van deze rapporten was enorm; ze verleenden de democratische regeringen een moreel fiat.

Met soortgelijke inspanningen is gepoogd de 'autoritaire enclaves' uit te bannen. Die waren gecreëerd met het specifieke doel het meerderheidsprincipe te omzeilen en van de Concertación een institutionele minderheid te maken, terwijl ze veel bredere electorale steun genoot dan de partijen van het oude regime. Onder Aylwin, en in de beginjaren van de ambtstermijn van zijn opvolger Eduardo Frei, werden drie ontwerpen voor een grondwetsherziening ingediend. Ze werden alle verworpen. Hoewel rechts erin slaagde deze wijzigingen te blokkeren, nam de legitimiteit van de 'enclaves' toch duidelijk af. Rechts zag zich gedwongen wijzigingen te aanvaarden: opheffing van de grondwettelijke bepaling die de communistische partij verbood, een verlaging van het quorum voor de goedkeuring van wetten en een geleidelijke inperking van de bevoegdheden van de Chileense veiligheidsraad, die krachtens Pinochets grondwet, met de tegenstemmen van twee bevelhebbers, beslissingen van de president kon blokkeren. De belangrijkste hervormingen kregen uiteindelijk hun beslag onder het presidentschap van Lagos in 2005: schrapping van de benoeming van senatoren via coöptatie en een einde aan het verbod voor presidenten om commandanten van strijdkrachten en politie gedurende hun vierjarige ambtstermijn af te zetten.

Pinochet bleef na 1990 opperbevelhebber van het leger, wat het proces van *transitional justice* voor de Concertación bemoeilijkte. Onder de regering-Aylwin stuurde Pinochet manschappen in gevechtsuitrusting de straat op om de burgerautoriteiten te intimideren. Ook het besluit van de regering-Frei om over te gaan tot de arrestatie van generaal Manuel Contreras, hoofd van de politieke geheime politie tijdens de meest repressieve jaren van de dictatuur, werd aangevochten — Pinochet was toen nog altijd opperbevelhebber.

Vanaf Aylwin drongen opeenvolgende Concertación-regeringen aan op de onderwerping van het leger aan civiel toezicht en aan de rechtsstaat. Ze tornden niet aan de carrièremogelijkheden van officieren die in het verleden niet betrokken waren geweest bij de politiek of mensenrechtenschendingen, en ook stelden ze voldoende financiële middelen ter beschikking van de strijdkrachten. Op zijn beurt mocht het leger zich niet met de politiek bemoeien. Beide besluiten vulden elkaar aan: van respect voor het soldatenvak kon alleen sprake zijn als het leger zich onderwierp aan het gezag van de politiek.

Chili voerde tijdens de transitie een succesvol economisch beleid. Groei, investeringen, export, macro-economisch evenwicht en sociaal beleid werden in goede banen geleid. Chili trok lering uit de transities in andere landen, waarbij populistische maatregelen soms zo ver gingen dat er hyperinflatie optrad. Vanaf de eerste dagen van Aylwin tot en met de laatste van Bachelet heeft de begrotingsdiscipline van de Concertación niet in de weg gestaan van een krachtdadig optreden ten gunste van de sociale eisen — die zich hadden opgehoopt tijdens de dictatuur — van de armste bevolkingsgroepen. Aylwin verdedigde het concept van 'groeien in billijkheid'. Later werd de algemene slogan van Lagos' presidentiële campagne: 'Groeien in gelijkheid'. Een van de belangrijkste wapenfeiten tijdens de twintig jaar dat Concertación aan het bewind was, betrof de spectaculaire daling van het aantal mensen onder de armoedegrens: van 44 procent tot 13,7 procent. De regering-Aylwin ontwikkelde en implementeerde een nieuwe economische strategie: zorg dat de spelregels duidelijk zijn en vastliggen, stel het bedrijfsleven gerust om nieuwe verbintenissen met het leger te ontmoedigen, en zet werkgevers en werknemers aan tot onderlinge akkoorden die fiscale en arbeidsrechtelijke hervormingen bespoedigen. Een aantal vrijhandelsakkoorden stimuleerde een stijging van de export, terwijl productie, investeringen en werkgelegenheid bestendig groeiden en zo bijdroegen tot het succes van de transitie.

De leiders van de Concertación zagen er alert op toe dat ze het ethische discours in stand hielden dat hen aan het bewind had gebracht. Ze voerden hun beleid uit met gevoel voor verhoudingen en gerechtigheid, in alle verdraagzaamheid en met de bereidheid tot het zoeken en vinden van compromissen. De besluitvorming binnen de Concertación stoelde meer op verantwoordelijkheidszin dan op politieke overtuiging; het was de coalitie primair te doen om resultaten. De leiders zagen de politiek als een instrument om de hele samenleving vrijheid, veiligheid en welvaart te bieden, en niet als een middel om zielen te redden, gebroken harten te helen of verveling en onvrede te verdrijven.

Aan het einde van de regeringsperiodes van Concertación — twintig jaar na de start van de transitie — was Chili het stabielste en meest ontwikkelde land in Latijns-Amerika. Het inkomen per capita was verdrievoudigd en het hoogste in de regio. En in de loop van vier Concertación-regeringen beliep het groeicijfer het dubbele van wat het militaire regime in zijn zeventienjarige bewind gemiddeld per jaar had gerealiseerd. Die enorme groei heeft de Chileense samenleving drastisch veranderd. Chili scoorde het hoogste op de Human Development Index van Latijns-Amerika. Het percentage van de bevolking onder de armoedegrens was er het laagst. Volgens Transparancy International was Chili ook een van de minst corrupte landen ter wereld. Het land scoort samen met Uruguay en Costa Rica hoog in de Freedom House-ranking, dat de daadwerkelijke naleving en de kwaliteit van politieke rechten en burgerlijke vrijheden meet. En in meer complexe metingen die naleving van de wet, bestuurbaarheid, politieke vrijheden en de kwaliteit van het staatsbestel meten — zoals de audits van de Wereldbank of de Bertelsmann Stiftung — stond Chili boven aan de lijst van Latijns-Amerikaanse landen.

Deze economische en sociale verworvenheden gingen hand in hand met de realisering van twee essentiële elementen bij elke transitie. Het eerste element was de relatie met het leger. Ondanks de moeilijke start had Chili tien jaar na beëindiging van de dictatuur opnieuw de volledige civiele controle over de strijdkrachten op basis van de principes van professionaliteit, gehoorzaamheid, afstand van de politiek en onderwerping aan het legitieme burgergezag. Dit resultaat wordt onder meer toegeschreven aan het eerherstel, namens het leger en met de hoogste eer, van generaal Carlos Prats, de opperbevelhebber vóór Pinochet, die in 1974 in Buenos Aires was vermoord door de politieke politie van het regime. Een belangrijke rol speelde ook de promotie tot de legertop van een generatie officieren die niet meteen tegenstanders van Pinochet waren, maar geen banden met hem of zijn regering hadden. Het tweede fundamentele element van de transitie was de behandeling van mensenrechtenschendingen. De Chileense transitie leverde enorme inspanningen om de waarheid te achterhalen, gerechtigheid te laten geschieden, schadevergoedingen te bedingen en om de herinnering aan de misdaden levend te houden. Medio 2000 waren er aanklachten ingediend tegen meer dan honderd militairen, met inbegrip van alle generaals die tijdens het Pinochet-regime hoofd van het veiligheidsapparaat waren geweest. Geen enkele transitie heeft volledige gerechtigheid bereikt voor de slachtoffers van autoritaire regimes, maar Chili heeft dankzij aanhoudende inspanningen de beste resultaten geboekt vergeleken bij andere transities in Zuid- en Midden-Europa, Azië, Afrika en Latijns-Amerika.

BIOGRAFISCHE SCHETS VAN PATRICIO AYLWIN, PRESIDENT VAN CHILI (1990–1994)

Patricio Aylwin is grondwetspecialist en professor in de rechtswetenschappen. Hij heeft een lange politieke carrière achter de rug als gematigd christendemocratisch leider. Zo was hij voorzitter van zijn partij en lid (en voorzitter) van de Chileense senaat voordat het leger de macht greep. Hij stond bekend als tegenstander van de socialistische president Salvador Allende tijdens de mislukte politieke onderhandelingen net voordat generaal Augusto Pinochet en het Chileense leger in september 1973 de Volksfrontregering van Allende omverwierpen. Ondanks die controversiële houding speelde Aylwin uiteindelijk een cruciale rol als bruggenbouwer in de sterk verdeelde oppositie tegen Pinochet. Hij was een van de voorlieden van de NEE-coalitie, die Pinochet versloeg bij het referendum van 1988 en zo de weg vrijmaakte voor de transitie naar een democratische burgerregering in 1990.

De gematigde en statige Aylwin verwierf steun voor strategische compromissen die partijen van het midden, van centrumlinks en van centrumrechts bij elkaar brachten. Hij engageerde zich sterk voor de rechtsstaat en voor Chili's lange democratische politieke traditie. Als leider en eerste president van de Concertación por la Democracia, dat de presidentsverkiezingen van 1989 en alle volgende landelijke verkiezingen tot 2010 won, verwierf Aylwin de civiele controle over de strijdkrachten ondanks de door Pinochet in 1980 in de grondwet verankerde bepalingen die dit heel moeilijk maakten. Hij leverde grote inspanningen om de economie te stabiliseren en het vertrouwen van het bedrijfsleven te winnen en schonk veel aandacht aan sociale rechtvaardigheid. Aylwin opereerde als aanvoerder van een team en steunde daarbij vrijwel altijd op betrouwbare adviseurs. Toch nam hij zijn persoonlijke verantwoordelijkheid op toen hij, tegen het advies van zijn politieke team in, aandrong op de oprichting van een pluralistische en representatieve commissie om de waarheid te achterhalen inzake politieke terechtstellingen en 'verdwijningen' onder het autoritaire bewind, en om 'in de mate van het mogelijke' gerechtigheid te doen geschieden. Die beslissing en de daaruit voortvloeiende waarheids- en verzoeningscommissie (de commissie-Rettig) bezorgden de democratische transitie legitimiteit en stabiliteit, en schiepen het geschikte kader voor vooruitgang op het vlak van transitional justice.

INTERVIEW MET PRESIDENT PATRICIO AYLWIN

De Chileense transitie van de dictatuur van Pinochet naar een lange periode van democratisch bestuur en economische vooruitgang wordt vaak als voorbeeld gebruikt. Als u kijkt naar alle besluiten die u heeft genomen om dit proces aan te sturen, welke twee of drie waren dan de belangrijkste?

Eerst en vooral wil ik zeggen dat, ongeacht die beslissingen, bovenal de geschiedenis van mijn land belangrijk is geweest voor die transitie. Na de onafhankelijkheid was Chili in democratisch opzicht wellicht het stabielste land in Latijns-Amerika. Toen we de democratie verloren, werd het herstel ervan onze primaire taak. Wat degenen van ons die streden voor een terugkeer naar de democratie samenbracht, was naast de hang naar verandering en naar een rechtvaardiger samenleving, onze hunkering naar democratie. En dat gold zowel voor socialisten en christendemocraten als voor de centrumlinkse radicalen.

HET LEGER ONDER CIVIEL GEZAG

Als ik over Chili's democratische traditie spreek, hebben we volgens mij ook geprofiteerd van het feit dat Chili altijd heel stabiel is geweest en dat de strijdkrachten, op een paar uitzonderingen na, altijd ondergeschikt waren aan de burgerautoriteiten. Dat in tegenstelling tot veel Latijns-Amerikaanse landen, waar het leger zich voortdurend met de politiek bemoeide en voorwaarden stelde aan democratische regeringen. Zelfs in tijden van grote sociale veranderingen hebben pogingen om een autoritair bewind te vestigen nooit op solide steun vanuit de Chileense samenleving kunnen rekenen.

HET AUTORITAIRE REGIME VAN BINNENUIT VERSLAAN

Maar om uw vraag concreet te beantwoorden: ik denk dat de poging om het leger op basis van zijn eigen spelregels te verslaan een van die belangrijke beslissingen was. In de Latijns-Amerikaanse landen ging het meestal zo dat de oppositie een autoritair regime probeerde af te zetten met een nieuwe staatsgreep. Zo maakte de ene dictatuur plaats voor de andere. Wij versloegen Pinochet uiteindelijk binnen zijn eigen institutionele kader, zonder al te veel te veranderen of afbreuk te doen aan wat we 'de vreedzame co-existentie tussen Chilenen' zouden kunnen noemen. Het was moeilijk. Het was eigenlijk zeer complex.

Om dit te doen moesten we leren handelen met beide benen stevig op de grond. Als we dat niet hadden gedaan, zouden we hard zijn neergekomen. Pinochet, absoluut geen dwaas, was niet onze enige tegenstander. Hij was handig en genoot de steun van een deel van de bevolking, en bovendien de totaal onvoorwaardelijke steun van de hele krijgsmacht: landmacht, marine en luchtmacht. Zij geloofden — en volgens mij doen ze dat nog steeds — dat ze hun plicht tegenover Chili vervulden door Allende af te zetten. Dat geloofden ze ten tijde van de coup en gedurende het hele proces om de democratie in Chili te herstellen.

VERTROUWEN OPBOUWEN BINNEN DE OPPOSITIE

U stond aanvankelijk vrij kritisch tegenover president Allende, maar in de jaren tachtig wist u toch het vertrouwen te winnen van mensen die hem hadden gesteund. Hoe is het u gelukt om samen te werken met mensen die ooit uw tegenstanders waren?

We waren tegenstanders op een moment van grote politieke verdeeldheid en conflicten. Het komt niet vaak voor dat partijen die tot vrij recent elkaars tegenstanders waren tot zo'n eensgezindheid komen. Toen Eduardo Frei Montalva president was, van 1964 tot 1970, waren de socialisten geduchte tegenstanders en tijdens de regeerperiode van Allende van 1970 tot 1973 waren wij christendemocraten degenen die fel oppositie voerden, omdat we in zijn Unidad Popular-regering een feitelijke poging zagen om het socialisme in te voeren. Toen de militaire coup kwam, zagen velen van ons dit als het onvermijdelijke gevolg van de situatie waarin de regering zichzelf had gemanoeuvreerd: een land op de rand van een burgeroorlog. Vandaar ook dat we ervan werden beschuldigd de staatsgreep te hebben gesteund.

De dictatuur was echter zo wreed dat we uiteindelijk bij het opkomen voor fundamentele waarden, te beginnen met de verdediging van de mensenrechten, snel medestanders konden worden.

Er waren ook politieke initiatieven die mensen binnen en buiten Chili samenbrachten om te onderzoeken hoe we de democratie weer konden opbouwen. Een van de eerste van die initiatieven was de Groep van 24. De groep bestond voornamelijk uit advocaten of mensen die in de juridische sfeer werkten. We vormden een werkgroep om de problemen van Chili en een mogelijk herstel van de democratie te onderzoeken, wat automatisch gepaard ging met kritiek op het regime. Bij de Groep van 24 sloten zich mensen aan met verschillende standpunten uit een breed politiek spectrum – van de oude liberale partij tot de socialisten en zelfs de communisten.

Het brein achter de Groep van 24 was Edgardo Boeninger. We startten als een groep vrienden en vergaderden in het begin bij iemand van ons thuis. We waren bijna allemaal academici die voor het merendeel niet meer aan een universiteit verbonden waren omdat de universiteiten waren overgenomen door, en dus onderworpen aan het leger. De groep bestond uit academici zoals de bioloog Luis Izquierdo, de historicus Sergio Villalobos (die de nationale prijs voor geschiedenis had gewonnen), Manuel Sanhueza, die minister van Justitie was geweest onder Allende, en Sergio Teitelboim, die communist was en de broer van een hooggeplaatste leider in die partij. Er sloten zich ook vrij veel advocaten bij ons aan.

We dachten vrij academisch na over een nieuwe grondwet en over hoe de nieuwe democratie er moest uitzien. We ontmoetten elkaar geregeld in een kantoor in het centrum van Santiago in het volle zicht van en gedoogd door de regering – iedereen wist ervan en we vergaderden elke week. Op die manier is het vertrouwen gegroeid tussen degenen van ons die ooit elkaars tegenstanders waren.

Ik denk ook dat het belangrijk was dat we vanuit onze verschillende posities onze verantwoordelijkheid namen. Zelfs de socialisten erkenden de fouten van de regering-Allende en kregen weer respect voor de democratie, en dat gold evenzeer voor de christendemocraten.

Tot slot hebben ook persoonlijke vriendschappen een rol gespeeld. Van jongs af aan had ik goede banden met socialisten — bijvoorbeeld met Clodomiro Almeyda, minister van Buitenlandse Zaken in de regering-Allende. Toen hij terugkeerde uit ballingschap konden we dankzij onze oude vriendschap de koppigste factie binnen het socialistische kamp ertoe bewegen deel te gaan uitmaken van de nieuwe coalitie van democratische partijen.

Hebben die ervaringen met de Groep van 24 bijgedragen tot het scheppen van wederzijds respect en vertrouwen tussen de zeer verschillende mensen die de latere allianties zouden vormen? Hoe vond u raakvlakken?

Dat is zeker zo. Het was echter wel een lang proces. Ik heb het ooit gehad over de 'herontmoeting van de democraten'. Ik heb een boek geschreven met die titel en daarin beschrijf ik hoe het proces van het vinden van overeenkomsten en raakvlakken zich voltrok. Er waren verschillende manieren om elkaar te ontmoeten. Zo had je gespreksgroepen, de zogenaamde *círculos de diálogo*, en ook werden er in Chili en in het buitenland seminars gehouden waar in het land verblijvende Chilenen en ballingen samenkwamen. Door samen de situatie te analyseren waren we in staat vooroordelen opzij te schuiven en vertrouwensrelaties op te bouwen.

De mensenrechtenkwestie was heel belangrijk, omdat het beschermen van de menselijke waardigheid mensen bij elkaar bracht en ideologische verschillen oversteeg. De mensenrechtenadvocaten onder ons waren christendemocraten, radicalen, liberalen en communisten, en we ontmoetten elkaar bij de verdediging van zaken voor de rechtbank. Ik pleitte in verschillende zaken, bijvoorbeeld toen de voormalige minister van Justitie en gewaardeerde christendemocratische voorman Jaime Castillo werd verbannen, en ook voor socialistische vrienden die het land uit waren gezet. Ooit, ik herinner me niet meer welke zaak, was de zaal voor de hoorzitting te klein en gaf het hooggerechtshof toestemming om buiten luidsprekers op te stellen zodat iedereen in de gangen van het gerechtsgebouw de pleidooien kon volgen. We verloren trouwens bijna alle zaken.

BOUWEN AAN EEN COALITIE

Vervolgens kregen de politieke allianties vorm. Eerst kwam de Alianza Democrática en vervolgens de Acuerdo Nacional en de Asamblea de la Civilidad, de voorlopers van de Concertación de Partidos por la Democracia (coalitie van partijen voor democratie of kortweg de Concertación).

Er ontstond een grote sociale beweging die zich achter de democratische eisen schaarde — arbeiders en vakbondsmensen, studenten en vrouwen — en die ook partijen samenbracht ter verdediging van mensen- en burgerrechten. De vrouwenorganisaties waren heel actief en ook erg moedig. Zij gingen als eerste de straat op en sloegen de handen in elkaar, ook al kwamen ze voort uit partijen die elkaars tegenstanders waren geweest.

SOCIALE MOBILISATIE

De economische crisis en de neoliberale hervormingen van begin jaren tachtig veroorzaakten veel armoede en maakten dat velen het slechter hadden dan onder de junta. Dat leidde tot groeiende onrust. Tussen 1983 en 1986 holde de mobilisatie van het maatschappelijk middenveld, gesteund door de bestaande maar nog steeds verboden politieke partijen, de steun voor het militaire regime danig uit. Manifestaties tastten de dictatuur aan, wat in 1986 uiteindelijk resulteerde in de mislukte moordaanslag op Pinochet.

Er werd fel gediscussieerd over de mogelijkheid om met het referendum een einde te maken aan de dictatuur. De communistische partij vond dat het einde van de dictatuur bewerkstelligd moest worden via een brede sociale mobilisatie waarbij gewapende strijd niet werd uitgesloten. Wat was uw standpunt?

De democratische partijen moedigden sociale mobilisatie daadwerkelijk aan. De communistische partij en haar gewapende voorhoede kozen voor een strategie die geen enkele vorm van strijd, ook geweld, uitsloot. Ondanks de onderdrukking geloofden de democratische partijen in vreedzame mobilisatie. Toen de communisten wapens het land binnensmokkelden, betrapt werden en die mislukte aanslag op Pinochet uitvoerden, bereikten we een breekpunt. De repressie werd nog harder en we beseften dat we moesten inzetten op een geweldloos traject om brede steun te winnen.

Het was een verhit debat en iedereen had zo zijn twijfels. Ik ben een echte pacifist en een man van de wet. Hoewel ik er op dat moment niet van overtuigd was dat het allemaal goed zou aflopen, dacht ik toch dat een geweldloze aanpak niet alleen strookte met de geschiedenis van Chili, maar ook met de mentaliteit van de Chilenen, met de specifieke kenmerken van onze volksaard.

Ook binnen de partijen die later de Concertación zouden vormen, waren er twee stromingen: een groep die meende dat de regering-Pinochet zou vallen als rechtstreeks gevolg van de sociale mobilisatie, en een groep die geloofde dat het nuttiger zou zijn om Pinochets grondwet te gebruiken, deel te nemen aan het referendum dat in dat document was vastgelegd en hem via het referendum van binnenuit te verslaan.

Ik behoorde tot de laatste groep. De strategie van de sociale mobilisatie begon het regime inderdaad te eroderen, maar we vreesden dat aanhoudende pogingen om een sociale revolutie te ontketenen en de bevolking te mobiliseren tragisch zouden aflopen, omdat het leger tot nog zwaardere onderdrukking in staat was. Maar welke van deze twee posities je ook steunde, we verwierpen allemaal de strategie van de communistische partij; haar belangen waren beter gediend door de sociale mobilisatie te intensiveren.

HET AUTORITAIRE REGIME VAN BINNENUIT VERSLAAN

Toen er een referendum kwam ter goedkeuring van de grondwet van 1980 – zonder vrijheden en zonder kiezerslijsten, want die waren vernietigd door de dictatuur – hekelden we de procedures en dus ook die grondwet als illegaal. Toch meenden sommigen onder ons in 1984 dat we de discussie over de legitimiteit van de grondwet moesten opgeven, dat we die beter konden aanvaarden als een realiteit de facto. De gedachte was om de partijen te registreren krachtens Pinochets wet op de politieke partijen, wat ons niet aanstond; om deel te nemen aan het referendum, waar we ook niet blij mee waren; en om het regime te verslaan met behulp van zijn eigen regels.

Dat was de strategie die het uiteindelijk won. Ik werd verkozen tot voorzitter van de christendemocratische partij en verdedigde het standpunt dat we ons als politieke partij moesten registreren conform de wet van de dictatuur. Niet iedereen binnen de partij was het daarmee eens. Vervolgens ijverden we voor vrije verkiezingen, registreerden we onze partijen en overtuigden we 7 miljoen Chilenen om zich als kiezer te laten inschrijven. Daarna volgden de NEE-campagne en het referendum waarin we Pinochet versloegen.

CIVIELE CONTROLE OP HET LEGER

U zei dat de historische traditie van het leger nuttig was, omdat het Chileense leger van oudsher gehoorzaamde aan de burgerautoriteiten. De Chileense ervaring is uniek omdat in geen enkele andere transitie de dictator na het neerleggen van zijn presidentiële functie nog acht jaar is aangebleven als opperbevelhebber. Hoe ontwikkelde de relatie met het leger zich en hoe onderhandelde u met het leger? Wat zijn de lessen en wat waren de problemen?

Toen ik als nieuwgekozen president Pinochet voor het eerst ontmoette, zei ik hem dat het volgens mij beter zou zijn voor Chili als hij het opperbevel opgaf. Waarop hij zei (Aylwin glimlacht en imiteert Pinochet): 'Maar u hebt het mis, meneer de president, want niemand zal u beter verdedigen dan ik.' Hij stond in hoog aanzien bij alle legeronderdelen en het is denkbaar dat zijn aanblijven opstanden van kolonels, zoals je die wel zag bij andere transities, heeft voorkomen.

Mijn relatie met Pinochet was complex, maar uiteindelijk schikte hij zich in een institutioneel kader dat hem niet zinde. Hij respecteerde het omdat hij het zelf had gecreëerd. Toch probeerde hij bepaalde zaken naar zijn hand te zetten. Tijdens onze eerste ontmoeting — ik was net beëdigd en had mijn taken als president opgenomen — in La Moneda, het presidentieel paleis, deelde hij mee dat hij rechtstreeks aan mij zou rapporteren en niet aan de minister van Defensie.

Ik liet hem de grondwet zien en zei: 'Kijk, generaal, de grondwet die u heeft opgesteld zegt dat u onder de minister van Defensie ressorteert, dus het spijt me, maar u heeft met hem van doen.' Hij had geprobeerd tussenpersonen te omzeilen, maar moest zich hierbij neerleggen. Voortaan zou hij rapporteren aan de minister van Defensie.

TEGENSLAG

Er deden zich onverwachte en impactrijke incidenten voor tijdens uw regeringsperiode waarmee men de transitie wilde laten ontsporen. Ik denk vooral aan de moord op de vooraanstaande rechtse senator Jaime Guzmán en aan de ontvoering van de zoon van Agustín Edwards, uitgever van de gezaghebbende krant El Mercurio. Hoe hebt u op die incidenten gereageerd?

Ik beschouwde die gebeurtenissen als onderdeel van de heersende spanning. We waren in een situatie beland zonder te weten hoe alles zou aflopen. De risico's waren groot, er werden terreurdaden gepleegd. We wisten zelfs dat er ambtenaren of andere personen waren die infiltreerden en bleven werken *a la mala* (op de foute manier). Precies weet ik het niet meer, we ontdekten ook dat er directe verbindingen waren tussen La Moneda en een gebouw van de geheime politie, waar onze telefoonlijnen werden afgetapt.

De spanningen liepen soms hoog op. Ik herinner me dat ik een keer de lokale legercommandant ontmoette in Punta Arenas, een van de meest gemilitariseerde zones, en hem te kennen gaf dat ik graag de officieren wilde ontmoeten als blijk van mijn intentie om president van álle Chilenen te zijn, van de burgers én de militairen. Ik kreeg allerlei bezwaren te horen en hij beweerde ze onmogelijk de volgende dag al bijeen te kunnen krijgen. 'Hoe kan dit nu?' vroeg ik. 'Stel dat de oorlog uitbreekt, heb je dan ook zoveel tijd nodig om je officieren bij elkaar te roepen?' En zo kwam er toch een ontmoeting met de officieren en ik sprak met hen over de transitie. Het was een bijeenkomst waarbij officieren van alle legeronderdelen aanwezig waren. In Magallanes was dat.

Hoe reageerde u op de twee incidenten, in 1991 en 1993, toen legertroepen zichtbaar druk uitoefenden om de regering te intimideren en om het onderzoek naar mogelijke financiële malversaties door de zoon van Pinochet te staken? Had Pinochet volledige controle over het leger?

Pinochet voerde weliswaar het bevel, maar het leger volgde hem niet altijd. Toen in 1991 bijvoorbeeld een grote liaisonoefening werd gehouden, had dezelfde dag de ceremonie plaats waarbij de beste legerofficieren geëerd werden, en een lunch in La Moneda. Pinochet nam daar als opperbevelhebber aan deel. Toen hij La Moneda verliet, kreeg hij het dagblad *La Segunda* aangereikt. De krant deed verslag van een onderzoek naar een aantal cheques uitgeschreven door zijn zoon, de zogeheten *pinocheques*, voor wapenaankopen ten tijde van het militaire regime. Nog diezelfde middag trok het leger zich terug in de kazerne om vervolgens in volle gevechtsuitrusting de straat op te komen.

Ik was die middag bij een diploma-uitreiking van officieren van de nationale politie, de *carabiñeros*, en vernam daar wat er gaande was. Och, dacht ik, we zien wel wat er gebeurt. De ceremonie voor de carabiñeros verliep zonder incidenten en ook de andere legeronderdelen deden niet mee. Pinochet had de regering willen dwingen de onderzoeken naar zijn zoon stop te zetten. Dit toonde aan dat zijn invloed zich eigenlijk beperkte tot de landstrijdkrachten en dat marine, luchtmacht en politie zich afzijdig hielden.

De tweede keer dat Pinochet iets dergelijks probeerde, zat ik in het buitenland. De aanleiding was vergelijkbaar, maar daar kwam nog de kwestie bij van onderzoeken naar mensenrechtenschendingen, waarover de landmachttop zich zorgen maakte. Ook toen kreeg hij geen steun van de andere legeronderdelen.

Gelukkig leidden deze intimidatiepogingen van het leger tot niets, simpelweg omdat het streven naar democratie al had postgevat in het nationale bewustzijn en omdat dat gevoel niet gemakkelijk was terug te draaien. De idee dat Chili terugkeerde naar de democratie had zich al te diep geworteld.

GERECHTIGHEID EN VERZOENING

De grootste spanningen met Pinochet draaiden echter om de mensenrechten. Toen we de waarheids- en verzoeningscommissie instelden om de verdwijningen ten tijde van de dictatuur te onderzoeken, zei Pinochet: 'Waarom doet u dit toch, meneer de president? Het is alsof iemand zijn erfenis komt opeisen in een familie die net een jarenlange ruzie heeft bijgelegd en zo de boel weer doet ontploffen.' Ik antwoordde dat we het toch zouden doen en toen later het rapport werd gepresenteerd, liep de spanning inderdaad behoorlijk op. De nationale veiligheidsraad werd bijeengeroepen, maar veel meer kregen ze niet voor elkaar.

Hoe kwam u tot de beslissing om de waarheids- en verzoeningscommissie op te richten? Wat voor reactie verwachtte u van het leger?

De waarheids- en verzoeningscommissie werd in het leven geroepen om misdrijven van de dictatuur te onderzoeken. Ik stelde haar in aan het begin van mijn ambtstermijn. Het was *in se* mijn initiatief. Ik achtte het noodzakelijk, maar eerst moest ik mijn adviseurs overtuigen. Edgardo Boeninger noch Enrique Correa, mijn voornaamste politieke adviseurs, vond het een goed plan, maar ik was ervan overtuigd dat het dé manier was om deuren te openen. Als ik het leger wilde laten meewerken aan een oplossing, moest ik openhartig en voorzichtig tegelijk zijn. Die voorzichtigheid blijkt duidelijk uit mijn uitspraak om gerechtigheid te laten geschieden 'in de mate van het mogelijke' — een formulering die me overigens veel kritiek heeft opgeleverd. Totale gerechtigheid, het berechten van Pinochet en al zijn mensen, zou gewoon een ware burgeroorlog ontketenen. 'In de mate van het mogelijke' was een haalbare kaart: er zouden processen komen, maar er zouden geen koppen rollen. En ook zouden er geen gewelddadige acties zijn tegen degenen die nog steeds dienden in de krijgsmacht.

Pinochet had gezegd dat hij op zijn hoede zou zijn, dat men van zijn manschappen moest afblijven, maar het rapport van de commissie had een enorme impact omdat er nog steeds mensen waren die niet geloofden in de verhalen over de wijdverbreide en systematische mensenrechtenschendingen. Het rapport van de commissie was eigenlijk een officiële bevestiging van de feiten. En toen volgden er andere stappen en boekten we concrete successen op het vlak van waarheidsvinding en gerechtigheid die veel verder gingen dan bij tal van andere transities.

Hoe werd die commissie samengesteld? Heeft u de commissieleden zelf gekozen?

Om de commissie maximale legitimiteit te geven nodigde ik een voor een mensen uit die in mijn ogen aanzien genoten en verschillende standpunten vertegenwoordigden. De voorzitter was Raúl Rettig, een bekend jurist en vooraanstaand leider van de Chileense radicale partij. Hij en ik hadden ook een persoonlijke band, want we waren beiden lid geweest van de Groep van 24. Hij leek me de geknipte persoon, omdat zowel rechts als links hem zeer respecteerde.

Ik herinner me dat ik heel graag de prominente conservatief Francisco Bulnes in de commissie had willen hebben, omdat hij in hoog aanzien stond bij traditioneel rechts. Ik ben nog bij hem thuis geweest om het hem te vragen, maar hij zei nee. Het kostte me grote moeite om mensen van rechtse strekking te vinden voor de commissie. Uiteindelijk vond ik de historicus Gonzalo Vial –minister van Onderwijs onder Pinochet — bereid. We nodigden ook alom gewaardeerde mensenrechtenactivisten uit, zoals José Zalaquett.

CONSTITUTIONELE HERVORMING

Een belangrijk moment, voor uw aantreden als president in 1989, vormden de onderhandelingen met de dictatuur over de grondwetsherzieningen. Menigeen vond dat de bedongen veranderingen niet ver genoeg gingen. Hoe ziet u dat nu? Had u destijds moeten aandringen op ingrijpender veranderingen?

'In de mate van het mogelijke' is een van mijn zinsneden die velen niet aanstond, maar die ik nog altijd heel realistisch vind. Die formulering weerspiegelt echt onze inzet om geleidelijk aan progressie te boeken. Die hervormingen waren een eerste stap — zeker niet alles wat we wilden — maar duidden onmiskenbaar op vooruitgang. Vergeet niet dat Pinochet toen de dictator was en zou aanblijven als opperbevelhebber van de strijdkrachten. Hij had veel macht.

Er zijn inmiddels vele jaren verstreken en ik ben vast van alles vergeten, maar ik ben niet zo bezig met de vraag of ik dingen goed of fout heb aangepakt. Ik denk dat we hebben gedaan wat we moesten doen en gelukkig is alles goed afgelopen. Maar het had ook kunnen mislukken. We moesten bepaalde ideeën laten varen en soms nieuwe standpunten innemen. In het verkiezingsprogramma van de Concertación bepleitten we bijvoorbeeld de intrekking van de amnestiewet, maar toen we aan de macht kwamen, moesten we die ambitie loslaten omdat we een supermeerderheid nodig hadden om dat statuut te veranderen, en die hadden we niet. Bedenk ook dat Pinochet de steun had van de senatoren die hij conform de grondwet van 1980 had benoemd, en dat het ons aan de nodige stemmen in het congres ontbrak om de 'autoritaire enclaves' af te schaffen. Ook daarom riepen we de waarheids- en verzoeningscommissie in het leven. Het was een belangrijke stap in de richting van de verzoening in het land en cruciaal voor het bereiken van gerechtigheid.

BOUWEN AAN EEN COALITIE

Een sterke coalitie is essentieel voor een geslaagde transitie. U kon rekenen op de solide steun van de politieke partijen. In hoeverre was dat het gevolg van het vooraf overeengekomen beleidsprogramma?

Ik denk dat dat overeengekomen programma onze vaarkaart was, het kader waarbinnen we probeerden te opereren. Ik ging over die 'pogingen' graag in discussie met de leiders van de partijen. Geregeld vroeg ik hun hoe ons feitelijke optreden zich verhield tot onze beloften aan het land. De verwachtingen waren hooggespannen, maar we hoedden ons ervoor grootse beloften te doen die tot teleurstellingen zouden kunnen leiden. We hadden een voor die tijd ambitieus, maar haalbaar economisch en sociaal programma. De mensen die het programma hadden opgesteld, stonden zelf in voor het uitvoeren ervan. Er waren echter altijd beleidselementen die we niet konden realiseren, omdat we een politiek bestel hadden met door Pinochet aangewezen senatoren die ons tot concessies dwongen, vooral als het om politieke kwesties ging.

ECONOMISCH BELEID EN ONTWIKKELING

Politiek rechts zei dat de Concertación hetzelfde economische model als Pinochet bleef hanteren. Maar als je kijkt naar wat er in Chili is gerealiseerd — internationale verdragen, armoedebestrijding, infrastructuur, investeringen en het streven naar 'ontwikkeling met billijkheid', zoals uw regering het noemde — dan was die aanpak misschien toch anders. Welke koers volgde u op economisch vlak?

En hoe belangrijk was het economische beleid om uw regering in het zadel te houden?

Pinochet voerde een uiterst neoliberaal beleid in. Wij handhaafden de economische openstelling, trokken die zelfs verder door, en voerden een verantwoord begrotingsbeleid. Het was een heel ander economisch model dan dat van de dictatuur. Zoals u al zei, verdedigden we een billijke groei. Mijn regering introduceerde onder meer belangrijke hervormingen in het arbeids- en belastingregime. We voerden een beleid om armoede terug te dringen, verhoogden de lonen en verhoogden de overheidsuitgaven op het vlak van zorg en onderwijs. Ook hebben we afgerekend met de problematische inflatie in Chili. Kortom, de resultaten van het economische en sociale beleid van de Concertación dat we tijdens mijn ambtstermijn inzetten, waren duidelijk zichtbaar. In alle bescheidenheid durf ik te zeggen dat we goed werk hebben geleverd, werk dat ook moest gebeuren, en dat we niet veel ernstige fouten hebben gemaakt. Een paar dingen hadden vast beter gekund, maar ik denk dat ons beleid over het algemeen goed was. Het bewijs is wel dat onze lijn door latere regeringen is voortgezet. Als je als regering slecht werk levert, is de kans groot dat de oppositie zich roert en de volgende verkiezingen wint. De Concertación is twintig jaar — vier ambtstermijnen lang — aan de macht gebleven.

BOUWEN AAN EEN COALITIE

In het geval van Chili gaven de mensen blijk van grote verantwoordelijkheidszin in hun sociale eisen, bijvoorbeeld wat betreft loonsverhoging en betere arbeidsomstandigheden. Hoe reageerde u op die eisen, hoe kanaliseerde u ze?

Ik denk dat het succes van mijn regering en van transitieregeringen in het algemeen niet altijd het gevolg is van de kwaliteit van het beleid, maar ook afhangt van het draagvlak bij de bevolking. Ik heb nooit het gevoel gehad dat we in het nauw werden gedreven of dat de oppositie sterker was dan wij. Anderzijds behandelden we de oppositie ook goed. Het was belangrijk om begrip te creëren bij de oppositie, om rekening met hen te houden zodat ze zich niet gemarginaliseerd voelden, om uit te leggen waar we mee bezig waren zodat ze onze bedoeling begrepen. Op die manier heb ik hun steun voor ons beleid gewonnen. Toen we met de eerste buitenlandse reizen begonnen, nodigden we bijvoorbeeld bedrijfsleiders, vakbondsleiders en parlementsleden van de oppositie- en de regeringspartijen uit om mee te gaan, met het doel een team te vormen. Dat leidde ook tot nieuwe ontmoetingen, want 's avonds kwam iedereen bij elkaar om te eten en leerde men elkaar beter kennen. Het was in feite een manier om vriendschapsbanden te laten ontstaan tussen al die maatschappelijke actoren.

SOCIALE MOBILISATIE

Welke rol speelden vrouwen bij de transitie en in uw regering?

De strijd van de vrouwen voor democratie was heel belangrijk. Ze waren heel moedig. Er waren organisaties zoals Mujeres por la Vida (vrouwen voor het leven) en Mujeres de Detenidos Desaparecidos (vrouwen van verdwenen gevangenen) die continu aandacht vroegen voor de zoektocht naar hun dierbaren, voor mensenrechtenschendingen, voor hun roep om vrijheid en gerechtigheid. Daarnaast organiseerden vrouwen zich in steden en dorpen, waar ze solidariteitsacties opzetten om de economische crisis het hoofd te bieden. Overal doken gaarkeukens voor werklozen (*ollas comunes*) op. Ook vroegen vrouwen aandacht voor kwesties die hen als vrouw aangingen: huiselijk geweld en ongelijkheid op de werkplek en in het burgerlijk recht. Tijdens mijn ambtstermijn — er zaten toen nog niet veel vrouwen in de politiek — werd de Servicio Nacional de la Mujer (nationale dienst voor vrouwen) opgericht, waarvan de directeur de rang van minister had. De dienst ijverde voor veranderingen in de burger- en strafwetgeving en ontwikkelde beleidslijnen om het probleem van huiselijk geweld aan te pakken. Dankzij deze dienst konden opeenvolgende regeringen het familierecht ingrijpend moderniseren en verdere stappen zetten om genderverschillen weg te werken.

INTERNATIONALE STEUN

Chili is een interessant en belangrijk voorbeeld voor het onderzoek naar de rol van de internationale gemeenschap bij transities. Wat kunt u hierover zeggen?

Chili kreeg veel internationale steun en dat was belangrijk voor ons. Onze regering trad aan in aanwezigheid van presidenten en prominenten uit Latijns-Amerika, Europa en de Verenigde Staten. Wij wilden verder gaan dan de economische openstelling en Chili echt laten integreren in de internationale gemeenschap, omdat we politiek heel geïsoleerd waren geweest ten tijde van de dictatuur. We konden rekenen op veel solidariteit uit het buitenland en dat was fantastisch voor een regering die in moeilijke omstandigheden van start ging.

Heeft u gekeken naar transities in andere landen om uit te denken hoe de transitie in Chili vorm zou kunnen krijgen? Brazilië kende bijvoorbeeld een langzame transitie die van bovenaf bij het leger werd ingezet. In Argentinië werd het leger in diskrediet gebracht en gemakkelijk opzijgezet, al schoot de inflatie vervolgens de hoogte in. De Argentijnse economie verzwakte en de eerste democratische president Raúl Alfonsín moest uiteindelijk aftreden. Waren de ervaringen van andere Latijns-Amerikaanse landen belangrijk voor uw analyse?

Aangezien Chili het laatste land was in deze regio dat terugkeerde naar de democratie, konden we inderdaad leren van de ervaringen van anderen. Het voorbeeld van Argentinië met Alfonsín, dat slecht afliep, liet zien welke moeilijkheden ons mogelijk te wachten stonden. Democratisering gaat gepaard met veel verwachtingen en andere voorbeelden leerden ons dat we de touwtjes stevig in handen moesten nemen. Daarnaast wilden we vooral de banden met de Latijns-Amerikaanse regeringen versterken, in het bijzonder met Argentinië. Met president Carlos Menem hebben we praktisch al onze grensgeschillen kunnen oplossen. Met Mexico tekenden we het eerste vrijhandelsakkoord.

Met het Argentijnse voorbeeld voor ogen besloten we sociale hervormingen door te voeren, maar dan wel via akkoorden met de vakbonden om de sociale eisen te kanaliseren en ook door werknemers en werkgevers te helpen bij het sluiten van overeenkomsten. In dat opzicht hebben we veel te danken aan vakbondsleiders zoals Manuel Bustos, iemand die de complexiteit van het transitieproces naar democratie goed begreep.

BASISPRINCIPES

Hoe bleef u gefocust? Hoe hield u zich staande tegenover zo veel complexe en moeilijke uitdagingen, en zo veel mensen en groeperingen met zulke uiteenlopende standpunten?

Dat is een goede vraag. Ik ben iemand die gaat voor de dingen waarin ik geloof, waarvoor ik mijn nek durf uit te steken, maar ik beschik over een soort verdedigingsmechanisme dat me waarschuwt wanneer ik voorzichtig moet zijn, wanneer ik me niet alleen mag laten leiden door mijn enthousiasme. Dat heeft ervoor gezorgd dat ik tijdens mijn hele politieke carrière altijd goed in teams heb gefunctioneerd en goede persoonlijke relaties heb kunnen opbouwen. Een voorbeeld is mijn relatie met Edgardo Boeninger, rector van de Universidad de Chili. Hij was niet politiek actief, maar sloot zich na de coup aan bij de christendemocraten. We hebben uitstekend samengewerkt.

Dat ik een goede slaper ben en gemakkelijk afstand kan nemen van dingen heeft denk ik ook geholpen. Ik heb ook altijd geprobeerd tijd vrij te maken om te lezen en een normaal leven te leiden. Ik vond het bijvoorbeeld prettig om zelf te rijden. Ik herinner me nog dat ik tijdens mijn presidentschap achter het stuur zat — met mijn lijfwachten in de auto achter me — toen we opeens werden tegengehouden door carabiñeros. Zij maakten de weg vrij voor Pinochet. Hij had veel meer bewaking dan ik!

HEDENDAAGSE TRANSITIES

Welke raad zou u geven aan een politieke leider uit de Arabische wereld of elders die zijn of haar land wil helpen om de transitie te maken van een autoritaire naar een democratische regering?

Daar durf ik niet zo één, twee, drie antwoord op te geven. Het is al moeilijk om scherp te krijgen wat je in eigen land moet doen, laat staan dat je advies moet geven aan anderen in verre landen. Maar één ding kan ik wel zeggen: na een periode van strijd en tegenstellingen is het zaak om de nadruk te leggen op wat verenigt en niet op wat verdeelt. Op die manier hebben wij overeenstemming kunnen bereiken. Velen onder ons waren vroeger tegenstanders, denk aan minister Bitar — bewindsman onder Allende en na de coup gearresteerd en verbannen — en politici die juist fel gekant waren geweest tegen Allende. We raakten het echter eens over fundamentele dingen: de strijd om vrijheid en individuele waardigheid. We bereikten ook consensus met voormalige aanhangers van Pinochet. Streven naar eenheid was moeilijk na zoveel jaren waarin het veel duidelijker was wat ons verdeelde dan wat ons mogelijk bijeen kon brengen. Vanuit die houding bereikten de regeringen van de Concertación, te beginnen met mijn eigen regering, meer overeenstemming tussen regering en oppositie en tussen andere politieke geledingen dan in de decennia die hieraan voorafgingen.

Ook belangrijk is dat je niet vanaf nul mag beginnen. Het is beter om veranderingen door te voeren op basis van wat er al is. Dat was de gedachte toen we voorstelden Pinochet te verslaan op basis van zijn eigen grondwet, in plaats van luidkeels te verkondigen dat we die grondwet drastisch zouden herschrijven. We veranderden de spelregels van binnenuit. We stonden met beide benen op de grond bij het bepalen van ons beleid. We koesterden grote dromen — de droom om de democratie en de eenheid van Chili te herstellen — maar ons optreden was pragmatisch. Ik denk dat we in dat opzicht hebben gedaan wat er moest gebeuren.

Interessant is trouwens dat we weliswaar spraken van gerechtigheid 'in de mate van het mogelijke', maar dat maar weinig transities zo veel gerechtigheid hebben bereikt als wij in al die jaren in Chili. Wat 'mogelijk' is verandert mettertijd. Niet alles is onmiddellijk te realiseren.

BIOGRAFISCHE SCHETS VAN RICARDO LAGOS, PRESIDENT VAN CHILI (2000–2006)

Ricardo Lagos was in de jaren zestig leider van de studentenvereniging van de juridische faculteit van de universiteit van Chili. Hij behaalde ook een graad in de economie en startte zijn professionele loopbaan in het academische milieu en bij internationale organisaties. Zijn eerste stappen in de politiek zette hij als lid van de radicale partij en vervolgens van de socialistische partij. Allende benoemde hem tot ambassadeur in de Sovjet-Unie, maar die functie heeft hij nooit vervuld door toedoen van de coup van 1973. In de jaren na de staatsgreep verbleef hij eerst in de Verenigde Staten. Later keerde hij terug naar Chili om voor de Verenigde Naties te werken. Lagos speelde een prominente rol binnen de oppositie en stond bekend om zijn scherpe analyses. Hij maakte naam als socialistisch lid van het pluralistische Nationale Akkoord en verbleef korte tijd in gevangenschap na de moordpoging op Pinochet in 1986. Lagos verwierf faam omdat hij er niet voor terugdeinsde Pinochet rechtstreeks uit te dagen, zoals tijdens een memorabel televisieoptreden waarin hij de lang onderdrukte onvrede in het land onder woorden bracht.

Lagos richtte de Partido por la Democracia (PPD) op, die bijdroeg tot het samenwerkingsverband van gematigd links en de christendemocraten. Hij speelde een voorname rol in de NEE-coalitie die Pinochet bij het referendum van 1988 versloeg, en later in de Concertación por la Democracia. In 1989 weigerde hij te kandideren voor het presidentschap, omdat in zijn ogen de Concertación te kwetsbaar was met een verdeeld electoraat en het land nog niet klaar was voor een linkse kandidaat. Hij kwam dat jaar wel op voor de senaat, maar verloor. Lagos diende als minister van Onderwijs en later van Openbare Werken in de eerste twee Concertación-regeringen en werd in 2000 tot president verkozen. In 2006 liep zijn ambtstermijn af. Zijn regering veranderde de infrastructuur van Chili ingrijpend, hij realiseerde belangrijke constitutionele herzieningen die de grondwet van 1980 veel democratischer maakten, en ook richtte Lagos de commissie inzake politieke detentie en foltering op die de transitional justice bespoedigde.

INTERVIEW MET PRESIDENT RICARDO LAGOS

WERKEN AAN VERTROUWEN BINNEN DE OPPOSITIE

Vier elementen van de Chileense transitie zijn belangrijk voor hedendaagse overgangen. Ten eerste de gelijkgerichtheid van sociale en politieke krachten, die het mogelijk maakte om de dictatuur ten val te brengen en de langstzittende coalitie van alle westerse democratieën te vormen. Ten tweede de onderhandelingen om het leger te overtuigen terug te keren naar de kazernes en verantwoording af te leggen voor mensenrechtenschendingen. Ten derde het gedeeltelijke en geleidelijke proces van grondwetsherzieningen. En ten vierde het streven naar economische ontwikkeling 'in gelijkheid', dat leidde tot sterke groei en een daling van de armoede. Hoe slaagden de sterk gepolariseerde, wederzijds vijandige krachten die zich kantten tegen het Pinochet-regime erin om elkaar te vinden, samen te werken en met vereende krachten Pinochet ten val te brengen?

Ik moet eerst uitleggen hoe de politieke en sociale krachten uiteindelijk tot brede consensus kwamen in een land dat zo gepolariseerd was als Chili in 1973. De teloorgang van de Chileense democratie leerde de Chilenen dat kwesties die ons in het verleden hadden verdeeld aan relevantie inboetten naarmate de dictatuur voortduurde.

Ik kan dit illustreren met een persoonlijke ervaring. In 1975 – anderhalf jaar na de coup – gaf ik les aan Chapel Hill in de VS, in North Carolina, toen de voormalige christendemocratische president Eduardo Frei Montalva de universiteit zou komen bezoeken. Toen ik dat hoorde, zei ik tegen professor Federico Gil dat ik de volgende dag ziek zou zijn en niet voor de klas zou staan. Ik had geen zin om met Frei Montalva te praten.

Toen ik eind april 1978 terugkeerde naar Chili waren de dingen aan het veranderen en evolueerde ook mijn eigen houding tegenover de christendemocraten en voormalig president Frei Montalva. Zo'n beetje het eerste wat ik deed, was de protestmars van 1 mei, de Dag van de Arbeid, bijwonen met Enzo Faletto, een briljant socioloog en lid van de socialistische partij. Faletto wist zogezegd waar de betoging plaatshad, maar toen we op pad gingen, botsten we op een groep mannen die onmiskenbaar tot Pinochets politie behoorden. Er was geen demonstrant te zien. Die avond zagen we op televisie dat de protesten elders hadden plaatsgehad. Zelfs Faletto, die toch altijd goed op de hoogte was, wist niet waar de protesten werden gehouden. Als te veel mensen ervan hadden geweten, zou Pinochet daarop hebben geanticipeerd en hebben ingegrepen. Die hopeloze situatie deed ons inzien dat we maar beter het gesprek konden aangaan met de christendemocraten om te zien of we misschien samen vooruitgang konden boeken.

Even voor de duidelijkheid: als een dialoog succesvol wil zijn — ik denk aan de toenaderingspogingen tussen de christendemocraten en Allende in 1973 — dan moet helder zijn wat de gevolgen zijn als het misgaat; je mag je niet blindstaren op de winst die succes zal kunnen opleveren. De christendemocraten gingen in gesprek met Allende in de hoop dat ze zes maanden later na een staatsgreep weer aan de macht zouden komen. Wijzelf startten de dialoog in de wetenschap dat de dictatuur nog lang zou blijven bestaan als het misging — met alle gevolgen van dien. Dus alle inspanningen in die gesprekken van 1973 volstonden niet om tot een akkoord te komen. Dat is mijn perceptie van het proces destijds, een proces dat de coupplegers in de kaart heeft gespeeld.

De christendemocraten hebben het pas over een andere boeg gegooid toen ze beseften dat de dictatuur geen kort leven was beschoren — dat het regime 'doelen had, geen vast tijdsbestek', zoals Pinochet het uitdrukte — en dat er geen ruimte was voor hen.

Toen ik in 1978 terugkeerde naar Chili nodigde Tomás Reyes — voormalig senator en prominente christendemocraat die verantwoordelijk was voor de samenwerking met links — me kort na mijn aankomst uit voor een diner. En daarmee zijn onze gesprekken begonnen.

In 1981 schreef ik een artikel met de titel 'El Precio de la Ortodoxia' (De prijs van de orthodoxie), waarin ik analyseer wat de crisis van 1929 Chili had gekost. In die analyse bekritiseer ik ook rechtstreeks de wijze waarop de regering-Pinochet de crisis van 1981–1982 aanpakte. Tot mijn verrassing kreeg ik een telefoontje van voormalig president Frei, die me feliciteerde met het artikel. We spraken af elkaar te ontmoeten na zijn geplande operatie. Dit gebeurde zes jaar nadat ik geweigerd had hem te ontmoeten. Helaas hebben we elkaar niet meer gezien omdat hij overleed. Het spijt me nog altijd dat ik hem niet heb opgezocht in Chapel Hill.

INBRENG VAN BALLINGEN

Dit bewijst hoeveel tijd het kostte om persoonlijk vertrouwen en politieke consensus te winnen. Welke andere factoren hebben een rol gespeeld bij de totstandkoming van die samenwerking na een periode van polarisatie?

Een andere factor die bijdroeg aan de vorming van onze coalitie was dat veel socialisten die in ballingschap gingen achter het IJzeren Gordijn beseften dat het systeem daar niet de democratie was die we ons hadden voorgesteld. In Oost-Duitsland mochten alleen mensen aan de top het land in- en uitreizen. Alle anderen, onder wie de Chileense ballingen, moesten toestemming vragen die de politieke baas toekende of weigerde. Dat waren we in Chili niet gewend.

Wie nog in Chili zat, zoals de econoom Aníbal Pinto me ooit vertelde, kon kiezen uit slechts twee politieke standpunten: je had de gematigden die opriepen tot respect voor het habeas-corpusprincipe en er waren de extremisten die vrije verkiezingen eisten. Onder een dictatuur ben je al blij als het habeas corpus in acht wordt genomen. Daarom zeg ik ook altijd dat democratie is als de lucht die we inademen en dat je blij moet zijn dát er democratie is. Wel, toen ik geboren werd, ademden we in Chili nog schone lucht in. Met democratie is het net zo: als je het hebt, vind je het vanzelfsprekend. De periode van Pinochet maakte dat veel socialisten een andere kijk kregen op democratie, omdat ze of in ballingschap leefden of in Chili onder de repressie woonden.

De situatie gaf ook aanleiding tot een discussie over 'daadwerkelijk bestaand socialisme' in zijn verschillende verschijningsvormen. In 1978–1979 ontstond er een intern debat over het proces van socialistische vernieuwing. In 1980 hielden we een tot dan toe ongekende reeks vergaderingen. Acht of tien maanden vergaderden we van drie uur 's middags tot negen uur 's avonds – de eerste keer in een retraitecentrum van de Schönstatt-beweging – en bespraken we de vernieuwing van het socialisme. We waren met tien of twaalf mensen en behoorden tot de Partido Socialista-Almeyda, tot de vernieuwde Partido Socialista (PS), christelijk links of tot de verschillende takken van de MAPU (Movimiento de Acción Popular Unitaria) – de partijen die destijds bestonden dus. Germán Correa (toen lid van de Partido Socialista-Almeyda, later voorzitter van de PS en minister van Transport onder Aylwin, en minister van Binnenlandse Zaken in het kabinet-Frei Ruiz) hield gedetailleerde notulen bij die hij op de volgende vergadering uitdeelde en die we goedkeurden. Zo kwam er medio 1980 een document tot stand over het socialistische platform, de *Convergencia Socialista*, zoals we het begonnen te noemen.

Tijdens die clandestiene bijeenkomsten was het leuk om soms te discussiëren over wat we bijvoorbeeld met de banken zouden doen als we aan de macht kwamen, of we ze zouden nationaliseren of private banken zouden aanvaarden. We konden verhitte debatten houden over dat soort kwesties.

VERSCHILLEN BINNEN DE OPPOSITIE

Kunt u de verschillen verklaren die tussen de socialistische geledingen bleven bestaan en die overwonnen moesten worden om een bredere alliantie te vormen?

Toen ik in 1978 terugkeerde naar Chili werkte ik voor de Verenigde Naties. Aangezien politiek bedrijven verboden was en in het geheim gebeurde, overtrad ik geen enkele VN-regel door me in de binnenlandse politiek te mengen, ook al omdat niemand wist dat ik me na werktijd bezighield met politiek. En zo raakte ik betrokken bij de scheuring binnen de socialistische partij. Je had de PS-Altamirano en de PS-Almeyda, afhankelijk van wie hun leider was. Beiden woonden in het buitenland. De aanhangers van Altamirano hervormden snel, terwijl de socialisten van Almeyda bleven samenwerken met de communistische partij. Toen de scheuring optrad, maakte ik deel uit van een groep socialisten binnen VECTOR, een kleine denktank die zich concentreerde op de toekomst van links. Daarnaast was er de denktank CIEPLAN onder leiding van Alejandro Foxley (een econoom die van 1990 tot 1994 minister van Financiën zou zijn onder Aylwin), die gelieerd was aan de christendemocratische partij. We hadden een klein kantoor waar bekende socialistische intellectuelen als Enzo Faletto, Eduardo Trabuco, Eduardo Ortiz, Rodrigo Alvayay en Heraldo Muñoz geregeld langskwamen. Op een dag bracht Germán Correa het nieuws dat er een socialistisch congres zou komen. Hij wilde graag onze standpunten kennen. We legden hem de situatie uit en namen aan dat die informatie op de juiste plek zou belanden. Drie maanden later kwam Correa ons vertellen dat het congres was uitgelopen op een scheuring binnen de partij. Ik vroeg hem uit te leggen wat die scheuring inhield en hoe we Pinochet moesten bestrijden als we het zelfs onderling niet eens konden worden. Hij vroeg me de instructies van Almeyda te willen aanvaarden. Ik zei dat ik dat vertikte zolang ze geen eenheid vormden. Mijn groep binnen VECTOR deelde deze visie.

Een paar maanden later reisde ik naar Mexico voor mijn werk bij de VN. Als je Mexico aandeed, was een bezoek aan Hortensia Bussi, de weduwe van Allende, het eerste wat je deed. Ze nodigde me uit voor een lunch bij haar thuis met een grote groep Chilenen. Bussi stelde me aan iedereen voor en vroeg me verslag uit te brengen over de laatste ontwikkelingen. Vervolgens informeerde ze naar mijn mening over de scheuring binnen de PS. Ik legde uit wat de vertegenwoordigers van Almeyda me hadden verteld, en dat wij in VECTOR deze scheuring niet aanvaardden en geen partij wilden kiezen. 'Jullie zijn dus neutraal, zoals de Zwitsers', antwoordde ze. Zo had ik het nog niet bekeken. Ik vond gewoon dat we één partij moesten blijven. Dat was het moment waarop we 'de Zwitsers' werden genoemd – een bijnaam die de leiders van de afzonderlijke facties trouwens niet in de mond wilden nemen.

Lange tijd waren wij 'Zwitsers' een van de vele formaties waarin de socialisten uiteen waren gevallen. Later werd het Comité Politico de Unidad (CPU) opgericht, dat één socialistische partij met zes facties zou vormen: de factie van Núñez (de *renovados*), die van Almeyda, de aanhangers van Raúl Ampuero, de leden van het coördinerend orgaan van de regionale secties, nog een club, en wij Zwitsers. Ik zetelde in het CPU. We waren overeengekomen dat er een centraal comité zou komen waarvoor elke factie tien leden zou afvaardigen. Dat was voor de Zwitsers een probleem, want wij waren maar met zijn zevenen. Uiteindelijk namen we met zes man zitting in het centraal comité. Enzo Faletto, onze intellectuele voorman, zei dat de instelling van een centraal comité betekende dat dat orgaan macht zou krijgen. Uit respect voor zijn anarchistische voorvader wilde hij geen machtspositie aanvaarden. Dus zetelden we met zes Zwitsers in een centraal comité dat uiteindelijk zesendertig leden zou tellen, zes per factie.

In 1982–1983 ontsponnen zich twee processen: de inlijving in het socialistische platform van beide MAPU-vleugels en van Izquierda Cristiana (christelijk links), en de initiatieven van de christendemocraten (waar Gabriel Valdés wijlen Frei Montalva had opgevolgd). Valdés legde contacten met rechtse groeperingen – eerst met Hugo Zepeda en Armando Jaramillo, later met Luis Bossay en Enrique Silva van de radicalen – en nodigde vervolgens de socialisten uit.

BOUWEN AAN EEN COALITIE

Veel andere politieke formaties probeerden een einde te maken aan de dictatuur. Hoe kreeg u alle spelers samen en verenigde u ze binnen een gemeenschappelijk platform?

Op 15 augustus 1983 werd de Alianza Democrática, de Democratische Alliantie, opgericht in de Círculo Español met een speech van Gabriel Valdés.[5] Ons politiek comité voor socialistische eenheid vaardigde vertegenwoordigers af naar de Democratische Alliantie van de PS-Almeyda (Julio Stuardo en Aquin Soto) en van de factie-Núñez (Hernán Vodanovic). Die delegatie leidde tot discussie binnen de Almeyda-groep. De leden in het buitenland wezen de Democratische Alliantie af omdat die formatie in hun ogen bereid was te onderhandelen met Pinochet, terwijl zij de strijd en consensus met de PC als de aangewezen weg zagen. De PC was niet uitgenodigd om deel uit te maken van de Democratische Alliantie omdat de partij het gebruik van geweld verdedigde. Uiteindelijk besloot de Almeyda-groep niet deel te nemen. Julio Stuardo en Aquin Soto, leden van die groep, besloten echter te blijven en deel uit te maken van het CPU, terwijl anderen zich buiten het comité hielden.

In die periode nam de Democratische Alliantie haar eerste beslissingen. Zo kwam er een maandelijks roterend voorzitterschap. Gabriel Valdés was voorzitter in oktober. In november kwam Enrique Silva voor de radicalen op de voorzittersstoel en in december waren de socialisten aan de beurt. Aquin Soto en Julio Stuardo van de Almeyda-groep vroegen of ik bereid was als vertegenwoordiger van de socialisten de Alianza voor te zitten. Ik weigerde. Mijn deelname was clandestien aangezien ik voor de VN werkte. Later kreeg ik bezoek van twee socialisten die de *renovados* vertegenwoordigden, onder wie Hernán Vodanovic, die me ook vroegen de Alianza voor te zitten. Ik heb toen een zware beslissing genomen. Ik zei tegen mijn gezin dat ik mijn baan bij de VN zou opgeven en in december werd ik voorzitter van de Alianza.

Op 4 september 1983 — een symbolische datum, omdat op die dag Salvador Allende en alle vorige Chileense presidenten waren verkozen — kreeg het land te horen dat de socialisten zich hadden verenigd in een centraal comité met 36 leden. De enorme aandacht die de 'vernieuwde' socialistische partij kreeg verraste me totaal. Ik gaf tal van interviews aan kranten en tijdschriften, en begon in te zien dat gezamenlijke actie tot innovatieve politiek kon leiden, omdat via mij ideeën werden gepresenteerd die we in voorafgaande ontmoetingen hadden besproken. Het werd duidelijk dat de Partido Socialista aan het veranderen was. En er was ook de toenemende invloed van de mediterrane socialistische partijen: Felipe González was sinds 1982 regeringsleider in Spanje, en in Frankrijk was Mitterrand president geworden.

INTERNATIONALE STEUN

De lange periode die voorafging aan het einde van de dictatuur bood tijd om in ballingschap na te denken over wat er in Chili was gebeurd en om lering te trekken uit andere voorbeelden. Hoe dachten de Europese sociaaldemocraten over de nieuwe coalitie en haar strategie die ook door de christendemocraten werd gesteund?

Toen Mitterrand in mei 1981 als president van Frankrijk werd geïnstalleerd, betrad hij het Pantheon met de weduwe van Allende aan zijn rechterzijde. Allende en de staatsgreep tegen hem hebben een enorme impact gehad op links Europa. Olof Palme, Gerhard Schröder en Tony Blair vertelden me dat de gebeurtenissen rond Allende voor hen een belangrijke stimulans waren om de politiek in te gaan. Alle Europeanen die ik ontmoette, zeiden dat ze zo de straat op zouden gaan om te protesteren voor Chili. Ik herinner me ook twee bijeenkomsten, in Chantilly en Bordeaux, met het socialistische platform in het buitenland, waar Chileense bannelingen met veel respect naar ons luisterden omdat wij in Chili woonden. Daar ontmoette je de Chilenen die in Zweden, Milaan, Parijs woonden. Je zag de invloed die hun omgeving op hen uitoefende: de renaissancemannen en -vrouwen die rechtstreeks uit Italië kwamen en de Scandinavische mentaliteit van Chilenen uit Zweden. Dat was ongelooflijk. Niemand heeft ooit geschreven over hoe het fenomeen van de ballingschap de politieke cultuur heeft beïnvloed. Het proces waarbij de Chileense democratische formaties hun krachten bundelden, speelde zich af tegen een achtergrond van nieuwe ideeën afkomstig uit verschillende bronnen.

Ik herinner me nog de inauguratie van de Argentijnse president Alfonsín in december 1983. Ik woonde die bij als voorzitter van de Democratische Alliantie omdat de socialisten die maand het voorzitterschap hadden. Ik was er met Valdés, Silva Cimma en Armando Jaramillo. We hadden ontmoetingen met de Spaanse, de Franse en de Italiaanse premier, dus respectievelijk met Felipe González, Pierre Mauroy en Bettino Craxi. We legden hun ons briljante programma voor: een voorlopige regering, Pinochet weg, een grondwetgevende vergadering, een nieuwe grondwet en uiteindelijk verkiezingen. Toen we ons strijdplan presenteerden aan González zei hij: 'Dit is geen programma. Met zo'n plan zullen jullie nog lang in de academische wereld blijven hangen! Hoezo voorlopige regering? Pakt Pinochet zijn boeltje? En hoe benoem je een voorlopige regering? Stel dat je succes boekt en dat Pinochet zijn ontslag indient, dan staan jullie met je mond vol tanden. Voordat jullie hier ook maar íéts van kunnen realiseren, zul je eerst uit de put moeten klauteren.' Die ontmoeting had veel impact. Het was een verhelderend en uitermate nuttig gesprek.

Vervolgens spraken we met Pierre Mauroy en die zei dat hij ons wilde ontvangen als kameraden, als bondgenoten in de strijd, maar dat hij verder niet veel voor ons kon doen omdat het in het internationale bedrijf gaat om relaties tussen regeringen, om de belangen van Frankrijk, om die van Chili enzovoort. We hadden zijn volle steun als kameraad, maar als premier kon hij weinig doen. Toen hij premier af was, belde Mauroy me en zei: 'Nu kun je op me rekenen. Als ik naar Chili kom, ga ik met jullie samenwerken.' En dat heeft hij ook gedaan, voor en tijdens het referendum waarin Pinochet werd verslagen. We begon te leren hoe de politiek werkte.

En dan was er nog de ontmoeting met Craxi. Ook hem vertelden we ons verhaal en hij antwoordde: 'Dit is simpel. Om te beginnen hebben we een communicatiecentrum nodig. Aangezien we in Argentinië zijn, vragen we Alfonsín morgen om ons in de Andes aan Argentijnse zijde een plek te geven. Ik financier een grote antenne en van daaruit zenden we uit in Chili.' De volgende dag ging Craxi praten met Alfonsín, die hem trachtte uit te leggen dat hij niet zomaar een antenne kon opzetten, dat hij dan ruzie zou krijgen met Pinochet. Enfin, dit geeft je een idee van de diverse manieren van denken van deze drie politieke leiders.

Alfonsín was belangrijk voor ons. We vroegen hem met de Cubanen te praten om te voorkomen dat hun communistische vrienden in Chili gekke dingen zouden doen, want als die bommen gingen leggen, betekende dat voor ons het einde. En dat deed Alfonsín. Hij speelde een nuttige rol achter de schermen en legde de Cubaanse leiders uit hoe wij Pinochet wilden verslaan.

Samengevat was er een meningsverschil tussen de voorstanders van sociale mobilisatie en protesten, en de aanhangers van 'alle vormen van strijd' met inbegrip van geweld. Dat was de situatie in 1986, een voor ons doorslaggevend jaar.

HET AUTORITAIRE SYSTEEM VAN BINNENUIT VERSLAAN

De Democratische Alliantie was een grote stap voorwaarts, maar Pinochet en zijn junta waren nog steeds machtig. Hoe wilde u een einde maken aan de dictatuur? En wat was de rol van maatschappelijke organisaties daarbij?

We meenden dat we Pinochet in 1986 moesten zien weg te krijgen. Anders moesten we de confrontatie met hem aangaan in een referendum dat er volgens Pinochets grondwet in 1988 zou komen. Dat referendum zou bepalen of Pinochet al dan niet in het zadel bleef. Bij het opstellen van de grondwet van 1980 had Pinochet gepland nog zestien jaar aan de macht te blijven. Zijn minister van Binnenlandse Zaken, Sergio Fernández, zei echter: 'Lijkt zestien jaar je niet een beetje te lang? Waarom houden we halverwege die periode niet een volksraadpleging? Aansluitend kun jij nog acht jaar aanblijven. Jij wordt de kandidaat van het referendum.' En wie zou de kandidaat nomineren? De junta van de vier bevelhebbers natuurlijk. Pinochet stemde met het plan in en zo werd besloten dat de junta acht jaar later Pinochet als kandidaat naar voren zou schuiven.

In 1978 werkte Aylwin mee aan de oprichting van een constitutionele studiegroep, de Groep van 24, met Manuel Sanhueza als voorzitter. Die groep ontwierp een alternatieve grondwet op het moment dat Pinochet bezig was met de nieuwe grondwet die hij in oktober 1980 per referendum invoerde. In 1984 had ik een openbaar debat met Aylwin. We namen deel aan een seminar georganiseerd door het Instituto Chileno de Estudios Humanísticos, een christendemocratisch orgaan dat werd gesteund door de Konrad Adenauer Stichting. Aylwin betoogde dat we Pinochets grondwet moesten aanvaarden om hem later te herzien. Hij zei dat de grondwet onwettig was door de manier waarop die tot stand was gekomen en dat hij dat zou blijven beweren tot het einde van zijn dagen. Hij begreep dat er anderen waren die de grondwet wel legitiem achtten. Pinochet kon hem echter niet verplichten te zeggen dat de grondwet geldig was, maar de dictator had wel het recht dat zelf te beweren. Het verschil tussen Pinochet en Aylwin was dat Pinochet de militaire macht in handen had. Aylwin wilde niet discussiëren over de legitimiteit van de grondwet omdat we het volgens hem nooit eens zouden worden in deze discussie. Hij zei te begrijpen dat een carabiñero die een boete gaf voor een snelheidsovertreding gehoorzaamde aan een institutioneel bevel dat begon met Pinochets grondwet en eindigde met het recht een bon uit te schrijven. Pinochets grondwet was een vaststaand feit, een grondwet die werd gehandhaafd.

Dus als dat de situatie de facto was, dan moesten we proberen de grondwet te veranderen zonder er meteen legitimiteit aan te verlenen.

Ik was het absoluut niet met hem eens. Hij hield dit echter staande en zei dat hij Pinochets grondwet aanvaardde, ook al verzette hij zich tegen de illegitimiteit ervan, en dat hij de grondwet naleefde omdat dat de imperatief was die voortsproot uit het gebruik van geweld; die grondwet was een bestaand feit.

SOCIALE MOBILISATIE

Er waren verscheidene pogingen om via sociale mobilisatie en politieke actie een einde te maken aan de dictatuur. Wat de sociale mobilisatie betreft, vonden de eerste protesten in Chili plaats in mei 1983. Ze waren georganiseerd door de vakbond van koperarbeiders en hun opkomende vakbondsleider Rodolfo Seguel. We kwamen bijeen in het Carlos V-gebouw in het centrum van Santiago waar de christendemocraten hun onderkomens hadden in een advocatenkantoor. We gaven de koperarbeiders toestemming om te staken, maar verwachtten geen andere stakers. De leiding van de Democratische Alliantie en de voorlieden van de koperarbeiders raakten ervan overtuigd dat we er beter aan deden voor een mildere vorm van protest te kiezen. Uiteindelijk was het besluit dat op de aangewezen dag de kinderen thuis werden gehouden van school, dat arbeiders niet zouden lunchen op het werk en dat er wel zou worden gewerkt, maar heel traag. We hadden dat idee opgepikt van Argentinië: je wel naar het werk begeven, maar werken zonder je echt in te spannen. In Argentinië noemden ze dat 'werken volgens de regels'. Als je bijvoorbeeld in de bank een cheque aanbood van een groot bedrijf dat zeker over de nodige fondsen beschikte, dan zou de bankbediende antwoorden dat hij eerst moest nagaan of er wel voldoende provisie was. Vervolgens zou hij zijn twijfels uiten over de handtekening. Pas na een kwartier zou hij uiteindelijk de cheque uitbetalen. En zo zou het gaan bij iedere klant. Waanzin gewoon.

Daarom opperde iemand om 's avonds lawaai te maken met potten en pannen. Dit in navolging van de rechts georiënteerde bewoners in de rijkere wijken ten tijde van de schaarste onder de Unidad Popular-regering. Op de afgesproken dag — 11 mei 1983 — weerklonk er om acht uur 's avonds een oorverdovend kabaal van potten en pannen uit de appartementsgebouwen in de betere wijken van Santiago. Het kwam als een complete verrassing en ik had het gevoel dat er iets gebeurde in Chili. Pinochet liet tanks uitrukken en pakte de leiders op die hadden opgeroepen tot het protest. Bij een volgend protest had Gabriel Valdés posters laten drukken om mensen op te roepen de straat op te gaan. Die posters werden gevonden en ze arresteerden hem samen met de anderen.

In 1985 ging onze gerespecteerde kardinaal Raúl Silva Henríquez met pensioen. Het Vaticaan benoemde kardinaal Fresno als zijn opvolger. De nieuwe kardinaal zag de enorme polarisatie tussen regering en oppositie, en stelde een breed Nationaal Akkoord voor. Dit akkoord moest vertegenwoordigers ter linker- en rechterzijde van de Democratische Alliantie samenbrengen. Ook Luis Maira werd gevraagd zich aan te sluiten. Hij kwam van Izquierda Cristiana en was lid van de Movimiento Democrático Popular (MDP). Ook vertegenwoordigers van rechts zoals Fernando Leniz, die deel had uitgemaakt van Pinochets kabinet, werden uitgenodigd. De MDP was de politieke koepel van de PC, PS-Almeyda en andere groepen die 'alle vormen van strijd' aanhingen.

Het Nationaal Akkoord was een poging om een brede politieke oplossing te vinden die verder reikte dan de Democratische Alliantie. Dit was belangrijk, want voor het eerst werd er een analyse gemaakt van hetgeen er moest veranderen in Pinochets grondwet, wat betekende dat die grondwet impliciet werd aanvaard.

De kerken speelden in het algemeen een belangrijke rol, maar de rol van de Katholieke Kerk was cruciaal. We kwamen bijeen in hun gebedshuizen. De Kerk betekende bescherming. Ook vrouwen waren belangrijk omdat ze onder de noemer 'gendergelijkheid' opkwamen voor gelijke rechten in de strijd tegen de dictatuur. Toen groeide het terechte en belangrijke idee van 'vrijheid met een menselijk gezicht'. Sociale bewegingen speelden beslist een voorname rol.

In 1986 richtten vakbondsleiders en beroepsfederaties, zoals die van leerkrachten en artsen, de Asamblea de la Civilidad op. Zodra de artsen zich hadden aangesloten werd het menens en traden bijvoorbeeld ook de vrachtwagenchauffeurs toe. Juan Luis González, voorzitter van de Chileense orde van geneesheren en lid van de christendemocratische partij, was de organisator van de Asamblea. Iedereen was erbij betrokken.

TEGENSLAG

De Democratische Alliantie bedacht een plan om in 1986 een einde te maken aan de dictatuur en noemde dat jaar doorslaggevend. Wat gebeurde er?

Dat jaar was inderdaad doorslaggevend, maar niet op de manier die wij voor ogen hadden. Het werd des te belangrijker daar de ontdekking van de wapensmokkel in Carrizal aantoonde dat er nog steeds groeperingen waren die het gebruik van geweld niet schuwden om Pinochet omver te werpen, en dat had een enorme impact. Het ging om een goed gefinancierde operatie, waarbij een visserijbedrijf met twee boten was betrokken, en een mijnbouwonderneming die een verlaten mijn exploiteerde. De wapens kwamen van volle zee. Het waren twee legale bedrijven met directeuren die vis verkochten en af en toe ook wapens bleken te hebben. Naar verluidt zou die informatie afkomstig zijn uit Peru. Wat we zeker weten is dat Carrizal werd ontdekt en dat er op grote schaal wapens het land in werden gesmokkeld.

Na die ontdekking besliste vermoedelijk het Frente Patriótico Manuel Rodríguez om plan B, een poging om Pinochet te vermoorden, versneld in werking te stellen. Ze waagden zich aan een aanslag op 7 september 1986, maar faalden. Pinochet overleefde, maar verscheidene lijfwachten vonden de dood. Het was een goed georganiseerde aanslag, en de mislukking en de zaak-Carrizal maakten van 1986 dan wel een doorslaggevend jaar, maar niet in het voordeel van de oppositie. Met vele anderen, onder wie Germán Correa, lid van de socialistische factie die een alliantie vormde met de PC, belandde ik in de gevangenis. Ik vroeg Correa of hij op de hoogte was geweest van de moordaanslag. Toen hij dat ontkende, zei ik dat het niet eerlijk was geweest van zijn partners dat ze hem overal buiten hadden gehouden. Ik zag dat hij woedend was. In de dagen na 7 september lieten veel Chilenen het leven door toedoen van Pinochets geheime politie.

Binnen de Democratische Alliantie hadden we een Comité Político Privado (een privaat politiek comité) waarin de christendemocraten en de radicalen, vertegenwoordigd door Valdés en Silva Cimma, en de socialistische partij zetelden. We kwamen bijeen met de MDP op een plek die wij hadden uitgekozen om specifieke operaties te bespreken. Zo bekeken we hoe we nieuwe protesten konden organiseren zonder gewelddadige acties (die als aanleiding voor represailles zouden kunnen dienen), hoe we konden vermijden dat mensen hun gezicht verborgen en hoe we het verbranden van banden, wegblokkades en soortgelijke ordeverstoringen konden voorkomen.

Hoe organiseerden de partijen zich voor het referendum van 1988 dat moest uitmaken of Pinochet nog een termijn aan de macht zou blijven?

We moesten ons registreren bij de kiesautoriteiten om op de kieslijsten te komen voor het referendum van 1988 over Pinochets volgende ambtstermijn. Belangrijk was het besluit van het grondwettelijk hof dat er in het kader van het referendum een nieuw kiezersregister moest komen ter vervanging van het register dat na de coup was vernietigd. Dus ook de kiezers moesten zich registreren. Daarop volgde nog de oprichting van het 'Comité voor Vrije verkiezingen' en het 'Linkse Comité voor Vrije verkiezingen', omdat wij van democratisch links niet in het Comité voor Vrije verkiezingen zaten. We moesten naar buiten brengen dat we bestonden en werkten aan het verstevigen van de alliantie van politieke groepen die het referendum steunden.

BOUWEN AAN EEN COALITIE

Artikel 8[6] werd geschrapt, maar dat gebeurde pas na het referendum. We konden dus niet opkomen als de Socialistische Partij. We registreerden ons als de Partij voor Democratie. Uiteindelijk werd de Partij voor Democratie de vernieuwde Socialistische Partij met daarin een groep exleden van de Radicale Partij, een groep liberalen van republikeins rechts plus een aantal onafhankelijken. Almeyda had zich namelijk nog niet geregistreerd.

Op dat moment introduceerde de MDP, bestaande uit de PS-Almeyda en andere linkse groepen, de slogan *inscripción-traición* (registratie is verraad). De Democratische Alliantie was op sterven na dood en zou worden vervangen door de Concertación. In die fase veranderde de MDP. De beweging ging zich Izquierda Unida (verenigd links) noemen in een poging om PS-Almeyda bij de PC en de Movimiento de Izquierda Revolucionaria (revolutionair linkse beweging) te houden. Ik herinner me dat ik op 15 augustus 1987 met de Amerikaanse politicoloog Arturo Valenzuela naar een buurtmarkt toog om de mensen daar te vertellen dat ze zich als kiezer moesten registreren. Een kleine groep volgde in ons kielzog en riep: 'Inscripción: traición!' Het waren mensen van de PC. Ik wendde me tot degenen die ik kende en zei dat we deden wat we konden. Ik vroeg ze ons niet uit te dagen en dat ze maar op de stoep aan de overkant van de straat moesten gaan staan als ze dat wilden. Ze stelden voor om 's middags met hun collega's af te spreken en de kwestie van de registratie te bespreken. We ontmoetten elkaar in de kerk en onze communistische collega kwam met een heel verhaal om duidelijk te maken waarom registratie verraad was. Toen ik aan het woord kwam, vroeg ik of ze snapten hoe Pinochet het aanlegde om aan de macht te blijven. Vroeger gebruikte hij geweld om aan te blijven, nu moest hij echter het referendum winnen.

Als we verkiezingswaarnemers hadden, konden we Pinochet verslaan, als onze mensen zich tenminste als kiezers registreerden.

Hoe hadden we het berekend? Acht miljoen Chilenen konden stemmen, Pinochet mocht niet meer dan 40 procent van die stemmen halen en al zijn aanhangers zouden zich registreren. Pinochet was zelf trouwens de eerste die zich als kiezer liet registreren. Zij moesten dus 3,2 miljoen stemmen – 40 procent van 8 miljoen – behalen. Om te winnen moesten wij dus minstens 7 miljoen mensen ervan overtuigen zich in Chili te laten registreren. Ik herinner me nog dat Ricardo Núñez op zeker moment bekendmaakte dat de 7 miljoenste kiezer zich had laten registreren en dat we Pinochet zouden verslaan. Dat was de numerieke logica, maar als er een boycot kwam en onze mensen zich niet registreerden, konden we het vergeten.

En zo gebeurde het: de Partido por la Democracia (PPD) registreerde zich als partij en de regering plaatste Clodomiro Almeyda over van Chile Chico naar Santiago op beschuldiging van inbreuk op artikel 8 van de grondwet van Pinochet. Toen ik hem bezocht in de Capuchinos-gevangenis, zei hij tegen me: 'Goed nieuws! De MDP gaat zich registreren voor de verkiezingen.' Ik zei hem dat we dan snel een politieke partij moesten vormen, dat we de PPD moesten oprichten, want wie zou er anders voor zorgen dat de verkiezingen fair zouden verlopen en dat de stemmen eerlijk werden geteld? Alleen de christendemocraten? De partijen zouden toezichthouders aanwijzen en ik wilde niet dat alleen christendemocraten het verloop van de stembusgang zouden volgen. Ik wilde zelf ook stemmen tellen. Het lukte me niet om Almeyda ervan te overtuigen in de PPD te stappen. Namens links hadden alleen de PPD en de humanistische partij waarnemers bij het tellen van de stemmen. Nadat Pinochet het referendum had verloren en de regering verplicht was verkiezingen te houden in 1989, vormden Almeyda en zijn linkse fractie de Partido Amplio de Izquierda Socialista (uiterst linkse socialistische partij) om voor die verkiezingen kandidaten naar voren te schuiven.

Dat weet ik nog goed. Toen Aylwin opkwam voor de presidentsverkiezingen, ontdekten we namelijk dat alleen de presidentskandidaat zelf kandidaten en waarnemers kon aanwijzen. We drukten Aylwin op het hart om die macht en verantwoordelijkheid naar onze mensen te delegeren. Uiteindelijk kregen we die en mochten we de waarnemers aanwijzen namens de kandidaten voor de senaat en volksvertegenwoordiging.

Ik haal deze gebeurtenissen aan om aan te tonen dat de Concertación het resultaat was van een opeenvolgende bundeling van krachten over een lange periode, en niet het gevolg van één geïsoleerd besluit.

VERTROUWEN SCHEPPEN BINNEN DE OPPOSITIE

De oppositie moest wantrouwen en versplinterde interne politiek overwinnen om te kunnen samenwerken. Wat waren de cruciale momenten en beslissingen die de oppositie op weg hielpen om Pinochet uiteindelijk te verslaan?

Eerst en vooral was er het besluit van de socialisten om samen te werken met de christendemocraten, die volgens velen van ons op de deuren van de kazernes hadden gebonsd om de militaire coup in 1973 uit te lokken. Ik zeg niet dat het zo is gegaan, maar veel leden van de Volksfrontcoalitie geloofden dat de christendemocraten achter de staatsgreep stonden en die coup mede hadden ontketend. Dat was een obstakel voor onze samenwerking. We moesten dus een diep wantrouwen overwinnen om onze democratische doelen te bereiken, en dat is gelukt.

HET AUTORITAIRE SYSTEEM VAN BINNENUIT VERSLAAN

Ten tweede was er de deelname aan het referendum, die impliceerde dat we ten minste in dat opzicht Pinochets grondwet aanvaardden en alle daarmee gepaard gaande risico's van mogelijke fraude. Dat besluit viel eind 1986, begin 1987, nadat andere pogingen om een einde te maken aan het militaire regime waren mislukt en de mensen inzagen dat het referendum naderde.

Toen de vooraanstaande socialist Clodomiro Almeyda in februari 1987 terugkeerde naar Chili, zocht ik hem samen met mijn zwager Pedro Durán op in Chile Chico, een afgelegen stadje in Patagonië, om hem ervan te overtuigen de Socialistische Partij te registreren voor de verkiezingen. We kwamen rond middernacht aan in Balmaceda. De bus waarmee we reisden stopte bij een politiepost, waar we moesten uitstappen. Op die posten kon de politie je ondervragen en fouilleren. We wisten niet of ze ons terug gingen sturen naar Santiago, want eigenlijk hadden we geen bewegingsvrijheid.

Het besluit om ons op te geven voor Pinochets kiezerslijsten en ons in het kiesregister te laten opnemen was heel belangrijk, want wie kon zich nu voorstellen dat Pinochet ooit zou aftreden omdat hij een referendum had verloren? Ik besefte dat ik Almeyda nodig had om de dingen gemakkelijker te maken, want wat zou hij doen als hij clandestien naar Chili zou komen? Hij zou naar de rechtbank stappen om niet het land te worden uitgezet. Met zijn terugkeer aanvaardde hij eigenlijk het institutionele raamwerk van de dictatuur en hij ging ervan uit dat ze hem binnen dat kader niet zouden vermoorden. En inderdaad, ze namen hem gevangen en stuurden hem naar een plek 1400 kilometer van Santiago terwijl ze nadachten over wat ze met hem moesten aanvangen. Hij was de zelfverklaarde voorzitter van de socialistische partij, maar de socialisten waren verboden krachtens Pinochets grondwet. Het regime moest dus een beslissing nemen en de gemakkelijkste oplossing was binnenlandse verbanning. Je kon naar hem toe gaan en met hem praten, omdat hij zich vrij mocht bewegen binnen de grenzen van dat stadje, maar hij mocht die plek niet verlaten. De registratie voor de verkiezingen en de steun van de Almeyda-factie waren belangrijk. Maar die toezegging kreeg ik niet tijdens dat bezoek. 'Ik heb meer tijd nodig om binnen de partij die beslissing te nemen', zei hij.

BOUWEN AAN EEN COALITIE

En de derde grote beslissing, die het gevolg was van de vorige, was de oprichting van de PPD. In 1987 won Patricio Aylwin de voorverkiezingen bij de christendemocraten. Hij deed twee fundamentele beloften. Hij verbond zich tot een kleine coalitie zonder socialisten, een eis van de machtige christendemocraat Adolfo Zaldívar die Aylwin op die voorwaarde zou steunen. Daarnaast beloofde Aylwin dat de christendemocratische partij zich zou registreren. Toen ik die twee voorwaarden zag, sprak ik Aylwin en zei: 'Als jij een kleine coalitie vormt, word jij Adolfo Suárez en ik Felipe González.' Ik goot het in die woorden omdat Gabriel Valdés me ooit na een vergadering had gezegd: 'Ik word geen Adolfo Suárez om jou Felipe González te laten worden. Laten we samen in de regering stappen omdat we allerlei moeilijke maatregelen moeten nemen.'[7]

Ik maakte bij Aylwin geen bezwaar tegen de kleine coalitie, maar stelde wel de registratie van zijn partij ter discussie. Ik zei dat ik dat onacceptabel vond omdat de socialistische partij zich niet kon registreren aangezien deze volgens de grondwet van Pinochet verboden was. Toen Aylwin te kennen gaf zijn partij toch te zullen inschrijven, ben ik gaan praten met Enrique Silva van de radicale partij om te horen wat hij van plan was. Als de christendemocraten zich zouden registreren, zei Silva, dan zou hij dat ook doen. En daarom heb ik een beroep gedaan op de solidariteit van de prodemocratische Chilenen met de Socialistische Partij. Ik stelde voor een overkoepelende partij te vormen — de PPD — die iedereen zou vertegenwoordigen en besloot die partij te registreren. In een interview met het dagblad *El Mercurio* in januari 1987 gaf ik aan dat er één grote partij moest komen die ons allemaal zou verenigen. Ik lanceerde het idee omdat we al op het punt stonden de PPD te registreren. Aylwin vertelde me dat hij wel moest verklaren dat de christendemocratische partij zich zou laten registreren, wilde hij de presidentsverkiezingen winnen. Maar hij voegde eraan toe dat ik erop mocht rekenen dat hij dat niet zou doen zolang artikel 8 nog bestond en wij ons niet konden registreren. En als dat artikel niet werd geschrapt, zouden we samen één partij kunnen vormen.

CIVIELE CONTROLE OP DE STRIJDKRACHTEN

Chili is het enige geval van een transitie waarbij de voormalige dictator nog acht jaar aanbleef als opperbevelhebber van het leger, een serieus obstakel bij het behandelen van mensenrechtenschendingen en de terugtocht van het leger naar de kazernes. Welke lering trekt u uit uw ervaringen met de strijdkrachten?

Het beleid ten aanzien van het leger moet op duidelijke principes berusten:

1. De strijdkrachten zijn permanente instellingen van de republiek en krijgen daarom en als zodanig de volledige steun van de verkozen burgerautoriteiten.
2. Dat betekent dat het civiele gezag bepaalt hoe en wanneer het leger — als houder van het geweldsmonopolie — wordt ingeschakeld.
3. In ruil daarvoor kent het civiele gezag het leger het geweldsmonopolie toe en zorgt het voor voldoende technische en financiële middelen om de strijdkrachten in staat te stellen hun taken uit te oefenen en het land tegen dreigingen van buitenaf te beschermen.
4. Er komt een einde aan alle andere gunsten of voordelen die het leger mogelijk heeft verworven ten tijde van de dictatuur. Instellingen van de republiek behoren toe aan het hele land en dus kan er van dergelijke speciale voordelen geen sprake zijn.
5. Belangrijker is nog dat de strijdkrachten, het instituut dat over de wapens beschikt, zich niet in de politiek mogen mengen. Wie als militair toch de politiek in wil, ruilt zijn uniform in voor een burgertenue. Dan pas kan die persoon voor de tv-camera's verschijnen om in het debat, zonder wapens, zijn gelijk te bevechten.

Dit zijn de vijf basisprincipes die van meet af aan moeten gelden. Ik weet dat het gemakkelijk klinkt, maar het was moeilijk om die boodschap te verkopen aan de centrale comités van onze partijen, omdat veel mensen vreesden dat bepaalde legerofficieren zo hun straf voor betrokkenheid bij mensenrechtenschendingen zouden ontlopen.

Toen Pinochet in 1990 de positie van commandant van de landstrijdkrachten opnam, wisten we dat dat voor een welomschreven termijn zou zijn. Voorheen deelde Pinochet de lakens uit omdat hijzelf de andere bevelhebbers van marine en luchtmacht benoemde. Toen ik president werd, was Pinochet in Londen gearresteerd en werd hij, eenmaal terug op Chileense bodem, vervolgd voor schendingen van de mensenrechten. Op een dag, een paar weken na mijn inauguratie als president, lunchten de vier bevelhebbers samen in een restaurant in Santiago om publiekelijk hun eensgezindheid en solidariteit met Pinochet kenbaar te maken. Ik was woest, maar als president had ik nog niet de bevoegdheid hen af te zetten. Het eerste wat ik hun vroeg was wie de rekening had betaald en ze vertelden dat de bevelhebber van de carabiñeros had getrakteerd. Ik belde die man en hij bevestigde dit. Vervolgens vertelde ik hem, en later ook ieder van hen afzonderlijk: 'Hebben jullie ooit alle opperbevelhebbers samen het Witte Huis zien betreden? Of drie opperbevelhebbers die op eigen initiatief op bezoek gaan bij de premier van Noorwegen of Nederland, of welk ander democratisch land ook? Met deze lunch hebben jullie het aanzien van Chili in de wereld geschaad. Ik zal zo'n vertoning nooit meer accepteren en de volgende keer roep ik vanaf het balkon van La Moneda op om jullie uit je functie te ontheffen en dan zullen we weleens zien wie het voor het zeggen heeft in Chili.' En ik voegde eraan toe: 'Ik maak meteen van de gelegenheid gebruik om nog iets te vertellen. De dag waarop jullie op eigen houtje beslissen de nationale veiligheidsraad bijeen te roepen, zullen jullie wel een andere vergaderplek moeten zoeken, want ik zal als president van de republiek beslist niet aanwezig zijn en dus zullen jullie elkaar niet kunnen treffen in La Moneda.' Dergelijke woordenwisselingen maakten dat we elkaar geleidelijk aan beter gingen begrijpen. Later heb ik besloten het aftreden van een van de opperbevelhebbers te eisen op grond van zijn verleden op het vlak van mensenrechten. Hij betwistte dit niet, ook al was ik volgens de grondwet niet bevoegd om hem af te zetten. De situatie veranderde, maar het gebeurde geleidelijk. Uiteindelijk stemde de rechtse oppositie in 2005 voor opheffing van de grondwettelijke bepaling die het de president onmogelijk maakte om opperbevelhebbers tijdens hun vierjarige mandaat te ontslaan. Maar iedereen wist dat die bepaling in de praktijk al verleden tijd wás.

GERECHTIGHEID EN VERZOENING

Hoe is te verklaren dat Chili de meeste vooruitgang heeft geboekt op het vlak van transitional justice, ondanks het feit dat de voormalige dictator nog acht jaar aanbleef als opperbevelhebber van het leger?

Het is belangrijk te bepalen hoe in een transitietraject gerechtigheid kan geschieden, rekening houdend met het feit dat mensenrechten daadwerkelijk waren geschonden. Hoe leg je enerzijds het leger uit dat waarheidsvinding en streven naar gerechtigheid geen wraakoefeningen zijn en overtuig je anderzijds de burgers dat je niets wilt ontkennen om te voorkomen dat ze zoiets ooit nog meemaken? Je moet het leger vertellen dat je niet uit bent op wraak, maar tegelijk niet wilt ontkennen wat er is gebeurd. Het streven naar gerechtigheid en verzoening dat leidde tot het referendum waarbij Pinochets grondwet eindelijk werd gewijzigd, vorderde soms langzaam, maar het vorderde gestaag.

Frei kwam met een geslaagd initiatief: de *Mesa de Diálogo*, de tafel voor dialoog (1999–2001). De tafel had vier zijden: je had de hoogste gezagsdragers binnen het leger; tegenover hen zaten de mensenrechtenadvocaten; vervolgens had je de Kerk en andere morele instellingen van het land; en tot slot een groep mensen die het politieke spectrum van Chili van links tot rechts vertegenwoordigden. Die laatsten waren niet door hun partijen aangewezen om aan te schuiven, maar door de president van de republiek. Aan die tafel kwam de dialoog op gang. Het begon met een symbolisch gebaar. Een generaal stapte met uitgestrekte hand op advocate Pamela Pereira af, wier vader was verdwenen. Pereira schudde de hand niet, maar zei: 'Generaal, ik zal u de hand schudden als de dialoog is afgelopen.' Waarmee ze bedoelde dat er alleen handen zouden worden geschud als deze sessies iets concreets opleverden. Uiteindelijk hebben ze elkaar inderdaad een hand gegeven.

Ik ben doorgegaan met deze gesprekken en kon ze nog tijdens mijn ambtstermijn met een goed gevoel afsluiten. Dat legerofficieren aanschoven aan deze tafel betekende dat ze bereid waren enige verantwoordelijkheid voor het verleden te nemen, maar het heeft wel tijd gekost om dat te bereiken. Stel je voor, de vrouwen kwamen daar met foto's van hun verdwenen dierbaren.

Moisés Naim, een bekende Latijns-Amerikaanse politieke analist, vroeg me ooit wat de moeilijkste beslissing was die ik als president heb genomen. Wel, dat was de opdracht om een rapport op te stellen over politieke detentie en foltering. We moesten daarvoor weer terug in de tijd en de doos van Pandora vol mensenrechtenschendingen openen, dertien jaar nadat we hadden gewonnen en elf jaar nadat Aylwin de waarheids- en verzoeningscommissie had ingesteld. Die commissie had de politiek geïnspireerde moorden en verdwijningen onderzocht, en in 1991 het Rettig-rapport gepubliceerd, dat Mandela later nog als voorbeeld zou gebruiken. Maar de mensen die gevangen hadden gezeten, bleven aanvoeren dat niemand erkende wat ze hadden doorstaan. Dat ze moesten uitleggen, als hun strafblad werd opgevraagd, dat ze om politieke motieven gevangen hadden gezeten. Uiteindelijk besloot ik de commissie-Valech in het leven te roepen.[8] Dat waren moeilijke beslissingen. Ik informeerde het land over de conclusies van het rapport over politieke detentie en foltering. Dat document erkende meer dan 29.000 Chileense mannen en vrouwen die waren gefolterd en beschreef de locatie van de gevangenissen en de toegepaste foltermethoden. Het rapport lezen was een ware reis door de hel. Toch heeft het leger de waarachtigheid van het document — in tegenstelling tot het Rettig-rapport van Aylwin — nooit in twijfel getrokken. Inmiddels aanvaardde het leger het verleden en vroeg het vergeving voor wat er was gebeurd ten tijde van het militaire regime.

Sociale eisen ontstaan meestal als mensen hun vrijheid terugkrijgen, maar ze kunnen de eerste politieke stappen in een transitieproces bemoeilijken. Hoe verantwoordelijk waren de Chileense sociale bewegingen in dit opzicht? Temperden ze hun verwachtingen om politieke veranderingen niet te belemmeren?

Ik vertel even een anekdote die veel zegt over de transitie. Ik zat op het ministerie van Onderwijs en op een dag vertelde de secretaresse me dat er een handgeschreven brief voor me was, afkomstig uit een plaats in de buurt van Valdivia, in het zuiden van Chili. De afzender schreef dat ik tijdens de campagne in haar stad was geweest en zette vervolgens haar probleem uiteen. Ze schreef: 'Wij zijn een groep gewone mensen en weten waar onze familieleden die tijdens de dictatuur zijn omgebracht, begraven zijn. En nu willen we de rechter vragen de lichamen op te graven zodat we hen een christelijke begrafenis kunnen geven. Maar sommigen van ons vinden het daar nog te vroeg voor. Ze zijn bang dat het leger boos wordt en een nieuwe staatsgreep zal plegen. Anderen zeggen dat we nu in een democratie leven en dat we die vraag best kunnen stellen.

We kibbelen nu al bijna zeventien jaar en aangezien we het niet eens worden, ook al omdat we niet goed weten wat er in het land gebeurt, hebben we besloten uw advies in te winnen. We zullen doen wat u zegt dat we moeten doen.' Die brief raakte me diep. Ik was echt ontroerd.

Ik legde die brief voor aan Aylwin. Hij vroeg me wat we moesten doen en ik antwoordde dat we moesten laten weten dat ze de zaak gerust konden voorleggen aan de rechter. Aylwin was het met me eens. Ik stuurde mijn stafchef naar het zuiden om ze dat te vertellen. Ze zijn inderdaad naar de rechter getrokken en die heeft gelast de lichamen op te graven. Er werd gegraven en het enige wat ze vonden, waren wat botten en een paar knopen. Het leger had de stoffelijke resten destijds al meegenomen. Dit voorbeeld laat zien dat mensen geen loonsverhoging eisten, wat je misschien zou verwachten, maar fundamentele menselijke en politieke rechten, en dat is een krachtig signaal. Ik vertel je deze anekdote om te laten zien dat er onder de Chileense bevolking een gevoel van angst, maar ook van plichtsbesef leefde.

ANGST VOOR HET VERLEDEN

Weet je wanneer ik besefte dat ik de senaatsverkiezingen zou kunnen verliezen? Ik heb al verteld dat ik me in 1989 niet kandidaat wilde stellen voor het presidentschap, ook al had ik aanzienlijke steun. De peilingen waren in die tijd natuurlijk niet zo nauwkeurig als nu, maar ik besefte dat mijn kandidatuur tot een nieuwe staatsgreep kon leiden. Ik realiseerde me dat ik zou kunnen verliezen toen ik in Huechuraba, een arm dorp bij Santiago, aan het einde van mijn speech voor ruim twintigduizend mensen een oudere vrouw opmerkte die naar me keek alsof ik God was. Toen ik wilde vertrekken, liep de vrouw op het podium toe. Ik zag dat ze niet bij me kon komen en sprong van het podium af. De mensen maakten ruimte en ik omhelsde haar. Ze was ontroerd en zei: 'U heeft me overtuigd. Ik ga toch op u stemmen. Ik was een aanhanger van Allende, maar wilde eigenlijk op Zaldívar stemmen omdat ik bang was dat het leger misschien zou terugkomen als u werd verkozen, en ik heb al zoveel geleden.' Dat maakte zo'n indruk op me dat ik iemand heb gevraagd de volgende dag met die vrouw te gaan praten. Ze vertelde wat haar was overkomen ten tijde van het militaire regime. Op dat moment besefte ik dat ik de verkiezingen kon verliezen. Door de angst onder de bevolking. Hoewel ze een aanhanger van me was, meende ze toch te moeten stemmen op iemand anders om een terugkeer van de junta te voorkomen. Het enige wat telde was dat beide kandidaten tegen Pinochet waren. Dit is een voorbeeld van de maturiteit van de mensen, van een volwassen oordeel dat een transitie kan bespoedigen.

Tot nu toe hebben we het gehad over de relatie met het leger. Welke rol speelde de politieke rechtervleugel die Pinochet had gesteund?

In Chili heeft het leger vergeving gezocht, de rechtse partijen nooit. Veel aanhangers van rechts menen nog steeds dat de coup onvermijdelijk was en dat de schending van de mensenrechten gerechtvaardigd was. Dit houdt het wantrouwen in stand en blijft een obstakel voor verzoening en breder gedragen akkoorden.

HET KIESSTELSEL

Na het referendum van 1988 was er een grote kans om de grondwet van 1980 te wijzigen, maar de veranderingen bleven beperkt en lieten veel autoritaire enclaves ongemoeid. Wat gebeurde er toen precies en hoe denkt u daar nu over?

Bij een transitie moet elke groep begrijpen dat je niet alles kunt krijgen wat je wilt. Onze transitie betekende dat we moesten praten met andersdenkenden, ook al waren ze verslagen; dat we hard moesten werken aan gemeenschappelijke doelen; dat het referendum gewonnen moest worden; dat we moesten onderhandelen met de regering; dat artikel 8 herroepen moest worden... Noem maar op.

De grondwet van Pinochet had een binomiaal kiesstelsel ingevoerd: uit elk district werden twee vertegenwoordigers verkozen. Politiek rechts ontdekte dat dit systeem cruciaal was voor zijn politieke voortbestaan, omdat het tot een politieke impasse leidde: jij krijgt 60 procent en ik 40 procent en we zitten aan elkaar vast—jij verkiest de ene figuur, ik de andere. Het binomiale kiesstelsel had ook veel impact op coalities, omdat kleine veranderingen binnen een coalitie konden leiden tot de verkiezing van alle christendemocraten en niemand van de PPD, of andersom. Dit systeem, in combinatie met de hoge en nog altijd bestaande quora voor de parlementsverkiezingen, bezorgde de oppositie in de praktijk een soort vetorecht. Na twintig jaar is daar geen behoefte meer aan. Het is niet meer nodig, die politieke cyclus van een rechtervleugel met vetorecht, van een bestel waarin wij regeren omdat we twintig jaar de meerderheid haalden bij verkiezingen, maar geen meerderheid hadden om te veranderen wat we wilden veranderen omdat we het vereiste quorum niet bereikten of klem werden gezet. Maar hoe raken we uit die impasse? Ik weet het niet, want het binomiale systeem bestaat nog steeds en zelfs als we de volgende presidentsverkiezingen winnen, is het mij echt niet duidelijk wat er moet gebeuren om dat te veranderen.

Ik vond dat dit systeem moest worden afgeschaft, maar dat was niet haalbaar. De laatste onderhandelingen voerde Aylwin met Jarpa van het rechtse Renovación Nacional en met de Concertación de Partidos por el NO, dat inmiddels de Concertación por la Democracia was geworden. We hadden het referendum al gewonnen, maar waren niet in staat om het binomiale systeem te veranderen.

GRONDWETSHERZIENING

De grondwet van Pinochet vertoonde een hiaat. Er was een hoog quorum nodig om de constitutie te wijzigen: belangrijke zaken vereisten een vierzevendemeerderheid, en voor het wijzigen van een aantal artikelen van de grondwet was een tweederdemeerderheid nodig. Paradoxaal genoeg behoorde de bepaling over de grondwetswijziging zelf niet tot de artikelen waar een supermeerderheid voor nodig was en die was dus met een eenvoudige meerderheid te wijzigen. Op die manier zou je ook de vereiste quorums voor grondwetswijzigingen kunnen aanpassen. Het was ons enige wapen. Het debat draaide nu om de vraag of we dit middel zouden inzetten of niet — en dat wist de junta. Het alternatief was afstevenen op een confrontatie. De legertop kon zeggen dat we de spot met hen dreven en ons nog eens met een staatsgreep overvallen. Het was daarom heel riskant om dit te doen tijdens de eerste zitting van het congres. Uiteindelijk stond het leger een reeks veranderingen toe, onder andere het schrappen van artikel 8. In ruil werd een speciaal quorum vastgesteld voor de wijziging van de bepaling over de grondwetswijziging. Ze ontnamen ons, met andere woorden, de enige mogelijkheid die we hadden om dingen die wij belangrijk achtten te veranderen in de grondwet van 1980. Vanuit het oogpunt van het publiek was dit echter een heel technische discussie, en ik zag wel in dat we op een impasse afstevenden.

Ik herinner me nog het moment waarop we definitief moesten beslissen over die paar grondwetsherzieningen waarover met het leger viel te onderhandelen. Aylwin wist dat ik tegen was. Dat was de enige keer dat ik hem kwaad zag worden toen we tegenover elkaar stonden in een debat. Op dat moment moest ik oproepen tot een nee-stem tegen het nieuwe referendum over een grondwetswijziging waarover onderhandeld werd met Pinochet. Wij konden onmogelijk het initiatief nemen, omdat in die periode alleen de junta grondwetswijzigingen kon voorstellen die per referendum werden bekrachtigd. Ik moest dus een oproep doen om tegen te stemmen.

Aylwin was duidelijk voor een ja-stem. Hij benadrukte dat we het binomiale kiesstelsel later samen zouden veranderen. Toen Aylwin zijn betoog had afgerond, vroeg ik hem welke garanties we hadden. Hij antwoordde dat we de volgende dag naar het huis van Ricardo Rivadeneira zouden gaan, de advocaat van Renovación Nacional die werkte aan de redactie van de wijziging. De volgende dag trokken we naar Rivadeneira, maar Jarpa, de politieke baas van rechts, kwam niet opdagen en dus konden we niets doen.

Een tweede geschil ontstond toen Aylwin net was gekozen als president. Ik zou minister in zijn kabinet worden. De verkiezing voor de senaat had ik verloren en tijdens een gesprek onder vier ogen vroeg ik hem welke maatregel hij als eerste zou nemen. Hij zei dat hij daar nog niet echt over had nagedacht en vroeg me of ik misschien suggesties had. 'Jazeker', zei ik. 'Roep Pinochet op om af te treden.' Hij antwoordde dat Pinochet heus niet zou opstappen en ik zei hem dat hij stante pede een voorstel tot grondwetsherziening naar het parlement moest sturen met het verzoek over te gaan tot een wijziging. En dat hij daarbij bekend moest maken dat hij had besloten dat Pinochet moest vertrekken en hem daarom om zijn ontslag had gevraagd, maar dat de dictator dat niet van plan was omdat de grondwet hem daartoe niet verplichtte. We discussieerden volop over deze kwestie, totdat ik tegen Aylwin zei dat hij het belangrijkste argument om dit meningsverschil uit de weg te ruimen nog niet had aangevoerd. Hij vroeg me wat het was en ik zei: 'Je zou tegen me kunnen zeggen: "Luister eens, Ricardo, jij met je praatjes, je bent net minister geworden, maar ik ben wel de president!"' Het zou toch te gek voor woorden zijn als ik als minister moest vertellen wat hij als president moest doen? We moesten allebei lachen en dat was meteen het einde van dat zogenaamde meningsverschil.

BOUWEN AAN EEN COALITIE

Hoe bereikte de Concertación een akkoord over de nominatie van kandidaten? De coalitie besprak programma's voor elke nieuwe regering en bereidde die voor. Hecht u belang aan die werkwijze?

Moeilijker dan de transitie van dictatuur naar democratie is de vraag wat er komt na het vertrek van de dictator. Zo moet je het eens zien te worden over wie je als presidentskandidaat naar voren schuift.

Velen noemden mijn naam als mogelijke presidentskandidaat. Maar voor mij was dat absoluut niet aan de orde. Het zou werken als een rode lap op een stier. Daarom liet ik twee dagen na het referendum weten dat ik geen kandidaat zou zijn. Een transitie vereist dat sommigen afzien van hun eventuele ambities. Ik weet nog dat het bestuur van de PPD mij na het referendum wilde nomineren. Armando Jaramillo en anderen waren heel enthousiast. Ik bedankte hen hartelijk, maar legde uit dat mijn kandidatuur de transitie zou schaden. Ik stelde voor om Enrique Silva als PPD-kandidaat te steunen, maar uiteindelijk schaarden we ons allemaal achter Patricio Aylwin als kandidaat namens de Concertación. En de rest is geschiedenis.

BELEIDSPRIORITEITEN BEPALEN

We beseften aanvankelijk niet dat er nog een ander, veel moeilijker overgangsproces speelde: dat van een arm naar een ontwikkeld land. We moesten bij onszelf te rade gaan wat voor samenleving we wilden. Je kunt niet meteen alles doen, dus regeren betekent prioriteiten stellen.

Ik geef even een voorbeeld. Na het referendum te hebben gewonnen, waren we ervan overtuigd dat Aylwin ook de presidentsverkiezingen zou winnen. Op een dag kreeg ik een telefoontje van de bisschoppenconferentie met de vraag of de regering-Aylwin van plan was een echtscheidingswet in te voeren. Ik ontkende dit omdat er op dat moment belangrijkere zaken moesten gebeuren. Ik legde uit dat we in een tweede ambtstermijn wel zouden werken aan een echtscheidingswet. Maar daar zijn we toen ook niet aan toegekomen. Toen ik zelf president was, vroeg de kardinaal me hoe het zat met de echtscheidingswet. 'Ditmaal komt die er wel', antwoordde ik. Daarop vroeg hij me of ik hem een dienst wilde bewijzen: 'Zou u de minister van Justitie willen aanwijzen als aanspreekpunt, zodat we hierover met hem en niet met u kunnen discussiëren?' Ze beseften dat het politieke klimaat er inmiddels rijp voor was en dat verandering niet was tegen te houden. In 2005 werd de echtscheidingswet aangenomen.

We kwamen prioriteiten overeen en presenteerden die tijdens elke presidentiële campagne in de vorm van een programma. Dankzij die goedgekeurde programma's konden we de interne eenheid bewaren. Een transitie heeft altijd een aantal politieke topprioriteiten: het politieke systeem veranderen en verkiezingen mogelijk maken, vrijheid garanderen, en toezien op de naleving van mensenrechten. Vervolgens ontwikkelt zich een tweede proces van economische en sociale veranderingen. Als je groei met gelijkheid voor iedereen nastreeft en als je wilt dat die groei ook iedereen bereikt, dan heb je een nieuw overheidsbeleid nodig en zul je ook de wereld van de vrije handel moeten betreden. Al die dingen vereisen een brede meerderheid. Een grote meerderheid halen om Pinochet te verslaan was vrij simpel en de grote meerderheid om Aylwin verkozen te krijgen ook. Het moeilijkst was die andere transitie — die overgang die veel minder impact heeft op de publieke opinie dan het moment waarop een dictator de presidentiële sjerp afdoet en die om de schouders hangt van een nieuwe, door het volk gekozen president.

Geen enkele politieke partij sloot een formeel akkoord na de verkiezing van Aylwin als president. We handelden allemaal in de overtuiging dat we samen verder moesten. We zouden de verkiezingen winnen en acht jaar aan de macht blijven — want zo lang was de ambtstermijn krachtens de grondwet van Pinochet. En we waren maar al te graag bereid om die periode terug te schroeven van acht naar vier jaar. We dachten dat we niet langer dan vier jaar bij elkaar zouden blijven en dat iedereen vervolgens zijn eigen weg zou gaan, om in een later stadium de politieke strijd met elkaar aan te gaan.

Die vier jaar vlogen voorbij en toen waren we alweer toe aan de procedure om een gezamenlijke kandidaat te vinden. Dat deden we via voorverkiezingen halverwege de ambtstermijn die we samen met Eduardo Frei Ruiz-Tagle, de zoon van ex-president Frei Montalvo, hadden bedacht om te zorgen dat hij zou winnen en dat wij konden blijven regeren. Ik denk dat dat een heel belangrijk moment was, als je beseft dat de eenheid die nodig was om de dictatuur omver te werpen naar een nieuwe fase moest evolueren, naar een gemeenschappelijk programma van politieke, economische en sociale verandering. Als je nu terugkijkt hadden we voorafgaand aan het referendum tien jaar om na te denken. Wat Alejandro Foxley achteraf deed als minister van Financiën, zijn economische en sociale beleid om de economische groei te stimuleren en armoede terug te dringen, was het resultaat van deze gemeenschappelijke denkoefening.

De Chileense transitie was bijzonder. Pinochet bleef na het herstel van de democratie nog acht jaar aan als opperbevelhebber en natuurlijk was het moeilijk regeren met de voormalige dictator op die belangrijke post. Sommigen anticipeerden op nieuwe bestuursproblemen en hoe ze die zouden aanpakken. Zo zei Edgardo Boeninger, die een belangrijke rol speelde bij de transitie: ‘Nu moeten we zorgen dat de sociale bewegingen niet té actief blijven, want hoe kunnen we regeren als ze ons elke dag meer vragen? Hoe kunnen we de verwachtingen in rustige banen leiden?'

ECONOMISCH BELEID EN ONTWIKKELING

Chili is een economisch succesverhaal. In hoeverre ondersteunde het economische beleid de politieke transitie?

In de moderne wereld is economisch beleid een ernstige en verantwoordelijke onderneming. Het is geen kwestie van links of rechts. Je moet de meest aangewezen manier vinden om de economie te beheren. Daarnaast is een degelijk economisch beleid ten tijde van transities in arme ontwikkelingslanden al helemaal belangrijk, omdat je groei nodig hebt om aan de eisen van achtergestelde bevolkingsgroepen te voldoen. Je hebt een solide overheidsbeleid nodig dat zijn uitgaven zorgvuldig plant, zodat de bevolking ziet dat er iets verandert. Als mensen hun leven niet zien verbeteren, raken ze teleurgesteld in het opnieuw ingevoerde democratische bestel. De democratie heeft weinig zin als ze geen resultaten oplevert, zullen velen denken. Groei werd dus een speerpunt van ons beleid. In een land in transitie is de regeringsleider de belangrijkste informatieverspreider. Hij of zij is degene die moet uitleggen wat hij of zij aan het doen is, of het land wel of niet voldoende groei realiseert, en wat de redenen daarvan zijn. Democratie is een plant die je elke dag water moet geven; hoe meer geld er binnenkomt, des te groter het aantal eisen waaraan je kunt voldoen.

INTERNATIONALE STEUN

Kreeg Chili naast de solidariteit van socialisten in andere landen nog extra internationale steun?

Internationale steun, waarvan we allemaal op de een of andere manier afhankelijk zijn, was ook voor ons fundamenteel. Ik herinner me dat er iets veranderde tijdens de tweede ambtstermijn van Reagan, toen George Shultz een sleutelrol ging vervullen. De nieuwe ambassadeur, Harry Barnes, kwam naar Chili en vroeg om een ontmoeting met de Democratische Alliantie. Armando Jaramillo was toen voorzitter en vroeg Barnes wanneer we hem konden bezoeken. Maar hij zei dat hij liever naar ons kwam. We hadden een piepklein kantoor en daar hadden we inderdaad een gesprek met de ambassadeur. Dit bezoek maakte enorme indruk op Pinochet en de vlag kwam opeens anders te hangen. Ik herinner me ook nog dat wij in 1985 samen met Sergio Bitar en een paar anderen uitgenodigd werden voor een seminar op het State Department in Washington, waar we Elliott Abrams ontmoetten. De Amerikaanse regering had duidelijk een herstel van de democratie voor ogen en begon zich te distantiëren van Pinochet.

WAT BRENGT DE TOEKOMST?

Repressie en controle creëren angst en kunnen de sociale strijd en politieke actie verlammen. Het was dus belangrijk om die angst te bestrijden. Daarom concentreerde de NEE-campagne zich in 1988 op geluk en op de toekomst: la alegria ya viene (het geluk is op komst). Hoe moet je met angst omgaan in de strijd tegen een dictatuur?

De NEE-campagne, die de hele wereld als voorbeeld neemt, was ook beïnvloed door vrienden uit de Verenigde Staten. Toen pr-deskundigen zeiden dat we de mensen bang zouden maken met rapporten over mensenrechtenschendingen en dergelijke, werd ons duidelijk wat ze bedoelden: als je de mensen voor je wilt winnen, moet je op een positieve manier naar de toekomst kijken en niet blijven stilstaan bij het verleden. De NEE-campagne was in dat opzicht een belangrijke les.

HEDENDAAGSE TRANSITIES

Hoe kijkt u vanuit uw ervaring naar transities die nu gaande zijn?

De transities van vandaag zijn anders dan die van gisteren, ook al omdat we nu Twitter en Facebook hebben. Toen ik in november 1984 het voorzitterschap van de Democratische Alliantie voor de tweede keer op me nam, was er een manifestatie die Pinochet aangreep om de staat van beleg af te kondigen. We werden gemarginaliseerd en konden niet met elkaar communiceren. Het was ook verboden om interviews te geven. We hielden op te zijn wie we waren. Enrique Silva, de voorman van de Partido Radical, werd eenvoudigweg neergezet als de voormalige voorzitter van de rekenkamer. Gabriel Valdés, leider van de christendemocratische partij, was ex-minister van Buitenlandse Zaken en ik was kortweg 'de econoom Lagos'. Er mocht op geen enkele manier worden verwezen naar onze functies binnen de politieke partij. Op een dag gaf ik een persconferentie, in de wetenschap dat er niets over zou worden geschreven. Na mijn verhaal kwam er iemand naar me toe die me twee vragen wilde stellen voor *The New York Times*. 'Wat kan mij *The New York Times* nu schelen als de *Santiago Times* mijn probleem is!' siste ik kwaad, waarna ik me meteen verontschuldigde. Die uitval kwam voort uit mijn frustratie over het 'cordon van stilte' dat Pinochet om ons heen had gelegd.

Onlangs verbood de regering-Piñera een mars die het initiatief was van studentenleidster Camila Vallejo en die al een tijdje elke donderdag plaatshad. Toen stuurde ze een tweet de wereld in met de oproep dat we die avond massaal op potten en pannen moesten slaan. En reken maar dat de mensen een enorm kabaal produceerden! Vergeleken bij eerdere transities zijn de sociale netwerken een spectaculair middel, maar uiteindelijk moet je toch de straat op. Anderzijds zijn Twitter en Facebook instrumenten die de sociale bewegingen macht en kracht bezorgen, daar twijfel ik geen moment aan. En zodra je in de regering zit, gebruiken ze Twitter om je aan je beloften te houden, met uitspraken als: 'Ik heb voor je gestemd en moet je zien hoe de regering ons nu behandelt!'

BASISPRINCIPES

Kunt u kort de basisprincipes samenvatten bij de transitie van een autocratisch naar een democratisch landsbestuur — de voornaamste principes die we moeten begrijpen en onthouden?

Ten eerste: als je begint aan een transitie moet je weten dat de angst van mensen voor een terugkeer van de dictatuur en repressie het vertrekpunt is. Ten tweede: bouw een zo breed mogelijke coalitie op, want je zult alle krachten moeten bundelen om te breken met het verleden. En ten derde: vergeet nooit dat je alleen in de academische wereld kunt zeggen en doen wat je wilt. In de politiek doe je wat je kunt. En wat je doet, doe je met passie en dadendrang, zodat mensen zien dat je ook echt gelooft in de dingen die je wilt bereiken. Als je oproepen niet meer dan demagogische en opportunistische zinsneden zijn, voelen de mensen dat aan en ben je hun steun kwijt.

TIJDLIJN

September 1970: De linkse Salvador Allende wint de meeste stemmen, maar geen meerderheid bij de presidentsverkiezingen. In zo'n geval kiest het congres de president uit de twee beste kandidaten. De Amerikaanse president Richard Nixon geeft de CIA opdracht Allende te ondermijnen.

Oktober 1970: René Schneider, een hoge militair die bekendstaat om zijn respect voor de grondwet, wordt gedood tijdens een mislukte (door de CIA gesteunde) ontvoeringspoging om de verkiezing van Allende te boycotten. Het congres kiest Allende als president.

November 1970: Allende start met de nationalisering van kopermijnen die in handen zijn van Amerikaanse bedrijven, met een versnelde hervorming van de agrarische sector en met uitbreiding van de sociale zekerheid. Zijn beleid polariseert de samenleving.

November 1971: Fidel Castro bezoekt Chili. Het bezoek van veertig dagen versterkt de polarisatie.

Oktober 1972: Na aanhoudend binnenlands protest en een grote staking die heimelijk gesteund wordt door de CIA, stelt Allende een nieuw kabinet samen waarin ook militaire bevelhebbers zetelen.

Augustus 1973: Het congres en het hooggerechtshof beschuldigen Allende van onwettelijk bestuur via decreten, het negeren van rechterlijke besluiten en het tolereren van gewapende linkse groepen.

September 1973: Een junta onder leiding van opperbevelhebber Augusto Pinochet Ugarte pleegt een coup en grijpt de macht. Allende komt om het leven. De junta verbiedt politieke partijen en vakbonden, ontbindt het congres, martelt veel aanhangers van links of laat hen verdwijnen, en arresteert de meeste kabinetsleden. Veel oppositieleiders ontvluchten het land.

September 1974: Generaal Carlos Prats González, opperbevelhebber en minister van Binnenlandse Zaken onder Allende, wordt vermoord in Buenos Aires. Het is een van de vele moorden gepleegd door de Chileense inlichtingendienst.

April 1975: Als reactie op de geringe economische groei en de hoge inflatie voert de regering vrijemarkthervormingen door onder leiding van een groep economen die de 'Chicago Boys' worden genoemd.

Het bruto binnenlands product daalt dat jaar met 15 procent en de werkloosheid stijgt.

Januari 1976: In opdracht van kardinaal Raúl Silva Henríquez richt de Katholieke Kerk het Vicariaat van de Solidariteit op, dat juridische bijstand biedt, de schending van rechten documenteert en een tijdschrift uitgeeft dat zich kritisch uitlaat over de regering.

September 1976: Ambassadeur Orlando Letelier, voormalig minister onder Allende, wordt samen met zijn assistent vermoord in Washington DC. De Amerikaanse regering veroordeelt de Chileense regering voor de moord.

September 1980: Chili organiseert een referendum over een nieuwe grondwet die de junta tot 1990 in het zadel zal houden en voorziet in een nieuw referendum in 1988 om het regime tot 1998 aan de macht te houden. Censuur, fraude en een verbod op politieke partijen bewerkstelligen de goedkeuring van het referendum. De oppositie verwerpt de uitslag als onwettig.

Juni 1982: De Chileense economie krimpt met 17 procent in 1982–1983 en de werkloosheid loopt op tot 23 procent. De onvrede over Pinochet groeit en dwingt hem zijn economische beleid te matigen.

Mei 1983: De oppositie organiseert de eerste grote demonstraties in samenwerking met de mijnwerkersbond en geeft hiermee het startsein voor jarenlange protesten.

Augustus 1983: Een brede coalitie van oppositiepartijen richt de Democratische Alliantie op, die zich inzet voor geweldloze en democratische verandering.

Maart 1985: De moord op drie communisten door de militaire politie leidt tot een onderzoek door het hooggerechtshof. Dit leidt uiteindelijk tot de veroordeling van verscheidene officieren; het hoofd van de politie (tevens lid van de junta) dient zijn ontslag in.

Augustus 1985: Elf partijen tekenen het 'nationaal akkoord voor de overgang naar volledige democratie', een door de Kerk gesteund strategisch programma van geleidelijke politieke hervormingen met medewerking van het regime.

Januari 1986: Aanvang van de Asamblea de la Civilidad, een coalitie van prodemocratische maatschappelijke organisaties.

Augustus 1986: Veiligheidstroepen ontdekken een groot wapenarsenaal in Carrizal Bajo; de regering beweert dat het een links complot betreft om het regime omver te werpen en gebruikt de vondst als aanleiding om de repressie op te voeren en extreemlinks in diskrediet te brengen.

September 1986: Linkse guerrilla's plegen een moordaanslag op Pinochet. Vijf mensen komen om. De aanslag zaait verdere verdeeldheid onder de oppositie met betrekking tot het gebruik van geweld en motiveert de regering tot hardhandig optreden.

April 1987: Tijdens zijn bezoek aan Chili uit paus Johannes Paulus II kritiek op de dictatuur en roept hij op tot democratisering.

September 1987: De regering benoemt Pinochet tot presidentskandidaat voor het referendum van 1988, legaliseert politieke campagnes en start met de registratie van kiezers.

Januari 1988: Ondanks twijfels over de eerlijkheid besluit de oppositie toch deel te nemen aan het referendum en vormt de NEE-coalitie. De professionele aanpak verrast de regering en krijgt international veel steun; de Amerikaanse ambassadeur en anderen dringen aan op een eerlijk referendum.

Oktober 1988: Met 56 procent van de stemmen verwerpen kiezers de voortzetting van Pinochets ambtstermijn. De regering bespreekt bescheiden grondwetswijzigingen met de oppositie, maar wil dat Pinochet nog acht jaar opperbevelhebber blijft en aansluitend wordt benoemd tot senator voor het leven.

Juli 1989: Na intensieve onderhandelingen worden de grondwetsherzieningen in een vrije stemming goedgekeurd. Hervormingen leiden tot een aanpassing van de procedure voor grondwetswijziging, beperken buitengewone volmachten, stellen internationale verdragen boven de Chileense wetgeving en breiden het politieke pluralisme uit. Het leger blijft echter autonoom.

December 1989: Chili houdt vrije algemene verkiezingen. De Concertación por la Democracia, de opvolger van de NEE-coalitie, verovert een meerderheid in het congres. In de strijd om het presidentschap verslaat Patricio Aylwin, de christendemocratische leider van de Concertación, Pinochets minister van Financiën.

Maart 1990: De regering lanceert een plan dat het macro-economische beleid van het Pinochet-tijdperk combineert met nieuwe armoedebestrijdende maatregelen, belastinghervormingen en verhoogde openbare bestedingen.

April 1990: Aylwin stelt de nationale waarheids- en verzoeningscommissie samen die onderzoek doet naar schendingen van de mensenrechten onder Pinochet. Het rapport van 1991 meldt 2279 politieke moorden.

April 1991: Radicaal links vermoordt Pinochets bondgenoot, senator Jaime Guzmán. Andere ontvoeringen en geweld tegen het rechtse kamp vergroten de polarisatie en bewegen de regering tot een versterking van de inlichtingendiensten.

Oktober 1992: Na een grondwetsherziening worden de eerste gemeenteraadsverkiezingen sinds 1973 gehouden.

December 1993: Eduardo Frei Ruiz-Tagle van Concertación, christendemocraat en zoon van het voormalige staatshoofd, wordt tot president verkozen. Concertación behoudt de meerderheid in het congres.

Mei 1995: Manuel Contreras, voormalig hoofd van de veiligheidsdienst, wordt aangeklaagd voor de moord op Letelier. Hij wordt uiteindelijk veroordeeld voor ernstige schendingen van de mensenrechten.

Maart 1998: Pinochet treedt af als opperbevelhebber. Als voormalig president wordt hij senator voor het leven en kan hij niet worden vervolgd.

Oktober 1998: Op basis van een internationaal arrestatiebevel wordt Pinochet gearresteerd in Londen voor schendingen van de mensenrechten. De regering-Frei verzoekt om zijn uitlevering aan Chili en een Chileense rechter stelt hem officieel in staat van beschuldiging.

Januari 2000: Ricardo Lagos, een centrumlinkse leider van Concertación en minister van Onderwijs onder Aylwin, wint de presidentsverkiezingen.

Maart 2000: Pinochet wordt uitgeleverd aan Chili. Het congres verleent hem immuniteit, maar zet hem uit de senaat. Talrijke rechtszaken volgen om zijn immuniteit op te heffen.

Mei 2004: Lagos roept een commissie in het leven om mensen op te sporen en schadeloos te stellen die onder Pinochet zijn gedetineerd en gefolterd. Zes maanden later brengt de commissie verslag uit.

September 2005: Het congres wijzigt de grondwet zodanig dat nietverkozen senatoren opzij worden geschoven en dat het staatshoofd bevelhebbers van leger en politie kan afzetten.

Januari 2006: De socialiste Michelle Bachelet, kandidaat voor Concertación en dochter van een generaal en tegenstander van Pinochet, wordt Chili's eerste vrouwelijke president.

December 2006: Pinochet overlijdt op 91-jarige leeftijd, terwijl diverse rechtszaken tegen hem nog lopen.

Januari 2010: De zakenman en centrumrechtse politicus Sebastián Piñera wordt verkozen als president; voor het eerst verliest de Concertación het presidentschap.

3
GHANA'S BOCHTIGE PAD NAAR DE DEMOCRATIE

KWAME A. NINSIN

In 1957 kwam er een einde aan het Britse koloniale bewind en werd Ghana als eerste land in Sub-Saharisch Afrika onafhankelijk. President Kwame Nkrumah en zijn Convention People's Party (CPP) leidden de overgang van koloniaal bewind naar onafhankelijkheid en de omschakeling naar de republiek. De regering-Nkrumah zorgde voor aanzienlijke sociale, politieke en economische vooruitgang, maar ging zich almaar autocratischer gedragen. In februari 1966 bracht het leger dat regime ten val. Na de eerste militaire regering (1966–1969) werd Ghana korte periodes bestuurd door burgerregeringen en daarna door militaire junta's in 1972–1979, een korte termijn in 1979 (zo'n drie maanden) en in 1981–1992.

Kapitein Jerry J. Rawlings leidde de laatste twee militaire regeringen. Onder zijn leiding zette de Revolutionaire Raad van Gewapende Krachten (AFRC) de militaire regering van 1972–1979 af: een regime dat corrupt was geworden, een economisch wanbeleid voerde en de politieke en burgerlijke vrijheden systematisch schond. Al op 31 december 1981, na amper tweeënhalf jaar van grondwettelijk bestuur, bracht de Voorlopige Nationale Verdedigingsraad (PNDC) van Rawlings de verkozen regering van de Nationale Volkspartij (PNP), aangevoerd door Hilla Limann, ten val.

Tijdens de periodes van militair bewind ontstonden er in het land maatschappelijke groeperingen van diverse politieke strekking die ondanks het repressieve klimaat een terugkeer naar de constitutionele orde eisten. Die groeperingen werden doorgaans aangestuurd vanuit beroepsorganisaties (zoals die van universitaire docenten), door het netwerk van christelijke kerken en vanuit arbeiders- en studentenbewegingen. Ook opeenvolgende kopstukken van verboden politieke partijen speelden een actieve rol in het streven naar de terugkeer van de constitutionele orde en wetshandhaving. Eind jaren tachtig, begin jaren negentig zette de westerse donorgemeenschap Ghana verder onder druk om het meerpartijensysteem weer in te voeren, terwijl internationale financiële instellingen

(IFI's) zoals de Wereldbank en het Internationaal Monetair Fonds hun leningen en hulp steeds vaker koppelden aan de voorwaarde van degelijk bestuur.

DE ROEP OM CONSTITUTIONELE DEMOCRATIE NA 1982

Toen Rawlings de wettelijk verkozen regering-Limann ten val bracht, installeerde hij zijn 'revolutionaire' PNDC-regering uit verzet tegen wat hij omschreef als de corruptie van en uitbuiting door de politieke en economische elite. Hij verwierp de liberale pluralistische democratie als een door het Westen opgelegd dictaat dat in Ghana had gefaald, en probeerde een in zijn ogen authentiek Ghanese vorm van democratie in te voeren, die wortelde in een traditioneel bestuursmodel en gebaseerd was op consensus en participatie van de gemeenschap. De bevolking zou haar stem laten horen in niet-partijgebonden en zelfbesturende structuren op lokaal niveau die gedeelde vraagstukken van de gemeenschap aanpakten. Die structuren zouden de basis vormen van de nationale politieke orde.

Net als de vorige militaire regimes trotseerde de regering-Rawlings de initiële druk — uitgeoefend door de Ghanese orde van advocaten (GBA), de federatie van erkende beroepsorganisaties (ARPB), de nationale studentenvakbond (NUGS) en de christelijke kerken — om de constitutionele orde te herstellen. Het bewind consolideerde zijn gezag door het ambtenarenapparaat en andere staatsinstellingen onder zijn controle te brengen en nieuwe staatsorganisaties op te richten zoals de Citizens' Vetting Committee (CVC), de National Investigations Committee (NIC) en openbare tribunalen. Het regime gebruikte die onderzoekscommissies en de media om Ghanese oppositie-elites te vervolgen wegens vermeende economische misdrijven tegen de staat. Het vernederde en intimideerde de oppositie en ondermijnde hun legitimiteit. Ook stelde het regime arbeidersbelangencomités in op werkplekken en in de buurten richtte men bevolkingsbelangencomités op — in 1984 geconsolideerd in comités ter verdediging van de revolutie. Onder leiding van radicale politieke organisaties die de PNDC-regering steunden, bemoeiden deze comités zich met de productie en distributie van goederen en diensten. Ze regelden ook lokale geschillen over eigendomsrechten, huurkwesties en de prijzen van consumptiegoederen. Eind 1983 werden de mensenrechten massaal geschonden. In de economie en de politiek van het land werden de politieke klasse en hun organisaties onderdrukt en gemarginaliseerd.

In reactie op de aanhoudende economische malaise staakte Rawlings in 1983 abrupt zijn aanvankelijk populistische economische beleid om zich te richten op de structurele economische herstelprogramma's die de internationale financiële instellingen (IFI's) Ghana oplegden. Hierdoor kwam Ghana in aanmerking voor internationale leningen en ontwikkelingshulp. De volgende golf eisen voor politieke hervorming diende zich aan in de tweede helft van de jaren tachtig, na jaren van een strikt, door de IFI's opgelegd economisch beleid. De sociale gevolgen van deze beleidsmaatregelen mobiliseerden een breed front tegen het regime. De Ghanese vakcentrale GTUC, de NUGS, de GBA, de christelijke kerken en andere organisaties eisten het herstel van de constitutionele orde, respect voor de mensenrechten, afschaffing van repressieve wetten en terugkeer van de rechtsstaat. De regering-Rawlings weerstond echter de binnenlandse druk en versterkte de 'partijloze politiek' door districtsraden op te richten op basis van partijloze lokale verkiezingen in 1988-1989. De regering riep deze lokale bestuursorganen uit tot de bouwstenen van een nationaal wetgevend orgaan.

De vorming van de Beweging voor Vrijheid en Gerechtigheid (MFJ) in augustus 1990 veranderde de dynamiek van de roep om herstel van de constitutionele orde. De MFJ was 'een nationale, brede en open beweging die ijverde voor het herstel van het democratische bestel in ons land.'[9] De leiders van deze 'groep van maatschappelijk geëngageerde Ghanese mannen en vrouwen die het hele spectrum van politieke, ideologische en godsdienstige overtuigingen en verschillende sociale klassen, beroepsgroepen en etnische achtergronden vertegenwoordigen',[10] kwamen voort uit de twee belangrijkste politieke tradities van het land — Nkrumah en Danquah-Busia — en uit nieuwe politieke groeperingen. De MFJ kreeg de steun van andere prodemocratische fracties, waarvan sommige al luid hun eis om de constitutionele orde te herstellen hadden geuit, waaronder de GTUC, de NUGS, de GBA, de revolutionaire gardes van Kwame Nkrumah (KNRG), de nieuwe democratische beweging NDM, het Afrikaanse jongerencommando AYC, de christelijke raad van kerken en de katholieke bisschoppenconferentie. De activiteiten van deze brede coalitie van maatschappelijke organisaties vormden de basis voor een sociale beweging voor democratische orde. De jaren tachtig eindigden dus met het opvoeren van de politieke druk op de regeringspartij PNDC om grondwetshervormingen te initiëren. De internationale donorgemeenschap — de Verenigde Staten, het Verenigd Koninkrijk en de Europese Unie — voerde de druk voor politieke en constitutionele hervormingen op in ruil voor hulp.

RAWLINGS EN DE TRANSITIE

Ondanks Rawlings' bezwaren tegen een pluralistische democratie waren er vanaf 1991 tekenen dat de interne en externe druk voor politieke hervormingen de PNDC-regering niet koud liet. In zijn nieuwjaarstoespraak van 1 januari 1991 sprak Rawlings over een aantal hervormingen die duidden op een verschuiving in die richting. Hij kondigde aan dat de Nationale Commissie voor Democratie (NCD), die het mandaat had gekregen om in het hele land overleg te voeren over de te kiezen vorm van democratie en bestuur, eind maart haar bevindingen zou presenteren. Na indiening van het NCD-rapport zou een commissie van grondwetdeskundigen worden benoemd om op basis van dat rapport en de grondwetteksten van 1957, 1960, 1969 en 1979 een ontwerp voor een nieuwe grondwet op te stellen. Uiteindelijk zou een inclusieve grondwetgevende vergadering bijeenkomen om te beraadslagen en te stemmen over een nieuwe grondwet voor het land, waarbij ook die vergadering zich zou laten leiden door het NCD-rapport en de vorige grondwetten. Dat was opmerkelijk, aangezien drie van deze grondwetten gebaseerd waren op de principes van de liberale democratie.

Uit die nieuwjaarstoespraak bleek echter ook dat Rawlings zijn oude agenda om de Ghanese liberaal-politieke instellingen te vervangen door populistische democratische instellingen gebaseerd op een partijloos concept van rechtstreekse democratie, niet had afgezworen. Hij stelde dat zijn regering zich zou blijven richten op het traject naar een nieuwe constitutionele orde voor Ghana, conform de democratische processen die op 4 juni 1979 en 31 december 1981 in werking waren gesteld. Hiermee verwees hij naar het oorspronkelijke doel van de PNDC: een democratisch systeem invoeren dat de lagere klassen van de Ghanese samenleving via eigen politieke instellingen — de voormalige verdedigingscommissies en de latere districtsraden — zou betrekken in de besluitvormingsprocessen. De regering-Rawlings hield het politieke en constitutionele hervormingsproces echter stevig onder controle en overlegde nauwelijks met de burgerorganisaties die aandrongen op hervormingen. Na de inspanningen van de commissie van grondwetdeskundigen en de grondwetgevende vergadering ter voorbereiding van de nieuwe constitutie — maar nog voor de bekrachtiging daarvan per referendum — legde de PNDC vrijwaringsclausules vast in de tekst voor wat betreft 'handelingen met betrekking tot veranderingen in de regering' (lees: staatsgrepen) en het 'gehele doen en laten' van de PNDC of zijn functionarissen tijdens de regeringsperiode. Hiermee beschermde de PNDC zichzelf tegen elke vorm van juridische actie door toekomstige regeringen.

Ondanks groeiende oppositie van prodemocratische fracties leek de PNDC eind 1991 het heft nog nadrukkelijk in handen te hebben. De donorgemeenschap voerde op haar beurt, en collectief, de druk op om het regime te dwingen tot hervormingen. Op binnenlands vlak breidde het netwerk van burgerorganisaties zich uit, wat leidde tot een bredere coalitie — het Coördinerend Comité van Democratische Krachten (CCDF) dat zo'n elf groepen omvatte — die aandrong op verdere politieke en grondwettelijke hervormingen. De nieuwe liberale grondwet werd met een meerderheid van stemmen goedgekeurd in het referendum van 28 april 1992. Hieruit kwam een nieuwe wet op de politieke partijen voort die het verbod op partijactiviteiten ophief (mei 1992). De restrictieve wet op de vergunningen voor kranten van 1985 werd opgeheven (mei 1992). En er werd een tussentijdse nationale kiescommissie (INEC) opgericht met het mandaat om alle politieke partijen te registreren.

Als reactie op deze aanzienlijke democratische doorbraak vormden prodemocratische burgerorganisaties zich snel om tot politieke partijen. Tussen april en augustus 1992 werden elf politieke partijen geregistreerd voor de meerpartijenverkiezingen die gepland stonden voor november 1992 (presidentschap) en december 1992 (parlement).

Tegen die tijd had Rawlings het imago van de 'aarzelende democraat' gekregen. De leiders van de politieke partijen bleven voorzichtig. Ze vormden de Alliantie van Democratische Krachten (ADF) en streden voor drastische constitutionele en politieke hervorming. De ADF daagde de regering voor de rechter in verband met bepalingen in de wet op de politieke partijen, die het gebruik inperkte van namen, emblemen en slogans van politieke partijen die door eerdere militaire regeringen waren verboden.[11] De ADF gebruikte de rechtbank ook om hervormingen op het vlak van mensenrechten door te voeren. Intussen rezen onafhankelijke kranten als paddenstoelen uit de grond en ontpopte de onafhankelijke pers zich als de officieuze spreekbuis van de prodemocratische beweging. Ook dat versnelde het hervormingsproces.

In de loop van 1992 bleek het traject van politieke hervormingen onomkeerbaar. In afwachting van de uiteindelijke transitie naar een liberale democratische orde, richtte Rawlings een partij op, het National Democratic Congress (NDC), waarvoor hij bij de presidentsverkiezingen in november als kandidaat zou optreden. Tegen het advies van de International Foundation for Electoral Systems (IFES) in, en protesten van de oppositiepartijen ten spijt, stond hij erop verouderde kiezerslijsten te gebruiken. Ondanks die politieke manoeuvres gingen de presidents- en parlementsverkiezingen wel door, respectievelijk in november en december 1992.

De INEC riep Rawlings uit tot winnaar van de presidentsverkiezingen, met 58,3 procent van de uitgebrachte stemmen. Albert Adu Boahen, de presidentskandidaat van de New Patriotic Party (NPP), eindigde als tweede met 30,4 procent. De oppositiepartijen protesteerden heftig tegen die uitslag en spraken van grootschalige fraude. De daaropvolgende boycot van de parlementsverkiezingen door de NPP en andere oppositiepartijen bezorgde het NDC en zijn bondgenoten een klinkende overwinning. Rawlings en zijn NDC wonnen het presidentschap, vormden de eerste regering van de Vierde Republiek en controleerden het nieuwe parlement met 189 van de 200 zetels.

HET DEMOCRATISCHE BESTEL INSTITUTIONALISEREN

De boycot van de parlementsverkiezingen door de oppositie accentueerde de meningsverschillen en argwaan met betrekking tot het transitieproces. Het National House of Chiefs (de traditionele leiders) en leiders van de belangrijkste religieuze organen – zowel christenen als moslims – trachtten de impasse te doorbreken. Zij wilden een einde maken aan de politieke strijd zodat er weer op ordelijke wijze politiek kon worden bedreven. Toen dat mislukte, nam de NPP als grootste oppositiepartij het initiatief de zelfgekozen uitsluiting van de politieke oppositiepartijen uit het opkomende democratiseringsproces te beëindigen. De partij kondigde aan zaken te willen doen met de NDC-regering en vormde samen met andere oppositiepartijen een extraparlementair schaduwkabinet, en riep de regering voor de rechter ter verantwoording voor een aantal beleidskwesties. De nutteloosheid van de boycot van de parlementsverkiezingen werd al snel duidelijk, aangezien de regering-Rawlings en het door het NDC gecontroleerde parlement het land bestuurden zonder de oppositiepartijen. Het lag voor de hand dat verkozen worden de enige manier was om actief deel te nemen aan het landsbestuur.

In maart 1994 gingen de oppositiepartijen onmiddellijk in op de uitnodiging om zich aan te sluiten bij het Inter-Party Advisory Committee (IPAC), een initiatief van de kiescommissie dat een platform moest vormen voor dialoog, overleg en consensusvorming over de partijgrenzen heen. Onder het voorzitterschap van de kiescommissie werd het IPAC een platform voor de grote politieke partijen om tot consensus te komen over hervormingen die noodzakelijk waren voor het herstel van vertrouwen in het electorale proces en versterking van de integriteit ervan. Het resultaat van de dialoog en consensusvorming kwam tot uiting in de algemene verkiezingen van 1996. Het NDC won de presidentsverkiezingen en ook de meerderheid van de parlementszetels. Ditmaal weerspiegelde de politieke elite de toenemende democratische cultuur. John Kufuor, presidentskandidaat namens de NPP, aarzelde niet om zijn nederlaag toe te geven en feliciteerde president Rawlings met diens overwinning. In zijn dankwoord prees Rawlings zijn opponent hoffelijk voor het waarborgen van geweldloze, vrije en eerlijke verkiezingen en voor 'de ordelijk verlopen democratische procedure'.

Tijdens zijn presidentschap buitte Rawlings zijn machtspositie niet uit en investeerde in democratische instellingen.[12] Verdere ontwikkelingen, aangewakkerd door binnenlandse en internationale druk, droegen bij tot de groei van de democratische cultuur. In 2000 gaf Rawlings blijk van zijn respect voor democratische normen en procedures door zich te houden aan de in de grondwet bepaalde limiet van twee ambtstermijnen voor het presidentschap. John Atta Mills verving Rawlings als presidentskandidaat namens het NDC bij de algemene verkiezingen van 2000. Kufuor kwam opnieuw op voor de NPP en won de verkiezingen na een tweede stemronde met 56,9 procent van de stemmen (43,1 procent ging naar Atta Mills). De NPP verwierf ook de meerderheid in het parlement, met 100 zetels tegenover 92 voor het NDC. Atta Mills en zijn NDC gaven hun nederlaag toe en het NDC werd daarmee de eerste zittende politieke partij in de postkoloniale geschiedenis van Ghana die op democratische wijze de macht verloor.

KUFUOR EN DE BESTENDIGING VAN DE DEMOCRATIE

Ondanks deze vreedzame transitie was (en is) de Ghanese samenleving gepolariseerd in het kamp Rawlings/NDC en het kamp Kufuor/NPP. Politiek stonden deze partijen lijnrecht tegenover elkaar. Die kloof werd alleen maar dieper door het autoritaire optreden en geringe respect voor de mensenrechten van Rawlings en zijn NDC. Daarnaast was er het probleem van de persvrijheid. De PNDC-regering van Rawlings had in mei 1992 de omstreden krantenwet weliswaar ingetrokken, maar toch werden de media nog steeds voor de rechter gedaagd op basis van restanten van autoritaire wetten uit de PNDC-jaren, en dat had een negatief effect op de persvrijheid.

President Kufuor zette stappen om politieke wonden te helen en het land weer één te maken. In eerste instantie benoemde hij een aantal niet-NPP-leden van de oppositie tegen het NDC als minister. Die inclusieve aanpak gold echter niet voor het verslagen NDC en schiep dus geen dwingend precedent voor toekomstige regeringen. Hun uitsluiting legitimeerde veeleer de toepassing van het recht van de sterkste om de macht en privileges van een politieke functie te monopoliseren.

Daarnaast stelde de regering-Kufuor een nationale verzoeningscommissie (NRC) in met het mandaat om 'nationale verzoening tussen de inwoners van dit land na te streven en te bevorderen door passende herstelmaatregelen aan te bevelen voor personen die letsel, pijn, schade en verdriet hebben geleden of die op een of andere manier negatieve gevolgen hebben ondervonden van schendingen van hun mensenrechten, voortvloeiend uit handelingen of nalatigheid van openbare instellingen en ambtsdragers gedurende periodes van ongrondwettelijk bestuur'. De aanvankelijke vijandigheid die de groep rond Rawlings aan de dag legde, verdween geleidelijk tijdens de werkzaamheden van de commissie, vooral toen duidelijk werd dat het geen inquisitie zou worden en dat de commissie 'een evenwicht wilde vinden tussen enerzijds het streven naar vrede, democratie, sociale gelijkheid en de rechtsstaat, en anderzijds toepassing van het strafrecht in het algemeen belang van een natie die hunkert naar samenhang en stabiliteit'.[13] Rawlings werd gedagvaard en getuigde kort voor de NRC. Of de NRC effectief verzoening heeft verwezenlijkt, is moeilijk vast te stellen, maar de politieke wil van president Kufuor diende het doel van de rechtsstaat en versterkte het vertrouwen in de rechterlijke macht.

De NPP-regering bevorderde ook de grondwettelijk gewaarborgde persvrijheid door bepaalde wetten op te heffen (onder andere inzake smaad en opruiing). Veel Ghanezen zagen hun kans schoon en zetten media op die digitaal of op papier hun democratische taak vervulden door de regerende klasse kritisch te volgen, excessen aan de kaak te stellen en bestuurders ter verantwoording te roepen. De plotselinge golf van vrijheid moedigde de media ook aan om de vrijheid van meningsuiting op minder verantwoordelijke wijze aan te wenden.

De rechterlijke macht behield de traditionele, door de grondwet gewaarborgde onafhankelijkheid en beschermde de rechten van burgers met maatschappelijk verantwoorde vonnissen. President Kufuor heeft zich echter in een paar gevallen met het gerechtelijke proces bemoeid. Zo benoemde hij extra rechters bij het hooggerechtshof toen hij president werd, en later benoemde hij nog een rechter bij het hooggerechtshof om de zaak van een procureur-generaal tegen Tsatsu Tsikata, voormalig bestuursvoorzitter van de Ghanese aardoliemaatschappij (GNPC), voor te zitten. Dat was niet tegen de regels, maar werd toch beschouwd als een poging om een uitspraak in het voordeel van zijn regering te forceren. De algemene gang van zaken bij de rechterlijke macht heeft ertoe geleid dat de Ghanese politieke klasse steeds vaker geschillen is gaan voorleggen aan de rechtbank – geschillen rond individuele rechten, onenigheid over verkiezingsuitslagen en de oprichting van nieuwe districten en kieskringen.

Net als de rechterlijke macht hebben het leger en de veiligheidsdiensten gefunctioneerd als betrouwbare instrumenten ter bescherming en verdediging van de democratische orde. Zo werkten ze samen met de kiescommissie om zuivere verkiezingen te waarborgen. Ook heeft het veiligheidsapparaat de rechten van burgers beschermd en in het algemeen gezorgd voor vrede, orde en handhaving van de wet. Het leger is conform de grondwet en als resultaat van een door de regering-Rawlings ingezet proces van 'herprofessionalisering' onder civiel gezag gekomen. Om dit civiel-militaire evenwicht te consolideren zijn zowel de civiele als de militaire autoriteiten geschoold in 'democratisch beheer van de veiligheidssector', om hen in staat te stellen hun respectieve rollen te vervullen.[14] De civiele controle op het leger werd concreet getoetst in 2008, na de omstreden verkiezingsuitslagen, en in 2012 bij de gebeurtenissen na het plotselinge overlijden van zittend president Atta Mills. Bij beide gelegenheden gehoorzaamde het leger de grondwet en de burgerautoriteiten om de machtsoverdracht vreedzaam te laten verlopen.

De verkiezingen van 2012 bestendigden de democratische cultuur in Ghana. Ondanks de grote bezorgdheid over de vrede en stabiliteit in het land verliepen de verkiezingen vreedzaam. De voorzitter van de kiescommissie verklaarde vicepresident en NDC-kandidaat John Mahama tot nieuwgekozen president met 50,7 procent van de stemmen. Nana Akufo-Addo van de NPP won 47,7 procent van de stemmen. De NPP betwistte de uitslag, maar toch werd Mahama conform de grondwet op 7 januari 2013 beëdigd als vijfde president van Ghana. Het feit dat buitenlandse en plaatselijke waarnemers en ook buitenlandse regeringen de uitslagen aanvaardden, suste de politieke gemoederen. Ook oproepen tot vrede en nationale eenheid van maatschappelijke organisaties, waaronder religieuze groeperingen en traditionele leiders, droegen daartoe bij. Het besluit van de NPP om de uitslag van de presidentsverkiezing aan te vechten via het hooggerechtshof is een teken dat de democratische cultuur in Ghana aan kracht wint.[15]

Dit was niet de eerste keer dat een verliezende partij de uitslagen van de presidentsverkiezingen aanvocht. In 2004 legden ook leiders van het NDC de uitslag van de presidentsverkiezingen voor aan het hooggerechtshof. Zij verloren de zaak. In 2008 weigerde NPP-presidentskandidaat Nana Akufo-Addo zijn nederlaag toe te geven. Voorlieden van kerkelijke en maatschappelijke instanties overtuigden hem ervan zijn standpunt te herzien. In al die situaties hebben de instellingen die instaan voor een ordelijk verloop van de verkiezingen — en voor de behandeling van eventuele geschillen — de test doorstaan.

CONCLUSIE

De duurzaamheid van de Ghanese overgang naar democratie is verankerd in onafhankelijke democratische instellingen en in het respect voor die instellingen bij politieke partijen en hun leiders. Het is van fundamenteel belang dat de kiescommissie sinds 1992 de opeenvolgende verkiezingen vaardig en toegewijd heeft geleid. De zuiverheid van het electorale proces heeft het vertrouwen van de bevolking in de bestuursinstellingen doen groeien. Het leger vervult zijn door de grondwet omschreven opdracht; het voegt zich naar het gezag van de burgerautoriteiten en houdt zich afzijdig van het politieke proces. De politieke klasse toont respect voor de regels en normen van de democratie, en lost conflicten op via dialoog en wettelijk vastgelegde procedures.

Er liggen echter nog steeds uitdagingen op het Ghanese pad naar democratie. Ondanks aanvaarding door de politieke partijen van de mechanismen om tot overeenstemming te komen over electorale aangelegenheden, heerst er nog steeds wantrouwen tussen de partijen en is er nog geen consensus over een nationale ontwikkelingsagenda. Het resultaat van deze animositeit is dat politici niet hetzelfde vertrouwen genieten als de democratische instellingen in het algemeen. De Ghanezen beschouwen de rechterlijke macht over het algemeen als een neutrale arbiter, maar beschouwen rechtspraak als een duur proces dat buiten het bereik van de gewone man ligt. Ondanks deze uitdagingen aanvaarden de Ghanezen de totstandkoming van een succesvolle democratische orde als een gedeelde verantwoordelijkheid en als de enige manier om sociale vrede en ontwikkeling te waarborgen.

BIOGRAFISCHE SCHETS VAN JOHN AGYEKUM KUFUOR, PRESIDENT VAN GHANA (2001-2009)

John Agyekum Kufuor, een advocaat van koninklijken bloede en behorend tot de Ashanti, de grootste etnische groep in Ghana, combineerde jarenlang zijn nationale en internationale ervaring in het bedrijfsleven, de financiële wereld en in technocratische functies met de rol van oppositieleider. Hij was minister in de Tweede Republiek onder Kofi Busia (1969–1972), parlementslid voor de oppositie in de Derde Republiek onder Hilla Limann (1979–1981), en minister van Lokale Bestuurszaken onder de militaire PNDC-regering van Jerry Rawlings. Kufuor was medeoprichter van de NPP, die halverwege de jaren negentig besloot deel te nemen aan de democratische verkiezingen. Hij leidde de NPP als presidentskandidaat bij de verkiezingen van 1996 en won. Kufuors aantreden als president markeerde de eerste succesvolle machtsoverdracht van de ene democratisch verkozen regering naar de volgende sinds de Ghanese onafhankelijkheid in 1957. Hij werd herkozen als president in 2004, voltooide de twee door de grondwet toegestane ambtstermijnen en droeg vervolgens de presidentiële macht over aan John Atta Mills van het NDC. Zo versterkte hij de liberale democratie in Ghana. Kufuor verstevigde de democratische instellingen door beperkingen op de persvrijheid drastisch te verminderen en door een commissie op te richten om mensenrechtenschendingen van voor 1992 te onderzoeken. Als leider van een politieke partij met een lange traditie in de liberaal-democratische ideologie voerde Kufuor op economisch vlak consequent een vrijemarktbeleid in dat Ghana verder integreerde in de wereldeconomie.

INTERVIEW MET PRESIDENT JOHN AGYEKUM KUFUOR

CYCLISCHE MILITAIRE INTERVENTIE IN HET LANDSBESTUUR

Internationaal geldt Ghana als voorbeeld van een succesvolle transitie naar een systeem met vrije en eerlijke verkiezingen, machtswisselingen, functionerende electorale instellingen, een vrije pers, scheiding der machten en een doeltreffend democratisch bestuur. Is dat beeld van de Ghanese democratie correct? En zo ja, hoe heeft men dat allemaal kunnen bereiken?

De internationale reputatie van de Ghanese democratie strookt redelijk met de werkelijkheid, maar dit imago is lang niet perfect. Democratie is niet vanzelfsprekend. Veel hangt af van de mensen, van hun temperament en zelfs van hun cultuur. Ik durf te zeggen dat de Ghanezen, van de stammen langs de kust tot die in het uiterste noorden van het land, en van oost naar west, doorgaans inschikkelijk zijn. Bezoekers ontdekken dat Ghanezen vriendelijk, vreedzaam, gezagsgetrouw en godsdienstig zijn. Dit temperament, gecombineerd met onze geschiedenis, maakt dat ze van oudsher goed samenleven; gemengde huwelijken zijn bijvoorbeeld heel gewoon.

Tegen die achtergrond en met goede grondwetten die de democratie waarborgden, zou je denken dat het gemakkelijk was om een democratisch bestuur in te voeren. In het geval van Ghana was het echter verre van gemakkelijk. In 1957 was Ghana het eerste land in Sub-Saharisch Afrika dat onafhankelijk werd. Daarna kende het een lange periode van militaire interventies en staatsgrepen. Gedurende vijftig jaar onafhankelijkheid is de Ghanese bevolking blootgesteld aan verschillende vormen van bestuur. De eerste grondwet was democratisch, maar gaandeweg evolueerde de regering van Kwame Nkrumah naar een eenpartijstelsel waarbij mensen die het niet eens waren met het regime gearresteerd werden. Toen in 1966 de militaire coup plaatsvond, zaten veel mensen in hechtenis zonder enige vorm van proces of gerechtigheid. De bevolking vond dat onaanvaardbaar en daarom trad het leger op. Maar met de coup kwam er een militaire dictatuur, waar het volk ook niet van gediend was. Het leger bleef ongeveer drie jaar aan de macht en droeg het gezag in 1969 over aan de regering van Kofi Abrefa Busia, waarin ik mijn eerste politieke ervaring opdeed. De militairen maakten dus plaats voor een burgerregering die regeerde op basis van een democratische grondwet.

Het burgerbewind had maar twee jaar en drie maanden geduurd toen de soldaten terugkwamen met het verwijt dat de regering hun de spaarzame privileges die ze genoten had ontzegd. Nadat ze eenmaal van de macht hadden geproefd, gedroegen ze zich alsof ze er recht op hadden. Het leger bleef acht jaar aan het bewind. Ze ruïneerden de Ghanese economie en waren zo corrupt dat de mensen weer verlangden naar een burgerregering en constitutionele democratie.

Aan het einde van die termijn vond er een coup binnen het leger zelf plaats. Ze zetten hun eigen regering af en vervolgens pleegde de jonge officier Jerry Rawlings een tweede coup. Voor ze de macht overdroegen aan de burgers, doodden ze de generaals, onder wie drie voormalige staatshoofden. Dat was in 1979 – het begin van de Derde Republiek. De burgerregering onder leiding van president Hilla Limann, die het roer overnam na het vertrek van het leger, duurde ook maar twee jaar en drie maanden. Er kwam een nieuwe coup, op oudejaarsavond, 31 december 1981, terwijl het hele land nog volop in kerstsfeer was gehuld. De democratische grondwet werd opgeheven zodat de soldaten ongestoord hun gang konden gaan. Ditmaal was de boodschap dat ze 'de stallen van de corruptie' zouden uitmesten en zo meer. De soldaten kwamen en bleven vervolgens zo'n tien jaar aan de macht. Het was een absolute militaire dictatuur. Het land kende geen vrede. Drie jaar lang was de avondklok van kracht. Het maatschappelijk leven was verstoord en de economie zat in het slop. Het bedrijfsleven mocht niet groeien en armoede hield het land en zijn inwoners in een ijzeren greep.

HET AUTORITAIRE SYSTEEM VAN BINNENUIT HERVORMEN

Tegen het einde van de jaren tachtig veranderde de wereld. De Berlijnse Muur viel en daarmee verdween het oost-westsyndroom dat ook Afrika in zijn macht had gekregen. Overal heerste een gevoel van bevrijding. Intussen lag de economie van Ghana volledig in puin. De bevolking vond dit verschrikkelijk en onder internationale druk kwam de zeer democratische grondwet van de Vierde Republiek tot stand die nu nog van kracht is. In 1992 kregen en grepen de mensen hun kans en sindsdien hebben ze zich geduldig opgesteld. De regering voerde de huidige grondwet in, die de scheiding der machten, respect voor de fundamentele mensenrechten, geen discriminatie op basis van stam, religie of geslacht, en de erkenning van maatschappelijke organisaties stipuleert. De grondwet herstelde de rechtsstaat en rechterlijke toetsing, persvrijheid, een meerpartijenstelsel en zo verder. Dat is het grondwettelijke stelsel dat we verder trachten te ontwikkelen.

Sinds 1992, toen het nieuwe systeem in voege kwam, is Ghana geslaagd in een ordelijke afwisseling van regeringen. We hebben tot september 2012 vijf verkiezingen gehad. In 2000 won de oppositie de verkiezingen, waarna de macht vreedzaam werd overgedragen en ik kon aantreden. In 2008 waren er opnieuw verkiezingen. Mijn partij verloor nipt. Met een electoraat van 9 miljoen kiezers verloren wij met slechts 40.000 stemmen verschil. Dat zou op veel andere plaatsen ophef hebben veroorzaakt, maar wij hebben ons neergelegd bij die uitslag.

Het systeem is niet perfect, ook de kiescommissie niet. Als je vandaag (september 2012) de kranten leest, merk je dat veel groeperingen de kiescommissie verwijten dat ze nieuwe kieskringen willen creëren terwijl de verkiezingen al binnen twee maanden plaatsvinden en het kiesregister al is gesloten. Een tekortkoming van de grondwet is dat de kiescommissie is opgericht zonder enige verantwoordingsplicht jegens de bevolking. Dat is de uitdaging waar we nu voor staan, waar de mensen nu op reageren dankzij de persvrijheid. De rechters hebben kritiek, de oppositiepartijen hebben kritiek en ook de vakcentrales hebben kritiek, maar de regering lijkt de kiescommissie te blijven steunen.

Dus ja, ik denk dat we vooruitgang boeken op het democratiseringspad. De eer daarvoor gaat echter vooral naar de Ghanezen, omdat hun karakter en tradities het mogelijk maken te geven en nemen, te leven en laten leven, en dat is essentieel voor een democratie. Toch heeft de ervaring me geleerd dat vrijheid iets anders is dan democratie. Ik ken niemand die niet van vrijheid houdt. Ik geloof dat vrijheid een natuurlijk verlangen is van iedereen; iedereen wil ruimte hebben om zichzelf te uiten. Je kunt echter vrijheid hebben, maar als de democratische cultuur ontbreekt – die gecultiveerd en gevoed moet worden – kan er chaos intreden of kan een sluwe clique zich de macht toe-eigenen en vervolgens mensen democratie ontzeggen.

U vertelde ons dat Ghanezen van nature en vanuit hun tradities meegaand en open zijn, conflicten vermijden en de dingen liever vreedzaam oplossen. Toch kan de bevolking, het volk als zodanig, moeilijk als eenheid optreden om verandering te bewerkstelligen. Er moeten processen, instellingen en leiders zijn. Hoe ziet u dat?

De massa's kunnen geen instellingen opzetten, daarom is leiderschap belangrijk.

INTERNATIONALE INVLOED

U verwees naar de jonge officier Rawlings die zijn eigen legerhiërarchie afzette en vervolgens verschillende fasen doorliep. Hoe werd hij leider van een proces dat tot de democratische oplossing heeft geleid die u beschreef?

De val van de Berlijnse Muur in 1989 ontketende over de hele wereld een gevoel van vrijheid, omdat tot op dat moment het bipolaire systeem, de ideologische kloof tussen Oost en West, alomtegenwoordig was. Tegen 1989 kreeg het liberalisme de overhand en begonnen de Bretton Woods-instellingen en andere internationale organisaties overal druk uit te oefenen, ook in Ghana. Dat was de reden waarom het militaire regime onder deze jonge officier, dat al tien jaar aan de macht was, gedwongen was zich te voegen naar de eisen van de donoren. De vrije media, die zich volop uitten, wonnen op het Afrikaanse continent het pleit van de dictators. Ook hier roerden de mensen zich. Elementen binnen het regime voelden zich aangesproken en begonnen te praten over de invoering van een nieuwe grondwet. Dat gebeurde niet omdat iemand binnen het militaire regime met zijn hand over het hart streek, het gebeurde onder internationale druk. De economie was slecht en de donoren en schuldeisers van Ghana begonnen voorwaarden te stellen.

Dit gebeurde in veel Afrikaanse landen. Tegen de jaren negentig bezweek zelfs de apartheid onder de internationale druk en ook op andere plaatsen verdwenen machthebbers van het podium. Ghana, dat in Afrika altijd het tempo had aangegeven, was misschien het eerste land dat met de transitie in 1992 de militaire dictatuur opzijschoof. Opmerkelijk is dat die jonge officier niet tegelijk met de militaire dictatuur verdween, maar zijn uniform verruilde voor een burgertenue en een partij oprichtte, het National Democratic Congress, en als kandidaat voor die partij een gooi deed naar het presidentschap. Voorafgaand aan die koerswijziging werd de grondwet ingevoerd, en er waren mensen aangesteld bij de door de grondwet voorziene instellingen zoals de kiescommissie omdat die was opgericht door het oude regime en mocht falen.

SOCIALE MOBILISATIE

De gebeurtenissen die leidden tot de grondwet van 1992 laten zien hoe een proces van impliciete of expliciete onderhandelingen tot een geweldloze overgang naar democratie kan leiden. Sociale bewegingen oefenden druk uit op de rege-

ring-Rawlings om belangrijke veranderingen te forceren, terwijl Rawlings die niet wilde. Waarom aanvaardde hij ze toch?

In 1988 hield de historicus Adu Boahen een voordracht ter nagedachtenis van J.B. Danquah, de man die in 1947 de partijpolitiek in Ghana zou hebben ingevoerd. Danquah had Kwame Nkrumah, die van 1960 tot 1966 zetelde als de eerste president van Ghana, in 1947 uitgenodigd om vanuit het buitenland terug te keren naar Ghana. Nkrumah kwam en gaf uiteindelijk zijn baan bij de United Gold Coast Convention op om de eerste politieke partij van het land op te richten. Nkrumah stond aan het hoofd van deze formatie en na de politieke ontwikkelingen die tot de onafhankelijkheid leidden, was Nkrumah voorman van de meerderheidspartij, terwijl de rest van de mensen die hem hadden uitgenodigd in de oppositie belandden. Toen Ghana in 1960 besloot een republiek te worden, was Danquah, de nestor van de Ghanese politiek, Nkrumahs tegenkandidaat bij de presidentsverkiezingen. In 1964 arresteerde Nkrumah hem en helaas overleed Danquah in 1965 in gevangenschap. Precies een jaar later bracht een militaire coup Nkrumah ten val. De herdenkingsrede of *memorial lecture* voor Danquah wordt hier in Ghana sinds diens dood jaarlijks gehouden. In 1988 sprak dus professor Adu Boahen en de titel van zijn voordracht luidde: 'De Ghanese sfinx of de cultuur van het stilzwijgen'. In die lezing stelde hij dat Ghana gebukt ging onder een zwijgcultuur. Het was alsof het hele land bedekt was met een lijkkleed van het regime. De mensen waren bang om te praten. De economie functioneerde niet, maar mensen konden zich niet openlijk uiten. De privésector was vernietigd. Het bankgeheim was opgeheven. De regering kon eigendommen confisqueren. Ghana was toen echt geen gelukkig land. Met zijn voordracht in 1988 trok Adu Boahen een beerput open. Iedereen begon erover te praten en hij kreeg onmiddellijk een heldenstatus. Hij was geen politicus, maar die lezing katapulteerde hem in mijn partij. Bij de verkiezingen van 1992 nam hij het tegen Rawlings op voor het presidentschap. De kiescommissarissen probeerden zijn kandidatuur tegen te houden.

HERZIENING VAN DE GRONDWET

Rawlings' belangrijkste adviseur, rechter Daniel F. Annan, stond aan de basis van de door de grondwet gecreëerde instellingen — de kiescommissie, de commissie voor mensenrechten en bestuurlijke rechtspraak, de commissie voor burgerschapseducatie; instellingen die in de grondwet verankerd zijn gebleven. Omdat de mensen stonden te popelen om zich van de greep van het leger te bevrijden, werd het grondwettelijk referendum goedgekeurd. Maar de grondwet bevatte ook overgangsmaatregelen die immuniteit schonken aan de coupplegers. Het betreffende artikel 34 was bedoeld als overgangsmaatregel, maar het is nog altijd onderdeel van de grondwet. Waarom? Omdat de mensen bereid waren elke prijs te betalen om van het leger af te komen. In onze ogen heeft dit niets met de essentie van de grondwet te maken, die spreekt van rechtsstatelijkheid, scheiding der machten en dergelijke.

DE EERSTE DEMOCRATISCHE VERKIEZINGEN

Rawlings hulde zich dus in burger om voor zijn partij een gooi te kunnen doen naar het presidentschap. Het leek alsof het resultaat al bij voorbaat vaststond. Toch nam ook mijn partij deel aan de verkiezingen. Toen de resultaten dusdanig waren dat mijn partij deze niet kon accepteren, schreven we *The Stolen Verdict.*[16] De resultaten weerspiegelden in onze ogen niet de sfeer in het land en daarom besloot mijn partij de parlementsverkiezingen te boycotten. De presidents- en parlementsverkiezingen vonden namelijk niet op dezelfde dag plaats. Mijn partij stond dus de hele termijn buitenspel.

Hoe denkt u nu over de boycot van de parlementsverkiezingen van 1992?

Niet iedereen was er blij mee, ook al voelde werkelijk iedereen binnen mijn partij zich zwaar bedrogen door de presidentsverkiezingen van 1992.

Toen ik het opnam tegen Rawlings bij de presidentsverkiezingen van 1996, had hij natuurlijk het voordeel een gevestigde waarde te zijn. Ik had geen sponsors en moest een paar eigendommen verkopen om mijn campagne te financieren. Zelfs met onze geringe middelen haalden we, volgens de resultaten die de kiescommissie bekendmaakte, 39 procent van de stemmen. En dat als oppositie zonder kruiwagens, zonder geld en zonder steun van de media. Het duurde vijf dagen voor de resultaten bekend konden worden gemaakt. De mensen vroegen zich af waarom dit zo lang duurde. Vervolgens vroeg de voorzitter van de kiescommissie om bescherming. De vraag was natuurlijk: tegen wie? Toen ze de resultaten uiteindelijk bekendmaakten — onze 39 procent — waren er mensen die me probeerden over te halen tot een nieuwe boycot, maar dat weigerde ik. We moesten in het parlement zitten omdat de grondwet die de president had ondertekend slechts twee ambtstermijnen toestond. Op dat moment had Rawlings er al één termijn van vier jaar op zitten. De vraag was of hij zijn eigen grondwet zou schenden.

Bij de parlementsverkiezingen van 1996 won mijn partij 61 zetels, de regeringspartij 133. Bij de presidentsverkiezingen van 2000 werd John Atta Mills, die diende als vicepresident onder Rawlings, genomineerd als kandidaat namens het National Democratic Congress, in juli 1992 opgericht als opvolger van de PNDC. Ikzelf was de kandidaat van NPP. Ik won na een tweede stemronde, waarna Rawlings de nederlaag van zijn partij toegaf terwijl de hele wereld toekeek.

Wat ik probeer te zeggen is dat de democratie er is gekomen, maar dat we de instellingen nog moeten ontdoen van een paar ruwe kantjes. De grondwet is in essentie democratisch. Sommigen vinden dat de overgangsbepalingen te lang van kracht blijven, anderen beweren weer dat degenen die baat hebben bij die overgangsmaatregelen er nog steeds zijn en dus willen we geen sociale ophef veroorzaken door ze op te heffen. We willen de uitdagingen niet onder het tapijt vegen en er is ook nog een pers om het debat op gang te brengen. De begunstigden van de bepalingen worden oud en voegen zich geleidelijk naar de liberale geest van het land, zelfs Rawlings. De democratie raakt verankerd en ik denk niet dat de mensen nog terug willen.

GERECHTIGHEID EN VERZOENING

Het was uw regering die een waarheids- en verzoeningscommissie heeft ingesteld. Hoe kijkt u aan tegen het proces van verzoening en gerechtigheid in Ghana?

Een natie ontwikkelen is een proces van lange adem. Er zijn maar weinig landen in de wereld die niet ergens in het verleden dictatoriale periodes hebben gekend. Het is zaak om ergens de lijn te trekken en mensen ervan te overtuigen vooruit te kijken en op basis van de geschiedenis verder te werken. Vergeten doe je nooit, maar laat geen sporen achter die in de toekomst weer aanleiding kunnen geven tot rancune en vergelding. Na mijn verkiezing liet ik bijvoorbeeld de lichamen van de door Rawlings omgebrachte generaals opgraven om hun families de kans te geven hen te herbegraven. Ze waren doodgeschoten en begraven op onbekende plekken. Als onderdeel van het verzoeningsproces dienden hun families het verzoek in voor een waardige begrafenis. En dat gebeurde. Ik geloof dat dat een goede stap was.

We hebben een waarheids- en verzoeningscommissie opgezet die bestond uit religieuze leiders en veel mensen van buiten mijn partij. Iedereen kreeg de kans te vertellen wat er mis was gegaan in die tijd. De commissie beperkte zich niet tot het regime van Rawlings. Ook mensen die vonden dat hun onrecht was aangedaan verder terug in het verleden, onder het bewind van Kwame Nkrumah, mochten getuigen en op basis van de bevindingen van de commissie werden geconfisqueerde eigendommen en dergelijke teruggegeven aan deze families. Dit gebeurde door de uitvoerende macht, maar op aanbeveling van de commissie, die bevoegdheden had vergelijkbaar met het hooggerechtshof. De commissie deed aanbevelingen over de teruggave van goederen en schadevergoedingen. Er waren herstelbetalingen. Dus wat de regering kon doen, is ook gedaan.

Hoe denkt u nu over het werk van de waarheids- en verzoeningscommissie? Zou u wat verder gaan als u het mocht overdoen?

Ik slaap heel goed. Ik beschouw de kwestie als opgelost en denk niet dat er nog problemen zijn waar een regering op zou moeten terugkomen. De commissie heeft heel lang openbare zittingen gehouden en mensen uitgenodigd om zich te melden en hun verhaal te doen. Ze hebben zelfs Rawlings uitgenodigd en ook een aantal mensen die verdacht werden van wandaden. Ze mochten komen en hun verhaal doen. Sommigen hebben niet van die gelegenheid gebruikgemaakt, anderen wel. Uiteindelijk heeft de regering uitsluitend op basis van de bevindingen van de commissie gehandeld.

HEDENDAAGSE TRANSITIES

U zei dat de internationale context en internationale druk van regeringen, internationale organisaties en dergelijke hebben bijgedragen tot de transitie in Ghana. Zijn er lessen te trekken uit de Ghanese ervaring die kunnen dienen als richtlijnen voor internationale actoren die democratische processen willen steunen?

Historisch bekeken doet internationaal engagement toch twijfels rijzen, alle goede bedoelingen ten spijt. In het Midden-Oosten bijvoorbeeld hebben Syrië en andere landen geen vertrouwen in de Verenigde Staten of oude koloniale mogendheden zoals Groot-Brittannië en Frankrijk. Dat is een oud zeer. Maar om democratisering te bevorderen moet je de democratie cultiveren of voeden. Toen de internationale druk op Ghana toenam, waren er alternatieven voor het militaire regime dat zichzelf tot een burgerpartij had omgevormd. Er moeten partijen worden opgericht omdat machtswissels essentieel zijn in een solide democratisch bestel. De Ghanese grondwet zegt expliciet dat politieke partijen fundamenteel zijn voor de democratie. In Noord-Afrika is partijvorming nooit aangemoedigd. Waar waren, behalve de Moslimbroederschap, de partijen toen Moebarak verdween? De leiders van Egypte vertegenwoordigen eigenlijk geen partijen, ze dragen geen visie uit naar de bevolking, geen doel om naartoe te werken. Er is geen visie die een alternatief aanreikt voor Moebarak of zelfs voor de Moslimbroederschap.

Het is noodzakelijk dat internationale actoren begrijpen en beklemtonen dat politieke partijen belangrijk zijn: mensen organiseren, educatie verstrekken over hun rechten en ervoor zorgen dat ze voorbereid zijn om alternatieven te bieden wanneer het moment daar is om een einde te maken aan een dictatoriaal systeem. Als er geen partijen zijn en de dictators verdwijnen, natuurlijk zal er dan vrijheid zijn. Maar vrijheid voor wat? Er ontstaat heel snel chaos en voor je er erg in hebt, neemt een groep slimmeriken bij de eerste de beste verkiezingen het roer over, om vervolgens manieren te bedenken om de democratie te ondermijnen. In Ghana hebben we geluk gehad omdat onze partij van begin af aan meedeed. De partij dateert van 1947 en heeft altijd een krachtige traditie gekend, ook al hield het militaire regime negentien jaar stand.

HET LEGER ONDER CIVIEL GEZAG

Welke maatregelen hebben u en de vorige regering getroffen om te vermijden dat het leger het democratiseringsproces zou verstoren?

Hoe bepaal je de correcte rol van het leger? We hebben de militairen niet als vijanden bestempeld. Toen de tijd rijp was, hebben we ze aangemoedigd trots te zijn op hun werk, trots op het feit soldaat te zijn. Zij leggen de eed af om het land te verdedigen tegen een aanval van buitenaf of om opdrachten uit te voeren die de president, hun opperbevelhebber, oplegt. Het is niet de bedoeling dat ze hun macht aanwenden om de macht over te nemen. Dus wat hebben we gedaan? Ik heb mijn broer, Kwame Addo-Kufuor, tot minister van Defensie benoemd.

Vroeger werden beroepssoldaten gewoon misbruikt door politici. Neem Rawlings. Hij greep de macht, maar uiteindelijk maakten reguliere officieren geen deel uit van de regering, terwijl het leger als instituut wel gepolitiseerd raakte. Het gevolg was dat de gewone soldaat vond dat zijn beroep bezoedeld was.

Dus we hebben het leger goed behandeld zodat de manschappen in de kazernes bleven. Ghana neemt bijvoorbeeld al lange tijd deel aan VN-vredesmissies over de hele wereld. Per uitgezonden militair ontving de staat een vergoeding van slechts 32 dollar per dag. Toen mijn regering aantrad, kregen de soldaten daarvan maar de helft. Wij hebben die vergoeding opgetrokken tot 27 dollar, want uiteindelijk waren zij het die hun leven riskeerden. Dat waardeerden ze. Ja, we hebben goed voor hen gezorgd. Zo hebben we op de militaire basis ook de Burma Hall gebouwd, de grootste en modernste evenementenhal van Accra. We hebben ICT-centra opgezet in de kazernes om soldaten op te leiden. Enfin, we hebben gemaakt dat ze weer trots konden zijn op hun status, nadat de politieke rol was weggevallen. We hebben ervoor gezorgd dat ze begrepen dat ze thuishoorden in hun eigen wereld, dat ze de eed hadden afgelegd om hun opperbevelhebber, een burgerpresident, te dienen en dat ze trouw moesten blijven aan die eed.

Dit lijkt nog steeds te werken. De regering maakt de soldaten niet het hof om dingen te doen die niet passen in een democratische samenleving.

BASISPRINCIPES

Welke lessen heeft u getrokken en zou u willen doorgeven?

Ik was onlangs in Nigeria. De mensen daar wilden weten hoe we de twijfelachtige resultaten van de verkiezing van 2008 hebben kunnen accepteren. Ik heb het er al over gehad: 9 miljoen kiezers en drie stemronden, en uiteindelijk riep de kiescommissie iemand uit tot winnaar met een verschil van slechts 40.000 stemmen. Wel, ik had die uitslag verwacht. Na de tweede ronde was er één kieskring die niet had gestemd vanwege technische problemen. Daar zouden de verkiezingen worden beslist. Ik ben erheen gegaan om mijn kandidaat te steunen, maar ontdekte dat mijn kandidaat een kort geding had aangespannen om de kiescommissie te verbieden de verkiezingen in die kieskring te laten doorgaan. En we hadden maar een dag of tien tussen de dag van de verkiezingen en de inauguratie van de nieuwgekozen president. De datum van de overdracht was grondwettelijk bepaald op 7 januari. Als ik dus de kant van mijn kandidaat zou hebben gekozen, had ik de noodtoestand moeten uitroepen; dat was grondwettelijk de enige manier om de datum voor de overdracht van het presidentschap uit te stellen. Ik bekeek de zaak grondig en kon naar eer en geweten niet voor mijn kandidaat kiezen. Ik zei: 'Je bent naar de rechtbank gestapt zonder mij daarin te kennen, en ik zou het je hebben ontraden, aangezien ik meende dat we een goede kans maakten. Als de rechtbank jouw verzoek verwerpt en de verkiezingen gaan wel door, dan verliezen we zeker.' Ik kon dus geen campagne voeren.

Ik vertelde hem echter onomwonden dat ik publiekelijk zou verklaren bereid te zijn de macht over te dragen aan de persoon die de kiescommissie tot winnaar uitriep. De rechtbank stelde mijn kandidaat in het ongelijk en de commissie organiseerde de verkiezingen in de laatste kieskring, waarna het NDC met een meerderheid van iets meer dan 40.000 stemmen werd uitgeroepen tot winnaar.

Ik nam dit besluit naar eer en geweten. De grondwet zegt dat je de macht moet overdragen aan de nieuwgekozen president en ik gehoorzaamde de grondwet. Laten we dat allemaal doen. Een goede grondwet is noodzakelijk voor een land, een grondwet die respect voor de mensenrechten voorschrijft, respect voor het stemrecht, voor een onafhankelijke kiescommissie, voor een onafhankelijke rechterlijke macht. Als je je aan al die dingen houdt, zorg je voor vrede omdat de mensen dan echt voelen dat ze inspraak hebben. Als je ze dat gevoel ontzegt, krijg je uiteindelijk een Arabische Lente. Vroeg of laat staan de mensen op om hun rechten op te eisen. Dus overal waar ik kom, zeg ik dat ze moeten zorgen voor een goede grondwet. De regering moet zweren bij de grondwet, die grondwet respecteren, mensen de kans bieden om zich te uiten, persvrijheid toestaan. De mensen moeten ook weten dat de regering verantwoording heeft af te leggen. Zo krijgen usurpators nooit de kans zich de macht toe te eigenen.

BIOGRAFISCHE SCHETS VAN JERRY JOHN RAWLINGS, PRESIDENT VAN GHANA (1993–2001)

Jerry John Rawlings was luchtmachtpiloot en kapitein in het Ghanese leger. Samen met andere lagere officieren wierp hij in 1979 de verkozen regering omver en gaf hij bevel tot de executie van een aantal hooggeplaatste legerofficieren, onder wie drie voormalige staatshoofden. Drie maanden na de machtsgreep in 1979 schreef Rawlings nationale verkiezingen uit. Rawlings stond heel kritisch tegenover de regering van Hilla Limann die toen aan het roer kwam — in het bijzonder tegenover de vermeende bescherming van privileges van bepaalde elitekringen — en bracht het nieuwe regime al op 31 december 1981 ten val. Hij heerste als militaire dictator tot 1992, toen hij onder druk van Ghanese maatschappelijke organisaties en de internationale gemeenschap instemde met een grondwetsherziening en steun verleende aan meerpartijenverkiezingen.

Rawlings superviseerde de totstandkoming van een nieuwe grondwet die het begin van de Vierde Republiek betekende en die de Ghanezen begin 1992 per referendum bekrachtigden. Hij richtte het National Democratic Congress (NDC) op en leidde deze partij als presidentskandidaat bij pluralistische verkiezingen in november 1992 en 1996. Beide keren won hij. De grondwet van de Vierde Republiek voorzag in de oprichting van onafhankelijke instellingen die toezicht hielden op verkiezingen, openbaar onderwijs, de media en de naleving van de mensenrechten. Tijdens zijn eerste termijn als verkozen president (1993–1995) implementeerde Rawlings deze instellingen en verleende hij ze relatief veel macht. Toen hij in 2000 geen derde termijn meer mocht vervullen en de internationale gemeenschap haar toezicht en druk opvoerde, trad Rawlings terug nadat de kandidaat van zijn partij de verkiezingen had verloren van oppositieleider John Agyekum Kufuor. Zo zette hij Ghana stevig op het pad naar de constitutionele democratie. Ghana heeft nadien meer machtswissels gekend, de laatste keer bij de stembusgang van december 2012 die resulteerde in een zeer nipte marge voor de overwinnaars.

Rawlings, geen constitutioneel democraat uit persoonlijke overtuiging of ervaring, maakte in 1979 een einde aan de oligarchische pseudodemocratie in Ghana. Via politieke mobilisatie haakte hij in op de verlangens van de bevolking en hij voerde een sociaal inclusief beleid dat ook achtergestelde gebieden in noordelijk Ghana bij het ontwikkelingsproces betrok. Rawlings vergaarde politieke steun, eerst van de arbeiders in de steden en later van de boeren op het platteland, en stuurde de Ghanese politiek in de richting van een inclusief en geïnstitutionaliseerd democratisch bestuur.

INTERVIEW MET PRESIDENT JERRY JOHN RAWLINGS

U betrad de politieke arena als jonge luchtmachtofficier, bracht twee regeringen ten val en heerste ongeveer een decennium als niet-verkozen militair leider. Toch besloot u eind jaren negentig meerpartijenverkiezingen uit te schrijven, stemde u in met een beperking van het aantal presidentiële ambtstermijnen en aanvaardde u de overwinning van uw belangrijkste politieke tegenstander bij de verkiezingen van 2000. U droeg geweldloos de macht aan hem over en leverde zo een enorme bijdrage aan de institutionalisering van de constitutionele demo-

cratie in Ghana. Hoe verklaart u uw ontwikkeling en uw keuzes met betrekking tot het invoeren en versterken van een democratisch bestuur?

Sta me toe wat achtergrondinformatie te geven over wat tot mijn militaire regering heeft geleid, over de uitdagingen, de gebeurtenissen en mijn inspanningen die resulteerden in de institutionalisering van de constitutionele democratie in Ghana.

CYCLISCHE MILITAIRE INTERVENTIE

De staatsgreep van lagere officieren die ik in 1979 aanvoerde, was een uiting van woede en leidde tot iets wat de bevolking alleen niet voor elkaar had kunnen krijgen. In 1979 was Ghana als een keuken waar de hitte te hoog is opgelopen. Geen enkele soldaat was bereid een hoge officier te volgen bij een coup, want na zeven jaar militair bewind hadden de gewone manschappen een bloedhekel aan de officieren van hoge rang. Ik weet nog dat ik twee jaar voor de coup al tegen mijn collega's zei dat we in actie moesten komen. Toen we dat eindelijk deden, was de bevolking zo woedend over de corruptie van de legertop die in 1972 premier Kofi Busia had afgezet, dat zelfs de executie van de twee corrupte staatshoofden onder deze generaals de bloeddorst in het land niet zou kunnen lessen.

De politieke situatie ten tijde van de staatsgreep van 1979 was zo gespannen dat de zaak met één lucifer kon ontploffen. Moderne samenlevingen beschikken over gedegen instellingen die voorkomen dat eventuele druk te hoog oploopt en leidt tot een explosie. Normaliter hoef je dus niet bang te zijn voor zo'n ontploffing, maar als die zich wel voordoet, dan is er ergens in het politieke proces en bij de instellingen iets mis. Toen de situatie in ons geval uiteindelijk explodeerde, vroegen we ons niet af waardoor de druk was toegenomen; we wilden alleen weten wie de lont had aangestoken.

Drie maanden later droegen we na de verkiezingen de macht over aan de regering-Limann, die mijn pensioen aankondigde. Op dat moment begreep ik waar de regering-Limann op uit was: ze wilden mijn bloed zien omdat ik weigerde het land te verlaten. Het enige wat ik moest doen, was niet gehoorzamen aan hun oproep met pensioen te gaan. Ik vernam dat via de radio. Ik had het kunnen negeren, had rechtstreeks terug kunnen gaan naar de basis en door kunnen gaan met mijn werk, maar dat zou de regering in een heel lastig parket hebben gebracht. Het had het begin van het einde kunnen zijn, omdat de opstand die ik had geleid tegen het vorige militaire regime dichter bij het volk stond dan de regering-Limann. Ik bleef echter thuis toen de regering mijn pensioen aankondigde. Het ging mij erom weer geloofwaardigheid en gezag te verlenen aan het gesproken woord, dat al zo lang was misbruikt en al zijn geldigheid had verloren. Ik was er nog zo op gebeten de regering te helpen dat ik thuisbleef, want de mensen waren in die drie maanden zo boos geweest op de in hun ogen corrupte en uitbuitende politieke, economische en militaire elites, dat ze niet bereid waren naar een second opinion te luisteren.

Toen we een tweede keer terugkwamen, op 31 december 1981, na president Limann de laan uit te hebben gestuurd, was de woede van de mensen al gedeeltelijk weggeëbd.

DECENTRALISATIE

Wat van deze energie overbleef gebruikten we positief. Dat was het mooie van het proces tussen 1981 en 1992 onder leiding van onze PNDC-regering. We moesten de nieuw aangewakkerde politieke kracht van de gewone burgers in de formele structuur van een gedecentraliseerd lokaal bestuur gieten. We zagen meer heil in decentralisatie dan in devolutie omdat we de macht niet zomaar aan lokale elites wilden geven. We wilden de gewone mensen zelf beslissingsbevoegdheid geven. Daarom vervingen we de tien regionale administratieve eenheden door ruim veertig districtsvergaderingen als hoogste politiek en bestuurlijk orgaan in elk district, en als forum voor democratische expressie. Het concept van de districtsvergadering was partijloos. We hadden toen geen politieke partijen. We organiseerden dan ook partijloze verkiezingen voor de districtsvergaderingen tussen december 1988 en februari 1989. Mensen werden zuiver verkozen op basis van verdienste, op basis van wie of wat ze vertegenwoordigden, op basis van het respect dat ze persoonlijk genoten in hun gemeenschap.

Ik reserveerde 30 procent van de zetels in die vergaderingen voor benoemde functionarissen. We grepen die kans om geschikte mensen te zoeken en benoemden hen in overleg met de stamoudsten en opinieleiders. De leden van de districtsvergaderingen kozen zelf hun voorzitter. Ik geloof dat ongeveer 90 procent van de verkozen voorzitters uit de groep van benoemde leden kwam.

DIEPGEWORTELDE BELANGEN AANPAKKEN

Gedurende de eerste tien jaar van mijn leiderschap hadden we een raad die ik voorzat en die misstanden in de politieke, economische en culturele systemen repareerde. We probeerden de economie te stroomlijnen en profiteergedrag te voorkomen omdat er mensen waren die staatsinstellingen, handelsvoorschriften en procedures misbruikten om rijkdom te vergaren ten koste van de bevolking. De raad richtte ook tribunalen op die de plaats innamen van conventionele westerse rechtbanken. De presidenten van die tribunalen waren opinieleiders — bijvoorbeeld de adviseur van een traditioneel leider of een vrouw met veel aanzien — terwijl de zittingen zelf werden geleid door juristen. Zaken die vroeger vijf, tien of wel vijftien jaar aansleepten, werden nu binnen enkele weken opgelost.

DE BETEKENIS EN AANTREKKINGSKRACHT VAN DEMOCRATIE

Eind jaren tachtig dwong het Amerikaanse ministerie van Buitenlandse Zaken ons min of meer tot invoering van een meerpartijenstelsel. In Ghana hadden we al ervaring met zo'n meerpartijensysteem, zoals we ook ervaring hadden met de eenpartijstaat onder Kwame Nkrumah, de eerste president van Ghana. Kapitalisme hebben we gekend, socialisme, staatsgrepen. Geen van die regimes had ooit rekenschap afgelegd aan de bevolking. Toch leek er bij de staatsgreep van 1979 van lagere legerofficieren tegen de legertop, waarbij we president Busia ten val brachten, een gevoel van verantwoordingsplicht te ontstaan en een zowel geestelijke als fysieke creatieve uiting van vrijheid. En we moesten dit beschermen omdat dit het beste in mensen naar boven bracht. De westerse mogendheden noemden het bestuurssysteem van de PNDC ondemocratisch, terwijl ze het grondwettelijk bewind met een meerpartijenstelsel waar we in 1992 naar evolueerden, democratisch noemden. Toch hebben we ook tussen 1981 en 1991 democratie gekend. Alleen hadden we geen formele grondwet.

Ons National Democratic Congress, opgericht in juli 1992 als opvolger van de PNDC, won de presidentsverkiezingen van 1992 waaraan meerdere partijen deelnamen zonder noemenswaardige problemen, omdat we ondanks tien jaar van zogeheten revolutie nog steeds grote populariteit genoten.

Na de invoering van de constitutionele orde in 1992 zeiden de mensen dat ik de macht had en die had kunnen houden. Dat kon ik niet, zelfs als ik het had gewild, want zodra je mensen zelf verantwoordelijkheid geeft en zij de smaak van vrijheid en gerechtigheid te pakken hebben, kun je ze dat moeilijk ontnemen. In de zogeheten ontwikkelingslanden, in Afrika, begon de democratie voet aan de grond te krijgen. De inspraak van mensen raakte geleidelijk aan in een stroomversnelling en Afrikaanse leiders konden niet langer dwaas of koppig de stem van het volk negeren. Ik geloofde heilig in wat ik deed. Ik koos voor de gemakkelijkere optie, de verstandige optie. Voor mij was er geen andere manier, er was geen alternatief voor vrije verkiezingen. Ik moest gewoon aftreden na mijn tweede termijn als president. Ik geloof in democratie en ik geloof in vrijheid en rechtvaardigheid. En dat is precies wat een gemiddeld mens verlangt en gerealiseerd wil zien in zijn of haar leven. De democratische cultuur was al deel van mijn manier van besturen en een manier van leven voor de mensen, nog voor het constitutionele bestel er was. Daarom was dat bestel heel gemakkelijk en vanzelfsprekend te institutionaliseren in het land.

Hoe keek u naar de veranderingen die eind jaren zeventig in Ghana plaatsvonden?

Het is niet zo complex als buitenstaanders of zelfs interne waarnemers beweren. Wie er middenin zat, voelde wel aan dat het niet moeilijk kon zijn om oplossingen te vinden. Op dat moment snakte Ghana naar verandering. We konden veranderingen realiseren door hervormingen, maar daar hadden de machthebbers geen oren naar. Een opstand tegen het militaire staatshoofd Frederick Akuffo was de enige uitweg. Het was geen coup, maar een revolutionaire beweging, die een einde zou maken aan staatsgrepen en de peilers van uitbuiting en machtsmisbruik moest opruimen. De vraag was of we in volle vaart moesten doorgaan met de revolutie of juist voorzichtig moesten handelen. We maakten een inventaris van de problemen om te kijken op welke vlakken we de revolutie haar gang moesten laten gaan en waar eerder hervormingen op hun plaats waren. Hoe dan ook, de beweging moest een menselijk gezicht houden.

Sommige mensen beweren dat een meerpartijendemocratie de enige ware democratie is. Nee, er bestaan meer vormen van democratie, waaronder de participatieve democratie. Een meerpartijendemocratie in Ghana mislukte in het verleden. We hebben ook een eenpartijstaat gekend. De socialistische economische filosofie, de kapitalistische economische filosofie, coups van generaals. Niemand maalde om de bevolking. Uiteindelijk leidde dat tot de revolte van 1979.

Hoe kon een Afrikaans land dat onafhankelijk was geworden — een land als Ghana onder het inspirerende leiderschap van Kwame Nkrumah die de onafhankelijkheid voor ons veiligstelde en ons tien jaar lang onder zijn hoede heeft genomen — het slachtoffer worden van een staatsgreep en zo'n dertien jaar later op de rand van een explosie staan waarbij drie voormalige staatshoofden en vijf generaals moesten worden terechtgesteld? En nog steeds was de bloeddorst niet gestild. Elke samenleving groeit en gedijt op ethische en morele principes, op een gevoel van rechtvaardigheid en vrijheid. Als je dat wegneemt, creëer je spanningen. Als een kind zijn moeder een klap geeft, is dat een ernstige misstap, maar erger is het nog als de vader thuiskomt en niets tegen die klap onderneemt. Dan krijg je een morele breuk, dan begint het sociale weefsel te scheuren. De correctiemechanismen zijn er misschien wel, maar de leiders vertikken het om er iets aan te doen.

Na onze overwinning probeerden we de vlieger van de vrijheid op te laten. Geen enkele vlieger van vrijheid zal echter vliegen als het touw van gerechtigheid niet sterk genoeg is om de vlieger te houden. In Ghana genieten we hier en nu van een zekere vorm van vrijheid, maar gerechtigheid is er niet. En het volk weet dat. Het is dus tijd voor een test. En we zijn bang en maken ons zorgen. Vrijheid en rechtvaardigheid zijn vanzelfsprekend in westerse landen omdat je er niet mee durft te sollen. Regeringen vallen ginds vanwege economische kwesties, maar hier in Afrika worden regeringen afgezet op basis van de hoeveelheid vrijheid en rechtvaardigheid die ze al dan niet toelaten.

TRANSITIE ALS CLIMAX VAN EEN PROCES

U besloot in 1992 een referendum te organiseren voor een nieuwe grondwet die voorzag in de oprichting van de commissie voor mensenrechten en bestuurlijke rechtspraak, de onafhankelijkheid van de kiescommissie waarborgde en andere hervormingen instelde om een democratische transitie teweeg te brengen. Was er sprake van een belangrijke verandering in Ghana die deze transitie mogelijk of onvermijdelijk maakte?

Er was niets buitengewoons aan het jaar 1992, aan het opstellen van de grondwet en het organiseren van de verkiezingen. Het was een proces. De Nationale Commissie voor Democratie (NCD) organiseerde overlegsessies over de toekomst van de Ghanese democratie, wat leidde tot de oprichting van de districtsvergaderingen. Als vervolg op het electorale proces voor de districtsvergaderingen die we hadden ingesteld en die operationeel waren geworden, organiseerde de NCD een nieuwe reeks openbare overlegmomenten. Op dat moment kregen we financiële steun van het IMF en de Wereldbank om nieuwe wegen aan te leggen, watervoorzieningen te bouwen en dergelijke. En die organisaties wilden niet wachten tot we op de proppen kwamen met een geschikte formule om de nieuwe democratische cultuur onder de bevolking in stand te houden. Ook het Amerikaanse ministerie van Buitenlandse Zaken voerde de druk voor pluralisme op.

Na tien jaar de macht te hebben waargenomen namens het volk, zijn mijn vrouw en ik niet rustig blijven zitten in Osu Castle, destijds de officiële residentie van de president. Dagen- en wekenlang trok mijn echtgenote door het land. Zo probeerden we af te rekenen met de goddelijke status van het staatshoofd. Het demystificeren van het presidentschap droeg bij tot de emancipatie en zelfstandigheid van de mensen. De mentaliteit is veranderd. En denk niet dat we de mensen kennis lieten maken met iets nieuws. De goede kant van mensen was te lang onderdrukt geweest en dankzij onze manier van leidinggeven wisten we het beste in hen naar boven te halen. Denk niet dat ik een wonder verrichtte; dat wonder verrichtten de mensen zelf, ongeacht ras of afkomst. Niet door mijn persoon, maar door de juiste aansturing zorgt de bevolking voor wonderen.

SOCIALE EN POLITIEKE OPPOSITIE

Hoe beïnvloedde de actiebereidheid van arbeiders, studenten, partijen en de Movement for Freedom and Justice de politieke transitie in Ghana?

Het maatschappelijk middenveld en de oppositie waren zwak. Ze waren niet sterk genoeg om erkend te worden door de mensen. Binnen de PNDC hadden we over allerlei kwesties uiteenlopende opvattingen en standpunten, ook over de koers die de regering volgde. De interne kritiek binnen de PNDC was sterk genoeg om bestuurlijke uitdagingen aan te pakken. Wij hoefden geen geïnstitutionaliseerde oppositie van een zekere partij te erkennen omdat intern de kritiek en de democratie zo krachtig waren. In de regering zaten een aantal democratisch gezinde militairen, maar ook burgers met progressieve idealen en mensen van verschillende etnische afkomst. De militaire macht waarborgde de openbare orde en zorgde voor stabiliteit, maar de macht lag verder bij de bevolking.

EEN AUTOCRAAT WORDT VERKOZEN LEIDER

U en het NDC hadden de steun van mensen in het hele land toen u besloot verkiezingen uit te schrijven. U won de presidentsverkiezingen in 1992 en werd herkozen in 1996. Waarom besloot u deel te nemen aan de presidentsverkiezingen na de herinvoering van de meerpartijenpolitiek?

In tegenstelling tot de meeste mensen die op de troon zitten te slapen, waren wij vermoeid. Tien jaar lang hebben we geprobeerd een revolutionaire regering te leiden, hervormingen door te voeren om de macht bij de mensen te brengen en de economie uit het slop te halen. Het was uitputtend werk. Pas toen we hoorden dat die figuren — de oppositie — valse deuntjes begonnen te zingen en ons zwart maakten, beseften we dat we het NDC moesten vormen om aan het roer te blijven. Dat is de naakte waarheid. Actief blijven in de politiek was niet iets wat we graag deden, het was onze plicht. Ik besloot dat we door zouden gaan omdat we niet wilden dat de zaken waarvoor de mensen hadden gezwoegd, overboord werden gegooid.

Wat wij en wat de mensen hadden gecreëerd, hoopte ik te kunnen beschermen. Zo zag ik het. We legden meer wegen aan. We zorgden voor elektriciteit en water. Ook wilden we de mensen snel inenten tegen meningitis. Op een dag, voor mijn vertrek naar het noorden om daar te helpen met de inentingscampagne, kwamen de artsen vaccineren. Op dat moment hadden mijn vrouw en ik al heel veel over gezinsplanning en aids gepraat. Toen het meningitisverhaal zich aandiende, de gekoelde vaccins bezorgd waren en de verpleegkundigen klaarstonden om te prikken, waren er massa's mensen aanwezig, maar niemand ging in de rij staan. We wilden voortmaken en snel naar het volgende dorp. Maar de mensen waren kennelijk bang. Toen ik vroeg wat er aan de hand was, bleken ze bang dat we injecties kwamen geven waardoor ze onvruchtbaar zouden worden. Ze brachten me te zeer in verband met aids en gezinsplanning. Toen ben ik maar als eerste in de rij gaan staan en heb ik mijn mouw opgerold voor een tweede prik. Daarna schoof iedereen aan en verliep alles snel en soepel.

Ik had nooit gedacht dat ik goede gezinsplanning in mijn land ooit met eigen ogen zou zien. Het was een voorrecht om dat mee te maken. Een van de meest fantastische organisaties van dit land was de 31 December Women's Movement, een organisatie ter bevordering van de sociale en economische positie van vrouwen, geleid door mijn vrouw. Gezinsplanning was een van hun speerpunten. Ik gaf ooit een voordracht en als ik dat doe, nodig ik mensen die zelf een punt willen maken of vragen willen stellen op het podium uit. Bij deze specifieke gelegenheid was er een vrouw die iets wilde vertellen. Ze moedigde iedereen aan omdat ze zelf twee kinderen had en niet inzag waarom ze er nog meer zou moeten hebben, omdat dankzij vaccinatiecampagnes de zes dodelijke kinderziekten inmiddels onder controle waren.

Ik weet niet wanneer er een einde komt aan mijn onbaatzuchtigheid, wanneer het tijd is om aan mezelf te gaan denken, om grenzen te stellen. Ik denk dat ik mijn omgeving, mijn volk genoeg van mezelf en van mijn leven heb gegeven, dat ik me nu mag concentreren op mezelf. Ik wil anderen leren eindelijk het beste uit zichzelf te halen, en de achterstand in te halen en volwassen te worden, zodat ik kan opstappen. Ik bedoel: het is niet eerlijk dat machthebbers en politici profiteren van de naïviteit en onwetendheid van de mensen, dat ze de bevolking manipuleren zoals ze dat altijd hebben gedaan, steeds opnieuw, regering na regering na regering. Mensen moet je aansturen, niet manipuleren. Creëer voor het volk een klimaat waarin ze het beste uit zichzelf kunnen halen.

We hebben de Engelse taal op een bepaalde manier gebruikt om de democratische zaak en de hang naar vrijheid en gerechtigheid in dit land te onderdrukken, omdat we die prachtige taal hebben overgenomen zonder ons de integriteit eigen te maken waarmee ze wordt gesproken in de oorspronkelijke Engelstalige landen. Betekent dat dat we geen integriteit hebben? We hebben net zoveel integriteit en die vind je ook terug in onze lokale talen en gedragspatronen, maar door te kiezen voor de koloniale taal negeren we de integriteit in onze politieke cultuur. De hoogopgeleide klassen die vloeiend Engels spreken, plaatsen zichzelf boven anderen en gebruiken de taal om mensen te manipuleren. Het simpele feit dat iemand vloeiend Engels spreekt, wil niet zeggen dat hij of zij automatisch beter gekwalificeerd is, of betere beslissingen zal nemen, of niet zelfzuchtig is. Dit is fout en tast de integriteit van politici aan.

INTERNATIONALE CONTEXT

Hoe beïnvloedde de bredere mondiale context uw politieke keuzes?

Amerika heeft in 1990 een vreselijke fout gemaakt door onder George H.W. Bush Irak binnen te vallen en te strijden tegen Saddam Hoessein. Rond die tijd, met de ineenstorting van de bipolaire wereld, was Amerika de enige echte supermogendheid. Later maakten de VS een einde aan het regime van Saddam. Ze konden het geduld niet opbrengen om de gebeurtenissen af te wachten. Het naakte feit dat ze juist toen het land binnenvielen, heeft zware schade aangericht. Met die actie heeft de VS zichzelf het recht aangemeten om zijn invloed zodanig aan te wenden dat die zwaarder is gaan wegen dan het recht zelf, en dat compleet tegen alle antioorlogssentimenten van de rest van de wereld in. Toen dat gebeurde, was het alsof iets het verband tussen het uitoefenen van macht en het uitoefenen van gezag had verbroken.

Gezag heeft vooral een morele lading. Toen de niet-gelegitimeerde macht van de VS werd uitgeoefend in Irak, hebben sommige machthebbers in Afrika zich hierdoor laten inspireren. Het gezag dat ik echter uitoefende, was gebaseerd op correcte macht, verzekerd door moreel besef en legitimiteit. Als staatshoofd had ik militaire middelen — 'het recht van de macht' — kunnen inzetten, maar in plaats daarvan gaf ik de macht aan de mensen — 'de macht van het recht'. Ik luisterde naar de stem van de mensen en juist zo oefende ik moreel gezag uit.

Naast de uitoefening van politieke macht zonder moraliteit, zoals Amerika in Irak deed, gebeurde er nog iets in Afrika: de wreedheid van het kapitalisme. Vooruitstrevende economieën beschikken over controlemechanismen en het kapitalisme is in zekere zin competitief. In Amerika verdien je geld op basis van verdienste en talent. Hier verdien je geld met invloed.

Toen ik nog op school zat, heb ik *The Beautyful Ones Are Not Yet Born* van Ayi Kwei Armah gelezen. Een prachtig boek vond ik dat. Vele jaren later, toen ik politiek veel bewuster was, besefte ik dat de titel van die roman niet klopte. Nee, de knapperds zijn volgens mij al wél geboren. Ze zijn er gewoon. De politieke situatie geeft mensen met de juiste kwaliteiten alleen niet de ruimte om het podium te betreden. Daarin ligt een grote uitdaging. De politiek houdt 'de mooie mensen' klein. Mensen met gevoel voor rechtvaardigheid, mensen met kwaliteiten zijn stuk voor stuk bang om zich in de politieke arena te begeven omdat degenen die die arena hebben gemonopoliseerd laaghartig zijn en onwaarheden over hen vertellen. Dat willen die welwillende mensen niet, en dus blijven ze weg. Alleen criminelen, economische misdadigers profiteren van de politiek en het bedrijfsleven. Daardoor is het begrip 'maatschappelijke verdienste' totaal verdwenen, met alle schadelijke gevolgen van dien voor de ontwikkeling van het land.

Na het bewind van de PNDC bleven westerse mogendheden en media het imago van de regering oppoetsen omdat Ghana zogezegd een democratisch schoolvoorbeeld was. Vooral toen John Kufuor en zijn NPP aantraden was het alsof het Westen een land nodig had dat ze konden presenteren als een succesverhaal in Afrika en elders in de wereld. Ondanks alle corruptie die er gaande was, bleven de westerse landen de regering-Kufuor verdedigen. De dingen zijn niet altijd wat men buitenstaanders doet geloven.

TRADITIONEEL BESTUUR

Als u zo over Ghana spreekt, lijkt de huidige politieke cultuur niet overeen te stemmen met de nobele waarden en gebruiken die u het Ghanese volk toeschrijft. Waar ligt volgens u de oorzaak van die verschillen?

Niet iedereen zal het met me eens zijn, maar in de huidige samenleving lijkt er meer ruimte te zijn voor onwettig en schadelijk gedrag. Vroeger kende de samenleving nog zoiets als respect. Als je iets misdaan had, konden je eigen mensen je zo oppakken en je voor de stamoudste leiden. Dan kreeg je misschien een boete of zo. Vervolgens werden we onafhankelijk en heeft Nkrumah volgens mij een ongelukkige fout gemaakt: door te proberen de natie te smeden tot een staat met het bijbehorende gezag en de vereiste structuren, heeft hij dat zo aangepakt dat de traditionele leiders hun macht verloren en ook hun bevoegdheid om vergrijpen te bestraffen. We hebben geen door de overheid aangestelde geüniformeerde politieagenten in alle dorpen van het land en de erkenning van het traditionele gezag neemt almaar af. Met kleine fouten hebben we het gevoel van maatschappelijke verantwoordelijkheid en discipline vernietigd. Intussen keert het tij enigszins en krijgen we weer meer waardering voor het traditionele gezag, dat geen politie en soldaten nodig heeft om respect af te dwingen.

Bij de hervorming van het regeringsstelsel heerste er onenigheid tussen twee stromingen op het vlak van traditionele bestuurssystemen. De ene groep zei dat die grassrootssystemen ons nog iets konden leren over hoe je gezag kon uitoefenen op een niet-politieke, niet-partijgebonden manier en dat je die kennis kon gebruiken om de ontwikkeling van het land te stimuleren. Anderen, met een meer linkse overtuiging, noemden de traditionele leiders anachronistische feodale instellingen die niet langer relevant waren in een omgeving waarin de macht van het volk duidelijk was gedefinieerd. Dat verschil van opvatting heeft ertoe geleid dat we bij de decentralisatie niet voldoende rekening hebben gehouden met de mobilisatiekracht en het morele gezag van traditionele leiders op lokaal niveau. Vandaar ook dat hun rol in de lokale bestuurssystemen niet is omschreven en ook niet goed wordt benut. We zijn er niet in geslaagd om het traditionele systeem van de negatieve elementen te ontdoen en de waardevolle elementen ervan op te nemen in het bestuursstelsel, ook al zouden die structuren nooit het uitvoerend gezag in een bepaald gebied vervangen.

Laat me een anekdote vertellen om het belang te illustreren dat traditionele leiders nog steeds hebben. In mijn laatste jaar als president zat de oppositie ons op de huid. Het was een verkiezingsjaar en ze beschuldigden een van onze regionale ministers van iets wat hij in mijn ogen nooit zou doen. Ik ontbood die minister in Accra en vroeg hem of hij had gedaan waarvan hij beschuldigd werd. Hij zei van niet. Daarop vroeg ik hem om dit te zweren op zijn traditionele goden. Wel, er zijn niet veel mensen die zich misdragen en op hun traditionele goden zweren van niet. Er schuilt integriteit in onze eigen traditionele talen en gedrag. Hij zei dat hij bereid was dat te zweren en daagde de traditionele leiders en mensen uit om dat ook te doen en hun aantijgingen te herhalen. Niemand heeft hem verder nog beschuldigd.

INTERNATIONALE STEUN

In verband met de rol van de internationale gemeenschap in Ghana zei u onder meer dat het Amerikaanse ministerie van Buitenlandse Zaken het land onder druk zette om weer meerpartijenverkiezingen in te voeren. Kunnen andere democratische landen en internationale organisaties democratische instellingen op doeltreffende wijze bevorderen?

Ik geef de internationale gemeenschap graag het voordeel van de twijfel als ze beweert oprecht wereldwijd een democratische cultuur na te streven, maar misschien ondermijnt de manier waarop de dingen worden aangepakt het vooropgestelde doel.

Neem het Palestijnse vraagstuk in Israël en de apartheid in Zuid-Afrika, twee dingen die wereldwijd de tv-schermen ontsierden. De apartheid is verdwenen en de aandacht van de wereld is nu gericht op de Palestijnse kwestie omdat het vreselijk is wat we daar zien. Als je mensen elke kans om terug te vechten ontneemt, moet je niet verbaasd zijn dat ze hun leven riskeren om jou te bestrijden.

LEIDERSCHAPSKWALITEITEN

Wat heeft u in uw ervaring met de nationale politiek van de afgelopen dertig jaar verrast? Wat zou u anders hebben gedaan?

Mensen stellen me vaak de vraag wat ik anders zou hebben gedaan en mijn antwoord luidt steevast: ‘Niets.’ We hebben alles gedaan wat we onder de omstandigheden konden doen. Toen ik in 1981 moest terugkomen, verwachtten de gewone soldaten dat ook van mij, omdat de regering-Limann hen begon te vervolgen. Die regering verspreidde onjuiste informatie onder het leger en wakkerde etnische spanningen aan. Dat had kunnen leiden tot een implosie binnen de strijdkrachten. Ik was de persoon naar wie ze opkeken, die moest ingrijpen en een einde moest maken aan de aftakeling waar het land weer op afstevende.

Ik moest niets hebben van die onzin in onze samenleving. Ik was een jaar of negentien toen ik op de militaire academie terechtkwam. Ik ben van bescheiden afkomst, maar groeide wel op met bedienden. Bij ons thuis moest iedereen in die tijd meehelpen in huis, bediende of niet. Dus het was een beetje alsof jij en het huispersoneel familie waren. Ik had ook altijd vakantiebaantjes en heb zodoende gewerkt met arbeiders, met zogeheten gewone mensen, en met mensen van verschillende stammen. In mijn stam hebben we geen goud en ook geen cacao. Veel mensen uit mijn regio kwamen bij het leger of de politie terecht. Het leger is echter een geweldige plek, een plek waar stammenstrijd en etnische conflicten niet voorkomen.

Een belangrijke les die ik in mijn leven heb toegepast, is dat je moet vertrouwen in alles wat je doet. Wees echter niet overmoedig, want dat kan gevaarlijk zijn. Als je je niet zeker voelt, doe dan een stap terug en leer het opnieuw. Leer tot je weer voldoende vertrouwen hebt. Ik heb als piloot een paar fouten gemaakt waardoor ik bijna ben gecrasht en dat heeft me wakker geschud. Sommigen zeiden dat ik mijn ontslag moest indienen en de luchtmacht moest verlaten. Maar ik besloot opnieuw te beginnen totdat ik mijn vertrouwen weer had opgebouwd. Ik heb me nooit laten meeslepen of bedwelmen door mijn ego. Je moet met beide benen op de grond staan en je beperkingen kennen. Weet u hoeveel generaals erop hebben aangedrongen dat ik mezelf zou bevorderen? Dachten ze nu echt dat ik een idioot was? Er is niets grootser en beter dan eerlijk te zijn tegenover jezelf.

Als je een staat leidt, moet je integer zijn en er ook voor zorgen dat alle mensen onder je van onbesproken gedrag zijn, want integriteit wekt veel creativiteit, ontwikkeling en energie op. Tegenwoordig is dat allemaal vervangen door geld. Geld vervangt respect.

DE ROL VAN VROUWEN

Kunt u de rol van de Ghanese vrouwen bij de totstandkoming van de democratie beschrijven?

Vrouwen vormen de ruggengraat van dit land. Het waren de vrouwen die hun krachten hebben gebundeld en de oude koloniale forten letterlijk hebben belegerd totdat Nkrumah werd vrijgelaten. Wij mannen hebben niet genoeg waardering en respect getoond voor de macht en de waarde van onze vrouwen. Tijdens mijn laatste ambtstermijn zijn 34 vrouwen vermoord en ik denk dat die moorden politiek geïnspireerd waren, om onzekerheid te creëren.

Vrouwen hadden geen geld nodig om campagne te voeren, om de straat op te gaan. Om vijf uur 's morgens stonden ze klaar omdat de revolutie zich aandiende voor de onteigenden, de kansarmen, de verdrukten. En eerlijk gezegd: moslims, noorderlingen en vrouwen en kinderen stonden helemaal onder aan de maatschappelijke ladder. Wij wonnen dus voor onszelf de vrijheid en de vrouwen volgden ons.

Ik weet niet meer of het bij de verkiezingen van 1992 of 1996 was, maar ik moest spreken in een dorp en na mijn speech vroeg ik het dorpshoofd en zijn mensen of iemand iets te zeggen had, een opmerking of een vraag had. Niemand zei iets. Toen stak een jongedame haar hand op. Ik gebaarde meteen dat ze naar de microfoon moest komen. Ze wees naar een betonnen watertoren wat verderop en vroeg of de regering die toren kon herstellen. Op dat moment stelde ik mezelf de vraag waarom die vrouw was opgestaan en waarom ze die kwestie aan de orde stelde. Waarom hadden de mannen dat onderwerp niet aangesneden? Waarom hadden de adviseurs van de leiders het hier niet over gehad? Omdat die mannen niet elke dag om vier of vijf uur 's morgens moesten opstaan om drie kilometer verderop water te halen bij een kapotte watertoren. Dat deden de vrouwen namelijk.

Wat hebben vrouwen niet geleden in dit land, op dit continent... Zodra de omstandigheden van de vrouwen op dit continent verbeteren, weet ik dat Afrika klaar is om in beweging te komen. Ik heb een dertienjarig meisje, mijn dochter, leren vliegen, en wel uit heel specifieke politieke overwegingen. Ik wilde de mensen duidelijk maken dat ze het potentieel, de mentale en intellectuele capaciteiten van meisjes niet langer mogen onderschatten. Toen Kwame Nkrumah een luchtmacht wilde oprichten, zeiden wij mannen: 'Nee, nee, nee, dat is alleen voor blanken. Alleen de blanke man kan een vliegtuig besturen.' Nkrumah moest het anders aanpakken. Omdat wij toen nog neerkeken op vrouwen, handelde hij achter onze rug en selecteerde twee vrouwen. Ze hadden geleerd hoe ze moesten vliegen voordat de mannen wakker werden geschud. Toen dachten de mannen: als vrouwen dat kunnen, dan kunnen wij het ook.

Zetelen er veel vrouwen in het Ghanese parlement?

Helaas is het leiderschap van de politieke partijen zo zwak dat we vrouwen niet genoeg plaatsen gunnen, al zouden we daar zeer goed aan doen. We duwen ze zelfzuchtig opzij, maar als vrouwen tijdens de verkiezingscampagne niet de straat op gaan om campagne te voeren, kunnen die kandidaten hun verkiezing wel vergeten. Als mannen campagne voeren, doen ze dat als een truck, een auto of een fiets. Als vrouwen meedoen is het als een trein die zich in beweging zet: iedereen springt aan boord.

TIJDLIJN

Maart 1957: De voormalige Britse kolonie Ghana wordt onafhankelijk. Kwame Nkrumah, leider van het koloniale parlement en de onafhankelijkheidsbeweging, wordt premier met steun van de populistische en linkse Convention People's Party. In de volgende jaren consolideert Nkrumah de macht, beperkt hij het recht op vrije meningsuiting en verbiedt hij oppositiepartijen.

Februari 1966: Nkrumah wordt afgezet door het leger en verbannen. Hij sterft uiteindelijk in het buitenland, maar blijft populair bij de bevolking.

Augustus 1969: De regering schrijft nieuwe verkiezingen uit. Nkrumahs tegenstander Kofi Abrefa Busia van de Vooruitgangspartij (PP) wint, maar wordt drie jaar later afgezet. De volgende tien jaar verslechtert de door de staat gecontroleerde en van export afhankelijke economie.

Juni 1979: Kapitein Jerry Rawlings pleegt een coup tegen de militaire regering. Hij laat de geplande verkiezingen doorgaan, maar waarschuwt voor onbezonnen burgerpolitici. Hij blijft luchtmachtofficier en behoudt tot 1992 zijn bescheiden rang.

September 1979: De op Nkrumahs ideeën geïnspireerde Nationale Volkspartij (PNP) wint de democratische verkiezingen onder leiding van Hilla Limann, maar worstelt met de aanpak van de inflatie en begrotingstekorten.

December 1981: Rawlings leidt een staatsgreep, stelt de Voorlopige Nationale Verdedigingsraad (PNDC) in om het land te besturen en verbiedt partijen en onafhankelijke media. De PNDC spreekt van een 'volksrevolutie' met lokale bestuurskaders, paramilitaire eenheden en buitengerechtelijke openbare tribunalen.

April 1983: Economische moeilijkheden dwingen de PNDC abrupt om een marktgericht, door de Wereldbank ontworpen economisch beleid in te voeren. Dat beleid zal de volgende tien jaar economische groei brengen en de populariteit van Rawlings doen groeien. Internationale financiële instellingen worden een belangrijke bron van inkomsten voor de regering.

Januari 1985: Rawlings richt de Nationale Commissie voor Democratie (NCD) op om een terugkeer naar een constitutionele regering te onderzoeken. De eerste vijf jaar is de NCD vrijwel onzichtbaar.

Juli 1987: Rawlings wil deels verkozen, deels benoemde, niet partijgebonden lokale bestuurscomités invoeren en hekelt de liberale democratie als elitair en als bron van conflicten. Deze comités worden opgericht en in de volgende twee jaar worden er, ondanks kritiek van de oppositie, partijloze verkiezingen gehouden.

Juli 1990: De VS en internationale financiële instellingen voeren de druk op om te democratiseren en Rawlings stelt voor de lokale bestuurscomités om te vormen tot een kiescollege.

Augustus 1990: De 'nkrumahistische' (links-populistisch) en 'busiahistische' (liberale) oppositiegroepen vormen de Beweging voor Vrijheid en Gerechtigheid (MFJ), die onder leiding van Albert Adu Boahen de partijloze democratie op de korrel neemt. De MFJ organiseert het protest in de steden, maar de aanhang blijft beperkt.

Maart 1991: De NCD organiseert openbare bijeenkomsten over het 'partijloze democratiseringsplan'. De oppositie omzeilt de invloed van de regering op deze bijeenkomsten en verwerpt het voorstel als ondemocratisch.

Mei 1991: Als geheime onderzoeken aantonen dat Rawlings grote kans maakt vrije presidentsverkiezingen te winnen (de sterke economie heeft daar in belangrijke mate mee te maken) ziet hij af van zijn partijloze voorstel, kiest voor rechtstreekse verkiezingen met meerdere partijen en benoemt een commissie om een grondwet te ontwerpen.

April 1992: Meer dan 90 procent van de kiezers keurt de nieuwe grondwet goed, hoewel er in de aanloop naar het referendum amper campagne mag worden gevoerd. De grondwet voorziet in een verkozen president en parlement.

Mei 1992: De PNDC heft het verbod op partijen op. Nieuwe partijen, zoals de busiahistische NPP, de nkrumahistische partijen en Rawlings' eigen NDC starten hun campagnes. De NPP steunt het liberale economische beleid, de nkrumahisten zijn tegen.

November 1992: Rawlings wordt verkozen als president. De NPP vormt de belangrijkste oppositiepartij en de nkrumahisten doen het slecht. De NDC profiteert van overheidsgeld, maar de verkiezingen zijn min of meer vrij. De oppositie betwist niettemin het resultaat en dreigt de parlementsverkiezingen te boycotten.

December 1992: De NDC wint 189 van de 200 zetels bij de door de NPP geboycotte parlementsverkiezingen. Internationale waarnemers beschrijven de verkiezingen als fair, maar de NPP publiceert een verhaal over vermeende fraude dat internationale deskundigen gedeeltelijk als 'overdreven' afschrijven.

Juni 1993: Rawlings benoemt een onafhankelijke commissaris voor de mensenrechten en bestuurlijke rechtspraak na protesten van de oppositie tegen een vorige kandidaat.

Juli 1993: Het hooggerechtshof bepaalt dat de staatsmedia evenveel zendtijd moeten toekennen aan de oppositie en dat er zonder vergunningen mag worden geprotesteerd.

November 1993: De NPP maakt een einde aan de boycot en begint 'zaken te doen met de regering' door geschillen binnen het rechtssysteem op te lossen en deel te nemen aan toekomstige verkiezingen.

Februari 1994: De NPP heeft kritiek op de procedures voor de kiezersregistratie en dreigt met een verkiezingsboycot. De Amerikaanse ambassade financiert betere identificatiekaarten voor kiezers en lost zo het geschil op.

Maart 1994: De kiescommissie richt het Inter-Party Advisory Committee (IPAC) op met vertegenwoordigers uit partijen en het maatschappelijke middenveld. Het IPAC versterkt het vertrouwen tussen partijen en verhoogt de geloofwaardigheid van de door Rawlings benoemde kiescommissie.

April 1995: De oppositie protesteert tegen de voorgestelde belasting op toegevoegde waarde. Leden van de bestuurskaders ten tijde van de PNDC raken slaags met de demonstranten, waarbij vier mensen omkomen. De regering blaast het btw-plan af.

December 1996: Rawlings en de NDC winnen de parlements- en presidentsverkiezingen. De NPP verstevigt zijn rol als belangrijkste oppositiepartij. Internationale en lokale waarnemers stellen geen ongeregeldheden vast bij de verkiezingen; de oppositie aanvaardt de uitslag.

Juni 1998: Rawlings geeft aan dat hij zich neerlegt bij de in de grondwet omschreven beperkingen van de ambtstermijnen en steunt John Atta Mills, advocaat en voormalig hoofd van de belastingdienst, als presidentskandidaat namens de NDC.

December 2000: John Kufuor, kandidaat namens de NPP, verslaat Atta Mills bij de presidentsverkiezingen. Die verkiezingen verlopen over het algemeen eerlijk, ondanks enig misbruik van overheidsmiddelen en suggesties van NDC-zijde dat het leger zich met het proces zou hebben bemoeid. Als president versterkt Kufuor de democratische instellingen en het marktgerichte economische beleid. Hij weet buitenlandse investeringen aan te trekken en ziet erop toe dat de economie blijft groeien.

Juli 2001: Het parlement met een NPP-meerderheid schrapt bepaalde wetgeving inzake smaad uit het strafrecht, wat de oprichting van onafhankelijke media stimuleert.

December 2001: Het parlement roept de nationale verzoeningscommissie in het leven om schendingen van rechten tijdens het militaire regime te onderzoeken. Het kan schadevergoedingen voorstellen, maar niet overgaan tot vervolging van personen.

December 2004: Kufuor en de NPP worden herkozen in grotendeels vrije en democratische verkiezingen.

Juni 2007: Er worden belangrijke olievelden ontdekt in de territoriale wateren van Ghana. Dat biedt gunstige economische vooruitzichten, maar men vreest tegelijkertijd dat nieuwe olie-inkomsten corruptie in de hand zullen werken.

December 2008: Er worden nieuwe verkiezingen gehouden. Kufuor mag zich niet herkiesbaar stellen. Atta Mills en de NDC komen als winnaars uit de strijd. De NPP weigert aanvankelijk zich hierbij neer te leggen, maar de partij bindt in onder druk van maatschappelijke organisaties.

Juli 2012: Atta Mills overlijdt in functie; vicepresident John Dramani Mahama maakt zijn termijn af.

December 2012: Mahama wint een volledige termijn. De NPP betwist zijn overwinning aanvankelijk, maar verkiezingswaarnemers en het maatschappelijk middenveld overtuigen de partij om het geschil via de rechter te beslechten in plaats van straatprotesten te organiseren.

4

HET DEMOCRATISCHE WAAGSTUK VAN INDONESIË: PROBLEMEN, VOORUITZICHTEN EN RESTERENDE UITDAGINGEN

BAHTIAR EFFENDY EN MUTIARA PERTIWI

Indonesië is een archipelstaat van meer dan 13.000 eilanden die niet alleen geografisch verdeeld zijn, maar ook op het vlak van etniciteit, religie en sociale klasse. Het land telt 366 verschillende etnische groepen. De islam is verreweg de belangrijkste religie en wordt door 87 procent van de Indonesiërs beleden. Er zijn voorts gemeenschappen van katholieken, protestanten, hindoes, boeddhisten en confucianisten. Die etnische en religieuze diversiteit maakt het moeilijk om te komen tot nationale consensus en een legitiem gezag in Indonesië.[17]

EERSTE KENNISMAKING MET DE DEMOCRATIE

Toen Soekarno en Mohammad Hatta in 1945 de onafhankelijkheid van Indonesië uitriepen, heerste onder de elite over het algemeen een voorkeur voor de democratie als bestuursvorm. De grondwet van het land, daterend van 1945, neigde het zwaartepunt te leggen bij de uitvoerende macht, maar deed ook recht aan een aantal belangrijke democratische principes. Zo benadrukte de preambule humanitaire waarden, overleg en sociale gerechtigheid. Krachtens de grondwet berustte de soevereiniteit bij het volk, vertegenwoordigd door zowel de kamer van volksvertegenwoordigers (DPR) als de beraadslagende volksassemblee (MPR).[18] Verder voorzag de grondwet in een aantal principes zoals het meerderheidsbeginsel, de scheiding der machten en godsdienstvrijheid. Die uitgangspunten werden ook erkend in de staatsideologie, de Pancasila, die is gebaseerd op vijf beginselen, waaronder democratische vertegenwoordiging. De staat was niet gekoppeld aan een specifieke religie.[19] De voorkeur voor een democratisch systeem werd kracht bijgezet door het voornemen om in januari 1946 algemene verkiezingen te houden. In dat kader vaardigde de regering in 1945 een declaratie uit om het publiek aan te moedigen politieke partijen te vormen.[20]

Helaas werd het plan nooit uitgevoerd. Zelfs normale regeringstaken moesten worden opgeschort toen Indonesië tussen 1945 en 1949 gedwongen was zijn onafhankelijkheid te verdedigen tegen een dreigende terugkeer van het Nederlandse kolonialisme. Aan die strijd kwam een einde in december 1949, toen Nederland er na een reeks onderhandelingen mee instemde om de soevereiniteit van Indonesië te erkennen. De nieuwe staat, bestuurd onder een parlementair regeringssysteem, was toen pas in de gelegenheid om elementaire wetten te formuleren in overeenstemming met democratische principes. De democratische ingesteldheid van het land bleek vooral uit het liberale karakter van het parlement. Parlementariërs genoten nagenoeg onbeperkte vrijheid bij hun inspanningen om te functioneren als volksvertegenwoordigers.

Deze fase van de reis naar democratie beleefde een hoogtepunt met de algemene verkiezingen van 1955.[21] Zeker 34 politieke partijen en individuele kandidaten streden om de zetels in het lagerhuis (DPR) en de grondwetgevende vergadering.[22] Van dat aantal verwierven 28 partijen en individuele kandidaten een of meer zetels in het parlement. De Indonesische nationalistische partij (PNI), Masyumi, Nahdlatul Ulama en de Indonesische communistische partij (PKI) kwamen als de vier grootste partijen uit de bus, met respectievelijk 22, 21, 18 en 16 procent van de stemmen. De overige verkozen partijen vertegenwoordigden van 0,1 tot 2,9 procent van de stemmen.[23]

Hoewel de verkiezingen vrij en eerlijk waren verlopen, presteerde zowel de regering als de grondwetgevende vergadering ondermaats. Tussen december 1949 (ruim voor de verkiezingen van 1955) en maart 1957 zijn er minstens acht wijzigingen geweest in de samenstelling van het kabinet, aangezien regeringen zozeer in beslag werden genomen door kwesties die de nationale eenheid betroffen dat er nauwelijks aandacht was voor de ernstige sociale, economische en politieke problemen van het land. Ook de grondwetgevende vergadering slaagde er niet in om een nieuwe grondwet te formuleren of tot een antwoord te komen op de vraag of de Pancasila, de islam of de sociaal-economie de staatsideologie moest worden.

Om die impasse te doorbreken vaardigde president Soekarno in 1959 decreten uit die dienden voor de terugkeer naar de Pancasila en de grondwet van 1945, en de ontbinding van de grondwetgevende vergadering.

Omdat de grondwet van 1945 de uitvoerende macht had behept met grote bevoegdheden, kon Soekarno met krachtige hand regeren. Gesteund door generaal Nasution, die vaak blijk gaf van de afkeer die hijzelf en het leger hadden van burgerpolitici, slaagden Soekarno en het leger erin de dominante actoren te zijn in de Indonesische politiek van 1959 tot 1966. Als tegenwicht voor de rol van het leger in de politiek werd de PKI door Soekarno uitgenodigd om mede zitting te nemen in de regering.

DE AFBRAAK VAN DE DEMOCRATIE

De decreten van Soekarno uit 1959 betekenden het einde van het eerste experiment van Indonesië met de democratie. Op het hoogtepunt van zijn macht, tussen 1957 en 1966, beknotte Soekarno de vrijheid van de bevolking en zette hij zonder behoorlijk proces politieke tegenstanders gevangen.

Soekarno's bewind, bekend geworden als 'geleide democratie', eindigde met een coup op 30 september 1965 waarbij zes vooraanstaande legergeneraals werden vermoord. Die staatsgreep – de 30-Septemberbeweging – werd geleid door luitenant-kolonel Untung Samsuri, commandant van het eliteregiment Cakrabirawa dat instond voor de bewaking van Soekarno.[24] Samen met anticommunistische sociale en politieke krachten, waaronder de moslims, startte het leger een gewelddadige zuiveringsoperatie die resulteerde in een groot aantal slachtoffers onder leden van de PKI en zijn (vermeende) sympathisanten.[25]

Onder leiding van generaal-majoor Soeharto, voormalig bevelhebber van de 'Strategische Reserve' die de staatsgreep neersloeg en de controle over de septembergebeurtenis in handen nam, beoogde de vorming van de Nieuwe Orde-regering het falen te herstellen van het Oude Orde-regime, zoals de periode van 1950 tot 1965 toen werd genoemd. Het nieuwe regime verwierp zowel de periode van de liberale democratie (1950–1957) als die van de geleide democratie (1957–1966) als niet in staat om tegemoet te komen aan de publieke roep om stabiliteit en economische groei.

De Nieuwe Orde-regering streefde er niet zozeer naar om democratische waarden te verdiepen, als wel om stabiliteit te bereiken. Van 1966 tot 1998 ontmoedigde Soeharto's Nieuwe Orde alle politieke concurrentie en vestigde hij een 'repressief, op economische ontwikkeling gefocust regime'.[26] Via sluwe politieke trucs slaagde de regering erin de politieke vrijheden te beknotten, het aantal politieke partijen te beperken, een kieswet te formuleren die electorale competitie aan banden legde en volledige controle te krijgen op de verkiezingsuitslagen. Het parlement verwerd tot een applausmachine. In de Indonesische samenleving en ook binnen de internationale gemeenschap begon men in te zien dat Soeharto's regering even autoritair was als het regime-Soekarno waarvoor het in 1966 in de plaats was gekomen.[27]

Om haar autoritaire karakter te verdoezelen schreef de Nieuwe Orde-regering op gezette tijden parlementsverkiezingen uit – in 1971, 1977, 1982, 1987, 1992 en 1997. De regeringspartij Golkar won die verkiezingen steevast. De meeste kiezers waren te geïntimideerd door de repressie om op andere partijen te stemmen, waardoor Golkar altijd kon rekenen op 60 tot 70 procent van de stemmen.

In tegenstelling tot het non-liberale politieke beleid (en ook in tegenstelling tot de etatistische ideologie van het tijdperk-Soekarno) omarmde de Nieuwe Orde-regering wel een liberaal economisch beleid. De ommezwaai naar een markteconomie stelde de regering in staat buitenlandse investeringen aan te trekken en steun te verwerven van internationale financiële instellingen. Jarenlang zou Indonesië het 'lievelingskind' van de Wereldbank zijn.[28]

DE OVERGANG NAAR DE DEMOCRATIE

In maart 1998 werd Soeharto door de MPR herkozen voor zijn zevende vijfjarige termijn op rij. Zijn aanhangers stelden dat het land nog altijd zijn leiderschap nodig had, maar de positie van Soeharto werd precair. De Aziatische monetaire crisis had Indonesië hard getroffen en de devaluatie van de roepia in augustus 1997 was de voornaamste reden voor de ineenstorting van de economie, die met 18 procent kromp.[29] Betogingen en bloedvergieten waren het gevolg en leidden tot enorme ravages in de hoofdstad Jakarta en in andere grote steden, zoals Medan, Solo, Jogjakarta, Surabaya, Padang en Banyuwangi.[30] De financiële crisis resulteerde op haar beurt in andere crises die de sociale, politieke en ook economische problemen van Indonesië blootlegden. Soeharto's laatste termijn duurde maar drie maanden, van maart tot mei 1998.

Soeharto had hard gewerkt om de crisis het hoofd te bieden. Op 14 mei 1998, amper een week voordat hij moest aftreden, woonde hij de G15-top in Caïro bij om de VS en andere internationale mogendheden om politieke en economische hulp te vragen. Hij zette een plan op om de samenstelling van zijn kabinet te herzien door er een aantal hervormingsgezinde politici en vertegenwoordigers van niet-gouvernementele organisaties in op te nemen. Maar die inspanningen om de situatie onder controle te krijgen misten een breed draagvlak. Zelfs loyale ministers met wie hij zijn macht jarenlang had gedeeld, weigerden deel uit te maken van het kabinet dat hij in gedachten had. Onder die omstandigheden had Soeharto geen andere keus dan de positie op te geven die hij meer dan drie decennia had bezet.

Na het aftreden van Soeharto op 21 mei werd diens vicepresident B.J. Habibie beëdigd als de derde president van Indonesië. Maar het aantreden van Habibie stuitte op gemengde gevoelens. Zijn aanhangers, voor het merendeel vernieuwingsgezinde moslims verbonden aan de ICMI, de Indonesische vereniging van islamitische intellectuelen, stelden dat de benoeming van Habibie grondwettelijk was. Zijn tegenstanders zagen hem echter als een naaste vertrouweling van Soeharto en daarom eerder als onderdeel van het probleem dan als oplossing. Zij riepen dan ook op tot het aftreden van Habibie.

Omdat hij niet beschikte over brede steun besefte Habibie dat hij strategische beslissingen moest nemen om zijn presidentschap veilig te stellen.[31] Een cruciale keuze was dat hij het leger, dat tientallen jaren had gediend als de pretoriaanse garde van de staat, onder civiel gezag stelde. Die keuze was des te belangrijker daar Soeharto kennelijk een 'plan B' had voorbereid voor het geval Habibie er niet in zou slagen de orde in het land te herstellen. Generaal Wiranto had als minister van Defensie en bevelhebber van de strijdkrachten, van Soeharto de geheime instructie gekregen om de natie te redden 'met alle noodzakelijke middelen', indien zich een politieke noodsituatie zou voordoen. Het was Wiranto zelf die Habibie op de hoogte bracht van het bestaan van die instructie. Habibie liet de generaal dat geheime voorrecht behouden als een optie in het geval de situatie zou verslechteren. Zodoende gaf hij blijk van vertrouwen in Wiranto's integriteit en slaagde hij erin diens loyaliteit te winnen.[32]

Het vertrouwen van Habibie in generaal Wiranto groeide toen de minister van Defensie hem informeerde over een verdachte opmars richting Jakarta van troepen onder leiding van generaal Prabowo Subianto, hoofd van de Strategische Reserve en Soeharto's schoonzoon.[33] President Habibie reageerde op dit nieuws door Wiranto te instrueren Prabowo uit zijn functie te ontheffen en slaagde er zo op doeltreffende wijze in een coup te vermijden.[34] Door Prabowo te isoleren van zijn manschappen, stelde Habibie zijn presidentschap veilig tegen de meest waarschijnlijke militaire aanval daarop. Bijkomende veranderingen in de legertop verzekerden de president vervolgens van toereikende steun.

Sommige tegenstanders van Habibie beschuldigden hem ervan niet in staat te zijn de regering te leiden en betichtten hem ook van corruptie omdat hij de belangen van de vriendjes van Soeharto zou vrijwaren.[35] Anderen stelden dat het presidentschap van Habibie onwettig was met als argument dat de machtsoverdracht een bijzondere zitting van de MPR had vereist.[36] Die kritiek klonk luider nadat Habibie zijn nieuwe kabinet had bekendgemaakt. De groepering die de scherpste kritiek op hem uitte was Barisan Nasional (nationaal front), samengesteld uit een aantal ex-ministers onder Soeharto; gepensioneerde legerofficieren zoals Ali Sadikin en Kemal Idris; en prominente burgers, onder wie Megawati Soekarnoputri (Soekarno's dochter, die jaren later zelf president zou worden), Rizal Ramli en Marsilam Simanjuntak. Een andere invloedrijke groep was Nahdlatul Ulama, de grootste islamitische sociaalreligieuze organisatie van Indonesië, geleid door Abdurrahman Wahid (ook bekend als Gus Dur), dat op meer gematigde wijze oppositie voerde tegen de regering.[37]

De tegenstanders van Habibie vormden echter geen hecht front. Toen in november 1998 de bijzondere zitting van de MPR werd gehouden, eisten studentenprotesten het aftreden van Habibie. Maar Megawati noch Abdurrahman Wahid schaarde zich achter die actie.[38] Habibie ontwikkelde verschillende manieren om met die groepen om te gaan, hetgeen hen verdeelde, waardoor de oppositie beter hanteerbaar werd.

HET PRESIDENTSCHAP VAN HABIBIE

Gezien de versnipperde steun voor zijn presidentschap en de geringe legitimiteit ervan moest Habibie strijd leveren om zijn post te behouden. Ondertussen bleven investeerders de kat uit de boom kijken en bleef de roepia zwak — met een koers van 14.000 tot 17.000 ten opzichte van de Amerikaanse dollar. In juli 1998 leefden 79 miljoen mensen (39 procent van de bevolking) onder de armoedegrens, en de ramingen waren dat dat aantal tegen het einde van het jaar zou zijn opgelopen tot 96 miljoen.[39] In juni berekende het IMF dat de Indonesische economie in de loop van dat jaar met nog eens 10 procent zou krimpen. Van tijd tot tijd hadden er massabetogingen plaats en het land was politiek hoegenaamd niet stabiel. Onafhankelijkheidsbewegingen in Oost-Timor, Atjeh en Papoea waren nog altijd in afwachting van een definitieve oplossing, die uitbleef als gevolg van complicerende conflicten op lokaal niveau in Maluku en Poso. De beginperiode van de transitie werd gekenmerkt door wat Richard Robison 'een chaotische markt en een democratie in wanorde' noemde.[40]

In tegenstelling tot Soekarno in 1959 en Soeharto in 1966 koos Habibie ervoor te beginnen met het garanderen van vrijheid, in plaats van openbare orde af te dwingen. Hij maakte op 22 mei de samenstelling bekend van zijn 'hervormd ontwikkelingskabinet', dat hij belastte met de democratische hervorming van de economie, de politiek en het rechtssysteem van het land. Tijdens de achttien maanden van Habibies ambtstermijn nam Indonesië minstens 68 nieuwe wetten aan, drie regeringsverordeningen ter vervanging van wetten, 109 verdere verordeningen, 248 presidentiële decreten en 31 presidentiële instructies.[41]

POLITIEKE HERVORMING

Het ontbrak president Habibie weliswaar aan draagvlak, maar toch trad hij vastberaden op om de politieke sfeer te ontspannen. Op 25 mei liet hij vijftien politieke gevangenen vrij, onder anderen Sri Bintang Pamungkas en Mukhtar Pakpahan, twee van de felste tegenstanders van Soeharto. Tegen het einde van zijn ambtstermijn had Habibie zo'n honderdvijftig politieke gevangenen in vrijheid gesteld, onder wie bekende communisten.[42] Hij kondigde volledige persvrijheid af en wijzigde alle wet- en regelgeving die gold als belemmerend voor de vrijheid van meningsuiting.

Een andere belangrijke politieke doorbraak in zijn eerste dagen als president betrof de omvorming van Golkar tot een normale politieke partij. Golkar zou niet langer steun kunnen mobiliseren onder de ambtenarij en het leger, zoals het had gedaan ten tijde van Soeharto, en zou de concurrentie moeten aangaan met andere politieke partijen om zijn invloed in het parlement te handhaven. De interne herschikking van Golkar maakte een einde aan de institutionele koppeling tussen de partij en het leger. (Het partijcongres van Golkar maakte deze verandering en de aanvaarding ervan formeel bekend in juli 1998.)

In juni hief Habibie de beperkingen op die de vorming van politieke partijen in de weg hadden gestaan om ervoor te zorgen dat Indonesië bij de volgende verkiezingen zou terugkeren naar een liberaal meerpartijenstelsel. Binnen zes maanden waren er 181 politieke partijen geregistreerd. Om er zeker van te zijn dat de verkiezingen vrij en eerlijk zouden verlopen, stelde Habibie een onafhankelijke verkiezingscommissie en een comité van toezicht (Bawaslu) in.

Als onderdeel van deze politieke hervormingsagenda vervroegde Habibie de algemene verkiezingen van 2002 naar 1999, mede onder invloed van de eisen van de bevolking en onderhandelingen met de fractieleiders in het parlement. Zonder de persoonlijke overgave waarmee Habibie zich toelegde op hervormingen zou er geen garantie zijn geweest dat de eerste verkiezingen na Soeharto al zo snel gehouden zouden worden: nog geen achttien maanden nadat Habibie de macht had overgenomen.

Een fundamenteel element van de politieke hervormingsagenda van Habibie waren zijn inspanningen om de prominente rol van het leger in de politiek te beknotten. Stap voor stap verwijderde hij militairen uit de politieke arena en stuurde hen terug naar de kazernes om hun werk als beroepssoldaten te doen. Op 1 september maakte hij bekend — en generaal Wiranto herhaalde de boodschap — dat 'de sociale en politieke rol van de strijdkrachten stelselmatig en automatisch zal afnemen naargelang die van ons maatschappelijk middenveld groeit.'[43] Tegen 1 april 1999 werd de nationale politie losgekoppeld van het leger om een duidelijke scheiding aan te brengen tussen ordehandhaving en landsverdediging. In de jaren daarna zorgden verdere maatregelen er geleidelijk aan voor dat het leger onder gezag van de burgerlijke autoriteiten kwam te staan.

Om de democratie een degelijke basis te bezorgen steunde Habibie een voorstel dat werd ingediend tijdens de bijzondere novemberzitting van de MPR om een begin te maken met het traject dat moest leiden tot wijziging van de grondwet van 1945. Dat proces ving aan na de algemene verkiezingen van 1999; een van de belangrijke besluiten was het beperken van de zittingstermijn van de president tot maximaal twee termijnen van vijf jaar.

De politieke ontspanning bood ook meer kansen om te werken aan de bewustwording van vrouwen en hun actieve rol in de politiek aan te moedigen. Habibie ontmoette een groep vrouwelijke activisten en intellectuelen en sprak met hen over de vrouwelijke slachtoffers van de onlusten in mei.[44] Hij stemde ermee in deze slachtoffers namens de regering verontschuldigingen aan te bieden en beloofde een onafhankelijke commissie inzake geweld tegen vrouwen in te stellen, een orgaan dat zich zou toeleggen op de bescherming en bevordering van de belangen en rechten van vrouwen.[45]

DECENTRALISATIE (REGIONALE AUTONOMIE)

De Indonesische staat onder de Nieuwe Orde was in hoge mate gecentraliseerd en de president behandelde de leiders van de regionale regeringen als bestuurlijke ondergeschikten, zowel op ambtelijk als op politiek niveau. Hoewel een aantal provincies — waaronder Jakarta, Jogjakarta en Atjeh — formeel een bijzondere status had, genoten de regio's geen echte autonomie om hun eigen aangelegenheden te regelen.

Habibie spande zich actief in om tot decentralisatie te komen. Krachtens de wet op regionaal zelfbestuur (nr. 22/1999) kregen de regio's zeggenschap over hun eigen aangelegenheden, met uitzondering van buitenlandse betrekkingen, defensie en veiligheid; monetaire en justitiële zaken; en religie. Die taken bleven in handen van de centrale regering.[46] Voor elk van de provincies waar onafhankelijkheidsbewegingen actief waren — onder meer in Atjeh, Papoea en Oost-Timor — koos de regering een specifiek toegespitst beleid. Voor Atjeh was het plan te komen tot een bijzondere autonome status, hoewel dit de problemen met Jakarta niet oploste en er zelfs toe leidde dat de separatistische organisatie, de Beweging Vrij Atjeh (GAM) onder voorman Hassan Tiro, er nog populairder werd.[47]

Net als in Atjeh bleek ook een bijzondere status voor Oost-Timor niet voldoende te zijn voor een groot deel van de Timorese bevolking. Habibie koos voor een referendum als instrument om de Timorezen zich te laten uitspreken over hun toekomst, wat resulteerde in de onafhankelijkheid van Oost-Timor. Het probleem met Papoea is nog altijd niet helemaal opgelost. De provincie was verdeeld in Papoea en West-Papoea, die beide een aanzienlijke mate van formele autonomie hadden gekregen, maar een aantal Papoeanen blijft vechten voor onafhankelijkheid.

ONAFHANKELIJKHEID VAN DE CENTRALE BANK

De Aziatische crisis noodzaakte Indonesië om maximale aandacht te besteden aan zijn monetair beleid. Mede op basis van zijn ervaring in Duitsland — hij had daar twintig jaar gewoond — was Habibie van mening dat een onafhankelijke centrale bank essentieel was om een betrouwbaar monetair beleid te ontwerpen zonder tussenkomst van politieke belangen. Zowel Soekarno als Soeharto, die de bank hadden gebruikt om hun regeringsprogramma's te financieren, hadden dat principe geschonden.[48] Habibie raadpleegde zijn economisch adviseurs en nodigde voormalige topfiguren van de Deutsche Bundesbank uit, onder wie Josef Ackermann,

Helmut Schlesinger en Wolfgang Kartte, om te helpen bij de formulering van nieuwe wetgeving die de centrale bank in staat zou stellen onafhankelijk te opereren.[49]

DE DEMOCRATIE BEVORDEREN

Zoals opgedragen door de bijzondere zitting van de MPR in november 1998, werden er in april 1999 parlementsverkiezingen gehouden. Habibie speelde daarbij een cruciale rol, aangezien hij een reeks verordeningen doorvoerde die moesten verzekeren dat de verkiezingen competitief, vrij en eerlijk zouden verlopen. In die context werd het stemrecht van militairen geschrapt en werd de verplichting van ambtenaren om te stemmen op Golkar opgeheven. Hij gaf ook het comité voor electoraal toezicht de bevoegdheid om niet alleen toezicht te houden maar ook te bemiddelen bij geschillen en juridische actie te ondernemen tegen elke overtreding van het verkiezingsreglement. Dat was een belangrijke doorbraak, aangezien een soortgelijke instelling ten tijde van Soeharto eenvoudig deel uitmaakte van het winnende team van Golkar.

De verkiezingen van 1999 waren betrekkelijk competitief, democratisch en vreedzaam. Er namen 48 politieke partijen aan deel. De PDI-P (de Strijdende Democratische Partij van Indonesië) onder leiding van de Megawati's werd met 153 zetels de grootste partij in het parlement. Golkar eindigde met 120 zetels als tweede, gevolgd door vier partijen op islamitische grondslag: de PPP (Verenigde Ontwikkelingspartij) met 58 zetels, de PKB (Partij voor de Verrijzenis van het Volk) met 51 zetels, de PAN (Nationale Mandaatpartij) met 34 zetels en de PBB (Maan-en-sterpartij) met 13 zetels.[50]

Krachtens de grondwet van 1945 betroffen deze verkiezingen de samenstelling van het lagerhuis (DPR). De president en vicepresident werden verkozen door de MPR, het hoogste orgaan dat bevoegd is om de president te beoordelen en af te zetten, de grondwet te wijzigen en de grote lijnen van het staatsbeleid te formuleren. De MPR bestond uit de leden van het lagerhuis, een groep vakspecialisten benoemd door de president, en afgevaardigden benoemd door de regionale regeringen. Ten tijde van de Nieuwe Orde geschiedden al deze benoemingen via procedures onder controle van Soeharto, wat een assemblee opleverde die volledig op de hand van de president was.[51] Dit was niet het geval toen Habibie regeerde; niet alles wat hij verwezenlijkte leverde positieve beloningen voor hem als president op.

Tijdens de MPR-zitting in oktober 1999 werd de verantwoordingstoespraak van Habibie met een marge van nog geen vijftig stemmen verworpen – het equivalent van een parlementaire motie van wantrouwen. Er is geen sluitende verklaring voor het feit waarom zijn toespraak werd afgewezen. Mogelijk waren de politieke sfeer in de assemblee en wedijverende ambities de voornaamste factoren. Een ander element was onvrede bij de bevolking over wat werd beschouwd als een gebrek aan daadkracht ten aanzien van de berechting van Soeharto en over de verantwoordelijkheid van Habibie voor de uitkomst van het referendum in Oost-Timor. Ten slotte waren sommigen van mening dat Habibie nauwelijks actie ondernam ten aanzien van mensenrechtenschendingen waarbij het leger was betrokken.[52]

Hoe het ook zij, het was Habibie duidelijk dat hij onvoldoende politieke steun had in het nieuwverkozen parlement. Om die reden besloot hij niet op te komen bij de presidentsverkiezingen in oktober 1999. Een los-vaste coalitie van islamitische partijen plus Golkar verkoos Abdurrahman Wahid als de vierde president van Indonesië. Megawati, leider van de zegevierende PDI-P, werd vicepresident.

DE DEMOCRATISCHE ERFENIS VAN HABIBIE

Habibie verloor de onmiddellijke strijd tijdens zijn korte periode als president, omdat zijn bijdrage destijds niet volledig naar waarde werd geschat. Maar gegeven de problemen die hij erfde en de middelen waarover hij kon beschikken, slaagde Habibie er toch in veel zaken te verwezenlijken, mede door de invoering van cruciale instellingen en werkwijzen die nodig waren voor het democratiseringsproces in Indonesië. Hij zorgde voor openbare vrijheid, persvrijheid en de vrijheid van meningsuiting, bespoedigde de oprichting van politieke partijen en schreef de eerste werkelijk democratische verkiezingen in 44 jaar uit. Belangrijker nog was dat Habibie erin slaagde de Indonesische natiestaat betrekkelijk ongeschonden in stand te houden tegenover een dreigend uiteenvallen. Hij wist de politieke invloed van de strijdkrachten terug te dringen en het lukte hem Golkar – de partij die dienst had gedaan als de institutionele schakel tussen leger en staat – om te vormen tot een normale partij in een competitief meerpartijenstelsel.

Zijn opvolgers ondervonden veel baat van Habibies voorbereidend werk, van het degelijke fundament dat hij had gelegd. Er moest echter nog veel gebeuren toen Habibie vertrok. Inspanningen om de grondwet van 1945 te herschrijven waren nog maar net begonnen, er was nog geen besluit genomen omtrent rechtstreekse verkiezingen van president en vicepresident, en vrouwen verkeerden politiek nog altijd in een achtergestelde positie. Toch heeft Habibie ertoe bijgedragen dat de transitie van Indonesië naar een democratisch bestel betrekkelijk vreedzaam is verlopen, en zijn hervormingen zijn van blijvende aard en hebben bewezen doeltreffend en legitiem te zijn. Al die elementen bezorgden de presidenten na hem (respectievelijk Abdurrahman Wahid, Megawati en Susilo Bambang Yudhoyono) een waardevolle erfenis, een solide basis voor de verdere ontwikkeling van de Indonesische democratie tot een effectieve bestuursvorm.

De democratie in Indonesië is nu geconsolideerd. De opvolgers van Habibie hebben veel bereikt en verbeterd. Het meerpartijensysteem blijft de kern vormen van de democratie in het land. Maar in tegenstelling tot de vroege overgangsjaren nemen er nu minder politieke partijen deel aan de verkiezingen en zijn er dus ook minder vertegenwoordigd in het parlement. De grondwet van 1945 is vier keer gewijzigd, in het bijzonder de principes van transparantie en verantwoording zijn er steviger in verankerd, en ook de onderlinge controlemechanismen tussen de uitvoerende, wetgevende en rechterlijke macht zijn degelijk vastgelegd. Niettemin klinken er klachten dat het de grondwet in zijn huidige vorm aan samenhang ontbreekt. Het voornemen is dan ook een volgende ronde van grondwetsherzieningen op te zetten. Sinds 2004 worden de houders van een openbaar ambt — zoals de president, gouverneurs, districtshoofden en burgemeesters — rechtstreeks verkozen. Politie en leger zijn niet langer vertegenwoordigd in het parlement en het is politieagenten en militairen nog altijd niet toegestaan te stemmen.

De democratisering van Indonesië lijkt een kostbare onderneming. Kandidaten voor nagenoeg alle openbare ambten hebben veel financiële middelen nodig, en dat is in de ogen van velen een van de redenen waarom de corruptie nog welig tiert, ondanks het vele en energieke werk van de commissie ter uitbanning van corruptie. Een aanzienlijk aantal houders van een openbaar ambt — onder wie ministers, gouverneurs, districtshoofden, burgemeesters, parlementariërs en ook ambtenaren — is berecht en veroordeeld voor verduistering van overheidsgeld.

Er moet nog veel werk worden verzet om ervoor te zorgen dat de democratie in Indonesië haar beloften volledig kan nakomen — enerzijds orde, stabiliteit en veiligheid, en anderzijds welzijn en welvaart. Desondanks is er grote vooruitgang geboekt, vooral in de jaren van het presidentschap van B.J. Habibie en daarna.

BIOGRAFISCHE SCHETS VAN B.J. HABIBIE, PRESIDENT VAN INDONESIË (1998–1999)

Als jongeman had B.J. Habibie een nauwe persoonlijke band met Soeharto, die 32 jaar lang het autoritaire regime in Indonesië leidde als president. Habibie trok begin jaren vijftig naar Duitsland en verbleef daar twintig jaar als vliegtuigbouwkundige en zakenman. Soeharto haalde hem in 1974 terug om de door de staat geleide lucht- en ruimtevaartonderneming te besturen en om de regering te adviseren op het vlak van geavanceerde technologie. Van 1978 tot 1998 diende Habibie als minister van Technologie en Research. Soeharto gaf hem geleidelijk aan ruimere en belangrijkere verantwoordelijkheden en liet Habibie in 1998 verkiezen tot vicepresident. Habibie was lid van de regeringspartij Golkar en ook voorzitter van de vereniging van islamitische intellectuelen, de ICMI. Hij had een goed inzicht in de werking van de macht in Soeharto's Indonesië, maar beschikte zelf niet over een noemenswaardige machtsbasis, afgezien van een aantal hogere ambtenaren verbonden aan de ICMI. Hij was over het algemeen weinig geliefd bij het leger en de oppositiegroepen.

Toen de Aziatische financiële crisis van 1997–1998 de voorheen zo bloeiende economie van Indonesië teisterde, nam de oppositie tegen Soeharto snel toe, ook in de vorm van massale betogingen die hem in mei 1998 dwongen af te treden. Habibie aanvaardde het presidentschap op basis van het grondwettelijk bepaalde opvolgingsmechanisme, bekrachtigd door het parlement, wat een gevaarlijke machtsstrijd binnen de legertop in de kiem smoorde. Hij oefende van meet af aan persoonlijke controle uit op de strijdkrachten, liet de meeste politieke gevangenen vrij, erkende vakbonden en hief de censuur en andere beperkingen van de persvrijheid op. Habibie stond de vorming van nieuwe politieke partijen toe, vervroegde de geplande nationale verkiezingen met drie jaar en verwijderde aanhangers van de familie Soeharto en ettelijke legerofficieren uit het parlement. Hij voerde een programma van politieke en bestuurlijke decentralisatie door, benoemde voor het eerst sinds vijftig jaar een niet-militair als minister van Defensie en stemde in met een referendum dat leidde tot de onafhankelijkheid van Oost-Timor. Habibie handelde hoofdzakelijk op basis van eigen inzichten en overtuigingen, gesterkt door zijn geloof en aangevuld met het advies van een ploeg wetenschappers en ambtenaren. Hij was ervan overtuigd dat Indonesië ingrijpend hervormd moest worden en zag in dat rivaliserende machtscentra zulke hervormingen zouden aanvaarden in ruil voor de kans om deel te nemen aan vroege verkiezingen. Habibie beëindigde zijn presidentschap in 1999, nadat zijn verantwoordingstoespraak met een nipte meerderheid werd verworpen in de volksassemblee MPR. De veranderingen die hij doorvoerde zijn in grote lijnen gehandhaafd tijdens de vervolgfase van de verdere opbouw van het democratische bestuur.

INTERVIEW MET PRESIDENT B.J. HABIBIE

HET EINDE VAN HET AUTORITAIRE REGIME

Na 32 jaar aan de macht te zijn geweest, kwam er in 1998 een einde aan het bewind van president Soeharto. Wat waren de kritieke factoren die een einde maakten aan zijn regime? En wat waren voor u de grote uitdagingen als vicepresident op dat moment?

De regering van Soeharto ging erop achteruit omdat de president almaar meer optrad in het belang van individuen en families in zijn nabije omgeving en daardoor de voeling met de belangen van de grote meerderheid van de bevolking was verloren.

Na de deregulering van het banksysteem eind 1988, schreven door bedrijven opgerichte banken kortlopende en niet-presterende leningen uit die een sfeer van economische onzekerheid deden ontstaan. Toen in juli 1997 de Thaise baht begon te devalueren, groeide in Indonesië de vraag naar Amerikaanse dollars om rente en aflossingen te kunnen voldoen op leningen die Indonesië had lopen op de internationale kapitaalmarkten. Mede daardoor begon de waarde van de Indonesische roepia ten opzichte van de Amerikaanse dollar te dalen. Naarmate de onzekerheid groeide, raakte de roepia meer en meer in een vrije val. De inflatie nam toe, de rente steeg en elementaire voorzieningen werden schaars. Middelbare scholieren, universiteitsstudenten en jongerenorganisaties begonnen zich aan te sluiten bij massademonstraties in de straten en voor het parlementsgebouw. De financiële toestand deed de onzekerheid alleen maar toenemen en vergrootte de economische moeilijkheden zodanig dat maatschappelijke, politieke en militaire actoren in Indonesië Soeharto dwongen tot aftreden.

Ik heb nooit belangstelling gehad voor het presidentschap van mijn land. Ik had niet eens oren naar een ministerspost. Mijn enige ambitie was om vliegtuigbouwkundige technologie naar Indonesië te brengen. Ik maakte daarover een heldere afspraak met Soeharto. In 1974 stemde ik ermee in om terug te keren uit Duitsland om een Indonesisch vliegtuig te bouwen via een bedrijf dat in handen van de staat was, maar werd geleid als een particuliere onderneming. Wel, dat heb ik gedaan en ik heb keurig op schema geleverd.

Toen Soeharto me begin 1998 vroeg of ik bereid was te kandideren voor het vicepresidentschap, heb ik dat aanbod afgeslagen omdat mijn vrouw ernstig ziek was. Maar hij vroeg me op te komen voor Golkar om de verkiezingen te winnen en daarom ging ik akkoord. Ik werd verkozen als vicepresident door de leden van de MPR, die toen vijf geledingen telde: de PDI van Megawati, de islamisten, mijn eigen partij Golkar, de groep afgevaardigden namens de provincies (Utusan Daerah) en het leger.

Soeharto legde de regel op dat elke geleding één kandidaat voor het vicepresidentschap naar voren mocht schuiven, dus er zouden maximaal vijf kandidaten zijn. Eerst verkozen ze de president en daarna de vicepresident. De kandidaat-vicepresidenten worden een voor een voorgelegd aan de verkozen president — de vicepresident moet namelijk worden aanvaard door de nieuwverkozen president. Om lange discussies te vermijden en alvorens iemands kandidatuur in te dienen, spraken de verschillende groepen met de president om hem te vragen met wie hij meende te kunnen samenwerken. Ik was er zo zeker van dat de president mijn verzoek om geen lid van het kabinet te worden ernstig zou nemen, dat ik geen tel de mogelijkheid heb overwogen dat de keuze op mij zou vallen. Ik had de president immers al te kennen gegeven dat ik geen lid van het kabinet wilde zijn. Hij had toen gezegd dat we het in de handen van God moesten laten. Dus terwijl de andere kandidaten druk aan het lobbyen waren, was ik gewoon bezig met mijn vliegtuigen. Maar de dingen zijn heel anders gelopen. De mens wikt, maar God beschikt.

Twee weken voor de verkiezingen meldde de stafchef van het leger, viersterrengeneraal Feisal Tanjung, zich bij de president. Krachtens de grondwet was het zijn verantwoordelijkheid om de veiligheid van de president en de nieuwe vicepresident te verzekeren. Om zich voor te bereiden op deze taak wilde hij weten wie vicepresident zou worden. Tanjung overhandigde Soeharto de lijst met de vijf namen.

Na het gesprek met Soeharto was het voor Tanjung duidelijk dat ik de tweede man zou worden. Dat verraste hem, omdat ik min of meer officieel had aangekondigd geen belangstelling te hebben voor een regeringspost. Maar Soeharto hield voet bij stuk en verwees daarbij naar mijn staat van dienst.

Tanjung belde met mijn beveiligingsploeg. Op dat moment was ik al coördinator en verkozen voorzitter van de coalitie van drie facties — de strijdkrachten, Golkar en de vertegenwoordigers van de provincies. Dat deed ik al in 1993.

BELEIDSPRIORITEITEN BEPALEN

De oppositie tegen Soeharto ontwikkelde zich zo krachtig dat hij geen schijn van kans had om aan de macht te blijven. U bent hem toen opgevolgd als president zonder de steun van de Soeharto-getrouwen, zonder de steun van de oppositie, met een achterdochtig leger en zonder een eigen, onafhankelijke machtsbasis. U had de naam een vooruitdenkend iemand te zijn — iemand die verstand had van technologie en van industrie, en die een nauwe relatie onderhield met de islamitische intellectuelen van de ICMI — maar u stond niet bekend als een politieke leider met brede steun. Toch heeft u tal van hervormingen op gang gebracht. Hoe was dat mogelijk? Kunnen we zaken leren van uw ervaringen die elders mogelijk van pas kunnen komen?

Het klopt dat ik nooit zo'n politiek netwerk als Soeharto heb gehad. Soeharto had 32 jaar de macht in handen gehad en in al die tijd zijn netwerk opgebouwd. In tegenstelling tot Soeharto ben ik ook nooit bevelhebber van de strijdkrachten geweest. Alle stafchefs van de legeronderdelen en de politie waren ex-adjudanten van hem, omdat hij zo lang — van 1966 tot 1998 — aan de macht was geweest. Hij had dus volledige controle over dat netwerk en ik was me ervan bewust dat ik een dergelijke achterban niet had. Het enige wat ik had, waren mijn verstand en de ambitie om vooral níét president of vicepresident te worden. Mijn echte ambitie was al werkelijkheid geworden toen mijn werk als ingenieur erop zat.

Maar ik werd vrij abrupt in die leidersrol geparachuteerd. Ik besefte voor het eerst pas echt goed hoeveel macht je hebt als president toen stapels rapporten van de inlichtingendiensten binnen begonnen te stromen: van landmacht, marine, luchtmacht, politiediensten, binnenlandse veiligheid, Buitenlandse Zaken, Binnenlandse Zaken, van Golkar. Ik las die zeer gedetailleerde stukken en ze sloten niet op elkaar aan. Hoe moest ik erachter komen welke informatie correct was?

Ik keek naar de kracht van de demonstranten, naar de 'kracht van het volk', en besloot hun de vrijheid te geven om zich uit te drukken en om te demonstreren, en ook persvrijheid in te voeren. Toen ik die besluiten nam, protesteerde generaal Faisal Tanjung, voormalig commandant van de landmacht en destijds coördinerend minister van Politieke Zaken en Veiligheid. Hij zei dat die besluiten mijn dood zouden worden. Ik zei dat het me niet kon schelen, dat het inschakelen van het publiek zelf de enige manier was om orde te scheppen in alle tegenstrijdige informatie die ik ontving. Dat is de reden dat ik binnen een etmaal na mijn aantreden als president besloot persvrijheid toe te staan.

Opeens druppelden er allerlei rapporten en adviezen binnen die met elkaar in strijd waren. Als ik sommige van die adviezen had opgevolgd, zou er een gewelddadige revolutie zijn uitgebroken. De mensen die het hardst zouden worden getroffen door zo'n revolutie, waren de gewone, onschuldige burgers die niet meer verlangden dan een normaal leven. Dat kon en mocht ik niet laten gebeuren.

Op basis van die overwegingen besloot ik de wetten die de persvrijheid aan banden legden op te heffen. Door vrijheid van meningsuiting toe te staan, zou ik voortaan accurate informatie ontvangen over de houding van de bevolking tegenover mijn beleid. Dat deed ik omdat ik de zeggenschap wilde teruggeven aan hen die de opperste macht binnen de staat bekleden: het Indonesische volk. Niet aan een familie, niet aan een persoon, niet aan mijzelf of mijn kinderen, maar aan het volk.

Ik besloot ook alle politieke gevangenen vrij te laten en de gevangenissen voor te behouden aan misdadigers, niet aan mensen die gewoon oppositie voerden tegen de regerende president.

Generaal Wiranto en de procureur-generaal meenden dat dat initiatief gevaarlijk zou zijn en dat er demonstraties zouden komen en misschien plannen om mij te doden. Maar ik was van mening dat ik alleen zou omkomen als God dat wilde.

Op donderdag 21 mei 1998 om tien uur 's morgens trad Soeharto af. Ik moest het roer van hem overnemen. Ik begon nog dezelfde avond met de samenstelling van mijn kabinet. Ik heb die nacht mijn bed niet gezien. Op vrijdagmorgen maakte ik mijn nieuwe kabinet bekend. Maar alvorens dat te doen, riep ik de legertop bij me en vertelde dat ik nu de president was en dat ze mijn orders hadden op te volgen.

REAGEREN OP EEN ECONOMISCHE CRISIS

Wat was uw strategie om legitimiteit en publieke steun te verwerven? En wat was uw strijdplan om controle uit te oefenen op de strijdkrachten en op andere elementen die mogelijk streefden naar een terugkeer van het autoritaire bewind?

De grootste prioriteit voor mij was om economische en politieke problemen op te lossen via snelle beslissingen en om de transparantie te verbeteren door in te staan voor degelijk bestuur. Ik wilde de bevolking vrijheid geven, de mensen doordringen van de waarden van mensenrechten en menselijke verantwoordelijkheid, en de principes van een sociale markteconomie door evolutie en hervorming invoeren en versnellen, in plaats van een revolutie te ontketenen.

Het grootste probleem waarvoor we ons geplaatst zagen was de onvoorspelbaarheid op bijna alle vlakken van de economie en de financiële sector — denk aan de hoge inflatie, de vrije val van de Indonesische munt, toenemende werkloosheid, de uitstroom van directe buitenlandse investeringen en het nauwelijks kunnen voorzien in basisbehoeften.

We analyseerden suggesties en voorstellen afkomstig van nationale en internationale instellingen, zoals de Internationale Arbeidsorganisatie (ILO), de Wereldbank en andere bankorganisaties, specialisten op het vlak van antitrust- en monopoliewetgeving, en instellingen voor democratische ontwikkeling — en vooral ook adviezen van Amerikaanse en Duitse instellingen. We probeerden op consistente wijze pragmatisch te zijn. We waren van mening dat degelijke wetgeving gebaseerd moest zijn op de grondwet en goedkeuring vereiste van het lagerhuis en de beraadslagende volksassemblee. Eén voordeel was dat ik voor de verkiezingen in mei 1999 de steun had van meer dan 80 procent van de zetels van het nog altijd functionerende, oude parlement.

BELEIDSPRIORITEITEN BEPALEN

Ik heb een flink aantal belangrijke stappen ondernomen om onmiddellijke uitdagingen aan te pakken. Ik voerde de persvrijheid in, de vrijheid van meningsuiting en het recht om te demonstreren. Het eerste wat de mensen deden was de straat op gaan om tegen mij te betogen, en dat was prima. Vanwege mijn vroegere betrokkenheid bij het regime-Soeharto verzetten sommigen zich tegen mijn presidentschap en trokken ze de legitimiteit ervan in twijfel. Overal in het land vroegen de mensen zich af wat er zou gebeuren nu Soeharto was verdwenen en ook eisten sommigen mijn aftreden. Maar ik wilde me niet mengen in het publieke debat.[53] Als ik mijn positie wilde versterken, besefte ik meteen, dan moest ik handelen in overeenstemming met de grondwet en de wetten van Indonesië, en ik moest snél handelen.[54]

Ik instrueerde de opperbevelhebber van de strijdkrachten in te staan voor de veiligheid en de bewaking van de voormalige president en diens familie. Ik hield ermee op om iedere bevelhebber of stafchef zomaar te ontvangen zonder een verzoek daartoe van de opperbevelhebber van de strijdkrachten. Ik las alle inkomende inlichtingenverslagen van het ministerie van Defensie, van Buitenlandse Zaken, van Binnenlandse Zaken en van het coördinerend orgaan van de staatsveiligheid, en vergeleek die zorgvuldig met informatie uit de vrije pers.

Ook zorgde ik ervoor dat we via subsidies en prijstoezicht konden voorzien in betaalbare elementaire levensbehoeften.

Er waren ook heel wat acties op middellange en lange termijn nodig om het concept 'goed bestuur' ingang te doen vinden. Ik heb tegen corruptie en voor de rechtsstaat gestreden. De wet geldt voor iedereen in dezelfde mate, ook voor de president. Ik heb wetgeving tegen corruptie, tegen monopolies en tegen trustforming gecreëerd, en een anticorruptiecommissie ingesteld, die overigens sinds 2002 nog meer bevoegdheden heeft.

Ook heb ik de onafhankelijkheid van de centrale bank zo uitgebreid dat deze niet langer onder toezicht van de president stond. Andere economische kwesties die ik aanpakte, waren onder meer schuldherschikking, midden- en kleinbedrijf, landbouw, natuurlijke hulpbronnen, vrije mededinging, consumentenbescherming en de reorganisatie van staatsbedrijven.[55] Ik nam het initiatief om te starten met de ratificatie van alle ILO-principes. Dat kon ik doen omdat ik met Golkar als grootste partij de meerderheid in het parlement had.

HERVORMING VAN HET KIESSTELSEL

En dan was er het vraagstuk van vrije verkiezingen. Ik heb me niet bemoeid met het electorale proces zelf. Ik heb de deur opengezet voor buitenlandse ngo's en voormalig president Carter gevraagd te helpen bij de verkiezingen door op te treden als waarnemer. We hadden hier Europeanen, Amerikanen en Japanners. Mijn voorganger had altijd eigen mensen in de verkiezingscommissie. Mijn instructie aan de minister van Binnenlandse Zaken was dat er geen ambtenaren of leden van politieke partijen in de commissie mochten zetelen, maar alleen respectabele en geloofwaardige personen uit de brede samenleving. Er werd tegengeworpen dat ik dan de verkiezingen zou verliezen, maar ik zei dat dat me niets kon schelen. De minister van Binnenlandse Veiligheid zei dat dit een voorbode was, dat ik het draagvlak binnen mijn partij zou verliezen. Weer zei ik dat het me niet kon schelen. Dat ik wilde dat de bevolking als winnaar uit de bus zou komen, vertegenwoordigd door wie ze ook verkozen. Ik heb het systeem zo gebouwd; laat het nu zijn werk doen.

REGIONALE AUTONOMIE

Ik wilde dat de provincies de autonomie kregen om hun eigen zaken te regelen. Voorheen werden provinciale en regionale overheden vanuit het centrum van de macht bestuurd. Mensen die door decentralisering kapitaalgoederen, geld en macht dreigden te verliezen, waren natuurlijk tegen. Sommige provincies beschikten over meer natuurlijke rijkdommen dan andere en droegen daardoor aanzienlijk bij tot het bruto binnenlands product, maar toch lag het armoedepercentage in die regio's hoog. Andere provincies met minder natuurlijke rijkdommen noteerden dan weer minder armen omdat die regio's konden rekenen op extra aandacht bij het scheppen van werkgelegenheid en de ontwikkeling van een economische infrastructuur. Door de provincies meer autonomie te geven, zouden ze een billijker verdeling van investeringen in onderwijs, kansen en welvaart kunnen realiseren. In 1999 werden er wetten aangenomen die een breed spectrum van bevoegdheden delegeerden naar het lokale niveau, mét de financiële structuur die daarbij hoorde. De leden van de districts- en regioparlementen zouden rechtstreeks worden gekozen. Na de invoering van de decentralisatiewetten werden veel ambtenaren overgeplaatst van de centrale administratie naar lokale bestuurscentra.

Ik pleitte ervoor dat Atjeh een speciale vorm van autonomie zou krijgen, een vorm die de waarden van Atjeh — verankerd in hun cultuur, religie en traditie — zou erkennen en aanvaarden. De wetgeving die Atjeh een autonome status bezorgde werd aangenomen in 2001 en beoogde het proces van een eerlijke verdeling van kansen en inkomen, en ook rechtsgelijkheid te intensiveren en versnellen.

HERVORMING VAN HET AMBTELIJK APPARAAT

Ik hamerde erop dat het ambtelijk apparaat vrij hoorde te zijn van corruptie, samenspanning en nepotisme. Het bestuursapparaat en de openbare dienstverlening moesten objectief, professioneel, transparant en proactief zijn bij het verhogen van de productiviteit van de bevolking, en wel door de eigen vakbekwaamheid te verbeteren, meer culturele veerkracht aan de dag te leggen en waarden als eerbied voor mensenrechten en intermenselijke verantwoordelijkheidszin binnen het kader te brengen van de vijf basisprincipes van de Pancasila, de filosofische grondslag van de Indonesische staat. Ook verbood ik ambtenaren lid te zijn van politieke partijen, zodat ze zich onpartijdig aan hun taken konden wijden. Golkar verzette zich krachtig tegen dat decreet, aangezien ambtenaren onder president Soeharto verplicht waren op die partij te stemmen.

HERVORMING VAN LEGER EN POLITIE

Ik was me ervan bewust dat het leger gepolitiseerd was en geen eenheid vormde, en ik wist ook dat er een paar ambitieuze groeperingen waren die onderling strijd leverden om het nationaal leiderschap. Ik stelde de opperbevelhebber van de strijdkrachten en van de politie verantwoordelijk voor de veiligheid van het land en voor de beveiliging van de voormalige president. Alleen de opperbevelhebber zou indien nodig door mij als president worden ontvangen op eender welk tijdstip en eender welke dag.

In het Nieuwe Orde-systeem hadden leger en politie hun eigen fractie in het parlement en ook in de MPR. De legertop kon zodoende zijn standpunten verdedigen via die fractie, andere politieke partijen en de vrije pers.

Achtte u het risico van een militaire coup reëel?

Natuurlijk! Toen ik op de vrijdagochtend na Soeharto's aftreden naar de presidentiële residentie Istana Merdeka ging, had ik mijn nieuwe kabinet al samengesteld en dat wilde ik presenteren aan het publiek. Generaal Wiranto wachtte me op en zei dat hij me dringend onder vier ogen moest spreken. Hij vertelde dat de bevelhebber van de Strategische Reserve, luitenant-generaal Prabowo, en zijn manschappen opmarcheerden naar Jakarta. Ook luchtmachtonderdelen waren vanuit de provincies opgestegen met bestemming Jakarta. Wiranto zei me dat mijn gezin en ik in gevaar waren, dat manschappen van Prabowo mijn ambtswoning in Kuningan hadden omsingeld. Dus hij zorgde ervoor dat mijn gezin naar Istana Merdeka werd gebracht. Mijn vrouw en mijn zoons waren dus ook op de plek waar ik geacht werd Prabowo te ontvangen. Het was een gespannen situatie. Generaal Wiranto vroeg me om orders, waaruit ik concludeerde dat luitenant-generaal Prabowo handelde zonder goedkeuring van Wiranto. Ik gaf hem het bevel om nog voor zonsondergang Prabowo te vervangen en zei dat de nieuwe bevelhebber alle manschappen moest terugsturen. Daartegen verzette hij zich, maar ik hield voet bij stuk. Toen vroeg hij me wie hij dan als vervanger van Prabowo moest aanwijzen, maar die beslissing liet ik aan hem over.

Luitenant-generaal Prabowo is Soeharto's schoonzoon en ook alle militairen om mij heen waren Soeharto-gezind. Maar ik had een bondgenoot, een jonge man die eveneens luitenant-generaal was en daarbij ook christen: Sintong Panjaitan. Sintong had problemen met Soeharto als gevolg van het conflict op Oost-Timor. Zijn familie was vele jaren eerder naar me toe gekomen omdat ze hulp nodig hadden, dus ik nam hem aan als medewerker. Ik was de oprichter van de islamitische ICMI, maar mijn familieleden staan niet bekend als hardliners, eerder als vrome en toegewijde moslims, mede daarom nam ik het initiatief om iemand in mijn directe omgeving te hebben die geen moslim was. Indertijd had ik dat niet door, maar Sintong is de hele tijd bij me gebleven. Hij sliep hier. Hij heeft me geen moment alleen gelaten. Hij hoedde over mijn hele familie.

Sommigen probeerden mijn besluit op de lange baan te schuiven — als schoonzoon van Soeharto had Prabowo uitstekende connecties en veel invloed — maar ik zei nee. Prabowo kwam naar me toe. Sintong nam hem zijn wapen af voordat hij mijn werkkamer betrad. Prabowo hield een pleidooi om toch maar zijn post te mogen behouden, maar ik hield voet bij stuk.

Op vrijdag, nog geen etmaal nadat ik het presidentschap had overgenomen, sprak ik met de procureur-generaal en droeg hem op alle politieke gevangenen onmiddellijk in vrijheid te stellen. Ik moest echt allerlei kwesties tegelijk aanpakken — het was nogal verwarrend allemaal. Ik ging het gesprek aan met de demonstranten, niet om populair bij hen te worden, om straks hun stem te winnen of zo. Nee, het presidentschap interesseerde me totaal niet. Het ging er mij alleen om een revolutie te vermijden die veel onschuldige mensen het leven zou kunnen kosten. Ik had maar oog voor één ding: de macht teruggeven aan het volk.

Terwijl dit gebeurde maakte ik me zorgen om de veiligheid van mijn gezin. Ik was omgeven door manschappen van Prabowo en was me maar al te goed bewust van wat er zou kunnen gebeuren.

Dus dat was zo'n beetje de situatie. U vroeg me of ik wist dat er een couppoging was. Natuurlijk wist ik dat. Maar ik had één voordeel. Binnen vierentwintig uur ontsloeg ik de schoonzoon van de voormalige president — iemand met een enorm netwerk. Ik trad doortastend op zodra ik wist dat dat nodig was. Dus dat heeft me wel geholpen. Ik maakte de weg vrij om een burger te benoemen als minister van Defensie, dus geen actieve of gepensioneerde generaal, en ook heb ik nooit de politie en het leger samen onder het gezag geplaatst van één opperbevelhebber of minister.

REAGEREN OP POLITIEKE CRISES

De gebeurtenissen volgden elkaar pijlsnel op. Soeharto trad af op donderdag. Op vrijdag maakte ik mijn nieuwe kabinet bekend en ook mijn besluit om alle politieke gevangenen vrij te laten. Ik rekende af met Prabowo op vrijdag. Op zaterdag beëdigde ik de nieuwe kabinetsleden.

Op zaterdagavond om acht uur ontving ik hier zeven mensen, onder wie Amien Rais, Emil Salim en Buyung Nasution, allemaal lieden van de oppositie met een belangrijke maatschappelijke rol. Ze wilden dat ik binnen drie maanden parlementsverkiezingen zou uitschrijven, ten laatste in augustus. Ik zei dat dat niet zou gebeuren, maar dat ik wel van plan was na één jaar verkiezingen te organiseren en niet te wachten op de voorziene datum vier jaar later, in 2003. Ze stelden met klem dat het een fout zou zijn om een jaar te wachten. Ik was echter in het voordeel, omdat ze altijd bang waren geweest voor de president en die vrees voor het ambt erfde ik in zekere zin. Ik was toen amper drie dagen president. Als het me te doen was geweest om mijzelf of mijn partij, dan zou ik meteen op hun voorstel zijn ingegaan. De kiezers kenden mij al dertig jaar, maar nieuwe partijen zouden onvoldoende tijd hebben om zichzelf te profileren. In dat scenario zou de bevolking verliezen. Had ik de raad opgevolgd om binnen drie maanden een stembusgang te organiseren, dan zou dat politiek en economisch een destabiliserend effect hebben gehad en de transitie nadelig hebben beïnvloed.

Nadat het kabinet was beëdigd, gaf ik de minister van Binnenlandse Zaken opdracht bekend te maken dat alle mensen voortaan vrij zouden zijn om politieke partijen te vormen, en dat ik een meerpartijenstelsel invoerde. Hij zei dat dat ongrondwettelijk was, maar ik hield hem voor dat we de grondwet zouden herzien. Vervolgens vaardigde de volksassemblee een decreet uit dat de vorming van politieke partijen mogelijk maakte. Ik beperkte de zittingsduur van de president tot twee termijnen. Het waren signalen aan de bevolking dat ik het niet bij mooie woorden hield; ik introduceerde degelijk bestuur en transparantie.

Ik belegde dagelijks een kabinetsvergadering. Ik luisterde naar ieders mening en nam dan snel een beslissing. Zodoende hebben we gedurende mijn termijn gemiddeld 1,3 nieuwe wetten en verordeningen per dag gecreëerd.

DE ROL VAN DE WETGEVENDE MACHT

Steunde het parlement uw initiatieven?

Ja, ik maakte gebruik van mijn macht in het parlement om dingen gedaan te krijgen, maar ik heb er nooit misbruik van gemaakt. Ik zou de presidentiële verantwoordingstoespraak houden op de volgende bijeenkomst van de volksassemblee.

Maar de assemblee aanvaardde die verantwoordingstoespraak niet. Waarom niet?

Nog voordat ik die toespraak had uitgesproken, hadden bepaalde leden van de assemblee te kennen gegeven dat ze die niet zouden aanvaarden. Ik zei echter tegen de mensen dat ik mijn verantwoordingstoespraak volgens de regels zou houden en dat ik beschikbaar zou zijn voor herverkiezing als de assemblee mijn tekst aanvaardde. Zo niet, dan stapte ik op. Ik had veel veranderingen doorgevoerd om een groot aantal problemen op te lossen; ik meende dat ik mijn uiterste best had gedaan. Voorafgaand aan de zitting had ik gesprekken met een aantal invloedrijke mensen in de assemblee, de strijdkrachten en uiteenlopende beroepsorganisaties. Die stelden dat ik nog altijd kon worden genomineerd als kandidaat voor de presidentsverkiezingen, zelfs als mijn speech zou worden verworpen. Maar omdat mijn tegenstanders wisten dat ik niet beschikbaar zou zijn als mijn verantwoordingstoespraak niet zou worden aanvaard, gaven ze te kennen de tekst te zullen afwijzen. De nieuwe partijen stelden zich op hetzelfde standpunt zonder de speech ook maar te hebben gelezen — 48 procent zou de toespraak accepteren, 52 procent niet. Mijn vrouw vroeg me of ik het echt meende, of ik het presidentschap inderdaad zou opgeven. Ik antwoordde haar dat alleen het beste net goed genoeg was en dat ik kennelijk niet de beste was. Het doet er niet toe of die mensen objectief oordeelden of niet.

HERVORMING VAN LEGER EN POLITIE

In veel landen zijn de betrekkingen tussen burgers en militairen een belangrijk deel van het transitieproces. Bij een andere gelegenheid heeft u gezegd dat leger en politie zich zouden moeten concentreren op de landsverdediging en veiligheidskwesties, zowel in tijden van oorlog als in vredestijd, en dat ze zich niet moeten bemoeien met politiek en sociale aangelegenheden. Het is gemakkelijk om zoiets te zeggen en op papier te zetten, maar als de strijdkrachten daar zelf anders over denken, maakt het niet veel verschil of je het op papier zet of niet. Wat heeft u geleerd over het aansturen van civiel-militaire relaties dat in de toekomst relevant zou kunnen zijn voor andere landen?

Nadat Indonesië zich in 1945 onafhankelijk had verklaard, heeft ons volk moeten vechten tegen de koloniale mogendheid om te worden erkend als onafhankelijke staat en maatschappij. Destijds bestond er geen beroepsleger. De officieren maakten allemaal deel uit van de Indonesische samenleving en werden de 'Generatie 1945' genoemd. Sommigen van hen gingen later in het leger of bij de politie. Soeharto maakte gebruik van die dubbele taak van het leger om aan de macht te blijven.

Ik benadruk altijd dat het leger moet worden beschouwd als een organisatie van technocraten: militairen specialiseren zich in de ontwikkeling en het gebruik van technologieën om oorlog te voorkomen. En als oorlog niet is te voorkomen, dan moeten ze die winnen van welke vijand ook die de sociale en economische ontwikkeling van Indonesië verstoort. Mensen van de Generatie 1945 vallen stilaan weg en daarmee raakt ook de dubbele functie van het leger, onderdeel van hun traditie, buiten beeld. Er zijn mensen in het leger die er belang bij hebben om hun dubbele taak te handhaven, maar het leger behandelen als een groep technocraten, de geschiedenis van het leger tonen en uitleggen waarom het bestaat, kan dat helpen voorkomen.

Ik denk dat degenen die leidinggeven aan een transitie van een autoritair naar een democratisch bestel niet met woorden maar met daden moeten laten zien hoe belangrijk het is dat het leger onder politiek, onder civiel toezicht staat. Iets wat ik Prabowo duidelijk heb gemaakt. En ik werd daarin bijgestaan door iemand die geen deel uitmaakte van de ICMI en die geen moslim was.

We hebben hervormingen doorgevoerd die militairen ook verboden te dienen in het ambtelijk apparaat en die het aantal zetels dat zij bezetten in het parlement verminderden waardoor ook hun politieke invloed afnam.

Op kritieke momenten aarzelen mensen. De leider moet dan bewijzen dat hij bereid is om actie te ondernemen. Een voorbeeld: generaal Wiranto vroeg me wat hij moest aanvangen met het decreet van Soeharto dat hem machtigde om eender welke actie te ondernemen die hij in het landsbelang noodzakelijk achtte, wat bijna een vrijbrief was om de president af te zetten. Ik was nog maar een paar uur president en zei hem dat hij die instructie moest naleven. Waarom? Ik wist niet wat er met mij zou gebeuren. En áls er iets met me zou gebeuren, dan zou hij inderdaad moeten optreden.

Hebben de strijdkrachten nog een politieke rol, nog politieke invloed in het Indonesië van vandaag? Beheert de legertop zelfstandig een deel van de begroting?

Ze vormen geen factie in het parlement meer en beheren evenmin zelfstandig een deel van het budget. Toen ik aantrad als president was dat nog wel het geval, maar na wijziging van de grondwet niet meer. Nu is het heel moeilijk om de grondwet nogmaals te veranderen, omdat geen enkele parlementaire groep zelfstandig 80 procent van de stemmen haalt.

GELD IN DE POLITIEK

Sinds uw presidentschap is Indonesië een heel ander land dan in de laatste jaren onder Soeharto. Maar ondanks het feit dat het democratische bestuur werkt, met een vrije pers als waakhond en tegenwicht, en ondanks alle controlemechanismen die zijn ingebouwd, heeft Indonesië de reputatie dat het worstelt met wijdverspreide corruptie. Waarom is het politieke systeem er niet in geslaagd om verantwoordingsprocedures in te stellen die het veel moeilijker zouden maken om die corruptie te laten voortduren?

Corruptie is een probleem in elk systeem, of het nu autoritair of democratisch is, waarin mensen zich opmaken voor een leidende en controlerende rol. Die mensen hebben namelijk geld nodig om politieke macht te verwerven en te handhaven.

Soeharto en Soekarno, beiden autocraten, hadden geld nodig. Waar haalt een politiek leider geld vandaan? Of hij nu geld krijgt uit het buitenland of van een plaatselijke oligarch en diens connecties, hij wordt een marionet.

U heeft vele jaren in Duitsland gewoond. Duitse politieke leiders hebben ook geld nodig. Maar denkt u dat het daar ook zo corrupt is?

In zekere zin wel, ja. En ook de VS is daar geen uitzondering op. Dat is het systeem nu eenmaal. Als je een bijeenkomst organiseert, zal iemand die moeten financieren.

Ik heb geluk gehad en ben nooit op die manier gefinancierd. Alles wat ik heb verdiend, heb ik op een heel transparante manier ontvangen. En ik heb altijd netjes mijn belastingen betaald. Daarom kan ik hier zitten. Toen werd ik president. Ik heb nooit interesse gehad voor het presidentschap, omdat ik wist dat ik nooit genoeg geld bij elkaar zou kunnen krijgen om president te worden. En waarom zou ik?

Er zijn zoveel mensen die president of minister of gouverneur willen zijn. Ze zamelen geld in en mensen financieren hen. Maar voor geldschieters moet die investering wel renderen; ze willen hun geld terug. Dat is het mechanisme van alle soorten democratieën.

Wat je nu ziet in de wereld is dat we de ene revolutie na de andere beleven. Het heeft niet alleen te maken met corruptie, want mensen hebben toegang tot sociale netwerken op internet, zoals Facebook en Twitter. In het Midden-Oosten is tijdens die revoluties volop gebruikgemaakt van die communicatiemiddelen. Maar ze waren niet de eersten. Nee, hier in Indonesië zetten wij in 1998 de trend door mobiele telefoons te gebruiken. Daarom besloot ik ook vrijheid van meningsuiting toe te staan.

Dus dat is het probleem, het probleem van de mensheid. Hoe vecht je daartegen? Vergroot rechtvaardigheid, vergroot transparantie en vergroot productiviteit. Geef meer aandacht aan mensen en organisaties die echt waarde creëren in de samenleving. Als ik een vliegtuig bouw, kan ik waarde toevoegen. Maar als ik niet-presterende leningen verstrek, zuig ik juist waarde úít de samenleving. Ik zou het ene moment superrijk kunnen zijn en het andere moment straatarm als ik in één klap een vermogen verlies. Het is gewoon gokken. En dat gebeurt nu zowel in Europa als in de Verenigde Staten. In Indonesië moeten we opletten dat het nooit meer gebeurt.

In 1974 begon ik in de strategische luchtvaartindustrie met twintig mensen. Ik moest de onderneming in 1998 uit handen geven aan iemand anders, omdat het een staatsbedrijf was en de vicepresident geen andere functies mag hebben. Mijn opvolger kreeg een fabriek met meer dan 48.000 mensen en een omzet van 10 miljard dollar. Ik had inmiddels contracten getekend voor assemblagelijnen buiten Indonesië.

Maar we zaten wel met een probleem vanwege die slechte leningen — niet door mijn toedoen, maar als gevolg van ernstige manipulatie. We zaten met niet-presterende leningen en van wie kwamen die? Van particuliere ondernemers met kunstmatige projecten, van lieden die sollen met de regels en daarvan leven, van ordinaire makelaars.

We hadden een overeenkomst met het IMF. Wat kon ik doen? Ik was weliswaar de president, maar ik kon de overeenkomst niet ongedaan maken omdat die was getekend door het vorige staatshoofd. Ik was er ook niet bij betrokken toen die werd ondertekend; ik wist van niets. Maar als ik aan die overeenkomst zou tornen, zou ik me zowel internationale als binnenlandse problemen op de hals halen. Dat had een revolutie kunnen veroorzaken. Velen verwachtten dat ik dat wel zou doen, maar ik verbrak de overeenkomst niet. Als dit de prijs is die we moeten betalen, zei ik, dan zúllen we die ook betalen. Ik kon geen revolutie ontketenen; de meeste mensen zijn arm en onschuldig, en zij zouden degenen zijn die het meeste zouden lijden en dat kon ik niet laten gebeuren.

ECONOMISCH BELEID GERICHT OP ONTWIKKELING

U initieerde een nieuw economisch beleid en tegelijkertijd voerde u een sociaal vangnet in. Hoe belangrijk waren die maatregelen voor de beweging naar democratie?

Het draait allemaal om het opbouwen van kapitaal. Waar begin je? Je hebt de optie van een top-downbenadering. Stel zodanige wet- en regelgeving in dat heel goede mensen het kapitaal controleren en banen creeren. Onderwijs is het enige mechanisme binnen een kapitalistisch systeem dat kan zorgen voor een rechtvaardige verdeling van inkomen en kansen. De andere optie is de bottom-upmethode. Die aanpak hebben ze uitgeprobeerd in de Sovjet-Unie, maar dat is een groot fiasco geworden. De top-downaanpak is nu echter ook bijna bankroet. We weten dat er veel manipulatie is. Een voorbeeld is hoe de interbancaire rentes worden gemanipuleerd, te beginnen met LIBOR.

Mensen die zich bezighouden met zogeheten private equity en dergelijke zijn in mijn ogen doodgewone makelaars. Ze handelen bliksemsnel en strijken commissies op. En ze hoeven ook geen belasting te betalen. Maar al met al creëren ze geen rijkdom. Ze misbruiken de rijkdom die door anderen is opgebouwd om zelf rijker te worden. En als die bedrijven in de problemen komen, springt de regering voor hen in de bres met geld van de belastingbetaler. De meerderheid van de bevolking moet geld ophoesten voor mensen die al enorm rijk zijn. En die lieden zijn de enige winnaars.

Ik ben niet tegen kapitalisme. Ik heb een andere benadering gekozen: in het midden beginnen. Je moet goed zorgen voor de middenklasse, want die trekt de mensen onder de armoedegrens vandaan en duwt goede mensen naar de top – ik noem dat een 'push-pullmaatschappij'. Volgens mij is er een kans dat dat ons lukt. Ik spreek net als de Duitsers van een sociale markteconomie.

POLITIEKE PARTIJEN

Het is een toevallige wending van de geschiedenis dat u de rol van president kreeg toegeschoven en bereid was die rol op te nemen. Maar wil een democratie goed functioneren, dan heb je sterke politieke partijen nodig en de partijen hier zijn zeer gefragmenteerd. Hoe ziet u de rol van politieke partijen in de politiek?

Soeharto had het systeem opzettelijk zo ontworpen. Hij stond maar twee partijen toe in Indonesië, hoewel naast die twee gesanctioneerde politieke partijen ook Golkar deelnam aan verkiezingen, en hij had de macht. Hij nam het stokje over van Soekarno en controleerde alles. Hij was zowel president van de republiek als voorzitter van de parlementaire coalitie en zei: 'Ik werk met slechts twee machten, twee politieke partijen. De ene houdt zich bezig met het leven van vandaag en de andere met het leven na de dood.' Hij noemde de ene de Democratische Partij van Indonesië (PDI). En degenen die zich concentreerden op het leven na de dood vormden de Verenigde Ontwikkelingspartij (PPP), die ook instond voor het opbouwen van de natie in ruimere zin. Vervolgens creëerde hij een derde groep. Hij betitelde die niet als een politieke partij, maar als een groep professionals, en noemde de organisatie 'Golkar', van 'Golongan Karya'. *Golongan* betekent 'groep'; *Karya* is 'zij die presteren' ('functionerende groepen'). Hij zei dat iedereen die in de islam geloofde van hem naar hartenlust mocht bidden. Maar dat de anderen een mix waren van islamieten, christenen, extreemlinks, extreemrechts, sociaal, noem maar op. En omdat die mensen van tijd tot tijd ruziemaken, zullen ze nooit winnen. Heel slim. De enige winnaars zijn degenen die behoren tot de groep mensen die van aanpakken weten, die presteren. Dus na de verkiezingen moest hij de doeners, de professionals en de twee minderheden binnenbrengen. Hij creëerde ook een zogeheten militaire factie. De voorzitter van de militaire factie in het parlement en de MPR rapporteerde aan de opperbevelhebber van de strijdkrachten volgens een bepaalde formule. De factie van regionale vertegenwoordigers zetelt alleen in de volksassemblee (MPR), niet in het lagerhuis (DPR). Dus op basis van die vertegenwoordigingsregels wist hij zich meer dan 31 jaar verzekerd van de meerderheid.

Dit partijsysteem droeg wel bij tot stabiliteit onder Soeharto, maar het moest gefinancierd worden. En hoe doe je dat? Soeharto vertelde me dat hij een transparant systeem van fondsenwerving had om de partij te financieren. Dat systeem reserveerde 10 procent van alle inkomsten voor overheadkosten. Als je transparant bent, zijn de mensen bereid met je samen te werken en kun jij 10 procent van de financiering voor jezelf houden. De rest is voor de partij. Soeharto kon dat zo doen tot zijn kinderen volwassen werden, want toen zij waren getrouwd en hun eigen zakelijke belangen en netwerken ontwikkelden, had Soeharto het proces niet meer in de hand. Zijn houding tegenover het bestrijden van corruptie was positief, daarvan ben ik overtuigd. Maar het was als vechten tegen de natuur zelf.

Dat is een van de voornaamste redenen waarom mijn eerste besluit als president het beperken van de zittingstijd van het staatshoofd tot twee termijnen was — iets wat ik van de VS overnam. Er waren hier mensen die eerst een haalbaarheidsonderzoek wilden doen, maar dat was niet nodig: de VS dient als bewijs dat het werkt. En ik kon dat besluit doorvoeren omdat ik met 80 procent de meerderheid had in het parlement. Ik gaf gewoon de instructie en die hadden ze maar op te volgen.

Denkt u dat fragmentatie van politieke partijen een democratische transitie en consolidatie bemoeilijkt? Is volgens u de wet op de politieke partijen doeltreffend?

De wet op de politieke partijen is een goede. Al valt er natuurlijk altijd wel wat aan te verbeteren. Ik heb duidelijk gemaakt dat iedereen een politieke partij mag oprichten zolang die partij de grondwet aanvaardt en zich voegt naar de bestaande wetten. Er is een democratische manier om de grondwet te verbeteren via de wetgeving en het beleid zoals die nu bestaan, maar de straat vervangt niet het parlement. Betogingen zijn een democratische manier om je mening te laten horen in de samenleving, maar politieke leiders moeten zich houden aan de spelregels en dienen passende suggesties voor verandering te opperen via de vrije pers of het parlement.

Op dit moment mogen alle politieke partijen presidentskandidaten voordragen. Een verandering die ikzelf zou doorvoeren is een zodanig mechanisme creëren dat ook maatschappelijke organisaties kandidaten kunnen voorstellen. Het zou de participatie van de kiezers zeker vergroten. In de eerste ronde van de recente verkiezingen voor de gouverneur van Jakarta bijvoorbeeld, ging 40 procent van de stemgerechtigde kiezers niet naar de stembus. We moeten de mensen ervan overtuigen te gaan stemmen. Ik denk dat ze dat niet doen omdat ze zich niet vertegenwoordigd voelen door de partijen, en ik beschouw een lage opkomst bij de verkiezingen als iets slechts voor henzelf en voor Indonesië.

SOCIALE MOBILISATIE

Studenten speelden een belangrijke rol bij het beëindigen van de regering-Soeharto en waren daarna schijnbaar verdwenen. Wat gebeurt er met deze studenten en hun actiebereidheid? Wat doen de leiders van de studentenorganisaties?

Van oudsher, vanaf het prille begin, zijn studenten pioniers voor verandering geweest in Indonesië. En die rol vervullen ze nog steeds.

Wat is er met hen gebeurd toen u aan de macht kwam? Hebben ze hun actie opgeschort?

De studenten kwamen naar me toe en we wisselden standpunten uit, maar ze hebben hun acties zeker niet gestaakt. Sommige studenten waren heel agressief tegen me, van andere kreeg ik steun. Ik heb vooral goed geluisterd.

Ik heb mezelf nooit gezien als een beroepspoliticus; ik overleef hooguit in de politiek. Dat wil niet zeggen dat ik niet weet hoe de politiek werkt. Maar de politiek is niet mijn vehikel om te worden wie of wat ik wil zijn. Mijn vehikel is de techniek; vliegtuigen en schepen bouwen.

OPKOMEN VOOR GENDERGELIJKHEID

Transities zijn periodes die kunnen bijdragen tot een herdefiniëring van de rol en de behandeling van vrouwen. Hoe heeft u de rechten van vrouwen aangepakt?

We hebben mensenrechtenorganisaties zoals in elk land. In Indonesië ijveren die organisaties voor de rechten van iedereen, vrouwen én mannen. Maar vrouwen zijn in het nadeel op vele gebieden. Niemand geeft om vrouwen die worden verkracht en ten tijde van de transitie hebben er veel verkrachtingen plaatsgehad. Daarom heb ik een nationale commissie tegen geweld jegens vrouwen (KOMNAS Perempuan) in het leven geroepen.

Ik heb ook samengewerkt met de voorzitter van het parlement en hem gezegd dat er gezorgd moet worden voor deze groep, omdat minstens de helft van de Indonesische bevolking uit vrouwen bestaat, dus die mag je niet negeren.

INTERNATIONALE STEUN

Hebben andere landen u geholpen bij de formulering en implementatie van uw programma?

De landen die me echt hebben geholpen, niet alleen met woorden maar ook met daden, waren de VS – zo leidde voormalig president Jimmy Carter de ngo's die optraden als verkiezingswaarnemers – en Duitsland, dat bijdroeg tot de herstructurering van de nationale bank van Indonesië door Helmut Schlesinger te sturen, de voormalige president van de Deutsche Bundesbank.

Wat is volgens u de aangewezen rol voor externe actoren tijdens transitieprocessen naar democratie?

Internationale instanties, regeringen en transnationale organisaties moeten proactief optreden bij hun hulp aan mensen om sociale zekerheid, gezondheidszorg, onderwijs en economische infrastructuur te verbeteren, maar ze mogen nooit betrokken raken bij de binnenlandse politiek. Internationale actoren streven allemaal hun eigen belangen na. De maatschappelijke, politieke en sociaaleconomische problemen van Indonesië zouden alleen door Indonesische mensen opgelost moeten worden. Internationale actoren zouden alleen op verzoek moeten optreden en op basis van een samenwerking waarbij alle partijen gebaat zijn.

RELIGIE EN DEMOCRATIE

Uw zittingsperiode van minder dan twee jaar – 517 dagen – heeft de loop van de Indonesische geschiedenis grondig veranderd. Indonesië is het grootste moslimland dat de stap naar democratie heeft gerealiseerd. Er is veel discussie over de relatie tussen islam en democratie. En we weten dat Indonesië anders in elkaar zit vanwege de Pancasila en vanwege de traditie dat alle religies co-existeren om de saamhorigheid van de natie te waarborgen. Welke lering valt te trekken uit de Indonesische situatie als het gaat om de rol van religie? En hoe kan het democratische proces worden bespoedigd in landen met een sterke islam?

Democratie is het antwoord. Ik heb in Indonesië de deur wijd opengezet. Dat heb ik ook mijn collega's in Turkije verteld — Necmettin Erbakan en Abdullah Gül. Gül en ik hebben samen nog het IIFTIHAR opgericht.[56] Gül had destijds problemen met het leger. Ik hield hem voor dat hij de democratie verder moest verstevigen. In een democratie is het de bevolking die uiteindelijk beslist.

Tegenwoordig zijn de mensen wereldwijd beter op de hoogte van wat er gebeurt en ook beter in staat hun eigen analyses te maken op basis van de waarheid en de vrije toegankelijkheid van informatie. Vroeger werden beslissingen genomen op basis van schattingen en aannames. Dat is de reden waarom de uitdagingen die we kennen in het Midden-Oosten — de zogeheten Arabische Lente — geen islamitisch probleem zijn. Het zijn problemen van rechtvaardigheid en de eerlijke verdeling van middelen. Sommige mensen gebruiken islamitische hardliners als een manier om meer aandacht, geld en zeggenschap te krijgen.

In Indonesië hebben we de deur opengezet voor de hardliners, hun de kans gegeven de concurrentie aan te gaan. Maar niemand van die hardliners, islamitisch of niet, heeft voldoende draagvlak om in het parlement te komen.

Mensen — niet religie — zijn de bron van de problemen en daarom zijn het ook de mensen die de problemen moeten oplossen. Cultuur is van invloed op de wijze waarop mensen naar oplossingen zoeken en cultuur is veel ouder dan welke religie ook. We zijn tegenwoordig in de ban van religieuze zienswijzen en zijn geneigd om het geloof in te schakelen als garantie van universele waarden. Soms verliezen we dan de bredere culturele achtergrond uit het oog. Islamitische waarden zijn niet altijd identiek aan de Arabische cultuur en haar waarden.

In Indonesië moeten islamitische en andere religieuze leiders aanvaarden dat het land geen moslimstaat is, maar een zeer godsdienstige samenleving die is gegrondvest op de richtlijnen van de Pancasila, een filosofie die de nadruk legt op vijf beginselen: a) monotheïsme en religiositeit, b) rechtvaardige en beschaafde menselijkheid, c) de eenheid van Indonesië, d) sociale gerechtigheid voor het gehele Indonesische volk, en e) maatschappelijk welzijn.

Misschien kunnen anderen in de moslimwereld leren van onze ervaringen binnen de ICMI. We spraken over gemeenschappelijke overtuigingen en opvattingen, en begonnen nooit met het in de verf zetten van onze verschillen. Met die aanpak vergrootten we het onderlinge begrip en ontwikkelden we extra verdraagzaamheid om de discussie te verbreden. Indonesië is in religieus opzicht een divers land. Over het algemeen leven Indonesiërs van verschillende geloofsovertuigingen vreedzaam samen. Iedereen draagt bij tot en is onderdeel van de Indonesische identiteit.

HEDENDAAGSE TRANSITIES

Als u nadenkt over de bijzondere ervaringen van Indonesië, wat zijn dan volgens u de voornaamste lessen en uitgangspunten die van belang zijn voor leiders in landen die vandaag de dag een complexe democratische transitie doormaken?

Ten eerste moeten ze indien nodig de grondwet wijzigen, zodat ze op legitieme en grondwettelijke basis hun hervormingsagenda kunnen doorvoeren. Vervolgens moeten die leiders aanvaarden dat demonstraties een instrument van de democratie zijn. Moordpartijen en de vernietiging van openbare eigendommen moeten strafrechtelijk worden aangepakt. Natuurlijk mag een parlement geen 'straatparlement' worden, maar demonstraties zijn op zichzelf een belangrijk expressiemiddel.

- De president moet rechtstreeks worden verkozen en hij dient zich kordaat en vastberaden te gedragen. Hij moet inclusief optreden (en dus niet exclusief) en onmiddellijk een kabinet vormen om de meest nijpende problemen waarmee de samenleving kampt te helpen oplossen. Dat kabinet moet zijn samengesteld uit mensen van alle politieke partijen die zijn verkozen in het parlement — op evenredige basis — en uit vertegenwoordigers van leger en politie.
- Politieke gevangenen moeten worden vrijgelaten en de vrijheid van meningsuiting en persvrijheid moeten worden gewaarborgd. Het versterken van de stabiliteit en voorspelbaarheid van de politiek en de economie is essentieel. Dat kan echter wel een paar impopulaire beslissingen vereisen.
- Het kan zijn dat nieuwe verkiezingen moeten worden uitgeschreven zodra de politieke situatie is gestabiliseerd. Het moet iedereen vrij staan om een politieke partij op te richten en deel te nemen aan verkiezingen, zolang de electorale regels en de grondwet in acht worden genomen.
- De president moet de strijdkrachten en politie behandelen als technocraten om hun rol in de politiek te beperken.
- En boven alles moet de president beseffen dat het zijn primaire taak is om zich te concentreren op de oplossing van de dringendste problemen van de samenleving — en niet om zijn macht en controle te hand-

haven! De president is verantwoordelijk voor alle mensen, niet alleen voor zijn partij. Transparantie en goed bestuur vormen de kern van alles.

Denkt u dat de Indonesische ervaringen relevant zijn voor Myanmar?

Myanmar en Indonesië vertonen in cultureel opzicht een aantal overeenkomsten. De cultuur van Indonesië, de Javaanse met name, is onder andere gebaseerd op de Ramayana en de Mahabharata, de culturele hoekstenen van het hindoeïsme. De islam en het christendom zijn van latere datum. De wijze waarop vele culturen en religies samenkomen in Indonesië is iets waaruit Myanmar lering kan trekken. Misschien doen ze er ook goed aan om te bestuderen hoe wij op geweldloze wijze een door het leger gedomineerd systeem achter ons hebben gelaten.

In Myanmar hebben ze iemand nodig die begrijpt wat macht betekent, iemand met een goede achtergrond, met een helder inzicht in de westerse beschaving enzovoort. Veel krachten proberen hun invloed te laten gelden op de politiek; machtige families, het leger, politieke partijen en rijke individuen proberen allemaal de macht te beïnvloeden. Ik ben 25 jaar lang getuige geweest van dat soort dynamiek. En ik heb ervan geleerd. Opeens plaatste God me in het middelpunt; ik werd volledig omringd, maar ik was niet blind. Ik wist waarvoor de mensen kwamen.

TIJDLIJN

Augustus 1945: Indonesië verklaart zich onafhankelijk van Nederland. Dit is de aanzet van een vier jaar durende oorlog. Een voorlopige assemblee benoemt de nationalistische leider Soekarno tot president en Mohammed Hatta tot vicepresident, en vaardigt een grondwet uit op basis van de Pancasila, een nationalistische ideologie.

December 1949: Nederland erkent de soevereiniteit van Indonesië; het land wordt een democratische eenheidsstaat met een parlementaire regering.

September 1955: Indonesië houdt zijn eerste parlementsverkiezingen. In december 1955 worden verkiezingen gehouden voor een grondwetgevende vergadering.

Maart 1957: In reactie op regionale opstanden kondigt Soekarno de staat van beleg af. Dit is het begin van de autoritaire 'geleide democratie'.

Juli 1959: Soekarno heft de grondwetgevende vergadering op en voert de grondwet van 1945 weer in, die hem uitgebreide uitvoerende bevoegdheden verschaft; de Pancasila blijft van kracht als staatsideologie.

Oktober 1965: Generaal Soeharto, dan bevelhebber van de Strategische Reserve, verijdelt een staatsgreep van de 30-Septemberbeweging. Samen met tegenstanders van de Indonesische communistische partij, onder wie ook de moslims, voert het leger een gewelddadige zuiveringsactie door waarbij honderdduizenden communisten en (vermeende) sympathisanten omkomen.

Maart 1966: Om de openbare orde te herstellen en het land te stabiliseren krijgt Soeharto uitgebreide bevoegdheden van Soekarno. In de volgende twee jaar ruimt Soeharto bondgenoten van Soekarno uit de weg en grijpt hij geleidelijk aan de macht. Uiteindelijk plaatst hij Soekarno onder huisarrest en vestigt hij de Nieuwe Orde-regering. De door het leger en de technocraten gesteunde regering kiest voor een exportgericht beleid, en de komende decennia groeit de economie.

Juli 1971: Er worden verkiezingen gehouden voor het lagerhuis, de DPR. Fraude en repressie helpen de Soehartogezinde Golkarpartij aan een verpletterende overwinning.

Januari 1973: Soeharto dwingt de oppositiepartijen te fuseren tot de nationalistische Democratische Partij van Indonesië (PDI) en de islamitische Verenigde Ontwikkelingspartij (PPP). Alleen deze partijen en Golkar mogen deelnemen aan de verkiezingen.

Maart 1978: Soeharto benoemt ingenieur B.J. Habibie, de algemeen directeur van een vliegtuigfabriek in handen van de staat, die daarvoor twaalf jaar werkzaam was geweest in Duitsland, tot minister van Wetenschap en Technologie.

December 1984: Nahdlatul Ulama (NU), de grootste islamitische groepering van het land, trekt zich terug uit de PPP. NU-leider Abdurrahman Wahid zegt dat de NU zich op religieus en sociaal werk moet focussen en zich buiten de praktische politiek moet houden.

November 1990: Om de steun van vrome moslims te vergroten geeft Soeharto toestemming voor de oprichting van de vereniging van islamitische intellectuelen (ICMI) met Habibie als voorzitter. Veel 'modernistische' moslimhervormers die banden hebben met Muhammadiyah en toekomstig leider Amien Rais sluiten zich aan. De meeste 'traditionele' hervormers die relaties onderhouden met Wahid en de NU verwerpen de ICMI.

December 1993: Megawati Soekarnoputri, Soekarno's dochter, wordt met de steun van een aantal militairen verkozen tot leider van de PDI op basis van een voorgenomen programma van seculiere hervormingen.

Juni 1996: Een regeringsgezinde PDI-factie houdt een leiderschapsconventie, verdringt Megawati en bestormt het PDI-hoofdkwartier. Dit leidt tot massale protestacties onder leiding van Megawati.

Juli 1997: De Aziatische financiële crisis breekt uit. De waarde van de Indonesische roepia daalt drastisch en de consumentenprijzen, de buitenlandse schuld en de rentes stijgen.

Oktober 1997: Soeharto gaat akkoord met een hervorming van het banksysteem, in ruil voor een lening van het IMF. De daaruit voortvloeiende sluitingen van banken schaden het vertrouwen van de bevolking in de munt en in de economie.

Januari 1998: De koers van de roepia blijft dalen. Soeharto krijgt nieuwe IMF-leningen en belooft in ruil daarvoor monopolies te doorbreken en vriendjespolitiek aan banden te leggen. Hervormingen blijven echter uit. De oppositie vraagt Soeharto af te treden of te onderhandelen.

Maart 1998: De volksassemblee (MPR) verkiest Soeharto voor een volgende termijn en bekrachtigt de keuze voor Habibie als vicepresident. Soeharto installeert een nieuw kabinet met familie en persoonlijke vrienden. Tijdens een MPR-sessie breken hevige studentenprotesten uit. De demonstranten eisen het aftreden van Soeharto.

April 1998: De studentenprotesten groeien. Demonstranten raken slaags met de politie. De Muhammadiyah-leider sluit zich bij de protesten aan. Het leger onder leiding van generaal Wiranto roept op tot dialoog.

Mei 1998: De protesten worden steeds heviger, verspreiden zich buiten de campussen en worden gewelddadiger na de dood van demonstranten en na protesten tegen de door het IMF verplichte stijging van de olieprijzen. De NU en ICMI vragen Soeharto om af te treden. Het leger staat demonstranten toe het parlement te bestormen en belooft het vuur niet te openen. Kabinetsleden dreigen hun ontslag in te dienen, het parlement wil een afzettingsprocedure inzetten en Soeharto slaagt er niet in een nieuwe coalitieregering te vormen. Soeharto treedt af en draagt de macht over aan Habibie, die de steun heeft van Wiranto. Habibie vormt een coalitie met Golkar, PPP, PDI en hervormingsgezinde en militaire leiders. Hij degradeert generaal Prabowo Subianto, Soeharto's schoonzoon, om een mogelijke coup te voorkomen.

Juni 1998: De regering-Habibie laat de meeste politieke gevangenen vrij, heft de censuur op, legaliseert vakbonden en politieke partijen, en vervroegt de geplande verkiezingen. Onlusten en sektarisch geweld houden aan.

December 1998: Het parlement keurt een wet op evenredige vertegenwoordiging goed en handhaaft niet-verkozen zetels. Habibie schrijft een referendum uit over de onafhankelijkheid van Oost-Timor, wat leidt tot paramilitaire, door het leger gesteunde aanvallen op onafhankelijkheidsstrijders.

Mei 1999: De regering keurt een wet goed die de regio's meer bevoegdheden geeft.

Juni 1999: De parlementsverkiezingen vinden plaats en internationale waarnemers spreken over een eerlijke stembusgang. Megawati's Strijdende Democratische Partij van Indonesië (PDI-P) wint 33 procent van de stemmen, Golkar haalt 22 procent en de Partij voor de Verrijzenis van het Volk (PKB) van Wahid behaalt 12 procent.

Augustus 1999: Oost-Timor stemt massaal voor onafhankelijkheid. Paramilitair geweld maakt meer dan duizend slachtoffers en bijna een derde van de bevolking van Oost-Timor raakt ontheemd. De VN zet vredestroepen in, maar het leger belemmert hun komst en het geweld houdt aan.

Oktober 1999: De MPR verwerpt Habibies verantwoordingstoespraak met een krappe meerderheid, in feite een motie van wantrouwen van een aantal parlementsleden van Golkar die het opnemen tegen Habibie. De MPR verkiest Wahid, die de steun heeft van Golkar en gematigde islamisten, als president. Er wordt een begin gemaakt met de herziening van de grondwet van 1945, een proces dat vier jaar zal duren.

Januari 2000: De nationale mensenrechtencommissie beschuldigt Wiranto van misdrijven in Oost-Timor. Wahid verwijdert Wiranto en andere officieren in actieve dienst uit het kabinet.

Augustus 2000: De MPR wijzigt de grondwet om de rol van het leger bij de binnenlandse veiligheid en binnen de MPR zelf in te dammen, en om het beleid rond mensenrechten en regionale autonomie te intensiveren.

Oktober 2000: Een rechtbank veroordeelt Soeharto's zoon Tommy voor corruptie en herroept hiermee een eerdere vrijspraak. Tommy vlucht met hulp van de politie.

Februari 2001: De MPR aanvaardt een motie van afkeuring tegen Wahid in verband met een vermeende corruptiezaak; de eerste stap richting aftreden. De rechtbank heft om gezondheidsredenen het huisarrest van Soeharto op, maar arresteert zijn bondgenoot Bob Hasan voor corruptie.

Juli 2001: De MPR zet Wahid af en vervangt hem door vicepresident Megawati. Wahid tracht nog een staat van beleg af te kondigen en het parlement te ontbinden, maar het leger houdt dat tegen.

November 2001: De MPR richt een grondwettelijk hof op, een onafhankelijke juridische commissie en ook een regionale vertegenwoordigingsraad. Tommy Soeharto wordt aangehouden en uiteindelijk veroordeeld.

Juli 2002: De MPR voert het rechtstreeks verkozen presidentschap in, maakt een einde aan de benoemingen van parlementariërs en wijzigt de grondwet van 1945 grondig.

December 2002: De commissie ter uitbanning van corruptie wordt opgericht en boekt successen met het vervolgen van diverse gevallen van omkoping.

September 2004: Voormalig generaal Susilo Bambang Yudhoyono (SBY) verslaat Megawati bij directe presidentsverkiezingen. Tijdens zijn twee ambtstermijnen voert zijn regering gerechtelijke hervormingen en anticorruptiemaatregelen door en ook komt er een gedeeltelijke reorganisatie van de strijdkrachten.

Augustus 2005: De regering tekent een vredes- en autonomieakkoord met de separatisten in de provincie Atjeh.

September 2009: SBY wordt met een ruime meerderheid herkozen. Zijn partij verdrievoudigt het aantal zetels in het parlement.

Mei 2012: Bescheiden electorale hervormingen in de aanloop naar de verkiezingen van 2014 verscherpen de verkiesbaarheidscriteria en verhogen de kiesdrempel van 2,5 naar 3,5 procent. Ook wordt de vertegenwoordiging van vrouwen in het partijleiderschap verplicht gemaakt.

5
MEXICO: EEN GELEIDELIJKE DEMOCRATISERING VAN BOVENAF EN VAN ONDERUIT

SOLEDAD LOAEZA

Van 1940 tot 1982 handhaafde Mexico, te midden van snelle economische groei en drastische sociale veranderingen, de politieke stabiliteit onder één dominante partij, de Institutioneel Revolutionaire Partij (PRI), die het hele politieke systeem op nationaal, deelstatelijk en gemeentelijk niveau controleerde. Eind jaren zeventig behoorden de president, alle gouverneurs, alle senatoren en minstens 80 procent van de afgevaardigden in het lagerhuis tot de PRI. Mexico verschilde van andere autoritaire staten in die zin dat er geregeld verkiezingen waren, dat de uitvoerende, wetgevende en rechterlijke macht formeel gescheiden waren en dat burgerrechten vastlagen in de grondwet. In de praktijk was er echter nauwelijks controle op de uitvoerende macht, stonden de verkiezingsuitslagen bij voorbaat vast en werden elementaire rechten vaak geschonden.

Na de studentenopstanden en de gewelddadige onderdrukking daarvan in 1968, groeide binnen de Mexicaanse samenleving de overtuiging dat politieke hervormingen nodig waren. President Luis Echeverría (1970–1976) probeerde de populistische politiek van weleer weer in te voeren, maar de weg naar een democratische transitie begon met de electorale hervormingen die president José López Portillo (1976–1982) in 1977 introduceerde in de context van de explosieve groei van de olie-industrie. Vanaf dat moment oefenden verschillende sectoren en partijen druk uit die leidde tot een veranderingsproces dat tientallen jaren in beslag zou nemen en een hoogtepunt bereikte tijdens de ambtstermijn van Ernesto Zedillo (1994–2000).

Een ernstige financiële en economische crisis ten gevolge van een torenhoge schuld en gigantische overheidsuitgaven deed in 1982 het autoritaire en hegemonistische partijbewind in Mexico stevig opschrikken. De crisis verstoorde de betrekkelijk passieve instemming van de bevolking met het autoritaire bewind en zette een reeks gebeurtenissen in gang die Mexico geleidelijk, met horten en stoten, in de richting van een democratisch bestuur voerden. Grotere politieke betrokkenheid en een hogere opkomst bij de verkiezingen, in combinatie met politieke hervormingen van bovenaf in reactie op steeds terugkerende crises, tartten en verzwakten de traditionele controle van de regering op het electorale proces. De ontmanteling van het regime kreeg de volgende twee decennia haar beslag in een periode van langzame economische groei, terwijl er tegelijkertijd marktgeoriënteerde economische hervormingen werden doorgevoerd. In die jaren ondergingen de Mexicaanse economie en het politieke systeem een ingrijpende, maar stapsgewijze en geweldloze transformatie. Ernesto Zedillo was de laatste president die aan de macht kwam in het door de PRI gedomineerde systeem. Zedillo zette het beleid voort van economische liberalisering en integratie in de wereldeconomie dat zijn voorganger Carlos Salinas de Gortari (1988–1994) had ingezet. Zedillo opende het politieke systeem door staatsinterventie te beperken, de presidentiële macht te verkleinen, het politieke succes van de oppositie te aanvaarden en zich ernaar te schikken, en door de institutionele integriteit en eerlijkheid van de presidentsverkiezingen van 2000 te waarborgen.

HET AUTORITAIRE REGIME

Het grootste deel van de twintigste eeuw kende Mexico politieke continuïteit en stabiliteit (zonder de toevlucht te nemen tot een militair bewind) en hield het land de democratische schijn op. Dit door burgers geleide autoritaire systeem stond in scherp contrast met het regime in veel andere Latijns-Amerikaanse landen, waar het leger vaak een centrale rol speelde.

De continuïteit van het politieke systeem werd mogelijk gemaakt door sterke instellingen: een coherente staat, een machtig presidentschap en de nagenoeg onbetwiste dominantie van een nauw met de staat verbonden partij. Deze regeling bestond sinds 1929 toen de Partido Nacional Revolucionario (PNR) werd opgericht om de revolutionaire elite te vertegenwoordigen. In 1938 verving de door linkse vakbonden en boerenorganisaties gedomineerde Partido de la Revolución Mexicana (PRM) de PNR. In 1946 nam de PRI het roer over. De partij was opgericht als nationalistische organisatie van verschillende klassen die de doelen en middelen van de Mexicaanse revolutie van 1910 vertegenwoordigde en nastreefde.

De grondwet van 1917 stelde een federale staat in onder een presidentieel regime dat de scheiding der machten respecteerde, maar een sterk gecentraliseerde regeringsstructuur die de neiging van de uitvoerende macht versterkte om de wetgevende en rechterlijke macht te overheersen, bracht het principe van de ingebouwde controlemechanismen in het gedrang. De centralisatie van de macht was ook in tegenspraak met de principes van het federalisme.

Het Mexicaanse autoritarisme kenmerkte zich door een zwakke rechtsstaat en door ambtelijke willekeur, ook en vooral op het vlak van rechtspleging. Mexicanen wisten nooit of de wet zou worden gehandhaafd of niet. Desalniettemin waren presidenten gehouden aan bepaalde normen die hun beslissingen beïnvloedden en hun macht beperkten. Zo was en is het grondwettelijk verbod op presidentiële herverkiezing een gouden regel in het Mexicaanse politieke systeem die iedere president heeft gerespecteerd. Deze norm voorkwam dat een overambitieuze politicus eindeloos aan de macht kon blijven en zich als dictator kon vestigen, en heeft ook de ambities van despotisch ingestelde kandidaten beknot.

Het formele gezag van de president werd versterkt door de informele macht die de PRI hem verleende. De partij breidde de presidentiële macht uit tot buiten de grondwettelijke grenzen. Zo koos de president de kandidaten voor verkiesbare functies op lokaal, deelstatelijk en landelijk niveau. Dit voorrecht bezorgde hem de controle op de vernieuwing van de politieke elite en, belangrijker, op het congres. De partij stond centraal in de cliëntelistische netwerken die de fundering vormden van de autoritaire heerschappij. Verder was de partij ook symbool voor aanwezigheid van de president in alle lagen van de samenleving. Dankzij de combinatie van formele en informele bevoegdheden kon de Mexicaanse president nagenoeg ongestoord zijn gang gaan tijdens zijn zesjarige termijn.

Ondanks haar macht was de PRI in bepaalde opzichten een zwakke organisatie. De partij zelf bezat beperkte autonomie; haar dominantie was afhankelijk van de steun van de president en van publieke middelen om de diverse controlemechanismen — van dwang tot corruptie — te handhaven. De president nam persoonlijk alle beslissingen met betrekking tot het leiderschap van de partij. De invloed van de partij op de beleidsvorming was beperkt en ondergeschikt aan de politieke behoeften en prioriteiten van de president. Steun mobiliseren voor regeringsbesluiten en de oppositie buitenspel zetten waren de belangrijkste taken van de PRI.

De corporatistische structuur van de PRI organiseerde en controleerde van oudsher de participatie en vertegenwoordiging van arbeiders, boeren en de stedelijke middenklasse. De hegemonie van de partij was deels gebaseerd op een zeer laag opkomstcijfer bij verkiezingen. Dat maakte de controle op de vertegenwoordiging gemakkelijker — en vergemakkelijkte waar nodig ook fraude en manipulatie van de uitslagen — en leverde de PRI consequent meerderheden op van meer dan 75 procent, die weer legitimiteit verleenden aan een arbitrair presidentieel bewind. Economische ontwikkeling leidde echter tot een meer verstedelijkte, beter geschoolde en meer diverse samenleving die zich niet meer zo gemakkelijk liet controleren. Eind jaren zestig werd het PRI-regime daarom minder effectief en het studentenverzet in 1968 toonde duidelijk aan dat Mexicanen ook niet-electorale vormen van participatie konden aanwenden. Dit was voor de opeenvolgende presidenten een krachtige stimulans om in te zetten op politieke hervormingen.

GROEIENDE CONCURRENTIE ONDER PARTIJEN

Het Mexicaanse democratiseringsproces volgde voornamelijk een electoraal patroon en werd niet zozeer bepaald door straatprotesten of mobilisatie door vakbonden en andere maatschappelijke organisaties. Dit doet vermoeden dat verkiezingen in autoritaire tijden weliswaar niet bepaalden wie de politieke macht zou krijgen, maar de Mexicaanse bevolking wel kennis lieten maken met de waarden en regels van een democratie. De regering moedigde het bestaan van oppositiepartijen aan die minder breed gedragen opinies vertegenwoordigden. Er waren nooit meer dan vier oppositiepartijen en decennialang waren deze zwak omdat ze geen verweer hadden tegen de nagenoeg onbeperkte middelen van de officiële partij. Hun regelmatige deelname aan de verkiezingen hield de democratische façade op die het Mexicaanse systeem onderscheidde van expliciete dictaturen. Oppositiepartijen functioneerden eerder als kleine belangenorganisaties dan als echte politieke partijen.

Na verloop van tijd wonnen de oppositiepartijen meer terrein bij de verkiezingen. De Partido de Acción Nacional (PAN) was jarenlang de enige echt onafhankelijke politieke organisatie. Een groep vrije beroepers uit de middenklasse — velen van hen betrokken bij katholieke organisaties — stichtte de partij in 1939 in Mexico-Stad als reactie op het radicale beleid van president Lázaro Cárdenas inzake landverdeling en verplicht onderwijs met socialistische inslag. De PAN vertegenwoordigde de conservatieve oppositie tegen de revolutie. De schaarse middelen en de onverbiddelijke vijandigheid van de PRI maakten dat de PAN jarenlang ternauwernood overleefde. Toen de PAN omwille van interne conflicten geen presidentskandidaat naar voren schoof bij de verkiezingen van 1976, werd pijnlijk duidelijk hoe onbetekenend de nagenoeg onbetwiste verkiezingen waren.

Aantredend president López Portillo maakte zich zorgen over het handhaven van zijn politieke legitimiteit en zocht naar methoden om het verzet te kanaliseren. In 1977 introduceerde hij electorale hervormingen die de algemene voorwaarden voor het registreren van partijen versoepelden en de politieke vertegenwoordiging versterkten door minderheidspartijen evenredige vertegenwoordiging te bieden op basis van de nationale verkiezingsuitslagen. In 1979 zetelden er zeven partijen, met inbegrip van de communistische partij, in het congres. Deze hervormingen kwamen er toen militaire dictaturen hun opmars maakten in Zuid-Amerika. Toen Mexico zelf te maken kreeg met jonge guerrillaorganisaties werd democratische legitimiteit een prioriteit voor het regime.

De electorale hervormingen vielen ook samen met sociale ontwikkelingen die reeds lang speelden: verstedelijking, secularisatie en diversificatie van de Mexicaanse samenleving. Deze veranderingen resulteerden politiek gezien in de opkomst van het pluralisme en de eis om de rechten van burgers op lidmaatschap van onafhankelijke organisaties en op politieke participatie te respecteren.

De Partido de Acción Nacional was de eerste partij die de verzwakking van de PRI uitbuitte. In de jaren tachtig profiteerde de PAN van het terugkerende patroon van misstappen van de officiële partij, waarbij crises tot hervormingen leidden en ruimte creëerden voor de oppositie. De eerste crisis was de abrupte onteigening van commerciële banken in september 1982 door de regering van López Portillo, die op enorm verzet van de middenklasse stuitte. In de noordelijke staten Baja California, Sinaloa, Sonora, Durango en Chihuahua wonnen kandidaten van de PAN tussen 1982 en 1985 de lokale verkiezingen. Dit was een duidelijk signaal van de uitholling van de invloed van de PRI bij de welvarende lagen van de Mexicaanse bevolking.

Maar de grootste uitdaging voor de electorale hegemonie van de PRI kwam uit de partij zelf. Toen in 1987 de opvolging van de president aan de orde was, eiste Cuauhtémoc Cárdenas – vooraanstaand PRI-lid, zoon van president Lázaro Cárdenas, en ook voormalig gouverneur van de staat Michoacán, senator en onderminister van Landbouw – transparantie bij de keuze van de presidentskandidaat van de PRI. Die keuze was tot dan toe het prerogatief geweest van de zittende president, maar ditmaal wilden Cárdenas en anderen in de PRI de presidentiële nominatie openstellen voor verschillende kandidaten en ook wilden ze een publiek debat om de koers van de regering te wijzigen. Ze keurden het neoliberale economische beleid van president Miguel de la Madrid af, in het bijzonder de toetreding tot de GATT (Wereldovereenkomst voor Tarieven en Handel, voorloper van de Wereldhandelsorganisatie). Ook verzetten ze zich tegen diens besluit om de overwinning van de PAN bij verscheidene gemeenteraadsverkiezingen te aanvaarden. Critici eisten de terugkeer naar een nationalistisch economisch beleid en de tradities van de Mexicaanse revolutie, die de PRI volgens hen onder president Miguel de la Madrid (1982–1988) had losgelaten.

Cárdenas' oproep sloeg het krachtigst aan in Mexico-Stad, dat op 19 september 1985 getroffen werd door twee zware aardbevingen. Die tragische gebeurtenissen, die minstens tienduizend levens kostten, ontketenden heftige anti-PRI-gevoelens omdat de ramp de regering-De la Madrid leek te verlammen. De bevolking van de hoofdstad wendde zich tot onafhankelijke niet-gouvernementele organisaties en de boodschap van Cárdenas bereikte in Mexico-Stad kiezers die tot dan toe de officiële partij veelal trouw waren gebleven.

Cárdenas werd uit de PRI gezet en in 1987 stichtte hij het Frente Democrático Nacional (FDN), een coalitie die een voorloper zou zijn van de Partido de la Revolución Democrática (PRD), die in 1989 in één organisatie diverse linkse stromingen verenigde.

DE DEMOCRATISERING NA 1987: DE OPKOMST VAN DE PRD

De presidentsverkiezingen van 1988 kenmerkten zich door de verschijning van een nieuwe en geduchte concurrent, het *cardenismo*, georganiseerd binnen het FDN, en door een onverwachte hoge opkomst van onafhankelijke partijen waar de controlemechanismen van de PRI geen vat op hadden.

Cárdenas richtte zijn campagne op traditionele nationalistische thema's. Hij benadrukte de sociale tol van het economische hervormingsbeleid en focuste op armoede en ongelijkheid. Zijn aanhangers spraken van charisma en zijn achternaam was een partijplatform op zich. Hij richtte zich tot de kansarmen en probeerde het monopolie van de PRI op de steun van de lage en middelhoge inkomens te doorbreken. Het FDN was een gevaarlijke bedreiging voor de hegemonie van de officiële partij omdat de erfenis van de revolutie van 1910 de twistappel van deze twee politieke machten vormde.

Ondanks de schaarse middelen won Cárdenas in de laatste twee maanden van de campagne veel meer steun bij het publiek dan alle andere kandidaten. De televisie deed nagenoeg geen verslag van zijn campagne en ook de andere media vermeldden zelden zijn naam, maar zijn achterban groeide.

De definitieve officiële resultaten in 1988 die bij veel waarnemers vraagtekens opriep, gaven Cárdenas 30 procent van de stemmen tegenover 50 procent voor Salinas en 16 procent voor PAN-kandidaat Manuel Clouthier. Slechts 49 procent van de mensen ging stemmen, een erg lage opkomst in vergelijking met de gemanipuleerde uitslagen van voorgaande verkiezingen. Toch was de deelname van een ongekend hoog aantal onafhankelijke groepen voor iedereen duidelijk. Er was sprake van onregelmatigheden en er waren vermoedens van fraude. Veel Mexicanen en ook buitenlandse waarnemers geloofden dat Cárdenas in werkelijkheid een veelvoud van de stemmen had gehaald. Volgens de officiële resultaten won zijn coalitie 108 van de vijfhonderd zetels in het lagerhuis. Cárdenas speelde een beslissende rol in de omvorming van zijn coalitie tot een partij en de positionering van de PRD als belangrijkste linkse partij. De opkomst van de PRD in combinatie met de consolidering van de PAN veranderde het Mexicaanse politieke landschap. Voor het eerst sinds de oprichting in 1946 (als opvolger van eerdere partijen) kreeg de PRI grote concurrentie en slaagde de partij er niet in de gebruikelijke grote meerderheden in het congres te behalen.

In de PRD zaten leden van de voormalige communistische partij en veel ontevreden ex-PRI-leden. Het kostte de nieuwe partij wat tijd zich te voegen naar de regels van de parlementaire politiek en naar de concurrentie met andere partijen. Het bestaan van sterkere en meer diverse oppositiepartijen veranderde echter geleidelijk de relatie tussen de uitvoerende en rechterlijke macht, en maakte de controlemechanismen doeltreffender.

De liberaliserende economische en politieke hervormingen, ingezet door president Salinas en later verder doorgevoerd door president Zedillo, veranderden het land na de verkiezingen van 1988. De economische hervormingen druisten in tegen de traditie van staatsinterventie van de PRI, terwijl de politieke hervormingen de oppositie geleidelijk meer politieke macht gaven. De eerste belangrijke nederlaag die de PRI toegaf was de overwinning van de PAN bij de gouverneursverkiezingen van 1989 in Baja California. De kieswet van 1990, de COFIPE, was de prijs die de PAN eiste in ruil voor Salinas' verkiezing in 1988. Belangrijk hierbij was de oprichting van het federale verkiezingsinstituut IFE, een autonoom en bestendig orgaan met een eigen begroting en secretariaat, dat het electorale proces organiseert en beheert. In 1992 introduceerde het IFE een kiezerspasje met foto dat algauw het belangrijkste en meest betrouwbare officiële identiteitsbewijs voor alle Mexicanen werd.

Het radicale economische hervormingsprogramma van president Salinas stond in schril contrast met zijn bescheiden politieke hervormingen. Het IFE betekende een stap voorwaarts, maar de formule om evenredigevertegenwoordigingszetels toe te wijzen was een stap achteruit. Het bevoordeelde de meerderheidspartij met de invoering van een zogeheten bestuurbaarheidsclausule die de grootste partij in het lagerhuis extra zetels toekende tot deze een absolute meerderheid van 60 procent had. De PAN steunde de constitutionele hervormingen van president Salinas, die zijn afkeer van de PRD duidelijk liet blijken. Tijdens zijn ambtstermijn verkozen Baja California, Chihuahua en Guanajuato PAN-gouverneurs, terwijl duidelijke overwinningen van de PRD nooit werden erkend.

DE VERKIEZINGEN VAN 1994

Ettelijke buitengewone gebeurtenissen in 1994 droegen bij tot een verdere verzwakking van de PRI. In januari verklaarde de slecht georganiseerde boerenbeweging EZLN, het zapatistische nationale bevrijdingsleger of kortweg 'de zapatisten', de oorlog aan de Mexicaanse regering in de zuidelijke staat Chiapas. Ze streden aanvankelijk in naam van het socialisme, maar de nadruk verschoof weldra naar de bescherming van autochtone gemeenschappen en de rechten van de indiaanse bevolking. In maart werd PRI-presidentskandidaat Luis Donaldo Colosio vermoord toen hij campagne voerde in Tijuana, wat een sfeer van onzekerheid creëerde.

Salinas had slechts twee kandidaten in zijn entourage van vernieuwers ter vervanging van Colosio: Pedro Aspe (minister van Financiën) en Ernesto Zedillo, eveneens iemand uit de wereld van de overheidsfinanciën die recentelijk nog had gediend als minister van Begroting en minister van Onderwijs. Aspe kon hij echter niet kiezen omdat presidentskandidaten hun kabinetsfunctie zes maanden voor de verkiezingen moeten neerleggen. Zedillo voldeed wel aan die eis omdat hij de regering had verlaten om Colosio's campagneleider te worden.

Ernesto Zedillo was een atypische presidentskandidaat. Hij stond bekend als een technocraat die gehecht was aan de overheidssector, maar die geen geduld kon opbrengen voor de complexe zigzagbewegingen van de politiek. Hij zou vermoedelijk wel Salinas' economische hervormingen voortzetten, in tegenstelling tot de andere gegadigden voor het presidentschap, zoals PRI-voorzitter Fernando Ortiz Arana en Francisco Rojas (CEO van de staatsoliemaatschappij PEMEX). Salinas verwachtte misschien ook dat Zedillo een zwakke president zou zijn die zijn advies en steun nodig zou hebben.

DE ROL VAN ERNESTO ZEDILLO

Het ongekend hoge aantal van 35 miljoen Mexicanen (78 procent van de geregistreerde kiezers) trok in 1994 naar de stembus. Die grote opkomst was wellicht het gevolg van de mogelijke uitbreiding van het politieke geweld en van belangrijke veranderingen in de stemprocedures. In een reactie op de mogelijke opmars van de zapatistas hadden alle politieke partijen in januari ingestemd met een wetswijziging om de geloofwaardigheid van de verkiezingen te vergroten door de inspraak van de wetgevende macht in het electorale proces ten koste van de uitvoerende macht te versterken. De bestuursleden van het IFE werden daarom vervangen door zes 'burgerbestuurders' die met een tweederdemeerderheid in het lagerhuis werden verkozen uit een door de politieke partijen opgemaakte lijst. De nieuwe kiezerspas met foto droeg ook bij tot het vertrouwen van de kiezers in het proces.

De opluchting bij het aantreden van Ernesto Zedillo was groot. De verkiezingsresultaten waren duidelijk en onbetwist, aanvaard door de oppositie en publieke opinie. Drie presidentskandidaten hadden 92 procent van de stemmen gehaald: Zedillo kreeg 49 procent, Diego Fernández de Cevallos van de PAN 26 procent en Cuauhtémoc Cárdenas 16 procent. In augustus werd PRI-secretaris Francisco Ruiz Massieu doodgeschoten, maar onderzoek toonde aan dat zijn dood verband hield met een persoonlijk conflict. Dit beschadigde het imago van de partij nog verder, maar het politieke geweld was grotendeels verdwenen en de situatie leek zich te normaliseren.

Nog geen drie weken na de inauguratie echter veroorzaakte een abrupte financiële en economische crisis de ineenstorting van de Mexicaanse peso, die in een maand tijd 40 procent van zijn waarde verloor. Begin 1995 schoten de inflatie en de rente omhoog, met een drastische krimp als gevolg. Miljoenen Mexicanen zagen hun spaargeld en beleggingen wegsmelten en velen waren niet meer in staat hun leningen af te lossen. Dit deed veel Mexicanen denken aan de crisis van 1982 en opnieuw hielden ze de PRI verantwoordelijk. Niet alleen hekelden ze de partij als corrupt en antidemocratisch, maar ook als incompetent. De economie herstelde zich betrekkelijk snel, deels dankzij een door president Clinton goedgekeurde noodlening van de VS, maar het onheil was geschied, zoals zou blijken uit de tussentijdse federale verkiezingen van 1997.

In deze complexe politieke context moest Zedillo ook de polariserende effecten van de ambitieuze economische hervormingen van Carlos Salinas aanpakken, die de fundamenten van het traditionele economische nationalisme had aangetast. Salinas had de Noord-Amerikaanse Vrijhandelsovereenkomst (NAFTA) met de VS getekend, veel sectoren geprivatiseerd en twee heilige huisjes van de Mexicaanse revolutie hervormd: hij maakte een einde aan de *ejido*, een vorm van collectief grondbezit, en wijzigde de antiklerikale artikelen in de grondwet. De breuk met het verleden die hieruit sprak, vervreemdde veel PRI-getrouwen van hun partij. Deel van Salinas' erfenis aan Zedillo was het antagonisme tussen de partij en de regeringselite. Tussen beiden groeide ook een persoonlijke vijandschap, vooral toen Zedillo de broer van de voormalige president liet arresteren op verdenking van corruptie en betrokkenheid bij de moord op Ruiz Massieu.

Het doel van Zedillo's politieke agenda was de bewerkstelliging van normale democratische waarden: inperking van de presidentiële macht, een minder hechte band tussen het presidentschap en de PRI, en een efficiënt systeem van controlemechanismen. Meteen na zijn aantreden in december 1994 stuurde hij een grondwetswijziging naar het congres die beoogde het aantal rechters bij het hooggerechtshof te verlagen, het verkiezingsproces voor rechters te veranderen en hun ambtstermijnen aan te passen teneinde onafhankelijkheid van de rechterlijke macht te waarborgen. President Zedillo's politieke project richtte zich ook op het stimuleren van electorale concurrentie met maatregelen op het vlak van campagnefinanciering en toegang tot de media.

Zedillo verklaarde dat voortaan een gezonde afstand de PRI van de regering zou scheiden. Dat betekende in de praktijk dat de partij geen bevoorrechte toegang meer genoot tot de president en niet meer zou beschikken over staatsmiddelen om haar dominantie te handhaven. Zedillo ijverde voor een democratisch presidentschap strikt conform de grondwet.

De relatie tussen de regering en de PRI werd van 1994 tot 2000 gekenmerkt door spanningen en wederzijds wantrouwen. De nieuwe president leek ideologisch zelfs nog feller in te zetten op economische hervormingen dan Salinas. In zijn ogen was de rechtstreekse bemoeienis van de staat met de economie een bron van corruptie en lage productiviteit. Daarom verkoos hij wet- en regelgeving in plaats van directe overheidsinterventie. Van het begin af aan toonde Zedillo weinig vertrouwen te hebben in de PRI. Zo benoemde hij een actieve voorman van de PAN als de procureur-generaal die het onderzoek naar de moord op Colosio moest leiden. De relatie tussen de president en de PRI-elite was ook gespannen doordat Zedillo veel moeite deed om een dialoog op te zetten met de PRD in plaats van die partij te desavoueren, zoals Salinas deed. Anderzijds verwachtte president Zedillo wel discipline en steun van de PRI-leden. Hun stem in het congres stelde hem in staat het pijnlijke stabiliseringsprogramma in te voeren dat de crisis van 1994–1995 moest keren. De partij gaf Zedillo ook de steun die hij nodig had om het economische hervormingsproces voort te zetten.

Zedillo zette de PRI buitenspel en onderhandelde met de oppositiepartijen over zijn politieke programma. In 1996 steunde hij een nieuwe hervorming van het kiesstelsel om de autonomie van de kiesautoriteiten te versterken. De bestuursraad van het IFE bestond nu uit acht leden en de minister van Binnenlandse Zaken zou als voorzitter worden vervangen door een 'vertegenwoordiger van het maatschappelijk middenveld', verkozen door het lagerhuis op voordracht van de politieke partijen. Die wijziging had ook invloed op de verhouding tussen de publieke en particuliere financiering van verkiezingscampagnes en maakte dat het kiestribunaal onderdeel werd van de rechterlijke en niet meer van de uitvoerende macht.

Bij de federale verkiezingen van 1997, die over het algemeen golden als eerlijk, wonnen de PAN en de PRD samen een meerderheid van 247 vertegenwoordigers in het lagerhuis, tegenover 239 voor de PRI. Cuauhtémoc Cárdenas werd de eerste verkozen burgemeester van Mexico-Stad en de PRD won een meerderheid in de gemeenteraad. Dat was een strategische nederlaag voor de PRI, aangezien alle economische, financiële, politieke en culturele middelen van het land geconcentreerd waren in de hoofdstad.

Tussen 1994 en 2000 won de PRD ook de gouverneursverkiezingen in Baja California Sur, Tlaxcala en Zacatecas, terwijl de PAN Jalisco, Aguascalientes, Querétaro en Nuevo León won en Baja California en Guanajuato behield. De politieke kaart werd uitgebreid met partijcoalities waarin ook kleine linkse partijen zoals de Partido del Trabajo en de groenen van de Partido Verde Ecologista de México waren opgenomen.

De hervormingsijver van de president stak ook de PRI aan. De partij koos haar kandidaat voor de presidentsverkiezingen van 2000 voor het eerst via interne voorverkiezingen waarbij Zedillo nauwelijks betrokken was. Francisco Labastida, voormalig minister van Energie en gouverneur van Sinaloa, werd in december 1999 genomineerd als de officiële PRI-kandidaat, maar lag toen al ver achter op Vicente Fox — de ex-gouverneur van Guanajuato had al een jaar campagne gevoerd namens de PAN en was enorm populair. Fox stond voor verandering en sprak een breed kiezerspubliek aan.

Op de avond van de presidentsverkiezingen van juli 2000 maakte de voorzitter van het IFE op de nationale televisie bekend — uitgaande van extrapolaties en voorzichtige prognoses — dat Fox de verkiezingen had gewonnen. President Zedillo feliciteerde de nieuwgekozen president onmiddellijk, nog voor Labastida zijn nederlaag had erkend.

Vandaag de dag kent Mexico een democratisch meerpartijenstelsel waarbij presidenten, leden van het congres, gouverneurs en burgemeesters worden verkozen in vrije en eerlijke verkiezingen die onafhankelijk, professioneel en eerlijk worden geleid. Een afwisseling van de macht tussen partijen komt voor op alle bestuursniveaus. In 2012 leverde de PRI weer de president na twee termijnen van PAN-presidenten: Fox (2000–2006) en Felipe Calderón (2006–2012).

Om te regeren moet de president onderhandelen met min of meer onafhankelijke machtscentra in het congres, de deelstaten en de gemeenten. Belangrijke particuliere machtscentra — waaronder grote (en vaak oligopolistische) ondernemingen, belangenorganisaties, vakbonden, mediareuzen en misdaadkartels — maken het regeerproces zeer complex, al beschikt Mexico nu wel over een almaar efficiënter systeem van *checks and balances*, van ingebouwde controlemechanismen.

Er moet nog veel gebeuren om de Mexicaanse democratie verder uit te bouwen en te versterken. De drie grootste partijen zijn formeel overeengekomen grote politieke hervormingen door te voeren. Momenteel liggen er voorstellen op tafel om onafhankelijke kandidaten en volksraadplegingen toe te laten; politieke partijen, campagnefinanciering en regeringspropaganda aan regels te binden; een tweede ronde in te voeren bij presidentsverkiezingen; en de vorming van coalitieregeringen te vergemakkelijken. Wat het uiteindelijke resultaat ook zal zijn, deze onderhandelingen illustreren dat de democratie in het huidige Mexico steeds energieker wordt.

BIOGRAFISCHE SCHETS VAN ERNESTO ZEDILLO, PRESIDENT VAN MEXICO (1994-2000)

Ernesto Zedillo zat op school in Mexicali nabij de Mexicaans-Texaanse grens, haalde een bachelor aan het Nationaal Polytechnisch Instituut in Mexico-Stad en won een beurs voor Yale University, waar hij promoveerde in de economie en contact legde met leden van de Mexicaanse elite die daar ook studeerden. Na zijn terugkeer in Mexico was Zedillo eerst leraar en belandde toen in de overheidsfinanciën. Hij verwierf de reputatie van een technisch zeer competente, maar politiek niet zo actieve persoon. Onder het presidentschap van Carlos Salinas de Gortari (1988–1994) was hij minister van Begroting en Planning en daarna minister van Onderwijs. Hij nam begin 1994 ontslag om campagneleider te worden van de eveneens uit het noorden van Mexico afkomstige presidentskandidaat Luis Donaldo Colosio. Toen Colosio tijdens de campagne werd vermoord, was Zedillo het enige lid op kabinetsniveau van de heersende PRI dat zich verkiesbaar kon stellen, aangezien de Mexicaanse wet vereist dat kabinetsleden ettelijke maanden voor de verkiezingscampagnes hun functie neerleggen.

In augustus 1994, bij de verkiezingen met de hoogste opkomst ooit in de Mexicaanse geschiedenis, werd Zedillo verkozen als president. Zedillo wilde van Mexico een 'normale democratie' maken en stelde hervormingen voor om de rechterlijke macht en het congres meer macht te geven, om de regering van de PRI los te weken en onafhankelijke kiesinstanties te versterken. Ondanks een zware economische crisis die luttele weken na zijn inauguratie uitbrak, voerde Zedillo hervormingen door met betrekking tot campagnefinanciering en toegang tot de media, en accepteerde hij de zeggenschap van de oppositie in Mexico-Stad en in het nationaal congres. Hij riep op tot een 'gezonde afstand' tussen de regering en de PRI, en stuurde aan op de eerste interne voorverkiezingen van de partij om de presidentskandidaat aan te duiden. Het besluit van zijn regering om Raúl Salinas, de broer van de voormalige president, te vervolgen, betekende het einde van het precedent van straffeloosheid voor ex-presidenten en hun naaste familieleden. De regering-Zedillo versterkte ook de liberalisering van de Mexicaanse economie, ingezet door De la Madrid en versneld door Salinas, en introduceerde het innovatieve en resultaatgerichte armoedeverlichtingsprogramma Progreso, dat onder meer voorzag in voorwaardelijke uitkeringen.

De avond na de verkiezingen van 2000 feliciteerde Zedillo oppositiekandidaat Vicente Fox als nieuwgekozen president, nog voordat de PRI-kandidaat de handdoek in de ring had geworpen. Zedillo heeft zijn loopbaan buiten Mexico vervolgd als directeur van het Center for the Study of Globalisation van Yale University, en hij zetelt in de raad van bestuur van een aantal ondernemingen, stichtingen en adviesorganen.

INTERVIEW MET PRESIDENT ERNESTO ZEDILLO

HET SYSTEEM VAN BINNENUIT HERVORMEN

Wat kunnen leiders die de democratie in andere landen willen bevorderen leren van de geleidelijke democratisering in Mexico?

Eerst en vooral moet je een onderscheid maken tussen het proces in Mexico en de overgang van andere landen van een volledig autoritair regime naar een opener of democratischer bewind. Zo'n volstrekt autoritair regime kende Mexico niet; ons land had een formele democratie. Er vonden al jaren periodieke verkiezingen plaats en er waren bepaalde regels in voege voor politieke concurrentie. Toen ik president werd, hadden er al oppositieleden functies bezet op andere regeringsniveaus en zeker ook in het congres, en er waren stappen gezet voor een geleidelijke hervorming van het kiesstelsel om de deelname aan de macht van andere partijen dan de PRI mogelijk te maken. In mijn ogen was dat een nuttig leerproces.

Voor sommigen vorderde het proces te langzaam, voor anderen ging het te snel. In mijn ogen duurde het te lang. De bevolking was al een tijd klaar voor volledige democratie. De grote uitdaging voor mij, en voor alle politieke actoren, was het tempo opvoeren om de basis voor een competitieve, moderne en volledige democratie te leggen.

Een van de eerste dingen die ik tegen mijn collega's in de PRI zei na de verkiezingen van 1994 was dat deze verkiezingen op zich netjes en volgens de wet waren verlopen, dat we de regels hadden gevolgd en dat de stemmen correct waren geteld. De verkiezingen waren echter niet *eerlijk* geweest, omdat de voorwaarden voor politieke concurrentie in Mexico nog niet eerlijk waren.

Ik kon me die opmerkingen permitteren omdat mijn legitimiteit buiten kijf stond; de partij had goed gepresteerd, niet alleen bij de presidentsverkiezingen, maar ook bij die voor het congres. De partij stond open voor mijn boodschap. Niemand zei me dat ik het mis had en het uitblijven van negatieve reacties van partijleden op dat moment motiveerde me. Ik had het gevoel dat we nog meer stappen vooruit konden zetten.

De dag dat ik aantrad als president maakte ik bekend van plan te zijn met alle politieke partijen te werken aan wat ik 'democratische normaliteit' noemde. Het land moest een normale democratie vestigen met doeltreffende controlemechanismen. En zo'n proces is alleen langs democratische weg te realiseren.

Al jaren vreesden ik en vele anderen dat het uitblijven van een ordelijk proces voor meer openheid en meer politieke concurrentie ertoe zou leiden dat de bevolking dit op een chaotische en wanordelijke manier zou eisen, wat op de korte termijn schadelijk zou zijn voor het land en zeker voor de PRI – voor de partij zou het zelfs de doodsteek kunnen betekenen.

Die gedachte speelde dus al lang bij mij en nog krachtiger bij anderen. Door de gebeurtenissen in Oost-Europa eind jaren tachtig beseften we bovendien dat we dit proces zelf ter hand moesten nemen in plaats van de zaken op hun beloop te laten. Verzet bieden tegen meer democratie zou fout zijn omdat het vroeg of laat onmogelijk zou zijn, gezien de economische ontwikkeling die Mexico doormaakte, om een autocratie te handhaven met een alerte en veeleisende bevolking die al een democratisch bestel verlangde.

Veertig of vijftig jaar geleden was democratie nog geen wijdverspreide eis onder de bevolking, maar twintig of vijfentwintig jaar geleden werden de mensen zich bewuster van de situatie en begonnen ze politieke vrijheid, participatie, vertegenwoordiging en democratie te eisen.

Iedereen uitte het anders, maar in wezen kwam het daar wel op neer. Dat was de teneur: waarom hebben we geen democratie als wij erin geloven, het volk er klaar voor is en we politieke partijen hebben gevormd? Het grote verschil tussen Mexico en andere landen die dergelijke veranderingen hebben meegemaakt, is volgens mij dat de regering begreep dat ze er deel van moest uitmaken. We mochten geen obstakel vormen, maar moesten er met onze politieke en intellectuele capaciteiten juist voor zorgen dat het democratiseringsproces ordelijk zou verlopen en in lijn met wat het land nodig had.

Ongetwijfeld waren er mensen die begrepen dat de PRI op de een of andere manier moest reageren op de roep om meer democratie, maar toch wilden dat de PRI de touwtjes in handen hield. U zegt dat u niet alleen de druk wilde weerstaan en tegelijkertijd de dominantie van de PRI wilde handhaven, maar ook daadwerkelijk het politieke systeem wilde openstellen. Dat zijn twee nogal verschillende posities. Kunt u het proces beschrijven waarbij u en het Mexicaanse politieke leiderschap (in de PRI en daarbuiten) van het ene standpunt overstapten naar het andere?

Er leefden binnen de partij zeker verschillende ideeën over wat de opbouw van een echte, doeltreffende en normale democratie destijds betekende in Mexico. Natuurlijk had je mensen die zich zorgen maakten, die zich afvroegen wat het doel was, zeker nadat we de verkiezingen afgetekend hadden gewonnen en dus geen legitimiteitsprobleem hadden, in tegenstelling tot wat in het verleden soms wel het geval was geweest. En misschien waren er ook mensen die vonden dat we de druk moesten verlichten, dingen moesten veranderen zodat alles bij het oude zou blijven. Toch waren er ook velen die geen bezwaren hadden en zich op het standpunt stelden dat de partij alles in huis had om de democratische strijd aan te gaan en te winnen. Er heerste vertrouwen dat niet alleen het land, maar ook de PRI klaar was om het spel te spelen volgens nieuwe spelregels. Ik had het presidentschap gewonnen en had daarom naar mijn mening niet alleen de verantwoordelijkheid, maar ook het recht om deze moderne stroming binnen de partij te vertegenwoordigen. Het was niet traumatisch voor het land of de PRI omdat er mensen in de partij waren die het daarmee eens waren, hoewel sommigen dat niet wilden toegeven.

Je hoort wel beweren dat de PRI de belangrijkste tegenstander zou zijn geweest van de democratie die zich in de jaren tachtig en negentig in Mexico ontwikkelde. De PRI maakte echter integraal deel uit van dat proces, speelde een actieve rol en verdient daarvoor erkenning, net zoals andere partijen erkenning kregen voor hun bijdrage en ook de burgerbewegingen, die een belangrijke rol vertolkten.

SOCIALE MOBILISATIE

Welke rol speelden maatschappelijke organisaties die aanstuurden op meer democratische openheid?

Als je vraagt naar een specifiek moment waarop een groep burgers — sommigen onder hen nog heel jong — krachtig, zij het niet per se concreet, aangaf dat er onvrede heerste over het Mexicaanse politieke systeem, dan zou ik zeggen: 1968. Helaas werden die studentenprotesten door de staatsveiligheid met geweld de kop ingedrukt.

Geen enkele politieke partij, officieel erkend of niet, koos in 1968 de zijde van de studenten, met uitzondering van een paar activisten van de verboden communistische partij. Dus je zou kunnen beweren dat dit de eerste burgerbeweging was die de werking van het politieke systeem ter discussie stelde.

Zoals veel andere gebeurtenissen in de Koude Oorlog werd een beweging als deze, bekeken door de bril van die tijd en vanuit een visie die ik kortzichtig zou noemen, in een kwaad daglicht gesteld. Helaas trad de regering op alsof het studentenprotest van 1968 een van de vele bewegingen in die tijd was die ze zag als een bedreiging, als iets waarachter duistere krachten van gene zijde van het IJzeren Gordijn schuilgingen. Sommigen wilden dat als een ernstig risico zien en gebruikten dat argument om deelname van nieuwe politieke actoren in Mexico tegen te houden.

Er waren wellicht leden van die beweging wier hart inderdaad aan de andere kant van het IJzeren Gordijn lag, maar fundamenteel stond deze beweging voor vrijheid. De studenten verzetten zich tegen het autoritarisme en de verdrukking. Het was een jongerenbeweging en als jonge mensen dingen doen, moet je geen afgewogen formuleringen of ragfijne ideologische standpunten verwachten. Het zou beter zijn geweest als ze tegen de regering hadden gezegd dat ze meer democratie wilden, maar ik denk dat die eis onderliggend wel duidelijk was, net als de vraag waarom ze niet mochten participeren, waarom ze hun mening niet konden uiten, waarom ze het stempel van communisten kregen opgeplakt als ze de straat op gingen en ervan werden beschuldigd samen te zweren tegen de stabiliteit van het land.

In werkelijkheid was dit een beweging voor politieke vrijheid en ik ben ervan overtuigd dat de democratische structuur in Mexico inderdaad ontstond uit een burgerbeweging, de studentenbeweging van 1968.

Jarenlang gold algemeen de bewering dat de studentenbeweging gefaald had omdat die onderdrukt werd, omdat ze tot weinig concreets had geleid wat betreft hun eisen en ook omdat hun optreden gepaard ging met een hoge menselijke, sociale en waarschijnlijk ook politieke tol. Vijfenveertig jaar na de opkomst van de beweging in juli 1968 durf ik te zeggen dat ze al met al wél is geslaagd. Ik hoop dat dat ooit wordt erkend. Ikzelf studeerde destijds aan de polytechnische universiteit in Mexico-Stad. Ik was piepjong, amper zestien.

Heeft deze politieke gebeurtenis uw leven beïnvloed?

Beslist. Op de middelbare school, toen ik een jaar of vijftien was, hield ik me al bezig met schoolpolitiek. Ik merkte dat we op school geen eerlijke verkiezingen konden houden omdat kandidaten werden gefinancierd door mensen die anoniem bleven. Dat was in 1967.

We namen ooit deel en meenden gewonnen te hebben, maar ontdekten toen dat er niet correct was geteld. We kwamen dus als verliezers uit de strijd, al wisten we zeker dat we gewonnen hadden. We dachten veel meer te bieden te hebben dan onze tegenstanders. Toen de studentenbeweging op gang kwam en de regering reageerde zoals ze deed, was dat voor mij de bevestiging dat er iets helemaal mis was. En wat de regering over hen zei, strookte volstrekt niet met wat ik met mijn eigen ogen kon zien. Mijn medestudenten waren gewoon mensen die een opleiding volgden en die zich wilden uiten zoals we ons konden uitspreken over andere aspecten van ons leven, over onze voorkeur voor bepaalde muziek of literatuur, over onze persoonlijke relaties. Maar er heerste een totaal repressief klimaat. Wat echter nog het meest pijn deed, was het politieke aspect. Politieke verdrukking gaat normaliter samen met manipulatie en geweld. In 1968 was dat niet anders.

Er verstreek geruime tijd tussen het studentenprotest van 1968 en de eerste zichtbare politieke veranderingen onder president José López Portillo. Is er eigenlijk vooruitgang geboekt tussen 1968 en 1978?

Weinig. En ik denk dat die lange tijdsspanne dat gevoel van mislukking, dat de acties niets hadden opgebracht, mede heeft gevoed. De studentenbeweging heeft in mijn ogen het idee doen postvatten binnen het systeem dat er iets moest gebeuren. Het is geen toeval dat Jesús Reyes-Heroles, directeur van staatsoliemaatschappij PEMEX, een van de mensen binnen de regering was die een andere, zelfs dissidente mening had over het optreden van de regering tijdens de studentenprotesten destijds. Een paar jaar later werd diezelfde Reyes-Heroles minister van Binnenlandse Zaken en was hij namens president López Portillo dé pleitbezorger van de federale wet op politieke organisaties en electorale procedures. U ziet het: mijn hypothese over de relatie tussen 1968 en de politieke vooruitgang in Mexico steunt op meer dan één bewijs.

POLITIEKE PARTIJEN

Was er druk vanuit andere maatschappelijke geledingen dan de studenten?

Dat denk ik wel, maar druk kwam er ook vanuit dc partijen, binnen en buiten de PRI. Ik kan de verdienste van de PAN, die bijna even oud is als de PRI, niet ontkennen. De PAN speelde altijd volgens de regels — de precaire regels van de formeel bestaande, maar duidelijk onvolmaakte democratie — en een van hun krachtlijnen is consequent de eis van meer democratie geweest. Dat deden ze altijd op een beschaafde manier. Ze hebben steevast participatie aangemoedigd. We mogen de rol van de partijen naast de PRI niet bagatelliseren. Ik kan niet zeggen dat de communistische partij in democratie geloofde, omdat dat voor hen geen principekwestie was, maar links is een ander verhaal. Links deed er iets langer over om een formeel standpunt ten gunste van democratisering in te nemen, maar ik durf te zeggen dat ze even bepalend waren als de andere politieke actoren (en soms zelfs meer) omdat ze zich belangrijke inspanningen getroostten. In 1968 lag het hart van de meeste studenten bij links.

De studenten zeiden niet dat de beweging op de leest van de Sovjet-Unie moest zijn geschoeid, maar dat ze vrijheid wilden en geen repressieve regering. Ze wilden een regering die naar hen luisterde.

Waar situeert u de Partido de la Revolución Democrática, de PRD, in deze context?

De PRD zelf bestond nog niet en werd pas in 1989 opgericht. Na de eerste democratische hervorming door president López Portillo kwamen er een aantal linkse partijen met historische leiders, zoals de partij onder aanvoering van Heberto Castillo. Eerst vormden zich groepen, die later politieke partijen werden. Je had de erfgenamen van de vrij orthodoxe linkervleugel die de eerder opgerichte Partido Popular Socialista volgden. Eind jaren tachtig creëerde een groep dissidenten uit mijn partij een front, het Frente Democrático Nacional, om deel te nemen aan de verkiezingen. Andere groepen en een aantal linkse partijen sloten zich bij dat front aan. Uiteindelijk leidde dit tot de oprichting van de PRD. Maar eigenlijk komen de tot nu toe belangrijkste figuren van de PRD uit de PRI, en dan nog wel van de meest conservatieve vleugel van de PRI, zeker wat betreft het economische beleid. In de PRD zitten mensen die altijd actief zijn geweest voor links. Er zitten mensen in uit de beweging van 1968, mensen die ten tijde van de eerste belangrijke politieke hervormingen onder López Portillo betrokken waren bij de oprichting van politieke partijen en die nog altijd actief zijn in hun partij. Die mensen verdienen oprechte erkenning.

INTERNATIONALE CONTEXT

Een van de belangrijke gebeurtenissen van 1968 op mondiaal niveau was de Sovjetinterventie in Tsjecho-Slowakije. Die inval heeft veel aanhangers van links diep geschokt. Heeft dit incident ook invloed gehad op links in Mexico?

Ik vermoed van wel, maar ik stond niet dicht bij de leiders, daarvoor was ik te jong. Ik weet nog wel heel goed dat we tijdens de Praagse Lente bijeenkomsten hadden op mijn school. Van een van die bijeenkomsten herinner ik me nog de sfeer van enthousiasme en geluk. Er klonken toen twee standpunten. Sommigen zeiden: 'Zie je wel, de Russen zijn niet zo slecht als wordt beweerd; ze laten dit toe.' Anderen verzuchtten: 'Hè hè, eindelijk doen de Tsjechen iets.'

Toen volgde de repressie. Ik weet niet wat degenen voelden die de Praagse Lente gebruikten om te zeggen dat de Russen niet zo slecht waren als de Amerikanen of veel mensen hier in Mexico wilden doen geloven. Ik denk liever — al heb ik daar geen bewijzen voor — dat de gebeurtenissen in Praag een aantal collega's toch meer heeft doen nadenken over wat het Sovjetregime vertegenwoordigde.

HET KIESSTELSEL

Welke andere belangrijke politieke veranderingen kregen na de termijn van López Portillo hun beslag tijdens uw presidentschap?

Onder president Miguel de la Madrid, tussen 1982 en 1988, vond er nog een belangrijke hervorming plaats. Het aantal zetels dat in het congres werd verdeeld volgens het principe van de evenredige vertegenwoordiging ging in 1986 omhoog, waardoor minderheden beter vertegenwoordigd waren. We kozen voor een conventioneel systeem van evenredige vertegenwoordiging en onder president Carlos Salinas (1988–1994) werden nog meer stappen gezet, vooral met betrekking tot de organisatie van de verkiezingen. We richtten een gespecialiseerd kiesorgaan op om de professionele organisatie van de verkiezingen te waarborgen en legden een aantal andere belangrijke zaken bij wet vast. Naar mijn mening waren er echter kansen te over om een nog beter systeem te ontwikkelen.

DE ROL VAN MAATSCHAPPELIJKE KRACHTEN

In veel landen heeft het intellectuele establishment—professoren, commentatoren, essayisten en de Kerk—altijd de neiging om voorop te lopen. Zij begrepen de noodzaak van een meer open systeem. Is het correct te stellen dat de intellectuelen in Mexico daarentegen meestal het oude systeem verdedigden?

Dat zou je kunnen zeggen, maar anderzijds hebben of hadden we ook intellectuelen die ver voorop liepen. Octavio Paz is wel het beste voorbeeld. Hij besefte in de jaren vijftig precies wat er gebeurde in de Sovjet-Unie. Hij formuleerde zijn standpunt, liet het rijpen en drukte zich uit. In de jaren zestig verwoordde hij duidelijk de noodzaak en hoogdringendheid van echte democratie in het land. In de jaren zeventig en tachtig werd hij nog actiever.

Een aantal gerespecteerde intellectuelen was inderdaad terughoudender met het formuleren van de eis voor meer democratie. Zij waren meer geïnteresseerd in sociale gerechtigheid. Ze verwierpen het autoritarisme, maar het duurde een tijd voordat ook zij zeiden dat het zaak was om tot echte democratie te komen.

Ik zal niet voor hen spreken, maar ik vermoed dat ze ergens nog hoopten dat we een rechtvaardige samenleving konden opbouwen, los van de vraag of die democratisch was of niet. Het Cuba-model was destijds voor velen aantrekkelijk. Ik denk dat dat onderdeel was van het probleem. Als we het vandaag over Cuba hebben, zien wij dat als een mislukt project—zeker degenen onder ons die het proberen te begrijpen—dat het Cubaanse volk geen sociale gerechtigheid, vooruitgang of welzijn heeft gebracht. Maar veertig jaar geleden heerste nog altijd de gedachte dat er ginds iets positiefs gaande was. Dat gold niet alleen voor Cuba. Er waren andere gevallen. Sommigen beweerden dat niet democratie, maar sociale gerechtigheid het belangrijkste was en dat remde volgens mij sommigen af. Ze zijn uiteindelijk wel op een positieve manier overstag gegaan en velen van hen hebben meegewerkt aan het intellectuele fundament van het Mexico van nu.

PRIORITEITEN STELLEN BIJ HERVORMINGEN

Tijdens uw presidentschap hebben we een heel pakket initiatieven gezien met onder meer hervormingen van justitie en van het kiesstelsel, veranderingen binnen de kiestribunalen, een grondwetswijziging voor de verkiezingen van de gouverneur van Mexico-Stad, versterking van de wetgevende macht en de beperking van de discretionaire financiële bevoegdheid van de president. Sommigen beweerden dat die initiatieven deel uitmaakten van een trend en op langere termijn sowieso tot stand zouden zijn gekomen. Ervaringen elders in de wereld leren echter dat bepaalde cruciale hervormingen vaak uitblijven als leiders niet echt het heft in handen nemen. Paste u zich geleidelijk aan de problemen aan of waren deze hervormingen op voorhand gepland en gecoördineerd?

Je hoefde geen genie te zijn om te weten welke stappen er moesten worden gezet, zelfs na het winnen van de verkiezingen met meer dan 50 procent van de stemmen en een opkomst die in jaren niet zo hoog was geweest. Want ook al steeg de opkomst voortdurend, toch duurde het nog achttien jaar voor een kandidaat meer stemmen kreeg dan wij in 1994. Ik had dus geen probleem met legitimiteit; niemand zei dat de verkiezingen niet wettelijk waren verlopen, of iets van dien aard.

Toch was het duidelijk dat er minstens drie problemen waren — soms reëel, maar ook wel meer in de perceptie van de mensen. Het eerste probleem was gelijke voorwaarden voor politieke mededinging. Als je de hervormingen van vóór de hervorming van 1996 analyseert, blijkt duidelijk dat de PRI in vergelijking met de andere partijen flink bevoordeeld was op het vlak van financiering, toegang tot de media en transparantie over de bij politieke campagnes ingezette middelen. Dat bleef een heet hangijzer in de Mexicaanse democratie.

Er moet toch verzet binnen de PRI zijn geweest tegen deze verandering?

Natuurlijk was er weerstand, maar die was nooit sterk genoeg om een akkoord tegen te houden of om iemand er in die maanden toe te bewegen op te staan en te zeggen dat we dit niet moesten doen. De PRI had een meerderheid in het congres en de PRI steunde de hervorming. Ik weet dat sommige mensen beweren dat er binnen de PRI leden waren die hier niet positief tegenover stonden, maar de meerderheid was voor, was present en keurde de hervorming in 1996 goed. Het gebeurde niet allemaal tegelijkertijd. Er waren stappen gezet en nog meer stappen te nemen. De vraag is of we die stappen eerder hadden kunnen zetten. Zelf had ik graag gezien dat het allemaal twintig jaar eerder was gebeurd, maar aangezien dat niet zo was, was het op dat moment de hoogste tijd.

HET KIESSTELSEL

De andere factor was duidelijkheid over een correcte stemmentelling. We hadden op dat moment een degelijk kiesstelsel dankzij hervormingen die voor mijn ambtstermijn waren doorgevoerd. Toch schuilde er nog een erfzonde in dat systeem, namelijk dat het kiesorgaan nog steeds onder het gezag van de uitvoerende macht stond. In een land met een historisch wantrouwen tegenover verkiezingen, met een partij die al zo lang aan de macht was, zou een kiesorgaan dat officieel onder de federale uitvoerende macht ressorteerde dat wantrouwen nooit echt kunnen wegwerken. Je hoefde geen genie te zijn om te beseffen dat we een orgaan van de Mexicaanse staat moesten oprichten — dus niet een orgaan van burgers buiten de staat — dat echt onafhankelijk was van de uitvoerende en wetgevende macht. Daarin moesten mensen zetelen die enerzijds de steun genoten van de partijen en anderzijds bekendstonden als rechtschapen. De kans dat mensen hun optreden ter discussie zouden stellen, werd zo veel kleiner. Zo'n structuur zou er ook voor zorgen dat de staat voldoende middelen ter beschikking stelde om dat kiescollege in staat te stellen zijn werk te doen.

De andere vraag was: wie bepaalt de rechtsgeldigheid van het proces? En ook: wie moet er oordelen bij geschillen? Onder het oude systeem beoordeelde het congres de verkiezingen. Maar daar was duidelijk sprake van een belangenconflict aangezien de partijen vertegenwoordigd zijn in het congres, de plek waar de grootste partijen het voor het zeggen hebben en de agenda bepalen. Het congres vragen om zich uit te spreken over verkiezingen was in mijn ogen absurd.

HERVORMING VAN JUSTITIE

U had het over gerechtelijke hervorming. De tweede dag van mijn ambtstermijn sprak ik de natie toe. Als we een balans wilden vinden tussen de drie machten en gerechtigheid wilden in Mexico, dan moesten we de rechterlijke macht diepgaand hervormen en echt onafhankelijk maken. Er was meer nodig dan dat, zei ik, maar dit was een heel belangrijk onderdeel.

De hervorming kreeg zijn beslag in de allereerste maand van mijn ambtstermijn en werd aangenomen met de steun van alle partijen. Binnen een paar weken na het indienen van het voorstel hadden we de federale rechterlijke macht versterkt ten dienste van de burgers en — je zou de vooruitgang moeten evalueren — zo dat de rechterlijke macht zichzelf zou besturen en superviseren. De beslissing over de rechtsgeldigheid van de verkiezingen moesten we ook in handen van de rechterlijke macht leggen, en wel bij een gespecialiseerde rechtbank. Mij leek het belangrijk om in die richting verder te werken. Dit waren geen geïsoleerde acties en alles diende zich snel aan, niet alleen op initiatief van de president maar ook op initiatief van de partijen.

EEN COALITIE BOUWEN OM TE HERVORMEN

Van het begin af aan waren de ambities en grote lijnen van de hervormingen duidelijk. Er volgden achttien moeilijke maanden met veel onderbrekingen, omdat we bij onze inspanningen voor die politieke hervormingen ook nog een ernstige economische crisis het hoofd moesten bieden. En daarbij verliepen de verkiezingen nog volgens het oude systeem. Het was begrijpelijk, maar heel ongelukkig dat politieke partijen steeds weer excuses aanvoerden om de onderhandelingstafel te verlaten.

Het kostte ons anderhalf jaar om de onderhandelingen af te ronden over deze veranderingen die zo voor de hand leken te liggen, omdat het land een moeilijke tijd doormaakte. Het onderhandelingsproces over belangrijke politieke hervormingen werd echter vaak gegijzeld door onbeduidende belangen. Ik moest dus knokken om vooruitgang te blijven boeken op het vlak van de politieke hervormingen.

Ik herinner me nog dat een van de belangrijkste partijen van tafel liep omdat er een geschil was over verkiezingen in een gemeente in de deelstaat Puebla. Ze beschuldigden de gouverneur ervan bij de verkiezingen te hebben ingegrepen en als we onderhandelden over de grote politieke hervormingen, zeiden ze, dan moesten we eerst dat probleem oplossen, om dergelijke situaties te voorkomen of ze op een heldere, open manier tot een goed einde te brengen. Als je de tafel verlaat voor dit soort controversen, tja, dan krijg je die problemen nooit opgelost. Ze schoven weer aan en uiteindelijk tekenden we anderhalf jaar later een belangrijk politiek akkoord dat vervolgens in grondwettelijke en statutaire hervormingen werd vertaald en ons een juridisch en institutioneel raamwerk bood voor de verkiezingen van 1997 en 2000.

Het is belangrijk een controlemechanisme voor de verkiezingen te hebben dat voorkomt dat er problemen qua geloofwaardigheid ontstaan. Maar er is nog iets: voor een democratie heb je democraten nodig en op dat vlak scoren we naar mijn mening nog slecht in Mexico. Ondanks solide instellingen die de verkiezingen organiseren, observeren en beoordelen, ontstaan er nog vaak enorme geschillen. Als mensen zich echter afvragen wat er is gebeurd, of de instellingen hebben gefaald, dan antwoord ik dat het tegendeel het geval is. Ware het niet voor deze instellingen, dan zouden de gevolgen van het wangedrag van sommige politieke actoren, die overwinningen opeisten die ze niet hadden gehaald, rampzalige gevolgen hebben gehad voor het land. De instellingen zullen hun werk doen, maar als bepaalde politieke actoren zich niet als democraten willen gedragen, zullen er anderen komen die dat wel doen.

SCHEIDING DER MACHTEN

Nadat de verkiezingen van 2000 een machtswissel hadden ingeluid, leken sommige Mexicaanse waarnemers te twijfelen. Ze wilden democratie, maar gaven ook blijk van een zeker ongeduld tegenover het politieke proces. Ze meenden dat een democratisch verkozen bewind doeltreffend knopen moest kunnen doorhakken zodra de regering had beslist wat er moest gebeuren, maar beseften niet hoeveel onderhandelingen er nodig zijn om te besturen in een systeem gebaseerd op een scheiding der machten. Wat vindt u van dit ongeduld?

Er zijn veel mensen — niet alleen in Mexico — die beweren dat veel problemen al zouden zijn opgelost in een systeem waarin de president sneller actie zou kunnen nemen. Volgens mij hebben ze het mis. Van mijn Aziatische vrienden heb ik ook gehoord dat we niet uit de onderontwikkeling komen als we een democratie naar Amerikaans of Europees model willen vormen, dat dat ons probleem is. Mijn antwoord aan hen is dat we bijna tweehonderd jaar hebben geprobeerd te doen wat zij hebben gedaan en dat dat steeds fout afliep. Zodra er een machtsconcentratie was zonder controlemechanismen ging het mis — op economisch, politiek en vooral menselijk vlak.

In Latijns-Amerika zijn we experts in dat soort mislukkingen. Machtsconcentratie heeft hier nooit iets goeds gebracht. We kunnen zo natellen hoeveel levens en hoeveel procentpunten van het bbp ons dat heeft gekost. Die weg moeten we dus niet volgen. We kunnen geen ander pad dan dat van de democratie inslaan, het pad van controlemechanismen tussen de verschillende machten, en net zo lang leren totdat het werkt.

Octavio Paz stelde dat de democratie de dienares is van ontwikkeling en sociale gerechtigheid. Democratie levert niet automatisch goede resultaten op. Het biedt een regeringsvorm die burgers, partijen en leiders moeten gebruiken om ontwikkeling te bereiken. Ik ben er echter steeds meer van overtuigd dat de zaken misliepen op de momenten dat we vanwege machtsconcentraties geen geïnstitutionaliseerde controlemechanismen en verantwoordingsplicht hadden in Latijns-Amerika. Daarvan bestaan oude, recente en hedendaagse voorbeelden.

Democratie is goed voor Latijns-Amerikanen. We zullen in de toekomst bewijzen — al zijn we daar nog jaren van verwijderd — dat we veel beter functioneren in een democratie dan in een autoritair systeem. We hebben het niet in ons om goed te functioneren onder autoritair gezag. Het zit niet in onze genen, het botst met onze persoonlijkheid. Helaas hebben we de kans niet gekregen om dit meteen na onze onafhankelijkheid te doen. Hadden we dat wel gedaan, dan zouden onze contreien nu beter ontwikkeld zijn.

CONFLICTEN IN DE SAMENLEVING

Wat was de impact op de politieke hervormingen en democratiseringsprocessen van de Zapatista-beweging die de Mexicaanse regering in januari 1994 de oorlog verklaarde, zich bediende van socialistische retoriek, maar algauw inzette op de rechten van de inheemse bevolking? Welke invloed hadden ze op de samenleving als geheel en op de politieke partijen?

De kwestie-Chiapas was belangrijk. Die problematiek werd ook opgenomen met de partijen, maar wat we deden had eigenlijk niets te maken met de situatie in Chiapas. Gezamenlijk kwamen we tot een goede diagnose van de situatie daar. In de eerste plaats ging het bij de Chiapasbeweging niet zozeer om gewapend verzet. Het was eerder een uiting van sociale onvrede. Ze kwamen inderdaad met revolutionaire leuzen en gebruikten aanvankelijk ook geweld, maar het was duidelijk geen militaire kwestie. De regering besefte dan ook dat een oplossing voor de sociale problemen in Chiapas de aangewezen weg was.

We wisten echter niet met wie we moesten praten, omdat deze personen clandestien opereerden. Pas toen de oorsprong en de aard van de beweging helder werden, ontstond er een serieuze dialoog. Helaas raakte deze groep nooit geïntegreerd in het formele politieke leven van dit land. Duidelijk is wel dat we veel werk hebben verzet en dat de sociale situatie in Chiapas zes jaar later aanzienlijk verbeterd was. Het was een van de plekken waar ik als president veel tijd doorbracht om de sociale problemen van die deelstaat te bestrijden, zowel onder normale als onder uitzonderlijke omstandigheden. Er deden zich minstens twee ernstige natuurrampen voor in Chiapas die onmiddellijke respons vereisten — naast andere natuurrampen die zich tijdens mijn ambtstermijn voordeden en die ik ook meteen probeerde aan te pakken.

Ik durf echter te stellen dat mijn ambities om politieke hervormingen te realiseren niet anders zouden zijn geweest zonder Chiapas. Of liever:

Chiapas was een vraagstuk op zich, een kwestie die een eigen aanpak en strategie verdiende. Ook de politieke hervorming was een zelfstandig thema en is daarom gerealiseerd.

REAGEREN OP ECONOMISCHE CRISISSITUATIES

In Mexico werden de politieke hervormingen doorgevoerd tijdens een economische crisis. Hoe leerzaam zijn de ervaringen van Mexico ten aanzien van de relatie tussen politieke veranderingen en economisch beleid?

Mexico is misschien wel een geval apart, aangezien we voor mijn aantreden al hadden afgesproken om samen met de andere politieke partijen aan hervormingen te werken. Op dat moment hadden we – had ik – geen idee dat er een economische crisis van die omvang zou uitbreken.

Aan het begin van de ambtstermijn van Salinas was ik minister van Begroting en Planning en vanaf 1992 minister van Onderwijs.

Maar hebben u en uw adviseurs tijdens de campagne, toen u al presidentskandidaat was, nooit vermoed dat er een crisis van die omvang in de maak was?

Nee, als we dat hadden vermoed, dan was het nooit gebeurd. Crises doen zich nu eenmaal voor omdat niemand ze verwacht, en zeker niet op die enorme schaal zoals destijds in Mexico. Kijk maar naar het recente verleden: niemand heeft voorspeld dat er in 2008 een crisis zou uitbreken die zo enorm was dat de negatieve gevolgen nu nog voelbaar zijn. Natuurlijk waren er mensen die riepen dat het bankensysteem kwetsbaar was en weer anderen dat de macro-economische labiliteit wereldwijd een financiële crisis zou veroorzaken. Maar niemand heeft de omvang en de ernst voorspeld van de crisis die heerst sinds 2008, of eigenlijk sinds 2007, toen de Amerikaanse subprime-hypotheekmarkt in elkaar stortte.

Hetzelfde gebeurde met de Mexicaanse crisis. Niemand verwachtte die. Als wij, de mensen in de regering en degenen die er op dat moment niet in zaten, het hadden zien aankomen, tja, dan hadden we iets kunnen doen om het te voorkomen.

De Mexicaanse crisis was de eerste grote financiële crisis in dit nieuwe tijdperk van financiële mondialisering en opkomende markten, en geenszins te vergelijken met de schuldencrisis van 1982. Wij waren het eerste proefkonijn van de financiële globalisering. Ik ben er niet voor of tegen, maar als de geschiedenis van de hedendaagse financiële mondialisering wordt geschreven, moet daar wel in staan dat de eerste crisis ontstond toen eind 1994 een plotselinge omslag van kapitaalstromen Mexico platlegde. Niemand ging ons voor. De Aziatische, Russische en Braziliaanse crises kwamen later.

We hadden een engagement en een doel op het vlak van de politieke hervormingen. Mijn ambtstermijn begon, een enorme economische en financiële crisis brak uit en een belangrijke beslissing moest worden genomen: moesten we de politieke hervormingen even op een zijspoor zetten en onze aandacht op de economische kwesties richten?

Sommige mensen beweerden dat we op dat moment onze handen al vol hadden aan de economische kwesties. Daar was ik het niet mee eens. Ik zei dat we moesten proberen beide zaken aan te pakken, en wel om twee redenen. Ten eerste, omdat we daarop hadden ingezet en omdat het land die inzet nodig had. Het was onderdeel van de strategie om Mexico verder te ontwikkelen. Ten tweede, dat geef ik toe, was het ook een tactische zet, want ik vermoedde dat het heel ingewikkeld zou worden om de andere politieke krachten achter alleen het economische traject te krijgen.

Hoewel het in het begin niet vanzelfsprekend was, dacht ik dat ruimte voor politieke onderhandelingen het economische traject meer kans van slagen zou bieden. En zo was het ook. Nogmaals, je hoefde geen genie te zijn om in te zien waarom het belangrijk was. Waarom zouden oppositiepartijen, die door een onrechtvaardig kiesstelsel voor eeuwig tot de oppositie zijn veroordeeld, meewerken aan oplossingen voor onmiddellijke problemen? Ze zouden eerder een negatieve sfeer creëren. Het was belangrijk dat ze de volgende boodschap kregen: 'Luister, we moeten zorgen voor economisch herstel. Dit is een heel ernstige crisis, maar het is een crisis met een oplossing. We komen hier uit. En met democratische middelen gaan we beslissen wie het binnen drie jaar in het congres en binnen zes jaar in het presidentschap voor het zeggen krijgt.'

Er waren zelfs mensen in de oppositie die vonden dat we de politieke hervormingen destijds niet moesten bespreken, omdat er behoorlijk wat chantage aan te pas zou komen. De hervormingen kwamen er echter omdat ze in ieders belang waren. De regering had een tactisch belang, maar aan het mede bepalen van een strategie voor economisch herstel kleefde ook een strategisch belang — of dat zou eraan moeten kleven — voor de andere politieke partijen.

ONAFHANKELIJKE INSTELLINGEN

Aan het begin van uw ambtstermijn benoemde u iemand van de oppositiepartij PAN als procureur-generaal van de republiek. Voor sommigen was dit een teken dat u uw partij wilde verzwakken. Kunt u uitleggen hoe u uw bestuursapparaat heeft samengesteld?

De benoeming van de procureur-generaal was een weloverwogen beslissing mijnerzijds, waar mensen zich niet altijd volledig rekenschap van geven. Mijn eerste procureur-generaal kende ik niet persoonlijk. Ik had hem nooit gesproken voor ik hem belde met de vraag deze positie te overwegen. Hij was de leider van de PAN-fractie in het lagerhuis. Bij zijn benoeming zei ik: 'U bent een volledig onafhankelijke procureur-generaal. Er zijn maar twee belangrijke momenten waarop ik het woord tot u zal richten. Ik moet u benoemen en als u in mijn ogen niet voldoet, kan ik u ontslaan. U bent volledig vrij om u van uw taken te kwijten.' Toen hij zijn functie neerlegde, benoemde ik een andere man die ik wel eerder had ontmoet, maar met wie ik nooit een hechte band had gehad. Mijn voorganger had hem aangewezen als voorzitter van de mensenrechtencommissie. Hij was een integer mens en genoot een uitstekende reputatie als jurist. Toen de eerste procureur-generaal vertrok, bood ik hem de functie aan. Tijdens mijn hele presidentschap heb ik een onafhankelijke procureur-generaal gehad, wat belangrijk is, net als de kwestie van de rechterlijke macht. Sommige critici zeiden dat ik me in een moeilijke situatie had gemanoeuvreerd, dat ik boven op mijn streven naar de onafhankelijkheid van de rechterlijke macht ook nog eens een onafhankelijke procureur-generaal had benoemd.

Gezien de dramatische situatie in het land op dat moment, was het volgens mij tactisch en strategisch opportuun om twee dingen te doen. Ik vertel dit omdat in de loop der tijd een aantal heel oppervlakkige mensen kritiek heeft geuit. De rechterlijke macht was onafhankelijk en de procureur-generaal was onafhankelijk, en dat is iets waar ik trots op ben, omdat ik ervan overtuigd ben dat het tactisch nodig was. Ik geloof echter ook dat een president maar beperkte macht mag hebben, dat hij geen keizerlijke bevoegdheden moet krijgen, dat zijn macht zich dient te beperken tot wat de grondwet voorschrijft. In het geval van de procureur-generaal ging ik een stap verder dan de grondwet, omdat ik van mening was dat de procureur-generaal de nodige vrijheid moest hebben om zijn opdracht uit te voeren.

Destijds beweerden sommigen dat een lid van de PAN die de moord in 1994 op PRI-presidentskandidaat Luis Donaldo Colosio onderzocht, meer autonomie zou hebben. Was dat uw redenering?

Wel, ik wilde een onafhankelijke procureur-generaal. Ik wilde elke vorm van vooringenomenheid vermijden. Ik heb geen warhoofdige activist benoemd, maar een rechtsgeleerde met een uitstekende reputatie. Veel mensen bevalen hem aan. Ook hier gaat het weer om geloofwaardigheid. Hoe herstel je de geloofwaardigheid van de instellingen? De rechtshandhaving en het rechtssysteem waren in opspraak gekomen en ik wilde kijken met welke stappen ik de geloofwaardigheid van de rechtshandhaving kon herstellen en kon aantonen dat het juridische systeem werkte.

Er bestaan verschillende interpretaties van uw beslissing om de resultaten bekend te maken van de verkiezingen van 2000, die het IFE, voor zover ik heb begrepen, nog niet aan de Mexicaanse bevolking had meegedeeld.

Dat klopt niet. Nee, het IFE heeft bij monde van zijn voorzitter als eerste de uitslag bekendgemaakt. Voor mij is dat glashelder, want dat was een institutionele beslissing. De voorzitter van het IFE, die ik drie keer in mijn leven heb gesproken, is niet bij dat instituut gekomen omdat hij mijn vriend was, maar omdat hij iemand was met een onberispelijke reputatie. En een van de weinige keren dat we elkaar hebben gesproken, was die avond. Hij zei tegen me: 'Meneer de president, de telling – hij verwees naar het quick-countprogramma van het IFE – duidt erop dat PAN-kandidaat Vicente Fox heeft gewonnen en het IFE gaat ervan uit dat dit een solide basis is om de verkiezingsuitslag bekend te maken.'

Ik zei tegen hem dat het IFE moest doen wat de wet voorschreef en dat hij dus mijn volledige instemming had om de aankondiging te doen. Ik vertelde hem ook dat ik een paar minuten na de bekendmaking van het IFE een verklaring zou afleggen waarbij ik de aankondiging van het IFE zou steunen omdat ik vertrouwen had in de instelling die hij vertegenwoordigde en omdat de exitpolls in dezelfde richting wezen.

En dat deed ik. IFE-voorzitter José Woldenberg maakte de uitslag bekend en een paar minuten later verscheen ik om te zeggen wat ik te zeggen had. Ik heb met betrekking tot het IFE dus niet voor mijn beurt gesproken, want dat zou een grote fout zijn geweest. Het zou de hele idee van de hervormingen, namelijk de eerbiediging van het onafhankelijke karakter van het IFE, teniet hebben gedaan. Ik heb de nieuwgekozen president wel meteen gefeliciteerd en dat is de mensen bijgebleven, maar de voorzitter van het IFE heeft de uitslag vóór mij bekendgemaakt.

Maar die actie is verkeerd begrepen, niet?

Ja, omdat sommigen een heel verhaal van die verklaring hebben gemaakt. En ze vergeten, nogmaals, dat je daarvoor geen genie hoefde te zijn. Het was duidelijk wat me te doen stond, het was logisch. Als je een kiesorgaan hebt dat de uitslag van de presidentsverkiezingen met grote zekerheid, met veel vertrouwen bekend kan maken, waarom zou de president dan niet verschijnen om zijn opvolger te feliciteren?

Was men niet bang dat de PRI moeite zou hebben met de uitslag? Wilde de PRI de bekendmaking uitstellen?

Geen enkele partij wil natuurlijk verliezen en het is heel gewoon om onder de druk van het moment te denken dat de uitslagen misschien nog veranderen naarmate er meer stemmen zijn geteld. Maar mensen die heel sec naar die dingen kijken en die verstand hebben van statistische methodologie, wisten dat dit onmogelijk nog kon veranderen. De uitslag had alleen nog een andere wending kunnen nemen als zich een totaal absurd patroon had gemanifesteerd.

Het is dus niet waar dat de PRI zich zou hebben verzet tegen mijn verklaring, en de feiten bewijzen dat. De PRI-kandidaat gedroeg zich correct die avond. Ik begrijp dat sommigen wilden wachten op meer gegevens, meer uitslagen wilden afwachten en wat tijd wilden winnen, maar het was op dat moment heel duidelijk. Er doen allerlei verhalen de ronde over die avond en in sommige daarvan krijg ik meer krediet of meer kritiek dan ik verdien. Mijn verklaring was geen goocheltruc.

We hadden zes jaar lang met alle politieke partijen gewerkt. En of nu de PRI, de PRD of de PAN als winnaar uit de bus kwam, het zou allemaal goed komen, dat was democratische normaliteit. Democratische normaliteit was verkiezingen houden zonder dat er de volgende dag rellen uitbraken over de uitslagen. En wat gebeurde er? We bereikten democratische normaliteit. Ik gebruikte de term 'democratische normaliteit' ook op 1 december 1994, en wat kregen we in de verkiezingen bijna zes jaar later? Democratische normaliteit. Niet alleen voor mij, maar voor iedereen.

SOCIAAL BELEID

PROGRESA, een programma gericht op onderwijs, gezondheid en voeding, was een innovatief sociaal programma, het eerste in zijn soort in Latijns-Amerika, om de sociale gevolgen van macro-economische maatregelen te verzachten en armoede terug te dringen. Wat was het doel en welke resultaten leverde het op?

PROGRESA kent een heel interessante geschiedenis. Tijdens mijn campagne zei ik dat we ernstiger, wetenschappelijker moesten nadenken over armoede en onderwijs. De te kraken noot was dat er bevolkingsgroepen in het land waren die een school hadden, leerkrachten, soms schoolboeken, speciale ondersteuning voor docenten en genoeg van al deze dingen om kinderen basis- en voortgezet onderwijs te laten volgen. En toch gebeurde dat niet.

Ik vroeg of er ooit iemand onderzoek had gedaan naar het verband tussen onderwijs en armoede. Men verwees me naar Santiago Levy. Ik belde ook een heel intelligente vriend van mij, de demograaf José Gómez de León, en vroeg beiden om ieder voor zich met wat ideeën aan de slag te gaan. Er werden proefprojecten opgestart. We spendeerden het equivalent van 10 miljoen dollar aan onderzoek en experimenten om de basisprincipes van het programma uit te werken.

Het voordeel van de aanwezigheid van José Gómez de León in het team was dat hij een methode had ontworpen die gold als een primeur binnen de sociale wetenschappen. De methode werkt met een 'controlebevolking' en een 'proefbevolking' om na verloop van tijd te kunnen bepalen of de interventie het gewenste effect sorteert.

De kandidaten van andere partijen uitten kritiek op PROGRESA en zeiden het te zullen afschaffen zodra zij in de regering zaten. Ze vonden het een programma met een politieke agenda. Vlak voor het einde van mijn ambtstermijn nodigden we gerenommeerde sociale wetenschappers uit om PROGRESA te evalueren. Zij concludeerden dat het programma wel degelijk resultaten opleverde: de gezondheid van kinderen was verbeterd, het aantal voortijdige schoolverlaters was gedaald en een voorkeursbeleid gericht op de educatie van meisjes werkte. Op basis van die analyse vervolgde de volgende regering het programma.

LEIDERSCHAP

Voor uw verkiezing in 1994 gold u niet zozeer als een politiek leider, eerder als een begaafde technocraat. Als je politiek leiderschap bekijkt als het vermogen om onderliggende krachten en tendensen en hun uitwerking te doorzien, gekoppeld aan een visie op mogelijkheden om omstandigheden te verbeteren en aan de wil en het vermogen om positieve veranderingen te bewerkstelligen, dan bent u duidelijk iemand die een belangrijke politieke leidersrol heeft gespeeld. Wat heeft u voorbereid op dit politieke leiderschap?

Om te beginnen ben ik er niet zo zeker van dat ik een belangrijke politieke leider was. Ik was gewoon president van Mexico en daarvoor had ik andere belangrijke verantwoordelijkheden in de regering van mijn land. Maar laat me eerst iets vertellen over dat eigenlijk kunstmatige onderscheid tussen politici en technocraten. Als mensen het over politici hebben, weet ik niet goed welke specifieke eigenschappen ze voor ogen hebben. Als mensen naar politici verwijzen als naar personen met een hang naar macht en gezag, dan mag je mij meteen van de lijst schrappen, want ik heb nooit de geringste aanvechting in die richting gevoeld. Als je met 'politicus' iemand bedoelt die zich aangetrokken voelt tot de oppervlakkige aspecten van de politieke macht, het apparaat, het systeem, de jaknikkers om zich heen, dan ben ik evenmin politicus. Als je het hebt over iemand die voortdurend met anderen verkeert in het openbaar, wel, ik ben van nature verlegen en vind dat heel moeilijk, maar ik doe het wel en verdien nu deels mijn boterham met het praten met mensen. Als je zegt dat een politicus iemand is met een roeping voor openbare dienstverlening, dan pas ik in je plaatje. Als een politicus iemand is die vooral het algemene belang voor ogen heeft, dan ben ik een politicus. Als het iemand is die van politieke concurrentie houdt, ja, dat vind ik ook geweldig.

Het onderscheid tussen politicus en technocraat is naar mijn mening een heel kunstmatig onderscheid, dat bovendien historisch niet hard te maken is. Sommige grote politici hebben misschien een betreurenswaardige staat van dienst, terwijl anderen die niet aan de kenmerken van politici voldoen, zich vaak tot grote politieke leiders hebben ontpopt. Carlos Solchaga, minister van Financiën ten tijde van Felipe González, gaf ooit een mooie definitie van een technocraat: 'Een technocraat is een politicus die iets weet, die op school heeft gezeten.'

Misschien was ik destijds wel zo'n technocraat. De afgelopen twaalf jaar ben ik echter technocraat noch politicus geweest. Ik was ooit een technocraat en dat zie ik niet als een belediging, net zoals ik ook niet beledigd ben als mensen zeggen dat alle politici slecht zijn en dat ik al met al toch een politicus ben. Dan spreek ik dat niet tegen omdat ik de politiek een van de grote uitvindingen van de mensheid vind. Er zijn twee dingen waardoor we geen wilden meer zijn: ten eerste de politiek en ten tweede de diplomatie, de afgeleide van de politiek. Zonder politiek of diplomatie zouden we waarschijnlijk nog steeds in grotten wonen en elkaar de hersens inslaan.

De technocraat is iemand die de aard van een probleem begrijpt en weet wat er moet gebeuren, maar niet noodzakelijkerwijs de talenten of de maatschappelijke positie heeft om verschillende krachten te scharen achter een gemeenschappelijke visie. Dat is wat een politieke leider doet. Dat zijn verschillende eigenschappen. Het is moeilijk om in beide goed te zijn, maar het is vooral moeilijk om een goede politieke leider te zijn. Wat kunt u jongeren die willen bijdragen aan democratische veranderingen vertellen over de kwaliteiten, capaciteiten of visies die je nodig hebt en moet ontwikkelen om een politieke leider te zijn?

Bijna elk semester geef ik les. Er komen altijd één of twee, soms drie jonge mensen naar me toe die me vertellen dat ze na hun opleiding de politiek in willen en me vragen wat ik daarvan vind. Ik vertel ze dan in eerste instantie dat ze op de juiste weg zijn omdat ze goed onderwijs genieten, maar dat ze niet mogen vergeten dat ze er daarmee alleen niet komen.

Naast onderwijs moet je ook de gedrevenheid hebben om je in te zetten voor mensen zonder daarvoor iets terug te verwachten, want dat is politiek. Als je een eerlijke politicus bent, verdien je al dan niet genoeg, maar je moet in elk geval de ambitie hebben om je volledig voor anderen en voor de waarheid in te zetten. Een bankier bijvoorbeeld kan je een dienst verlenen, maar die laat zich betalen — goed betalen — voor zijn diensten. In de politiek moet je gedreven zijn om te dienen, louter om te dienen, om iets te doen voor het algemeen belang en het welzijn. Als je op zoek bent naar bekendheid, op straat herkend wilt worden, dan moet je iets anders gaan doen. Een roeping voor de publieke zaak is fundamenteel.

Ten derde moet je, aangezien we in dit land en in vele andere landen, een democratie hebben, beseffen dat politiek is als het rad van fortuin. Soms sta je bovenaan, soms onderaan. Nu eens zit je in de regering, dan weer in de oppositie. Je moet daarom nagaan of je de kracht hebt om op en neer te gaan. Niet iedereen heeft daar de moed voor. Er zijn mensen die zekerheid, stabiliteit, voorspelbaarheid en onmiddellijke beloning verkiezen. In de politiek, in het openbare leven, vind je dat niet altijd.

Toch is ook de voorbereiding heel belangrijk. Tegenwoordig zijn er genieën die het goed doen in de politiek, en ook in het landsbestuur hebben ze het instinct of het gezonde verstand om goed te presteren.

Ervaring helpt daarbij. Toch is het een groot risico om mensen op verantwoordelijke posten te hebben die niet beschikken over een degelijke intellectuele basis. Dat houdt een groot risico in voor die persoon én voor de burgers. Het ontbreken van die basis levert soms verdrietige en zielige gevallen op.

INTERNATIONALE CONTEXT

Toen u president was werden er in Latijns-Amerika tal van transities afgerond. Heeft Mexico die andere ervaringen bestudeerd?

Nee, ook in dat opzicht is Mexico volgens mij een geval apart. In het licht van de omstandigheden eind jaren tachtig, begin negentig, zou je kunnen stellen dat de Mexicaanse democratie verder gevorderd was dan de Braziliaanse of Argentijnse. We hebben nooit de vergelijking met Brazilië of Argentinië gemaakt omdat we altijd een formele democratie, regelmatige verkiezingen en wisselingen van de macht hebben gekend. Daarnaast speelde er nog iets anders in het bewustzijn van Mexico: steeds wanneer een Latijns-Amerikaans land gebukt ging onder het juk van een militaire dictatuur, bood Mexico de mensen onderdak en de ruimte om zich te uiten. Niet alleen uit andere delen van Latijns-Amerika, ook uit Spanje. We hebben daarom nooit het gevoel gehad dat we in dezelfde club zaten als onze broeders uit Argentinië, Brazilië of Chili. Het zou zelfs beledigend voor hen zijn geweest, omdat wij allerlei vrijheden genoten die onze broeders van de Zuidkegel simpelweg niet hadden. Er waren natuurlijk beperkingen, manipulatie, vormen van controle en soms onderdrukking in Mexico, maar die waren totaal niet te vergelijken met de dramatische ervaringen in Zuid-Amerika.

Als iemand in 1990 de Mexicaanse democratie wilde vergelijken met de Braziliaanse, zou het resultaat zijn dat Brazilië nog in de kinderschoenen stond, omdat wij in Mexico ordelijke, regelmatige en periodieke verkiezingen en regeringswissels hadden, en een grote persvrijheid genoten – dingen die tot voor kort helaas niet bestonden in Zuid-Amerika. In mijn tijd wisten we nog niet wat er stond te gebeuren in Chili, nu weten we dat het buitengewoon was. Na twintig jaar bereikten ze democratische normaliteit, maar wij hielden ons hart vast bij het scenario dat zich zou aandienen als Pinochet zou weigeren het presidentschap neer te leggen. De man had bovendien alle mechanismen voorhanden om een poging in die richting te ondernemen. Nee, de Zuid-Amerikaanse landen vormden geen referentiekader.

HEDENDAAGSE TRANSITIES

Bij hedendaagse transities zie je dat de communicatietechnologie, de groei van de middenklasse en beter onderwijs invloed hebben op democratiseringsprocessen. Hoe zullen die processen in de toekomst verlopen, denkt u?

In veel delen van de wereld zitten we nog altijd in de overgangsfase en is het lang niet duidelijk of democratiseringsprocessen ooit of binnen afzienbare termijn definitieve vorm zullen krijgen. Deels dankzij een verbetering van de handelsvoorwaarden in vele Afrikaanse landen en deels ook door de groeiende rol van de Chinese economie in de wereldeconomie, doet Afrika het de afgelopen tien jaar economisch beter, en in sommige gevallen gaat dat gepaard met betere politieke systemen. Toch is het de vraag of die trend ook zal doorzetten in landen met een zwak institutioneel kader. Als Latijns-Amerika deze landen iets kan leren, dan is het misschien dat de opbouw van een institutioneel kader topprioriteit moet hebben, omdat zonder solide instellingen het risico op slecht beleid — of beleid dat omkeerbaar is — heel groot is. Tot op zekere hoogte is dat ook het probleem in Latijns-Amerika. We kunnen niet ontkennen dat er tegenvallers zijn geweest, dat zich in sommige landen een machtsconcentratie heeft voorgedaan en dat daar alle controlemechanismen effectief zijn verwijderd, dat er misschien geen bruuske, maar toch subtiele beperkingen zijn opgelegd aan de vrijheid van meningsuiting. Het is dus ook hier te vroeg om victorie te kraaien.

Ik denk dat we nog niet op de veilige weg zijn en dus waakzaam moeten blijven. Toch heb ik er alle vertrouwen in dat de verworvenheden op het vlak van burgerbewustzijn — dat mensen niet alleen weten hoe ze hun rechten kunnen doen gelden, maar ook weten hoe ze van hun rechten kunnen genieten, en dat mensen van lieverlede leren hoe ze het spel volgens de regels moeten spelen — het moeilijker maken om ooit nog te vervallen in autoritaire of minder democratische regeringsvormen. Maar de verleiding is er altijd.

CRISIS VAN DE DEMOCRATIE

Ook gevestigde democratieën ervaren ernstige problemen. Ik durf te zeggen dat het ideaal van de democratie sterker is dan ooit in de geschiedenis van de mensheid. Als je me vraagt of het model om dat ideaal van democratie te bereiken sterk genoeg is, zeg ik nee, dat is het niet, zelfs niet in de ontwikkelde landen.

Als ik om me heen kijk, zie ik enorm kwetsbare plekken, zelfs in een democratie als de VS. Ik zie plekken waar het democratische ideaal wankelt onder de invloed van bepaalde particuliere of sectorale belangen op de configuratie van de politieke macht, en ik zie hoe er getornd wordt aan besluitvormingsmechanismen. Dat baart me zorgen en in mijn ogen beantwoordt de manier waarop de democratie vandaag de dag functioneert in de Verenigde Staten niet aan het democratische ideaal.

De idee is een regering ván het volk en vóór het volk. Wie is het 'volk' tegenwoordig? Mensen die de resultaten van de verkiezingen kunnen beïnvloeden door geld te storten in het politieke proces? In het geval van de VS is dat wettig, in andere landen is het illegaal, maar het gebeurt wel. Op de lange termijn bekeken maakt het me niet zoveel uit dat het legaal is in de Verenigde Staten. Het lijkt me gewoon slecht voor de gezondheid van de Amerikaanse democratie. Net zoals ik het verafschuw als het illegaal gebeurt, en dat zien we in veel andere landen ter wereld, met inbegrip van Latijns-Amerika.

INTERNATIONALE STEUN

Wilt u nog iets zeggen over uw relatie met president Bill Clinton toen hij Mexico financiële steun bood tijdens de crisis van 1994–1995?

Ik had het voordeel een intelligent en visionair man als president Clinton als evenknie in de Verenigde Staten te hebben. De eerste keer dat ik hem vertelde dat we met serieuze problemen kampten, wist ik al dat deze crisis anders was. Ik vertelde hem dat het niet gewoon een kwestie van begrotingstechnische of monetaire maatregelen was, maar dat er paniekelementen in zaten en mogelijk nog iets veel groters, dat het systemisch zou kunnen zijn. Hij had niet genoeg informatie en was zelf nog niet tot die conclusie gekomen. Hij zei dat hij de zaak zou bespreken met zijn adviseurs – minister van Financiën Robert Rubin en diens viceminister Larry Summers. Twee of drie dagen later belde Clinton en zei: 'Ze zeggen dat je mogelijk gelijk hebt en volgens mij heb je gewoon gelijk. Deze crisis is anders. Je moet je werk doen. Maar je hebt ook de steun van de internationale gemeenschap nodig, te beginnen met die van je belangrijkste partner.' In letterlijk twee dagen had Clinton dat beseft en toonde hij zich bereid te helpen. Ik had echt veel geluk om hem als collega-president te hebben.

Kunnen internationale actoren een constructieve bijdrage leveren aan de opbouw van een democratisch bestuur?

Geopolitieke schokgolven en internationale gebeurtenissen hebben duidelijk invloed op het verloop van democratiseringsprocessen. Het valt niet te ontkennen dat de communicatietechnologie mensen snel op de hoogte brengt van de gebeurtenissen in de wereld. Daar moet je rekening mee houden en het heeft invloed op de loop van de gebeurtenissen. Of organisaties of instellingen die wereldwijd democratie bevorderen invloed hebben, weet ik niet. Het kan zo uitpakken, maar die invloed zal altijd marginaal zijn. Als de voorwaarden, ambities, bewegingen en het leiderschap voor democratie niet aanwezig zijn in een land, dan zullen interventies van buitenaf nauwelijks verschil maken. Als de binnenlandse omstandigheden echter een gunstig klimaat scheppen, dan kan de internationale gemeenschap beslist een positieve rol spelen. Naar mijn mening blijft die rol echter altijd ondergeschikt en secundair, nooit meer dan een aanvulling. Daarnaast moet je heel voorzichtig zijn, omdat een internationale interventiepoging ook het doel van democratisering kan verloochenen.

Onderschat nooit het nationalisme in een land. Ik geloof niet echt in nationalisme, maar het bestaat wel. Nationalisme, dat soms om culturele of politieke redenen is gecreëerd en in andere gevallen puur kunstmatig is, vormt een reële factor. Ook heb je nog een verleden van imperialisme, interventionisme, een dubbele moraal, van regeringen die zeggen dat ze tussenbeide komen ter verdediging van de democratie, maar tegelijkertijd autoritaire regimes steunen. Je kunt niet voorzichtig genoeg zijn. Mijn stelling is dat iets wat niet van binnenuit is gegroeid ook nooit zal gedijen.

Ik geloof in internationalisme en samenwerking. Ik ben een groot voorstander van hulp aan landen die werken aan een betere toekomst, maar je moet ze niet steunen tegen hun wil. De inwoners moeten de weg naar democratie zelf vinden.

TIJDLIJN

Februari 1917: De Mexicaanse grondwet die wordt ingevoerd tijdens de Mexicaanse revolutie voorziet in democratie en uitgebreide sociale rechten.

Maart 1929: Demissionair president Plutarco Elías Calles richt de Partido Nacional Revolucionario (PNR) op, een brede coalitie van revolutionairen die de verkiezingen op alle niveaus domineren. In 1946 wordt de PNR opgevolgd door de (soortgelijke) Institutioneel Revolutionaire Partij (PRI).

September 1939: Conservatieven die zich verzetten tegen het linkse, antiklerikale beleid van de PRI vormen de Partido de Acción Nacional (PAN). De PAN wint aanvankelijk weinig verkiezingen en is decennialang de grootste oppositiepartij.

Oktober 1968: Na twee maanden van studentenprotesten voor vrijheid van meningsuiting en verantwoordingsplicht voor de regering opent het leger het vuur op demonstranten in Mexico-Stad en richt een bloedbad aan.

Juli 1976: Interne vetes bij de PAN maken dat ze geen presidentskandidaat nomineren. José López Portillo van de PRI wordt met algemene stemmen verkozen als president.

December 1977: De PRI voert kieshervormingen door, vergemakkelijkt de registratie van oppositiepartijen en introduceert een systeem van evenredige vertegenwoordiging dat gunstiger is voor kleine partijen.

September 1982: López Portillo nationaliseert de banken. De middenklasse reageert fel op die beslissing.

September 1985: Een zware aardbeving treft Mexico-Stad. De PRI-regering krijgt hevige kritiek voor haar trage optreden. Tal van nieuwe maatschappelijke organisaties bieden noodhulp en sociale opvang.

Juli 1986: De PAN wint de gouverneursverkiezingen in Chihuahua, maar de PRI manipuleert de uitslagen. De PAN pleit krachtig voor eerlijke verkiezingen.

Maart 1987: Cuauhtémoc Cárdenas, een linkse PRI-politicus en zoon van voormalig president Lázaro Cárdenas, roept op tot democratisering binnen de partij om oppositie te voeren tegen de economische neoliberale vleugel van de PRI.

Oktober 1987: Cárdenas wordt voor de presidentiële nominatie gepasseerd door Carlos Salinas de Gortari, een aan Harvard opgeleide econoom en voormalig minister van Begroting en Planning. Cárdenas lanceert een presidentiële campagne buiten de PRI om, en uit kritiek op het autoritarisme en het neoliberale economische beleid van de partij.

Juli 1988: De eerste verkiezingsresultaten duiden op een verlies voor de PRI en een overwinning voor Cárdenas, maar de PRI houdt de touwtjes in handen nadat een landelijke stroomstoring ertoe heeft geleid dat de stemmen handmatig moeten worden geteld. Ondanks duidelijke fraude daalt het aantal stemmen voor de PRI bij de officiële telling voor de presidentsverkiezingen van 74 naar 51 procent. De partij wint slechts 260 van de 500 zetels in het lagerhuis.

December 1988: Salinas wordt ingehuldigd. Tijdens zijn ambtstermijn bevordert hij liberale economische hervormingen en programma's voor maatschappelijk welzijn. Sommige hervormingen vereisen een grondwetswijziging en dus ook de steun van de oppositie. Onderhandelingen met de PAN leiden tot beperkte politieke hervormingen: een onafhankelijke kiescommissie, een evenwichtiger berichtgeving in de media en juridische erkenning voor de Kerk.

Mei 1989: Cárdenas en zijn bondgenoten richten de linkse Partido de la Revolución Democrática (PRD) op. De volgende jaren krijgen ze aanhoudend te maken met pesterijen van de regering.

Juli 1989: De PAN wint de gouverneursverkiezingen in de staat Baja California Norte, de eerste overwinning die een oppositiepartij in een deelstaat boekt op de PRI.

Juni 1990: Start van de formele onderhandelingen over de Noord-Amerikaanse Vrijhandelsovereenkomst (NAFTA), waar Salinas zich voor inzet. Een aantal Amerikaanse politici wil dat het verdrag ook voorziet in een verbetering van de politieke en arbeidgerelateerde rechten in Mexico.

Augustus 1991: Salinas dwingt verscheidene winnaars van de PRI bij de gouverneursverkiezingen af te treden op beschuldiging van fraude. Hij benoemt opvolgers na onderhandelingen met de PAN. Dit patroon herhaalt zich in het komende decennium, wat de PAN de zeggenschap in een aantal deelstaten oplevert. De PRI weigert nog altijd te onderhandelen met de PRD.

Januari 1994: NAFTA wordt van kracht. Het linkse bevrijdingsleger EZLN, de zogeheten zapatisten, doet voor het eerst van zich spreken. Salinas belooft hervormingen van de wetgeving rond campagnefinanciering en de kieswet in ruil voor de toezegging van de oppositie zich te distantiëren van het EZLN.

Maart 1994: PRI-presidentskandidaat Luis Donaldo Colosio wordt vermoord terwijl hij campagne voert. Slechts weinig PRI-leiders komen in aanmerking om hem op te volgen. Salinas wijst Ernesto Zedillo, Colosio's campagneleider en voormalig minister van Begroting en Planning (en eerder van Onderwijs), aan als de nieuwe kandidaat.

Augustus 1994: Zedillo wordt verkozen met 49 procent van de stemmen. Een recordaantal mensen trekt naar de stembus. De PAN wint 26 procent en Cárdenas' PRD 17 procent. De verkiezingen verlopen over het algemeen eerlijk, hoewel de PRI profiteert van ruime overheidsmiddelen.

September 1994: José Francisco Ruiz Massieu, algemeen secretaris van de PRI, wordt vermoord. Onderzoek toont aan dat Salinas' broer Raúl achter de moordaanslag zit. De veroordeling van Raúl doorbreekt de gewoonte van onschendbaarheid voor PRI-kopstukken.

December 1994: Bij zijn aantreden belooft Zedillo electorale hervormingen. Hij introduceert een grondwetswijziging om de onafhankelijkheid van de rechterlijke macht te versterken en benoemt Fernando Antonio Lozano Gracia van de PAN als procureur-generaal. Nog geen drie weken later keldert de waarde van de peso, slinken de valutareserves en moet de regering drastisch bezuinigen.

Februari 1995: De regering-Clinton verstrekt 50 miljard dollar in leningen om de Mexicaanse economie te stabiliseren.

Maart 1995: Het congres richt een coalitie op met onder meer de PAN en de voordien gemarginaliseerde PRD om te onderhandelen met het EZLN.

November 1996: Onderhandelingen over de in 1994 beloofde electorale hervormingen stagneren. De PRI passeert unilateraal vele hervormingsvoorstellen: eerlijkere berichtgeving, herziening van de campagnefinanciering, een onafhankelijkere kiescommissie en een direct verkozen burgemeester van Mexico-Stad.

Juli 1997: Bij relatief eerlijke tussentijdse verkiezingen winnen de PRD en de PAN samen een meerderheid in het lagerhuis en verwerven zo de controle over het beleid en de begroting. Zedillo breidt de samenwerking met beide partijen uit. Cuauhtémoc Cárdenas wordt de eerste verkozen burgemeester van Mexico-Stad.

Augustus 1997: De regering-Zedillo lanceert PROGRESA, een grootschalig armoedebestrijdingsprogramma. Het wordt onafhankelijk beheerd, selecteert op transparante wijze de begunstigden en wordt periodiek geëvalueerd. Dat maakt het moeilijk om het programma voor politieke doeleinden te manipuleren.

Juli 1998: De PRI herovert het gouverneurschap van Chihuahua op de PAN, na voor het eerst zijn kandidaat te hebben verkozen via interne voorverkiezingen. Hervormingsgezinde PRI-leden overtuigen de partij ervan het jaar daarop ook voorverkiezingen te organiseren voor de presidentskandidaat.

Juli 2000: Vicente Fox, presidentskandidaat voor de PAN en gouverneur van Guanajuato, verslaat Cárdenas en Francisco Labastida van de PRI. Hij wordt de eerste president in meer dan zeventig jaar die niet tot de PRI of de voorlopers van deze partij behoort. Andrés Manuel López Obrador (PRD) wordt verkozen als burgemeester van Mexico-Stad.

Augustus 2000: Het hooggerechtshof limiteert de bevoegdheden van de uitvoerende macht.

Juli 2006: Felipe Calderón van de PAN verslaat López Obrador nipt bij de presidentsverkiezingen. De PRI eindigt op de derde plaats. López Obrador weigert zich neer te leggen bij de volgens hem frauduleuze uitslagen.

Juli 2012: Enrique Peña Nieto van de PRI wordt verkozen als president en verslaat daarbij López Obrador. De PAN wordt derde.

6
DE FILIPIJNEN: 'PEOPLE POWER', EEN MOEIZAME TRANSITIE EN DEGELIJK BESTUUR

MARK R. THOMPSON

Bijna dertig jaar geleden maakte 'People Power' een einde aan de dictatuur van Ferdinand E. Marcos in de Filipijnen. Het was een revolutie die het Zuidoost-Aziatische land in het middelpunt van de internationale aandacht stelde. Het protest van miljoenen Filipino's uit alle lagen van de bevolking — die op spectaculaire wijze een militaire actie van de regering wisten te vermijden — werd tussen 22 en 25 februari 1986 wereldwijd live uitgezonden op tv. De opstand, in de Filipijnen beter bekend als de EDSA-revolutie (naar de Epifanio de los Santos Avenue, de belangrijkste ringweg om Metro Manila, waar de grootste menigten zich verzamelden), deed zijn invloed gelden op een aantal andere volksopstanden tegen dictaturen in Azië en daarbuiten. Zuid-Koreaanse activisten in 1987–1988, Myanmarese betogers in 1988 en Chinese studenten in 1989 putten allen inspiratie uit het Filipijnse voorbeeld. Zelfs Václav Havel, het idool van de Tsjechoslowaakse opstand in 1989 en later president van de Tsjechische Republiek, zei tijdens een bezoek aan de Filipijnen in 1995 dat People Power een inspiratiebron was voor hemzelf en andere Oost-Europese dissidenten. People Power is gaan gelden als symbool van een vreedzame, spontane volksopstand die een onbuigzame dictatuur doet omvallen. Het fenomeen was ook een novum in de literatuur over democratisering — aanvankelijk gefocust op Zuid-Amerikaanse en Zuid-Europese voorbeelden — die altijd het belang had benadrukt van onderhandelde transities tussen softliners van het regime en gematigde oppositieleiders. People Power toonde aan dat het mogelijk was een impopulaire en autoritaire heerser af te zetten zonder een gewelddadige revolutie.

Hoewel hij dictator zou worden, kwam Marcos aan de macht als verkozen president (eerst verkozen in 1965 en, op meer controversiële wijze, herkozen in 1969). Het afkondigen van de noodtoestand in september 1972, kort voordat zijn tweede termijn zou aflopen, maakte een einde aan de langste electorale traditie van Azië. In de loop van de negentiende eeuw, ten tijde van de Spaansc koloniale periode, waren er al lokale verkiezingen geweest en er waren een verkozen president en volksvertegenwoordiging tijdens de kortstondige periode van onafhankelijkheid: de eerste Filipijnse Republiek (1899–1901). Nationale parlementsverkiezingen werden gehouden in 1907, kort na de Amerikaanse verovering van de Filipijnen, waarmee een ongebruikelijk experiment op het vlak van 'koloniale democratie' begon. Behalve ten tijde van de Japanse bezetting (1942–1945) werden er tot de onafhankelijkheid in 1946 regelmatige verkiezingen gehouden. In 1935 stichtte de VS het Gemenebest van de Filipijnen, dat onder meer de verkiezing van een president en van een congres met een hoger- en een lagerhuis kende. Na de onafhankelijkheid in 1946 werden er om de vier jaar presidentsverkiezingen gehouden, en congresverkiezingen om de twee jaar. Twee grote politieke partijen, de Nacionalistas en de Liberalen, streden om de politieke macht in eerlijke (zij het soms gewelddadige en vaak kostbare) verkiezingen; het presidentschap wisselde geregeld tussen die partijen. Toch waren het beide zwakke, zeer cliëntelistische partijen zonder solide achterban. Vlak voor verkiezingen stapten politici vaak over naar de andere kant. Nadat Marcos de staat van beleg had afgekondigd, beschreef een journalist de Filipijnen als een 'gehavende etalage van de democratie'.

DE IMPACT VAN DE STAAT VAN BELEG

Het aantreden van een autoritair bewind had plaats in een periode waarin de Filipijnen aan de vooravond van een economische doorstart leken te staan. Marcos beloofde snelle economische ontwikkeling, net als Park Chung-hee, zijn autocratische evenknie in Zuid-Korea die in 1972 ook de staat van beleg afkondigde. Hij stelde dat de vrede en openbare orde die eind jaren zestig waren verzwakt, hersteld moesten worden om de economische situatie van het land te verbeteren. Na beëindiging van de opstand van Hukbalahap (de zogeheten Huks) onder leiding van de communisten in de jaren vijftig, werd er een nieuwe maoïstisch geïnspireerde Communistische Partij van de Filipijnen (CPP) opgericht, tegelijk met haar gewapende vleugel, het Nieuwe Volksleger (NPA). Deze organisatie begon een guerillaoorlog in afgelegen plattelandsgebieden. In de hoofdstad Manila zetten radicale studenten (van wie sommigen banden hadden met de CPP) gewelddadige betogingen op gericht tegen de regering. De beroemdste reeks demonstraties werd bekend als de Storm van het Eerste Trimester van 1970. In het zuidwesten van de Filipijnen, waar de islamitische minderheid van het land is geconcentreerd, was een islamitische onafhankelijkheidsbeweging ontstaan, aangevoerd door het Nationaal Bevrijdingsfront Moro (MNLF). Na afkondiging van de staat van beleg brak er een wrede en grote (zij het weinig bekende) oorlog uit in Mindanao, die niet minder dan honderdduizend doden eiste. Het Filipijnse leger ging over tot grootschalige bombardementen en voerde een bloedige campagne tegen de opstandelingen voordat er een tijdelijk bestand werd gerealiseerd krachtens het omstreden akkoord van Tripoli in 1976. De CPP-NPA werd grotendeels uit de steden verdreven en verschanste zich op het platteland.

Marcos neutraliseerde ook zijn politieke rivalen binnen de oligarchie van grootgrondbezitters, geleid door de gebroeders Lopez (Fernando Lopez was de van Marcos vervreemde vicepresident en Eugenio Lopez een van de rijkste tycoons van de Filipijnen). Van deze oppositionele elite maakte ook Benigno S. Aquino Jr. deel uit. Hij was de zoon van een beroemde politicus (die diende als vicepresident tijdens de Japanse bezetting) en getrouwd met Corazon 'Cory' Cojuangco Aquino, erfgename van een van 's lands grootste suikerplantages. Benigno Aquino had zich, voorafgaand aan de staat van beleg, als jonge senator van de oppositie geprofileerd als de grootste rivaal van Marcos. Aquino en een aantal andere politieke kopstukken van de oppositie werden krachtens de noodtoestand gevangengezet en Marcos confisqueerde ondernemingen van verscheidene oligarchische tegenstanders, onder wie de gebroeders Lopez. Andere politici en belangrijke zakenlieden kwamen snel tot de slotsom dat ze beter konden samenwerken met Marcos dan zich verzetten tegen zijn autoritaire bewind.

De economische toestand op de Filipijnen ging er snel op vooruit in de eerste jaren van Marcos' autoritaire bewind. De export nam toe omdat Marcos buitenlandse investeringen actief aanmoedigde. Technocraten stabiliseerden de economie, initieerden een grootschalig infrastructuurprogramma en ontwikkelden plannen voor elf grote industriële projecten, bedoeld om het land een duw te geven richting industrialisering en zodoende uit te groeien tot de volgende 'Aziatische tijger' op economisch gebied. Ook werd er begonnen met de dringend noodzakelijke (en veel te late) landhervormingen. Om deze ambitieuze ondernemingen te financieren leende Marcos onbekommerd geld op de internationale kapitaalmarkten die bulkten van de oliedollars na de stijging van de olieprijzen in 1973. De Filipijnse buitenlandse schuld steeg van 3,8 miljard dollar in 1975 tot 12,7 miljard in 1980.

Het werd echter algauw duidelijk dat Marcos geen autoritaire 'developmentalist' was van hetzelfde kaliber als Park in Zuid-Korea. Marcos — eerder een jurist in de politiek dan een nationalistische krijgsheer — distantieerde zich niet van zijn oude getrouwen; uiteindelijk konden zij rekenen op een royalere voorkeursbehandeling dan zijn technocraten. In plaats van strenge prestatiecriteria toe te passen om het Filipijnse exportvermogen veilig te stellen, ondanks nauwe banden tussen bedrijfsleven en staat — waarop Park had gestaan toen hij overheidssubsidies toekende aan gigantische conglomeraten (*chaebols*) in Zuid-Korea — verdeelde Marcos belangrijke sectoren van de economie onder familieleden en vriendjes (zijn *cronies*). De meeste cronies van Marcos bleken incompetente kapitalisten te zijn die torenhoge schulden opbouwden in slecht geleide bedrijven. De landhervormingen stagneerden, terwijl monopolies in de suiker- en kokosteelt vele boeren aan de bedelstaf brachten. In 1981 legde de vlucht van geldschieter Dewey Dee, met 700 miljoen pesos aan onopeisbare schulden, de krakkemikkige staat van de door cronies overheerste economie aan de dag. Het Marcos-regime begon te verzwakken.

DE MOORD OP AQUINO EN TOENEMENDE OPPOSITIE

De moord op oppositieleider Benigno Aquino in augustus 1983 op de luchthaven van Manila, toen hij poogde terug te keren uit ballingschap, zorgde ervoor dat de economische terugval ontaardde in een totale financiële implosie. Onthullingen dat de centrale bank de financiële rapportage van het land had vervalst (in grote lijnen precies dat waarop Griekenland 25 jaar later zou worden betrapt) leidden tot een kapitaalvlucht, een steile val van de Filipijnse peso, een inflatie die steeg als een raket, en tot slot een verzoek van de regering om een schuldmoratorium — het land had inmiddels een schuldenlast van meer dan 25 miljard dollar. De regering werd gedwongen een bezuinigingsprogramma van het IMF te accepteren in ruil voor een reddingsoperatie. Het resultaat daarvan was ernstige economische krimp: het bruto binnenlands product (bbp) daalde in amper twee jaar tijd met 15 procent.

Demonstraties tegen de regering namen hand over hand toe. Ze begonnen met een massale begrafenisstoet voor Aquino, waaraan naar schatting

2 miljoen rouwenden deelnamen. De eerste demonstratie in de zakenwijk Makati in Manila, medio september 1983, door honderdduizend keurig geklede kantooremployés was een blijk van de onvrede van het zakenleven met het Marcos-regime. Grote ondernemingen die Marcos vroeger hadden gesteund, begonnen zich vanwege de ongebreidelde toename van het 'crony-isme' tegen hem te keren en stelden zich zelfs openlijk vijandig op na de zware financiële crisis die volgde op de moord op Aquino. Vooraanstaande figuren uit het bedrijfsleven werkten nauw samen met de katholieke bisschoppen onder aanvoering van Jaime Sin, de aartsbisschop van Manila, die ongezouten kritiek leverde op mensenrechtenschendingen nadat de Kerk haar beleid van 'kritische samenwerking' met het regime had gestaakt. Zij kregen gezelschap van politici die vóór de staat van beleg oppositie hadden gevoerd tegen Marcos en van toen net opgerichte belangengroepen onder leiding van activisten uit de middenklasse. Ook vrouwenorganisaties waren prominent aanwezig bij de protesten, hoewel die bewegingen vaak ideologisch uiteenvielen in gematigde en linkse activisten. Er waren ook 'massaorganisaties' onder leiding van de CPP, die (na de zware repressie tijdens het begin van de staat van beleg te hebben overleefd) een snel groeiende achterban kregen van strijders op het platteland en stedelijke activisten. Na de moord op Aquino ontstonden er clandestiene publicaties en radiozenders om de overheidscensuur te omzeilen. Zelfs de Amerikaanse regering, ooit een belangrijke steunpilaar voor Marcos vanwege diens anticommunistische houding en de twee grote Amerikaanse legerbases in het land, begon zich te distantiëren van het regime.

VOORUITGESCHOVEN VERKIEZINGEN EN DE VAL VAN MARCOS

Omdat Marcos niet bereid was om op te stappen of om een transitie richting democratie aan te vangen (zoals leiders van meer geïnstitutionaliseerde militaire regimes in Zuid-Amerika, bijvoorbeeld in Brazilië, hadden gedaan) ging de oppositie op zoek naar een nieuwe strategie. Eén groep — bestaande uit politici die de steun hadden van de Kerk en de top van het bedrijfsleven — besloot deel te nemen aan de parlementsverkiezingen van medio 1984, ondanks Marcos' reputatie in het verleden te hebben gefraudeerd met stembusuitslagen. Hoewel veel kandidaten werden bedrogen, wist een verrassend aantal oppositiekandidaten een zetel te winnen, wat een psychologische opsteker betekende, hoewel hun invloed als minderheid in het parlement beperkt was. Een andere groepering had de verkiezingen geboycot en probeerde eenheid te creëren onder de belangenorganisaties. Maar omdat de communisten hamerden op het op Lenin geïnspireerde leiderschap van het 'parlement van de straat', liepen deze inspanningen halverwege 1985 op niets uit, wat leidde tot een breuk tussen communistische en niet-communistische oppositiekrachten. Toen Marcos — onder druk van de VS en de voortdurende economische malaise — vervroegde presidentsverkiezingen uitschreef voor februari 1986, besloten alle grote oppositiegroepen (behalve de communisten) deel te nemen.

De aankondiging van vervroegde verkiezingen — beter bekend geworden als de *snap elections* van 1986 — kwam volkomen onverwachts voor de oppositie, die verdeeld was tussen partijen, partijcoalities (de grootste werd geleid door Salvador Laurel, Aquino's toekomstige kandidaat voor het vicepresidentschap) en actiegroepen.

Onder druk van de Kerk en het bedrijfsleven, die de oppositie opriepen zich te verenigen tot één front, werd ondanks haar gebrek aan politieke ervaring Corazon 'Cory' Cojuangco Aquino (weduwe van Benigno Aquino) naar voren geschoven als presidentskandidaat, vooral vanwege het morele kapitaal waarover ze beschikte als 'eenvoudige huisvrouw' die beloofde de strijd van haar man voor gerechtigheid en democratie te zullen voortzetten. Zoals veel vrouwelijke leiders in Azië afkomstig uit machtige dynastieën (neem Aung San Suu Kyi in Myanmar of Megawati Soekarno in Indonesië) die het martelaarscharisma van hun vader of echtgenoot erfden, werd ook Cory gezien als een minder zelfzuchtige politicus die niet verstrikt zat in de machiavellistische machtsstrijd die zo kenmerkend was voor haar mannelijke tegenhangers. Miljoenen mensen trotseerden de intimidaties van de regering en woonden de verkiezingsbijeenkomsten bij die ze overal in het land hield. Op de verkiezingsdag stonden al die mensen urenlang in de rij om te stemmen — de stemprocedure werd namelijk opzettelijk vertraagd. NAMFREL, een onafhankelijk verkiezingsorgaan gesteund door grote ondernemingen dat honderden vrijwilligers, de Kerk en maatschappelijke organisaties mobiliseerde, zag toe op het verloop van de verkiezingen en produceerde een onafhankelijke telling van de uitslag die aantoonde dat Aquino de verkiezingen had gewonnen. De ongegeneerde manipulatie van de stembusresultaten door Marcos en de zijnen stemde de kiezers extra bitter, wat maakte dat ze nu gemakkelijk waren te mobiliseren tegen het regime.

De People Power-revolutie die het einde van Marcos zou betekenen, werd ontketend door een mislukte couppoging van militaire opstandelingen die woest waren op Marcos vanwege diens persoonlijke invloed op het leger (hij had Fabian Ver, zijn neef en voormalige chauffeur, benoemd tot stafchef van de strijdkrachten). In het licht van dreigende verwoestingen aangericht door regeringssoldaten en tanks, verzamelden honderdduizenden Manileños, gesteund door de Kerk en belangengroepen, zich rondom de opstandige soldaten. Twee overlopers uit de regering-Marcos – Juan Ponce Enrile (minister van Defensie) en generaal Fidel V. Ramos (hoofd van de nationale politie, adjunct-stafchef van de strijdkrachten en later de tweede president in het tijdperk na Marcos) – voerden de dissidenten aan. Na een patstelling van vier dagen ontvluchtte Marcos de Filipijnen in een door de VS verschafte helikopter. Het was de laatste stap in de doelgerichte actie van de Amerikanen om de Filipijnse president tot opstappen te dwingen (Marcos wilde later doen geloven te zijn ontvoerd door de Amerikanen). De revolutie deed de communistische oppositie in de marge belanden. De CPP had de verkiezingen geboycot en zich buiten de People Power-beweging gehouden. Cory Aquino, beëdigd als president op de laatste dag van de opstand, kreeg bijzondere volmachten na de vlucht van Marcos. Ze stelde zijn grondwet buiten werking, verving plaatselijke ambtsdragers en bestuurde per decreet. Ze riep een grondwetscommissie in het leven om een nieuwe constitutie te ontwerpen die een 'krachtig' presidentieel systeem herinvoerde met verregaande bevoegdheden van de uitvoerende macht, maar die ook heldere garanties formuleerde ten aanzien van burgerlijke vrijheden. Het grondwetsvoorstel werd goedgekeurd per referendum en Aquino schreef voor mei 1987 parlementsverkiezingen uit – het parlement (in de Filipijnen 'congres' genoemd) ging weer bestaan uit twee kamers, zoals in de dagen van voor de noodtoestand.

CORY AQUINO EN EEN HOBBELIGE TRANSITIE NAAR DEMOCRATIE

Maar het einde van de coalitie tussen politici van de oppositie en een aantal militaire opstandelingen die zich tegen Cory Aquino keerden, destabiliseerden de regering. Na te hebben geprobeerd Marcos af te zetten, beschouwde de RAM (de beweging Hervorm de Strijdkrachten) van Enrile zich misdeeld in de macht door Aquino en de burgerpolitici die haar kabinet beheersten. Ook was de factie ontstemd over openingen richting communisten en islamitische verzetsgroepen. Tot slot was de vroege belofte van de regering-Aquino om onderzoeken in te stellen naar mensenrechtenschendingen bedreigend, aangezien ettelijke RAM-leiders beruchte folteraars waren geweest. Er waren in totaal negen couppogingen tegen de regering-Aquino. Een militaire opstand onder aanvoering van de RAM bracht de regering in december 1989 bijna ten val. Aquino en haar kabinet overleefden de aanslag door een rechtser beleid op het vlak van veiligheid, mensenrechten en sociale kwesties (waardoor onder andere de landhervormingen in het slop kwamen, terwijl de politie het vuur opende op vreedzaam betogende boeren die in januari 1987 opliepen richting het presidentieel paleis). Het voortbestaan van de regering hing ook in zeer sterke mate af van de inspanningen van Fidel Ramos (stafchef van de krijgsmacht en later minister van Defensie) om het leger achter het herstelde burgerbewind te scharen. Aquino's regering poogde de gestolen rijkdommen van Marcos terug te vorderen en beloofde de principes van goed bestuur hoog te zullen houden. De economie stabiliseerde geleidelijk dankzij macro-economische hervormingen door technocraten. Deze waren gericht op de ontmanteling van crony-monopolies, op beteugeling van de inflatie en op een verantwoord beleid rond de schuldenlast van het land. De parlementsverkiezingen van 1987 werden weliswaar ontsierd door geweld en door de overheersing van 'dynastieke' politici, maar verliepen in het algemeen vrij en eerlijk, en lokten politici van diverse politieke pluimage — ook Marcos-getrouwen — terug naar de electorale arena. Bij de congresverkiezingen van 1987 had 62 procent van de verkozen vertegenwoordigers familieleden in een verkiesbaar ambt; met de verkiezingen van 2001 was het aantal dynastieke politici in het lagerhuis gestegen tot 66 procent. De beperking van ambtstermijnen zoals bepaald in de grondwet van 1987 tastte de macht van de clans niet aan, aangezien echtgenotes en kinderen van vooraanstaande politici dikwijls werden verkozen als hun opvolgers. Verkiezingen zijn duur en veelal gewelddadig, vooral op lokaal niveau. Maar 'warlordpolitici' blijven een betrekkelijk geïsoleerd verschijnsel (met veel media-aandacht) en stemmen worden maar zelden 'gekocht'. Filipijnse verkiezingen zijn competitief en kiezers hebben een onafhankelijke mentaliteit; bekende politieke families zijn regelmatig verslagen op plaatselijk en nationaal niveau wanneer ze impopulair werden. Maar zelfs presidenten na het Marcos-tijdperk zijn vaak telgen van dynastieën: Gloria Macapagal-Arroyo was een dochter van de president en de huidige president, Benigno 'Noynoy' S. Aquino III, is de zoon van president Cory Aquino.

CONSOLIDATIE VAN DE DEMOCRATIE ONDER RAMOS

Ramos' presidentschap leidde tot de bestendiging van de Filipijnse democratie. Dat was een opmerkelijke prestatie in het licht van zijn krappe overwinning bij de presidentsverkiezingen van 1992, waarin hij nog geen kwart van de stemmen won. Hoewel Ramos door Aquino was gekozen als haar opvolger lukte het hem niet om formeel als presidentskandidaat te worden aangewezen door wat destijds de grootste politieke partij was, de LDP (Strijd van Democratische Filipino's) aangevoerd door Ramon Mitra, voorzitter van het huis van afgevaardigden. In plaats daarvan richtte hij zijn eigen partij op (wat het gefragmenteerde partijenstelsel van het land verder verzwakte). Wat de kiezers in hem aanstond waren zijn achtergrond als deskundige beroepsmilitair, zijn loyaliteit aan de regering-Aquino en zijn belofte van verdere hervormingen. Zijn grootste rivaal bleek de verbeten corruptiebestrijdster Miriam Defensor-Santiago te zijn, wat erop duidde dat de bevolking inmiddels minder werd gemotiveerd door angst voor autoritarisme en zich meer zorgen maakte om de toenemende corruptie binnen de nieuwe democratische instellingen van het land. Ramos voerde een reeks economische hervormingen door in de vorm van deregulering en de privatisering van onderpresterende staatsbedrijven; ingrepen die volgens menig econoom de Filipijnen weer op het pad naar economische groei hebben gebracht – groei die te danken is aan een bloeiende dienstensector en niet aan industrialisering. Door een vredesakkoord met het MNLF te sluiten en door te onderhandelen met communistische opstandelingen en opponenten in het leger, herstelde Ramos ook de politieke stabiliteit. Het imago van Ramos als hervormer was zo sterk dat een corruptieschandaal (de affaire PEA-Amari) zijn populariteit nauwelijks aantastte. De Aziatische financiële crisis van 1997–1998 trof de Filipijnen weliswaar niet zo hard als andere Oost-Aziatische landen, maar schroefde wel een aantal financiële successen van de regering-Ramos terug.

OPNIEUW INSTABILITEIT ONDER DE PRESIDENTEN ESTRADA EN ARROYO

Hoewel de volgende president van de Filipijnen, Joseph E. Estrada (een filmster die politicus werd), de verkiezingen van 1998 gemakkelijk won, bleek zijn presidentschap veel turbulenter dan dat van Ramos. Estrada had met succes de Filipijnse *masa* (de armste bevolking) voor zich weten winnen dankzij het personage dat hij door de jaren heen als filmacteur had gesmeed. Zijn rol op het witte doek als strijder voor de armen verplaatste hij naar het politieke toneel. Zijn populistische discours als de vriend van wie geen vrienden heeft, was de basis van zijn slogan in de campagne van 1998: 'Erap komt op voor de armen'. Estrada ontleende kracht aan wat de grootste zwakte van Aquino en Ramos was geweest: hun onvermogen om de levensstandaard van de overgrote meerderheid van de Filipino's substantieel te verbeteren. Deze mensen bleven arm. Hoewel de economie er op macroniveau veel beter voor stond, heerste er nog op grote schaal armoede, ook omdat de werkloosheid hardnekkig bleef. Maar het populistische verhaal van Estrada als strijder voor de armen, zijn banden met het oude Marcos-regime, zijn gebroken Engels en openlijk 'immorele' levensstijl wekten de wrevel op van de elite en een groot deel van de middenklasse. Kerk en bedrijfsleven, gesteund door een belangrijk deel van de media, ontpopten zich tot de felste critici van zijn regering. Een omvangrijk gokschandaal bewoog veel maatschappelijke organisaties ertoe om Estrada te laten vallen en leidde tot de start van een afzettingsprocedure in het lagerhuis. Toen het hogerhuis echter naliet hem te veroordelen, ontstond er een tweede People Power-beweging, ditmaal vrijwel uitsluitend bevolkt door betogers uit de middenklasse die zich richtten tegen een vrij en eerlijk verkozen president. Wat het leger eufemistisch een 'terugtrekking van steun' noemde, leidde tot een People Power-coup, die het hooggerechtshof sanctioneerde met een omstreden arrest. Toen een paar maanden later Estrada's opvolger, voormalig vicepresident Gloria Macapagal-Arroyo, zijn arrestatie gelastte voor corruptie, gingen honderdduizenden van zijn arme aanhangers de straat op voor alweer een People Power-opstand. Deze 'wraak van de massa' moest *manu militari* worden neergeslagen, wat de regering-Arroyo redde, maar ook liet zien hoe broos de legitimiteit van die regering was.

Arroyo, econome van opleiding, bouwde voort op de macro-economische hervormingen van Ramos en luidde een periode van sterke economische groei in, die op het moment dat dit wordt geschreven al meer dan een decennium aanhoudt. Maar de solide prestaties van haar regering op economisch vlak leverden haar geen politieke populariteit onder de armen op. Dat bleek wel toen Fernando Poe Jr., een vriend van Estrada en collega-acteur, zijn kandidatuur voor de presidentsverkiezingen van 2004 bekendmaakte. Hij nam het op tegen Arroyo, die aanvankelijk had beloofd niet te zullen kandideren voor het presidentschap, maar die haar kandidatuur rechtvaardigde met het argument dat de hervormingen die ze had ingezet verdedigd moesten worden. Hoewel verguisd door de media van de elite en door de middenklasse, was Poe net als Estrada heel populair bij de gewone Filipino's. Voor de meeste rijke Filipino's was Arroyo's overwinning met meer dan een miljoen stemmen een opluchting. Een jaar later echter kwam het 'Hello Garci-schandaal' aan het licht. Op geluidsopnamen was te horen hoe Arroyo de manipulatie van de uitslagen van de landelijke verkiezingen van 2004 besprak met Virgilio Garcillano, een toenmalig lid van de verkiezingscommissie. Het schandaal toonde aan dat er in belangrijke mate was geknoeid met de verkiezingsuitslag. Arroyo's geloofwaardigheid werd nog verder ondermijnd door een reeks andere, breed uitgemeten schandalen, waarvan er heel wat betrekking hadden op haar echtgenoot. Hervormers in haar kabinet namen ontslag en maatschappelijke organisaties trokken de straat op om het aftreden van de president te eisen. Er werden diverse militaire coups beraamd. Haar populariteit kelderde naar het laagste niveau dat een Filipijns staatshoofd in het tijdperk na Marcos ooit had gekend. Arroyo slaagde er alleen in te overleven door met politieke patronage een afzettingsprocedure te blokkeren, door de legertop gunstig te stemmen en belangrijke katholieke bisschoppen voor zich te winnen. Het aanzien en de slagkracht van de bisschoppenconferentie waren verzwakt door interne verdeeldheid, seksschandalen en materiële privileges die waren gegeven aan vooraanstaande leden van de hogere clerus, de 'Malacañang-bisschoppen', genoemd naar het presidentiële paleis. Arroyo's laatste jaar als president werd verder ontsierd door de dood van 57 mensen, onder wie 34 journalisten, die de vrouw van een oppositiekandidaat hadden vergezeld toen zij namens haar man probeerde diens kandidatuur voor het gouverneurschap officieel in te dienen. Het bloedbad van Maguindanao, georkestreerd door de beruchte politieke clan van de Ampatuan, voltrok zich ver van Manila in zuidelijk Mindanao. Maar de slachting werd algauw in verband gebracht met de regering-Arroyo, omdat ze deze familie van krijgsheren eerder had gesteund in een campagne om het opstandige gedrag van moslimseparatisten te bestraffen, en ook vanwege de cruciale rol van de Ampatuan bij de stembusfraude die ervoor zorgde dat Arroyo werd 'herverkozen' bij de presidentsverkiezingen van 2004.

OOK DE ZOON KOMT OP: HET PRESIDENTSCHAP VAN NOYNOY AQUINO

De uitbarsting van nationaal verdriet na het overlijden van Cory Aquino aan darmkanker in 2009 leidde tot de verrassende entree van haar zoon Benigno 'Noynoy' Aquino III — tot dan een onopvallend senaatslid — als de belangrijkste presidentskandidaat namens de oppositie. Hoewel het Arroyo grondwettelijk niet was toegestaan aan de verkiezingen deel te nemen, maakte Noynoy Aquino in zijn campagne doeltreffend gebruik van haar regering als schrikbeeld, bijvoorbeeld met de belofte dat er een einde zou komen aan de armoede als de corruptie met wortel en tak zou worden uitgeroeid. Nadat hij de presidentsverkiezingen van 2010 moeiteloos had gewonnen, beloofde Noynoy ernst te zullen maken met degelijk bestuur, poetste hij het imago van de Filipijnen in het buitenland op (zo besloten belangrijke ratingbureaus tot een opwaardering van investeringen) en slaagde hij erin om binnenslands ongekend populair te blijven. Noch Aquino zelf noch zijn naaste familie is ooit in verband gebracht met serieuze schandalen. (Als president bleef Aquino vrijgezel, dus hij had geen levenspartner die het mikpunt kon worden van corruptiebeschuldigingen zoals Imelda Marcos of Mike Arroyo.) Wanpraktijken binnen de regering blijven echter schering en inslag, er wordt op nog grotere schaal gesmokkeld en plaatselijke misdaadsyndicaten tieren welig. Tegelijkertijd wordt er nauwelijks werk gemaakt van grote structurele problemen — economische groei zonder extra banen, hoge armoedecijfers (ondanks een programma van voorwaardelijke uitkeringen) en de relatieve daling van de productiesector. Een groot schandaal rond stemmenlokkerij met overheidsgeld in 2013 deed de vraag rijzen of Aquino niet verstrikt was geraakt in zijn eigen discours: hervormingen beloven en gebruikmaken van patronage om hervormingsmaatregelen te kunnen doorvoeren. Zelfs de grote successen van Aquino, zoals het ontslag van opperrechter Renato Corona op beschuldiging van corruptie, waren kennelijk alleen mogelijk via een royale toekenning van presidentiële patronage aan volksvertegenwoordigers. Niettemin behoudt Aquino de steun van de voornaamste strategische groepen in de Filipijnse samenleving (de Kerk, de top van het bedrijfsleven, activisten op het maatschappelijk middenveld en grote segmenten van de media en het leger). Zijn populariteit is betrekkelijk groot gebleven en in de polls is hij in elk geval niet abrupt gekelderd, zoals wel het geval was bij Arroyo na een reeks schandalen.

VAN EEN MOEIZAME TRANSITIE NAAR ADEQUAAT BESTUUR?

De People Power op de Filipijnen — waarbij massademonstraties ter ondersteuning van een militaire opstand leidden tot de val van het Marcosregime na de gestolen verkiezingen van 1986 — voerde het land naar een moeizaam transitiepad richting democratie. Dissidenten binnen de strijdkrachten die zich tegen Cory Aquino hadden gekeerd, brachten haar regering bijna ten val. Nadat Fidel Ramos er in de loop van zijn regeerperiode in was geslaagd om het leger onder burgergezag te plaatsen, was er na zijn presidentschap opnieuw sprake van een instabiele periode. Joseph Estrada werd afgezet door een herhaling van People Power onder leiding van de gegoede klasse, hoewel die 'volksmacht' ditmaal was gericht tegen een verkozen president die geliefd was onder de armen. Estrada's opvolger, Gloria Macapagal-Arroyo, kampte met een legitimiteitscrisis nadat ze buiten de grondwet om de macht had gegrepen en vervolgens de presidentsverkiezingen van 2004 manipuleerde om Estrada's vriend en collega-acteur Fernando Poe Jr. te 'verslaan'. Maar de impopulaire Arroyo overleefde weer opflakkerende couppogingen en diende haar termijn uit. Dit maakte in 2010 de weg vrij voor de spectaculaire electorale zege van Noynoy Aquino in wat waarschijnlijk de meest vrije en eerlijkste presidentsverkiezingen waren in het post-Marcos-tijdperk.

Noynoy Aquino won het presidentschap met de belofte dat hij het land weer op het rechte pad van goed bestuur zou krijgen en dat hij de belofte om de macht terug te geven aan het volk, belichaamd door moeder Cory, gestand zou doen. Het lijdt nauwelijks twijfel dat de bijna dertigjarige transitie naar democratie de Filipino's een beter bestuur heeft opgeleverd als het gaat om stabiel macro-economisch beleid, en ook zijn er serieuze inspanningen gedaan (zij het vaak met beperkt effect) om de corruptie terug te dringen. De rol van technocraten heeft aan belang gewonnen, de economie groeit snel, de inflatie is laag en de schuldenlast van het land is verminderd. Een nieuwe groep tycoons is opgestaan met investeringen die gericht zijn op de snel groeiende dienstensector die nu de oude oligarchie, waarvan de rijkdom was gebaseerd op grootgrondbezit en industrie, overschaduwt.

Maar het economische beleid na Marcos is er niet in geslaagd de armoede en werkloosheid terug te dringen. Dat is de reden dat zelfs een succesvolle, hervormingsgezinde president kan worden opgevolgd door een populist, wat gebeurde toen Estrada het ambt overnam van Fidel Ramos, wiens presidentschap doorgaans geldt als het gouden tijdperk van politieke hervorming in de jaren na Marcos. Estrada's krachtige aanhang onder arme kiezers, die hem in 1998 tot staatshoofd maakten, was een product van het feit dat Ramos er ondanks zijn hervormingen niet in was geslaagd om veel te doen ten bate van de verarmde meerderheid van de Filipino's. Estrada's afzetting illustreerde hoe wantrouwig de gegoede klasse tegenover zijn populisme stond. Het ziet er wel naar uit dat de Filipijnse rijken en ook de middenklasse bereid zijn om populistische aanspraken op de macht te dulden. Dat kan leiden tot stuivertje wisselen bij verkiezingen, waarbij maatregelen om de economische slagkracht te verbeteren door macro-economische stabiliteit en degelijk bestuur, het moeten opnemen tegen inspanningen om de ongelijkheid te verminderen door het scheppen van werkgelegenheid en sociaal welzijn te zien als voornaamste beleidsdoelen van het democratische politieke systeem in de Filipijnen.

BIOGRAFISCHE SCHETS VAN FIDEL V. RAMOS, PRESIDENT VAN DE FILIPIJNEN (1992-1998)

Fidel Ramos is een beroepsmilitair die belangrijke posten bekleedde in het leger en bij de politie tijdens de lange dictatuur van Ferdinand Marcos — een verre neef die onder de staat van beleg van 1972 tot 1986 heerste over het land. Ramos genoot zijn militaire opleiding in de VS aan de academie van West Point en behaalde een masterdiploma civiele techniek aan de universiteit van Illinois. Vervolgens diende hij in het Filipijnse leger en vocht onder andere aan de zijde van de Amerikanen in Korea en Vietnam. Zijn rol bij de Filipijnse transitie houdt verband met uiteenlopende factoren. Ten eerste was er zijn persoonlijke statuur binnen de Filipijnse strijdkrachten. Vervolgens schaarde hij zich al vroeg aan de zijde van Corazon Aquino en de spontane volksbeweging die in 1986 in protest kwam tegen de toenemende repressie en corruptie van het Marcos-regime. Ook onderhield Ramos nauwe relaties met de Verenigde Staten, vooral met het Pentagon, waar hij te boek stond als 'Steady Eddie'. En tot slot genoot hij een goede reputatie in het Filipijnse zakenleven.

Generaal Ramos slaagde er achter de schermen in om verscheidene militaire couppogingen tegen Corazon Aquino te verijdelen — eerst als stafchef van de strijdkrachten en later als Aquino's minister van Defensie. Hij werd in 1992 door Aquino naar voren geschoven als haar opvolger en verkozen tot president met slechts 24 procent van de stemmen in een wedstrijd tussen zeven kandidaten. Maar met ontwikkelings- en infrastructuurprogramma's wist hij zich gauw te verzekeren van brede steun bij de bevolking — zo kwamen er nieuwe energiecentrales om een einde te maken aan de stroomstoringen waar Manila veelvuldig mee kampte. Ramos verleende amnestie aan de leiders van militaire coups, schafte de wet tegen subversiviteit van 1981 af en legaliseerde daarmee de communistische partij. Voorts ging hij de dialoog aan met zowel communistische als islamitische opstandelingen. Ook schikte hij zich naar de traditionele Filipijnse politiek van begunstiging, maar met respect voor de culturele legitimiteit van democratische instellingen.

De Filipijnen blikken terug op een periode van twintig jaar met doorgaans eerlijke verkiezingen en een geregelde afwisseling van de bestuursmacht, al valt er weinig verandering te bespeuren in de onderliggende oligarchische structuur, de zwakheid van partijen en politieke instellingen, en de grootschalige corruptie. Sommige Filipino's hebben kritiek op Ramos omdat hij corruptie en militaire insubordinatie zou hebben gedoogd en omdat hij de familie Marcos en andere traditionele dynastieën de kans op een politieke comeback zou hebben geboden. Maar de meeste Filipino's prijzen Ramos omdat hij het politieke geweld in het land heeft teruggedrongen, de democratische processen heeft versterkt die werden hersteld onder Cory Aquino, en omdat hij de sterke economische groei van het land heeft gefaciliteerd.

INTERVIEW MET PRESIDENT FIDEL V. RAMOS

Overal ter wereld spannen landen met een autoritair verleden zich in om een democratisch bestuur te vestigen. Wat kunnen de mensen in die landen leren van de ervaringen in de Filipijnen?

Zijn de mensen in het Midden-Oosten en Noord-Afrika wel bereid om te luisteren? Ze hebben immers allemaal hun eigen ideeën en hun eigen cultuur. Als je kijkt naar Syrië op dit moment, en daarvoor naar Libië en Egypte, die hebben in zo korte tijd heus niets aan onze 'lessen' gehad en kampen nog altijd met problemen.

In de Filipijnen is het gelukt om in vier dagen tijd op geweldloze wijze van regime te veranderen. Niemand heeft daarbij het leven gelaten. We hebben geprobeerd dat te documenteren voor het belang van de natie.

Nieuwe leiders moeten altijd voortbouwen op de opgedane ervaring en de successen (en zelfs de mislukkingen) van hun voorgangers. Dat is precies wat ik probeer te doen met de Fidel Ramos Development Foundation. Ons voornaamste product is een reeks publicaties. Na mijn presidentschap heb ik het op me genomen om zo veel mogelijk te schrijven over mijn ervaringen en de hulp van vrienden te vragen om die periode te documenteren ten gunste van jonge politici.

LEIDERSCHAP

Het is moeilijk die dingen in een beknopt overzicht weer te geven, maar goed bestuur en verlicht leiderschap moeten in eigen land en met eigen mensen worden gekweekt, omdat je zulke zaken nu eenmaal niet kunt uitbesteden. Ik kon bezwaarlijk de Maleisische premier Mahathir of de Chileense president Patricio Aylwin invliegen om de regering van de Filipijnen te leiden. En omgekeerd zou dat evenmin hebben gewerkt.

De algemene principes zijn goed bestuur en verlicht of visionair leiderschap. Die elementen moeten de weg voorwaarts wijzen, met een blik van minstens vijfentwintig jaar in de toekomst. We kunnen niet alles realiseren wat er moet gebeuren gedurende de zesjarige termijn van een Filipijnse president of de acht jaar van een herkozen Amerikaanse president. Die termijnen zijn te kort om alles te bereiken wat bereikt moet worden. Je moet de toekomst visualiseren, actief zijn, je verbeelding laten spreken en werken aan een plan — wat gebeurt er met ons water, wat gebeurt er met energie, met de infrastructuur, het onderwijs, met allerlei andere dingen? Dat is de definitie van een transformationeel leider: iemand die mensen weet te inspireren met zijn of haar visie op het realiseren van resolute, transformerende verandering.[57] Zulke mensen kunnen crises ombuigen in keerpunten in het bestaan van hun land.[58]

Dat was mijn instelling juist omdat ik sinds 1946 deel heb uitgemaakt van de regering. Ik begon mijn taken in regeringsdienst toen ik als achttienjarige cadet aan de militaire academie van West Point optrad als vertegenwoordiger van de Filipijnen. Het was een door oorlog verscheurde tijd. Het zuidelijke deel van Manila was volledig verwoest bij de bevrijding van de stad, die werd verdedigd door de Japanners en natuurlijk aangevallen door de geallieerden (in het bijzonder door de VS) en Filipijnse guerrilla's. Zo ben ik mijn loopbaan in overheidsdienst begonnen. Ik nam ontslag uit het leger toen ik opkwam als kandidaat voor het presidentschap van de Filipijnen, nadat ik tussen 1988 en 1992 had gediend als minister van Defensie.

Als ik het meer op mijn eigen persoon betrek, dan gebruik ik eenvoudige steekwoorden om de drie hoofdelementen van mijn zienswijze te omschrijven: *caring*, *sharing* en *daring*. Voorzien in de behoeften van je gezin en familie, en tegelijkertijd zorgdragen voor, delen met en risico's nemen voor anderen en voor het land. Met dat laatste — durven — bedoel ik dat je meer moet geven dan je neemt, dat je offers durft te brengen voor het algemeen belang. Hoeveel mensen durven dat? Voor velen gaan de belangen van de familie nog altijd voor het welzijn van de mensen en de natie.[59] Leiders moeten moeilijke beslissingen durven nemen die de bureaucratie niet zal nemen; ze moeten durven leiden op de weg voorwaarts.[60] Leiders moeten eenheid durven creëren om het verschil te maken. De leider moet daarom de oppositie achter zich zien te scharen zodat er één groot nationaal team is. Als je het hebt over het landsbelang en over onze visie op een betere toekomst voor de Filipijnen, dan maakt ook de oppositie deel uit van het team. Want voor bepaalde zaken moeten we als één ploeg optreden. Zoals je in de sport competities hebt binnen een school of een bedrijf, zo kun je een dergelijke 'competitie' ook in de binnenlandse politiek opzetten. Als het gaat om de bescherming van onze belangen, doen we er goed aan op te treden als één team. Ik heb het dan over eenheid wat doelen betreft, één natie, één groot landenteam, en saamhorigheid op het vlak van waarden als eerlijkheid, hard werken, vaderlandsliefde, liefde voor God, liefde voor de mensen en een hart voor het milieu.

Een krachtig arbeidsethos is belangrijk voor leiders. Het 24/7-model — 7 dagen per week 24 uur per dag werken — volstaat niet; het moet een 25/8-model zijn. Ik ben nu dertien jaar met pensioen en toch werk ik nog altijd op zaterdagmiddag. Hoe krijg je het voor elkaar om meer dan 24 uur per dag en meer dan 7 dagen per week te werken? Dan zul je moeten jongleren met allerlei kwesties tegelijk. Mindanao, de Zuid-Chinese Zee, de economie, onze arbeiders in het buitenland, bloedbaden, berovingen, de VN, ASEAN (Associatie van Zuidoost-Aziatische Naties). Het probleem is dat sommige leiders niet genoeg doen, dat ze niet genoeg tijd besteden aan hun taken, terwijl ze echt aan al die zaken aandacht zouden kunnen geven. Als die evenwichtsoefening mislukt, stort het land ineen. Dat is hier al twee keer gebeurd.

U begon uw loopbaan op jonge leeftijd als cadet; voordat u president werd, voltrok uw professionele loopbaan zich binnen de krijgsmacht en de politie. En u heeft vele zeer belangrijke posities bekleed als stafchef en als minister van Defensie in een goed getraind beroepsleger, waar bevorderingen geschiedden op basis van verdienste. Hoe heeft u uw onafhankelijkheid kunnen behouden om een nieuw pad te openen en voor te gaan op dat pad?

Ja, zo heeft mijn loopbaan zich — gelukkig voor mij — inderdaad ontwikkeld. Ik kan eerlijk bekennen dat tegen de tijd dat ik kolonel was, de nieuwe president hier toevallig een achterneef van mij was: Marcos. Maar voor die tijd had ik de militaire rangen doorlopen op de meest professionele manier die ik kon bedenken, door manschappen aan te voeren en door actieve dienst in het buitenland, onder andere bij riskante operaties in Korea en Vietnam. Toen ik de rang van generaal bereikte, was Marcos dus al aan de macht, maar ik werd niet bevorderd omdat hij mij begunstigde. Hij was de opperbevelhebber, maar ik kwam tegen hem in opstand omdat zijn ambities sommigen onder ons niet aanstonden. Ik heb het dan over het afkondigen van de staat van beleg en het schenden van de rechten van de bevolking.

DE ROL VAN HET LEGER

U zegt dat u in opstand kwam. Dat doet de vraag rijzen hoe het leger kan worden onderworpen aan het civiele gezag. In de Filipijnen zijn er verscheidene militaire couppogingen geweest tijdens het presidentschap van Corazon Aquino en dat van Gloria Arroyo. Hoe hield u het leger onder controle? En hoe heeft u veranderingen bewerkstelligd in de relaties tussen krijgsmacht en burgermaatschappij?

Toen ik deel uitmaakte van het leger was het mijn voornaamste prioriteit om altijd professioneel te blijven en de politiek niet de kans te geven mijn besluitvorming te beïnvloeden, hoeveel druk er ook werd uitgeoefend. Naarmate ik opklom in de militaire hiërarchie nam de druk van politici toe, ook de druk van mensen in de directe entourage van de president. Maar omdat ik een zeer professionele training heb genoten, ben ik er altijd in geslaagd het hoofd koel te houden. Ik stond aan het hoofd van een volledig krijgsmachtonderdeel, de nationale politie. Op dat moment telden de strijdkrachten vier hoofdonderdelen — landmacht, marine, luchtmacht en nationale politie. Maar tijdens mijn presidentschap moesten we krachtens de door Cory Aquino doorgevoerde grondwet de nationale politie afsplitsen, waarna het een aparte dienst werd onder burgertoezicht — van de minister van Binnenlandse Zaken en van plaatselijke overheden. Het onderdeel werd dus afgescheiden van het leger en omgedoopt tot de Filipijnse nationale politie.

Ik stond dus aan het hoofd van die nationale politie en was als plaatsvervangend bevelhebber de nummer twee van de gehele krijgsmacht. En we waren onderworpen aan de politieke besluiten van onze erkende leider tijdens de opstand van 1986: de minister van Defensie en tegenwoordig senaatsvoorzitter Juan Ponce Enrile.

Waar het volgens mij aan ontbrak in het Midden-Oosten en Noord-Afrika is dat de rebellerende burgerbeweging — jongeren, niet-gouvernementele organisaties, intellectuelen en arbeiders — er niet in is geslaagd om een component van de strijdkrachten achter zich te scharen. Het was allemaal niet van tevoren gepland in die landen, maar veel van de opstandige militaire groeperingen kozen later een voor een — en eenheid voor eenheid — wel voor het burgerverzet. Dat gebeurde in Libië en dat is nog steeds gaande in Syrië. Maar in ons geval koos de militaire oppositie vanaf het prille begin de zijde van de burgers. Eigenlijk zou je kunnen zeggen dat de burgers zich schaarden aan de zijde van de opstandige militairen. Het was immers het leger dat de eerste stappen zette door de steun voor het Marcus-regime op te zeggen halverwege de verkiezingscampagne waarbij Cory Aquino de belangrijkste kandidaat van de oppositie was. We verkozen Aquino niet echt boven Marcos. We staakten gewoon onze steun aan de zittende president.

We hebben geluk gehad in die zin dat Marcos ons moeiteloos onder de voet had kunnen lopen. Als kleine groep hadden we niets kunnen inbrengen tegen zijn militaire overwicht. Hij had de tanks, de helikopters, de jachtvliegtuigen, de artillerie, de mariniers. Wij waren slechts een handjevol officieren die zich wilden verzetten tegen het regime. Maar minister Enrile en ik besloten dat we de taken en het aansturen van de operatie onder ons beiden zouden verdelen. Ik vroeg Enrile om zich bezig te houden met de politieke en civiele aspecten van onze distantiëring van Marcos. Hij zou het woord voeren tegenover de media, de politieke leiders en de politieke partijen. Ik zou me concentreren op de militaire actie. En zo is het ook gegaan. Natuurlijk waren er heel wat overlappingen. Enrile hield zich ook bezig met een deel van het militaire personeel, aangezien hij in de provincie zijn eigen achterban had, die ook een groep militairen omvatte. En natuurlijk had ik als generaal met een jarenlange staat van dienst ook zelf een aanzienlijke achterban. Maar toch hebben we in grote lijnen het werk verdeeld.

Dus hoe hebben we de loyaliteit verkregen van de overgrote meerderheid van 110.000 leden van de nationale politie en 120.000 manschappen van landmacht-, marine- en luchtmacht? We hebben niet zo'n heel groot leger. Ik was goed bevriend geraakt met de bevelhebbers in de tijd dat ze nog jonge officieren waren. We leerden elkaar goed kennen, spraken elkaar aan bij de voornaam, speelden samen tennis en golf, gingen samen duiken, hielden autoraces en speelden wedstrijdjes tegen elkaar. En natuurlijk deden we veel projecten samen, omdat we bij die projecten alle legeronderdelen nodig hadden. Er heerste dus een zekere esprit de corps onder ons die bewaard is gebleven en werd onderhouden, ook nog toen ik president werd. Nog altijd spelen we weleens golf en houden we reünies, en dan praten we over allerlei kwesties die nog niet zijn opgelost.

In ons geval was het op de vierde dag van de opstand rond het middaguur een voldongen zaak – we waren op 22 februari 1986 's avonds laat begonnen. Vervolgens legde Cory Aquino de eed af als nieuwe president ten overstaan van een van de rechters van het hooggerechtshof. Op 25 februari benoemde ze Juan Ponce Enrile als minister van Defensie en mij als de nieuwe stafchef met een extra ster op mijn schouders. De strijdkrachten hebben altijd onder civiel gezag gestaan. Tijdens het presidentschap van Aquino heb ik veel aandacht besteed aan een pakket nieuwe waarden voor de 'vernieuwde krijgsmacht van de Filipijnen'. Daarbij ging het er vooral om dat het leger apolitiek en onpartijdig zou zijn, en dat het de eigen oorspronkelijke rol zou vervullen: die van het handhaven van het recht en de openbare orde. We hebben geprobeerd de officiersrangen met elkaar te verzoenen en te verenigen, waarbij we niet focusten op het verleden maar op de toekomst en op loyaliteit aan de grondwet. Het standaardiseren van bevorderingen en de toekenning van posities was een belangrijke hervorming die toen werd doorgevoerd. We maakten geen onderscheid tussen militairen die pro-Marcos of pro-Aquino waren geweest; de toekenning van posities was voortaan gebaseerd op verdienste en bekwaamheid.[61]

Dat klinkt allemaal zo eenvoudig, maar we weten dat er veel couppogingen zijn geweest. Waarom was dat?

Tussen 1986 en 1990 zijn er negen couppogingen tegen Cory Aquino geweest waarvan we weet hebben. Daarbij ging het om uiteenlopende groepjes militairen, niet om één solide geleding. Een paar pogingen kwamen van heel jonge militairen met de rang van kapitein die vele jaren onder zeer zware omstandigheden hadden gediend te velde en die nooit voldoende erkenning hadden gekregen, en al zeker geen degelijke wedde. Dan had je de jonge kolonels zoals Gregorio Honasan — nu senator — die het dolgraag voor het zeggen wilden hebben, maar daarin niet slaagden omdat een paar generaals zoals ik nog altijd de lakens uitdeelden. Eerst als stafchef en later als minister van Defensie moest ik ervoor zorgen dat al die coups in de kiem gesmoord werden. Dat is gelukt, maar het was ook mijn taak om de eenheid binnen de krijgsmacht te handhaven.[62] We hadden immers gezworen Aquino te erkennen als de verkozen president van de Filipijnen.

In maart 1986 vaardigde Cory Aquino Proclamatie Nr. 3 uit, de voorlopige grondwet van de vrijheid die de lijnen voor de transitie uiteenzette. Tussen februari 1986 en februari 1987 berustte het bestuur bij een revolutionaire regering. Er was geen definitieve grondwet van kracht en Aquino bestuurde per decreet. Het congres was gedurende die periode opgeheven. Maar in elk geval waren er geen grote bewegingen of onlusten in dat jaar, behalve dan één mislukte poging van Marcos-getrouwen toen ze het Manila Hotel bezetten.

Na de revolutie was het leger verdeeld, veelal op basis van de belangen van de verschillende leeftijdscategorieën in het leger. De jonge kapiteins, de zeer actieve en ambitieuze kolonels, en dan de oude generaals zoals ik wilden de status quo handhaven en de burgerregering een kans geven om te functioneren volgens de grondwet van 1987. Toen het mijn beurt was om een gooi te doen naar het presidentschap, zeiden mijn eigen mensen binnen de strijdkrachten en op het ministerie van Defensie dat ik niet hoefde te kandideren voor de verkiezingen, dat ik het presidentschap gewoon kon opeisen en dat zij me dan zouden steunen. Maar dat weigerde ik. Ik zou het presidentschap kunnen grijpen en het misschien drie jaar op die plek kunnen volhouden, maar veel langer zou ik het ambt niet kunnen behouden, omdat de bevolking van de Filipijnen dat niet zou toestaan. Zo zitten we hier in elkaar.

In het Midden-Oosten en Noord-Afrika heb ik gezien dat dynastieën en rijke families en dictators misschien een tijdje de macht kunnen vasthouden, maar lang houden ze dat niet vol, omdat de bevolking dat niet laat gebeuren. Misschien dat ze tien, twintig, dertig of zelfs veertig jaar — zoals in het geval van Khadaffi — de scepter zwaaien, maar ten langen leste aanvaardt het volk dat niet meer.

Waarom hielden na uw regering de samenzweringen tegen president Gloria Arroyo aan? Waarom kon daar geen einde aan worden gemaakt?

Na mijn regering, tijdens de ambtstermijn van president Estrada, leefde het verzet binnen het leger weer op. Hij zat slechts tweeënhalf jaar in het zadel door toedoen van de strijdkrachten en de nationale politie. Hij werd in januari 2001 afgezet omdat hij gold als iemand die misbruik maakte van zijn positie en corrupt was. Hij beperkte zijn activiteiten en invloed tot een selecte groep cronies. Dat beviel ons niet en daarom klonken er vanuit de burgersamenleving protesten op. De Kerk, intellectuelen, arbeiders, ngo's en het leger steunden dat verzet. Eerst waren het burgers die in opstand kwamen, waarna het leger en de politie die beweging steunden.

Toen werd Gloria Arroyo president. Gedurende de eerste drie jaar van haar presidentschap werd ze gezien als een heldin en onze verwachtingen waren hoog gespannen, maar ze brak de ene belofte na de andere. Wederom was het leger diep teleurgesteld, maar er was geen militaire opstand tegen Arroyo. Ze bleef negen jaar aan de macht. Het was heel jammer allemaal, want in het begin was ze heel doeltreffend in haar optreden en werkte ze hard. Ze werkt nog altijd heel hard, maar haar belangen namen een andere wending toen ze plezier begon te krijgen in al die macht — iets wat volgens mij dictators en despoten overal ondervinden. In het begin verrichten ze allemaal prima werk, maar als ze een tijdje hebben geproefd van de macht, raken ze daar zo aan verslingerd dat ze die nooit meer uit handen willen geven.

Toen ik president was, wilde ik de delen van de grondwet wijzigen die betrekking hadden op de economie en de bestuursvorm. Ik was voorstander van een parlementaire regeringsvorm waarin leger en politie niet hoeven te worden overgehaald om bij een staatsgreep de zijde te kiezen van deze of gene politieke leider. In een parlementair systeem is het aannemen van een motie van wantrouwen door de leden van het parlement voldoende om de zittende regering tot aftreden te dwingen. Dat systeem willen wij ook, want de mensen in het leger en bij de politie zijn professionals en behoren niet betrokken te raken bij intern politiek geruzie. Dat heeft de ervaring me geleerd in de periode van 1987 tot 1990. In die tijd was ik al president en ik wilde natuurlijk niet dat er iets zou gebeuren met de integriteit van leger en politie.

De commissie onder leiding van Hilario Davide, destijds voorzitter van de verkiezingscommissie, die president Cory Aquino in 1989 instelde, heeft zich gebogen over de couppogingen tijdens haar regering. In 2003 werd de commissie-Feliciano (voorgezeten door de gepensioneerde hoge rechter Florentino Feliciano) opgezet. Die commissie heeft onderzoek gedaan naar de protestbewegingen ten tijde van Gloria Arroyo en kwam tot de slotsom dat de grieven van het leger gerechtvaardigd waren. Op de hoogste niveaus was inderdaad sprake van begunstiging bij bevorderingen en de toekenning van posities, en de gewone militairen — vooral de korporaals en soldaten — werden slecht betaald. En dan was er ook nog politieke inmenging in tal van procedures in het leger, in het bijzonder bij het aankoopbeleid. Er deden zich dus ongeoorloofde bemoeienis en corruptie voor, aanvankelijk onder de toezichthoudende politici, maar op zeker moment raakten ook een paar hoge officieren besmet door het corruptievirus.

Eén negatieve ontwikkeling vond plaats in oktober 1990. Die hield verband met de onafhankelijkheidspogingen van Mindanao. De bedenkers van het complot beweerden dat de christelijke, islamitische en inheemse bevolkingsgroepen van Mindanao — de Lumads — zich wilden afscheiden teneinde de federale republiek Mindanao te stichten, die los zou staan van de republiek der Filipijnen. De vijandelijkheden duurden echter maar vijf dagen. Er is wel enig wapengeweld geweest, maar de zaak is betrekkelijk vreedzaam beslecht en door toedoen van onze tussenkomst als kabinetsleden destijds hebben we een grootschaliger oorlog kunnen voorkomen.

Zoals gezegd zijn er negen couppogingen geweest toen Aquino president was, en in januari 2001 was er een gezamenlijke actie van burgers en militairen die het aftreden van Estrada betekende. Ten tijde van president Arroyo waren er drie couppogingen. Eerst was er in 2003 het Oakwood-incident hier in Manila, in de zakenwijk Makati. In 2006 volgde een vrijwel identieke poging van ontstemde militairen onder aanvoering van een aantal hoge officieren die probeerden Makati te bezetten en zodoende de regering te dwingen tot capitulatie, maar die lukte evenmin. En in november 2007 was er het incident rond hotel Manila Peninsula. Er waren geen militaire protestbewegingen gedurende mijn tijd als president, dus van 1992 tot 1998, en toen Estrada respectievelijk Arroyo president waren, was ik al met pensioen.

HERZIENING VAN DE GRONDWET

Zijn de grondwet en democratische instellingen — en de inzet en animo ervoor — volgens u inmiddels stevig geworteld?

De moeilijkheid vandaag de dag is dat er een paar krachtige machtsblokken zijn die wijzigingen aan de grondwet van 1987 verhinderen. Het betreft volgelingen van wijlen kardinaal Jaime Sin, de aanhangers en afstammelingen van president Cory Aquino en bepaalde auteurs van de grondwet van 1987. Die grondwet is niet tot stand gekomen via een democratisch gekozen orgaan, in tegenstelling tot de voorgaande grondwetteksten van 1935 en 1972, die bepaalden dat de bevolking de afgevaardigden van de grondwetgevende vergadering zou kiezen. In 1986 stelde president Aquino de vijftig meest briljante Filipino's aan als afgevaardigden. Dat was dus in zekere zin een elitair gezelschap, maar daarin waren wel uiteenlopende sectoren vertegenwoordigd, waaronder het bedrijfsleven, landeigenaars, arbeiders, vrouwen, de moslimgemeenschap, uiterst linkse groepen en afgevaardigden van de verschillende geografische zones van het land. Per referendum werd de grondwet met 76 procent van de stemmen aangenomen. De nieuwe grondwet introduceerde ook de regel dat de president slechts één enkele ambtstermijn van zes jaar kan dienen.[63]

De nakomelingen van al die mensen blokkeren elke poging om de grondwet te wijzigen, hoe gering de ingreep ook is, alsof die tekst in marmer gebeiteld is en nooit meer gewijzigd mag worden. We hebben het gehad over de Amerikaanse grondwet. Hoe vaak is die gewijzigd? In de afgelopen tweehonderd jaar zijn er 27 amenderingen geweest. Dat is gemiddeld ongeveer één majeure wijziging om de tien jaar. In ons geval deed ik de aanbeveling om de economische bepalingen te amenderen. Die artikelen stellen een 60/40-regel in met betrekking tot de ontwikkeling van natuurlijke hulpbronnen en de eigendom van nutsbedrijven van de staat. Het belang van buitenlandse investeerders in een onderneming is beperkt tot maximaal 40 procent en dat heeft een zeer negatieve impact op directe buitenlandse investeringen gehad en zodoende economische groei in de weg gestaan.[64] Mijn andere grondwetswijziging hield verband met het parlementaire systeem, maar op die aanbeveling heb ik niet te hard aangedrongen omdat ik wist dat het tijd zou kosten om de bevolking te laten wennen aan de idee van een niet rechtstreeks verkozen president. We wezen erop dat de mensen in de VS hun president weliswaar verkiezen, maar dat het niet de eenvoudige telling van alle stemmen is die bepaalt wie de winnaar is; dat doet het kiescollege. Nu moeten we de gedachtegang van de mensen bijstellen om hen ervan te overtuigen akkoord te gaan met een regeringsstelsel dat eerlijke vertegenwoordiging garandeert, maar dat de president niet direct kiest.

Het andere amendement waarvoor ik echt heb gestreden, betrof een wijziging tegen de dynastieën. De huidige grondwet kent al een bepaling die stelt dat politieke dynastieën zijn verboden krachtens toepasselijke wetten. Maar waar zijn die toepasselijke wetten? Degenen die baat hebben bij politieke dynastieën zijn precies dezelfde mensen die in het congres zetelen en die sinds 1987 ondanks een paar pogingen geen enkele wet van die strekking hebben aangenomen. Dus ik opperde dat we de grondwet zo zouden aanpassen dat het verbod op dynastieën expliciet wordt verwoord in de grondwet zelf, zodat het verbod niet meer afhangt van een toepasselijke wet. En waar gebeurt dat? Dat gebeurt in de andere bepalingen van dezelfde grondwet. Daar staat dat de president van de Filipijnen geen ambtsdragers in de uitvoerende macht mag benoemen die familieleden zijn binnen de vierde graad van bloed- of aanverwantschap.[65] Dus die formulering moeten we gebruiken om verkiezing in een openbaar ambt te verbieden zodat er geen politieke dynastieën worden gecreëerd. Dat is alles. Oersimpel!

POLITIEKE PARTIJEN

Een tweede aspect daarvan, want die zaken houden verband, is het veranderen van politieke partijen. Want als het is toegestaan om gemakkelijk van partij te veranderen, leg je in zekere zin de kiem voor het ontstaan van politieke dynastieën. Ik had zelf een dynastie kunnen opbouwen. Mijn vader was politicus, maar hij overleed voordat ikzelf in de politiek belandde. Ik ben maar één keer voor verkiezingen opgekomen en daarbij heb ik het gehouden. Ik wil niet afgaan als politicus. Mijn zus was senator voordat ik kandideerde als president. Zij is een opvoeder, een prima diplomaat, maar ze zat in de senaat omdat ze persoonlijk goed was, niet omdat ze lid was van een 'dynastie'. Ze heeft ontslag genomen en daarna niet meer aan verkiezingen meegedaan. Haar zoon heeft weliswaar meegedaan aan verkiezingen op provinciaal niveau, maar van een dynastie kun je echt niet spreken. De Filipijnse senaat telt slechts 24 leden en bij de verkiezingen van 2013 was maar de helft van de zetels vacant; de andere helft wordt verkozen in 2016. Dus het electoraat heeft hier heel weinig om uit te kiezen, omdat de kandidaten voor het merendeel uit een politieke dynastie stammen. De democratie is ver te zoeken. Dat 'dynasticisme' moet worden gecorrigeerd door de formulering van de grondwet zelf. Leden van het congres zullen nooit een toepasselijke wet aannemen, want dat zou neerkomen op zelfvernietiging.

Er is nu sprake van een initiatief van de voorzitters van het huis van afgevaardigden en van de senaat – respectievelijk Feliciano Belmonte en

Juan Ponce Enrile — om de grondwet met kleine stappen te veranderen, te beginnen bij de 60/40-bepalingen, en misschien lukt het om en passant wat begripsbepalingen in de grondwet te laten opnemen. De echt grote wijziging betreft de regeringsvorm. Nu voorziet de grondwet van 1987 in een presidentieel systeem en een meerpartijenstelsel. Die twee elementen verdragen elkaar niet. We hebben in ons presidentieel systeem op dit moment zo'n 272 groeperingen op de lijst van politieke partijen. Dat werkt natuurlijk voor iedereen verwarrend.

Er zijn inderdaad veel politieke partijen in de Filipijnen, en ook u richtte een eigen partij op, Lakas, toen u een gooi deed naar het presidentschap. Denkt u dat het bestaan van zoveel partijen een probleem is voor de democratie in de Filipijnen?

We begonnen onze nationale partij van christen- en moslimdemocraten in december 1991 met zeven leden en tegen de tijd dat de termijn voor de registratie van kandidaten verstreek, in februari 1992, telde Lakas er al zo'n duizend. Zo groot werden we in zo'n kort tijdsbestek.

Men vraagt me wel hoe ik heb kunnen winnen. Mijn antwoord luidt dat het het olievlekprincipe was. Eén druppel olie verspreidt zich al zo sterk in een meer, dat een paar honderd druppels een enorme vlek kunnen maken. Ik kreeg tienduizend ngo's achter me. Geen politieke partijen, maar bewegingen, verenigingen, organisaties. Ik had overal heel actieve mensen, ook al omdat ik bevriend met hen was geraakt in mijn beginjaren als beroepsmilitair — het leger was toen intensief bezig met ontwikkelingswerk in de gemeenschappen.

Het aantal politieke partijen is nu een groot probleem en de president zal zich echt over dat probleem moeten buigen. In 2012 zei het congres dat er een paar aanpassingen moesten komen, waarop de president liet weten dat de tijd daarvoor nog niet rijp was. In de media wordt daarover nog altijd gekibbeld. De politieke partijen zijn niet stabiel; ze draaien rond enkele individuen. Dat betekent dat er ook geen continuïteit van beleid is.[66] Een maatregel die de vorming van stabiele partijen zou kunnen ondersteunen, is de ontwikkeling van een systeem van openbare financiering.[67] Ook een grondwetsherziening in de richting van een parlementair stelsel zou de partijen sterker maken en de rol van 'politieke leiders op persoonlijke basis' terugdringen.[68]

BOUWEN AAN EEN COALITIE

Als het grote aantal politieke partijen tijdens uw presidentschap geen probleem was, waarom is het dan nu wel een probleem?

Ik had geen probleem omdat wij in het kader van LEDAC, de bij wet ingestelde adviesraad voor de ontwikkeling van wetgevende en uitvoerende instellingen, als leiders elke woensdag aan het ontbijt onze uitdagingen bespraken terwijl het congres in zitting bijeen was; er was een productieve samenwerking tussen uitvoerende macht, wetgevende macht en privésector.[69] Dat betekende dat we over een heel jaar gezien 35 woensdagen als één familie bijeenkwamen. De president, de voorzitter van de adviesraad en — afhankelijk van de agenda — misschien vijf leden van het kabinet vergaderden met de voorlieden van de meerderheid en de minderheid in senaat en lagerhuis en ook met sectorale leiders en ngo's — vrouwen, jongeren, ouderen, veteranen, universiteitsbestuurders, arbeiders, vissers, buitenlandse arbeiders enzovoort — en we spraken met elkaar alsof we één grote familie waren. Op die manier slaagden we erin goed overleg tussen de uitvoerende en de wetgevende macht te ontwikkelen en zodoende consensus te bereiken.

Ik hield ook kabinetsvergaderingen 'in het veld'. Als het hoofdonderwerp bijvoorbeeld de energievoorziening op Mindanao betrof, stuurde ik vijf teams vooruit onder leiding van een staatssecretaris — publieke werken, energie, stadsbeleid, misschien defensie en ook wetenschap en technologie. Je vormt één ploeg. Jullie gaan daarheen. Jullie nemen de route over land. Jullie nemen de veerboot helemaal naar Davao. Ik vertrek met een ander team van staatssecretarissen — misschien onderwijs en vervoer — en wij nemen het vliegtuig dat van het ene naar het andere eiland vliegt. Terwijl je op pad bent, moet het team projecten bekijken en in gesprek gaan met de mensen in de provinciehoofdsteden of gemeentehuizen. Ik gaf ze bijvoorbeeld drie dagen om zich naar de plaats te begeven waar we de kabinetsvergadering zouden houden. Op het laatst had ik dan een ochtendsessie met hen. Ik leerde van ze, samen met een aantal kernministers, misschien met mijn kabinetschef of de vicepresident erbij. We hoorden wat er allemaal was gebeurd tijdens hun werkbezoeken. Ik kreeg vijf verschillende rapporten en na de lunch hielden we een ministerraad. De gouverneur ter plaatse en de burgemeester van de betreffende stad schoven aan en namen deel aan de bespreking zodra hun agendapunt aan de orde was. En vervolgens, voordat ik de vergaderlocatie rond vijf uur 's middags verliet, nam ik een besluit en vernamen die mensen wat dat besluit inhield voor hun provincie, hun regio, hun eiland. En dan vertrokken we tegen het einde van de middag, wat soms heel riskant was omdat veel plaatsen geen goede luchthaven hebben, en stegen we 's avonds laat op. Dat was de manier waarop we het regeringsbeleid in de praktijk brachten — *hands on*, zoals dat heet.

Had dat overleg tussen uitvoerende macht, wetgevende macht, ngo's en sectorale leiders alleen tijdens uw regering plaats? Hoe pakte de regering-Aquino die dialoog aan?

Ja, dat gebeurde alleen in mijn tijd. Ten tijde van president Cory Aquino werd er een wet aangenomen die de adviesraad LEDAC instelde, maar daartegen sprak ze haar veto uit, vermoedelijk omdat haar broer vicevoorzitter van het lagerhuis was en zij alleen via haar broer overleg had met het lagerhuis — dat 250 leden telt. In de senaat had ze haar zwager, Butz Aquino, en senaatszaken besprak ze met hem. Ze deelde de macht niet graag. Toen ik dat in 1991 vernam, had ik er geen flauw benul van dat het achter de schermen zo werkte. Ik deed het voorstel om de met een veto getroffen wet alsnog in te voeren en dat was meteen de allereerste wet die in december 1992 werd aangenomen onder mijn presidentschap.

Ik was uit op overleg en consensus, en dat is ook wat er gebeurde in mijn zes jaar. En in die zes jaar hebben we 229 wijzigingen doorgevoerd in structurele wetten. Dat is zo'n beetje één amendement om de negen dagen, op het vlak van landbouw, industrie, het leger, de nationale politie, onderwijs, gelijkekansenbeleid, economische regio's, investeringsbeleid, bankwezen... echt alle beleidsterreinen. Nu hebben we de wet op de reproductieve gezondheid, die pas in december 2012 is aangenomen, een kwestie die onlosmakelijk is verbonden met milieubeleid en duurzame ontwikkeling.[70] Over een wet op de vrijheid van informatie is twaalf jaar lang gedebatteerd en nog altijd valt er geen actie van de president te noteren. In mijn tijd hadden we vier jaar lang een financieel overschot doordat we de economie hadden opengegooid. En daarmee kom ik terug op wat ik in het begin zei: degelijk bestuur en verlicht leiderschap kun je niet uitbesteden; die moeten in eigen land worden gekweekt.

BREDE MEDEZEGGENSCHAP

U vertelde dat u tijdens uw presidentschap geregeld overleg voerde met beide kamers van het parlement en met vertegenwoordigers van het maatschappelijk middenveld. Wat was de rol van die maatschappelijke organisaties toen u president was?

Ik ben altijd zeer voor *people empowerment* geweest; de notie *people power* heb ik minder benadrukt. Ik heb me ingespannen om de kansen en capaciteiten van ieder individu – jongen, meisje, oud, jong, baby, genaturaliseerde burger, buitenlander – te vergroten, om iedereen in staat te stellen het beter te hebben, langer te leven, energieker te zijn. Dat is wat 'empowering' voor mij betekent. Mensen vormen het belangrijkste kapitaal en de grootste troef. Niet de grond. Niet de zee. Niet militaire macht. Het zijn de mensen.

Onder de noemer 'ngo' valt een brede waaier van maatschappelijke organisaties, met inbegrip van de Kerk. In mijn tijd kon ik zes sectorale vertegenwoordigers benoemen als lid van het lagerhuis, omdat dat zo in de grondwet stond. Die benoemingen moesten dan wel worden bevestigd door de commissie van benoemingen. Die regeling is later uitgefaseerd, omdat het tijdelijke maatregelen betrof. Maar we hadden vertegenwoordigers namens vrouwen, jongeren, overzeese werkkrachten, oorlogsveteranen, universiteiten en het bedrijfsleven. Die mensen werden geselecteerd door de eigen gemeenschap, die me formeel meedeelde op wie de keuze was gevallen. Op die basis benoemde ik hen en ik sprak die vertegenwoordigers gedurende zes jaar – twee termijnen in het lagerhuis. In de tweede termijn had ik iets andere vertegenwoordigers, maar de jongere mensen heb ik zes jaar lang intensief leren kennen.

Maakten vrouwenorganisaties deel uit van de overlegprocedures? En gold de Kerk als een belangrijke politieke actor?

Ja, zowel in mijn tijd als in die van Aquino. Zij heeft een aantal raden opgezet. Ik had op gezette tijden vergaderingen met vrouwen en jongeren. We hadden een nationale raad voor de rol van Filipijnse vrouwen en een nationale jongerencommissie. De leider van elke groep had een positie in het kabinet. We spraken de vrouwelijke leiders om de twee maanden in de vorm van een officiële vergadering met een eigen secretariaat. Iedereen werd geacht zijn of haar huiswerk te doen en er werden zorgvuldig notulen gemaakt.

We hebben een groter percentage vrouwen in het parlement dan welk ander land in ons deel van Zuidoost-Azië ook. Vrouwen laten zeer nadrukkelijk hun stem horen. Allerlei prima functionerende denktanks en ngo's worden geleid door vrouwen. Ik schrijf op dit moment een stuk over een van die organisaties: de Filipijnse beweging voor wederopbouw van rurale gebieden (PRRM), die tot op de dag van vandaag bestaat en zich toelegt op onderwijs en plattelandsontwikkeling — ze streven vooral naar goed drinkwater voor arme bevolkingsgroepen, drie maaltijden per dag en medische verzorging. Ook de PRRM wordt grotendeels door vrouwen aangestuurd.

Vanaf het prille begin, zelfs al ten tijde van de Spaanse koloniale overheersing, hadden we hier vrouwen die strijd leverden tegen de Spanjaarden. Er waren verscheidene vrouwelijke generaals die dorpsorganisaties leidden en natuurlijk hadden we vrouwelijke schrijvers en denktankers die danig van zich deden spreken in de Spaanse kranten. En met de komst van de Amerikanen werd de vrouwenemancipatie nog krachtiger. Het actief en passief vrouwenstemrecht werd in ons land al in 1936 bekrachtigd. Verder hadden we de nationale commissie van oecumenische kerken (NECC), waarin katholieken, protestanten, moslims, atheïsten, de Iglesia ni Cristo en onafhankelijke kerkgenootschappen waren vertegenwoordigd. Zes jaar lang roteerde het voorzitterschap van de NECC elk jaar. We onderhielden een actieve dialoog met deze commissie. Daar is nu geen sprake meer van.

BASISPRINCIPES

U heeft tal van principes en werkwijzen beschreven die u als president volgde, maar het ziet ernaar uit dat het gebruikelijke politieke bedrijf in de Filipijnen weinig verband houdt met de principes die u voorstaat en die naar uw zeggen werden toegepast tijdens uw presidentschap.

Tja, natuurlijk spijt me dat enorm. Het is een van de zaken waarin ik tekortgeschoten ben, weet u. Omdat we in de praktijk probeerden te brengen wat volgens ons juist was, en dat zetten we op papier en we praatten erover.

Maar waarom gaapt er in de politiek zo'n kloof tussen principes en de praktijk?

Mensen leren wat ze willen leren, maar zaken die ze niet zien zitten of niet standaard in de praktijk kunnen en zullen brengen omdat de voorschriften hun niet aanstaan, die schuiven ze terzijde. En toch heb ik tijdens dit gesprek gezegd dat het opbouwen van een natie niet een kwestie is van een optelsom van de successen en mislukkingen van een reeks presidenten of premiers. Het gaat om een continu, opwaarts proces waarbij niemand mag verzaken. Iedere zittende ambtsdrager moet het beter doen dan zijn voorganger, zodat diens opvolger het waarschijnlijk weer beter doet.

Ik kom terug op dat bouwen aan een natie. Als je het dag voor dag bekijkt, dan maak je er heus niet alleen een potje van, al lijkt het daar soms op. Je maakt tal van fouten. Er gebeurt van alles. Ik denk dat ze dat ook in de Verenigde Staten zeggen en als je kijkt naar de laatste 225 jaar, zijn ze er daar toch echt op vooruitgegaan. Maar in de tussentijd is er ook in Amerika sprake van ups en downs. Wel, ik denk dat dat opgaat voor elk land dat volwassen is geworden. Ook voor de Filipijnen, want twintig jaar geleden hadden we geen wolkenkrabbers, geen elektrische trein, geen grote boulevards en winkelcentra. Ook de speciale economische zones Clark en Subic die nu door het bedrijfsleven worden geëxploiteerd, waren er niet; dat waren toen nog Amerikaanse legerbases.

INTERNATIONALE INVLOED

Hoe beoordeelt u de rol van de Amerikaanse regering, die hier altijd zoveel invloed heeft gehad, en die van andere internationale actoren in de Filipijnse democratische transitie?

Ik durf te beweren dat het koloniale verleden onder de Amerikanen een positieve ervaring is geweest voor mijn land. Toch is er nog altijd dat onuitgesproken gevoel — en niet alleen onder oudere mensen — dat de Verenigde Staten ons ook hebben beroofd van onze onafhankelijkheid. Toen we de onafhankelijkheid van de Filipijnen al hadden uitgeroepen en op het punt stonden Manila in te nemen, trokken de Amerikanen binnen om het op een akkoordje te gooien met de Spanjaarden. Het was een afspraak om te voorkomen dat Manila zou worden verwoest. In het andere geval hadden er gevechten kunnen uitbreken tussen de Spanjaarden en de opstandelingen. Krachtens het verdrag van Parijs in 1898 werden de Filipijnen door Spanje van de hand gedaan en aan de Verenigde Staten verkocht voor 20 miljoen dollar. En Cuba maakte deel uit van de transactie. Feit is dat we een kolonie van de VS werden. En dat zit de mensen nog altijd niet helemaal lekker; er blijft wat aarzeling bestaan.

We zijn de VS erkentelijk voor de lessen van de representatieve democratie, verkiezingen, eerst de beter opgeleide klassen laten zetelen in de twee huizen van het parlement. We hebben hetzelfde stelsel als de Verenigde Staten en ook ons rechtssysteem is eender. We zijn dankbaar voor het geschenk van het Engels en voor het openbaar onderwijs. Ik ben van de generatie die de voordelen daarvan heeft ondervonden, want ik ben opgegroeid in die jaren en heb op een openbare school gezeten — en dat systeem was beter dan wat we nu hebben. Maar de gedachte blijft hangen dat de VS de Filipijnen in de beginjaren heeft uitgebuit en dat Amerika niet toestond dat wij ons industrieel ontwikkelden. En we lopen een heel stuk achter op sommige voormalige koloniën zoals Maleisië. Thailand is nooit een kolonie geweest, maar ze hebben een flinke voorsprong op ons qua bbp per hoofd van de bevolking.

Heeft u zich verdiept in de ervaringen met transities in andere landen, zoals Spanje, Portugal of de Latijns-Amerikaanse landen, toen u het transitietraject in de Filipijnen inging?

Nee, we hebben gewoon als Filipino's gedacht en het was een situatie van erop of eronder. Of we versloegen Marcos, of niet. En als we niet wonnen, dan zouden we in de gevangenis belanden of gedood worden. Natuurlijk speelde het idee van een coup of een opstand tegen Marcos misschien al drie jaar in het leger. De RAM had daarin het voortouw genomen. In een later stadium raakten sommigen onder ons bij die plannen betrokken, omdat de RAM ons vroeg het plan te steunen. Ik adviseerde ze niet te hard van stapel te lopen, omdat ze er nog niet klaar voor waren. Maar we steunden hen wel in hun roep om hervormingen, want het Marcos-regime was toen al heel slecht bezig op het vlak van mensenrechten en economische ontwikkeling. We zaten met een oligarchie; zij waren degenen die de bedrijven in handen hadden en die werden weer uitsluitend onder hun cronies verdeeld. De echtgenotes van de topfiguren van het regime waren ook stuitend extravagant. Marcos was bevriend met de sjah van Iran, met Khadaffi en andere lang zittende dictators.

Het probleem dat hem de das omdeed, de kloof tussen arm en rijk, was levensgroot. Toen we steun begonnen te krijgen, zijn we ook gaan denken aan bestuurlijke kwesties en we waren het er in het begin allemaal over eens dat het landsbestuur weer in handen moest komen van de bevolking, van de politiek, als we inderdaad zouden winnen. Maar de jonge kolonels hebben zich niet uit eigen beweging aan dat voornemen gehouden; ze wilden het land zelf runnen. Sommigen van ons waren echter fel tegen dat idee.

Misschien dat we wel hebben gekeken naar een aantal opstanden in Latijns-Amerika die overeenkomsten vertoonden met de onze. De bevrijdingsbewegingen geleid door geestelijken bijvoorbeeld. Onze priesters hier waren ook tegen het regime, maar ze hadden de handen ineengeslagen met de communisten. Er waren ook goed vergelijkbare bewegingen in Midden-Amerika, met die jonge studenten. En in Chili had je een echt vreselijke situatie, omdat het leger zelf — de junta — het land bestuurde. In ons geval bestond de regering altijd uit burgers, die steun kregen van het leger.

ECONOMISCH BELEID GERICHT OP ONTWIKKELING

Wat waren uw prioriteiten op economisch vlak en qua ontwikkeling?

Een van de meest nijpende problemen destijds was energie. Er waren om de haverklap stroomstoringen, wat bijzonder schadelijk was voor de economie en voor de levenskwaliteit. Daarom hebben we in december 1992 het ministerie van Energie ingesteld om de productie en het verbruik van energie te plannen en te beheren. Om de energiecrisis aan te pakken kwamen er plannen voor de korte, middellange en lange termijn. Al met al hebben we het probleem van de energieschaarste vroeger opgelost dan gepland. Het bedrijfsleven is bij de bestrijding van de energiecrisis een belangrijke partner geweest.[71] Ook de liberalisering van de telecomsector en bankwezen was een prioriteit, omdat op die manier zowel de investeringen als de concurrentie zouden toenemen.[72]

Corruptie kan een economie helemaal uitzuigen. Ik heb geprobeerd het corruptieprobleem aan te pakken door via deregulering de rol van de staat in de economie terug te dringen en zodoende onze economie open te stellen voor buitenlandse investeerders en concurrentie.[73] We zouden het bedrijfsleven de kans moeten geven om te doen wat het beter kan dan de overheid.[74] Meer binnenlandse concurrentie zal de Filipijnen in staat stellen om wereldwijd beter te concurreren, wat economische groei bevordert. Maar om te komen tot meer concurrentie op de binnenlandse markt, moeten we de monopolies en kartels aanpakken die bepaalde sectoren van de economie beheersen.[75] Banengroei zal komen van kleine en middelgrote ondernemingen, die meer werkgelegenheid creëren dan kapitaalintensieve investeringen.[76]

Ook onze zwakke infrastructuur werkte als een rem op groei en ontwikkeling, en ontmoedigde bovendien buitenlandse investeringen. Investeringen in infrastructuurverbeteringen, met inbegrip van schone energie, waren en blijven belangrijk.[77] In dat kader hebben we meer dan zesduizend kilometer aan nieuwe wegen en bruggen gebouwd.[78] Het gaat daarbij om investeringen voor de lange termijn, die dus ook een planning op de lange termijn vereisen.

Er gaapt een enorme kloof tussen rijk en arm in de Filipijnen. We investeren een te groot deel van onze onderwijsbegroting in het universitair onderwijs, waarvan de armen veel minder profiteren dan de middenklasse.[79] Maar onderwijs is de hijskraan die de mensen uit de armoede tilt en die het concurrentievermogen van de Filipijnen vergroot, en daarom moeten er middelen naar het basisonderwijs gaan en ook naar de primaire gezondheidszorg, vooral ten bate van de allerlaagste inkomens.[80] Het verkleinen van de inkomenskloof zal bijdragen tot een parallelle aanpak: van beneden naar boven én van boven naar beneden.[81]

MEERDERE VREDESPROCESSEN TEGELIJKERTIJD BEHEREN

Hoe bent u erin geslaagd om de diverse gewapende conflicten te beheersen die in uw land gaande waren toen u president werd?

Vrede en verzoening waren mijn hoofdprioriteit vanaf de eerste dag van mijn presidentschap.[82] Nog voordat ik aantrad als president vingen we onderhandelingen aan met de drie gewapende dissidente groepen: de 'militaire opstandelingen' van de RAM, de zuidelijke separatisten van het MNLF, en de gewapende vleugel van de Filipijnse communistische partij, het NPA.[83] Met een proclamatie in juli 1992 heb ik de negenkoppige nationale eenmakingscommissie NUC in het leven geroepen, die via een overlegproces het mandaat kreeg om een amnestieprogramma en een vredesproces te formuleren en in te dienen.[84] De NUC voerde in 71 provincies besprekingen met degenen die strijd leverden tegen de regering, met hun families en de leiders van gemeenschappen over een reeks vraagstukken, waaronder de oorzaken van de gewapende conflicten, welk beleid en welke programma's nodig waren voor duurzame vrede en wat deze groepen en gemeenschappen zelf bereid waren bij te dragen. Op basis van dat overleg heeft de NUC voorstellen ontwikkeld voor een allesomvattend vredesproces.[85]

Een van de principes van het algemene vredesproces was dat het ons niet te doen was om schuldigen te vinden of om overgave; het ging ons primair om waardigheid voor alle betrokken partijen. Het volstond niet dat er een einde zou komen aan het geweld; er moest werk worden gemaakt van de omstandigheden die ten grondslag lagen aan de conflicten.[86] Vrede en ontwikkeling moeten altijd samengaan; komen tot duurzame ontwikkeling in gebieden die waren getroffen door wapengeweld was een voorname prioriteit.[87] We kunnen als natie alleen tot duurzame ontwikkeling komen als alle regio's vrede en vooruitgang kennen.[88] In

1993 heb ik het bureau van de presidentiële adviseur voor het vredesproces (OPAPP) ingesteld, dat toezicht hield op de tenuitvoerlegging van het NUC-plan. In 1994 werd er een generaal pardon uitgevaardigd voor gewapende groepen die strijd hadden geleverd tegen de regering. De nationale amnestiecommissie ontving meer dan zevenduizend amnestieaanvragen en veel opstandelingen in gevangenschap werden vrijgelaten. Er werden drie vredespanels opgezet om de vredesprocessen met de RAM, met het MNLF en met de communisten in goede banen te leiden.[89]

De eerste formele onderhandelingen met de communisten hadden plaats in 1986 onder de regering-Aquino, maar oogstten geen succes. De gesprekken werden hervat in 1992 en de communistische partij kreeg in 1993 een legale status. In 1998 werd er een akkoordenpakket getekend, maar na 2001 stagneerde het proces.[90]

Na de negen couppogingen tegen Aquino's regering begonnen in 1992 de onderhandelingen met de RAM met een voorakkoord om de vijandelijkheden te staken.[91] In mei 1995 kwam er een overeenkomst tot stand met strijdgroepen die trouw waren gebleven aan Marcos, het zogeheten ALTAS.[92] Een algemeen vredesakkoord werd getekend in oktober 1995. In september 1996 werd na tientallen jaren van strijd en onrust het vredesakkoord met het MNLF getekend.[93] Internationale steun voor onderhandelingen met het MNLF dateert al van de vroege jaren zeventig, met onder meer een hoofdrol voor de Organisatie van de Islamitische Conferentie (OIC).[94] Krachtens het vredesakkoord van 1996 werd de raad voor vrede en ontwikkeling in de zuidelijke Filipijnen (SPPD) opgericht, onder leiding van MNLF-voorman Nur Misuari, om toezicht te houden op ontwikkelingsprojecten.[95] Het akkoord erkende regionale autonomie, voorzag in een generaal pardon en zorgde voor de integratie van gekwalificeerde strijders in het leger en de politie.[96]

Er was een opmerkelijk incident toen ik president was. We voerden campagne in Mindanao om een meerderheid in het congres te halen voor de ratificatie van ons vredesakkoord met het MNLF. Het moest bekrachtigd worden en dat is uiteindelijk ook gelukt. Tijdens die campagne was een van de hoogste Amerikaanse ambtenaren, de directeur van USAID (het Amerikaanse agentschap voor ontwikkelingssamenwerking), bij mij. De Amerikaanse ambassadeur in de Filipijnen zat in de auto achter ons. De christenen in Mindanao waren woedend op me. Ze moesten niets hebben van het akkoord, dat in hun ogen de rol van christenen verzwakte — wat overigens niet waar is. Maar goed, zij waren ertegen en hielden daarom grote demonstraties op de weg van de luchthaven naar de stad General

Santos, een traject van zo'n vijf kilometer. Ik stak mijn hoofd uit de auto om te laten zien dat ik me niet verborg en hing zo half uit het raam. Ze probeerden me te slaan en dus probeerde ik een mep terug te geven. En het verhaal gaat dat ze tomaten naar me gooiden. Dat is oké. Gooi gerust met tomaten, maar niet met handgranaten. Dat was een van de moeilijkste fasen van mijn ambtstermijn, het vredesakkoord van Mindanao, maar het is ons wel gelukt. De les die ik heb geleerd is dat de leider zich bij elke vredesinspanning moet richten op de lange termijn en een strategische visie moet hebben op vrede en ontwikkeling. Hij mag zich nooit tot contraproductieve acties laten verleiden onder de tactische druk van de vijanden van het vredesproces.[97]

De Chinese strateeg Sunzi schreef: 'Winnen zonder strijd is het beste.' Daar ben ik het mee eens. Ik weet wat het is om te vechten, maar gewelddadige confrontatie mag slechts het laatste redmiddel van een democratische president zijn. In een democratie moet je op zoek gaan naar winwinsituaties als je onderhandelt, omdat win winresultaten de neiging hebben zichzelf te versterken, wat niet gebeurt als een akkoord wordt ondermijnd door de partij die zich tekortgedaan voelt.[98]

In 1994 hebben Brunei, Indonesië, Maleisië en de Filipijnen de Groeizone van de oostelijke ASEAN-landen (BIMP-EAGA) opgericht om de economische ontwikkeling in deze regio te versnellen. Voor de Filipijnen maakt Mindanao deel uit van het actieprogramma. Samenwerking in uiteenlopende sectoren, zoals landbouw, visserij, toerisme, scheepvaart en energie, om te komen tot complementariteit en groei is onderdeel van een plan voor de ontwikkeling van Mindanao, om het vredesproces te verstevigen door de regio boven zichzelf uit te tillen en zeggenschap te geven. De BIMP-EAGA behoort tot het 'vredesdividend' van Mindanao.[99]

Stemde het leger in met het vredesakkoord dat werd bereikt met de opstandelingen?

Het leger heeft er zijn volle medewerking aan verleend. Het regeringsbeleid werd uitgevoerd.

TIJDLIJN

1521: De Portugese ontdekkingsreiziger in dienst van de Spanjaarden Ferdinand Magellaan gaat aan land en komt om tijdens de slag van Mactan tegen het stamhoofd Lapu-Lapu.

1565–1898: Spaans koloniaal bewind. Het land krijgt de naam Las Islas Filipinas, naar Filips II van Spanje.

Augustus 1896: De opstand tegen de Spaanse kolonisator vangt aan.

December 1896: De Spanjaarden executeren José Rizal, de beroemde romancier, geleerde, arts en politiek activist.

December 1898: Na de Spaans-Amerikaanse oorlog staat Spanje de Filipijnen af aan de VS. Onder leiding van president Emilio Aguinaldo vervolgen Filipijnse onafhankelijkheidsstrijders hun gewapende strijd, nu tegen de Amerikaanse bezetting. Hierbij komen meer dan vierduizend Amerikaanse manschappen, twaalfduizend soldaten van het Filipijnse republikeinse leger en minstens tweehonderdduizend Filipijnse burgers om.

Maart 1901: Aguinaldo wordt gevangengenomen.

Juli 1901: De VS herovert de controle over de Filipijnen. De latere Amerikaanse president William Howard Taft wordt de eerste niet-militaire gouverneur.

September 1935: Na een bijna dertigjarige traditie van parlementsverkiezingen worden er ook presidentsverkiezingen gehouden onder het Amerikaanse bewind, dat een stabiel, zij het door corruptie geplaagd tweepartijensysteem steunt.

Juli 1946: De Filipijnen worden onafhankelijk van de Verenigde Staten, dat voordelige handelsrechten en militaire bases in het land behoudt.

November 1965: Ferdinand Marcos wordt verkozen als president in relatief vrije verkiezingen. Hij benoemt familie en vrienden op posten in het leger en de regering, sluit andere facties of partijen uit van de macht en bouwt met patronageprojecten een zware staatsschuld op.

Maart 1969: De communistische partij van de Filipijnen (CPP) richt een militaire vleugel op met heimelijke steun van andere oppositiegroepen. Samen met het separatistische bevrijdingsfront MNLF vormen ze een enorme verzetsbeweging.

November 1969: Buitensporige fraude, stemmenkoperij en de inzet van het leger om de oppositie te intimideren maken de herverkiezing van Marcos een feit.

Augustus 1971: Marcos schort het habeas corpus op na een bomaanslag tijdens een bijeenkomst van de oppositie. Senator Benigno Aquino Jr., telg van een vooraanstaande Filipijnse familie, wordt een prominent criticus van Marcos.

September 1972: Marcos kondigt de staat van beleg af en zet Aquino en anderen gevangen. Marcos zet families onder druk om bedrijven aan zijn vrienden te verkopen en verandert wet- en regelgeving om bondgenoten te bevoordelen. Hij benoemt technocraten en versterkt de rechten van investeerders, waarmee hij lof en steun van de Amerikaanse regering wint.

November 1972: Via omkoping en chantage krijgt Marcos een grondwettelijke conventie (nog voor de staat van beleg bijeengeroepen) zover om het congres te vervangen door een parlementair systeem zonder beperking van zittingstermijnen. Het congres wordt ontbonden en er komen geen nieuwe verkiezingen.

April 1978: Bij parlementsverkiezingen bezorgen fraude en geweld de oppositie een zware nederlaag. Velen boycotten de stembusgang, maar Aquino leidt een regionale coalitie met de CPP. Een dag voor de stembusgang houdt de oppositie een enorm protest in de vorm van een 'spervuur van lawaai'.

Oktober 1980: Een door Aquino gesteunde groep pleegt een bomaanslag op de wereldtoerismeconferentie van de VN in Manila om aandacht te krijgen. Marcos voert informele gesprekken met Aquino en belooft de staat van beleg op te heffen en verkiezingen te houden. De oppositie boycot die verkiezingen omdat de kiesprocedures oneerlijk zijn. De komende maanden pakt het regime militante groepen op.

Januari 1981: De nieuwe regering van Ronald Reagan valt aanvankelijk Filipijnse ballingen in de VS lastig, bagatelliseert mensenrechtenschendingen en weerstaat de druk om de steun aan het Marcosregime terug te schroeven.

Augustus 1981: Marcos benoemt bondgenoot Fabian Ver tot stafchef van de strijdkrachten. Ver komt in botsing met de generaals Juan Ponce Enrile en Fidel Ramos, die professioneler en onafhankelijker worden geacht.

Februari 1983: De katholieke bisschoppenconferentie onder leiding van kardinaal Jaime Sin roept op tot democratisering.

Augustus 1983: Aquino keert terug uit ballingschap. Als hij het vliegtuig verlaat, wordt hij vermoord door een agent van de staatsveiligheid. Er breken demonstraties uit die de steun krijgen van de middenklasse, het bedrijfsleven en de kerkelijke hiërarchie. Aquino's weduwe, Corazon 'Cory' Cojuangco Aquino, leidt het protest. Internationale banken schrappen leningen aan de regering vanwege de instabiliteit en dwingen de regering de import en valutahandel te beperken.

Mei 1984: Er vinden parlementsverkiezingen plaats. De niet-communistische oppositie neemt deel en wint – ondanks fraude en geweld door het regime – veel zetels in stedelijke gebieden en in de thuisbases van leiders.

Oktober 1984: Uit een onderzoek van de regering naar de dood van Aquino blijkt dat Ver achter de aanslag zit.

Januari 1985: Op advies van het Amerikaanse ministerie van Buitenlandse Zaken en de CIA roept Reagan Marcos eindelijk op om economische machtsposities ongedaan te maken, een opvolger te benoemen en Ver te straffen.

Maart 1985: Officieren op de hand van Enrile richten met heimelijke steun van het Amerikaanse leger de beweging Hervorm de Strijdkrachten (RAM) op tegen Marcos en Ver.

November 1985: Marcos roept op de Amerikaanse televisie op tot presidentsverkiezingen onder toezicht van maatschappelijke organisaties en de buitenlandse pers. De oppositie steunt Aquino als presidentskandidaat.

Februari 1986: Het onafhankelijke verkiezingsorgaan NAMFREL roept Cory Aquino uit tot winnaar van de verkiezingen, maar de kiescommissie wijst de overwinning toe aan Marcos. Amerikaanse waarnemers, de Kerk en medewerkers van de kiescommissie verwerpen de officiële resultaten. De regering ontdekt plannen voor een coup van de RAM; Enrile en Ramos vluchten naar de kazerne op Epifanio de los Santos Avenue (EDSA) en verbinden hun steun aan Cory Aquino. Samen met de Kerk en bondgenoten bij de media organiseert Aquino de People Power-demonstraties. Demonstranten betuigen hun steun door kazernes te omsingelen. Ze bezetten belangrijke locaties en beëdigen Cory als president. De VS trekt zijn steun in voor Marcos, die met een Amerikaans transportvliegtuig naar

Hawaii vlucht. Cory stelt een kabinet samen met Enrile en Ramos. In weerwil van de Amerikaanse inlichtingendienst en een aantal leden van haar kabinet laat Cory de leiders van de CPP vrij. Ze richt commissies op voor mensenrechtenschendingen en illegale activa, ontbindt het parlement uit de periode-Marcos en stelt ook Marcos' grondwet buiten werking.

Juli 1986: Aanhangers van Marcos doen een couppoging. De RAM, die zich boos maakt over de beperkte invloed en de onderhandelingen met de CPP, steunt het complot clandestien. Marcos' bondgenoten ondernemen later nog drie couppogingen.

November 1986: Cory Aquino maakt Ramos bevoegd voor het militaire beleid. Hij verijdelt de couppoging van de RAM. Enrile verlaat het kabinet. De RAM doet later nog twee pogingen.

Februari 1987: Kiezers bekrachtigen de door Cory Aquino gesteunde grondwet, die voorziet in een federaal presidentieel systeem met regionale autonomie en die de rol van het leger in de binnenlandse veiligheid en politiek beperkt.

Mei 1987: Aanhangers van Aquino winnen de parlementsverkiezingen. De door Marcos, Enrile en de CPP gesteunde partijen scoren slecht. Fraude en geweld houden aan, zij het op kleinere schaal.

September 1991: De Filipijnse senaat stemt tegen permanente Amerikaanse legerbases op de Filipijnen.

Oktober 1991: Het parlement verleent nieuwe bevoegdheden aan lokale besturen.

Mei 1992: Fidel Ramos, Cory Aquino's aangewezen opvolger, wint met 24 procent van de stemmen nipt de presidentsverkiezingen in een race met zeven kandidaten.

September 1996: Ramos tekent een vredesakkoord met het MNLF. Splintergroeperingen, waaronder het MILF, blijven bestaan.

September 1997: Ramos wil een parlementair stelsel. Tegenstanders protesteren tegen een voorstel om de beperking van ambtstermijnen af te schaffen. Het is ongrondwettelijk en wordt herroepen.

Mei 1998: Vicepresident en acteur Joseph Estrada wordt met een ruime meerderheid verkozen als president. Ramos en andere elites beschouwen Estrada als een gevaarlijke populist en verzetten zich tegen hem.

Januari 2001: Protesten tegen Estrada breken uit als zijn bondgenoten in de senaat een onderzoek naar corruptie verhinderen. Cory Aquino, Sin en Ramos eisen het ontslag van Estrada en krijgen daarbij de steun van veel geledingen van het veiligheidsapparaat. Vicepresident Gloria Macapagal-Arroyo treedt aan. Estrada dient zijn ontslag in, maar noemt de afzetting onwettig.

Mei 2004: Macapagal-Arroyo wordt verkozen voor een volledige termijn. Beschuldigingen van stemmenkoperij duiken weer op, maar afzettingspogingen in het congres mislukken keer op keer.

Oktober 2008: Vredesbesprekingen met het MILF mislukken als het hooggerechtshof een akkoord over autonomie blokkeert omdat het de regering zou dwingen de grondwet te wijzigen.

Mei 2010: Benigno 'Noynoy' Aquino III, zoon van Benigno Jr. en Cory Aquino, wordt verkozen als president. Macapagal-Arroyo benoemt nog wat mensen binnen het justitieapparaat, maar die benoemingen worden later als ongrondwettelijk ongedaan gemaakt.

November 2011: Macapagal-Arroyo wordt gearresteerd op beschuldiging van corruptie en verkiezingsfraude. Er wordt een afzettingsprocedure ingezet tegen haar opperrechter, die uit zijn ambt wordt gezet.

Oktober 2012: Het MILF en de regering onder Noynoy tekenen een raamakkoord dat de vrede in het land moet waarborgen.

7
POLEN
HET GROTE EXPERIMENT: DE WEG NAAR DEMOCRATIE VIA PROTESTEN, REPRESSIE, ONDERHANDELINGEN, VERKIEZINGEN EN ZIGZAGPOLITIEK

JANE L. CURRY

De Poolse transitie van autoritair communisme naar een vrijemarktdemocratie verliep traag, gecompliceerd en stapsgewijs. Het proces begon lang voor 1989 en het duurde bijna tien jaar voordat de finale grondwet een feit was. Het vereiste meer dan een verschuiving van de macht van de ene naar de andere groep. Zo moest de economie worden losgeweekt uit het politieke systeem, moest de communistische partij worden geschrapt als centrale instelling in de grondwet, moesten er politieke partijen en ook onafhankelijke maatschappelijke organisaties worden opgericht, en moest Polen evolueren van satelliet van de Sovjet-Unie naar een volwaardig deel van Europa. Toen dit proces na de rondetafelgesprekken in 1989 gestalte begon te krijgen, onderging de wereld rond Polen een gedaanteverwisseling. Er kwam een einde aan het gezag van de Sovjet-Unie over Midden- en Oost-Europa, de landen rond Polen vielen uiteen in zeven kersverse onafhankelijke staten, de Berlijnse Muur viel, de Sovjet-Unie verbrokkelde en het Warschaupact werd opgeheven. Met westerse hulp slaagde Polen erin zich zodanig te transformeren dat het zich kon aansluiten bij West-Europa via de Europese Unie en de NAVO.

Tussen de ineenstorting in 1989 en de aanvaarding van een volledig nieuwe grondwet in 1997 zijn er vier nationale verkiezingen geweest en drie verschillende presidenten.[100] In de loop van die jaren is er veel gebeurd wat niemand had verwacht: verschillende politieke coalities vielen uiteen en toen de economie en de politieke structuur op ingrijpende wijze veranderden, verschoof de macht van de ene ideologische zijde naar de andere. Pas in 2007 kwam er een tweepartijensysteem van de grond.

DE HISTORISCHE ACHTERGROND

Het verleden van Polen vergemakkelijkte de stap naar democratisering, maar was tegelijkertijd een complicerende factor. Het communisme was er altijd minder star en repressief geweest dan elders. Als gevolg daarvan kregen particuliere boerderijen al in 1956 de overhand in de landbouwsector, waren kleine bedrijven en handelsactiviteiten toegestaan, en wendden de Polen zich almaar meer naar het Westen, zowel in cultureel als in sociaal opzicht. Protestacties deden zich voor en nadat repressief beleid daartegen was mislukt, leidden die uiteindelijk tot beperkte hervormingen, die op hun beurt het besef deden postvatten dat het regime zou kunnen toegeven aan druk vanuit de bevolking. In het éénhuizige parlement, de *sejm*, zetelden niet alleen kandidaten van de communistische partij, maar ook van een boerenpartij en van een democratische partij van kleine ondernemers. Verder waren er twee kleine katholieke groepen: Znak, een groepering van katholieke intellectuelen, en het meer procommunistisch georiënteerde Pax. Kiezers konden een kruisje zetten bij verschillende namen op de lijst, maar dat was niet echt van invloed op de einduitslag. Er ontwikkelden zich ook oppositiegroepen, hoewel die voor het merendeel niet legaal waren. Beroepsorganisaties bleven onder staatstoezicht ressorteren, zelfs wanneer ze opkwamen voor hun eigen belangen. Het gevolg van die bescheiden partijvorming was dat ze bekende woordvoerders en deskundigen voortbrachten die konden deelnemen aan de onderhandelingen tussen oppositie en regime.

Het was de Poolse Katholieke Kerk, met haar nationalistische traditie, toegestaan te functioneren. De Kerk had vertegenwoordigers van haar lekeninstellingen in de sejm en initieerde verschillende groeperingen. Hoewel de staat vaak probeerde delen van haar voorrechten af te nemen, nam de macht van de Kerk vanaf halverwege de jaren vijftig alleen maar toe. Toen de Poolse kardinaal Karol Wojtyła in 1978 werd verkozen tot paus en in 1979 Polen bezocht, groeide de invloed van de Kerk (en het gevoel bij de Polen dat ze los van de staat zaken konden realiseren) nog sneller, wat initiatieven vanuit de bevolking extra gewicht gaf. Toen Lech Wałęsa, de vakbondsleider van Solidarność, in 1980 in het openbaar de Akkoorden van Gdansk tekende — waarmee de stakingen van Solidariteit ten einde kwamen — gebruikte hij een potlood dat dateerde van het eerste pausbezoek in 1979.

Massademonstraties van arbeiders in 1956, 1970 en 1976 tegen prijsstijgingen werden neergeslagen, maar na al die betogingen zwichtte de regering wel voor hun eisen om een einde te maken aan de prijsstijgingen en de arbeidsvoorwaarden te verbeteren. Tot tweemaal toe — in 1956 en 1970 — werd de eerste secretaris van de Poolse communistische partij vervangen als reactie op demonstraties.

Uit elk van die protesten kwamen groepen intellectuelen voort. In 1976 creëerden intellectuelen uit Warschau een comité ter bescherming van arbeiders (KOR) om de arbeiders die tijdens die demonstraties in de gevangenis waren beland — en hun gezinnen — te hulp te komen. Dit breidde zich uit tot het organiseren van meestal verboden discussierondes, tot duizenden illegale publicaties en tot de opzet van de 'Vliegende Universiteit', initiatieven die de gaten opvulden die de staatscensuur en het staatstoezicht lieten vallen.

Binnen de communistische partij ontwikkelde zich een hervormingsgezinde vleugel die bijdroeg tot de implementatie van economische hervormingen en tot een meer open opstelling van het politieke systeem. Tegen het einde van de jaren zeventig had Polen meer geld van het Westen geleend voor de import van goederen en industriële machinerie dan het land daadwerkelijk kon dragen en terugbetalen. Westerse schuldeisers drongen aan op prijsstijgingen, wat de aanleiding vormde voor de bezetting van scheepswerven langs de Baltische kust in 1980, die op haar beurt uitmondde in eisen voor een vrije vakbond (Solidarność), stakingsrecht en meer transparantie in de media. Nadat de regering de eisen van de havenarbeiders had ingewilligd, in de vorm van de Akkoorden van Gdansk, leidden demonstraties van Solidarność in heel het land tot meer concessies aan andere groeperingen in Polen, zoals boeren, studenten en intelligentsia.

De radicale roep om politieke en sociale vrijheden — en op economisch vlak eisen rond modernisering, degelijke salarissen en de beschikbaarheid van consumentengoederen — ging in de jaren tachtig almaar luider klinken omdat de regering niet in staat was te voorzien in voldoende voedingsmiddelen en consumentenartikelen. Als reactie op druk vanuit de Sovjet-Unie en om de radicalisering van Solidarność in het licht van de verslechterende economische situatie een halt toe te roepen (en ook om zich te onttrekken aan een belangrijke aflossing op westerse leningen die het land zich niet kon veroorloven), kondigde de regering op 13 december 1981 de staat van beleg af. Leiders en activisten van Solidarność (en ook vooraanstaande personen uit de regering en de partijtop die verantwoordelijk werden gehouden voor de economische rampen van de jaren zeventig) werden geïnterneerd, in heel Polen werden politiemensen en soldaten gestationeerd in kantoren en op straat, en de internationale en binnenlandse communicatielijnen werden volledig afgesneden. De regering-Reagan veroordeelde het uitroepen van de noodtoestand en legde sancties op: Poolse vliegtuigen mochten niet langer landen in de VS, Poolse leningen werden bevroren en het handelsverkeer met Polen werd opgeschort. West-Europese landen kwamen pas later met sancties, maar veroordeelden de aanvallen onmiddellijk.

In de daaropvolgende zeven jaar werden de strengste maatregelen onder de staat van beleg versoepeld: het communicatieverkeer werd hersteld, geïnterneerden kwamen vrij, de politiek en de media stelden zich stilaan opener op en de regering begon te experimenteren met marktwerkingsmechanismen om de productie op te voeren. De noodtoestand bleef echter van kracht.

DE SLOTFASE

Tegen het einde van de jaren tachtig was de economische situatie in Polen erop vooruitgegaan. De meeste basisproducten waren niet langer gerantsoeneerd, zoals het geval was geweest eerder in dat decennium. Hoewel de westerse sancties waren opgeheven, fabrieken meer autonomie hadden gekregen en de lonen van de arbeiders waren verhoogd, meende de meerderheid van de Polen dat hun persoonlijke situatie was verslechterd. Het percentage van de bevolking dat stelde vertrouwen in de toekomst te hebben, was dramatisch gekelderd: van 42 procent begin jaren tachtig tot 16 procent in februari 1988.[101] De staat had onvoldoende middelen om aan zijn elementaire verplichtingen te voldoen en stond onder druk van de Wereldbank en het Internationaal Monetair Fonds, en ook van de Verenigde Staten en West-Europa, om zijn economie te herstructureren.

Het effect van een en ander was dat de bevolking verder vervreemdde van het regime en dat er nog dramatischere economische fouten werden gemaakt. Dat de partij geleidelijk aan meer dan duizend Solidarność-activisten vrijliet, dat er een einde kwam aan de sancties, er op ruimere schaal werd geprivatiseerd en er uitnodigingen uitgingen naar gematigde tegenstanders om samen te werken met de regering, kon de politieke impasse niet doorbreken. Tegen 1988 was de situatie zo heikel dat de communistische partij en de regering geen andere uitweg zagen dan te beginnen met 'een dialoog over dialoog' met de politieke oppositie en de Kerk om te komen tot een breder draagvlak voor bijkomende economische hervormingen. Voor Solidarność was dat een belangrijk initiatief, want hoewel al haar politieke gevangenen tegen 1986 waren vrijgelaten, had de beweging nog altijd geen legale status en kon ze weinig meer doen dan deelnemen aan stakingen en betogingen.

DE ONDERHANDELINGEN

In 1988 vervulden kerkelijke leiders de rol van tussenpersoon door afzonderlijke gesprekken te voeren met Lech Wałęsa en generaal Wojciech Jaruzelski, voormalig bevelhebber van de strijdkrachten en eerste secretaris van de communistische partij — de man die de staat van beleg had afgekondigd — over de wijze waarop onderhandelingen gestalte zouden moeten krijgen. Vertegenwoordigers op lager niveau ontmoetten elkaar toen al geregeld. De regering liet weten dat Solidarność een legale status zou krijgen en dat de beweging zelfs tv-zendtijd zou krijgen en een eigen krant mocht uitgeven. Aleksander Kwaśniewski, minister van Jeugd en Sport in wat het laatste communistische kabinet zou zijn en aangewezen als een van de onderhandelaars tijdens de voorbesprekingen, liet een testballon op door op te roepen tot gedeeltelijk vrije verkiezingen, waarbij 35 procent van de zetels in de sejm beschikbaar zou zijn voor kandidaten die geen lid waren van de communistische partij of haar zusterinstanties, en 65 procent van de zetels zou zijn voorbehouden aan kandidaten van de communistische partij, onder wie personen op een nationale lijst van zestig vooraanstaande hervormers binnen de partij. Ook opperde hij een vrij verkozen senaat in te stellen en lanceerde hij het plan om de president door beide kamers van het parlement te laten verkiezen. In wat leek op een concessie aan de communistische partij, die al voorbereidingen aan het treffen was voor de verkiezingen, werd overeengekomen dat die verkiezingen kort na afloop van de rondetafelgesprekken zouden worden gehouden. Solidarność aanvaardde dat aanbod als de basis voor een nieuw systeem, en ook de regering en de communistische partij steunden het.

Een vertegenwoordiger van Solidarność en een lid van de regering traden op als voorzitter van elk van de drie 'overlegtafels' die de rondetafelgesprekken vormden. Die tafels waren op hun beurt samengesteld uit een reeks werkgroepen of 'subtafels', waarbij zo'n vijfhonderd experts en activisten waren betrokken. Elke werkgroep werd geleid door een specialist van Solidarność en een specialist die de gevestigde partijen vertegenwoordigde. Die taskforces formuleerden economische en sociale voorstellen die de volksvertegenwoordiging na de verkiezingen ter overweging zouden worden voorgelegd en ze zorgden voor de nadere uitwerking van afspraken over een nieuwe regeringsstructuur. Ook stelden ze een plan op voor de wijze waarop de verkiezingen zouden worden gehouden, met inbegrip van vrije verkiezingen voor het parlement en voor het presidentschap, die vier jaar na de verkiezingen van 1989 plaats zouden hebben. Solidarność wist ook af te dwingen dat een nieuwe grondwet pas zou worden aangenomen na het aantreden van een vrij verkozen nationale vergadering.

De akkoorden werden getekend op 4 april 1989 en op 4 juni hadden de verkiezingen plaats. Kandidaten die de steun hadden van Solidarność wonnen in de eerste ronde alle zetels die niet waren gereserveerd voor de communistische partij. Slechts drie kandidaten van de lijst van de communistische partij behaalden een meerderheid in hun districten en maar twee namen van de nationale lijst wisten in de eerste ronde een meerderheid te behalen. De uitslagen waren voor beide zijden een schok. Niemand was op dit scenario voorbereid: Solidarność had geen platform 'voor het geval dat', terwijl kandidaten van de communistische partij wel bereid waren om de macht te delen, maar niet om die kwijt te raken. De nederlaag werd een nog groter drama toen de oude boerenpartij en de democratische partij overliepen naar Solidarność, en de nieuwe coalitie zodoende een meerderheid van 65 procent bezorgden.

De leiders van de Poolse communistische partij aanvaardden de dramatische verliezen, evenals Michail Gorbatsjov, de Sovjetleider van de hervorming. De top van Solidarność hield zich aan het geheime akkoord dat kamer en senaat Jaruzelski tot president zouden verkiezen — een aantal afgevaardigden zou afwezig zijn tijdens de stemming en zodoende het quorum verlagen. Solidarność ging ook akkoord met een coalitieregering die tegemoet zou komen aan de verwachtingen van de Sovjets, door gevestigde figuren van de communistische partij aan het hoofd te stellen van de ministeries van Binnenlandse Zaken, Defensie, Buitenlandse Handel en Internationaal Transport. Op dat moment konden ze niet bevroeden dat het communisme elders weldra zou instorten en de Berlijnse Muur zou vallen.

VERANDERING BEWERKSTELLIGEN

Tadeusz Mazowiecki, lid van de katholieke oppositie, werd door Lech Wałęsa (de formele leider van Solidarność) genomineerd als premier en als zodanig benoemd door president Jaruzelski. Hij was uitgever geweest van katholieke dagbladen en lid van de sejm, en was daarnaast een van de voormannen van Solidarność bij de onderhandelingen over de Akkoorden van Gdansk en de rondetafelgesprekken. Mazowiecki gaf te verstaan dat hij het premierschap alleen zou opnemen als hij vrij was in zijn aanstellingen en beslissingen. Zijn 'grootse coalitiekabinet' bestond uit twaalf kandidaten van Solidarność, zeven mensen van de twee partijen die waren weggelopen van de communistische zijde, en vier van de communistische partij. Alleen het ministerie van Buitenlandse Zaken, dat de communistische partij had willen leiden, ging naar een neutrale expert.

Mazowiecki maakte vanaf zijn eerste presentatie ten overstaan van sejm en senaat in september 1989 duidelijk dat Polen zich zou richten op het heden, en niet op het verleden, door een dikke streep tussen beide te trekken, en dat de nadruk zou liggen op het boeken van vooruitgang rond de hervorming van het politieke systeem, op de stabiliteit en privatisering van de economie en op de 'aansluiting bij Europa'. Dat impliceerde dat er geen onderzoek zou komen naar (of bestraffing van) vergrijpen uit het verleden. Dat was een noodzakelijke beslissing omdat de communisten deel uitmaakten van de regering en nog altijd de zeggenschap hadden over het veiligheidsapparaat en het leger. In plaats daarvan concentreerde nieuwe wetgeving zich op het herstel van staatssymbolen naar de situatie van voor de overname, op de formulering van kieswetten voor vrije verkiezingen en op voorbereidingen voor de redactie van een nieuwe grondwet.

De kabinetsleden hadden sterk uiteenlopende ideeën over wat er moest gebeuren en kabinetsvergaderingen konden uren duren, wat leidde tot ongemakkelijke consensus. In de sejm werden de kandidaten van de communistische partij gemeden na hun verpletterende nederlaag en ook zelf koesterden ze weinig verwachtingen omtrent hun invloed op het beleid. Het resultaat was dat bijna alle afgevaardigden van beide groepen stemden voor Mazowiecki als premier, voor zijn keuzes bij de samenstelling van het kabinet en voor de wetten die zijn regering voorstelde.

Mede door toedoen van de verkiezingsnederlaag viel de communistische partij zo'n vier maanden na de vorming van de grootse coalitie uiteen. De meeste leden sloten zich aan bij de nieuwe sociaaldemocratische partij van Polen, die de eigendommen en fondsen van de communistische partij erfde. Kwaśniewski was een van de oprichters en voorzitter van de partij. Deze organisatie begon zich sterk te maken voor de parlementsverkiezingen van 1991 als de Democratische Linkse Alliantie (SLD) en eindigde nipt tweede achter de partij van Mazowiecki, de Democratische Unie. In 1993 had de SLD, de erfgenaam van de communistische partij, samen met de boerenpartij de meerderheid in de sejm omdat Solidarność was versplinterd in allerlei kleine fracties die onvoldoende stemmen kregen om de vereiste kiesdrempel te halen. Vervolgens, nog maar zes jaar na de verkiezingsnederlaag van de communistische partij in 1989, won Kwaśniewski namens de SLD de presidentsverkiezingen van Wałęsa, ook al waren de fondsen van de SLD geconfisqueerd en waren er aanvallen in de pers en door andere politici.

De aansluiting bij Europa bleek gemakkelijker dan verwacht, zeker na de val van de Berlijnse Muur. De grenzen waren opengegaan en de Polen mochten vrij reizen. Paus Johannes Paulus II zette zich in voor de Poolse zaak en hielp andere staten te overtuigen van de wenselijkheid van toetreding van zijn land tot de Europese organen. Polen werd in 1990 uitgenodigd om lid te worden van de Raad van Europa. Tot de ineenstorting van de Sovjet-Unie en de formele hereniging van de twee Duitslanden bestond er geen reële mogelijkheid voor Polen om lid te worden van de NAVO of de EU. Maar tegen 1991, toen de Sovjet-Unie implodeerde, was er in het Westen voldoende draagvlak opgebouwd om Polen te helpen die twee doelen te bereiken.

De Poolse economie redden en omvormen was een veel moeilijker uitdaging. In een poging meer steun bij de bevolking te verwerven, had de laatste communistische regering aanzienlijke loonsverhogingen doorgevoerd en staatsondernemingen toegestaan hun prijzen te verhogen. Dat beleid, gekoppeld aan de almaar grotere problemen met de terugbetaling van de zware schuldenlast van de jaren zeventig, leidde in oktober 1989 tot een inflatie van wel 55 procent.[102] Zowel publieke als particuliere geldverstrekkers uit het Westen, alsmede internationale instellingen, overstroomden Polen met economische en bestuurskundige deskundigen, die stuk voor stuk opriepen tot snelle en drastische economische hervormingen. Om de economie te herstructureren stemde de sejm eind december 1989 met een overweldigende meerderheid voor het Balcerowicz-plan, voorgelegd door minister van Financiën Leszek Balcerowicz. Deze 'shocktherapie' leidde tot een verhoging van de prijzen met maar liefst 572 procent, terwijl de reële lonen met 24 procent daalden ten opzichte van het voorgaande jaar, ook al kreeg Polen een kolossale instroom van buitenlandse hulp en investeringen — onder meer een stabiliseringsfonds van een miljard dollar gefinancierd door de Verenigde Staten en West-Europa. Hulp en handel, zoals 'voedselschenkingen' en de invoer van voedingsmiddelen en consumptiegoederen, hielden de Poolse economie draaiende, maar verzwakten tegelijkertijd de Poolse landbouw en industrie, omdat de westerse producten die binnenkwamen goedkoper en beter verpakt waren, en zodoende aantrekkelijker voor de Polen.

De regering had weinig geld om iets te doen aan de nieuwe sociale problemen die het gevolg waren van deze veranderingen en die de electorale achterban van Solidarność pijn deden, omdat er geen echt sociaal vangnet was voor de mensen die het hardst werden geraakt door de sluiting of verkoop van staatsfabrieken en -boerderijen. Anderen waren angstig vanwege hun dalende koopkracht en vanwege de onzekerheid over wat er zou gebeuren als het privatiseringsbeleid werd opgevoerd en de regering haar invloed verder verkleinde.[103] Het resultaat was een spectaculaire afkalving van de steun voor Mazowiecki en zijn regering, en een verbrokkeld Solidarność.

TRANSFORMATIE DOOR VERKIEZINGEN

Die versplintering leidde ertoe dat Jaruzelski zwichtte voor de druk om af te treden, zodat het land vervroegde verkiezingen kon houden en zijn weg kon vervolgen met een democratisch verkozen president. Lech Wałęsa gaf in zijn campagne Mazowiecki en de intellectuelen de schuld van de economische malaise en verweet hun dat ze de communisten wel heel erg hadden ontzien. Mazowiecki verzette zich fel tegen de grillige standpunten van Wałęsa, maar uiteindelijk werd hij verslagen door een onbekende Poolse zakenman uit Canada, die in de tweede ronde weer verloor van Wałęsa. Dat was het begin van wat de allengs bitterder verbrokkeling van Solidarność zou worden, een verbrokkeling die het klimaat bepaalde waarin Wałęsa andere politici hard aanviel en blijk gaf van minachting voor grondwettelijke bepalingen die de bevoegdheden van de president beperkten.

De parlementsverkiezingen van 1991 werden aanvankelijk gehouden om ervoor te zorgen dat een vrij verkozen volksvertegenwoordiging een grondwet kon aannemen. Ze reflecteerden ook de internationale noodzaak van een inhaalmanoeuvre ten opzichte van andere Oost-Europese staten die in een later stadium tot democratisering waren overgegaan, toen de angst voor maatregelen van de Sovjet-Unie veel minder was geworden. Omdat de eerste verkiezingen in die landen al vrij waren geweest, kwamen zij eerder dan Polen in aanmerking voor het verkiezen van vertegenwoordigers in het Europees Parlement.

De resultaten van deze eerste vrije parlementsverkiezingen in 1991 waren rampzalig voor de politieke stabiliteit. Solidarność was uiteengevallen in een groot aantal partijen. De krachtigste van die groeperingen waren populistisch en doordrenkt van godsdienstig nationalisme. Na een strijd over het kiesreglement werd de kiesdrempel op zo'n laag peil gesteld dat meer dan 111 partijen in aanmerking kwamen voor deelname; daarvan haalden 29 partijen de kiesdrempel (5 procent) voor een zetel in de sejm en 22 partijen werden in de senaat verkozen. Geen enkele partij of coalitie had een veilige meerderheid. Dat resultaat, in combinatie met de wens van Wałęsa om zeggenschap te hebben over alle besluiten, leidde tot voortdurend geruzie over benoemingen en heftige debatten over het uitvlakken van de 'dikke streep'. Polen had niet langer een kabinet met verschillende zienswijzen dat zich eensgezind achter essentiële beleidskwesties schaarde, en ook geen sejm meer die besluiten van de regering respecteerde.

De sejm stortte ineen nadat radicalen in de kring rond de minister van Binnenlandse Zaken vooraanstaande leden van de regering en de sejm, alsmede Lech Wałęsa, ervan beschuldigden agenten van de geheime politie te zijn. Toen de sejm werd ontbonden, werd er een nieuwe tijdelijke 'kleine grondwet' aangenomen die de rollen van de verschillende instellingen definieerde en de kiesdrempel voor een zetel in de sejm verhoogde. In de vooruitgeschoven verkiezingen van 1993 die volgden, was rechts zo verdeeld dat maar weinig partijen de kiesdrempel haalden. De SLD verwierf nieuwe electorale steun omdat de partij zich buiten de ruzies had gehouden en een reputatie had opgebouwd als partij van 'rationele moderniseerders'. Onder de aanhangers van de SLD bevonden zich ook mensen die zich de positieve kanten van het communisme herinnerden en personen die onder vuur lagen voor hun betrokkenheid ten tijde van het communistische bewind. De SLD en de boerenpartij verwierven de meerderheid in de nieuwe samenstelling van de sejm.

Twee jaar later werd Wałęsa bij de presidentsverkiezingen verslagen door Kwaśniewski. Gedurende diens zittingsperiode werd er een nieuwe grondwet aangenomen waarin terdege rekening werd gehouden met de lessen van de voorafgaande zeven jaar. Deze grondwet omschreef de bevoegdheden van de president en delegeerde de volledige wetgevende macht naar de twee kamers van het parlement. De sejm kreeg ook de bevoegdheid om een presidentieel veto tegen te houden. De president restte nog slechts beperkte bevoegdheden om de sejm te ontbinden. Polen werd lid van de NAVO en later van de EU, nadat het land enorme bedragen aan hulp had ontvangen om tegemoet te kunnen komen aan de normen voor het EU-lidmaatschap en om zijn Warschaupactleger en materieel op het niveau van de NAVO-vereisten te krijgen.

Hoewel velen het nog altijd zwaar hadden in de nieuwe economie, werd Polen een welvarend lid van de Europese Gemeenschap. De aanpak van misstanden en vergrijpen gedurende het communistische verleden werd echter niet ter hand genomen, met de nodige onvrede tot gevolg. Eisen en tegeneisen — en onthullingen over het optreden van de geheime politie — werden het gereedschap van radicaal rechts. Totdat er in 1998 een wet werd aanvaard waarbij een instituut voor nationale herinnering werd ingesteld, waren wilde 'onthullingen' over wie spion was geweest en wie wie had bespioneerd een hoofdbestanddeel van politieke gevechten die diepe instabiliteit creëerden. Het verleden achtervolgt Polen tot op de dag van vandaag. Het ondermijnt de Kerk, met onthullingen over priesters als geheim agenten, en ook het respect van de bevolking voor de sejm en (ten tijde van de ambtstermijnen van Wałęsa en Kaczyński) het presidentschap. De focus was altijd meer gericht geweest op wie wat (en wanneer) had gedaan dan op de vraag hoe de huidige problemen konden worden opgelost.

Het Poolse publiek heeft veel minder belangstelling voor de bestraffing van mensen die misstappen begingen in het verleden dan de politici. De rechtszaken die in 2006 begonnen tegen Jaruzelski en de mensen in zijn entourage, voor de afkondiging van de noodtoestand en de aanvallen op demonstranten in 1970, oogstten weinig animo bij het grote publiek. Kandidaten voor openbare ambten en politieke benoemingen zijn ertoe gehouden toe te geven dat ze agenten van het regime zijn geweest (als dat het geval was), maar veel van degenen wier bekentenissen waren uitgehangen in de stembureaus zijn gewoon verkozen.

OPGEDANE LESSEN

Toen leiders van de communistische partij in 1988 Solidarność de hand reikten teneinde gezamenlijk een manier uit te dokteren om de oppositie medezeggenschap te geven in het systeem, werden ze geprest door de noodzaak om Solidarność te betrekken bij economische veranderingen waarvan ze al wisten dat die pijnlijk zouden zijn. Maar ondanks alles — ondanks de hervormingen en ondanks de grotere openheid van het systeem — was het afkondigen van de staat van beleg in 1981 niet vergeten, en ook zeker niet vergeven.

Ze kozen voor een uniek traject dat van het inschakelen van de kerkelijke hiërarchie als voorstanders van onderhandelingen verschoof naar informele besprekingen met intellectuele aanhangers van Solidarność en dat vervolgens uitmondde in een formeel rondetafelproces. Voor de leiders van Solidarność waren de rondetafelgesprekken dé kans om zich opnieuw te profileren als een wettelijk toegestane organisatie die enige aanspraak kon maken op het feit dat zij hadden bijgedragen tot betere levensomstandigheden van de mensen. Dit proces kon zich voltrekken omdat Solidarność beschikte over een parate basis van onderhandelaars en deskundigen die bekendstonden om hun werk in de oppositie; individuen van beide zijden kenden elkaar en konden samenwerken. Daar kwam bij dat de regering en de partijleiding die zich nu sterk maakten voor verandering, precies dezelfde mensen waren die de noodtoestand hadden uitgeroepen en de veiligheidsdiensten hadden geleid; er was dus geen sprake van een doeltreffende achterhoedeoppositie vanuit het oude communistische establishment. Van begin af aan was het proces openbaar. Toen de gesprekken van start gingen, bespraken deskundigen van beide zijden niet alleen hoe het systeem moest worden opengegooid en geherstructureerd, maar ze praatten ook over sociale en economische kwesties, variërend van onderwijshervormingen tot de rechten van arbeiders — zaken die zeer concreet van belang waren voor de bevolking.

De verkiezingsuitslagen, die beide kanten verrasten, veranderden het proces, maar omdat communistische leiders zelf het kiesreglement hadden ontworpen, konden ze niets anders doen dan hun nederlaag aanvaarden en erkennen dat hun bondgenoten hen in de steek lieten. Geen van beide partijen wist wat er vervolgens zou gebeuren. De top van Solidarność bracht alle partijen bijeen in het kabinet en degenen die waren opgekomen als leden van de communistische partij stemden vervolgens voor de drastische politieke en economische veranderingen.

Omdat geen van de partijen een actieplan had klaarliggen, was het opeens mogelijk om onomkeerbare en zeer ingrijpende veranderingen op economisch en politiek vlak door te voeren. Feit is wel dat die veranderingen ook leidden tot verbittering en verbrokkeling binnen Solidarność, en tot onoplosbare ruzies over de houding tegenover het verleden. Het Poolse politieke systeem evolueerde op basis van hetgeen wel en niet had gewerkt in het eerste decennium van de transitie. En die lessen werden duidelijk weerspiegeld in de grondwet van 1997.

De transformatie van Polen was weliswaar een intern proces, maar actoren van buitenaf speelden onmiskenbaar een voorname rol. Het wegvallen van het gezag van de Sovjets in Midden- en Oost-Europa in 1989 en het uiteenvallen van de Sovjet-Unie in 1991 openden de deuren voor voorheen ondenkbare veranderingen. De westerse betrokkenheid bij de Poolse zaak — al sinds halverwege de jaren vijftig — deed bij de Polen het besef groeien dat er betere alternatieven voor het communisme waren en ook dat de buitenwereld om hen gaf. De economische banden met het Westen zetten druk op de Poolse heersers om zowel het politieke als het economische systeem te hervormen.

Voor de nieuwe regering waren zowel westerse adviseurs als leningen en hulp van westerse regeringen en internationale instellingen belangrijk in de besluitvorming over de richting van de economische hervormingen en de manier waarop de economie na de hervormingen bijeengehouden moest worden. 'Europees' worden versnelde het proces van economische en politieke verandering. Samen met het lidmaatschap van de NAVO en de EU legitimeerde dit ook het nieuwe systeem bij de bevolking, hoewel velen in het begin hadden geleden onder de hervormingen.

Uiteindelijk leidden het westerse engagement en de steun die het bood, alsmede de vroege en onomkeerbare stappen die de economische en politieke structuren van het oude systeem hervormden, ertoe dat Polen zich ontpopte tot mogelijk de stabielste en meest welvarende van de postcommunistische staten. Polen geldt als een van de succesvolste voorbeelden van een land dat de overgang van een autoritair bewind naar een democratisch systeem heeft gerealiseerd. De Poolse economie heeft het na de recessie van 2008 beter gedaan dan de meeste andere EU-landen en de Poolse politiek is er met vallen en opstaan in geslaagd om op duurzame basis democratisch te worden en het systeem degelijk te institutionaliseren.

BIOGRAFISCHE SCHETS VAN ALEKSANDER KWAŚNIEWSKI, PRESIDENT VAN POLEN (1995–2005)

De beroepspoliticus Aleksander Kwaśniewski klom in de rangen van de verenigde arbeiderspartij van Polen (de communistische partij) op tot een bescheiden ministerspost in de laatste communistische regering. Hij was een hoofdrolspeler in het overgangstraject van het autoritaire communistische bewind naar een democratisch bestuur en een markteconomie, en voerde hervormingsgezinde communisten naar een electoraal succes. Hij diende twee termijnen als president in het semipresidentiële systeem.

Kwaśniewski begon als leider van een communistische studentenorganisatie in Gdansk in 1976 en was daarna hoofdredacteur van twee landelijke partijgebonden studentenbladen. In de laatste jaren van het communistische bewind, van 1985 tot 1990, diende Kwaśniewski als minister van Jeugd en Sport, en daarna (van eind 1988 tot 1989) als hoofd van het sociaalpolitieke comité van de regering. In 1989 was hij met Tadeusz Mazowiecki medevoorzitter van de rondetafelgroep die zich boog over vakbondsaangelegenheden.

Toen de communistische partij zichzelf in 1990 ophief, werd Kwaśniewski medeoprichter en voorzitter van haar opvolger, de sociaaldemocratische partij SLD. Onder zijn leiderschap deed de SLD het goed bij de eerste volledig vrije verkiezingen in 1991 en won de partij de parlementsverkiezingen van 1993. Kwaśniewski kwam aan het hoofd te staan van de regeringscoalitie. Deze verkiezingszege en de overwinning die hij daarna boekte op Lech Wałęsa bij de presidentsverkiezingen van 1995 waren het resultaat van zowel publieke onvrede met het economische shocktherapieprogramma als van de nadruk die Kwaśniewski legde op het belang van een doelgericht en niet-ideologisch politiek leiderschap dat zich toelegde op economische transformatie.

Door zich te concentreren op effectief bestuur slaagde Kwaśniewski erin om in zijn eerste termijn de kloof tussen links en rechts te overbruggen, zowel toen de SLD-coalitie de regering vormde als toen de SLD in 1997 werd verslagen door rechts. Hij won in 1997 de instemming van het parlement en van het brede publiek met een nieuwe grondwet — met beperkte presidentiële bevoegdheden — ter vervanging van de 'kleine grondwet' die was gevolgd op de transitie. Hij zette de economische overgang naar het kapitalisme voort, leidde Polen de NAVO en de EU binnen en werd in 2000 herkozen als president. In 2001 hielp Kwaśniewski de SLD weer aan de macht in het parlement, waarna zijn partij een regeringscoalitie aanging met de Poolse boerenpartij. In 2006 viel de SLD echter uiteen.

Tijdens zijn presidentschap en ook daarna ijverde Kwaśniewski voor samenwerking tussen Midden- en Oost-Europese landen en moedigde hij democratisering aan in die regio en daarbuiten. Hij trad op als hoofdbemiddelaar in het overleg dat in 2004 een einde maakte aan de Oranje Revolutie in Oekraïne en leidde delegaties van waarnemers bij de daarop volgende berechting van Oekraïense politieke figuren die beschuldigd werden van mensenrechtenschendingen. Voorts geeft hij overal ter wereld colleges en lezingen.

INTERVIEW MET ALEKSANDER KWAŚNIEWSKI

Polen geldt als een van de beste voorbeelden van een geslaagd transitieproces — van een repressief staatsapparaat en een inefficiënte planeconomie naar een markteconomie en een democratisch politiek systeem. Waarom was Polen welbeschouwd zo succesvol?

Ik ben het ermee eens dat Polen een voorbeeld is van een succesvolle transitie. Zelfs tijdens de meest recente economische crisis is Polen economisch blijven groeien en kon de politieke stabiliteit worden vergroot. Daarbij zijn de relaties met alle buurlanden vastgelegd in goede afspraken.

Het element buurlanden is belangrijk omdat nauwelijks iemand opmerkt dat de grenzen van Polen door de jaren heen niet zijn opgeschoven, terwijl al onze buurlanden wel zijn veranderd. We hadden altijd drie buren, nu hebben we er zeven. En we zijn erin geslaagd om met iedereen goede relaties op te bouwen. De afgelopen twintig jaar is Polen een exporteur van stabiliteit in de regio geweest.

Waarom het ons is gelukt een duurzame transitie naar een democratisch bestel te realiseren? Als je kijkt naar de mate van politieke activiteit van de bevolking, de veranderingen binnen de communistische partij en vroege pogingen om het voorafgaande systeem te hervormen, dan was Polen zeker beter voorbereid op de veranderingen dan andere landen hier in de regio. Daar komt bij dat Polen meer banden had met het Westen dan andere landen in de regio, door toedoen van de Poolse diaspora en via persoonlijke contacten — ik denk dan vooral aan internationale studiebeurzen voor Polen, waarvan mensen gebruik hebben gemaakt die later een vitale rol zouden spelen in de hervormingsprocessen.

In Polen was er nog een factor die de dialoog aanmoedigde en extreem gedrag wist te temperen: de Katholieke Kerk. Na de Tweede Wereldoorlog heeft Polen praktisch voortdurend politieke crises beleefd, ongeveer om de tien jaar was het raak; de eerste was in 1956, de tweede in 1970, de volgende in 1976. Die eisten hun tol van de communistische partij. En in 1980–1981 komt opeens de beweging Solidarność in beeld.

Door de bank genomen veranderde het Poolse communisme na elk van die crises steeds weer een beetje ten goede. In 1956 kwam er een einde aan het stalinisme en werd er een nationaal plan voor Polen ingevoerd, met Władysław Gomułka, de communistische leider en feitelijke leider van Polen in 1945–1948 en 1956–1970, als wegbereider. Je kunt op allerlei gebieden kritiek op die man hebben, maar dankzij het werk dat hij destijds heeft verzet, wist Polen toch enige onafhankelijkheid van de Sovjet-Unie te verwerven. Gomułka kwam ten val in 1970 en in de jaren zeventig begon Edward Gierek, de leider van de communistische partij van 1970 tot 1980, met een gedeeltelijke liberalisering van het politieke systeem en een meer open opstelling richting het Westen. Gierek moderniseerde Polen. Natuurlijk mag je hem bekritiseren vanwege de leningen die hij aanging, maar anderzijds was dat wel de periode waarin Polen een reuzenstap zette op het pad van de modernisering. We kunnen er grapjes over maken, maar dit jaar is het veertig jaar geleden dat de eerste Poolse mini-Fiat werd geproduceerd, een wagentje dat de Poolse auto bij uitstek werd. Het was ook mijn eerste auto. Dat was een grote stap, want dankzij de Polski Fiat werd Polen een samenleving van automobilisten.

Het jaar 1980 betekende het einde van het tijdperk-Gierek en de geboorte van Solidarność — een in het Sovjetblok nooit eerder geziene beweging. Het was het finale bewijs dat de maatschappij geen democratisering verwachtte, maar volledige democratie; dat halve maatregelen niet volstonden. De leus die de partij jarenlang herhaalde — 'Socialisme ja, ontwrichting nee' — werd niet langer geaccepteerd.

SOCIALE MOBILISATIE

Kunt u het verschil uitleggen tussen wat u 'democratisering' en 'volledige democratie' noemt?

Democratisering wil zeggen dat je nog altijd maar een gedeeltelijke democratie hebt, iets wat dicht aanleunt tegen democratie, maar geen échte democratie is. In Polen hadden we een systeem dat als democratisch werd omschreven: 'een socialistische democratie'. Een bekend grapje destijds was: 'Wat is het verschil tussen democratie en socialistische democratie? Hetzelfde als het verschil tussen een stoel en een elektrische stoel.' Eén woord verandert de inhoud van het concept totaal. En dat was de kern van de aanval van Solidarność op het systeem in 1980–1981, omdat de opkomst van een nieuwe generatie, een beter opgeleide generatie van mensen in de grote steden en zelfs uit de arbeidersklasse, impliceerde dat degenen die streden tegen de communistische partij geen intellectuelen waren, geen universiteitsprofessoren of dissidenten. Nee, de voornaamste strijders tegen de communistische partij en haar programma waren arbeiders, en dat ondermijnde de aanspraken van de communistische partij. De partij stelde de arbeidersklasse immers in het middelpunt van alles waar ze voor stond. Dus de periode 1980–1981 was heel belangrijk.

Natuurlijk hield de revolutie van Solidarność nauw verband met de verkiezing van paus Johannes Paulus II in 1978. Het eerste bezoek van de paus aan Polen in 1979 droeg onweerlegbaar bij tot de groei van de beweging. Miljoenen mensen woonden zijn missen en bijeenkomsten bij. Al die evenementen werden niet georganiseerd door de regering of door officiële structuren, maar door de bevolking zelf, de samenleving organiseerde zich spontaan. Voor het eerst in die periode van het communisme beseften de mensen eindelijk dat ze iets op eigen houtje konden doen — iets groots, zoals een evenement voor een miljoen mensen.

In 1980 sloeg de sfeer om. De meeste mensen binnen Solidarność spráken niet eens over een verandering van het systeem, omdat dat simpelweg veel te riskant was. Brezjnev zat nog in het Kremlin. Nee, het was een strijd voor waardigheid, een strijd voor vrijheid, een strijd voor democratie tout court, niet alleen voor democratisering. Dus geen gedeeltelijke oplossingen. De mensen vroegen om echte, om 'hele' oplossingen. En dat deden ze op een moment dat Polen kampte met een diepe economische crisis.

HET AUTORITAIRE SYSTEEM VERZWAKT

Wat was, in de context van de beperkingen opgelegd door de Sovjet-Unie, de reactie van de Poolse communistische partij op de alom gehoorde eisen voor democratische openheid en economische vooruitgang?

Twee elementen waren bepalend voor de ineenstorting van het communisme in politiek en sociaal opzicht. Ten eerste waren er de gebeurtenissen van 1968 in Praag en de daaropvolgende invasie door Sovjettroepen als reactie op de hervormingen die de Tsjechische communistische partij voorstelde. Het was het begin van de ideologische aftakeling van het systeem, want als officiële communistische leiders beginnen over hervormingen en je moet soldaten inzetten om die mensen te stoppen, dan wil dat zeggen dat het systeem ideologisch niet werkt. Het tweede element dat doorslaggevend was voor de ineenstorting van het communisme was Solidarność, een beweging van 10 miljoen mensen, voor het merendeel Poolse arbeiders die tegen het systeem vochten.

In 1981 was het antwoord van Jaruzelski, toen eerste secretaris van de communistische partij van Polen, het afkondigen van de staat van beleg. Het uitroepen van de noodtoestand was een van de meest dramatische beslissingen in de Poolse geschiedenis. Als je vandaag Poolse mensen vraagt wat ze vinden van dat besluit, zijn de meningen zeer verdeeld: de helft is ervan overtuigd dat het moest gebeuren omdat de situatie uitermate gevaarlijk was en omdat een invasie door de Sovjets zeer waarschijnlijk was, en de andere helft meent dat het nergens voor nodig was en dat Jaruzelski alle andere mogelijkheden om een oplossing te vinden onvoldoende heeft verkend. Als je het mij vraagt, was de angst voor een Sovjetinvasie zeer, zeer krachtig. Als de situatie in Polen zich op die manier verder had ontwikkeld, dan is het heel goed denkbaar dat de Sovjet-Unie, of troepen van het Warschaupact, de volgende maand zouden hebben besloten te interveniëren. Dat zou natuurlijk wel een heel speciaal type 'invasie' zijn geweest, want op dat moment bevonden zich al 200.000 Sovjetsoldaten op Pools grondgebied. Het was niet nodig geweest om troepen van Vladivostok naar Warschau te sturen. Het had ruimschoots volstaan om de soldaten te gebruiken die waren gelegerd in Rembertów, twintig kilometer van het stadscentrum.

Dus de jaren tachtig vormden een periode van grote problemen voor Jaruzelski en voor Solidarność. Voor het eerst was de Poolse samenleving diep verdeeld. Na het uitroepen van de staat van beleg was de meerderheid van de Polen teleurgesteld, gefrustreerd en lijdzaam. De positie van de communistische partij, van de regering, was zwak. Ondanks een paar hervormingen ging het slecht met de economie. Polen had problemen met al zijn westerse partners: geen geld, geen krediet, geen normale relaties. De situatie in de Sovjet-Unie verslechterde, dus van die zijde was er voor Polen evenmin hulp te verwachten.

DE BASIS LEGGEN VOOR DIALOOG EN ONDERHANDELINGEN

De situatie was zeer somber en het werd Jaruzelski almaar duidelijker dat een echte doorbraak noodzakelijk was. Er moest een of andere vorm van overleg komen met de oppositie. Natuurlijk vroeg hij eerst de Kerk om een dergelijke dialoog op gang te brengen, want begin jaren tachtig vertegenwoordigde de Katholieke Kerk voor Jaruzelski de samenleving als geheel. Als je het mij vraagt, overschatte hij de rol en de positie van de Kerk. Ik had de indruk dat Jaruzelski, die goede contacten onderhield met de clerus, er zeker van was dat samenwerking met hen voldoende zou zijn om een oplossing te vinden. Maar het was niet voldoende, want er waren veel politieke oppositiegroepen die niet aan de Kerk waren gelieerd.

De veranderingen die zich voltrokken in de Sovjet-Unie waren een andere belangrijke factor. Ik denk dan vooral aan Gorbatsjov en diens introductie van de perestrojka in 1986. Tot 1986 was in alle communistische landen een opener dialoog met de oppositie praktisch ondenkbaar. Na 1986 kreeg Jaruzelski groen licht van Gorbatsjov. Die zei: 'Ik vind het best als je wat extra hervormingen wilt doorvoeren, natuurlijk wel met inachtneming van socialistische opvattingen en waarden en zo. Dus ga je gang maar.' In het begin was Gorbatsjov niet zo proactief. Hij wist dat er dringend iets moest gebeuren, maar hij zat met het probleem dat hij in eigen land de noodzaak van perestrojka en andere veranderingen moest uitleggen.

Eind jaren tachtig was Jaruzelski er ten enenmale van overtuigd dat de problemen van Polen alleen langs de weg van de dialoog waren op te lossen. Hij zat wel met een heel ongunstige kalender: de volgende verkiezingen zouden al in 1989 plaatsvinden. Natuurlijk waren dat geen normale democratische verkiezingen, want alle kandidaten hadden de goedkeuring van de communistische partij. Het hete hangijzer was de deelname. De opkomstcijfers zouden aangeven hoe groot het draagvlak van de partij zou zijn. In veel gevallen waren de getallen die openbaar werden gemaakt gewoon verzonnen. Maar de leiders waren perfect op de hoogte van de feitelijke statistieken. Voor de partijtop was het al wel duidelijk dat de opkomst bij de naderende verkiezingen nooit hoger zou uitvallen dan 30 of 40 procent. Een lage opkomst zou een krachtig signaal zijn dat het systeem niet werd aanvaard en dat de mensen verandering wilden.

De samenloop van die factoren — de economie, de verdeelde samenleving, de naderende verkiezingen — sterkte Jaruzelski in zijn voornemen om het gesprek aan te gaan met de oppositie. De eerste, zeer discrete gesprekken begonnen in 1988 en in 1989 gingen we officieel van start met onze rondetafelgesprekken, die duurden van februari tot april. Daarna veranderde het hele systeem.

HET SUCCES VAN DE POOLSE TRANSITIE VERKLAARD

Om terug te gaan naar de kernvraag — wat was de bron van ons succes? — denk ik ten eerste dat Polen beter was voorbereid op hervormingen dan andere landen. Chronische crises hadden in Polen het communistische systeem veranderd, hadden het in bepaalde opzichten liberaler gemaakt dan elders in het Oostblok. In Polen hadden we een heel krachtige oppositie en een traditionele oppositiebeweging die al geruime tijd bestond. Al in 1956 hadden we een aantal dissidenten in de communistische partij en daarna waren er behoorlijk sterke oppositionele organisaties, zoals in 1976 het KOR, het comité ter bescherming van arbeiders, met onder anderen Jacek Kuroń, een van de voorlieden van de democratische oppositie. Gierek was liberaal genoeg om die groepen te dulden en ze waren eind jaren zeventig al actief. En natuurlijk hadden we de kolossale en krachtige oppositie van Solidarność, met Lech Wałęsa als leider en tal van andere kopstukken. Dus in de jaren tachtig was Polen echt verdeeld, maar het niet-communistische deel van de samenleving was tamelijk goed georganiseerd, vooral Solidarność en een aantal kleinere groepen. Die bewegingen beschikten over een goede organisatorische infrastructuur, erkenden andere politieke organisaties, stelden leiders aan en discussieerden al jaren over de wijze waarop Polen zou moeten worden bestuurd in de context van de veranderingen die zouden volgen.

Het volgende belangrijke element is dat een aantal mensen bereid was om veranderingen te initiëren en door te voeren. Die mensen waren hier in Polen bijzonder goed opgeleid en ze hadden wat ervaring opgedaan in het Westen. Ze waren allemaal eind dertig, begin veertig – de beste leeftijd om een politieke rol op te nemen en zulke hervormingen te starten. Velen van hen hadden ook in het buitenland gestudeerd, vooral in het Westen. En toen ze de gelegenheid kregen, waren ze voorbereid om hervormingsvoorstellen te lanceren. Leszek Balcerowicz is een goed voorbeeld.[104] Hij had een tijd in de VS doorgebracht aan de St. John's University. Ook Marek Belka, oud-premier en gewezen minister van Financiën, en nu gouverneur van de centrale bank, had in de VS gestudeerd.

Daar komt bij dat de laatste communistische regering, de regering van Mieczysław Rakowski – de beroemde hoofdredacteur van *Polityka*, een degelijke Poolse krant, en de laatste eerste secretaris van de communistische partij – waar ik ook deel van uitmaakte, veel belangrijke hervormingen en nieuwe wetten had doorgevoerd die zeer voordelig waren voor de Poolse economie. De belangrijkste daarvan was de zogeheten wet-Wilczek. Mieczysław Wilczek was minister van Industrie en het was zijn idee om een gunstig klimaat te scheppen voor ondernemers – volgens mij is trouwens alles wat Wilczek vijfentwintig jaar geleden opperde veel beter dan wat onze regering nu voorstelt. Enfin, in Polen heerste daardoor ook een beter klimaat voor bedrijven, onder andere op het vlak van belastingen en ambtelijke plichtplegingen, dan in andere communistische landen. Natuurlijk is het wel zaak om erbij te zeggen dat onze economische situatie in die dagen dramatisch was. Maar desondanks waren we moedig en vastberaden genoeg om die hervormingen door te voeren.

DE BASIS LEGGEN VOOR DIALOOG EN ONDERHANDELINGEN

Als het gaat om de wijze waarop hoofdrolspelers onderhandelingen benaderen — ik denk aan de rondetafelgesprekken — dan hangt veel af van hun relatieve kracht. Soms heb je een krachtige regering en een zwakke oppositie, en soms zijn de rollen omgedraaid. U vertelde dat Jaruzelski het initiatief nam, maar u had eigenlijk één grote speler namens de oppositie: Solidarność. Hoe verliepen de besprekingen tussen de hardliners onderling en hoe verliepen ze met de hervormers?

Je kunt inderdaad een sterke regering hebben met een zwakke oppositie of een zwakke regering met een sterke oppositie. De beste situatie, en die hadden we in Polen, is als je tamelijk zwakke partners aan weerszijden hebt, liever geen oersterke gesprekspartners. Voor de rondetafelgesprekken waren beide hoofdrolspelers volkomen zwak. De communistische partij was zwak en had geen enkel actieplan om vat te krijgen op de belabberde economie. Voor het grootste deel van de bevolking en zelfs voor menigeen binnen de partij zelf was het glashelder dat er een aantal ingrijpende politieke hervormingen moesten komen. Anderzijds was ook Solidarność behoorlijk zwak. Het was niet het Solidarność van 1980–1981 met 10 miljoen leden, maar Solidarność na tien jaar: uitgeput en niet meer zo populair. Ik denk dat we het succes van het Poolse rondetafeloverleg danken aan het feit dat we twee niet bijster sterke gesprekspartners hadden, die er echter wel diep van doordrongen waren dat het tijd was om iets belangrijks voor de toekomst te doen, omdat de situatie onhoudbaar was. En dat ze zich daar allebei ook verantwoordelijk voor voelden. Dat is echt een belangrijk element. Als de ene partij sterk is en de andere eerder zwak, kom je volgens mij nooit tot compromissen. Vandaag zie je dat bijvoorbeeld in het conflict tussen Israël en Palestina.

De communistische partij in Polen telde 2 miljoen mensen en kende intern verschillende stromingen, waarvan er twee echter de overhand hadden. Er was ten eerste de groep van de 'hervormers', die beseften dat verandering noodzakelijk was en dat we zonder echt ingrijpende veranderingen geen schijn van kans zouden maken. Natuurlijk had je onder die hervormers voorzichtig ingestelde lieden, anderen waren agressiever en weer anderen hadden meer moed. De leider van die groep was Jaruzelski. Als Jaruzelski niet overtuigd was geweest van de noodzaak van hervormingen, dan zou er niets zijn gebeurd. De andere leiders van communistische partijen in de regio – Erich Honecker in Oost-Duitsland en Gustáv Husák in Tsjecho-Slowakije – hebben nooit hervormingen aanvaard, met uitzondering van János Kádár in Hongarije. Jaruzelski begreep dat de staat van beleg begin jaren tachtig noodzakelijk was, maar na opheffing van de noodtoestand besefte hij dat de dialoog hem als enige optie restte. Manieren om taaier, sterker of repressiever te zijn had hij niet. Zich profileren als een liberalere leider, niet als een meer repressieve, was voor hem de enige weg voorwaarts. Natuurlijk waren bepaalde leden van de partij tegen hervormingen. Die hadden het vooral over de enorme risico's die ermee samenhingen. Hun hoofdargument was dat de communistische partij macht zou verliezen als we al die hervormingen doorzetten. Achteraf beschouwd kunnen we zeggen dat ze gelijk hebben gekregen. Wat betreft de toekomst van de partij hadden de hervormers het mis. Toen we met de hervormingen van start gingen – Gorbatsjov met zijn perestrojka en Jaruzelski hier in Polen – bleek dat het begin van het einde van de partij te zijn.

CONSENSUS VOOR VERANDERING BEREIKEN

Jaruzelski besloot zich in de tweede helft van de jaren tachtig sterk te maken voor de rondetafelgesprekken en voor hervormingen. Gorbatsjov moedigde hem aan en bood steun, wat belangrijk was voor Jaruzelski. De situatie was gespannen. Tijdens een van de vergaderingen van het centraal comité, toen het debat een heel dramatische toon kreeg, begonnen hardliners Jaruzelski aan te vallen over het rondetafeloverleg. Ze riepen dat het fout was en dat het de partij zou vernietigen. Voor de eerste en enige keer in zijn lange politieke loopbaan besloot Jaruzelski een soort chantage toe te passen. Hij zei dat hij vaststelde dat veel van zijn kameraden tegen de dialoog waren en dat hij daarom bereid was af te treden zodat ze een nieuwe eerste secretaris konden kiezen. Ook een aantal van zijn naaste medewerkers gaf hun te verstaan te zullen aftreden. Daarop besliste het politburo natuurlijk om het besluit van het centraal comité te volgen. Het resultaat van de stemming was dat Jaruzelski moest aanblijven en daarmee werd ook de hervormingsgerichte lijn van de partij aanvaard. In communistische partijen doen zulke dramatische situaties – mensen die dreigen met opstappen, revoltes en zo – zich simpelweg niet voor. Het aanbod om af te treden was een belangrijk signaal van de vastberadenheid van Jaruzelski en zijn team om die hervormingen daadwerkelijk door te voeren.

Ik zat toen met mijn eenendertig jaar als jongste minister in de regering, met de portefeuille Jeugd- en Sportzaken. Ik was jong, redelijk goed opgeleid en had al veel van de wereld gezien. Zo heb ik in 1976 drie maanden in de VS vertoefd als student. Voor mij was het dus vrij gemakkelijk om het communisme en de Sovjet-Unie te vergelijken met het Westen, met de ontwikkelde landen. En die vergelijking was absoluut teleurstellend en zeer frustrerend. Ik heb ook een tijdje in West-Duitsland kunnen studeren. Het was destijds vreselijk om Polen met West-Duitsland te vergelijken. Polen was zo onderontwikkeld dat er helemaal niets te vergelijken viel.

Voor mijn generatie was het glashelder dat Polen moest veranderen, dat we dringend toe waren aan modernisering. We wilden deel uitmaken van die beter ontwikkelde wereld. Het probleem was hoe we dat moesten aanpakken. Welke benadering moesten we kiezen? Mijn collega's aan de universiteit en ikzelf huldigden twee of drie algemene standpunten. De eerste opvatting – de mijne – was dat we al het mogelijke moesten doen om hervormingen te steunen, om het systeem zo veel mogelijk te veranderen, maar dat we tegelijkertijd de situatie binnen het Warschaupact en de Sovjet-Unie moesten aanvaarden – dus alle beperkingen die het gevolg waren van de Tweede Wereldoorlog en die onmogelijk te veranderen waren. Sommige collega's van de oppositie (en de oppositie was toen, eind jaren zeventig, zeer actief) zeiden dat het systeem zélf onmogelijk te hervormen was. Zij waren van mening dat het noodzakelijk was tegen dit systeem te vechten, zelfs als we daarvoor een heel hoge prijs moesten betalen.

Het derde standpunt, dat veel van mijn collega's deelden, was dat geen van de genoemde strategieën kans van slagen had. We waren niet bereid om het systeem van binnenuit te veranderen en te hervormen. We waren niet bereid om een hoge prijs te betalen als nieuwe revolutionairen of om de gevangenis in te gaan als dissidenten. De enige optie was dan ook vertrekken. Veel van mijn collega's weken begin jaren tachtig inderdaad uit naar het buitenland en die Poolse emigratiestroom, vooral na de staat van beleg, was tamelijk groot. Veel Polen verblijven nog altijd in de Verenigde Staten, Australië, Zuid-Afrika en in West-Europa.

Ik was lid van de communistische partij en minister in de regering en vond alles wat er eind jaren tachtig, voor de rondetafelgesprekken, gebeurde fascinerend. Ik zag het als een kans om iets te doen wat aansloot op mijn manier van denken. Vanaf het prille begin was ik betrokken bij al deze processen, want een van de eerste besluiten van Rakowski om de situatie te veranderen en wat eerste politieke hervormingen door te voeren was om de nieuwe wet op verenigingen te bespreken met de kerkelijke leiding en de oppositie. Eind jaren tachtig stond die nieuwe wet uiteenlopende types verenigingen toe om zich buiten het toezicht van de staat te organiseren. Dat was een grote stap voorwaarts.

Ik was voorzitter van de dialoog met de kerkelijke top. Ik weet nog goed dat ik een vergadering had met een paar bisschoppen en hun adviseurs. Een van de adviseurs van het bisdom was de latere premier Jan Olszewski. Ze waren uitermate verrast omdat we zo'n jonge ploeg waren. De eerste reactie van onze gesprekspartners was nogal negatief, omdat ze er zeker van waren dat Rakowski een grap met hen uithaalde, dat het hem nooit menens kon zijn als hij zulke jonge ministers stuurde om die wet op de verenigingen te bespreken. Voor mijn generatie was het een prachtkans. Voor ons was het niet zo'n ramp dat de oude partij niet actief zou kunnen zijn in het nieuwe tijdperk.

ONDERHANDELEN: HET PROCES EN DE MECHANISMEN

Hoe zagen generaal Jaruzelski en zijn team de situatie toen ze zich opmaakten voor de rondetafelgesprekken?

Jaruzelski had de minister van Binnenlandse Zaken, Czesław Kiszczak, in zijn team als leider van de rondetafelgesprekken. Het was een goed idee dat de minister van Binnenlandse Zaken, de meest gehate persoon in de ogen van de oppositie, namens de regering de gesprekken zou voorzitten, omdat de oppositie hem ook beschouwde als iemand met beslissingsbevoegdheid. Hij had het nauwste contact met Jaruzelski en als voornaamste exponent van de onderdrukking was hij nu verantwoordelijk voor democratie en liberalisering. Dus vanuit politiek en psychologisch perspectief was dat volgens mij een goede beslissing. Defensieminister Florian Siwicki, premier Rakowski, drie leden van het politburo (Ciosek, Baka en Reykowski) en ik maakten ook deel uit van zijn team.

Ik ben nooit lid geweest van het politburo. Ik was alleen lid van de regering-Rakowski, maar toch was ik een van de medevoorzitters van de drie groepen van het rondetafeloverleg. De algemene opzet van die besprekingen was dat alle afgevaardigden rond één tafel zaten. De vergaderingen hadden twee voorzitters: Kiszczak en Wałęsa. Voor alle documenten en besluiten waren er drie comités. Ik was medevoorzitter met Mazowiecki en wij bespraken vakbondszaken en hoe Solidarność een legale status zou moeten krijgen. Reykowski, lid van het politburo, en professor Bronisław Geremek waren de medevoorzitters van het politieke comité. De derde groep besprak de economie. Baka, lid van het politburo, en professor Trzeciakowski, lid van de oppositie, zaten die groep samen voor. Dus Jaruzelski werkte met deze ploeg en daarbij was zijn rol absoluut cruciaal.

Volgens mij kende het denkpad van Jaruzelski meerdere elementen. Eén onderdeel was dat het na de staat van beleg belangrijk was om een nieuwe oplossing te vinden, want iets organiseren wat in grote lijnen hetzelfde was als de bestaande structuur zou weer uitdraaien op een ramp; de situatie was totaal verschillend. Ik denk dat de idee van democratisering en liberalisering Jaruzelski na aan het hart lag. Ik betwijfel echter of Jaruzelski dacht aan volledige democratie. Ik denk dat hij vooral uit was op democratisering. Toch heb ik groot respect voor zijn vastberadenheid, die ik van nabij heb meegemaakt Hij is een van de zeer weinige politici die zijn loopbaan startte met de staat van beleg en zijn carrière afrondde met dialoog en een vreedzame transitie van het politieke systeem. Het komt veel vaker voor dat een democratisch verkozen premier of president zijn toevlucht zoekt tot de noodtoestand of tot een andere repressieve maatregel. Ik denk dat hij in het kringetje van dictators of bijna-dictators echt een bijzondere persoon is.

Wat was de strategie van de communistische partij toen die de rondetafelgesprekken in ging?

De basisgedachte was heel simpel: de mensen van de oppositie uitnodigen en hun voorstellen de macht en verantwoordelijkheid te delen. In het begin meenden we — en natuurlijk zaten we ernaast — dat het overgangsproces minstens vier jaar zou duren. En de verkiezingen zouden volgens de grondwet plaatsvinden in 1989. De verkiezingen van 1989 waren niet volledig democratisch. Het idee was om 35 procent van de zetels in het parlement aan de oppositie te geven via vrije verkiezingen en 65 procent van de zetels voor te behouden aan de communistische partij en haar bondgenoten. Daarna zouden er presidentsverkiezingen komen en vanaf het prille begin, hoewel we het nooit officieel hadden besproken, was het voor iedereen volstrekt duidelijk dat de presidentskandidaat gedurende de transitieperiode Jaruzelski zou zijn. Ik opperde het plan een senaat in te voeren, een tweede kamer in het parlement. De oppositie was daar fel tegen. Ze stelden dat ze akkoord konden gaan met één ronde niet-volledig democratische verkiezingen voor het parlement, maar hoeveel van die halfbakken verkiezingen zouden ze dan nog kunnen accepteren? Daarop stelde ik voor volledig vrije senaatsverkiezingen te houden, en dat plan werd aanvaard. Het verraste zowel de oppositieleiders als mijn collega's, maar ik legde uit dat de partij, die het land bijna vijftig jaar had bestuurd, bereid moest zijn deel te nemen aan volkomen vrije senaatsverkiezingen. Zelfs als honderd procent van de senatoren afkomstig zou zijn uit de oppositie, zou er nog altijd een kleine meerderheid zijn om Jaruzelski als president te verkiezen. Mijn argument was demagogisch. Ik zei: 'Kijk, als deze partij nog niet eens bereid is om zich aan zo'n klein experiment te wagen, dan wil dat zeggen dat we geen politieke partij zijn. Dat we moeten toegeven dat onze partij niet in staat is om wat dan ook te winnen. Hoe kunnen we nu beweren dat we er klaar voor zijn om het land te besturen, maar dat we geen heil zien in zo'n exercitie met verkiezingen?' Natuurlijk was ik echt niet zo pessimistisch. Ik was er zeker van dat bij de senaatsverkiezingen minstens 30 procent van de zetels in handen van de communistische partij zou komen. Met Jaruzelski als president zouden we, zelfs met een vrij verkozen senaat, nog altijd de meerderheid in het parlement hebben en dat zou zo blijven tot het volgende stadium, met vrij verkozen organen vier jaar later.

Alles veranderde na de verkiezingen in juni. Het was onmogelijk om de uitslagen te negeren, die de oppositie als duidelijke winnaar aanwezen. Opnieuw toonde Jaruzelski grote verantwoordelijkheidszin, want velen in de communistische partij en vooral in de coalitiepartijen — in sommige van de kleine groepen en vooral de groepen gelieerd aan de Kerk — zetten hem onder druk om te verklaren dat de verkiezingen onwettig en daarom ongeldig waren. Dat weigerde hij. Hij zei dat het noodzakelijk was de uitslagen te aanvaarden en — sterker nog — om te erkennen dat het een slechte uitkomst voor de communistische partij was en dat het daarom zaak was na te denken over nieuwe oplossingen voor de toekomst. De verkiezingen hebben dat proces weliswaar versneld, maar mettertijd zou het toch zo zijn gelopen.

AUTORITAIRE LEIDERS KOESTEREN DE TRANSITIE

Iemand hoeft niet per se zijn leven lang democraat te zijn geweest om een rol van belang te spelen bij het mogelijk maken van de democratie. Bent u het met mij eens dat generaal Jaruzelski daarvan een goed voorbeeld is?

Beslist. Jaruzelski onderscheidt zich in de kring van leiders binnen het Sovjetblok als een intelligente, goed opgeleide, cultureel onderlegde en waardige persoonlijkheid. Hij koos een zeer pragmatische benadering en besefte dat hij zonder dialoog en verandering geen kans maakte om iets aan de economie te doen of om de standpunten van de oppositie een plaats te geven in het beleid. Een ander belangrijk element was ongetwijfeld Gorbatsjov, met wie Jaruzelski een zeer goed en nauw contact had. De persoonlijke band tussen die twee was prima en volgens mij waren Jaruzelski en Polen voor Gorbatsjov een belangrijke testcase om te bekijken hoe bepaalde experimenten zouden uitpakken.

Jaruzelski is een man van vele paradoxen. Hij was telg van een adellijk Pools geslacht. Voor de oorlog bezocht hij katholieke scholen, waaronder het aartskatholieke Marianów hier in Warschau. Hij verloor zijn vader in de Tweede Wereldoorlog – de man overleed ergens in de Sovjet-Unie omdat het gezin was gedeporteerd naar Siberië toen de Sovjet-Unie Polen binnenviel. Daar bracht hij de oorlogsjaren door. Daarna begon hij zijn loopbaan in het Poolse leger, dat uiteraard nauw gelieerd was aan de communistische regering. Hij werd generaal, minister van Defensie en ten slotte premier.

Niemand is volmaakt. Hij heeft veel fouten gemaakt en in zijn leven heeft hij zich ook vaak een opportunist getoond. Maar een heel bijzonder aspect dat ik hier wil benadrukken, is zijn krachtige patriottisme. Jaruzelski was iemand met diepgewortelde gevoelens voor de Poolse staat. Zijn zin voor verantwoordelijkheid voor alles wat hij deed en zijn patriottisme waren volgens mij uitermate belangrijk voor hemzelf en voor zijn beslissingen, in het bijzonder zijn laatste besluiten. Toen hij in 1989 tot president werd verkozen met slechts één stem verschil in de nationale vergadering, besloot hij een jaar later af te treden. Hij zag heel goed in dat zijn tijd erop zat en op de meest vreedzame wijze stapte hij op als president. Hierdoor konden de algemene verkiezingen van 1990 worden gehouden, waarbij Wałęsa werd verkozen als zijn opvolger. Als je het vraagt aan de mensen die indertijd met Jaruzelski samenwerkten, zoals Mazowiecki, zal iedereen bevestigen dat hij uitermate loyaal was. Hij had nog altijd veel invloed in het leger en in bepaalde geledingen van het ministerie van Binnenlandse Zaken, maar die invloed heeft hij nooit gebruikt om zijn wil door te drukken. Hij stelde zich ook zeer loyaal op jegens de nieuwe premier en zijn opvolger Wałęsa. En het betekende werkelijk het einde van zijn politieke leven, want na één jaar trad hij af, maar het laat zien dat het mogelijk is om te beginnen als dictator en te eindigen als een zeer prodemocratisch staatsman.

NIEUWE POLITIEKE PARTIJEN OPBOUWEN

Waarom besloot u dat u moest doorgaan, dat u de oude partij moest verlaten om een nieuwe te stichten?

Ik besloot een nieuwe partij te organiseren omdat ik inzag dat de Poolse communistische partij een partij van het verleden was. De partij bestond bij de gratie van een repressief systeem zonder democratische regels. Die partij — en zelfs de ideologie die ze huldigde — was volkomen ondoeltreffend geworden en eerlijk gezegd ook onaanvaardbaar in het nieuwe democratische tijdperk. Een van de eerste standpunten die we formuleerden in de documenten die de basis vormden van de nieuwe partij, de sociaaldemocratische partij van Polen (SdRP), was dat we een politieke impact ambieerden die evenredig was aan de steun die we zouden verwerven en dat we ons zouden voegen naar de regels van de democratie. Als we 5 procent van de stemmen zouden halen, dan was dat onze rol: 5 procent. Wonnen we 55 procent, dan zouden we de meerderheid hebben en verantwoordelijkheid nemen voor het landsbestuur.

Het eerste bondgenootschap dat ik smeedde met Włodzimierz Cimoszewicz, de presidentskandidaat bij de verkiezingen van 1990 en premier van 1996 tot 1997, was de democratische linkse alliantie SLD. Die partij werd onderdeel van de SdRP, de enige erfopvolger van de communistische partij. Ik ben er trots op dat deze partij gedurende die 23 jaar nooit problemen op democratisch vlak heeft veroorzaakt. De SLD is een van de meest democratische en 'schoonste' partijen. Alle aspecten van het democratisch bestel worden volledig aanvaard.

Verwachtte u dat er een nieuwe partij moest komen toen de onderhandelingen begonnen?

Nee, niet echt. Tijdens de onderhandelingen had niemand het over nieuwe partijen omdat het proces heel broos was. We waren goede onderhandelaars, maar geen zieners. Niemand van ons had genoeg profetische gaven om te voorspellen dat de Sovjet-Unie ineen zou storten, dat Duitsland herenigd zou worden en dat de Poolse communistische partij zou imploderen. Eerlijk gezegd was het waarschijnlijk ook maar beter zo. Als je te veel standpunten hebt bij zulke onderhandelingen, is dat niet echt dienstig, want wat betekent zo'n verandering dan?

Goddank hebben we het niet gehad over de Duitse eenwording. We concentreerden ons alleen op de verandering van het politieke systeem en van de Poolse economie. Tijdens een urenlange en uitputtende gespreksronde met de oppositie zei ik tegen hen: 'Luister, ik weet dat strijden om de macht een complexe aangelegenheid is. Maar waarom is het zo complex om de macht uit handen te geven?' Voor mij staat het als een paal boven water dat de dialoog tussen de oppositie en de communistische partij impliceerde dat we de macht en de verantwoordelijkheid op zijn minst moesten delen. De oppositie betrad de politieke arena en dat was belangrijk. Bij de verkiezingen van juni 1989 won Solidarność op wel heel spectaculaire wijze: 99 van de 100 zetels in de senaat. Voor mij was het resultaat duidelijk: de Poolse communistische partij was een partij van het verleden die geen schijn van kans had om een doeltreffende en gerespecteerde factor te zijn in het nieuwe democratische Polen.

ECONOMISCHE HERVORMING

De periode na de verkiezingen van 1989 was cruciaal voor ons succes. De nieuwe regering van Tadeusz Mazowiecki, de eerste niet-communistische premier, was formeel gezien een coalitieregering, want vertegenwoordigers van alle politieke groepen zetelden in het parlement. Dat parlement, verkozen in 1989, was niet volledig democratisch verkozen, maar iedereen was uitermate gemotiveerd om al deze hervormingen door te voeren. Het parlement was heel eensgezind bij de aanpak van alle kwesties die speelden.

De positieve sfeer tijdens de transitie, die ontlading van hoop en positieve verwachtingen, gebruikte de regering van Mazowiecki en Balcerowicz om over te gaan tot een economische 'shocktherapie'. Met shocktherapie bedoel ik dat er zeer ingrijpende economische maatregelen werden genomen die de mensen geld kostten en vaak ook hun baan. We sloten veel grote fabrieken. De werkloosheid steeg enorm. Maar als je shocktherapie wilt toepassen, moet je daarvoor het juiste moment kiezen — zonder goede timing lukt zo'n shocktherapie niet. In bepaalde landen besloten ze pas twee, drie jaar na de terugkeer van de democratie tot een shocktherapie over te gaan. Maar tegen die tijd was het te laat, omdat de mensen niet zo enthousiast meer waren en dus minder bereid om offers te brengen.

Er waren ook belangrijke sociale factoren. In dit nieuwe klimaat gaven de Polen blijk van iets wat zelfs ons verraste: een enorme ondernemingslust. Het was ongelofelijk. Nu is Polen waarschijnlijk een van de meest ondernemingsgerichte samenlevingen in Europa. We hebben zo'n 2 miljoen kleine en middelgrote bedrijven met samen 7 of 8 miljoen werknemers. En die bedrijven zijn zeer flexibel, wat ook de reden is dat we de situatie tijdens de recente financiële crisis zo doeltreffend hebben kunnen beheersen. Als je twee of drie grote bedrijven hebt en je krijgt problemen met het handelsverkeer, dan wordt het behoorlijk zwaar voor de regering om het tij te keren. Als je land 2 miljoen kleine bedrijven telt, dan weet je misschien niet precies wat ze zoal doen, maar ze redden zichzelf wel uit de strijd. De opkomst van kleine ondernemers is uitermate positief geweest voor Polen.

DECENTRALISATIE

De volgende belangrijke verandering die bijdroeg tot ons succes was de decentralisatie. Een van de voornaamste fouten van veel postcommunistische landen is dat ze grote moeite hebben met decentralisatie. Wij besloten het systeem te veranderen en meer bevoegdheden te delegeren naar lokale en regionale overheden. We organiseerden de eerste volledig democratische gemeenteraadsverkiezingen in mei 1990, elf maanden na de eerste gedeeltelijk vrije verkiezingen van het Poolse parlement. Dus we kunnen zeggen dat Polen tegen mei 1990 een veel meer gedecentraliseerde staat was met veel nieuwe macht en nieuw geld voor gemeenten, regio's en provincies.

Wat het effect was van dat besluit? In allereerste instantie was er veel meer energie op lokaal niveau. Wie iets wilde doen, kon dat nu ook. Ze hadden én de instrumenten én de financiële middelen. Ten tweede konden de mensen plaatselijke leiders verkiezen, mensen die goed bekendstonden in een stad of regio. Ze hadden hun eigen burgemeesters, eigen gemeenteraadsleden, noem maar op. Decentralisatie was ook belangrijk om meer greep te krijgen op corruptie. Natuurlijk blijft corruptie overal een probleem, maar met een gedecentraliseerde staatsstructuur kun je corruptie gemakkelijker in toom houden. Ten eerste is de bureaucratie veel minder ontwikkeld. Als je een beslissing wilt nemen, hoef je niet meer langs allerlei kantoren en bestuurslagen. De besluitvorming gebeurt dichter bij de mensen en de burgers. En als je op lokaal niveau krachtige en actieve gemeenschappen hebt, dan houden die goed in de gaten wat er gaande is binnen de plaatselijke overheden. Je hebt het zo door wanneer de burgemeester van je stad het ene jaar nog in een bescheiden auto rijdt en het jaar daarna achter het stuur van een bolide zit. Dat is een simplificatie natuurlijk, maar zo zit het mechanisme wel in elkaar.

CONSENSUS VOOR VERANDERING

Tot slot — en iedereen die een lijstje maakt van de Poolse succesfactoren zal het vermelden — was het belangrijk dat het in de eerste twintig jaar mogelijk was zeer brede politieke consensus te vinden voor de voornaamste strategische elementen van de Poolse politiek, en dan heb ik het zowel over de democratische veranderingen in 1989–1991 en over het Balcerowicz-plan als over ons lidmaatschap van de NAVO, dat belangrijk was voor de veiligheid van Polen. We organiseerden brede consensus voor de nieuwe grondwet, die per referendum werd aanvaard in 1997. En tot slot wonnen we met 75 procent van de stemmen het referendum over het EU-lidmaatschap. Dat was waarschijnlijk voor het laatst dat we zo'n brede consensus en een dergelijke eensgezindheid hebben kunnen realiseren.

ECONOMISCHE HERVORMING

Bij alle transities is de drijvende kracht politiek van aard. Leiders nemen beslissingen over het economische beleid op basis van de effecten daarvan op het politieke verloop van de transitie. Hoewel economische veranderingen in bepaalde landen geleidelijk zijn doorgevoerd om negatieve reacties te vermijden, gingen jullie in Polen over tot een shocktherapie. Waarom maakte u die keuze?

Timing is waarschijnlijk het belangrijkste element en het is goed om nog eens te herhalen dat er niet zoiets bestaat als een pasklaar antwoord voor alle situaties waar ook ter wereld. Het zou prachtig zijn als je als een soort apotheker twee of drie recepten kon aanreiken aan Cuba, Myanmar en andere landen, maar zo werkt het nu eenmaal niet. Als je de Poolse casus wilt analyseren, dan is het zaak dat je je herinnert dat we hier een economische situatie kenden die zo slecht, zo dramatisch was dat er meer ruimte voor riskante beslissingen was ontstaan. We kampten met hyperinflatie en hadden een enorme buitenlandse schuld. Drastische hervormingen waren dé manier om tot een betere situatie te komen. Ik denk dat we geluk hebben gehad omdat de regering besloot dat ze het verplicht was om iets aan de economie te doen. Ze vonden de juiste man, omringd door de juiste figuren, een behoorlijk grote groep mensen die samenwerkten met Balcerowicz, en die waren zowel intellectueel als vaktechnisch voldoende voorbereid om die zaken aan te pakken. Soms ben je genoodzaakt om een ingrijpende chirurgische ingreep te plegen, maar zonder goede artsen kan dat uitlopen op een tragedie. In Polen wisten we goede 'dokters' te vinden, zeer vastberaden specialisten. Gedurende de eerste maanden van de nieuwe democratie kenmerkte de politieke situatie zich door een sfeer van oprecht wederzijds begrip. Er zaten vertegenwoordigers van de voormalige communistische partij in het parlement. De sfeer was er een van verantwoordelijkheidszin, van besef van de hoogdringendheid van de situatie, van focus op de toekomst. Sedertdien hebben we ettelijke volledig democratisch verkozen parlementen gekend, maar als je de mensen vraagt wat het beste parlement ooit was, dan zullen velen je zeggen dat dat het parlement van 1989–1991 moet zijn geweest – het eerste en niet volledig democratisch verkozen parlement – en wel omdat er een bijzondere geest van begrip en betrokkenheid heerste.

Die combinatie van grote veranderingen in het politieke systeem en ingrijpende beslissingen op economisch vlak was mogelijk in de eerste twee jaar; daarna zou het totaal ondenkbaar zijn geweest. De eerste volledig democratische parlementsverkiezingen in 1991 werden georganiseerd zonder kiesdrempel van 5 procent zodat elke partij, zelfs een partij die amper 1 procent van de stemmen had gewonnen, kans had op een zetel. Het resultaat was dat er 23 verschillende politieke partijen in het parlement werden verkozen. Kunt u zich voorstellen dat die 23 partijen hun steun zouden verlenen aan een programma dat zo pijnlijk en zo gecompliceerd was dat het banen zou kosten en in bepaalde streken zelfs armoede zou creëren? Dat zou onmogelijk zijn geweest. Daarom is timing zo belangrijk. De mensen op de straten in Noord-Afrika en elders vechten voor vrijheid, voor democratie, voor waardigheid, voor alles. Natuurlijk zijn zij niet bereid om bepaalde zeer complexe economische problemen te accepteren of zelfs maar te bespreken. En natuurlijk, als het systeem verandert en zij komen aan de macht, dan is de eerste reactie steevast: meer politieke partijen, minder dialoog en meer conflicten. Het is heel moeilijk om ruimte en draagvlak te vinden voor noodzakelijke, maar pijnlijke economische hervormingen. En juist dat is volgens mij zowel in de praktijk als in theorie, dé uitdaging bij democratische transities.

Dus hoe combineer je die twee elementen – een nieuw politiek systeem met een uitbarsting van soms zeer onrealistische verwachtingen en een heel pragmatische economische aanpak? Hoe genereer je steun en begrip voor zulke moeilijke hervormingen bij de nieuwe politieke leiders, bij nieuwe politieke partijen, bij de mensen op straat?

Wat ik weet van andere landen in deze regio is dat ze zich veel problemen op de hals haalden toen ze besloten het stapje voor stapje aan te pakken en dus zonder shocktherapie, waar veel leiders programmatisch scherp tegen gekant waren. Uiteindelijk was het hoe dan ook noodzakelijk om allerlei pijnlijke beslissingen te nemen. Het is een beetje als een chirurgische ingreep: je bent best bereid om voor een beperkte, overzichtelijke periode zelfs een heel riskante en ingrijpende operatie te ondergaan, maar als je gedurende vijf of zeven jaar maandelijks een minder pijnlijke, maar nog altijd zeer onaangename operatie kunt verwachten, is dat niet te verdragen. En dat scenario zien we nu min of meer in een land als Griekenland.

CONSTITUTIONELE HERVORMINGEN

Bij de meeste transities is de formulering van een nieuwe grondwet en een nieuw sociaal pact van cruciaal belang. In Polen was de grondwet in 1989 op een paar punten veranderd en in 1992 waren er nog een paar wijzigingen met de 'kleine grondwet'. Gedurende zijn presidentschap slaagde Wałęsa er niet in substantiële grondwetsherzieningen door te voeren, maar dat lukte u in 1997 wel. Wat kunt u vertellen over het proces dat Polen in staat stelde om het eens te worden over een nieuwe grondwet?

Het aannemen van een nieuwe grondwet was cruciaal en bleek een moeilijke exercitie te zijn. Eerlijk gezegd scheelde het niet veel of Polen was verzeild geraakt in dezelfde situatie als Chili, waar het aan politieke consensus ontbrak om de grondwet uit het Pinochet-tijdperk te vervangen. We zaten met de oude grondwet uit de communistische periode met almaar meer wijzigingen, omdat het moeilijk was om in de nationale vergadering een constitutionele meerderheid van twee derden te organiseren. Het is eigenlijk gemakkelijker om voldoende steun te mobiliseren via een referendum. In Polen was de reden om te vechten voor een nieuwe grondwet glashelder; onze oude grondwet stamde uit de jaren vijftig. Die grondwet was naar Moskou gestuurd en daar bijgevijld door Stalin. Dus voor veel mensen in Polen was het al even vanzelfsprekend als noodzakelijk om die min of meer stalinistische grondwet grondig te herzien. Het was politiek belangrijk om de grondwet te veranderen, maar hij moest ook om inhoudelijke redenen op de helling.

Mijn voorganger als voorzitter van de grondwetscommissie in het parlement was professor Geremek, een uitermate intelligente en gerespecteerde man. Hij boekte echter geen succes, omdat het niet lukte om dit karwei te klaren in de parlementen die we tussen 1991 en 1993 hadden. Er waren te veel politieke partijen met te veel verschillende opvattingen. Bij de verkiezingen van 1993 besloten we akkoord te gaan met een kiesdrempel van 5 procent voor een zetel in het parlement. Met die kiesdrempel en vanwege het uiteenvallen van de groeperingen op de rechtervleugel werd niet één kandidaat van extreemrechts verkozen. De SLD verwierf samen met onze coalitiepartner, de boerenpartij PSL, een meerderheid in de sejm. Als politiek leider van de SLD werd ik aangewezen als voorzitter van de grondwetscommissie. Daarop nodigde ik onmiddellijk een oppositiepartij uit die zeer gebrand was op grondwetsherzieningen, de Vrijheidsunie van Mazowiecki en Geremek, om deel uit te maken van de constitutionele meerderheid. En we zijn meteen samen aan het werk gegaan.

Wanneer het parlement zich vlak voor afloop van zijn legislatuur buigt over wetsvoorstellen, kunnen die voorstellen van de agenda worden geschrapt door de nieuwe legislatuur, omdat het nieuwe parlement niet verplicht is wetsvoorstellen te behandelen waarover het vorige parlement zich heeft gebogen. Hetzelfde ging op voor de grondwet. We hadden vijf of zes zeer nuttige projecten, waarvan er een paar waren voorbereid door conservatieve partijen die niet meer zetelden in het nieuwe parlement. Maar ik besloot dat we verder zouden werken aan al die projecten.

De gedachte was om alle projecten en voorstellen te bespreken en ter debat voor te leggen. Dat kostte natuurlijk veel tijd, maar omdat wij de meerderheid vormden, hadden we de zeggenschap over de agenda van het parlement. Vervolgens zijn we gaan praten met kerkelijke vertegenwoordigers, die een belangrijke actor waren. We organiseerden een degelijke dialoog met de Kerk en hebben tot slot een grondwetsvoorstel voorbereid. In 1995 werd ik verkozen als president. In 1997 hebben we de ontwerpgrondwet ter stemming voorgelegd door middel van een nationaal referendum, en de tekst werd goedgekeurd. Dat was nooit eerder gebeurd in Polen. Als we dat niet in die tijd, tussen 1993 en 1997, hadden gedaan, zou het volgens mij uitermate moeilijk zijn geworden om een nieuwe grondwetstekst voor te bereiden, omdat de later gekozen parlementen geen constitutionele meerderheden wisten te behalen.

HET REGERINGSSTELSEL

Naar verluidt is Polen het enige land in Oost-Europa dat een semipresidentieel systeem kent. Tijdens uw eigen presidentschap, toen Jerzy Buzek premier was, werkten jullie met een soort 'cohabitatie', waarbij de president en de premier afkomstig waren van verschillende politieke partijen of coalities. Wat is uw mening over het semipresidentiële systeem? Bent u er ook vandaag nog tevreden mee?

Zeer tevreden zelfs. Waarom het semipresidentiële systeem? Dat is een lang verhaal, maar het komt er in het kort op neer dat we twee mogelijkheden hadden. De eerste optie was de organisatie van een systeem met een parlementair kabinet, maar daartegen bestonden zeer sterke argumenten, vooral omdat een dergelijk systeem instabiel zou zijn als gevolg van het uiteenvallen van het Poolse partijsysteem. Hoe konden we al die macht aan het parlement en de politieke partijen geven, als je bedenkt dat het eerste democratisch verkozen parlement maar liefst 23 partijen telde? We hadden om de zes maanden een regeringscrisis en we zijn ik weet niet hoe vaak van premier gewisseld. Het zou volslagen onverantwoord zijn geweest.

Waarom we in Polen dan niet meteen voor een presidentieel systeem hebben gekozen? In de eerste plaats omdat we bang waren, op basis van onze eigen geschiedenis en die van onze buurlanden, voor een sterk gecentraliseerd presidentieel systeem, en eerlijk gezegd lag ook het negatieve voorbeeld van het presidentschap van Wałęsa nog vers in het geheugen. Omdat de kwaliteit van zijn presidentschap zo belabberd was geweest, waren we van mening dat het gevaarlijk was om een president meer prerogatieven, meer macht te geven.

Op basis van onze ervaringen tussen 1993 en 1995 besloten we een semipresidentieel systeem voor te stellen. Helemaal onbekend was dat niet: het bestaat bijvoorbeeld ook in Frankrijk en Finland. Volgens mij werkt dat systeem prima. En ik ben ervan overtuigd dat het het beste stelsel is voor een land als het onze. Ik raad de politiek ook aan voorzichtig te zijn met eventuele veranderingen. Ik heb vier jaar in een 'cohabitatie' met Buzek gewerkt en dat verliep effectief en zonder bestuurlijke problemen. Soms had ik echt de indruk dat het vlotter werken is met een regering die niet van jezelf is dan met een regering van louter partijgenoten.

We hebben de laatste paar jaar heus wel een paar echte conflicten gehad, onder meer het conflict tussen president Lech Kaczyński en premier Donald Tusk. Daarbij ging het echter niet om een constitutioneel probleem, maar om politieke meningsverschillen tussen twee individuen. Als je goede, verantwoordelijke mensen neerzet op de hoogste posities, dan leert de ervaring dat zelfs een onvolmaakte grondwet kan functioneren. Maar als je de beste van alle denkbare grondwetten hebt en de toposities worden ingenomen door slechte mensen, zullen de zaken in het honderd lopen. De kwaliteit van de grondwet is absoluut belangrijk, maar daarmee ben je er nog niet. Het is zaak dat de mensen die verantwoordelijk zijn voor het land onderling warme en constructieve relaties onderhouden. Als ze elkaar voortdurend bestrijden, kan zelfs de beste grondwet daar niets tegen inbrengen, omdat die figuren de grondwet zullen gebruiken zoals het hun uitkomt.

Ik ben van mening dat het semipresidentiële systeem in Polen bijzonder correct is. Het bouwt prima controlemaatregelen in, beter dan in menig eenrichtingssysteem. Als je een krachtige regering hebt met een degelijke meerderheid in het parlement, dan is het beter als de president niet van dezelfde partij is. De balans die je dan hebt is soms nodig om foute voorstellen te blokkeren van de regering, die heel machtig is in ons systeem. In het semipresidentiële systeem is zowel de positie van het staatshoofd als die van de premier machtig. Zo kan de premier nooit tot aftreden worden gedwongen met een eenvoudige motie van wantrouwen. Alvorens een regering tot ontslag kan worden gedwongen, moeten de tegenstanders van de premier voldoende stemmen verzamelen om hun eigen kandidaat te verkiezen, wat niet zo gemakkelijk is. De begroting is volledig de verantwoordelijkheid van de regering en de meerderheid in het parlement; de president heeft daar niets mee te maken. De president kan zijn veto uitspreken tegen een wet, maar dat veto kan weer ongedaan worden gemaakt door een drievijfdemeerderheid in het parlement. Het is mogelijk een aantal elementen van de grondwet te veranderen, en misschien dienen een paar zaken ook te worden veranderd, maar deze grondwet is grosso modo zeer doeltreffend en zorgt voor stabiliteit in de Poolse politieke situatie en de staat.

Mijn boodschap aan nieuwe leden van het parlement is de volgende: als ze iets willen veranderen aan de grondwet, dan doen ze er goed aan te overwegen wat beter is: veranderen of strijd leveren voor continuïteit en stabiliteit. Al met al is de stabiliteit van de grondwet een waarde op zich. In Oekraïne bijvoorbeeld veranderen ze de grondwet zo'n beetje om de drie, vier maanden. Wat ze daar hebben is een stuk papier, geen grondwet. Het is belangrijk dat mensen de grondwet respecteren, dat er een 'constitutionele cultuur' heerst zoals in de Verenigde Staten. Die cultuur schep je alleen als je jezelf ervan weerhoudt om de constitutie elk jaar of tijdens elke ambtstermijn te veranderen.

INTERNATIONALE INVLOED

U heeft Polen naar het lidmaatschap van de NAVO en de EU geleid. Een paar jaar eerder bereikte Felipe González aansluiting van Spanje bij de EEG, de voorloper van de EU, en zorgde hij ervoor dat zijn land bij de NAVO bleef. Heeft u een voorbeeld genomen aan de ervaringen van Spanje?

Felipe González is een waardevolle adviseur voor mij geweest. Ik heb hem voor het eerst ontmoet samen met Rakowski, tijdens de laatste dagen van de Poolse volksrepubliek. Ik meen dat we González hebben bezocht in 1988, en daarna in 1989 toen hij regeringsleider was. Het was toen heel leerzaam om met hem te spreken. Later heb ik hem nog geregeld ontmoet als voorzitter van de sociaaldemocratische partij en nog later als president van Polen. Spanje was een inspirerend voorbeeld omdat het land een aantal overeenkomsten vertoonde met Polen. Beide landen hebben een dictatuur gekend, daarna een vreedzame transitie en nu hebben beide een democratie, een democratisch bestel dat zich op heel vreedzame wijze en zonder wraakgevoelens ontwikkelt. González legde ons uit hoe dit zich heeft kunnen voltrekken in Spanje. In dat licht beschreef hij ons bijvoorbeeld het Moncloa-pact, het akkoord van 1978 tussen politieke partijen, vakbonden en werkgeversorganisaties om de inflatie, werkloosheid en kapitaalvlucht aan te pakken en zodoende de transitie te bespoedigen. Ik weet nog dat we ook met González hebben besproken waarom hij er niet voor te vinden was om de doos van Pandora van het verleden te openen, waarom hij er geen trek in had om de conflicten tussen de republikeinen en anderen weer op te rakelen.

We bespraken ook het lidmaatschap van de EU. Voor ons was dat een belangrijke reden voor ons respect voor Spanje. In die tijd, gedurende de jaren negentig dus, was Spanje echt de best functionerende EU-lidstaat. González gaf me destijds een heel waardevol advies. We hadden het over de zaken die de EU 'huiswerk' noemt: de hervormingen die alle kandidaat-lidstaten moeten doorvoeren om te kunnen toetreden. Je krijgt het zo vaak te horen — huiswerk, huiswerk, huiswerk — dat je je een kind voelt. Echt een gruwelijk woord, dat 'huiswerk'. Ik zei ooit tegen González: 'Felipe, luister, we zijn dat huiswerk echt meer dan beu. Iedereen heeft het maar over huiswerk.' Toen zei hij iets belangrijks. 'Klopt. Ik begrijp heel goed dat je doodmoe wordt van dat huiswerk. Maar bedenk dit: als je dat huiswerk goed doet, zul je er ook eerder de vruchten van plukken en kun je rekenen op nog meer voordelen zodra jullie eenmaal lid zijn geworden. Doe je je huiswerk slecht, dan haal je je de grootste problemen op de hals als het gaat om fondsen en subsidies, om al die dingen die via de EU jouw kant op komen na toetreding.' En hij heeft volkomen gelijk gehad. Dat is een van de redenen waarom het vandaag prima gaat met Polen: wij hebben ons huiswerk zo goed als foutloos gemaakt. Gedurende de eerste zes jaar van het lidmaatschap ontvingen we ongeveer 30 miljard euro. Nu zijn we in afwachting van de volgende

30 miljard, wat een fantastische injectie voor ons is, voor verdere modernisering, voor alles. Ja, dat was heel goede raad van González. Wat er nu gebeurt in Griekenland is het resultaat van belabberd huiswerk met de armzalige resultaten die daarvan het gevolg zijn. Als je niet degelijk bent voorbereid, dan heeft het systeem geen absorberend vermogen en kun je een echt effectief lidmaatschap van de EU wel vergeten.

In hoeverre is het EU-lidmaatschap van invloed geweest op de democratische transitie van Polen?

Het EU-lidmaatschap was heel belangrijk omdat dat veel gevolgen had — voor de economie, de modernisering van Polen, open grenzen en vrij handelsverkeer. Maar vanuit politiek perspectief betekende het EU-lidmaatschap dat Polen eindelijk, na al die jaren, deel uitmaakte van Europa. Het heeft grote moeite gekost. Ons associatieverdrag werd getekend in 1991 en we organiseerden een referendum in 2003 waarbij 75 procent van de stemgerechtigden voor toetreding stemde. Ons lidmaatschap werd officieel van kracht op 1 mei 2004.

Het lidmaatschap van deze twee organisaties zorgde voor een versterking van onze democratische transitie. Een andere belangrijke factor was onze positie in de regio, omdat alles rondom Polen veranderde. We gingen van drie naar zeven directe buurlanden en op de Balkan, niet ver bij ons vandaan, woedde een dramatisch conflict. We beschouwden het als een van onze hoofdtaken om optimale contacten op te bouwen met al onze buren, nieuwe verdragen aan te gaan en — meer in het algemeen — een sfeer te creëren van begrip, vriendschap en samenwerking, en zodoende van goed nabuurschap.

Ik beschouw het als een van mijn successen dat ik erin ben geslaagd uitstekende relaties op te bouwen met de buren, onder andere met Duitsland, Litouwen en Oekraïne. We hebben nog altijd zo onze problemen met de Russen, maar dat is een ander verhaal.

Ons volgende doel was die nieuwe situatie in de regio goed te managen, contacten op te bouwen en stabiliteit te 'exporteren'. In de eerste periode na de transitie was onze regio een fantastisch voorbeeld van dialoog, samenwerking en stabiliteit. Maar het was allemaal niet zo gemakkelijk of vanzelfsprekend. Als je een vliegtuig had genomen van Warschau naar Belgrado, zou je begin jaren negentig de oorlog op de Balkan hebben gezien, met etnische zuiveringen en duizenden slachtoffers. Dus in twee landen die heel dicht bij elkaar liggen en die voorheen beide deel uitmaakten van het Sovjetblok, zat je met twee totaal verschillende situaties. Hier had je stabiliteit en goede relaties; ginds alleen maar oorlog en ellende.

In hoeverre is de Sovjet-Unie, en later Rusland — van oudsher belangrijk en invloedrijk in Polen — van invloed gebleven op de transitie in uw land?

Gorbatsjov was om allerlei redenen strategisch belangrijk voor ons. In de eerste plaats vanwege het veiligheidsaspect. In Polen is de veiligheid een zeer gevoelig thema, omdat onze geschiedenis er een is van oorlogen. Eerlijk gezegd is het nooit gemakkelijk geweest om het land tussen Duitsland en Rusland te zijn. Begin jaren negentig waren er discussies over de vraag wat beter voor ons zou zijn: neutraal worden zoals Finland of lid van de NAVO. Op dat moment bestond de Sovjet-Unie nog en die was zeer gekant tegen het NAVO-lidmaatschap van Polen. Het probleem werd nog gecompliceerder, omdat Thatcher, Mitterrand, George H.W. Bush en anderen, tijdens de besprekingen die de supermachten in 1989–1990 voerden over de Duitse hereniging, hadden besloten dat de NAVO niet zou worden uitgebreid. Maar de situatie veranderde en een meerderheid in Polen besliste over de keuze tussen neutraliteit of de NAVO. Besloten werd dat we het NAVO-lidmaatschap zouden aanvragen, omdat neutraliteit voor ons, in dit deel van de wereld, betekende dat we in een soort grijs gebied zouden belanden, zonder garanties en zonder bondgenoten. Voor Finland was het jarenlang een ander verhaal, omdat dat land minder strategisch is gelegen. En een neutraal Finland en een neutraal Oostenrijk waren voor zowel de Sovjets als de Amerikanen nuttig. Maar wat zou neutraliteit in de jaren negentig nog betekenen?

Toen we hadden besloten lid te worden van de NAVO zijn we begonnen aan heel moeilijke besprekingen met Boris Jeltsin. Wij stelden dat het mogelijk was de NAVO uit te breiden als gevolg van de ineenstorting van de Sovjet-Unie. Alle geruststellende beloften van de supermachten waren immers gericht geweest tot de Sovjet-Unie. Nu de Sovjet-Unie niet meer bestond, konden we gaan praten over uitbreiding van de NAVO. Natuurlijk was Rusland daar scherp tegen gekant. Maar de Amerikanen en Europeanen namen vastberaden het standpunt in dat uitbreiding van de NAVO niet alleen mogelijk, maar ook nodig was. Polen maakte deel uit van de eerste groep nieuwe leden, samen met Hongarije en de Tsjechische Republiek.

In 1997 had ik een ontmoeting met Jeltsin in het Kremlin. Het Kremlin heeft enorme zalen en Jeltsin had een zeer krachtige stem. Hij zei in het Russisch: 'Waarom willen jullie bij de NAVO? Jullie hebben de NAVO helemaal niet nodig. Wij kunnen jullie alle garanties bieden die je nodig hebt. Waarom drijven jullie dit zo door?' Ik legde hem uit waarom. Het gesprek ontwikkelde zich tot een felle en dramatische discussie. Op het laatst zei ik: 'Boris Nikolajevitsj, vertel me eens: hoe zijn uw betrekkingen met Duitsland?' Hij: 'Heel goed.' Ik: 'En met Italië?' Jeltsin: 'Fantastisch.' Ik: 'En met de Britten?' Weer Jeltsin: 'Uitstekend.' Ik weer: 'En met Nederland en Denemarken en zo?' Hij: 'Prima.' Ik: 'En met Polen, de Tsjechische Republiek en Hongarije?' Jeltsin ontplofte: 'Beroerd! Omdat jullie allemaal per se bij de NAVO moeten. Waarom willen jullie dat zo nodig?'

En ik zei: 'Luister, ik somde daarnet een hele lijst NAVO-leden op en u onderhoudt fantastische, uitstekende, prima, zeer goede banden met die landen, terwijl u alleen problemen heeft met Polen, Hongarije en de Tsjechische Republiek. Ik beloof het u: als wij NAVO-lid worden, dan zijn onze relaties weldra even fantastisch, uitstekend en voortreffelijk.' Daarop begon hij te lachen en uiteindelijk accepteerde hij dat we ons opmaakten voor het NAVO-lidmaatschap.

Ik had veel respect voor Jeltsin, want hij was een van de weinige Russische leiders met een oprecht democratisch instinct. Hij verkeerde in een extreme situatie, maar als hij de keuze had tussen een autocratische of een meer democratische optie, trok hij toch meestal de democratische kaart. Ten aanzien van de NAVO heeft hij ons zelfs behoorlijk geholpen.

Dus in 1999 kwam Polen bij de NAVO, wat om drie redenen uitermate belangrijk voor ons was. Ten eerste om veiligheidsredenen, want het NAVO-lidmaatschap is de beste waarborg voor onze veiligheid die de sterkste landen ter wereld ons kunnen bieden. De tweede reden was het imago van Polen in het buitenland: het NAVO-lidmaatschap hielp ons om meer buitenlandse investeringen aan te trekken. En het derde, vooral historische element dat ten grondslag lag aan dit besluit, was dat Polen en Duitsland voor het eerst na duizend jaar samen deel uitmaakten van hetzelfde militaire en politieke bondgenootschap. Als je de geschiedenis kent, de oorlogen, conflicten, bezetting, alle netelige problemen tussen Polen en Duitsland, dan snap je hoe belangrijk ook dat was.

Wat was de rol van de VS in de democratische transitie van Polen?

Na de ineenstorting van de Sovjet-Unie en het einde van de Koude Oorlog verkeerden we opeens in een unilaterale wereld, met de Verenigde Staten in een leidende positie. Ik weet dat er veel kritiek is op het Amerikaanse unilateralisme en het arrogante beleid van de VS, met militaire acties in Irak en Afghanistan en zo, maar bezien vanuit Midden- en Oost-

Europa was het een positieve periode. De Amerikanen hadden ons al eerder geholpen door Solidarność te steunen en door zich achter onze democratische ambities te scharen. En toen de transitie eenmaal een feit was, ondersteunden ze ons in de vorm van investeringen in Polen, hielpen ze ons om lid van de NAVO te worden en moedigden ze hun Europese partners — met name grote spelers als het Verenigd Koninkrijk, Duitsland en Frankrijk — krachtig aan om de EU uit te breiden. Dat was niet zo eenvoudig omdat we het wel hadden over een uitbreiding met tien landen, waarvan zeven uit het voormalige Sovjetblok. De situatie in de Baltische staten was zelfs nog gecompliceerder. Polen was een postcommunistisch land, maar Litouwen, Letland en Estland waren post-Sovjetrepublieken, voorheen geen aparte landen, maar onderdeel van de Sovjet-Unie. Deze landen het lidmaatschap van de NAVO en de EU aanbieden, ondanks al die krachtige weerstand van Russische zijde, was absoluut een Amerikaans succes.

Ook Bill Clinton was als president een belangrijke steunpilaar. Hij had minister van Buitenlandse Zaken Madeleine Albright in zijn team, iemand die deze regio heel goed kent. Haar rol was ronduit cruciaal.

HEDENDAAGSE TRANSITIES

Stelt u zich even voor dat u gevraagd wordt gesprekken te voeren met drie jonge leiders uit Cuba, Jordanië en Myanmar. Die personen komen alle drie naar u toe, omdat u de naam heeft een figuur te zijn à la Felipe González, u staat bekend als iemand die een onstuimige transitie heeft meegemaakt en beschikt over waardevolle inzichten en veel wijsheid. Ze komen naar u toe en zeggen: 'We weten dat u geen Cuba-, Jordanië- of Myanmar-deskundige bent, maar u bent wel een expert op het vlak van transities en we zouden willen weten, in heel algemene lijnen, wat u ons zou adviseren ten aanzien van onze verantwoordelijkheid naarmate de processen in onze landen evolueren.' Wat zou u tegen hen zeggen en zou u tegen ieder van hen hetzelfde zeggen?

Om te beginnen zou ik herhalen dat er niet zoiets bestaat als één pad, één voorschrift dat toepasbaar is op al die situaties. Het zou fout zijn om tegen die mensen uit het buitenland te zeggen: 'Kijk, dit heeft wonderwel gewerkt in Polen, dus volg ons voorbeeld en alles komt in orde.' Nee. Het is heel belangrijk om een scherp beeld te hebben van plaatselijke factoren, van de plaatselijke situatie. Maar ik neem aan dat die jonge mensen die naar mij toe komen goed op de hoogte zijn van wat er in hun land speelt, en dat het ook hun opdracht is om te weten hoe de vork er in de steel zit.

Dus ik zou zeggen: 'Oké, laten we eens goed naar jullie situatie kijken. Waar liggen de kansen? Met welke beperkingen heb je rekening te houden? Welke obstakels moet je overwinnen?' Vervolgens zou ik tegen hen zeggen: 'Je zult moeten werken aan een strategie, want als je je land wilt veranderen, zul je dat vanuit een visie moeten doen. En die visie zal meer moeten inhouden dan dat je aan de macht wilt komen of het land wilt leiden. Dat element zal altijd wel spelen, maar het kan nooit de kern van je visie zijn. Die visie moet draaien om vrijheid, om de opzet van een democratisch bestel, sociale gerechtigheid, invoering of herstel van de rechtsstaat, goede relaties met buurlanden. Om dat soort zaken moet het draaien.' Een visie en een strategie zijn uitermate belangrijk. Polen had het geluk dat er een collectieve strategie was, dus niet de strategie van één partij. Het was bijna iedereen bij ons te doen om vrijheid, veiligheid, europeanisering, modernisering van het land, om democratie.

Het derde element betreft de methode. In de politiek is en blijft de dialoog de beste werkwijze. Het is onontbeerlijk de dialoog aan te gaan, zelfs met tegenstanders, zelfs met vijanden. Natuurlijk zijn dialoog en overleg gemakkelijker te aanvaarden voor de oppositie en veel lastiger voor degenen die deel uitmaken van een autoritaire regering, maar de dialoog is onmiskenbaar de basis van bijna alles — zonder het gesprek maak je geen kans om vooruitgang te boeken.

Mijn vierde advies zou luiden: probeer de verschillende standpunten te begrijpen van de personen met wie je te maken hebt. Die moet je echt kennen, zelfs binnen je eigen groep en vooral als je de dialoog met anderen aangaat. Je zult moeten omgaan met allerlei denkwijzen, met zeer uiteenlopende ervaringen, met verschillende gevoeligheden. In onze pluralistische wereld zijn we allemaal anders en het is zaak al die verschillen te erkennen en te respecteren, en je er niet door te laten verrassen of ontgoochelen.

Maar concreter: ik kan me beter inleven in het geval Cuba, omdat ik weet wat een transitie vanuit het communisme inhoudt. Volgens mij is de situatie in Cuba in zekere mate gelijk aan de toestand die we in veel Europese landen hebben gekend, vooral ook omdat de oppositie voor de primaire uitdaging staat om een hecht front te vormen en een strategie te ontwikkelen. De ideologie van Castro sprak zo tot de verbeelding dat niet alleen miljoenen Cubanen erdoor werden geïnspireerd, maar ook vele miljoenen mensen elders in de wereld. Na al die jaren is die ideologie vandaag vrijwel een lege huls. De vooruitzichten voor Cuba hangen in grote mate af van de vraag of de communistische partij groepen hervormers in haar gelederen heeft, want ik verwacht dat alles wat er de komende paar jaar in Cuba staat te gebeuren in de eerste plaats het resultaat zal zijn van wat er gebeurt binnen de partij zelf, en veel minder het resultaat van de relaties tussen de partij en de oppositie. De ervaring in ons deel van de wereld leert dat het noodzakelijk is om te werken met groepen binnen de regering en de partij die zich open opstellen en bereid zijn een aantal hervormingen door te voeren om een transitie te bewerkstelligen. Het zou mij niet verbazen als Castro wordt opgevolgd door een van de jongere generaals die het potentieel heeft een krachtige hervormer te worden. Ook de Cubaanse diaspora kan een rol spelen. Al zou ik wel heel voorzichtig zijn met die diaspora, want volgens mij moet in de eerste plaats tot een transitie worden besloten door de mensen in het land zelf. Een diaspora kan bepaalde processen ondersteunen, maar nooit de plaats innemen van de binnenlandse bevolking.

DE ROL VAN HET LEGER

Bij transities speelt het leger meestal een voorname rol. Wat vertellen de Poolse ervaringen ons als het gaat om de rol van leger en politie bij een transitie?

Militaire structuren zijn een krachtig onderdeel van een autoritair regime. Als het regime ideologisch en economisch zwakker wordt, dan neemt de macht van het veiligheidsapparaat toe, vooral van de geheime politie. Daarom hadden we een toenemend aantal generaals in alle politieke organen, zoals het politburo. Het komt ook vaak voor dat het slecht gaat met de economie en dat de mensen teleurgesteld zijn. Zodra er wanorde is in veel segmenten van de samenleving, kunnen het leger of andere veiligheidsstructuren dienen als contrast: in die structuren heerst orde en discipline, en de mensen werken er hard. Er is een psychologisch element dat vaak wordt aangehaald om te laten zien dat het leger daadwerkelijk de pijler van het systeem is, de pijler van de staat, die zelf weer de pijler van alles is. De geheime politie is de gevaarlijkste factor, omdat die goed is georganiseerd, behoorlijk wordt betaald en gemotiveerd is om zich te verzetten tegen verandering. In alle dictaturen heeft de geheime politie alleen een 'kaartje voor een enkele reis': omdat er zo veel bloed aan hun handen kleeft, rest hun maar één uitweg, en dat is nog agressiever worden.

Het leger verkeert echter in een heel andere situatie. Legers zijn enorme organisaties en in goede legers zul je veel mensen vinden met een positieve denkwijze, een mentaliteit die het belang van de staat vooropstelt.

Ze zijn beslist niet gebrand op militaire acties tegen de oppositie, maar ze voelen een zekere mate van verantwoordelijkheid voor de toekomst en de veiligheid van het land. In de meeste landen zijn militairen grotendeels van eenvoudige komaf. Het zijn niet de zonen van aristocraten, maar jongens uit gewone gezinnen – arbeiders, boeren, kantoorbedienden. Het gevolg daarvan is dat het leger dichter bij het alledaagse leven van de bevolking staat. In autoritaire systemen kan het leger een zeer negatieve rol spelen als de politieke leiders daartoe beslissen. In Polen was de ervaring dat we in het leger veel mensen vonden die gemotiveerd waren om tot hervormingen en transitie over te gaan.

Ik kom nog even terug op die tips aan oppositieleiders. In Polen hadden we twee benaderingen. Als op zeker moment de vertegenwoordiger van de oppositie de nieuwe premier of president van het land wordt, dan kan hij niet van de ene op de andere dag de rol van het leger veranderen. Hij kan niet zeggen dat het spel voor het oude leger is afgelopen en dat er een nieuw leger op poten zal worden gezet. Of dat de politie in de nieuwe context geen rol meer heeft en dat er dus meteen moet worden gebouwd aan een nieuwe politiemacht. Bij een transitie is het zaak om een zekere balans te vinden tussen het oude en het nieuwe systeem, al is dat niet gemakkelijk. Het is noodzakelijk om vanaf het prille begin te zeggen: 'Luister, het allereerste wat we verwachten van alle structuren is loyaliteit jegens de nieuwe regering, jegens de nieuwverkozen president.' Vervolgens kun je veranderingen doorvoeren en die instellingen stap voor stap reorganiseren. Als je vanaf dag één een revolutie probeert te ontketenen, dan vrees ik dat je weinig gedaan krijgt. In Polen hebben we een behoorlijk sterke groep politici – ik denk aan Kaczyński en een paar van zijn collega's – die ervan overtuigd zijn dat Polen na de rondetafelgesprekken en de verkiezingen één grote fout heeft gemaakt, namelijk dat er geen revolutie heeft plaatsgehad. Alle transities kennen een revolutionair element, een element van wraak: het verlangen om vertegenwoordigers van het ancien régime te straffen om het gevoel te versterken dat er écht iets is veranderd. Ik ben fel tegen die denkwijze. Ik ben van mening dat evolutie, ook al vergt die meer tijd en soms aanzienlijk meer middelen, beter is dan revolutie. Vooral met de moderne communicatiemiddelen kan een evolutie uitermate succesvol verlopen. De transitie is dan heel goed aan te sturen en zal uiteindelijk bijzonder positieve resultaten opleveren.

DE BETEKENIS EN AANTREKKINGSKRACHT VAN DEMOCRATIE

Wat zijn volgens u de stuwende factoren achter de transitie naar democratie in zo uiteenlopende landen als Polen en Chili, Spanje en Zuid-Afrika, Indonesië en Brazilië?

Ik had lange discussies met Gorbatsjov toen hij er nog altijd van overtuigd was dat perestrojka een uitstekend idee was en dat de Sovjet-Unie gewoon zou blijven bestaan. Hij was in wezen echt de allerlaatste die nog in de Sovjet-Unie geloofde. En ik zei: 'Michail, als je met de mensen praat, zou je nu eindelijk moeten accepteren dat de grote vraag draait om vrijheid, om democratie en waardigheid.' Perestrojka draaide trouwens om al die waarden. 'Er zijn maar twee situaties denkbaar. In de ene zijn de deuren dicht, in de andere staan ze open. Als het je plan is de deur open te zetten voor al die waarden, voor al die verwachtingen, voor alle behoeften van de mensen, dan zul je die deur wijd open moeten zetten. Je hebt er niets aan om de deur op een kier te houden. Vroeg of laat zal die deur echt open moeten, anders zal de bevolking de deur met geweld openbeuken, omdat het gaat om zeer krachtige waarden. Het zijn waarden die de mensen, vooral jonge mensen, in beroering brengen en mobiliseren.' Vervolgens hebben we lang gesproken over alle crises die de communistische partij in Polen doormaakte. We waren het erover eens dat Polen gebaat zou zijn bij verdergaande democratisering. Maar dat zou niet voldoende zijn. De Polen en anderen in 1989 zeiden: 'Hou alsjeblieft op over democratisering! Wij willen pure, onversneden democratie. Geen "socialistische democratie" en ook niet een of andere variant op de democratie — wij willen échte democratie.' Instinctief wisten de mensen heel goed, ook als ze niet zo'n goede opleiding hadden genoten, wat democratie betekende: kunnen stemmen, het spel volgens democratische regels spelen, media die vrij verslag kunnen doen, de vrije toegankelijkheid van die media, dergelijke dingen. Vraag de eenvoudigste man op straat wat democratie betekent en hij zal het je vertellen.

BIOGRAFISCHE SCHETS VAN TADEUSZ MAZOWIECKI, PREMIER VAN POLEN (1989–1991)

Tadeusz Mazowiecki speelde belangrijke rollen in de katholieke oppositiebeweging in Polen vanaf de jaren vijftig tot het einde van het communisme in 1989. Aansluitend was hij de eerste niet-communistische premier in naoorlogs Polen. Mazowiecki studeerde rechten, maar maakte carrière als journalist en katholieke activist. Na de liberalisering van Polen in 1956 was hij een van de oprichters van Znak, een katholieke lekenorganisatie van intellectuelen, en tot 1981 was hij hoofdredacteur van hun maandblad *Wiez*. In de jaren zestig was Mazowiecki afgevaardigde in de sejm totdat hij een onderzoek eiste naar de gewelddadige dood in 1970 van betogende havenarbeiders. Hij hielp ook bij de oprichting van het comité ter bescherming van arbeiders (KOR), dat intellectuelen van de katholieke en niet-katholieke oppositie bijeenbracht om te ijveren voor mensenrechten en arbeidsrechtelijke hervorming. In 1980 trad Mazowiecki op als adviseur van Lech Wałęsa tijdens de betogingen in de haven van Gdansk en ook daarna bleef hij actief betrokken bij Solidarność, als adviseur en als hoofdredacteur van het weekblad van de beweging. Toen generaal Jaruzelski in december 1981 de staat van beleg afkondigde, werd Mazowiecki gedurende een jaar geïnterneerd en het weekblad werd opgeheven.

Acht jaar later trad Mazowiecki op als een van de vertegenwoordigers van Solidarność en als de hoofdonderhandelaar namens de vakbond bij het onderdeel 'politieke hervormingen' van het rondetafeloverleg. Na de spectaculaire nederlaag van de communisten bij de semivrije verkiezingen van 1989 werd Mazowiecki op aanbeveling van Wałęsa benoemd als de eerste niet-communistische premier van Polen. Tijdens zijn regering beleefde Polen de transitie van het communistische bewind naar een meerpartijendemocratie, werden economische hervormingen doorgevoerd om tot een markteconomie te kunnen komen, wendde het land zich vastberaden tot het Westen en de NAVO, en werd een aanvang gemaakt met de hervorming van politieke instellingen. Hij stelde zijn kabinet zo samen dat de standpunten werden meegewogen van alle groepen die bij de verkiezingen van 1989 parlementszetels hadden gewonnen. Dus naast activisten en specialisten van Solidarność zetelden er ook communistische ministers in zijn regering (op de departementen Defensie, Binnenlandse Zaken en Transport). Zijn stijl van leidinggeven kenmerkte zich door eerst aandachtig te luisteren naar uiteenlopende meningen om vervolgens harde keuzes te maken.

De negatieve impact die de snelle economische liberalisering vrijwel onmiddellijk had op vele Polen holde de populariteit van Mazowiecki zodanig uit dat hij bij de presidentsverkiezingen van 1990 verloor van Wałęsa. Zijn persoonlijke inspanningen om een 'dikke streep' te trekken onder het verleden, in plaats van voormalige sleutelfiguren binnen het regime te berechten en te bestraffen, werkten bevorderlijk op de eerste democratische transitie binnen het Sovjetblok, hoewel die 'streep' er ook toe leidde dat verwijten over het verleden de Poolse politiek vele jaren zouden achtervolgen. Mazowiecki bleef afgevaardigde in de sejm tot 2001. Ook diende hij vanaf 1991 als VN-mensenrechtenrapporteur in voormalig Joegoslavië. Hij nam echter in 1995 ontslag uit protest tegen de zwakke internationale reactie op de wreedheden begaan in Bosnië.

INTERVIEW MET PREMIER TADEUSZ MAZOWIECKI

BASISPRINCIPES

Wat kunnen jonge politieke leiders uit landen die zijn verwikkeld in een transitie van een autoritaire heerschappij naar een democratisch bestel leren van uw ervaringen en die van Polen? Wat zouden leiders moeten begrijpen in verband met democratische transities om een positieve rol te kunnen spelen in de geschiedenis van hun land?

Wie lering wil trekken uit onze ervaringen moet natuurlijk zelf bepalen welke elementen belangrijk voor hem zijn. Maar de belangrijkste boodschap die ik heb voor een jonge leider in zo'n situatie is dat je bij het doorvoeren van veranderingen niet zomaar in de schoenen kunt stappen van de mensen die je ten val brengt; je kunt niet simpelweg de macht overnemen en doorgaan op dezelfde weg als je voorgangers. Met andere woorden: het gaat erom dat je de intentie hebt om de loop van de geschiedenis te veranderen. De oplossing ligt niet simpelweg in het inruilen van de ene regering voor een andere. We spreken vaak met mensen uit de landen van de Arabische Lente en komen er dan achter dat in bepaalde landen de ene vorm van vervolging simpelweg wordt vervangen door een andere. Ik geloof niet dat je dan kunt spreken van echte verandering en daarom raad ik het echt af om eenvoudigweg in de schoenen te stappen van degenen die je omverwerpt. Als je veranderingen van historisch belang wilt bereiken, dan moeten het veranderingen ten gronde zijn. De tweede belangrijke les is dat we in Polen veranderingen hebben doorgevoerd langs vreedzame weg.

SOCIALE MOBILISATIE

Hoe is het u gelukt om zulke ingrijpende veranderingen vreedzaam te laten verlopen?

Het gebeurde beslist niet van de ene dag op de andere — het was een complex proces. In Polen waren er al verschillende pogingen geweest om de situatie te veranderen, maar de belangrijkste was wel de oprichting van Solidarność in 1980. Dat was niet alleen een onafhankelijke vakbond, maar ook een soort nationale onafhankelijkheidsbeweging. We waren het eerste Oostblokland dat erin slaagde een massaal verzet te organiseren tegen de communistische regering. Met geweld waren we er heus niet gekomen, nietwaar? Ondanks de afkondiging van de noodtoestand bestreed Solidarność het autoritaire regime uitsluitend met vreedzame middelen. Geweldloosheid was onze enige route naar de overwinning. Solidarność werd opgericht toen Leonid Brezjnev nog aan de macht was in de Sovjet-Unie; een militaire interventie van de Sovjets in Polen was een reëel gevaar. Generaal Jaruzelski riep de noodtoestand uit in december 1981 en die bleef van kracht tot juli 1983. Daarna wilden de communistische autoriteiten niet dat Solidarność zich zou reorganiseren. Maar voor ons was de fundamentele voorwaarde voor deelname aan de rondetafelgesprekken van 1988 en 1989 het legaal verklaren van Solidarność. Dat was een bikkelharde eis — we zouden anders onder geen beding aan de rondetafelbesprekingen beginnen. De regering had er moeite mee dat te aanvaarden. Ze hebben lang geprobeerd onder die eis uit te komen, want ze konden het gewoon niet accepteren, maar voor ons was er absoluut geen andere optie.

HET AUTORITAIRE SYSTEEM VAN BINNENUIT VERSLAAN

Solidarność werd langs vreedzame weg in zijn wettelijke status hersteld als gevolg van de rondetafelbesprekingen. We kregen het recht terug om deel te nemen aan het politieke leven. We bereikten een akkoord over wat men destijds 'contractuele verkiezingen' noemde voor de sejm — het lagerhuis van het parlement. De heersende partij en haar satellietpartijen kregen de garantie van een meerderheid van 65 procent en wij konden dus nog maximaal 35 procent van de zetels winnen. Er zouden echter wel volledig vrije verkiezingen worden gehouden voor de senaat, een orgaan dat onder het communisme niet had bestaan, maar nu in ere zou worden hersteld. Wij gingen ervan uit dat we ook in de senaat in de oppositie zouden blijven, maar de gebeurtenissen raakten weldra in een stroomversnelling. Het was duidelijk dat de communistische partij geen regering kon vormen die erin zou slagen Polen uit zijn netelige economische toestand te verlossen. De inflatie was torenhoog en de economie stond er bar slecht voor. De communistische partij kon dus geen regering vormen en tot overmaat van ramp – voor hen – zegden hun twee satellietpartijen de samenwerking op. Het gevolg daarvan was weer dat er een nieuwe meerderheid in het parlement kon worden gesmeed.

Toen Lech Wałęsa, de leider van Solidarność, mij het premierschap aanbood, zei ik dat het beter was als hij dat ambt zelf zou opnemen, maar hij besloot dat niet te doen. Ik vertelde hem dat ik steun van hem verwachtte en dat Solidarność zou dienen als een soort beschermende paraplu boven de regering. Ik maakte ook duidelijk dat ik als een echte premier zou aantreden, niet als een marionet. Dat is een belangrijk punt, want in het communistische systeem berustte de feitelijke macht bij het politburo; de regering had een puur bestuurlijke functie. Als ik die taak op me zou nemen, zei ik, als ik de leider zou worden van een regering die zulke belangrijke veranderingen zou moeten doorvoeren – de eerste veranderingen van die omvang in het Oostblok – dan diende de regering ook het centrum van de macht te zijn. Ik was dus niet van plan voor marionet te spelen, wat betekende dat geen enkel nieuw 'politburo' – zelfs niet ons eigen partijbureau – aan de touwtjes zou trekken. Ik zei dat ik een echte premier zou zijn, precies zoals ook de regering een échte regering zou zijn, en zo lagen de kaarten dus. Natuurlijk begonnen Wałęsa en ik mettertijd meer van mening te verschillen, maar in de beginfase van dit traject bood hij me veel steun.

Een paar maanden lang waren we het enige land in het Oostblok dat zulke ingrijpende veranderingen doorvoerde. Andere landen volgden later. Ik wist dat onze hervormingen impact zouden hebben op de situatie in die andere landen, maar ik had nooit gedacht dat dat zo snel zou gebeuren, en ook niet dat de veranderingen in andere landen zo diepgaand zouden zijn. Ik verwachtte dat we een tijdlang het enige Oostblokland zouden zijn dat zulke hervormingen invoerde.

We mogen niet vergeten dat de communistische partij in Polen destijds 2,5 miljoen leden telde en de satellietpartijen nog eens een half miljoen leden. Dus ik was van mening dat de regering zou moeten bestaan uit alle partijen die vertegenwoordigd waren in het parlement. De communistische partij kon geen oppositierol worden opgelegd. Dat was geen optie omdat ze een doorslaggevende invloed hadden op het veiligheidsapparaat en het leger. Stel je voor dat de oppositie zeggenschap zou hebben over het leger – dat is nooit eerder vertoond. Daarom was ik van mening dat ook zij in de regering moesten komen. Alle stromingen in het parlement moesten deel uitmaken van het kabinet. Op een bepaald moment besefte ik dat de regering fundamentele veranderingen moest doorvoeren op drie kerngebieden: a) de opbouw van een democratische staat; b) hervorming van het economische systeem – hier stonden we voor de vraag of we het bestaande, ineffectieve systeem van de planeconomie moesten 'repareren' of dat we de stap naar een vrijemarkteconomie zouden zetten, maar we kozen uiteindelijk resoluut voor de laatste optie; en c) een nieuwe koers voor het buitenlandbeleid en ons openstellen voor het Westen.

DE BASIS LEGGEN VOOR ONDERHANDELINGEN EN DIALOOG

Een element dat je ziet bij veel geslaagde transities is dat de gelegenheid wordt aangegrepen om het vertrouwen tussen alle partijen op te bouwen, om elkaar te leren kennen. Wat heeft u gedaan om gunstige voorwaarden voor vertrouwen en dialoog te creëren alvorens de rondetafelgesprekken aan te vangen?

Een essentieel element daarin was dat we wisten dat het alleen tot veranderingen zou kunnen komen als we de legalisering van Solidarność koppelden aan een verandering van de economische situatie in Polen. Dat was de cruciale factor. Het is heel moeilijk om van vertrouwen te spreken, want vertrouwen was er niet. Er was één factor die de garantie bood dat er niet vals zou worden gespeeld en dat was de Kerk. Het bestaan van zo'n derde actor in de onderhandelingen tussen de machthebbers en de oppositie bleek in ons geval van groot belang. Tot het einde van de rondetafelgesprekken toe was ik er niet zeker van of ze niet zouden komen aanzetten met voorwaarden omtrent de legalisering van Solidarność die voor ons onaanvaardbaar zouden zijn. Als je rond de tafel gaat zitten om te praten, dan ontdekt je gesprekspartner waartoe je in staat bent – en vice versa. Wat kunnen ze gedaan krijgen en wat niet? Geleidelijk aan wordt die kennis van elkaars mogelijkheden belangrijk.

GERECHTIGHEID EN VERZOENING

Welke grote politieke hervormingen waren prioriteiten in het begin van uw premierschap? Wat was uw visie en wat voor stappen ondernamen u en uw regering?

Om te beginnen wilde ik dat iedereen de voorgenomen veranderingen zou omarmen en daarom liet ik al vroeg weten dat we een dikke streep onder het verleden zouden zetten en elkaar alleen verantwoordelijk zouden houden voor hetgeen we vanaf dat moment ondernamen. We wisten dat het verleden als een donkere wolk boven ons hing, maar wilden alleen verantwoordelijk zijn voor onze eigen acties. Ik moet hier benadrukken dat aanvankelijk iedereen het daarover eens was. Later werd dit punt aangegrepen om mij te bekritiseren; men beweerde dat ik niet zou hebben gewild dat de communisten verantwoording zouden moeten afleggen voor hun optreden in het verleden. Ik wilde hen wel degelijk ter verantwoording roepen, maar vond het anderzijds meer een vraagstuk dat thuishoorde in een debat over ons verleden, en ook meer een kwestie voor de rechter — als het gaat om misdrijven begaan onder het vorige regime, bedoel ik. Ik vond het dus geen zaak voor de regering. In mijn ogen bestond de rol van de regering erin om te streven naar democratie voor iedereen.

Ik zei het zojuist al: de belangrijkste les die ik met anderen wil delen is dat je niet in de schoenen van je voorgangers moet gaan staan. Eigenlijk is dat de kern van de zaak. In het oude systeem werden wij katholieken, gelovige mensen, behandeld als tweederangsburgers in vergelijking met partijleden.

Om die reden wilden we niet opeens leden van de communistische partij als tweederangsburgers gaan behandelen. We geloofden dat democratie voor állen democratie moest betekenen, dat vrijheid voor állen vrijheid betekende, dat we alleen historische vooruitgang konden boeken als we ons aan die regels hielden. Dat is de centrale en fundamentele aanname waarop mijn regering hervormingen doorvoerde — ons beleid stelde de democratie open voor iedereen. Wat ik letterlijk met die uitspraak bedoelde, is dat er vanaf dat punt een nieuw begin zou zijn. De diepere betekenis was dat er voor iedereen een toekomst was weggelegd in de democratie. Dat was een belangrijk onderdeel van dat beleid en later heeft dat allerlei disputen opgeleverd, maar dat beleid stond boven alles voor een transitie langs het pad van een evolutie.

BELEIDSPRIORITEITEN BEPALEN

Over essentiële veranderingen kan ik zeggen dat nagenoeg alles op elk gebied verandering behoefde. Laten we de universiteiten als voorbeeld nemen. Instellingen voor hoger onderwijs wilden dat wij hun autonomie en vrijheid zouden geven. Maar we moesten ook instaan voor de vrijheid van onderwijs en essentiële veranderingen doorvoeren in bijvoorbeeld het geschiedenisonderwijs, wat weer een aangelegenheid was van de scholen. Nee, in wezen was er niet één terrein waarop veranderingen niet noodzakelijk waren. Ik wilde iedereen bij het proces betrekken.

Een van de belangrijkste hervormingen die mijn kabinet realiseerde, was die van de lagere overheden, wat betekende dat de democratie ook op lokaal niveau moest worden geïntroduceerd. De eerste volledig vrije en democratische gemeenteraadsverkiezingen hadden plaats in het voorjaar van 1990. De lange traditie van lokale democratie die Polen had gekend, was volledig verpletterd door het communistische systeem. Het bestond niet meer. En dus moesten we bij nul beginnen.

POLITIEKE EN SOCIALE RECHTEN

De tweede kwestie was het verzekeren van persvrijheid en de vrijheid van samenkomst. Toen ik mijn regering samenstelde, waren er verschillende illegale politieke organisaties in de oppositie, maar die behandelde ik alsof ze wel legaal waren. Je zou kunnen zeggen dat ik ze in zekere zin, in de praktijk, een legale status bezorgde. Pas in 1997 slaagden we erin veranderingen in de grondwet door te voeren. Het parlement had daartoe al eerder pogingen ondernomen. Misschien was het een denkfout, maar ik was van mening dat fundamentele veranderingen het belangrijkste waren en dat ingrijpende herzieningen van de grondwet vanzelf zouden volgen. De fundamentele veranderingen die we realiseerden waren echter democratisch.

ECONOMISCHE HERVORMING

Een ander cruciaal aandachtspunt was de economie. We hadden te maken met gigantische inflatie, maar tegelijkertijd formuleerden we wetten die het economische systeem grondig zouden veranderen. Die grondige reorganisatie van de economie geschiedde tussen 1989 en 1990 door de invoering van een hele reeks wetten.

INTERNATIONALE INVLOED

Wat was uw strategie ten aanzien van het buitenlandbeleid? In hoeverre hebben externe actoren en omstandigheden de Poolse transitie beïnvloed?

In ons buitenlandse beleid was het van groot belang om ons weer op het Westen te richten, ook al moesten we terdege rekening houden met onze oosterburen, die destijds in Polen legerbases hadden waar zo'n 200.000 Sovjetsoldaten waren gestationeerd. De tijden waren inmiddels al wel veranderd; we spreken over het tijdperk van Gorbatsjov en zijn perestrojka. Op een dag kwam Vladimir Krjoetsjkov, het hoofd van de KGB, onverwacht naar Warschau. Ik was al benoemd als premier, maar het kabinet was nog niet geformeerd. Mijn omgeving zei dat het verstandig zou zijn om hem te ontmoeten, dat zijn bezoek onderdeel was van een of ander eerder overleg. En dus besloot ik hem te ontvangen. Het was belangrijk voor mij dat Gorbatsjov geïnformeerd zou worden over de essentie van ons gesprek, namelijk dat we een bevriend land zouden zijn, maar dat beslissingen voortaan hier in Warschau zouden worden genomen. Dat was de kern van de boodschap die ik de KGB-man meegaf.

Ik was erop gebrand dat mijn eerste officiële buitenlandse reis een bezoek zou zijn aan paus Johannes Paulus II in Rome. Dat had reusachtig veel betekenis voor me. Onder het communistische systeem gingen leiders gewoonlijk eerst naar Moskou, maar ik vloog naar Rome. Dat ik niet naar Moskou ging had op zich al een symbolische lading, maar dat was des te belangrijker omdat ik op bezoek ging bij de paus. Ook het eerste telefoontje dat ik pleegde vanuit het bureau van de premier was naar de paus. Dat gebeurde toen het parlement me had aangesteld als premier, maar nog voordat het kabinet was samengesteld. Ik kreeg kardinaal Dziwisz aan de lijn en die vroeg tot mijn verbazing of ik een momentje had, en toen kwam de paus aan de lijn. Ik was totaal verrast dat hij naar de telefoon kwam. Tegenwoordig kun je de paus volgen via Twitter, maar destijds was dat wel even anders. Ik wist dat kardinaal Sapieha, Wojtyła's voorganger, nooit zelf aan de telefoon kwam, dus het verraste me dat Wojtyła dat wel deed. Hij wist dat het parlement me had aangesteld om een regering te vormen en we hadden een kort, maar hartelijk gesprek.

De Kerk speelde een rol van grote betekenis bij deze transitie. Ten tijde van de staat van beleg hadden we lezingen in kerkgebouwen en zo. Toen de rondetafelgesprekken begonnen, namen ook vertegenwoordigers van de Kerk daaraan deel. Het was heel belangrijk voor ons dat ze erbij waren, omdat ze op de een of andere manier de onderhandelingen extra geloofwaardigheid gaven. Hun aanwezigheid was in zekere zin een garantie voor ons. Dus de rol van de Kerk was heel belangrijk voor onze transitie.

Johannes Paulus II steunde Solidarność toen de beweging was verboden. Hij had het vaak over de notie solidariteit tijdens zijn preken in verschillende landen en op verschillende continenten. Zijn rol was daarom belangrijk voor mij, voor ons, voor Polen. Buitenlandse journalisten hebben me vaak gevraagd wat volgens mij de voornaamste steunfactor is geweest bij onze transitie: de rol van de paus, van Reagan, van Gorbatsjov of van Solidarność? Ik zeg altijd dat al die elementen hebben bijgedragen tot dat historische moment waarop transitie opeens mogelijk bleek. Wat de rol van de paus betreft, denk ik altijd aan de boutade van Stalin: 'Hoeveel legerdivisies heeft die paus nu eigenlijk?' Wel, de paus heeft geen leger, maar wel een enorme morele kracht. Het feit dat hij Pool was bood deze natie veel morele steun, hield het land op de been, gaf ons moed, de mensen waren ervan overtuigd dat het allemaal zin had. En hij heeft de Polen nooit teleurgesteld. In januari 1982, tijdens mijn internering, heb ik de paus clandestien een brief geschreven. In het interneringskamp vind je nog een reproductie van de kaart die de paus me terugstuurde. Hij schrijft: 'Ik heb uw brief herhaalde malen gelezen. Ik deel uw opvattingen.' Ik had hem geschreven dat veranderingen van betekenis nooit konden plaatsvinden zonder herstel van hetgeen de natie in 1980 had gerealiseerd. Het is goed om te benadrukken dat de paus, in tegenstelling tot bepaalde bisschoppen, Solidarność altijd is blijven steunen. We wisten dat we op hem konden vertrouwen. Hij was als een rots in de branding.

Je zou kunnen zeggen dat president Reagan de technologische wedloop had gewonnen en dat de Sovjet-Unie de VS niet meer kon bijbenen. Gorbatsjov was heel belangrijk. Het was een tijd van hooggespannen verwachtingen en grote veranderingen, de tijd van de perestrojka. Het Brezjnev-tijdperk was voorbij. De perestrojka creëerde een nieuwe sfeer. Een ander element dat ik daaraan wil toevoegen zijn mijn indrukken van mijn eerste bezoek aan de Sovjet-Unie. Ik kon zien hoeveel weerstand de perestrojka opriep. En niets zou mogelijk zijn geweest zonder Solidarność, de beweging die streefde naar en vocht voor dezelfde veranderingen in Polen. Daarom zeg ik dat al die elementen een impact hadden op ons land.

Ik kom nog even terug op de kwestie van verandering. Ik had tegen de Sovjet-Unie gezegd dat we ons zouden opstellen als een bevriende natie, maar dat de beslissingen voortaan hier zouden worden genomen.

We maakten nog steeds deel uit van het Warschaupact, maar onze positie heb ik in mijn eerste speech helder verwoord: het Warschaupact mag niet worden ingezet om spelletjes te spelen als het aankomt op onze binnenlandse aangelegenheden. In zekere zin bestaat het Pact nog steeds. We waren van mening dat Europa zou veranderen, dat de gebeurtenissen in Polen na verloop van tijd ook Europa zouden veranderen. We geloofden echter ook dat het een geleidelijk proces was en daarom was de heersende gedachte dat de relaties met onze oosterburen geen problemen mochten veroorzaken. Mettertijd heeft het Poolse buitenlandbeleid geleid tot goede diplomatieke betrekkingen, niet alleen met Moskou maar ook met Litouwen, Estland, Letland en Oekraïne. Dus geleidelijk aan hebben we banden gecreëerd met Sovjetrepublieken die later onafhankelijk werden.

Wat het Westen betreft: Europa was in die tijd op weg om de status quo te consolideren, terwijl wij mogelijkheden zagen voor uitbreiding. Het EU-lidmaatschap kwam destijds natuurlijk niet eens ter sprake. Niettemin waren er verschillende opvattingen en ideeën over de wijze waarop Europa verder vorm zou kunnen krijgen. Wij hebben gewoon onze relaties met de democratische landen in het Westen opnieuw opgebouwd en hebben die landen laten zien dat we daadwerkelijk streefden naar een volledig democratisch bestel.

ECONOMISCHE HERVORMING

Als u terugdenkt aan die periode, wat waren dan de moeilijkste beslissingen die u moest nemen? En waarom waren die besluiten moeilijk?

We hebben zowel voor algemene als meer specifieke beslissingen gestaan die moeilijk waren. Kijken we naar algemene beslissingen, dan was het besluit lastig om de koers om te buigen naar een vrijemarkteconomie, die het systeem fundamenteel zou veranderen — een al even belangrijke als moeilijke beslissing. Mijn opvattingen stuwden me in de richting van humanistisch-socialistische oplossingen, maar toen werd ik voor de uitdaging gesteld om het kapitalisme weer in te voeren. Nooit eerder had iemand die weg terug genomen. Mijn adviseurs overtuigden me er echter van dat we een fundamentele verandering moesten doorvoeren in de richting van het beproefde systeem van de vrijemarkteconomie. Toen die omvorming werd geïmplementeerd, besefte ik dat de grootse verwezenlijkingen van het socialisme, die enorme industriële werkplekken, wel failliet móésten gaan, omdat ze de concurrentie nooit zouden aankunnen. En toch waren die staatsbedrijven het fundament waarop Solidarność was gebouwd. Het was daarom vooral in moreel opzicht een moeilijke beslissing. Ik nam aan dat naarmate de economie zich ontwikkelde en herstelde, we meer aandacht zouden kunnen besteden aan sociale kwesties, maar er was geen ontkomen aan de tol van de transitie. Dat is een voorbeeld van een algemene beslissing die moreel gezien heel moeilijk voor mij was. Natuurlijk waren er ook moeilijke, meer specifieke beslissingen. Op zeker moment braken er protesten uit en werd er een internationaal belangrijke verkeersader gebarricadeerd. Ik moest de politie inschakelen om die blokkade uit de weg te ruimen. Daarbij zijn er niet echt nare dingen gebeurd, maar ook dat was een moeilijke beslissing.

Als u de tijd zou kunnen terugdraaien, is er dan iets — een beslissing of inschatting — wat u achteraf bezien anders zou hebben gedaan?

Een van onze pijnlijkste beslissingen betrof de sluiting van de staatsboerderijen. Die zouden nooit hebben kunnen overleven, aangezien ze werden gefinancierd uit de staatsbegroting, en zulke subsidies waren onhoudbaar. We moesten ze wel sluiten. We hoopten dat de landarbeiders bereid zouden zijn om de landbouwgronden over te nemen. Maar algauw bleek dat ze dat land niet wilden, dat ze het nooit als hun eigen grond zouden kunnen beschouwen. Ze zagen zichzelf als arbeiders, als werknemers. Ze hadden niet de mentaliteit van boeren. Hetzelfde gebeurde trouwens in Tsjecho-Slowakije. Enfin, het gevolg was dat de transitie echt zwaar is geweest voor die gezinnen, voor die gemeenschappen — vooral in het noorden en westen van Polen waar je veel van die boerderijen had. Dus ja, ik had destijds graag beschikt over de kennis die die ervaring ons heeft bijgebracht. Ik denk dat we toen een soort programma hadden moeten hebben om de mensen te motiveren. Ik moet toegeven dat dat af en toe nog knaagt.

Wat kunnen we leren van de Poolse ervaringen als het gaat om economische veranderingen?

Als het gaat om economische aangelegenheden en veranderingen aan het systeem, dan moeten beslissingen snel, al in de eerste regeringsfase, worden genomen. Hoe langer je veranderingen uitstelt, hoe moeilijker ze door te voeren zijn. Het gaat om moeilijke beslissingen, maar je moet die resoluut en in een vroeg stadium onder ogen zien.

BASISPRINCIPES

Er zijn leiders die bij de meeste kwesties het advies van hun adviseurs volgen, omdat die mensen grotere specialisten zijn. Andere leiders raadplegen hun omgeving maar weinig, ook niet bij heel moeilijke beslissingen. Hoe ging u te werk bij moeilijke besluiten?

Ik denk dat er in mijn specifieke geval twee met elkaar verweven factoren waren: mijn geloofsovertuiging en mijn bereidheid om naar andere meningen te luisteren. Als het om geloof gaat, dan kent de sociale denkrichting van het katholicisme het concept van de 'staat van genade'. Dat wil zeggen dat wie een belangrijke verantwoordelijkheid op zich neemt, een zekere vorm van hulp krijgt. Ik moet zeggen dat ik die hulp heb gevoeld, zelfs in puur lichamelijke zin. Zo was het me nooit eerder gelukt om overdag de knop even om te zetten, een moment te ontspannen om dan weer aan het werk te gaan — ik werkte altijd gewoon door totdat ik te moe was. Maar als premier kon ik daadwerkelijk een halfuur de knop omdraaien, even relaxen om dan weer verkwikt aan de slag te gaan. Misschien is dat niet zo'n verheven voorbeeld, maar het heeft veel voor me betekend.

Ik kreeg nogal wat kritiek omdat de kabinetsvergaderingen zo lang duurden, vaak tot diep in de nacht. Ik belegde altijd kabinetsvergaderingen op maandag. Die begonnen 's middags en duurden tot 's avonds laat. Dat kwam doordat ik de ministers alle tijd bood om hun zegje te doen. Ik wilde echt dat deze mensen doordrongen waren van de verantwoordelijkheid die hun was toevertrouwd. Ik had een kleine kerngroep van drie adviseurs — iemand voor economische zaken, een politiek adviseur en een buitenlandexpert. Ik stond in nauw contact met vicepremier Balcerowicz en Jacek Kuron, de minister van Arbeid, die heel belangrijk was omdat het fantastisch klikte tussen hem en de bevolking. Ik was van mening dat alle kabinetsleden zich zeer bewust moesten zijn van hun verantwoordelijkheid. Voor mij waren die kabinetsvergaderingen niet zozeer briefings, als wel een manier om brede consensus binnen de regering te bereiken. Maar natuurlijk had ik als premier wel het laatste woord.

POLITIEKE PARTIJEN

Solidarność speelde een belangrijke rol als oppositiebeweging, maar kreeg problemen toen de beweging regeringsverantwoordelijkheid kreeg. Aanvankelijk had u de steun van Wałęsa, maar er volgde een verwijdering toen u en hij allebei opkwamen voor het presidentschap. Wat is het verschil tussen goed functioneren als oppositiebeweging en goed functioneren als regering? Waarom konden Solidarność en Wałęsa niet omschakelen van de oppositionele rol naar die van een goede coalitieleider die een regering op een juist en stabiel spoor houdt?

Zoals ik al zei was Solidarność niet alleen een vakbond maar ook een grootschalige nationale onafhankelijkheidsbeweging. We waren ons ervan bewust dat de verschillen in opvattingen binnen Solidarność gigantisch waren. De beweging kende zowel rechtse als linkse geledingen. We wisten dat het scala van meningen zeer breed was. Ik heb de noodzaak onderschat van de vorming van politieke partijen in een vroeg stadium. Zelf heb ik geen partijen opgericht, maar om mij heen begonnen ze op te komen. We hebben nog even gedacht dat het niet zo'n vaart zou lopen met de traditionele opdeling in politieke partijen en dat Solidarność nog een hele tijd zou voortbestaan als hechte beweging. Maar eerder dan verwacht werden de verschillen duidelijker en kwamen er politieke bewegingen op gang.

In onze ogen waren de hervormingen die we doorvoerden goed voor het hele land. Het landsbelang stond bij ons voorop. We hadden altijd de Poolse staat voor ogen, niet de partij. Het was zowel onze kracht als onze zwakte dat we niet hebben gewerkt aan een partijenstelsel. Het was een kracht omdat de belangen van de staat voorrang hadden op de belangen van de partij. Als premier besefte ik hoe zwak het land was en dat het dringend aan kracht moest winnen. Ik besefte dat de belangen van de staat veel belangrijker waren dan de belangen van allerlei verschillende partijen. Ik voelde me echt genoodzaakt om die koers aan te houden. Ik zou het bij de presidentsverkiezingen nooit tegen Wałęsa hebben opgenomen als hij het politieke programma van de regering niet zo hard had aangevallen. Zelfs toen heb ik nog serieus geaarzeld, maar ik was bang dat hij alle plannen zou opblazen. Ik besloot op te komen als kandidaat voor het presidentschap om het regeerprogramma te verdedigen, dat een programma was voor het hele land, niet voor slechts één politieke factie. Daar kwam bij dat ik Wałęsa beschouwde als een heel goede volksleider, maar niet per se als de beste persoon om staatshoofd te zijn. Maar natuurlijk hadden we een reëel probleem met Wałęsa. Niemand ontkende de enorme rol die hij had vervuld, maar het werd lastig om een goede plek voor hem vinden in het nieuwe bestel.

AUTORITAIRE LEIDERS KOESTEREN DE TRANSITIE

Hoe beoordeelt u de veranderingen in de communistische partij en de rol van Jaruzelski?

Generaal Jaruzelski was als president een loyale partner voor mij. Ik ben het nooit met hem eens geworden over zijn besluit in Polen de staat van beleg af te kondigen. Als we elkaar ontmoetten — ik als premier en hij als president — kwam hij vaak terug op die kwestie. Hij wilde er met mij over praten, omdat hij degene was geweest die de noodtoestand had uitgeroepen waardoor ik een jaar gevangen heb gezeten. Ik zei tegen hem dat onze meningen daarover verschilden, omdat ik nog altijd van mening was dat hij meer had kunnen doen om de staat van beleg te vermijden. Het is echter wel waar dat hij vreesde voor tussenkomst van de Sovjets. Maar als president was hij heel loyaal. Hij besefte terdege dat de macht berustte bij de regering, niet bij de president. Zijn houding veranderde, hij zag nut en noodzaak in van alle transities, en volgde trouw de lijn van het kabinet. Toen de communistische partij ineenstortte, stichtten een paar voormalige leden een nieuwe partij. In die postcommunistische partij vergden fundamentele interne transities veel tijd, en ze werden ook niet altijd ingevoerd, maar die mensen begrepen wel hoe belangrijk de transitie was en ze hebben zeker hun steentje bijgedragen.

DE HERVORMING VAN HET VEILIGHEIDSAPPARAAT

Ten tijde van het autoritaire regime in Polen speelde het veiligheidsapparaat een belangrijke rol. Vervolgens maakte uw land de overstap naar een nieuw, open en democratisch politiek bestel, maar ook een democratie heeft een veiligheidsapparaat nodig. Hoe heeft u de hervormingen daar aangepakt?

De eerste regeringsstructuur handhaafde de bestaande ministeries van Binnenlandse Zaken en Defensie — en hun ministers, die hun posities aanvankelijk tot halverwege de jaren negentig zouden behouden. Maar ik wilde ook binnen die departementen een stem in het kapittel hebben. Het initiële plan was een politiek burgercomité op te zetten, maar ik zag snel in dat zo'n comité voor spek en bonen zou meedoen. In plaats daarvan benoemde ik in het voorjaar van 1990 staatssecretarissen op beide ministeries: Krzysztof Kozlowski op Binnenlandse Zaken en Janusz Onyszkiewicz en Bronislaw Komorowski op Defensie. Het was iets compleet nieuws voor hen, aangezien ze geen enkele ervaring hadden op dat vlak. De enige hulp die ik kon bieden, waren wat algemene instructies:

dat ze zich een positie moesten verwerven, dat ze moesten uitzoeken wat er op die departementen reilde en zeilde, en dat ze geleidelijk veranderingen moesten doorvoeren.

Laat me even wat dieper ingaan op de veiligheidsdiensten. De veranderingen die generaal Kiszczak, de minister van Binnenlandse Zaken van 1981 tot 1990, voorstelde, waren vooral cosmetisch en dus werden ze door het kabinet verworpen. Medio 1990 vertrok Kiszczak, waarop Kozlowski minister van Binnenlandse Zaken werd, wat op zich al een ingrijpende verandering betekende. Na het aantreden van Kozlowski vervingen we de bestaande veiligheidsdiensten door het bureau ter bescherming van de staat (UOP) en hebben we de officieren daar doorgelicht. Zo'n 16.000 van die mensen vertrokken — sommigen gingen met pensioen, anderen vertrokken omdat ze slecht uit de screening kwamen. De ambtenaren van het UOP waren deels veiligheidsagenten uit de communistische tijd, deels nieuwe mensen — jonge, onervaren mensen die zich echter snel wisten in te werken. En zo hebben we de reorganisatie van dat ministerie aangepakt.

Binnen het leger hebben we de groep politieke officieren afgeschaft — een typisch verschijnsel binnen het Sovjetsysteem. Diverse traditionele elementen hebben we in ere hersteld en door te verwijzen naar de rijke traditie van het Poolse leger, dat altijd nauw vervlochten is geweest met de natie, is de mentaliteit van het leger gaan veranderen. We hebben geleidelijk het burgertoezicht op het leger ingevoerd. Dat hebben we niet gedaan door gewoon een militaire figuur te vervangen door een andere persoon. De omschakeling naar civiele controle op het leger was een moeizaam proces, omdat het nooit eerder was gedaan. Tussen beide wereldoorlogen was er geen burgertoezicht op het leger geweest. Toen waren het eerder militairen die de politiek betraden dan andersom. Dus dat proces heeft even geduurd.

In het algemeen hebben we ervoor gekozen de veiligheidsdiensten door te lichten en de mensen te verwijderen die zich aan misstappen hadden bezondigd — in het bijzonder door strijd te leveren tegen de oppositie en kerkelijke instanties. We hebben gekozen voor nieuwe mensen.

Bent u tijdens uw regeerperiode ooit bang geweest voor een militaire interventie?

Nee. Ik was destijds als premier wel bang voor een of andere vorm van provocatie. Onder het vorige systeem was er een afschuwelijke misdaad begaan. De priester Jerzy Popieluszko werd ontvoerd en op beestachtige wijze vermoord door twee officieren van de veiligheidsdiensten. Ik vreesde een dergelijke provocatie aan ons adres, gericht tegen mij persoonlijk of tegen hun eigen leiders, die met ons onderhandelden tijdens het rondetafeloverleg. Daarom liet ik generaal Kiszczak aanblijven als topman van het ministerie van Binnenlandse Zaken; ik beschouwde hem als een zekere garantie tegen provocaties. Nu zou je ook kunnen zeggen: allemaal goed en wel, maar de communistische partij was inmiddels toch ingestort? En dat klopt, de partij was ingestort, maar haar invloed op het leger was nog altijd zeer groot en daar moesten we terdege rekening mee houden. Namens hen nam Kiszczak de verantwoordelijkheid voor de rondetafelakkoorden. Anderzijds verwachtte ik niet van hem dat hij zijn ministerie zou hervormen. Ik wist dat dat zou moeten gebeuren door mijn vertegenwoordigers, mijn eigen mensen. En dat is inderdaad ook zo gebeurd.

DE HERVORMING VAN DE GRONDWET

Hoe bent u te werk gegaan bij de hervorming van de grondwet?

De hervorming van de grondwet heeft zich voltrokken in 1989 en 1990. Alle bepalingen met betrekking tot de totalitaire staat werden uit de constitutie verwijderd. Het is belangrijk om te begrijpen dat de grondwetten van de landen van het Sovjetblok op papier heel vriendelijk en democratisch waren, terwijl het er in de praktijk totaal anders aan toeging, omdat er hogere machten waren: de communistische partij met daarboven de Sovjet-Unie als Big Brother. Dus de ondemocratische bepalingen hebben we geschrapt. Eind december 1989 waren alle artikelen verdwenen die kenmerkend waren voor een communistische satellietstaat, en ook alles wat te maken had met ondemocratische wetgeving was geschrapt. We wijzigden de bestaande grondwet en zodoende werd de constitutionele hervorming meteen doorgevoerd. We hebben echter geen nieuwe grondwet aangenomen, hoewel er wel plannen in die richting waren. Daar komt trouwens bij dat ik op grondwettelijk vlak niet overhaast te werk wilde gaan, omdat ik vreesde dat als er een nieuwe grondwet zou worden aangenomen door dat parlement — dat nog niet geheel democratisch was verkozen — er altijd klachten zouden zijn dat het geen echte, degelijke grondwet zou zijn. Ik vond daarom dat we de formulering en aanvaarding van een nieuwe grondwet moesten uitstellen tot na de volledig democratische parlementsverkiezingen.

HET REGERINGSSTELSEL

Staat u nog altijd achter de keuze voor een semipresidentieel systeem, in plaats van een parlementair of presidentieel systeem?

In ons systeem is de regering in het voordeel, maar er is een balans tussen de taken van de president en die van de regering. Hoewel dit systeem vaak wordt bekritiseerd, denk ik dat het goed werkt, mits alle betrokkenen bereid zijn samen te werken. Als zo'n samenwerkingsgezinde sfeer ontbreekt, kan ook een parlement daar niets aan verhelpen. Ik wil er ook op wijzen dat elk presidentieel systeem dat is gevestigd in postcommunistische landen snel en vrij moeiteloos weggleed in een oligarchie. Het is ons gelukt dat te voorkomen. Onze democratische grondslagen zijn stevig geworteld. Ik denk ook dat we met succes deel zijn gaan uitmaken van westerse democratische structuren zoals de EU en NAVO. Dat gebeurde echter pas later en in mijn tijd was de focus vooral gericht op een open opstelling richting westerse democratische staten en de vestiging van een democratisch systeem. Tegelijkertijd vreesden westerse leiders dat we misschien een obstakel zouden vormen voor de transformatie van de Sovjet-Unie en Gorbatsjovs perestrojka. Dat was een van de voornaamste punten van zorg. Wij hebben de hervormingen van Gorbatsjov met open armen ontvangen en hem geen strobreed in de weg gelegd, maar de transities waarvoor hij ijverde, bleken voor hem uiteindelijk te veel en te groot om ze tot een goed einde te brengen.

TIJDLIJN

December 1970: Arbeiders van scheepswerven protesteren tegen prijsstijgingen voor basisproducten. Op bevel van de communistische regering slaat de politie de demonstraties met geweld neer.

Juni 1976: Een nieuwe stijging van de voedselprijzen leidt tot demonstraties. Intellectuelen uit Warschau richten een comité op ter bescherming van arbeiders om gearresteerde activisten te helpen. Later breiden ze hun activiteiten uit met clandestiene publicaties.

Oktober 1978: De Poolse kardinaal Karol Wojtyła wordt paus Johannes Paulus II, de eerste niet-Italiaanse paus in 455 jaar. Hij pleit tegen onderdrukking in Polen en elders.

Juni 1979: De Kerk en haar aanhangers organiseren de eerste reis van paus Johannes Paulus II naar Polen. Hij brengt grote menigten op de been en trekt massa's televisiekijkers, wat veel mensen vertrouwen geeft in hun vermogen om zich buiten de regering om te organiseren.

Augustus 1980: De regering verhoogt wederom de prijzen en dat leidt tot een sit-instaking op de Lenin-scheepswerven in Gdansk onder leiding van Lech Wałęsa. Arbeiders van nabijgelegen ondernemingen sluiten zich bij de actie aan. Stakers en adviseurs eisen prijsverlagingen, betere arbeidsvoorwaarden, stakingsrecht en het recht een vakbond op te richten (Solidarność), en vrijere media. Het regime onderhandelt met stakers en adviseurs, onder wie de katholieke uitgever en toekomstige premier Tadeusz Mazowiecki, over de Akkoorden van Gdansk die gehoor geven aan de eisen van de demonstranten.

September 1980: Solidarność richt overal in Polen afdelingen op. Het aantal leden groeit spectaculair en rondt in de herfst de kaap van 10 miljoen. Er verschijnen publicaties van Solidarność en de officiele media besteden in hun verslaggeving meer aandacht aan het fenomeen. Conflicten rond de legalisering van studenten- en boerencentrales leiden tot stakingen en protestacties onder aanvoering van Solidarność. De voorman van de communistische partij (PZPR), Edward Gierek, wordt afgezet.

Oktober 1981: Generaal Wojciech Jaruzelski, premier en voormalig bevelhebber van het leger, wordt de nieuwe leider van de PZPR. De stakingen houden aan en de Sovjet-Unie voert de druk op voor een verbod op Solidarność. Jaruzelski ontmoet Solidarność en kerkleiders, maar de stakingen duren voort.

December 1981: Onder druk van de Sovjet-Unie roept Jaruzelski de staat van beleg uit. Solidarność wordt verboden, de leiders belanden in de gevangenis en zijn van alle communicatie in binnen- en buitenland afgesneden. De VS reageert met economische sancties tegen Polen.

Juni 1983: De paus bezoekt Polen, roept op tot kalmte en ontmoet de regeringsleiders en Wałęsa.

Juli 1983: Er komt een einde aan de noodtoestand, maar veel oppositieleiders zitten nog vast. De PZPR voert economische en politieke hervormingen door en toont zich inschikkelijker ten aanzien van de Kerk.

Maart 1985: Michail Gorbatsjov wordt leider van de Sovjet-Unie. Hij liberaliseert het Russische politieke en economische systeem en vermindert de Sovjetcontrole over Oost- en Midden-Europa.

September 1986: Jaruzelski verleent politieke gevangenen algemene amnestie. Solidarność-leiders verschijnen opnieuw op het toneel, hoewel de organisatie nog steeds verboden is. De regering introduceert marktgerichte economische hervormingen.

Mei 1988: De grootste stakings- en protestgolf sinds 1981 begint en houdt de hele zomer aan. Het ontbreekt de protesten aan duidelijke doelstellingen en leiders.

Augustus 1988: De regering start gesprekken met Solidarność waarbij de Kerk bemiddelt. Jaruzelski ontmoet Wałęsa. Minister van Binnenlandse Zaken Czesław Kiszczak voert besprekingen over de aanpak van onderhandelingen.

Januari 1989: Jaruzelski, Kiszczak en andere belangrijke PZPR-ministers dreigen met ontslag indien de partijleiding de onderhandelingen weigert te steunen.

Februari 1989: Rondetafelgesprekken tussen vertegenwoordigers van de autoriteiten en Solidarność gaan van start. In een eerste verklaring heft de regering het verbod op Solidarność op.

April 1989: De rondetafelgesprekken eindigen met een breed akkoord met de vertegenwoordigers van Solidarność. Kandidaten die niet tot partijen uit het communistisch tijdperk behoren mogen meedingen naar 35 procent van de zetels van het lagerhuis, de sejm. De overige 65 procent van de zetels is voorbehouden aan leden van PZPR en haar satellietpartijen. Het akkoord voorziet voorts in de oprichting van een vrij verkozen senaat, open voor alle kandidaten, en de invoering van een partijloos presidentschap verkozen door leden van beide kamers. De meeste economische en sociale kwesties uit de rondetafelgesprekken worden doorgeschoven naar het nieuwe parlement en de nieuwe regering.

Juni 1989: Polen houdt semivrije parlementsverkiezingen. De door Solidarność gesteunde kandidaten winnen met een overweldigende meerderheid en halen 99 van de 100 zetels in de senaat en de volledige 35 procent van de beschikbare zetels in het lagerhuis.

Augustus 1989: De satellietpartijen van de PZPR scheiden zich af en sluiten zich aan bij Solidarność. De PZPR kan geen coalitie vormen en Tadeusz Mazowiecki, adviseur van Wałęsa en Solidarność en voorman tijdens de rondetafelgesprekken, wordt de eerste niet-communistische premier in het Warschaupact. Solidarność houdt zich aan zijn belofte en gunt Jaruzelski het presidentschap. De regering-Mazowiecki voert uitgebreide politieke en economische hervormingen door.

November 1989: De Berlijnse Muur valt en Michail Gorbatsjov maakt duidelijk dat de Sovjet-Unie geallieerde communistische regimes niet zal steunen. Nog voor het einde van het jaar komt er in heel Oost-Europa een einde aan het communistische bewind.

Januari 1990: De 'shocktherapie' van minister van Financiën Leszek Balcerowicz, het zogeheten Balcerowicz-plan dat marktgerichte liberalisering beoogt om de economie te stabiliseren en voor te bereiden op privatisering, doet de waarde van de Poolse munteenheid en de lonen kelderen. De PZPR wordt opgeheven. Veel hervormingsgezinde PZPR-politici sluiten zich later aan bij de linksdemocratische SLD van Aleksander Kwaśniewski, covoorzitter namens de communistische partij van een van de subgroepen bij de rondetafelgesprekken.

Mei 1990: Solidarność-kandidaten halen klinkende overwinningen bij de vrije gemeenteraadsverkiezingen. Het leiderschap van Solidarność valt uiteen en de spanningen tussen Mazowiecki en Wałęsa lopen op.

December 1990: Na het aftreden van Jaruzelski volgen rechtstreekse presidentsverkiezingen. Er ontstaat een breuk binnen Solidarność. Wałęsa verslaat Mazowiecki en anderen met gemak en wordt president.

Oktober 1991: De eerste vrije parlementsverkiezingen vinden plaats. Negenentwintig partijen winnen zetels. Zowel de conservatieve populisten als de postcommunisten doen het goed.

December 1991: Na parlementsverkiezingen wordt Jan Olszewski premier. Wałęsa en Olszewski ruziën over militaire benoemingen en de aanpak van schendingen van rechten in het verleden, totdat Olszewski een jaar later opstapt. Polen en de Europese Unie tekenen een samenwerkingsakkoord, een belangrijke stap richting lidmaatschap.

Augustus 1992: Na het vertrek van Olszewski aanvaardt het lagerhuis een 'kleine grondwet' die de bevoegdheden van de president en premier omschrijft en de kiesdrempel voor zetels in de sejm verhoogt.

September 1993: De SLD en de boerenpartij PSL, een voormalige satelliet van de PZPR, winnen de parlementsverkiezingen. Dat is deels het gevolg van de versplintering van de rechtervleugel van het nieuwe Solidarność. De leider van de kleinere (maar minder omstreden) PSL wordt premier.

November 1995: Kwaśniewski van de SLD verslaat Wałęsa nipt bij de presidentsverkiezingen.

April 1997: Een nieuwe grondwet handhaaft het merendeel van de bestaande politieke instellingen, maar schaft de parlementszetels af die voordien op landelijke basis werden verdeeld. Ook wordt de presidentiële macht beperkt.

Juli 1997: Polen wordt uitgenodigd lid te worden van de NAVO. Kwaśniewski is groot voorstander van lidmaatschap. Polen aanvaardt het aanbod en sluit zich na twee jaar onderhandelen aan bij de verdragsorganisatie.

Oktober 2000: Kwaśniewski verslaat de sterk verdeelde oppositie en wordt herkozen.

Mei 2004: Een jaar na het referendum over toetreding wordt Polen lid van de EU. Polen is de enige economie binnen de EU die onmiddellijk groeit na de internationale financiële crisis van 2008.

September 2005: De door schandalen geplaagde SLD stort ineen. Centrumrechtse partijen en rechtse groeperingen die uit Solidarność zijn voortgevloeid winnen terrein.

Oktober 2005: Lech Kaczyński, voormalig burgemeester van Warschau, wordt president. Kwaśniewski kan vanwege de beperking van de presidentiële ambtstermijn niet meer opkomen.

April 2010: Kaczyński, andere hoge ambtenaren en vijftien parlementsleden komen om bij een vliegtuigramp. Hun opvolgers worden vlot geïnstalleerd en er komen nieuwe presidentsverkiezingen.

8
DEMOCRATIE ALS NEVENPRODUCT: DE ONDERHANDELDE TRANSITIE VAN ZUID-AFRIKA

STEVEN FRIEDMAN

Het Zuid-Afrikaanse traject van raciale oligarchie naar algemeen stemrecht verschilt sterk van de meeste, of zelfs van alle andere transities naar democratie: het ging niet om de vraag of een autoritair regime de weg vrij zou maken voor een democratisch stelsel, maar of de hele bevolking de burgerrechten zou krijgen die tot dan voorbehouden waren aan een raciale minderheid.

Dit betekende dat beide partijen benadrukten dat ze democratie belangrijk vonden, maar dat het voor geen van beide het primaire doel was. Net als in andere voormalige Britse koloniën kende de blanke minderheid een meerpartijendemocratie: het verdedigen van de 'blanke democratie' was een belangrijk element in de afwegingen van F.W. de Klerk, de laatste blanke president van Zuid-Afrika. Dat komt ook duidelijk tot uiting in het hier gepubliceerde interview. Maar het hoofddoel van de blanke leiders was niet democratie, maar instandhouding van blanke belangen. Het zwarte verzet wilde een einde maken aan het blanke bewind. Democratie was daarbij evenmin een noodzakelijke voorwaarde. Veel leiders van het Afrikaans Nationaal Congres (ANC), dat de strijd tegen apartheid aanvoerde, waren toegewijde democraten, maar in de beweging zaten ook leninisten en Afrikaanse nationalisten die meer gefocust waren op het verslaan van de blanke overheerser dan op het invoeren van democratie. Onderhandelingen leidden tot een democratische grondwet omdat dat voor beide partijen het meest aanvaardbare resultaat leek. De transitie verliep dus conform de stelling van Dankwart Rustows dat democratie ontstaat uit onderhandelingen tussen partijen die deze bestuursvorm niet als hun eerste keuze beschouwen, maar de vorm uiteindelijk wel aanvaarden als de meest passende optie.[105]

Democratie kwam voort uit een engagement tussen politieke organisaties die een specifiek electoraat vertegenwoordigden: De Klerk stond aan het hoofd van de Nasionale Party (NP), die de blanken zonder uitzondering herverkozen, terwijl het ANC, voor wie Mbeki onderhandelde, de oudste 'bevrijdingsbeweging' in de wereld was en al bijna een eeuw het vertrouwen genoot van de meeste zwarte Zuid-Afrikanen. Beide partijen gingen ervan uit dat het ANC zou winnen bij vrije verkiezingen, en dat maakte dat de transitie veel weg had van een arbeidsconflict waarbij de onderhandelingspositie van de partijen de uitkomst zou bepalen. Er was geen sprake van de 'sluier van onwetendheid' van John Rawls, waarbij partijen bij de formulering van een grondwet niet weten wie er als overwinnaar uit de bus zal komen en daarom de 'verliezers' beschermen voor het geval ze zelf bescherming nodig hebben. Dit resulteerde in een moeilijke transitie, maar ook in een overgang waarbij er uitzicht was op steun voor compromissen bij de achterban. Het zorgde er tevens voor dat het maatschappelijk middenveld, hoewel beslist relevant, niet rechtstreeks partij was bij de formele onderhandelingen voor democratie.

HET PROCES

De Zuid-Afrikaanse transitie was het resultaat van een langdurige strijd tussen blanke kolonisten en de autochtone zwarte bevolking. Het conflict begon met de komst van de blanken in 1652. In 1910 vormden blanke elites het moderne Zuid-Afrika ten koste van zwarte belangen. In 1948 won de NP de blanke verkiezingen, waarna de partij het systeem van apartheid introduceerde dat de zwarten hun burgerrechten ontzegde in 87 procent van het Zuid-Afrikaanse grondgebied dat eigendom was van blanken. Het ANC, ontstaan uit het verzet tegen de onteigening van zwarten bij de stichting van de staat, leidde de oppositie tegen de apartheid. In 1960 werd de organisatie verboden en in de clandestiniteit of in ballingschap gedwongen. Een decennium eerder was de Zuid-Afrikaanse communistische partij, een latere bondgenoot van het ANC, al verboden. Van 1960 tot 1990 opereerde het ANC ondergronds met leiders die of in de gevangenis of in het buitenland verbleven.

De staat had het leger achter zich om het zwarte verzet te breken, maar apartheid bleek onhoudbaar. Eind jaren zestig begon het uiteen te vallen, toen een tekort aan blanke arbeiders de regering noodzaakte om bedrijven toe te staan zwarte werknemers in dienst te nemen voor hogere functies. Zwarten konden in de steden niet langer als buitenlanders worden beschouwd en arbeiders verwierven de onderhandelingspositie die samenhangt met de status van geschoolde werkkrachten. In 1973 leidden stakingen tot hervormingen, die in 1980 resulteerden in de uitbreiding van de onderhandelingsrechten van zwarte vakbonden. In 1976 kwamen leerlingen uit de township Soweto, even buiten Johannesburg, in opstand tegen onderwijs in het Afrikaans, de taal van de meeste blanken. Dit zette een hervormingsproces in gang waarbij de regering bepaalde randverschijnselen van apartheid probeerde weg te werken in de hoop de blanke politieke dominantie te handhaven. Maar elke concessie was een stap terug en leidde uiteindelijk tot invoering van het meerderheidsstelsel. Het groeiende verzet in de jaren tachtig veranderde de gesegregeerde townships (waar zwarten verplicht woonden) in slagvelden. Het dwong de regering om twee keer de staat van beleg af te kondigen om de onlusten de kop in te drukken. Internationale druk tegen apartheid isoleerde de blanke samenleving: ondernemingen stelden de werkbaarheid van het systeem ter discussie en het blanke Afrikaanse establishment wankelde.

Gealarmeerd door het groeiende verzet droeg president P.W. Botha veel bevoegdheden van de NP over aan het veiligheidsapparaat om de druk te weerstaan. Maar toen zijn regering toegaf dat instemming van de zwarte bevolking noodzakelijk was voor stabiliteit, veranderde dat de parameters waarbinnen het blanke establishment opereerde. Die instemming was onmogelijk te verkrijgen zolang apartheid zou bestaan. Pogingen om de instemming van de zwarten te winnen, dwongen de regering tot nieuwe concessies. Geen enkele zwarte politicus met een achterban zou willen onderhandelen zolang het ANC en zijn leider Nelson Mandela niet vrij konden deelnemen. De hervormingen versterkten het systeem dus niet, maar zaaiden verdeeldheid onder de elite en openden nieuwe wegen voor het verzet. Publiekelijk verwierp het ANC de hervormingen, maar achter de schermen werden de eerste contacten gelegd tussen Botha's veiligheidsapparaat en de strategen van het ANC.

HET EINDE VAN HET BEGIN

De eerste contacten tussen veiligheidsfunctionarissen van de regering en ANC-delegaties onder leiding van Thabo Mbeki werden halverwege de jaren tachtig gelegd en de gesprekken breidden zich de volgende tien jaar uit. Het mijnbouwbedrijf Consolidated Goldfields faciliteerde de eerste geheime besprekingen. Vanaf 1985, toen een blanke zakendelegatie naar de Zambiaanse hoofdstad Lusaka afreisde voor een ontmoeting met het ANC, werd het almaar gebruikelijker dat blanke Zuid-Afrikaanse elites vergaderden met het ANC. Frederick van Zyl Slabbert, een blanke socioloog en leider van de blanke oppositie in het parlement, diende in 1986 zijn ontslag in om een instituut op te zetten dat het contact tussen sleutelfiguren in de blanke gemeenschap en het ANC wilde bevorderen, om daarmee een legitieme basis voor onderhandelingen te creëren. Het ANC liet in 1987 een verklaring uitgaan waarin de organisatie toezegde bereid te zijn te onderhandelen over de afschaffing van de apartheid, terwijl de NP geleidelijk aan toegaf dat zwarten politieke rechten dienden te krijgen — mits de blanken een veto behielden. De roep om de vrijlating van Mandela en andere politieke gevangenen klonk steeds luider.

Botha, die de limiet van zijn hervormingsagenda had bereikt, belemmerde onderhandelingen over een akkoord. De impasse werd doorbroken toen hij in 1989 een beroerte kreeg en De Klerk hem opvolgde. De besluitvorming verschoof weer, nu terug van het veiligheidsapparaat naar de NP, de machtsbasis van De Klerk. Strategiebepaling werd het domein van Afrikaner politieke denkers. Omdat hun nationalisme was ontstaan tijdens de strijd tegen het Britse koloniale bewind, vertoonde het egalitaire trekken, in die zin dat ze geloofden dat de leden van een politieke gemeenschap gelijke rechten moesten genieten. Dat was meteen ook de reden waarom zwarten geen toegang hadden tot die gemeenschap. Zodra het principe van raciale interdependentie postvatte, werd het voor zwarten theoretisch mogelijk het burgerschap te eisen. De Klerk stond open voor deze denktrant omdat hij veel diepere wortels had in de politieke tradities van het Afrikaner nationalisme dan zijn voorganger. Ondanks zijn reputatie als hardliner was De Klerk een pragmaticus die halverwege de jaren tachtig in privégesprekken zijn aversie tegen *non-negotiables* begon te uiten. Hij betoogde dat kwesties waarover de blanken niet wilden onderhandelen, zouden verschuiven naarmate de omstandigheden veranderden. Dit betekende natuurlijk dat hij ontvankelijk was voor het argument dat de blanke regering haar onderhandelingspositie moest wijzigen. Die twee factoren zorgden ervoor dat hij binnen enkele maanden na zijn aantreden een sleutelrol zou vervullen — samen met andere sleutelfiguren uit nationalistische kring — bij de onderhandelingen die het einde van de apartheid zouden inluiden.

HET BEGIN VAN HET EINDE

Het proces begon in februari 1990, toen De Klerk het verbod op politieke activiteiten ophief. De 'besprekingen over besprekingen' begonnen enkele weken na die bekendmaking. Westerse mogendheden, met name het

Verenigd Koninkrijk waar premier Margaret Thatcher de sancties tegen apartheid aanvocht, duwden de NP in de richting van de onderhandelingstafel. De Britse ambassadeur in Zuid-Afrika, Robin Renwick, speelde een sleutelrol en poogde de NP ervan te overtuigen sneller veranderingen door te voeren teneinde verdere sancties te voorkomen. Het ANC werd in dezelfde richting gedreven door de voormalige Sovjet-Unie, die hun guerrillaoorlog niet langer kon financieren. Het was gemakkelijker voor het ANC om zijn positie te wijzigen, omdat het kon bouwen op een traditie van onderhandelingsbereidheid, een traditie die Mandela tijdens zijn proces verwoordde in een vaak geciteerde speech.

Diplomaten speelden een belangrijke rol in het overbrengen van boodschappen tussen de partijen, en internationaal optreden doorbrak de eerste impasse die onderhandelingen had tegengehouden: de weigering van de NP-regering om te praten zolang het ANC geweld bleef gebruiken en het antwoord van het ANC, dat het geweld pas zou afzweren als de regering zich 'onomkeerbaar' inzette voor de meerderheidsregel. Door eenzijdig het verbod op het ANC op te heffen verklaarde De Klerk zich bereid tot gesprekken zonder per se van geweld af te zien. Het ANC reageerde eenzijdig door de 'gewapende strijd' op te geven. Een nog belangrijkere beslissing volgde toen het ANC internationale sancties opschortte door aan te geven dat het geloofde dat de invoering van de meerderheidsregel onomkeerbaar was. De val van de Berlijnse Muur had een enorme impact op De Klerk; angst voor het communisme had altijd een grote invloed op het denken van de NP.

In 1990 werd een onderhandelingsplatform in het leven geroepen: de Conventie voor een democratisch Zuid-Afrika of CODESA. Het forum omvatte een breed scala aan politieke partijen — een toegeving aan de onderhandelingspositie van de NP. Omdat het ANC verwachtte te winnen bij verkiezingen wilde het een verkozen grondwettelijke vergadering. De NP wist dat het ANC zou winnen en stond daarom op een verkozen vergadering die de uitkomst van de onderhandelingen zou bepalen.De kernvraag was immers of de meerderheidsregel werd ingevoerd. De partij drong aan op een niet-verkozen onderhandelingsplatform en spoorde partijen aan om deel te nemen aan de gesprekken in een poging de invloed van het ANC te temperen. Zo kreeg de NP partijen aan tafel die betrokken waren bij de politieke instellingen van de apartheid. De enige potentiële bondgenoten van het ANC waren andere 'bevrijdingsbewegingen' die weigerden aan de gesprekken deel te nemen. De voornaamste andere deelnemer was de Inkatha Vrijheidspartij (IFP), die haar wortels had in de traditionele machtsstructuren van de etnische groep van de Zoeloes en machtig genoeg was om zich op eigen kracht te verzekeren van een plaats aan de onderhandelingstafel. Maatschappelijke organisaties waren niet uitgenodigd. Dit waren onderhandelingen tussen politieke blokken, niet een poging om een nieuw sociaal contract te ontwikkelen.

CODESA bleef tot 1992 in sessie, maar de partijen hielden stug vast aan bikkelharde eisen (*non-negotiables*) die compromissen onmogelijk leken te maken: het ANC stond op de meerderheidsregel terwijl de NP een blank veto op verandering wilde. De IFP was aan de macht in KwaZoeloe; het etnische, aan Zoeloes voorbehouden 'thuisland'. Hoewel de IFP de onderhandelingen mede mogelijk had gemaakt met de weigering te onderhandelen over een grondwet zolang het ANC en Mandela niet vrij waren, was de partij verwikkeld in een gewelddadig conflict met het ANC. Inkatha wilde een akkoord waarbij de regionale machtsbasis gehandhaafd bleef, wat een afzwakking van de meerderheidsregel inhield. De partijen moesten rekening houden met hun achterban en dat maakte een compromis vrijwel onhaalbaar. Begin 1992 verloor de NP tussentijdse verkiezingen die werden beschouwd als een peiling van het blanke draagvlak voor de onderhandelingen. De Klerk reageerde met het uitschrijven van een referendum waarmee blanken voor of tegen een open onderhandelingsmandaat voor de NP konden stemmen. De blanken, die zich zorgen maakten over het internationale isolement en de stijgende kosten van de apartheid, verklaarden zich akkoord. Het referendum maakte dat De Klerk en de NP nu konden claimen de stem van blank Zuid-Afrika te vertegenwoordigen, maar indirect betekende dat het einde van CODESA. Het ANC en NP raakten ook verwikkeld in een strijd om de steun van de Verenigde Staten, het Verenigd Koninkrijk en West-Europa. De strategen van de NP geloofden dat het referendum het Westen ervan zou overtuigen dat de rechtse dreiging reëel was en dat alleen de NP dat gevaar kon afwenden. En dat, concludeerden ze, versterkte de onderhandelingspositie van de NP. De NP groef zich in en medio 1992 zaten de gesprekken in CODESA muurvast.

De volgende maanden waren de meest cruciale van de hele onderhandelingsperiode. Na de ineenstorting van CODESA escaleerde het geweld dat ook tijdens het proces onverminderd was doorgegaan en nu testten de partijen hun macht op straat. Ook de strijd om internationale steun hield aan. Van groot belang was een verklaring in juli 1992 van de Amerikaanse onderminister voor Afrikaanse Zaken, Herman Cohen, voor de Afrikaanse subcommissie van het huis van afgevaardigden. Hij stelde dat de blanken bescherming moesten zoeken in een niet-raciaal federalisme in plaats van in een blank veto. Tegen september begrepen het ANC en de NP dat ze de dialoog moesten hervatten. Ze tekenden een memorandum van begrip dat een aantal compromissen inhield die begin 1993 nieuwe gesprekken mogelijk maakten. De leider van Inkatha, Mangosuthu Buthelezi, was echter geen partij bij dat akkoord. Voor de rest van het proces zocht Buthelezi aansluiting bij de blanke rechtervleugel, in een poging de onderhandelingen te verstoren. Het geweld hield aan en de dreiging dat het rechtse verzet de transitie in gevaar zou brengen, was gedurende de hele onderhandelingsperiode present.

HET AKKOORD

De onderhandelingen werden begin 1993 hervat. In april vermoordden blanke conservatieven Chris Hani, een vooraanstaand leider binnen het ANC en de communistische partij. De moord was bedoeld om het geweld aan te wakkeren en de onderhandelingen te doen ontsporen. Uiteindelijk gebeurde het omgekeerde: de NP was bang dat het geweld totaal uit de hand zou lopen als de partij geen duidelijk signaal gaf dat het proces onomkeerbaar was. De partijen besloten daarom een verkiezingsdatum, 27 april 1994, vast te leggen die hen zou dwingen om voor die datum tot een akkoord te komen. De onderhandelingen kregen een nieuw elan en in oktober kwamen de partijen tot overeenstemming. De IFP en de blanke conservatieven weigerden echter deel te nemen aan die tweede gespreksronde.

Hoewel meerdere partijen deelnamen aan de hervatte onderhandelingen, waren het ANC en de NP de enige partijen van wie de toestemming cruciaal was. Er was geen rechtstreekse inmenging vanuit de samenleving, hoewel organisaties die aan politieke partijen waren gelieerd wel invloed uitoefenden. De vrouwenlobby, die via de vrouwenactivisten van het ANC opereerde, kreeg heel wat voor elkaar, terwijl de met het ANC verbonden vakbonden een in de grondwet vastgelegd stakingsrecht verwierven en pogingen verijdelden van het bedrijfsleven om arbeiders uit te sluiten. De chemie tussen de belangrijkste onderhandelaars — voormalig vakbondsman Cyril Ramaphosa voor het ANC en de hervormingsgezinde minister (en later lid van het ANC) Roelf Meyer namens de NP — was instrumenteel. Hun persoonlijke relatie was een belangrijke factor, maar het wederzijdse besef dat er een overeenkomst nodig was om de stabiliteit te herstellen én het feit dat er een deadline was afgesproken, zetten de geesten op scherp.

De kloof tussen de eis van het ANC voor de meerderheidsregel en de eis van de NP voor een minderheidsveto werd tijdens de onderhandelingen kleiner. De kwestie of een verkozen vergadering of een ongekozen forum de grondwet moest opstellen, losten de partijen op met een akkoord over een interim-grondwet. Een verkozen parlement zou de definitieve grondwet opstellen, zij het op basis van overeengekomen principes die de omvang van mogelijke aanpassingen beperkten. Het ANC kon nu melden dat een verkozen vergadering het document zou opstellen en de NP dat het beperkingen had gesteld aan de meerderheidsregel. De onderhandelaars kwamen ook overeen dat partijen recht hadden op een kabinetspost voor elke 5 procent van de stemmen en een vicepresidentschap als ze 20 procent van de stemmen haalden. Het ANC steunde dit voorstel en andere tijdelijke waarborgen voor blanke belangen in ruil voor de afspraak dat Joe Slovo, voorman van de communistische partij, de voornaamste pleitbezorger voor de *sunset clauses* werd, die garanties boden voor de eerste vijf jaar. Het veto voor minderheden in het kabinet bleef de belangrijkste onopgeloste kwestie: pas tegen het einde verklaarde Meyer met goedkeuring van De Klerk dat de NP hiervan afzag, en de volgende dag keurden ze de interim-grondwet goed. Hoewel sommige leden van de NP dit als verraad bestempelden, was de grondwet het resultaat van een voortdurende evolutie van ieders onderhandelingspositie. Het feit dat er geen schikking mogelijk was zonder meerderheidsregel voerde de strategen van de NP tot de conclusie dat hun controle over leger, politie en ambtenarij — en ook hun vaardigheden en kapitaal — zelfs bij invoering van de meerderheidsregel de blanke invloed zou veiligstellen.

Buthelezi en zijn blanke bondgenoten waren geen partij bij het akkoord, maar de blanke rechtervleugel stemde er toch mee in deel te nemen aan de verkiezingen. Een week voor de stembusgang gaven Buthelezi en zijn IFP aan ook te zullen opkomen. Hoewel de precieze reden onduidelijk is, was zijn droom van een onafhankelijke Zoeloe-enclave tot mislukken gedoemd, omdat de blanke ondernemingen en zwarte arbeiders in zijn provincie integraal deel uitmaakten van de Zuid-Afrikaanse economie. Afscheiding was absoluut geen optie.

OPMERKINGEN OVER LEIDERSCHAP

Verslagen van het onderhandelingsproces benadrukken meestal hoe de leiders van het proces Zuid-Afrika wegvoerden van een raciale oligarchie naar een constitutionele democratie. De Klerk en Mandela werden onderscheiden met de Nobelprijs voor hun rol bij het overtuigen van hun electoraat om compromissen te aanvaarden, terwijl ook de vriendschap tussen Ramaphosa en Meyer, en hun wederzijdse gedrevenheid om tot een akkoord te komen, vaak sleutelfactoren worden genoemd. Mbeki, die cruciaal was bij het uitdenken van de strategie van het ANC, krijgt maar zelden de lof die hij verdient.

Leiderschap speelde duidelijk een rol. Het apartheidssysteem werd wellicht te duur voor de blanken, maar er was geen ijzeren wet die bepaalde dat De Klerk en zijn collega's dat moesten inzien. De blanke elite in Rhodesië (nu Zimbabwe) heeft dat bijvoorbeeld nooit zien aankomen. Het ANC kon alleen met compromissen een einde maken aan de apartheid, maar Mandela en Mbeki (met Slovo en anderen) zorgden ervoor dat ze de onderhandelingen aanvatten met een veel bredere visie op een nieuw staatsbestel dan hun tegenhangers in Zimbabwe. Meyer was cruciaal bij het overtuigen van de terughoudende NP om een door de meerderheid verkozen regering toch te aanvaarden, terwijl het onderhandelingstalent van Ramaphosa leidde tot een akkoord dat aanvaardbaar was voor de achterban van het ANC.

Toch wordt er vaak te veel toegeschreven aan het leiderschap. Het waren niet zomaar een paar verstandige leiders die Zuid-Afrika behoedden voor eindeloos bloedvergieten. Een complexe mix van onderlinge economische afhankelijkheid en culturele en politieke invloeden maakte dat de steun voor gemeenschappelijk samenleven veel groter was dan de meeste analyses verwachtten. Groeperingen met grote sociale belangen, zoals het bedrijfsleven, arbeidersbewegingen en instellingen als de kerken, voerden de druk op om consensus te bereiken. Ondanks de uiterlijke schijn was Zuid-Afrika rijp voor een compromis. Maar het vereiste beslist politieke vaardigheid en visie om dat te realiseren. Zonder die vaardigheden had de transitie mogelijk ook plaatsgevonden, maar er zou veel meer geweld aan te pas zijn gekomen en er zou ook in veel mindere mate aan de voorwaarden voor een leefbare samenleving zijn voldaan.

NA HET AKKOORD

Het akkoord en de verkiezingen waren sleutelmomenten in de transitie van een blank minderheidsbewind naar een meerderheidsstelsel, een overgang die nog decennia werk zal vereisen. In 1994 won de NP 20 procent van de stemmen, wat de partij één vicepresident (De Klerk) en vier kabinetsministers opleverde. De IFP won 10 procent en twee kabinetsleden. In 1995 echter trok de NP zich terug uit de regering van nationale eenheid uit frustratie over hun geringe invloed op de besluitvorming. De drie blanke groepen wier steun het ANC nodig had — ondernemers, ambtenaren en leger — werkten hun eigen overeenkomsten uit met het ANC en konden het af zonder de NP. De blanken controleren echter nog steeds het leeuwendeel van het kapitaal en talent, wat de opties van het ANC beperkt.

Het romantische idee dat de schikking zou leiden tot nationale eenheid bleek een illusie. Ondanks diepe verdeeldheid delen alle partijen een Zuid-Afrikaanse identiteit, maar de raciale identiteiten waarop de apartheid was gebaseerd, zijn niet verdwenen. De regering stelde, deels naar Chileens model, een waarheids- en verzoeningscommissie in om schendingen tijdens de apartheid te onderzoeken en amnestie te verlenen aan daders die volledig opbiechtten wat ze hadden gedaan. Dit versterkte het delegitimeringsproces van de apartheid, maar slechts in die mate dat het openlijk verdedigen van apartheid taboe werd — rassenvooroordelen uitdrukken in codetaal is dat geenszins. Zuid-Afrika kent nog steeds rassenscheiding en het blanke overwicht in de economie en de samenleving is blijven bestaan.

Net als alle andere democratische projecten is ook dat van Zuid-Afrika niet afgerond. Rassentegenstellingen belemmeren nog steeds de samenwerking tussen het overwegend blanke management binnen het bedrijfsleven en de vrije beroepen, en de voornamelijk zwarte regering. Armoede en ongelijkheid, nog vaak bepaald door rassenverschillen, blijven de samenleving verdelen. Verkiezingen verlopen vrij en eerlijk, maar het feit dat ras een voorname rol speelt bij het bepalen van iemands stem — en dat blanken nog steeds de welvarende buitenwijken domineren, terwijl de meeste zwarten in armoedige townships leven — maakt dat de concurrentie tussen de partijen klein is. De meeste residentiële gebieden vormen onbedreigde koninkrijkjes van de regerings- of de oppositiepartij. Iedereen kan nu stemmen en toch krijgen miljoenen geen echte stem in een samenleving waarin een derde (blank en zwart) in een drukke democratie leeft, en de overige twee derden (geheel zwart) kampen met basale machtsrelaties die hun grotendeels het zwijgen opleggen.

Dit is geen ontkenning van de verworvenheden van de democratie. Vrijheden zijn gevrijwaard en de grondwet blijft intact, bekrachtigd door rechterlijke uitspraken die de regering steevast aanvaardt. De apartheidsstrategen hoopten dat de opkomst van een zwarte middenklasse de politieke eisen zou afzwakken, maar ze komt nu op als gevolg van de democratisering die de middenklasse volgens die strategie had moeten voorkomen. Democratische akkoorden zijn echter niet het einde van de weg naar democratie, ze openen deuren om die democratie verder op te bouwen en geleidelijk aan te institutionaliseren. Hoewel de uitdagingen met betrekking tot de democratie in Zuid-Afrika enorm zijn, bewijst de democratisering duurzamer te zijn dan ze aanvankelijk wellicht leek.

BIOGRAFISCHE SCHETS VAN F.W. DE KLERK, PRESIDENT VAN ZUID-AFRIKA (1989–1994)

F.W. de Klerk, zoon van een prominent Afrikaner politicus, is jurist en was politiek leider van de Nasionale Party. In de jaren tachtig bekleedde hij verschillende kabinetsposten. Hij was een overtuigd aanhanger van de apartheidspolitiek en de blanke parlementaire regeringsvorm van de Afrikaners die aan bijna 90 procent van de Zuid-Afrikaanse bevolking een nationale politieke vertegenwoordiging ontzegde. Toen president P.W. Botha een beroerte kreeg, werd De Klerk algemeen beschouwd als de meest conservatieve van zijn mogelijke opvolgers, al had hij zich wel verzet tegen de halve maatregelen die Botha had getroffen om de apartheid te hervormen en beschermen, omdat die in zijn ogen niet zouden werken. Toen hij in 1989 president werd, veranderde hij van koers en gaf hij de macht die Botha aan het binnenlandse veiligheidsapparaat had gegeven terug aan de Nasionale Party — die strengere hervormingen ambieerde om de belangen van de Afrikaners op lange termijn te waarborgen. Hij begreep dat apartheid niet vol te houden was in een veranderende economie, een steeds meer verstedelijkte samenleving en een nieuwe internationale context.

In februari 1990 maakte De Klerk in een beleidsverklaring die het land en de rest van de wereld volkomen verraste, de opheffing van het verbod op het ANC en de vrijlating van Mandela en alle andere politieke gevangenen bekend, alsmede de start van onderhandelingen met Mandela en het ANC over een nieuwe grondwet en de volledige medezeggenschap van de zwarte meerderheid. Dit initiatief leek een totale verrassing, maar was zorgvuldig voorbereid met jaren van 'besprekingen over besprekingen' tussen regeringsfunctionarissen en Nelson Mandela waarvan veel kabinetsleden niets wisten, en met verscheidene retraites met zijn kabinet om consensus te bereiken. De Klerk slaagde erin zijn politieke basis te handhaven, de hardliners en veiligheidsdiensten onder controle te houden en tijdig concessies te doen aan het ANC. Hij bleef gezag uitstralen, ook toen zijn machtsbasis begon te verbrokkelen en er een niet op ras gebaseerde democratie ontstond. Toen Mandela en het ANC de nationale verkiezingen wonnen en aantraden in april 1994, was De Klerk enige tijd vicepresident in een regering van nationale eenheid onder Mandela. Hij diende uiteindelijk zijn ontslag in om oppositie te voeren als leider van de inmiddels omgedoopte Nieuwe Nasionale Party.

INTERVIEW MET PRESIDENT F.W. DE KLERK

BASISPRINCIPES

Kunt u de basisprincipes samenvatten van een overgang naar een democratie die we moeten begrijpen en onthouden?

In een andere context kunnen mensen belangrijke lessen trekken uit de Zuid-Afrikaanse transitie. Een eerste belangrijk punt is dat een conflict niet op te lossen is als de betrokken partijen niet met elkaar aan tafel zitten. Onderhandelingen zijn de enige mogelijkheid om duurzame vrede te bereiken.

Daarnaast moeten de bij het conflict betrokken partijen inzien dat verandering noodzakelijk is en dat compromissen onafwendbaar zijn. Onderhandelingen moeten oprecht en integer worden gevoerd en niet ontaarden in politieke spelletjes. Dat betekende in Zuid-Afrika dat we het punt moesten bereiken waarop het zonneklaar was dat er verandering moest komen, niet vanwege druk, niet om anderen te behagen, maar vanuit de innerlijke overtuiging dat de huidige situatie onhoudbaar was. En dat gebeurde in de Nasionale Party voordat ik president werd.

In de jaren tachtig gingen we onder mijn voorganger door een periode van intense zelfanalyse, nadat we tot de conclusie waren gekomen dat we moesten veranderen. In dat proces van zelfanalyse vroegen we ons af wat goed was en beseften we dat we geen toekomst konden scheppen voor ons eigen volk op basis van het onrecht jegens de meerderheid van de mensen in het land. We moesten toegeven dat we hadden gefaald in onze inspanningen voor rechtvaardigheid, voor volledige en kwalitatief gelijke politieke rechten voor alle mensen in Zuid-Afrika via natiestaten. We kwamen tot de slotsom dat vasthouden aan dat principe nooit tot rechtvaardigheid voor iedereen zou leiden en dus besloten we vanuit een innerlijke overtuiging dat we structureel moesten veranderen.

Met het voorbeeld van de rest van Afrika voor ogen vreesden we echter dat zo'n verandering zou kunnen leiden tot anarchie in plaats van tot een gezonde democratie. We beseften dat we moesten onderhandelen over een akkoord dat de democratie zou vrijwaren, iedereen veiligheid zou bieden, een evenwichtig economisch beleid zou waarborgen en zou maken dat er geen discriminatie meer was op basis van ras, huidskleur of om het even wat.

Ook hebben we geleerd dat je initiatieven moet nemen om uit een schijnbaar onoplosbare situatie te komen. Als ik de stap-voor-staproute zou volgen — als ik slechts vijf toegevingen deed op vijf belangrijke punten, maar een aantal zaken onbeslist liet — dan wist ik dat het ANC als de andere hoofdrolspeler in het proces zou gaan dwarsliggen. Zij zouden alleen aan de onderhandelingstafel verschijnen als ik ook concessies zou doen rond andere kwesties. In samenspraak met mijn kabinet en de partijleiding kwam ik tot de conclusie dat we een pakket moesten samenstellen dat de ANC-alliantie zou dwingen in te gaan op onze uitnodiging tot onderhandelingen.

Als ik bijvoorbeeld alleen Mandela en zes andere prominenten vrijliet, maar de andere politieke gevangenen niet, zouden zij zeggen: 'Vriendelijk bedankt, maar zolang niet alle politieke gevangenen op vrije voeten zijn, onderhandelen we niet met jullie.' Daarom stelden we een pakket samen waarmee we tegemoetkwamen aan alle zorgpunten van het ANC die we maar konden bedenken — en redelijk vonden.

Voor geslaagde onderhandelingen moet je jezelf in de situatie van de andere partij plaatsen. Je moet de zaak door hun ogen bekijken en bepalen wat de minimumvereisten zijn om de ander zo ver te krijgen dat hij actief en constructief meewerkt aan het onderhandelingsproces. Dat deden we, en die toespraak van 2 februari 1990 handelde over zo'n toezeggingenpakket. Het bezorgde ons voorlopig een moreel overwicht. Het zou onredelijk zijn geweest van het ANC om na die toezeggingen nog te weigeren te onderhandelen. De internationale gemeenschap zou zich volledig tegen hen hebben gekeerd. Ze moesten er wel op ingaan.

Na het lezen van mijn speech, die op voorhand was verspreid, riep een Zuid-Afrikaanse journalist: 'Mijn god, alles staat erin.' En inderdaad, het doel van dit pakket toezeggingen was ook om alles erin op te nemen. We namen een gigantisch risico en stelden geen randvoorwaarden. Vervolgens nam het ANC, na een eerste ronde van breed opgezette gesprekken in Groote Schuur in april 1990, het initiatief. Er was niet over onderhandeld, net zoals wij ook niet met hen hadden onderhandeld over ons pakket. Zij namen het initiatief om eenzijdig de gewapende strijd op te schorten. Die twee stappen vormden de basis voor de onderhandelingen die uiteindelijk tot succes zouden leiden.

DE BASIS LEGGEN VOOR DIALOOG EN ONDERHANDELINGEN

Vóór uw doorslaggevende speech van begin 1990 waren er al gesprekken gevoerd met het ANC. In welke mate hebben die bijgedragen tot een strategie en uw vervolgstappen? Om te onderhandelen en resultaten te boeken had u natuurlijk een tegenhanger nodig en personen die u kende en vertrouwde. Hoe ging dat in zijn werk?

In het kabinet van mijn voorganger wist niet iedereen wat er achter de schermen gebeurde. President Botha deelde die informatie alleen met een kleine kring getrouwen. Ik was niet op de hoogte. Ik was de leider van de Nasionale Party in de provincie Transvaal en had gewicht in de partij en in het kabinet, maar ik heb nooit deel uitgemaakt van die kleine kring. Toen ik op 2 februari 1989 leider werd, bracht minister van Justitie Kobie Coetsee me op de hoogte. Hij leidde het voortraject en behoorde tot de groep van vier die in gesprek was met Mandela. Coetsee voerde de gesprekken met Mandela samen met Niel Barnard van de nationale inlichtingendienst, met generaal Willemse, hoofd van het gevangeniswezen, en met Fanie van der Merwe, secretaris-generaal van het ministerie van Justitie. Mandela mocht schrijven naar het uitvoerende comité van het ANC om het mandaat te krijgen de haalbaarheid van gesprekken te onderzoeken. Inhoudelijk werd er niets besproken. Het waren 'besprekingen over besprekingen' – gesprekken over de mogelijkheid om tot onderhandelingen te komen. Pas toen ik leider werd, werd ik hiervan volledig op de hoogte gebracht.

Het officiële standpunt was dat we niet onderhandelden met terroristen. Achteraf beschouwd heeft dat allemaal bijgedragen tot het klimaat waarin ik mijn initiatieven kon ontplooien. Het versterkte mijn positie. Het voorbereidende werk overtuigde me ervan dat ik kordaat kon zijn.

In de verschillende gevallen die we hebben bekeken, waren er spelers die afhaakten en het transitieproces probeerden te ondermijnen. Waaruit putte u tegen februari 1990 het vertrouwen om met zo'n gewaagde veranderingsagenda te komen?

Het krachtdadige optreden in de periode van 1985 tot 1987 — de harde veiligheidsmaatregelen, met duizenden mensen die zonder proces vastzaten, waarmee het geweld in de ogen van het leger en de veiligheidsdiensten effectief de kop in werd gedrukt — had een situatie gecreëerd waarin het ANC besefte dat het de regering niet omver kon werpen, dat de oplossing niet met geweld was af te dwingen. Ik verdedig onze methoden niet, maar het beste uitgangspunt voor de oplossing van een conflict is dat de voornaamste partijen beseffen dat een aanhoudend conflict het land zal vernietigen en dat de kans niet reëel is dat iemand dat conflict kan winnen. Dat was volgens mij de situatie waarin we verkeerden. We beseften dat er een politieke oplossing nodig was. De oplossing lag niet in het optreden van leger en veiligheidsdiensten. Ik denk dat het ANC tot dezelfde conclusie is gekomen. Naar mijn mening overtuigden de verstrekkende maatregelen die we namen, maar ook de eerdere 'besprekingen over besprekingen', hen daarvan.

CONSENSUS VOOR VERANDERING BEREIKEN

Hoe kreeg ik mijn team zover? Ik wil mezelf hier niet neerzetten als held. Mijn voorganger introduceerde het concept van de *bush conference* — 'oerwoudsessies', zeg maar. Zo'n sessie houdt in dat je medebestuurders, het kabinet, je naaste medewerkers wegvoert uit de stad, naar de bush dus, naar een plek waar je soms zelfs geen telefonisch bereik hebt. Niemand kon zich verschuilen achter excuses. Iedereen zat als het ware op een onbewoond eiland, gezamenlijk, waardoor we wel waren gedwongen om diepgaand met elkaar te praten en tot analyses te komen. Ik vervolgde dat gebruik toen ik was aangetreden als partijleider. Nog voor ik president werd, hadden we al een paar van die sessies gehad. In de eerste maanden van mijn presidentschap, al vanaf december 1989, hadden we een paar oerwoudsessies waarbij we zeiden: 'We beseffen dat we fundamenteel moeten veranderen. Die stap hebben we gezet. De vraag is nu: hoe gaan we dat doen? Welke acties plannen we? Wat is onze visie?'

Veranderen om te veranderen is niet goed. Je moet een visie hebben en onze visie was een verenigd Zuid-Afrika waarin alle vormen van discriminatie uit het wetboek zijn geschrapt, een Zuid-Afrika waar iedereen een gelijkwaardige stem heeft, een Zuid-Afrika met een sterke grondwet. Dat nieuwe Zuid-Afrika moest een sterk grondwettelijk hof hebben, met ingebouwde controlemechanismen om machtsmisbruik of overheersing van de ene groep over een andere te voorkomen. Dat was de visie die uit deze openhartige discussies naar voren kwam. In elke groep getalenteerde leiders, of ze nu uit de politiek of het bedrijfsleven komen, bestaan uiteenlopende standpunten, maar dankzij dit proces slaagden we erin om interne consensus te bereiken.

Tijdens mijn partijleiderschap en mijn presidentschap heb ik nergens zo veel energie in gestoken als in het scheppen van interne consensus. Mijn hele kabinet was mede verantwoordelijk voor het pakket dat we presenteerden. Niet iedereen was continu betrokken bij de exacte verwoording, maar iedereen was het erover eens dat we fundamenteel moesten veranderen, dat we een pakket moesten samenstellen en het initiatief moesten nemen. Kort voor de bewuste speech riep ik iedereen bijeen en zei: ‘Dit ga ik aankondigen. Staan we hier als één man achter?’ Het antwoord was ja. Ik liet ze plechtig beloven er zelfs niet met hun echtgenotes over te praten. Ook zelf heb ik mijn vrouw niet precies verteld wat ik bekend zou maken. Ik vertelde haar alleen dat Zuid-Afrika nooit meer hetzelfde zou zijn. Het geheim bleef bewaard.

Ik heb daarna een top-downproces gevolgd. Nadat ik me binnen de partijtop had verzekerd van de steun en het mede-eigenaarschap van onze initiatieven — het kabinet omvatte de leiders van alle provincies en alle leidende figuren binnen de partij — was het hun taak om een draagvlak te creëren in de plaatselijke bestuurslagen. Het tweede bestuursechelon moest voortdurend interageren met de basis om iedereen ervan te overtuigen dat fundamentele veranderingen nodig waren om een ramp te voorkomen, en dat we moesten veranderen omwille van de goede zaak.

Van dat ‘mede-eigenaarschap’ heb ik me steeds opnieuw moeten verzekeren. Zodra de onderhandelingen van start gingen, stak de typische verdeeldheid de kop weer op die je in elke groep kaderleden tegenkomt. Sommigen zeiden dat ze een bepaalde toegeving beslist niet konden doen. Anderen vonden dat die concessie essentieel was. En weer anderen twijfelden. Op de wekelijkse kabinetsvergadering waren we altijd een uur of twee zoet met de details van het lopende onderhandelingsproces, met het zoeken naar nieuwe consensus. Iedereen kreeg de kans zijn of haar mening te uiten. Vervolgens was het mijn taak als leider om een beslissing te opperen en te kijken of iedereen daarmee kon leven. Als dat het geval was, kon ik rekenen op hun steun voor de volgende stap.

Er moeten zich vast situaties hebben voorgedaan waarin iemand het moeilijk vond om mee in de boot te stappen. Heeft u ooit mensen moeten vervangen om u te verzekeren van de steun van het volledige kabinet?

Tijdens mijn presidentschap heb ik een paar kabinetswijzigingen doorgevoerd. Eén minister heb ik ontslagen omdat hij te veel op eigen houtje deed, niet overlegde met het kabinet. Vanwege het aanhoudende geweld hadden andere ministers een probleem kunnen worden als ze hun veiligheidsportefeuille hadden behouden. Ik heb zowel de minister van Politie als die van Defensie naar een civiel ministerie overgeplaatst en hen vervangen door nieuwe bewindslieden. Ik geloof niet dat iedereen altijd even blij was met de consensus die we bereikten, maar uiteindelijk is dat de manier waarop een kabinetssysteem werkt, en volgens mij is dat een goed systeem. Iedereen moet tenslotte voor zichzelf uitmaken of iets een principekwestie is en zijn geweten laten spreken. Als hij het ergens principieel niet mee eens is, kan hij zijn functie neerleggen. Speelt zijn geweten hem geen parten, dan stemt hij in met een compromis.

Compromissen sluit je tussen de partijen in een conflict, maar ook bij besprekingen binnen een partij, tijdens de voorbereidingen op de onderhandelingen, sluit je voortdurend compromissen. Niet iedereen was met alles blij, maar men was bereid water bij de wijn te doen.

DE BASIS LEGGEN VOOR DIALOOG EN ONDERHANDELINGEN

U heeft gesteld dat de voorbereidingen om Zuid-Afrika te veranderen een proces vormden en geen abrupte omslag. Terwijl u nadacht over mogelijke oplossingen was u niet op de hoogte van de gesprekken met het ANC. Het was dus een proces waarin u niet over alle informatie beschikte. Botha zelf was niet bereid de weg te volgen die u in gedachten had. Hoe ontwikkelde dit proces zich in uw hoofd? Wat wist u van de gesprekken met Mandela en Mbeki, om goed voorbereid te zijn en in actie te komen zodra u de macht had?

Botha was een dictatoriaal leiderstype. Naar ik begrijp concentreerden Mbeki's gesprekken zich meer op mensen buiten de politieke kring van de partij. Hij praatte vooral met culturele en religieuze leiders. Hij had een relatie opgebouwd met Willie Esterhuyse, de professor van Stellenbosch die met een delegatie naar Engeland reisde om Mbeki te ontmoeten. Mijn broer maakte deel uit van die delegatie. Aangezien ik niet op de hoogte was, stond ik kritisch tegenover de deelname van mijn broer. In mijn opinie waren de interne mechanismen die begin jaren tachtig werden gecreëerd nuttig om ons te overtuigen van de noodzaak tot ingrijpende structurele veranderingen. Een van die mechanismen was de presidentiële raad, een publiek orgaan dat vergaderde in een gebouw naast het parlement. In die raad zetelden mensen van alle rassen die tot taak hadden te delibereren over de noodzaak van en de mogelijke inhoud van een grondwetsherziening. Ook leden van de oppositie werden benoemd in de raad, die daarom een redelijk representatief orgaan was, al was de zwarte inbreng vrij beperkt, als ik het me goed herinner.

CONSENSUS VOOR VERANDERING BEREIKEN

Een ander mechanisme was de speciale kabinetscommissie voor constitutionele vraagstukken. Ik zetelde hierin. De voorzitter was Chris Heunis, minister van Grondwettelijke Zaken. Als mijn geheugen me niet in de steek laat, zaten alle juristen uit het kabinet in die commissie. De commissie delibereerde over grondwetswijzigingen en bracht verslag uit aan het kabinet. Een en ander was niet openbaar en dus niet transparant – in tegenstelling tot de presidentiële raad. Het was deze kabinetscommissie die een visie formuleerde die op kabinetsvergaderingen, maar ook op één of twee oerwoudsessies werd voorgelegd. Die visie verduidelijkte welke acties moesten worden ondernomen, wat de uitgangspunten daarbij waren en zo verder. De kabinetscommissie speelde een belangrijke rol bij de vormgeving van het proces van zelfanalyse en vooruitdenken.

Men beschuldigde mij ervan een struikelblok te vormen in deze commissie omdat ik de rol van advocaat van de duivel speelde. Wijlen Chris Heunis, een zeer intelligente man, had de neiging om stapje voor stapje te werken. En dat botste soms. Hij zei bijvoorbeeld: 'We moeten het kabinet adviseren om voor A te kiezen.' Ik antwoordde dan: 'Ik kan leven met A, maar dan moeten we het kabinet wel vertellen dat B en C en D op A zullen volgen en uitleggen wat B en C en D precies inhouden. We moeten de logische gevolgen goed doordenken en niet proberen die te verbergen.' Zulke woordenwisselingen leverden mij in deze kabinetscommissie de reputatie van onruststoker op.

Mijn idee om een totaalpakket samen te stellen zat dus al in mijn hoofd en in mijn hart lang voordat ik president werd.

Was u er op dat moment van overtuigd dat het ANC sterk genoeg was om de onderhandelingen van zijn kant te leiden? Wist u hoe zij op uw project zouden reageren?

In die beginfase niet. Bovendien moesten we aan de macht blijven om iets te kunnen bereiken en dus voortdurend oog hebben voor wat het blanke electoraat zou aanvaarden of afwijzen. Er was namelijk een vrij actieve en groeiende rechtse oppositie die zich begin jaren tachtig afscheurde van de Nasionale Party en de Konserwatiewe Party (KP) oprichtte. Onder leiding van Andries Treurnicht begon de KP aan de weg te timmeren in het electorale proces. In 1987 waren er volledig blanke verkiezingen, hoewel er al een driekamerparlement was. Wij bleven toen aan de macht dankzij een manifest waarin we verklaarden voor fundamentele verandering te staan. De KP zat echter stevig in de lift. We moesten dus ook voortdurend rekening houden met het feit dat we de steun van een meerderheid van het blanke electoraat nodig hadden.

ONDERHANDELEN: HET PROCES EN DE MECHANISMEN

U zei al dat u zich ook in uw tegenstander moest verplaatsen en u wist dat ook de oppositie haar achterban tevreden moest stellen.

We wisten hoe belangrijk het ANC was, maar wij hebben altijd gemeend dat we iedereen bij de onderhandelingen moesten betrekken. Aan de allereerste vergadering, eind 1990, mochten dus alle politieke entiteiten en partijen deelnemen. We nodigden zelfs kleine partijen uit die nergens vertegenwoordigd waren. Inclusiviteit is uitermate belangrijk. We konden die kleine partijen echter geen veto geven en daarom ontwikkelden we het concept van de *sufficient consensus* – 'toereikende consensus'.

En wat hield de notie toereikende consensus precies in?

Toereikende consensus betekende dat de voornaamste deelnemers aan het onderhandelingsproces – regering, Nasionale Party, ANC en IFP – een consensus moesten bereiken. Over het algemeen moest het ANC niets hebben van de IFP – die twee waren vijanden en maakten elkaar af. In het ANC-lexicon was er toereikende consensus zodra de regering en het ANC het eens waren. Toen de IFP zich in september 1992 uit het onderhandelingsproces terugtrok, betekende toereikende consensus overeenstemming tussen de Nasionale Party, de regering en het ANC.

VEILIGHEIDSDIENSTEN ONDER CIVIEL GEZAG

Uit uw autobiografie blijkt dat u maatregelen trof om controle te verwerven over het veiligheidsapparaat, maar dat u daar niet volledig in slaagde. Er gebeurden dingen waar u geen weet van had. Hoe moet je met recalcitrante veiligheidstroepen omgaan? Wat zou u adviseren?

Er gebeurden inderdaad dingen waarvan ik niets wist en het optreden van bepaalde elementen binnen het veiligheidsapparaat druiste in tegen hun formele taken en instructies, en tegen mijn beleid en principes.

Mijn voorganger was minister van Defensie voordat hij premier en later president werd. In die laatste functies bezorgde hij het leger een bevoorrechte positie. Hij zette een 'securocratisch' systeem op onder de staatsveiligheidsraad (SSC), een orgaan waarvoor hij mij coöpteerde vanwege mijn politieke leiderschap, niet vanwege de dossiers die ik beheerde. Hij liet die raad plannen opstellen voor andere departementen. De SSC was eigenlijk bijna een kabinet binnen een kabinet.

Als de Weermacht, het Zuid-Afrikaanse leger, met een actieplan voor sociaaleconomische verandering kwam, zorgde de machtige SSC voor invoering van die sociaaleconomische programma's. Dat riep weerstand op bij de reguliere ministeries van Gezondheid, van Volkshuisvesting, van Lokaal Bestuur en zo meer, omdat de securocraten zich met hun zaken bemoeiden.

Toen ik president werd, maakte ik van de veiligheidsraad weer een gewone kabinetscommissie. Ik verkleinde het orgaan tot normale proporties, gaf het een eenvoudig secretariaat zoals een gewone kabinetscommissie dat krijgt, en maakte een einde aan de bevoorrechte positie die vooral het leger onder Botha had gehad (bij de politie viel dat nog mee). Als de staatsveiligheidsraad iets wilde bespreken, moesten ze bij het kabinet zijn, niet bij mij. Ze moesten niet langs slinkse weg de lijnen uitzetten en vervolgens het kabinet confronteren met een fait accompli. Ik stond erop dat het land geregeerd werd door de premier en zijn ministers. Ik raadpleegde het voltallige kabinet bij alle belangrijke beslissingen. Wat er resteerde van de SSC kon voorstellen indienen, maar het kabinet zou uiteindelijk de beslissingen nemen.

Waarom deed u zoveel moeite om het leger en de SSC weer onder het gezag van het kabinet, van het normale besluitvormingsproces te plaatsen?

Ik werd minister in 1978 en nog geen jaar later trad P.W. Botha aan als premier, om in 1984 president te worden. Tijdens mijn jaren in het kabinet heb ik me altijd geërgerd aan die exclusieve positie van leger en SSC. Ik stond heel kritisch tegenover de voorrang die Botha het leger verleende. Al als piepjonge minister voerde ik min of meer oppositie tegen die gang van zaken. Lang voordat ik president werd, had ik het al voor mezelf uitgemaakt: als ik ooit staatshoofd werd, zou ik die situatie normaliseren en het kabinetssysteem weer invoeren.

Ik kom nog even terug op het veiligheidsapparaat. Zuid-Afrika heeft nooit een geschiedenis van militaire coups gekend en juist daarom hadden leger en politie geen extra taken naast hun normale functie. Het leger bewaakte de grenzen van Zuid-Afrika en stond in voor de internationale veiligheid; de politie diende de wet en de orde in het land te handhaven. Ik heb de top van beide instellingen nooit in staat geacht een coup te plegen.

In de jaren van P.W. Botha redeneerden de veiligheidstroepen dat politici de taak hadden politieke oplossingen te zoeken, terwijl zij een klimaat en een situatie moesten bewerkstelligen die het mogelijk maakten om die politieke oplossingen te introduceren en bevorderen. Ik belegde daarom twee vergaderingen. De eerste met de vierhonderd hoogste politieofficieren van het land en de tweede met de Weermacht. Ik vertelde hun het volgende: 'In het verleden zijn jullie bij dingen betrokken waar jullie niets mee te maken hadden. Vanaf nu houden jullie je weer uitsluitend bezig met jullie basistaken. Alle betrokkenheid bij zaken met politieke implicaties neem ik jullie uit handen en ik maak een einde aan al die geheime operaties, tenzij ze noodzakelijk zijn voor de staat.' Ik stelde een adviescommissie in voor speciale geheime projecten onder leiding van professor Kahn. Alle geheime programma's moesten worden gemeld en de commissie zou de regering adviseren welke programma's ze moest handhaven en welke niet. Hetzelfde deed ik met de Weermacht. Toen ik het bewijs in handen kreeg dat bepaalde elementen binnen deze organen bleven opereren tegen dit beleid en deze maatregel in, benoemde ik de commissie-Harms om het optreden van het leger en van de anti-oproereenheid van de politie te onderzoeken. Maar het leger misleidde de commissie-Harms. Vervolgens stelde ik de commissie-Goldstone in (officieel de commissie voor onderzoek naar de preventie van geweld en intimidatie van overheidswege). Toen Goldstone bepaalde feiten ontdekte, greep ik stevig in — ik schorste een aantal hogere officieren, beval een onderzoek naar een aantal van hen en stuurde andere weg met vervroegd pensioen — om de groep te breken die zich schuldig had gemaakt aan wat Goldstone had ontdekt.

Er was pas echt sprake van een risico op destabilisatie toen een voormalige bevelhebber van de Weermacht, generaal Constand Viljoen, een nieuwe partij oprichtte: het Afrikaner Volksfront. Hij kon rekenen op de steun van het middenkader van legerofficieren en vormde een grote bedreiging. Uiteindelijk neutraliseerde Mandela dit risico. Hij bereikte een akkoord met Viljoen op basis van de belofte dat na de eerste verkiezingen de mogelijkheid van een blanke nationale staat zou worden bekeken. In de eerste overgangsgrondwet van 1993 namen we inderdaad de clausule op dat dit scenario kon worden onderzocht. Viljoen nam deel aan de verkiezingen en trok zijn dreigement in om de verkiezingen te boycotten met *no go*-zones, gebieden waar de regering de orde niet zou kunnen handhaven. Petje af voor Mandela dat hij dit voor elkaar kreeg. Ik was dus niet populair bij de legerleiding en ben nog altijd niet geliefd bij het merendeel van de voormalige generaals van de Weermacht.

SOCIALE MOBILISATIE

Ook zwarte mensen beschouwden de politie als een repressieve instelling. Hoe pakte u de hervormingen bij de politie aan en hoe herstelde u hun relatie met de bevolking?

Op dat vlak kregen we de steun van de kerken met hun initiatief voor het nationaal vredesakkoord, het resultaat van aparte besprekingen. Mandela, Buthelezi, ikzelf en anderen waren aanwezig bij de oprichtingsvergadering. Het ontstond niet onder auspiciën van de regering, maar onder leiding van het maatschappelijk middenveld. Het akkoord voorzag in de oprichting van lokale gemeenschapscommissies waarin de politie in gesprek ging met maatschappelijk leiders aan de basis. Op veel plaatsen verdween zo de antipathie, verbeterde de samenwerking en ontstond er meer begrip. Bisschop Tutu had een groot aandeel in dit proces, dat een goede en nuttige rol speelde.

Het is belangrijk om onder dergelijke omstandigheden de Weermacht en de politie bij de zaken te betrekken. Het is zaak het veiligheidsapparaat te depolitiseren en ze niet meer in te zetten voor politieke doelen, zoals onderwerping van het ANC.

GERECHTIGHEID EN VERZOENING

Hoe benaderde u de kwestie van amnestie voor geweldplegers?

Ik was voorstander van de Norgaard-principes, waarbij uitermate gewelddadige misdrijven of misdaden met voorbedachten rade afzonderlijk worden behandeld en die amnestie uitsluiten voor misdrijven zoals moord en verkrachting en dergelijke. Ik vind dit verwerpelijke methoden die buiten de regels van oorlogvoering vallen. Ik moest echter een compromis sluiten met mijn partij, omdat de ministers van Politie en Defensie zich ernstig zorgen maakten over zaken waar ik geen weet van had, over dingen die hun manschappen in voorafgaande jaren hadden gedaan. Ik ging schoorvoetend akkoord met het compromis en stemde in met brede amnestie zonder toepassing van de Norgaard-principes. Het deed me pijn om Barend Strydom vrij te laten, die op het Strijdomplein in Pretoria zoveel zwarte mensen had doodgeschoten vanwege het simpele feit dat ze zwart waren. Ik vond het ook vreselijk dat ik een man uit het ANC-kamp op vrije voeten moest stellen die een bom had gegooid in een bar waar mensen rustig een drankje zaten te drinken.

Onvoorwaardelijke amnestie vereiste dat er volledige openheid van zaken was over een misdrijf en dat het vaststond dat dat vergrijp met een politiek motief was gepleegd. Dat waren de twee voorwaarden. Uiteindelijk verliep de amnestieregeling tijdens mijn presidentschap, in zoverre die er kwam, goed. De gratieverlening werd echter niet voltooid. Toen volgde er amnestie onder de waarheids- en verzoeningscommissie (TRC). Het is een van de goede dingen die ze hebben gedaan. Ik sta kritisch tegenover een aantal andere zaken, maar de taak om amnestie-aanvragen te onderzoeken en te beoordelen hebben ze integer en met succes vervuld.

Op welke aspecten van de TRC had u kritiek?

Ze waren bevooroordeeld. Als je kijkt naar de reikwijdte van hun onderzoek zie je dat ze nooit echt grip hebben gekregen op het geweld van zwarten tegen zwarten. Ze hebben de politieke misdrijven van het ANC nooit echt aangepakt. Hun inspanningen richtten zich vooral op misdrijven van het veiligheidsapparaat. Dit was het enige punt waarover Mandela en ik het niet eens zijn geworden. Ik was destijds vicepresident. Hij moest me raadplegen toen we binnen de regering van nationale eenheid voor het eerst onderhandelden over de oprichting van een TRC. Aanvankelijk ging het alleen om een waarheidscommissie. Wijlen Dullah Omar, minister van Justitie, was met het voorstel gekomen om bevrijdingsgroepen te onderwerpen aan een ander en gemakkelijker onderzoek, en leden van het veiligheidsapparaat strenger door te lichten. We bereikten een akkoord dat voor iedereen hetzelfde onderzoek zou gelden en dat we de waarheidscommissie zouden uitbreiden tot een waarheids- en verzoeningscommissie.

Na een consultatieronde over wie er in de commissie zou zetelen, kreeg ik een lijst met namen waarop geen enkele aanhanger van de Nasionale Party voorkwam. Er stond alleen iemand op die de NP had verlaten. Voor de rest waren het allemaal ANC-sympathisanten. Met een klein team hebben we dat goed bekeken, waarna ik naar Mandela ging en hem vertelde dat de lijst van potentiële commissieleden te eenzijdig was. Ik gaf hem een paar goede namen en vroeg hem te overwegen die aan de lijst toe te voegen ter vervanging van een paar andere namen. Dat weigerde hij. En als ik dit door wilde duwen, zei hij, zou hij aandringen op andere zaken. En toen zei ik tegen hem: 'Doe maar, maak de oprichting en samenstelling van de TRC maar bekend. Ik houd je niet tegen. Maar ik zal wel publiekelijk verklaren dat ik het niet eens ben met de samenstelling van de commissie, dat we het hierover kennelijk niet eens kunnen worden. En in die zin is het jóúw commissie en niet een commissie die de volledige steun geniet van alle leden van de regering van nationale eenheid.' En zo is het gegaan. Al vanaf het begin was er vooringenomenheid.

Ik verwijs vaak naar het voorbeeld van Chili en hoe hun equivalent van de TRC de bij het conflict betrokken partijen beter vertegenwoordigde. Omdat de Chileense commissie inzichten verwierf vanuit allerlei invalshoeken was hun aanpak beter dan de onze.

Mensenrechtenschendingen en corruptie vormen de erfenis van dictaturen en autoritaire regeringen. Om het nieuwe democratische systeem te legitimeren moeten die worden aangepakt. Wat hebben uw ervaringen u in dezen geleerd?

Het zou beter zijn geweest als we vóór de verkiezingen van 1994 tot preciezere afspraken waren gekomen over de aanpak van politieke misdrijven. Het is de enige kwestie waarin steeds werd getreuzeld, de enige zaak die leidde tot spanningen tussen Mandela en mij. De onderhandelingen waren niet voldoende afgerond toen we de overgangsgrondwet van 1993 goedkeurden. Die grondwet bepaalde dat de kwestie van politieke misdrijven aan bod kon komen na de eerste verkiezingen van 1994. Voor de implementatie van een nieuw stelsel moest er een definitief akkoord liggen over de aanpak van politieke misdrijven en amnestie.

ONDERHANDELEN: HET PROCES EN DE MECHANISMEN

Is creatieve ambiguïteit volgens u in sommige gevallen niet beter dan voortijdige duidelijkheid?

Daarom spreek ik ook van 'niet voldoende afgerond'. De hele overgangsgrondwet beantwoordt aan het concept van creatieve ambiguïteit. Het was geen finaal akkoord en bevatte 34 principes waaraan de uiteindelijke grondwet zou moeten voldoen. Het omvatte de afspraak dat het nieuwe grondwettelijk hof moest verklaren dat de definitieve grondwet aan de 34 principes voldeed. We probeerden niet alles glashelder te krijgen.

HERZIENING VAN DE GRONDWET

De grondwet is het kroonjuweel van de transitie. De vraag is altijd hoe je de grondwet hervormt. Het ANC wilde een grondwetgevende vergadering en u gaf de voorkeur aan een commissie. Welke lering heeft Zuid-Afrika getrokken uit het schrijven van een grondwet?

Dat initiatief nam ik op de eerste grote bijeenkomst waaraan alle partijen deelnamen. Het uitgangspunt van het ANC was dat het toen geldende systeem moest worden opgeschort. We zouden een niet-verkozen regering van nationale eenheid vormen en die regering zou verkiezingen organiseren voor een grondwetgevende vergadering die autonoom een nieuwe grondwet zou schrijven. De NP wilde via onderhandelingen een akkoord bereiken over een nieuwe grondwet en pas daarná verkiezingen houden. Mijn regering en ik namen het initiatief om een overgangsgrondwet voor te stellen die bepalingen bevatte over de verkiezing van een nieuw parlement. Iedereen zou daarvoor stemmen. Zo'n nieuw parlement zou dan ook de definitieve grondwet schrijven. En dat gebeurde tussen 1994 en 1996. Voor mij was het uiteindelijke pakket essentieel. Ik ben er ook heel blij mee. Het ging mij erom dat er nooit een grondwettelijk vacuüm zou ontstaan. De regering van Zuid-Afrika, alle gebreken van het oude systeem ten spijt, was grondwettelijk gesproken een legitieme regering die erkend werd door de rest van de wereld.

Ik heb erop gehamerd dat een nieuwe grondwet moest worden aanvaard door het parlement zoals het dan zou zijn samengesteld, en dat hebben we bereikt. Als je een legitieme regering hebt, mag je nooit een constitutioneel vacuüm creëren door de bestaande grondwet op te schorten. De bestaande constitutie mag je alleen vervangen door een nieuwe, via onderhandelingen tot stand gekomen grondwet.

Zou een grondwetgevende vergadering niet aan die vereisten hebben voldaan?

Een grondwetgevende vergadering kan een rol spelen, maar de les die we hebben geleerd is dat zo'n vergadering grenzen moet hebben, en die afpaling was vastgelegd in de 34 onveranderbare principes die zelf het resultaat waren van inclusieve onderhandelingen. Vervolgens kan een grondwetgevende vergadering zorgen voor het vlees op de botten van zo'n handvest. Het doel van de 34 principes was een officieel akkoord over de parameters van de nieuwe grondwet.

DE ROL VAN HET BEDRIJFSLEVEN

Welke rol speelde het bedrijfsleven in de Zuid-Afrikaanse transitie? Kunt u iets vertellen over het Nationaal Economisch Forum?

We konden het bedrijfsleven geen formele rol geven in de onderhandelingen, omdat het dan moeilijk werd om te bepalen wie wel of niet mocht deelnemen aan het formele onderhandelingsproces. Moesten de kerken dan ook een formele rol krijgen? En de liefdadigheidsinstellingen? Waarom zou je alleen het bedrijfsleven in het proces betrekken? We beperkten het onderhandelingsproces daarom tot politieke partijen. Elke politieke partij moet echter een manier ontwikkelen om te communiceren met externe belangengroepen en de NP werkte nauw samen met het bedrijfsleven. Het bedrijfsleven was betrokken bij het onderhandelingsproces in die zin dat het het secretariaat voor CODESA ondersteunde. De ondernemers betaalden het en beheerden alle logistieke zaken.

Ik gaf het bedrijfsleven een rol door topindustrieel Derek Keys als minister van Financiën te benoemen. Hij moest een begroting voorbereiden die een parlement met een ANC-meerderheid binnen zes weken na de verkiezingen moest goedkeuren. Hij moest die begroting en de daarin vervatte economische principes op voorhand aan het ANC verkopen en dat is hem gelukt.

Een anekdote: de dag nadat Keys een PowerPointpresentatie in het kabinet had gegeven, overlegde hij met Trevor Manuel – lid van het ANC en toen hoofd van het departement van Economische Planning – en anderen in een oude Kaapse villa van de Rembrandt Groep. Toen de twee naar de auto liepen, zei Keys: 'Ik heb hier in mijn auto de presentatie die ik het kabinet gisteren heb laten zien. Laten we even terug lopen, dan laat ik ze jou ook zien.' Zo omzeilde hij op een slimme manier de normale onderhandelingsstructuren en wist hij bij te dragen tot de switch die het

ANC maakte van nationalisering naar privatisering, van een gecentraliseerde economie naar erkenning van het belang van de vrije markten.

Dus informeel en zonder een speciale structuur heb ik het bedrijfsleven bij het gebeuren betrokken.

HET MAATSCHAPPELIJK MIDDENVELD

Het Zuid-Afrikaanse maatschappelijk middenveld was heel actief. U had het al over bisschop Tutu. Waren de kerken en kerkelijke instanties belangrijk?

Voor het nationaal vredesakkoord absoluut. Ook hebben de kerken veel betekend voor goede relaties tussen blank en zwart, en voor het kweken van goodwill. Toch waren het bedrijfsleven en bijvoorbeeld juristenorganisaties belangrijker omdat die meer te maken hadden met de inhoudelijke aspecten van een onderhandelde grondwet. Ik plaats het bedrijfsleven bij het maatschappelijk middenveld. Binnen het ANC hadden de vakbonden (die je ook kunt beschouwen als maatschappelijke organisaties) veel inbreng. Ze speelden een belangrijke rol bij de onderhandelingen vanuit het ANC-kamp.

INTERNATIONALE STEUN

Toen u president werd, was de Berlijnse Muur verdwenen. Hoe waren de nieuwe internationale context en internationale actoren van invloed op uw visie en optreden?

De val van de Berlijnse Muur en de ineenstorting van de Sovjet-Unie als expansionistische wereldmacht die de controle probeerde te verwerven over zuidelijk Afrika, boden ons een unieke kans. Ik denk dat het pakket van 2 februari 1990 er anders had uitgezien als de Muur niet was gevallen.

Er was sprake van een reële communistische dreiging voor Zuid-Afrika. Duizenden Cubaanse militairen stonden aan onze grenzen. We vochten een oorlog uit tegen hen. De communistische partij was geïnfiltreerd in bevrijdingsbewegingen en voorzag ze van wapens en training. De leden van die groepen waren gelieerd aan het ANC én aan de communistische partij. De dreiging was reëel en toen die verdween, gaf dat een unieke kans om een drastischer hervormingspakket samen te stellen.

Voordat ik formeel aantrad als president was ik in de Zuid-Afrikaanse context van die tijd al de nieuwgekozen president zodra ik leider van mijn partij werd. Ik maakte een wereldtour en informeerde Thatcher, Mitterrand en Kohl. Ook bracht ik de Portugese premier Cavaco Silva, die een goede vriend werd, op de hoogte. En al vroeg in het proces ontwikkelde ik een goede relatie met George H.W. Bush. Het ANC benadrukte dat de sancties pas opgeheven mochten worden als zij de macht hadden overgenomen. Ik zei: 'Nee. We hebben onze integriteit bewezen. We doen alles wat redelijkerwijs van ons kan worden gevraagd. De sancties moeten nu van tafel.'

De internationale gemeenschap steunde me hierin, hief de sancties op, aanvaardde onze goede trouw en steunde het proces. Dat was heel belangrijk voor ons.

Wij noch het ANC hebben ooit de mogelijkheid overwogen om internationale arbiters bij het onderhandelingsproces te betrekken. We waren het er al snel over eens dat we als Zuid-Afrikanen met elkaar moesten onderhandelen. Toch speelden andere regeringen een belangrijke rol achter de schermen. Het waren vooral de Europese regeringen en Amerika die ons op allerlei vlakken steunden. Sommige ambassadeurs waren actief achter de schermen toen we bij CODESA in een impasse zaten, en later hielpen ze bruggen bouwen bij nieuwe onderhandelingen. Sommigen eisen iets meer eer voor zich op dan ze in dit opzicht eigenlijk verdienen, maar ik erken beslist dat ze een rol speelden. Ze stonden echter aan de zijlijn en spraken achter gesloten deuren. Het was dus geen formele rol.

BASISPRINCIPES

U schrijft in uw autobiografie dat Mandela niet aan zichzelf twijfelde. We hebben een aantal politieke leiders geïnterviewd en daaruit bleek dat bij de historische rol die vooraanstaande politieke leiders — uzelf inclusis — in transities hebben gespeeld, het vermogen om beslissingen te nemen zonder deze achteraf te heroverwegen een cruciale eigenschap is. Is dat een aangeboren kwaliteit van mensen of is het iets wat je leert in de loop van het politieke proces?

Ik denk dat alle elementen die u opsomt meetellen. In mijn specifieke geval denk ik dat mijn juridische opleiding een rol heeft gespeeld, en in het bijzonder de universiteit waar ik heb gestudeerd. Aan de rechtenfaculteit van de universiteit van Potchefstroom leerde je dat je bij het oplossen van een probleem eerst de vraag moest stellen welke principes erop van toepassing waren. Als een cliënt binnenkomt en zegt: 'Zus en zo is mijn probleem', dan ren je niet naar je bibliotheek om te kijken welke uitspraken rechters in het verleden over dat specifieke probleem hebben gedaan. Voor je dat doet, stel je jezelf als advocaat de vraag om welke principes het gaat en wat de wet erover zegt. Ik leerde logisch nadenken. Ik heb nooit ingrijpende beslissingen genomen zonder degelijk overleg vooraf, zonder er goed over na te denken. Moeilijke beslissingen nam ik nooit overhaast. Ik overwoog alles zorgvuldig en na gedegen overleg, na er goed over te hebben nagedacht. Pas na mezelf de vraag te hebben gesteld wat goed en wat fout was, en welke principes erop van toepassing waren, kwam ik tot een conclusie en hoefde dan niet meer te twijfelen.

DE MACHT DELEN

Hoe heeft u de criteria die u opsomde toegepast toen u besloot uit de regering van nationale eenheid te stappen? Hoe dacht u destijds over de impact daarvan op de toekomst van Zuid-Afrika?

De eerste achttien maanden van de regering van nationale eenheid verliepen goed. Het ANC besefte dat het geen bestuurlijke ervaring had en leunde zwaar op mijn ervaring en op die van mensen als Pik Botha en anderen die met mij het kabinet van de regering van nationale eenheid vormden. Op zeker moment oordeelde het ANC dat het voldoende had geleerd en dat onze ervaring niet meer in diezelfde mate nodig was.

Ik had een dubbele functie. Ik was vicepresident en lid van de regering, maar ook leider van de voornaamste oppositiepartij. Ze wilden me het zwijgen opleggen en zeiden dat ik binnen het kabinet voorstellen mocht bekritiseren, maar dat ik als vicepresident een eenmaal genomen besluit niet openlijk kon aanvallen, ook al was ik ertegen. En dat was niet in de geest van hoe de regering van nationale eenheid hoorde te werken.

Daarnaast had ik de kiezers bij de verkiezingen van 1994 beloofd dat we bij de onderhandelingen over de definitieve grondwet zouden blijven streven naar een systeem dat het consensusprincipe over de eerste vijf jaar zou tillen. Hoewel we een regering van nationale eenheid waren overeengekomen voor vijf jaar, had ik de kiezers dus voor de definitieve grondwet een soort consensusgericht model beloofd voor de toekomst, voor na 1999.

Ik heb Mandela bij twee gelegenheden gezegd dat ik genoodzaakt zou zijn de regering van nationale eenheid te verlaten als hij niets toegaf op dat vlak. Roelf Meyer, onze hoofdonderhandelaar, verzekerde me dat hij mijn instructie had opgevolgd en dit diverse malen tegen Cyril Ramaphosa — hoofd van het onderhandelingsteam van het ANC en voorzitter van de grondwetgevende vergadering — heeft gezegd. Ons definitieve voorstel was heel mild. Na de eerste vijfjarige kabinetsperiode van de regering van nationale eenheid zouden we de situatie normaliseren. Er zou dan geen regering van nationale eenheid meer zijn. De partij die 50 procent van de stemmen behaalde, zou de regering vormen, zoals in elke normale democratie. We stelden echter voor dat de definitieve grondwet zou voorzien in een nationale adviesraad naast het kabinet. Elke toekomstige regering zou de constitutionele plicht hebben om zaken van nationaal belang voor te leggen aan zo'n adviesraad, bestaande uit vertegenwoordigers van alle grote partijen, in een poging overeenstemming te bereiken over het regeringsbeleid in zo'n geval. Ik denk hierbij bijvoorbeeld aan de begroting.

We gingen nog verder en stelden voor dat een eensluidend voorstel van de adviesraad door de regerende partij als regeringsbeleid moest worden geïmplementeerd. Als er geen consensus was in die raad, zou de regering de zaak zelf weer oppakken, zoals in elke normale democratie. De adviesraad zou geen vetorecht hebben. Als het ANC dat niet aanvaardde, zei ik, zou ik overwegen de regering van nationale eenheid te verlaten. Het ANC ging niet akkoord. Het was voor mij een gewetenskwestie. Ik had mijn kiezers een belofte gedaan. In deze specifieke zaak was ik er niet in geslaagd een consensusgericht model te introduceren op uitvoerend niveau en daarom diende ik mijn ontslag in.

Heeft u spijt van uw beslissing om uit de regering van nationale eenheid te stappen?

Zelfs veel van mijn aanhangers vinden dat we hadden moeten blijven, maar ik zal u een verhaal vertellen. Toen het ANC nee had gezegd, riep ik het bestuur van mijn partij bijeen. Een ander orgaan dan mijn kabinet – ik had trouwens geen volledig kabinet meer. Ik zei: 'Luister, we moeten nu beslissen. Blijven we of stappen we eruit?' Pik Botha en Roelf Meyer vonden dat we moesten blijven; de andere groep wilde vertrekken.

Ik bood aan uit de regering van nationale eenheid te stappen en de oppositie, de Nasionale Party, te leiden vanuit het parlement. Een van de andere leiders zou dan vicepresident worden. De partij zou in de regering van nationale eenheid blijven, maar ik zou vertrekken. Maar dat zag Pik Botha niet zitten.

INTERNATIONALE STEUN

De grootste verantwoordelijkheid en het voornaamste hefboomeffect liggen altijd bij nationale actoren. Kunt u, met die gedachte in het achterhoofd, iets zeggen over de wijze waarop internationale actoren transities naar democratie in andere landen nuttig, en dus niet contraproductief, kunnen ondersteunen?

Dat is een vraag waarover ik wat langer moet nadenken. Solide en succesvolle democratieën moeten volgens mij niet proberen hun model op te leggen aan landen waar conflicten heersen. De mensen in zulke conflictlanden moeten de kans krijgen om oplossingen te zoeken die aansluiten bij hun tradities en hun geloofsovertuiging — als religie een rol speelt. Succesvolle landen moeten hun constitutionele modellen niet als een exportproduct beschouwen en ze aan anderen opleggen. Volgens mij maakt Amerika die fout weleens.

Daarnaast denk ik dat de internationale gemeenschap en vooral landen met historische relaties met conflictlanden een rol kunnen spelen. Israël en Palestina zijn een goed voorbeeld. Ik vind dat de Arabische landen meer moeten doen om de Palestijnen op een werkbaarder standpunt te brengen met betrekking tot het bestaansrecht van de staat Israël en de parameters voor de terugkeer van alle Palestijnen. Amerika en de Europese landen, maar met name de VS met zijn lange traditie, moeten dan weer meer doen om de Israëliërs tot initiatieven te bewegen. Zij hebben de macht. Zij zijn, net als ik toen, bij machte om initiatieven te ontplooien. Amerika zou de druk op de Israëlische regering moeten opvoeren en hen moeten dwingen initiatieven te nemen om nieuwe nederzettingen te stoppen. Ze zouden het punt moeten bereiken waarop ze de Palestijnen een land kunnen geven waarop dat volk trots kan zijn; niet slechts een paar door asfaltwegen verbonden steden. Ik vind dat regeringen die banden hebben met de Israëlische regering de plicht hebben hiervoor hun invloed aan te wenden.

Dit is volgens mij een goed model voor landen als Syrië en dergelijke. Landen die een groot belang hebben bij wat er gebeurt in een door conflicten ontregeld buurland zouden een constructieve, maar geen dicterende rol moeten nastreven.

BIOGRAFISCHE SCHETS VAN THABO MBEKI, PRESIDENT VAN ZUID-AFRIKA (1999–2008)

Thabo Mbeki, zoon van een prominent leider van de Zuid-Afrikaanse communistische partij en het ANC, kreeg een politieke en militaire opleiding in Moskou en studeerde vervolgens aan de London School of Economics en de universiteit van Manchester. Hij was 28 jaar actief in de politiek als balling in Londen en in verscheidene Afrikaanse landen. Hij was de belangrijkste medewerker van ANC-voorzitter Oliver Tambo. Mbeki was een van de belangrijkste strategen achter de uitermate succesvolle campagne van het ANC voor internationale sancties tegen de apartheid, en hij nam het voortouw voor gesprekken buiten Zuid-Afrika tussen het ANC en blanke Zuid-Afrikaanse leiders.

Kort na Mandela's vrijlating uit de gevangenis keerde Mbeki terug naar Zuid-Afrika, waar hij een centrale rol vervulde bij het onderhandelingsproces dat leidde tot de door Mandela gewonnen verkiezingen van 1993. Mbeki was de eerste vicepresident en in praktische zin de nummer één van de nieuwe Zuid-Afrikaanse regering. Hij steunde op zijn politieke positie binnen het ANC, op de relaties die hij had opgebouwd met Zuid-Afrikaanse blanke elites – eerst in het kader van de vertrouwelijke gesprekken voorafgaand aan de hervormingen van De Klerk, en later in het onderhandelingsproces – en op zijn eigen strategische instinct om de transitie vooruit te helpen. Niet zonder slag of stoot wist Mbeki het vertrouwen te winnen van nationale en internationale investeerders, wat leidde tot hervorming en herstel van de Zuid-Afrikaanse economie. In 1999 en 2004 won Mbeki de presidentsverkiezingen, maar zijn reactie op de hiv/aidsepidemie tastte zijn nationale en internationale imago zozeer aan dat hij in 2008 zijn functie moest neerleggen. Hij is sindsdien een prominent woordvoerder voor Sub-Saharisch Afrika en een vertrouwde bemiddelaar bij conflicten in de regio.

INTERVIEW MET PRESIDENT THABO MBEKI

Welke strategie werd er in de jaren tachtig gevolgd om een einde te maken aan de apartheid? Hoe ontstond er een internationaal steunnetwerk voor het ANC?

Het ANC werd verboden in 1960. Kort daarna stuurde het ANC een aantal leiders naar het buitenland omdat het voor de leiding duidelijk werd dat we internationale steun nodig hadden om een einde te maken aan de apartheid en dat we een internationale antiapartheidsbeweging moesten opzetten. Vanaf 1960 kreeg de rol van de internationale gemeenschap in de strijd tegen apartheid meer prioriteit.

We probeerden iedereen in de wereld te mobiliseren — regeringen, burgers, gelovigen, vakbonden, politieke partijen, iedereen — om op te komen tegen de apartheid. Rechtstreekse steun op uiteenlopende vlakken van landen als de Sovjet-Unie en Cuba stelde het ANC in staat om ook met militaire middelen de strijd voort te zetten. Ook landen als Zweden, vooral toen Olof Palme premier was, steunden onze strijd en die van andere oppositiegroepen in het land.

Naast rechtstreekse steun aan het ANC was er de boycot van het apartheidsregime in Zuid-Afrika en de invoering van sancties. Gewone burgers weigerden Zuid-Afrikaanse producten te kopen, regeringen legden sancties op en ondernemingen gaven te verstaan niet langer in Zuid-Afrika te willen investeren.

Humanitaire hulp was een derde element. Internationale organisaties boden hulp aan vluchtelingen en die internationale steun werd een belangrijk onderdeel van onze strijd. We hebben later gezegd dat de Zuid-Afrikaanse strijd op vier pijlers rustte. Eén pijler was de mobilisering van de bevolking in het land. De tweede pijler was de militaire strijd, met in ons geval Umkhonto weSizwe, de gewapende tak van het ANC die militaire operaties op touw zette. De derde was de wederopbouw van het ANC na het verbod op de partij en het opzetten van afdelingen en een structuur die de grote politieke strijd oversteeg — daar waren heel wat elementen mee gemoeid, in het bijzonder het vormen van een ondergrondse organisatie die de strijd op diverse manieren kon voortzetten. De vierde pijler was internationale solidariteit die, zoals ik al zei, op verschillende manieren tot uitdrukking kwam. De activering van die vier pijlers leidde uiteindelijk tot de ondergang van het apartheidsstelsel.

Hoe beïnvloedden de veranderingen in de Sovjet-Unie en de Verenigde Staten in de jaren tachtig uw strategie om internationale steun te verkrijgen?

De jaren tachtig weerspiegelden de crisis van het apartheidsstelsel. Het werd voor iedereen duidelijk, ook voor het apartheidsregime zelf, dat verandering onvermijdelijk was. Zo had de Chase Manhattan Bank geld geleend aan de Zuid-Afrikaanse regering en in 1985, toen de regering de leningen moest aflossen, eiste die bank de terugbetaling van kredieten die ze normaliter altijd verlengden en verhoogden. De regering was echter bankroet, had het geld niet en klopte aan bij de destijds grootste vennootschap in Zuid-Afrika, de Anglo American Corporation, om geld te lenen en de schulden af te betalen.

Dat was een belangrijk moment. De Chase Manhattan Bank eiste terugbetaling omdat, volgens hun analyse van de politieke situatie in Zuid-Afrika, de regering niet zou standhouden en vroeg of laat moest opstappen. Als ondernemers begrepen ze dat ze het aan Zuid-Afrika geleende geld dreigden te verliezen.

De VS voerde een beleid van *constructive engagement*, dat er in wezen op neerkwam dat Amerika het ANC isoleerde en alleen met de Zuid-Afrikaanse regering sprak over invoering van een geleidelijke hervorming van het apartheidsstelsel. Toen een belangrijke Amerikaanse bank echter de kans reëel achtte dat de apartheidsregering zou vallen, veranderde de Amerikaanse regering van koers. Later, in 1987, nodigde George Shultz, de Amerikaanse minister van Buitenlandse Zaken, ANC-voorzitter Oliver Tambo uit voor een bezoek aan Washington om de relatie tussen zijn regering en het ANC te bespreken.

In die periode veranderde ook de positie van Namibië, nadat er een einde was gekomen aan de oorlog in Angola waar het Zuid-Afrikaanse leger vooral tegen de Cubanen had gevochten. De Zuid-Afrikaanse regering besefte dat ze de oorlog in Angola nooit zou winnen en eigenlijk ook het geld niet had om die door te zetten. De oorlog werd onbetaalbaar voor de Zuid-Afrikaanse economie en was niet te winnen op het slagveld, en daarom kwamen de Verenigde Staten tussenbeide. De VS faciliteerde onderhandelingen tussen Cuba, Angola en Zuid-Afrika over een wapenstilstand. Namibië kreeg de mogelijkheid om onafhankelijk te worden, want na terugtrekking van de Zuid-Afrikaanse troepen en de Cubanen uit Angola en het herstel van de vrede aldaar, kregen de Namibische vrijheidsstrijders onder leiding van de SWAPO voldoende gelegenheid om de strijd in Namibië vanuit Angola op te voeren. Om te voorkomen dat vrede in Angola zou uitmonden in een zwaardere strijd in Namibië besloot de internationale gemeenschap beide vraagstukken tegelijk op te lossen.

INTERNATIONALE INVLOED

Dat proces ging verder totdat Namibië in 1990 onafhankelijk werd. Toen Namibië de weg naar onafhankelijkheid eenmaal was ingeslagen, werd duidelijk dat het einde van de apartheid in Namibië invloed zou hebben op de apartheid in Zuid-Afrika. De gebeurtenissen hielden verband met elkaar.

INTERNATIONALE STEUN

Wat betreft de Sovjet-Unie, een belangrijke bron van steun, was het de gewoonte dat het ANC elk jaar een delegatie naar Moskou afvaardigde voor gesprekken met de Sovjetleiders. In 1989 trokken we naar de Sovjet-Unie met een team onder leiding van Oliver Tambo. Hij ontmoette Gorbatsjov, die uiteenzette wat er in de Sovjet-Unie gebeurde met de perestrojka en glasnost, waarom die dingen noodzakelijk waren, wat ze betekenden en wat ze ermee wilden bereiken. In die context haalde hij ook de kwestie van regionale conflicten aan en vertelde hij dat dit een van de zaken was waarover de Russen met de Amerikanen praatten. Zuid-Afrika beschouwden ze als een regionaal conflict, omdat de strijd in Zuid-Afrika ook impact had op Angola, Botswana, Swaziland en andere landen in de regio. De enige basis om het conflict in die regio op te lossen was de afschaffing van het apartheidsstelsel. Feit was dat de Russen en de Amerikanen het eens waren dat er een einde moest komen aan de apartheid en dat beide landen al het mogelijke zouden doen om dat te bereiken. Gorbatsjov zei dat de Sovjet-Unie het ANC zou blijven steunen zoals in het verleden. De Amerikanen (dit was na de ontmoeting tussen George Shultz en Oliver Tambo) zouden doen wat ze konden om een einde te maken aan het apartheidsstelsel, afhankelijk van wat in hun ogen mogelijk was.

De positie van de Sovjet-Unie bleef ongewijzigd onder Gorbatsjov. Het verschil was dat de VS tegen die tijd anders begon te denken. De Amerikanen voerden inmiddels rechtstreekse gesprekken met het ANC en waren op zoek naar eigen manieren om de ontmanteling van het apartheidsstelsel te bewerkstelligen. Tussen 1985 en 1990 was de mondiale antiapartheidsbeweging enorm gegroeid. Zo introduceerde het Amerikaanse congres de 'Comprehensive Anti-Apartheid Act', met sancties tegen Zuid-Afrika. Het congres keurde het wetsvoorstel goed, maar Reagan sprak zijn veto uit. Vervolgens schoof het congres Reagans veto terzijde en nam het de wet toch aan. Belangrijk was dat republikeinse senatoren, met name Richard Lugar en Nancy Kassebaum, de campagne leidden die het veto aanvocht. Zij vonden dat de republikeinse president het mis had en mobiliseerden de senaat om het veto te overrulen. Zelfs de Amerikaanse regering kon in deze kwestie niet tegen het congres in gaan.

De invoering van sancties was wereldwijd sterk toegenomen en de apartheid belandde in een nog diepere crisis. Er was grootschalig gewapend verzet, een van de vier pijlers waar ik het net over had. Er vonden verscheidene militaire acties plaats in het land. Veel van de ANC-structuren waren weer opgebouwd binnen Zuid-Afrika zelf. Het ANC was nog steeds verboden, maar kon toch opereren in Zuid-Afrika en richting geven aan de strijd. De internationale dimensie, de vierde pijler, had ook een zeker niveau van maturiteit bereikt.

In de Zuid-Afrikaanse bevrijdingsstrijd hadden alle grote spelers die zich verzetten tegen de apartheid inmiddels het leiderschap van het ANC aanvaard. Het maakte niet uit of je lid was van vakbond of kerk, of je tot de islamitische gemeenschap, een studentenfederatie of een jeugdbeweging behoorde, of je vrouw, leider van een traditionele gemeenschap, ondernemer of wat dan ook was; iedereen die tegen het apartheidsstelsel was, aanvaardde het leiderschap van het ANC. Daarom kon het ANC die leidersrol opnemen via structuren in binnen- en buitenland.

Ook de mondiale antiapartheidsbeweging accepteerde de leidende rol van het ANC. Het voorstel van het ANC om de strijd voor vrijlating van politieke gevangenen op te voeren, leidde bijvoorbeeld tot de campagne om Mandela uit de gevangenis te krijgen. Andere regeringen, zoals die van Zweden en Noorwegen, hadden die positie al veel langer ingenomen. De Verenigde Staten en het Verenigd Koninkrijk volgden veel later. Maar ook zij zagen uiteindelijk in dat ze niet om het ANC heen konden.

Het ANC leidde de mondiale campagne, maar had niet veel ANC-leden buiten Zuid-Afrika. Het mobiliseren van de solidariteitsbeweging en de organisatie van de Britse of Zweedse antiapartheidsbeweging werden de verantwoordelijkheid van mensen in die landen zelf. In Zweden hadden ze daarvoor geen ANC-structuren nodig. Er waren daar wel wat ANC-mensen, een man of zes, misschien tien, maar zeker niet meer. De Zweden zelf namen het leeuwendeel van de organisatie van de campagne voor hun rekening, omdat ze zich verantwoordelijk voelden; ze konden niet toestaan dat het apartheidsstelsel zou voortduren. Ze vonden dat er iets moest gebeuren.

We hadden dus niet zoveel ANC-mensen in het buitenland, behalve dan voor de pijler van de gewapende strijd. De opleidingen en wapenaankopen voor de gewapende strijd moesten wel in het buitenland plaatshebben. Het militaire kader van het ANC verbleef daarom in het buitenland, al is de overgrote meerderheid van hen nooit bij militaire acties betrokken geweest. Die buitenlandse aanwezigheid liet echter wel zien dat het ANC over de nodige capaciteit beschikte om de militaire strijd te intensiveren.

DE BASIS LEGGEN VOOR DIALOOG EN ONDERHANDELINGEN

Hoe begonnen de gesprekken tussen het ANC en blanke leden van de Zuid-Afrikaanse samenleving, met inbegrip van leden van de Nasionale Party?

Voor ons was het duidelijk dat het ANC zijn draagvlak onder de Zuid-Afrikaanse bevolking moest verbreden. Een deel van het probleem was dat het ANC sinds 1960 was verboden en daarom niet voor zichzelf kon spreken. Het apartheidsregime behandelde het ANC als zijn vijand. In hun ogen was het ANC een terroristische organisatie, een instrument van de Sovjet-Unie dat het land onder communistische heerschappij wilde brengen en zo verder. En dat was dus het imago van het ANC, in het bijzonder bij de blanke bevolking van het land.

Om verder te kunnen werken aan een oplossing was het belangrijk om de toplaag van de samenleving te overtuigen van de aard van het Zuid-Afrikaanse conflict; we moesten hun duidelijk maken dat het geen conflict was tussen een prowesterse, democratische, anticommunistische Zuid-Afrikaanse regering en een terroristische of communistische organisatie.

Een belangrijke doorbraak was dat de bovenste echelons van de Zuid-Afrikaanse samenleving – blanken, zakenlieden, intelligentsia, religieuze leiders en mediamensen – ook begrepen dat er verandering op komst was en dat Zuid-Afrika niet verder kon met het apartheidsstelsel. Nadat Chase Manhattan had geweigerd de lening te verlengen, zochten blanke Zuid-Afrikanen, onder wie zakenlieden en intelligentsia, contact met het ANC in het buitenland. Tal van opiniemakers in het land keerden zich tegen het apartheidsregime. Zelfs Afrikaners trotseerden P.W. Botha en zochten toenadering tot het ANC. Botha hoorde dat mensen uit de achterban van zijn eigen Nasionale Party van mening waren dat het beleid om het ANC te isoleren en vernietigen niet zou werken, en dat ze moesten gaan praten met het ANC. Rugby is een van de favoriete sporten van de Afrikaners en er waren zelfs vertegenwoordigers van het blanke rugby die contact zochten met het ANC.

Dat kwam aan als een mokerslag bij mensen als P.W. Botha. Het werd onvermijdelijk dat de Nasionale Party toegaf dat ze achter zou blijven als ze geen gelijke tred hield met de gebeurtenissen. En dus besloten ze met het ANC te gaan praten.

De Broederbond was een belangrijke organisatie van de Afrikaners. Ik ontmoette voorzitter Pieter de Lange en voerde in 1987 twee dagen lang gesprekken met hem in New York. De Broederbond vertegenwoordigde het machtscentrum van de Nasionale Party en de voorzitter legde me uit wat er gaande was binnen de Afrikaner samenleving. Hij stelde in 1987 duidelijk dat zij beseften dat het veranderingsproces in Zuid-Afrika tegen 1990 ingezet moest worden, omdat het land anders onvermijdelijk in een bloedige burgeroorlog verwikkeld zou raken die veel mensen het leven zou kosten. Om dat te vermijden moesten we in actie komen en een einde maken aan de apartheid.

Het destijds nog Britse mijnbouwbedrijf Gold Fields had Oliver Tambo in Londen ontmoet en met hem over Zuid-Afrika gepraat. Gold Fields vond ook dat er verandering moest komen en dat het ANC en de regering met elkaar om de tafel moesten. Tambo legde uit dat dat ook ons standpunt was. Gold Fields vroeg vervolgens of het gesprekken mocht initiëren tussen een aantal van deze Afrikaners en het ANC, en het ANC stemde daarmee in. Het mijnbouwbedrijf regelde de ontmoetingen met Afrikaners uit het kamp van de Nasionale Party, die echter niet de regering vertegenwoordigden.

We startten een aantal gesprekken met een delegatie onder leiding van professor Willie Esterhuyse van de universiteit van Stellenbosch. Esterhuyse was destijds lid van de Broederbond en zeer close met P.W. Botha. Hij leidde een team van Afrikaners en ik leidde de ANC-delegatie. Van 1987 tot 1990 hadden we een aantal vergaderingen die Gold Fields organiseerde. Tijdens de tweede of derde gespreksronde vertelde Esterhuyse me dat P.W. Botha onze gesprekken had goedgekeurd en dat hij de nationale inlichtingendienst had gevraagd contact met hem te houden. Dus voordat professor Esterhuyse Zuid-Afrika verliet voor een ontmoeting met ons, sprak hij met de mensen van de nationale inlichtingendienst die hem dan een aantal kwesties voorlegden waarover ze meer informatie wilden. Hij voerde die kwesties aan alsof ze van hemzelf kwamen. Bij terugkeer in Zuid-Afrika bracht hij dan verslag uit bij de nationale inlichtingendienst en zei: 'Oké, we hebben gepraat over de dingen die ik van jullie moest vragen. Dit zijn de antwoorden', en zo verder.

Tot 1989 probeerde de NP een zo goed mogelijk beeld en begrip te krijgen van het ANC. Ze beseften dat ze het ANC meer dan twintig jaar lang in een negatief daglicht hadden geplaatst en een onjuist imago hadden gecreëerd. Ze wilden weten waar het ANC voor stond en hoe het de toekomst van Zuid-Afrika zag. Ze wilden ook onze reactie horen op bepaalde gebeurtenissen in die periode, op de ontwikkelingen in Angola en Namibië bijvoorbeeld. Dit als voorbereiding op rechtstreekse officiële contacten tussen de NP-regering en het ANC, want ze waren op dat moment immers al in gesprek met Nelson Mandela.

Persoonlijke relaties zijn belangrijk in al die processen. Wat zijn uw ervaringen met het ontwikkelen van onderlinge relaties met leiders van de NP en de regering?

Vanaf ongeveer 1985 waren er interacties tussen ANC-leiders in ballingschap en de hogere echelons van de blanke Zuid-Afrikaanse samenleving — niet alleen de blanke, maar ik heb het nu alleen over de blanke gemeenschap. We voerden geregeld gesprekken met blanke ondernemers, blanke kerkelijke leiders, blanke academici, blanke vertegenwoordigers van vrije beroepen — juristen en zo — en zelfs met blanke sportlieden. Toen we in Lusaka in ballingschap waren, hadden we niet langer het gevoel in het buitenland te wonen omdat we elke dag andere Zuid-Afrikanen ontmoetten, professor Esterhuyse bijvoorbeeld. We bespraken diverse onderwerpen en dan zei iemand van hun delegatie iets als: 'Ik zal je eens wat vertellen over de minister van Financiën, een interessante man is dat. Weet je, Barend du Plessis doet dit en dat en zegt zus en zo.' Het gevolg was dat er dankzij die intensieve interactie al een bepaalde sfeer was gecreëerd als je die persoon daadwerkelijk ontmoette.

Die sfeer was zodanig dat we elkaar al leken te kennen nog voor we bepaalde mensen hadden ontmoet. Het gebeurde ook dat we, voor we thuiskwamen, al telefonisch met sommige blanke leiders hadden gepraat. We hadden niet het gevoel dat we ver van elkaar af stonden. We kwamen voor het eerst bijeen in Kaapstad in 1990. Zij kenden onze namen en wij die van hen, en daarnaast wisten we iets persoonlijks van ieder van hen. Interactie en communiceren was niet moeilijk. Zo onderhandelden we met mensen van de nationale inlichtingendienst over de lijst met politieke gevangenen en zo. Na afloop van de gesprekken aten we samen iets en kletsten we onder meer over wat voor man De Klerk was. Het kostte ons dus geen moeite om een persoonlijke band met hem op te bouwen toen we hem persoonlijk ontmoetten.

Wat wist u van de gesprekken die in Zuid-Afrika zelf plaatsvonden?

Er waren contacten tussen Mandela en Tambo. We hadden dus wel enig idee van wat Mandela met het regime besprak. Toch begreep iedereen dat een beslissing om formeel met de regering te praten in Lusaka moest worden genomen, omdat het hele leiderschap bij dit besluit betrokken moest zijn.

In 1989 kregen we van professor Esterhuyse de boodschap dat de nationale inlichtingendienst klaar was om rechtstreeks met het ANC te praten. Vervolgens ontmoetten we een delegatie van de inlichtingendienst in Zwitserland.

Daar bespraken we een eis die al jaren op tafel lag: we wilden pas praten als er een gunstig klimaat was voor onderhandelingen. Er waren vragen over de lijsten van politieke gevangenen, omdat wij alleen met de regering wilden praten als de gevangen leiders vrijkwamen en deel konden uitmaken van het onderhandelingsproces. We bespraken de vrijlating van politieke gevangenen en het opheffen van het verbod op politieke organisaties zoals ons ANC en de communistische partij. Het was noodzakelijk ze weer toe te laten zodat mensen politiek actief konden worden. Daarover onderhandelden we in 1989. Botha zat toen al niet meer in de regering. De Klerk had zijn plaats ingenomen. Dat waren de twee belangrijkste kwesties: onderhandelingen waren pas aan de orde na vrijlating van de politieke gevangenen en na opheffing van het verbod op bepaalde organisaties.

We hadden de internationale gemeenschap aangevoerd in haar actie tegen de apartheid en het was belangrijk dat we diezelfde internationale gemeenschap ook stuurden als het ging om de onderhandelingen — als een nieuwe vorm van strijd. In 1989 besloten we een beleidsdocument over de onderhandelingen in Zuid-Afrika op te stellen en slaagden we erin de goedkeuring te krijgen van de andere landen in de regio en van de Organisatie van Afrikaanse Eenheid. In december 1989 legden we het document voor aan de Algemene Vergadering van de VN, waarna ze een standpunt innam over de onderhandelingen in Zuid-Afrika.

Een belangrijk element was dat de Zuid-Afrikanen zelf de onderhandelingen zouden voeren. We wilden namelijk vermijden wat er in Namibië was gebeurd. De Veiligheidsraad had Resolutie 435 aangenomen, die stelde dat Namibië onder verantwoordelijkheid van de VN viel en dat het proces om het Namibische conflict op te lossen dus ook in handen van de VN lag. Ze benoemden Martti Ahtisaari om de geweldloze transitie van Namibië naar onafhankelijkheid te leiden. Gezien de manier waarop de hele internationale gemeenschap betrokken was geraakt bij de strijd voor de bevrijding van Zuid-Afrika, wilden we vermijden dat de hele internationale gemeenschap ook bij de onderhandelingen betrokken wilde zijn, want dat zou misschien tot een resultaat leiden dat wij niet noodzakelijkerwijs ambieerden.

Dus wij zeiden: 'Nee, laat de Zuid-Afrikanen dit zelf afhandelen met de steun van de rest van de wereld.' Vanaf 1990, toen de rechtstreekse onderhandelingen van start gingen, verliep het onderhandelingsproces in Zuid-Afrika grotendeels volgens de afspraken. Het bood ons de mogelijkheid om tot een Zuid-Afrikaans resultaat te komen, niet tot een van buitenaf opgelegd akkoord. Zuid-Afrikanen zaten tegenover elkaar aan tafel, zonder enige directe buitenlandse bemoeienis. Ook bij de onderhandelingen aanvaardde de rest van de wereld het leiderschap van het ANC, zoals men ook het leiderschap van het ANC had aanvaard toen wij de wereld opriepen om sancties op te leggen en Zuid-Afrika te boycotten. De wereld reageerde daar positief op.

Eind 1989 waren het ANC en het regime overeengekomen dat het verbod op de politieke organisaties werd opgeheven, dat de politieke gevangenen — onder wie Mandela — vrij werden gelaten en dat de onderhandelingen in Zuid-Afrika zelf zouden worden gestart.

SOCIALE MOBILISATIE

Het was een hele prestatie van het ANC om een organisatie op te bouwen die sociale bewegingen, studenten, arbeiders, vrouwen en politieke groeperingen samenbracht. Wat kunnen het ANC en Zuid-Afrika anderen leren over het opzetten van een brede coalitie van politieke en sociale bewegingen?

Nadat het ANC in 1960 was verboden, volgde er een intense en zware repressieve campagne met arrestaties en mensen die in gevangenschap werden vermoord. Net als mijn vader en anderen belandde Nelson Mandela in de gevangenis en werd hij in het kader van deze onderdrukkingscampagne tijdens het Rivonia-proces veroordeeld.

Een gevolg daarvan was dat het ANC in het hele land in elkaar zakte. Er waren nagenoeg geen ANC-structuren over binnen Zuid-Afrika ten gevolge van die campagne, maar de partijstructuur bleef wel bestaan in het buitenland. In de periode van ongeveer 1962 tot 1973 was het ANC inactief in Zuid-Afrika. De structuren waren vernietigd, mensen zaten in de gevangenis of in ballingschap. Voor onze strijd was dit een slechte periode, ook omdat er toen een algemene demobilisatie volgde. Er waren geen studentenprotesten, arbeiders staakten niet, er was geen activiteit. De politieke strijd was dood. Rond 1973 pakte de bevolking de binnenlandse strijd echter weer op.

Wat was de relatie tussen de politiek en de sociale bewegingen?

Eind jaren zestig reorganiseerde de studentenbeweging zich en begin jaren zeventig doken zij openlijk op als activisten — tegen apartheid, progressief, voor bevrijding en zo verder. Veel van die studenten waren lid geweest van de ANC-Jeugdliga, maar in deze specifieke periode moesten ze zich gedeisd houden, al waren ze nauw betrokken bij het opnieuw mobiliseren van andere studenten. Ondanks de vernietiging van de ANC-structuren waren er nog altijd individuen in het land die zichzelf als ANC'ers beschouwden, en zij raakten betrokken bij het mobiliseren van de bevolking, te beginnen met de studenten en de arbeiders, en later kwamen daar ook gelovigen en dergelijke bij.

Vanaf ongeveer 1973 kwam de algemene mobilisering weer op gang. Die viel samen met de wederopbouw van de binnenlandse ANC-structuren. Tegen de jaren tachtig was het nog steeds verboden ANC er in een jaar of tien in geslaagd om toch weer voet aan de grond te krijgen in dit land. Toen de kwestie van onderhandelingen begon te spelen en de vraag hoe we tot een grootschalige democratiseringsbeweging moesten komen, bestond er al een institutioneel systeem waardoor het ANC in contact stond met iedereen in het land — vakbonden, kerken, sportlieden, academici, intellectuelen, media en de regering.

We stelden in Zimbabwe de Verklaring van Harare op, een document over de onderhandelingen, en trokken daarmee door zuidelijk Afrika. We praatten met alle staatshoofden en regeringsleiders en zeiden: 'Kijk, we moeten deze onderhandelingen voorbereiden want ze zijn op komst. Wij stellen deze werkwijze voor.' En ze gingen ermee akkoord. We belegden een vergadering van de Organisatie van Afrikaanse Eenheid, omdat we deze zaak breed wilden aanpakken met het oog op steun van het hele continent. We hadden op die vergadering in Harare vertegenwoordigers uitgenodigd van de Zuid-Afrikaanse vakbonden, van religieuze groepen, vrouwen- en jeugdbewegingen. Een delegatie uit Zuid-Afrika zelf vergezelde ons bij onze ontmoeting met de OAE in Harare om het programma en het plan voor de onderhandelingen goed te keuren. De massabewegingen binnen het land waren ook bij de beslissing betrokken. Toen de delegatieleden naar huis ging, zeiden ze, samen met de staf van het ANC-hoofdkwartier: 'We hebben onze krachten gebundeld en een standpunt bepaald over de onderhandelingen.' Het werd dus een standpunt van de beweging als geheel, niet van het ANC alleen.

BOUWEN AAN EEN COALITIE

Had het ANC bij aanvang van de onderhandelingen in 1990 voldoende politieke macht om ervoor te zorgen dat alle sectoren zich vertegenwoordigd voelden? Een aantal zwarte bewegingen, niet alleen de Inkatha Vrijheidspartij, was het niet eens met het ANC. Welke strategie volgde u om alle groepen aan boord te krijgen?

Het zou niet correct geweest zijn als het ANC alleen had beslist over de belangrijke strategische vraag of we onderhandelingen zouden aangaan met het regime en zo ja, hoe. Het was belangrijk ervoor te zorgen dat een brede democratische beweging betrokken was bij die beslissing. Daarom gingen we naar Harare met onze verklaring. Ook tijdens het onderhandelingsproces moesten we de brede beweging bij de strijd betrokken houden. Dat was een eerste prioriteit. Het tweede aspect was dat er naast het ANC andere zwarte organisaties bestonden die geen deel uitmaakten van de brede beweging. Ze waren klein, maar we wilden hen niet negeren vanwege de strategische aard van de beslissing om te onderhandelen over een nieuw Zuid-Afrika. Wilden we dat een zo groot mogelijk deel van de Zuid-Afrikaanse bevolking zich achter het nieuwe Zuid-Afrika zou scharen, dan moesten er zo veel mogelijk groeperingen bij betrokken zijn. We wisten hoe we moesten omgaan met onszelf en met de brede democratische beweging, maar we hadden ook te maken met organisaties zoals het Pan-Afrikaans Congres, AZAPO en de diverse bantoestans. Tijdens de strijd hadden we contact gezocht met een aantal leiders in de thuislanden om hen los te weken van het apartheidsregime en aan onze kant te krijgen. Daarom zeiden we dat we al die groepen aan onze kant moesten krijgen.

We belegden een conferentie met alle partijen om een verenigd front te creëren. We moesten ervoor zorgen dat we de andere organisaties, die weliswaar klein waren maar elk een eigen zwarte achterban vertegenwoordigden, aan boord kregen. Ze kwamen naar de conferentie waar we een verenigd front bespraken, en de principes daarvan, gezamenlijke doelen en zo meer. Toen de onderhandelingen daadwerkelijk begonnen, stonden we erop dat het niet slechts onderhandelingen tussen het ANC en de NP of tussen het ANC en de regering konden zijn. Alle partijen moesten erbij betrokken worden. Uiteindelijk denk ik dat er negentien politieke organisaties aan deelnamen. We probeerden voortdurend de meerderheid van de bevolking van het land achter ons te krijgen, ook mensen van politieke formaties buiten het ANC.

ONDERHANDELEN: HET PROCES EN DE MECHANISMEN

Wat waren bij de start van de onderhandelingen de hoofdelementen in het debat over de interim-grondwet en welke procedures volgde u? Welke adviezen over het opstellen van een grondwet kunt u geven aan landen die nu of in de toekomst voor diezelfde taak staan?

Bij de voorbereiding van de Verklaring van Harare hebben we eerst de staatshoofden en regeringsleiders van zuidelijk Afrika geraadpleegd. Daarna hebben we het document voorgelegd aan de OAE. Een van die overlegmomenten in de regio was met Julius Nyerere, president van Tanzania. Wij stelden destijds voor een verkozen grondwetgevende vergadering een ontwerpgrondwet te laten maken. Julius Nyerere sprak ons hierop aan. Hij zei dat wij de NP niet hadden verslagen en zij ons niet, maar dat wij met ons voorstel van een verkozen grondwetgevende vergadering toch probeerden de andere partij een oplossing van overwinnaars op te dringen, omdat het onvermijdelijk was dat het ANC de verkiezingen in Zuid-Afrika zou winnen. In werkelijkheid zeiden we dus: 'Laten we verkiezingen houden om te bewijzen dat jullie democraten zijn.' Maar in feite zouden we onszelf de exclusieve beslissingsmacht hebben toebedeeld ten aanzien van de Zuid-Afrikaanse grondwet. Hij vroeg ons waarom we dachten dat de tegenpartij dit zou aanvaarden. Hij stelde daarom voor het ANC en zijn aanhangers en de Nasionale Party en haar aanhangers samen te brengen om een reeks constitutionele principes uit te werken. Daar moesten we over onderhandelen omdat geen van beide partijen de andere had verslagen. Nadien konden we dan een grondwetgevende vergadering kiezen die een grondwet moest opstellen binnen de parameters van de constitutionele principes die we overeen waren gekomen. Zo zou de NP gerustgesteld zijn dat haar fundamentele standpunten in de nieuwe grondwet – opgesteld door mensen die waren verkozen door onze achterban – gebaseerd zouden zijn op de overeengekomen principes.

MECHANISMEN VOOR HERZIENING VAN DE GRONDWET

Het allereerste wat we deden bij de onderhandelingen over de grondwet was een reeks beginselen goedkeuren. De interim-grondwet moest conform die overeengekomen principes worden opgesteld. In 1994 zouden er verkiezingen zijn en we spraken af dat het democratisch verkozen parlement de grondwetgevende vergadering zou vormen. Als verkozen orgaan zou het zich bij de formulering van de definitieve grondwet laten leiden door dezelfde principes. De uiteindelijke grondwet moest voldoen aan de overeengekomen principes voor het opstellen van de interim-grondwet. Aan de principes en de kern van de democratie – pluralisme, scheiding der machten, vastleggen van rechten, onafhankelijkheid van de rechterlijke macht en al die dingen – kon niet worden getornd, ook niet door een verkozen grondwetgevende vergadering.

Dit is belangrijk. Julius Nyerere bedoelde dat Zuid-Afrika een diep verdeelde samenleving was die op allerlei manieren verscheurd was, in termen van ras, welvaart enzovoort. Maar een grondwet moet gelden voor het hele land. Het was belangrijk dat alle Zuid-Afrikanen 'eigenaar' van de grondwet zouden zijn en dus moesten alle partijen betrokken zijn bij de formulering ervan.

Natuurlijk is het zo dat bij verkiezingen één partij wint en de andere wordt verslagen. Maar je kunt geen grondwet opstellen op basis van meerderheden en minderheden. Ook de minderheid moet een gevoel van eigenaarschap van de grondwet krijgen. Daarom moesten we onderhandelen over de beginselen die de basis zouden vormen van de te schrijven grondwet. Iedereen moest die beginselen goedkeuren, ook de mensen die de minderheid vertegenwoordigden.

Er is dus geen groot verschil tussen de voorlopige en de definitieve grondwet, zij het dat er over de interim-grondwet was onderhandeld door een groep niet-verkozen mensen: de vertegenwoordigers van de partijen. De definitieve grondwet was het werk van een verkozen orgaan. Tot op de dag van vandaag hebben Zuid-Afrikanen geen kritiek op de grondwet. Ze hebben er allemaal mee ingestemd.

TEGENSLAG

Er was een cruciale onderbreking tijdens de onderhandelingen. Wat waren de voornaamste problemen? Ging het over de meerderheidsregel?

Er was een probleem met gewelddadigheden die de onderhandelingen verstoorden. Het ANC zei dat we niet konden blijven onderhandelen in een situatie waarin zo veel mensen omkwamen. Toen we weer aan de onderhandelingstafel zaten, wilden we een manier vinden om het proces te versnellen zonder de essentie aan te tasten.

MECHANISMEN VOOR HERZIENING VAN DE GRONDWET

Samen met het schrijven van een nieuwe grondwet besloot u tot de oprichting van een grondwettelijk hof dat toezicht zou houden op de toepassing van de grondwettelijke beginselen. Waarom had dat prioriteit?

Er was besloten dat de definitieve grondwettekst, ondanks het democratisch verkozen orgaan dat gerechtigd was die grondwet op te stellen, aan het grondwettelijk hof moest worden voorgelegd. Dat hof kon dan nagaan of de bepalingen in de grondwet strookten met de grondwettelijke beginselen. Als bepaalde bepalingen afweken van de afgesproken principes zou de grondwetgevende vergadering weer bijeen moeten komen om dat te corrigeren. Het ANC had een meerderheid in dit verkozen orgaan, maar dat betekende nog niet dat het ANC zijn macht kon aanwenden om de minderheid iets op te dringen wat buiten de context van de principes viel. De afspraak was dat het verkozen orgaan de grondwet zou afronden en dan zou voorleggen aan het grondwettelijk hof, dat vervolgens moest bepalen of de grondwet de overeengekomen principes respecteerde.

GERECHTIGHEID EN VERZOENING

In welke mate waren de overeengekomen beginselen van toepassing op de kwestie van amnestie en mensenrechten, en welke lering kunnen anderen hieruit trekken?

In Zuid-Afrika hadden de twee kampen elkaar niet verslagen. Er was dus geen overwinnaar die de ander zijn wil kon opleggen. Toch bleef de kwestie van gerechtigheid bestaan. Je kon de foute dingen die in de strijd waren begaan niet negeren. Daar moesten we over praten.

In onze gesegregeerde samenleving werd de scheiding, ongeacht de basisbeginselen, een scheiding tussen een blanke minderheid en een zwarte meerderheid. We zeiden dat we een niet-raciaal Zuid-Afrika wilden opbouwen. Om dat te realiseren moesten blank en zwart zich verzoenen. Het ANC kon zeggen dat F.W. de Klerk en anderen misdrijven hadden gepleegd en dat we hen voor de rechter zouden slepen, maar dit waren leiders van een hele gemeenschap die dan het gevoel zou krijgen dat ze geen plaats had in de nieuwe democratie omdat we hun leiders in de gevangenis stopten.

Uiteindelijk zaten we, pragmatisch gezien, in een situatie waarin de Zuid-Afrikaanse Weermacht werd aangevoerd door blanke generaals die waren aangesteld door het apartheidsregime. Voor de politie gold hetzelfde. En ook voor de top van het ambtenarenapparaat. En het bedrijfsleven was eveneens in blanke handen. Het ANC mocht dan de meerderheid vertegenwoordigen, de meeste machtscentra lagen elders. Als je een democratische transitie wilt doen slagen, moet je die mensen aan boord hebben. Je kunt geen twee dingen tegelijkertijd beweren. We konden niet zeggen dat we wilden dat de blanke minderheid zou meewerken om samen met ons een democratie te vestigen, en hen tegelijkertijd arresteren. We moesten een manier vinden om dat probleem op te lossen.

De Zuid-Afrikaanse oplossing, die we van Chili hebben geleend, was de TRC. Als mensen de waarheid vertelden en niets dan de waarheid, konden ze amnestie krijgen. Wie dat niet deed, kon nog steeds worden berecht. De slachtoffers kwamen zo te weten wat er met hun familieleden was gebeurd, waar ze begraven lagen zodat men hen waardig kon herbegraven, en ze konden verontschuldigingen krijgen. Tegen de daders zeiden we: 'Je hebt de waarheid verteld, je verontschuldigingen geuit en berouw getoond, beloof die misdrijven nooit te zullen herhalen.' Vervolgens verleenden we amnestie.

Er waren blanken die vervolgd werden voor misdrijven en nu toch een straf uitzitten omdat hun verzoek voor amnestie werd geweigerd en ze vervolgens aangeklaagd zijn. Sommigen hebben zelfs geen verzoek voor amnestie ingediend, omdat ze wisten dat dat via dit proces nooit zou worden gehonoreerd. We moesten echter wel een balans vinden tussen de roep om gerechtigheid en een geweldloze transitie naar een democratisch Zuid-Afrika. Als we een vreedzame overgang naar democratie in Zuid-Afrika wilden realiseren, moesten we ervoor zorgen dat we ook de mensen aan boord kregen die misschien misdaden tegen de menselijkheid hadden begaan. Als we nee zeiden en hen voor de rechtbank daagden, konden we ons opmaken voor een voortzetting van de oorlog. We moesten dus een beslissing nemen.

NATIONALE VERZOENING

U noemde twee grote initiatieven: de definitieve grondwet en de TRC. Zijn er andere elementen die hebben bijgedragen tot de verankering van de democratie nadat het ANC de nationale verkiezingen in 1994 had gewonnen?

Tijdens de onderhandelingen stuitten we op bepaalde dingen die we meenden gemakkelijk te kunnen oplossen, maar die toch moeilijk bleken. Sinds 1948 was er in Zuid-Afrika altijd een minderheidsregime onder het bewind van de NP geweest. Dat regime was eraan gewend exclusief de macht uit te oefenen en had die macht als blanke minderheid misbruikt om anderen te onderdrukken. Wij kwamen tot de conclusie dat de blanke minderheid nu bang was. Nu we een democratisch systeem hadden, was het duidelijk dat het ANC ging winnen. Hoe konden ze weten dat we hen niet hetzelfde zouden aandoen als wat zij ons hadden aangedaan? Zij waren, met andere woorden, bang voor de democratie.

We stelden ons in hun plaats en beseften dat wij diezelfde angst zouden voelen. De enige manier om dat aan te pakken was erkennen dat de democratie er moest komen, maar dat dat niet betekende dat ze de macht volledig zouden verliezen. Ongeacht de uitkomst van de verkiezingen zouden ze in de regering blijven. Dus boden we aan om te komen tot een regering van nationale eenheid. Zelfs als het ANC 98 procent van de stemmen behaalde, zou de Nasionale Party in de regering blijven. We zouden een regering van nationale eenheid vormen waarin zij invloed zouden houden. Dat initiatief verraste hen zeer, maar zo kwam de regering van nationale eenheid in 1994 tot stand.

Dit is belangrijk, want het betekende een ingrijpende kentering in het denken van het ANC. Al die kwesties rond verzoening en nationale eenheid vloeiden voort uit de noodzaak om af te rekenen met die diep verdeelde en verscheurde samenleving die al 350 jaar bestond, om Zuid-Afrika opnieuw vorm te geven en een nieuwe natie op te bouwen. Daar is nationale verzoening voor nodig. Daarom vind je bijvoorbeeld een heel controversiële clausule in de Zuid-Afrikaanse grondwet: de clausule over het recht op eigendom, die stelt dat de staat niet het recht heeft om iemands eigendom zonder goede reden of vergoeding af te nemen. De blanke minderheid wist dat ze het land had afgenomen van de inheemse bevolking en was nu bang dat de regering haar land en fabrieken zou confisqueren. Als onderdeel van de opbouw van een nieuw en verenigd Zuid-Afrika moest er een boodschap uitgaan, een boodschap die de zogeheten blanke angsten zou wegnemen.

Het streven naar nationale verzoening en eenheid was een prioriteit van Mandela tijdens zijn presidentschap. Hij nam zelden deel aan kabinetsvergaderingen, omdat hij vond dat wij ons moesten buigen over de praktische aspecten van het landsbestuur, terwijl hij de boodschap uitdroeg van nationale verzoening en nationale eenheid. De TRC werd een belangrijk deel van dat proces, maar het was niet het enige element.

ECONOMISCH BELEID GERICHT OP ONTWIKKELING

Het tweede belangrijke element in verband met de verdeelde samenleving was armoede. Het was duidelijk dat we de armoede snel moesten aanpakken en dat alleen de staat kon zorgen voor onmiddellijk zichtbare effecten. Armoedebestrijding betekent nieuwe banen scheppen, werkgelegenheid enzovoort, dat klopt. Maar het zou nooit werken als we alleen de economie zouden stimuleren en meer jobs creëerden. We moesten een sociaal vangnet maken. Zo kun je de allerarmsten bereiken en hun het gevoel geven dat ze erop vooruitgaan.

Een probleem dat hiermee verband hield, was een gevolg van het apartheidsstelsel. Naarmate de apartheid in een diepere crisis raakte, dacht het regime — dat al veel geld aan leger en politie uitgaf om door repressie aan de macht te kunnen blijven — dat ze mensen konden kopen. Opeens vonden ze het geld om uit te geven in de thuislanden, namen ze meer ambtenaren aan enzovoort. Het resultaat was dat het begrotingstekort was opgelopen tot meer dan 10 procent toen wij in 1994 in de regering kwamen. We wisten dat zo'n hoog begrotingstekort onhoudbaar was, zeker als de staat onmiddellijk een sociaal vangnet voor de armen moest opbouwen. Als het begrotingstekort bleef stijgen, zouden we uiteindelijk aan de banken het geld moeten betalen dat we nodig hadden voor schoon water en scholen en ziekenhuizen. We moesten het begrotingstekort terugdringen en goed beheren. Dat was een van de moeilijke dingen. De meeste mensen vonden dat we staatsobligaties moesten uitschrijven, maar wij vreesden dat dat traject de economie zou verwoesten.

Het werd een omstreden kwestie. Vandaag de dag zeggen mensen dat we een foute beslissing hebben genomen, maar het was de juiste. Het stelde ons in staat het begrotingstekort terug te dringen en leverde effectief meer middelen op voor het vangnet. De regering kon in stedelijke gebieden en op het platteland een grootschalig huisvestingsprogramma introduceren. We zorgden voor ruimere beschikbaarheid van schoon water, elektriciteit, gezondheidszorg en onderwijs. We hoefden de belastingen niet te verhogen om een grote staatsschuld te financieren. Dat was een belangrijke interventie omdat armoede en ongelijkheid in Zuid-Afrika in termen van ras zijn gedefinieerd. Ongelijkheid hangt samen met ras en dus met conflict, en houdt daarom rechtstreeks verband met het al dan niet bereiken van een bepaald niveau van nationale verzoening. Het mocht niet gewoon een politieke kwestie worden waarbij we konden zeggen: 'Kijk, we zijn nu een natie, laten we het verleden vergeten.' We moesten ook verandering brengen in de levens van de mensen die door het apartheidsregime benadeeld waren.

De derde kwestie was het herstel van de Zuid-Afrikaanse economie. Toen een uitdaging, en helaas nog steeds. Van oudsher is de Zuid-Afrikaanse economie te afhankelijk van grondstoffen. Daarnaast is er de kwestie van de landbouwgrond: het grondbezit in Zuid-Afrika is tot op de dag van vandaag verdeeld volgens het koloniale patroon. Het blijft een uitdaging om de herverdeling van land zo aan te pakken dat de landbouwproductie niet in gevaar komt. Maar ook dat was een taak die we meteen bij het begin moesten aanpakken.

DE AGENDA VOOR HERVORMINGEN BEPALEN

Het volgende element betrof het staatsapparaat. Er was geen revolutie, we hadden een transitie waarover onderhandeld was. En dus erfden we de bestaande staatsstructuren, compleet met hun medewerkers, regels en procedures, tradities en zo verder. We wilden die instellingen zo aanpassen dat ze geschikt waren voor een democratische staat. Dat was niet gemakkelijk, maar wel noodzakelijk. We erfden een werkzaam staatsapparaat, te beginnen met het kabinet. Toen we in het kabinet zaten, voerden we kabinetsvergaderingen zoals in de apartheidsjaren. De secretaris die notuleerde was nog steeds dezelfde man. We erfden dus een functionerend systeem dat we mettertijd moesten veranderen.

De laatste kwestie die ik wil noemen is het systeem van internationale betrekkingen. We hadden een periode achter ons waarin Zuid-Afrika een paria was, geïsoleerd van de rest van de wereld. Toen wij de macht overnamen, moesten we bouwen aan een nieuw systeem van internationale relaties met de rest van het continent en de wereld.

De formele onderhandelingen tussen het ANC en de regering begonnen in 1990 en werden in 1994 afgesloten. Die periode gaf het ANC de gelegenheid na te denken over hoe we Zuid-Afrika als democratie moesten besturen en welke programma's we wilden hebben. Die vraag was niet alleen aan de orde omdat we een verkiezingsprogramma moesten opstellen voor 1994. Er was veel discussie, en niet alleen binnen het ANC. Het debat over de toekomst van Zuid-Afrika na de bevrijding moest plaatshebben in het kader van de bredere democratische beweging. We keurden in die context twee documenten goed: *Ready to Govern* en het *Reconstruction and Development Programme*.

Tegen de tijd dat we in de regering kwamen, hadden we een goed beeld van onze prioriteiten. Als we zonder dat voorbereidende werk in de regering waren gestapt, zou het grote moeite hebben gekost om een consequent beleid te ontwikkelen rond armoedebestrijding, verzoening, wederopbouw van de staat en zo verder. We hadden tijd om ons voor te bereiden. Terwijl we onderhandelden, waren we bezig met dat andere belangrijke werk.

HERVORMING VAN HET VEILIGHEIDSAPPARAAT

De hervorming van leger, politie en veiligheidsdiensten is een cruciaal element tijdens transities. Dreigde er ooit een militaire coup? De Klerk vertelde dat hij besloot de macht van de staatsveiligheidsraad in te perken toen hij het roer van Botha overnam. Hoe slaagde u erin om een politiemacht en inlichtingendienst te vormen die dichter bij de mensen stonden en de democratie ten goede kwamen?

We erfden een functionerend staatsbestuur dat ten dienste had gestaan van de apartheid, maar dat institutioneel werkte. Leger en politie waren onder het apartheidsstelsel opgeleid en ook qua mentaliteit gevormd om trouw te blijven aan de grondwet en de bestaande regering. Ze bleven dus ook trouw toen we een nieuwe regering en een nieuwe grondwet hadden. Ik denk dat er daarom nooit een reëel gevaar voor een militaire coup is geweest.

Er waren officieren binnen het leger en de politie die tegen verandering waren, maar zij hadden onvoldoende draagvlak om alle leger- en politieeenheden te mobiliseren. Elementen binnen het leger en de politie die gekant waren tegen verandering, handelden buiten het leger en de politie om in een poging het land met bomaanslagen en moorden te destabiliseren. Zij werkten op eigen houtje en ontwikkelden zich tot een extreemrechtse club van Afrikaners.

De Klerk heeft inderdaad de staatsveiligheidsraad ontmanteld. Dat was in de veiligheidsstructuur een essentieel orgaan van de regering omdat de staat bedreigd werd. Die 'raad' regelde en stuurde echt alles. De Klerk heeft het politieke gezag teruggegeven aan het kabinet. Het gevaar bestond echter dat mensen uit die instellingen rechtse gewapende contrarevolutionaire groepen zouden vormen die het land konden destabiliseren.

Toen we hadden afgesproken dat we een democratisch Zuid-Afrika wilden en dat we de politie en het leger zouden veranderen, gingen onze militairen in gesprek met de troepen van het apartheidsleger om een programma op te stellen. Manschappen van ons leger werden opgenomen in de nieuwe krijgsmacht en ook traden onze mensen toe tot de politiemacht en de geheime dienst. We pakten ook die transitie op een inclusieve manier aan. De leiding van de inlichtingendienst gaven we meteen aan iemand anders. We handhaafden echter de bevelhebbers van de Weermacht en de politie, zoals ook de gouverneur van de centrale bank ten tijde van de apartheid zijn functie behield. Pas drie, vier jaar later werden bepaalde functionarissen op een aantal belangrijke posten vervangen.

DE MACHT DELEN

Waarom legde De Klerk zijn functie van vicepresident van de regering van nationale eenheid neer? Verraste u dat? Had dit gevolgen voor de resterende zittingstermijn van de overgangsregering?

We hadden niet verwacht dat De Klerk de regering van nationale eenheid zou verlaten en we waren er ronduit tegen. De Nasionale Party noemde zich op dat moment al 'Nieuwe Nasionale Party' en maakte deel uit van de regering. Het *Reconstruction and Development Programme*, voor de verkiezingen aangenomen door het ANC en de brede democratische beweging, werd ons verkiezingsmanifest. Toen we de verkiezingen wonnen, legden we dat document voor aan het kabinet en aan de regering als geheel (dus ook aan de Nasionale Party) met de boodschap dat we het stuk als meerderheidspartij moesten omzetten in regeringsbeleid. Het werd besproken in het kabinet. We stelden een witboek op en dienden het in bij het parlement. Het parlement debatteerde erover, keurde het goed en zond het terug naar de uitvoerende macht ter implementatie.

De Klerk en anderen maakten deel uit van dat proces, aangezien ze deel uitmaakten van de regering. Maar er was een kleine blanke partij, de Democratic Party (DP), die de jas van de Nasionale Party aantrok en tegen de blanken begon te praten zoals de NP vroeger deed. Om de levensstandaard van zwarte mensen te verhogen moesten we positief discrimineren wilden we dat proces versnellen. Het beleid van de NP was eerder gekant tegen positieve discriminatie, hoewel ze het wel hadden gebruikt om de Afrikaners te bevoordelen. Er bestaat in het Afrikaans zelfs een uitdrukking voor positieve discriminatie; ze begrijpen het idee heel goed, maar wilden het niet meer. Zodra ze echter deel uitmaakten van de regering werd het ook hun beleid.

De Democratic Party wendde zich vervolgens tot de blanke bevolking, het electoraat van de NP, en verkondigde dat de Nasionale Party hen verried en verloochende. Ze wezen erop dat de NP over positieve discriminatie sprak, terwijl de DP voor de rechten van de blanke minderheid opkwam. De NP zat in de regering van nationale eenheid en moest dus praten over de rechten van álle Zuid-Afrikanen. Omdat de Democratic Party vanuit de oppositie de blanke rechten kon verdedigen, vreesde de NP dat de DP hun achterban en electorale steun zou wegkapen. Daarom vertrokken ze uit de regering.

Op een staatsbanket ter ere van de invoering van de grondwet in 1996 vertelde een journalist me dat de NP die avond een vergadering had belegd om hun vertrek uit de regering te bespreken. Ik sprak De Klerk aan en vroeg of ze die avond inderdaad bijeen zouden komen om terugtrekking uit de regering te bespreken. Hij zei dat er weliswaar een vergadering was, maar dat die echt niet daarover ging; ze wilden slechts het functioneren van de regering evalueren. Ik vertelde hem dat het ANC van mening was dat ze in de regering moesten blijven. Voor de verkiezingen van 1999 zouden we op veel vlakken, zoals huisvesting, schoon water, gezondheidszorg en onderwijs, vooruitgang hebben geboekt. Als NP zouden zij in hun campagne de mensen kunnen vertellen: 'Kijk naar de progressie die we hebben gemaakt. Wij waren onderdeel van die regering en Mandela had deze vooruitgang zonder mij nooit kunnen realiseren, omdat ik de ervaren man in de regering was.' Ik vroeg hem te blijven, maar dat deden ze niet.

BELEIDSPRIORITEITEN BEPALEN

Welke elementen achtte u als president, toen u in 1999 met uw eigen regering aan de slag ging, cruciaal om die grote stappen voorwaarts — de grondwet en de democratie — te consolideren?

De aanpak van armoede en ongelijkheid was fundamenteel, want zonder maatregelen op dat vlak was politieke stabiliteit en de aanvaarding van de nieuwe constitutionele orde niet te waarborgen. Het was essentieel dat mensen het gevoel kregen dat er na de apartheid ook winst te behalen was voor hen — dat ze niet alleen mochten stemmen, maar dat er ook materieel iets in hun leven veranderde.

Natuurlijk was ook de kwestie van de stabiliteit van het democratische systeem belangrijk. Vooral het politieke geweld moest worden aangepakt. Tijdens de onderhandelingen was er veel geweld; veel mensen verloren het leven. Zelfs na de verkiezingen van 1994 werden er nog mensen gedood. Dat was bedreigend voor het systeem zelf. Rechtse groeperingen — mensen die vroeger bij het leger en de politie hadden gediend — organiseerden zich en pleegden bomaanslagen. Dat was een ernstige zaak die we onmiddellijk moesten aanpakken. We moesten een einde maken aan dit proces en mensen laten zien dat we nu in een democratisch systeem leefden en dat er geen geweld nodig was voor de veranderingen die ze wilden; die konden ze vreedzaam en langs democratische weg bereiken.

POLITIEKE PARTICIPATIE EN POSITIEVERBETERING VAN VROUWEN

Hoe pakte de regering de participatie van vrouwen aan in het nieuwe democratische bestel?

Er waren een aantal manieren. Eerst namen we de weloverwogen beslissing om een bepaald aantal vrouwen in de regering op te nemen. Als je selecteert op basis van verdienste, zul je vrouwen gauw discrimineren, omdat de samenleving hen discrimineert. Er zijn veel meer mannen die over de juiste kwalificaties beschikken, omdat de samenleving hen in zekere mate bevoordeelt. Als eerste stap besloten we daarom dat een derde van de leden van het parlement uit vrouwen moest bestaan, punt uit. Dat moest gewoon gebeuren. Na een jaar of vijf zou je evenredige vertegenwoordiging kunnen bereiken.

Binnen het ANC verdedigden we het systeem van partijlijsten voor de verkiezingen en evenredige vertegenwoordiging. In Zuid-Afrika is er veel discussie — tot op de dag van vandaag — over kiesdistricten die slechts één verkozene afvaardigen, de *single-member constituencies*. Als je één man en één vrouw aanduidt, stellen wij, dan zal de man in de overgrote meerderheid van de gevallen winnen. Het is 'democratisch', natuurlijk, maar uiteindelijk krijg je een systeem dat vrouwen discrimineert. Met een systeem van partijlijsten en de eis dat er een bepaald percentage vrouwen op die lijsten komt, waarborg je de vertegenwoordiging van vrouwen.

Daarnaast is het noodzakelijk om de aard van discriminatie jegens vrouwen te begrijpen. In Zuid-Afrika heerst veel armoede, vooral onder de zwarte bevolking op het platteland, en de meerderheid van de plattelandsbevolking bestaat uit vrouwen en kinderen omdat de mannen aan het werk zijn in stedelijke gebieden. Als we armoede willen uitbannen, moeten we ons eerst en vooral richten op het platteland, en dus op de vrouwen. Een van de uitdagingen waar plattelandsvrouwen voor staan en die hun zwakke positie in sociologisch opzicht onderstreept, is dat het de vrouwen zijn die water halen uit de rivier, die hout sprokkelen om te koken, die het eten klaarmaken, voor kinderen zorgen. Als je die sociologie begrijpt, snap je ook dat je moet zorgen voor schoon leidingwater om de last op de schouders van die vrouwen te verlichten. Nu moeten ze naar de rivier tien kilometer verderop lopen. Zelfs zonder kranen in huis, maar wel met een kraan in het dorp, bevrijd je vrouwen van een enorme last. Ook de stroomvoorziening in ruraal gebied is belangrijk. Maar stel nu dat je de huishoudens van elektriciteit voorziet, maar men zich de elektriciteit alleen kan veroorloven voor verlichting en niet om te koken. Hoe los je dat op? Je moet dus bepaalde tarieven creëren zodat huishoudens in de dorpen pas betalen voor elektriciteit als ze meer dan een bepaald bedrag verbruiken. Als je zulke dingen hebt gerealiseerd, zie je dat vrouwen opeens tijd hebben om te studeren. Ze kunnen naar school en houden tijd over omdat ze niet meer naar de rivier hoeven lopen voor water of naar het bos voor brandhout.

Je moet de sociologie van de ontwikkeling en emancipatie van vrouwen begrijpen om te weten welke interventies nodig zijn. Het is niet voldoende dat het parlement voor een bepaald deel uit vrouwen bestaat of dat er vrouwen in het kabinet zitten. Dat is belangrijk en noodzakelijk, maar je moet verder gaan om ook gewone vrouwen te bereiken. Ik ben nog steeds van mening dat je positieve discriminatie nodig hebt. Een van de kwesties die steeds weer aan de orde kwam in de vrouwenliga van het ANC was het gevoel van onmacht onder vrouwen. Het is de cultuur, de samenleving, die daar debet aan is. De leden van de vrouwenliga werden aangemoedigd om op te staan en hun stem te laten horen, om hun mening te uiten. We mogen niet langer toestaan dat alleen mannen het woord voeren.

Dit alles vereist een resoluut optreden. Je moet ervoor zorgen dat vrouwen vertegenwoordigd zijn in het parlement. Je moet ervoor zorgen dat de levensomstandigheden van vrouwen verbeteren. Je moet een manier vinden om vrouwen de kans te bieden om naar school te gaan. Zuid-

Afrika kende één groot voordeel, namelijk dat er al sinds 1913, al meer dan honderd jaar, een vrouwenbeweging betrokken was bij de strijd. De vrouwenbeweging is dus altijd aanwezig geweest in het democratische proces.

BASISPRINCIPES

Hoe kunnen volgens u instellingen en regeringen de democratie vandaag de dag steunen? We hebben een veelpolige wereld met nieuwe technologieën en nieuwe communicatievormen, een nieuwe wereld voor democratie en voor transities. Hoe ziet u de toekomst van de democratie, vooral in Afrikaanse landen?

De interne bevrijdingsstrijd van Zuid-Afrika heeft miljoenen mensen op de been gebracht. Het was een algemene strijd, zoals bijvoorbeeld de strijd in Egypte en Tunesië. De mensen kwamen in het geweer omdat ze verandering wilden. Ze beseften misschien niet wat er allemaal stond te gebeuren, maar ze vochten voor verandering. Er waren miljoenen mensen bij betrokken en juist dat was de daadwerkelijke motor voor verandering. Ik relativeer de rol van de partijen, de politieke leiders en alle andere spelers niet, maar ik zeg dat de gewone mensen die actief waren in de strijd voor democratie de échte katalysatoren waren. Toen de democratie er kwam, waren de mensen opgetogen. Ze hadden hun eigen regering gekozen en kregen hun eigen president, Nelson Mandela. Feit is wel dat het resultaat miljoenen mensen demobiliseerde. Een belangrijke instelling in de loop van de strijd was bijvoorbeeld de Zuid-Afrikaanse Raad van Kerken. De meerderheid van de Zuid-Afrikaanse bevolking is christelijk en de Raad van Kerken bracht de diverse gezindten bij elkaar en was heel actief. Mensen als bisschop Tutu kwamen voort uit deze organisatie, die nu op sterven na dood is. Het effect van de verandering was een demobilisering van het volk.

Nu moet de regering die we hebben verkozen natuurlijk resultaten bieden. En dat brengt ons bij een aanverwant probleem. Een groot deel van het leiderschap dat het volk in beweging bracht, vertrok om zitting te nemen in het parlement en de regering. Zij mobiliseren de mensen niet langer, ze hebben regeringstaken. Sommigen van hen werken nu als ambtenaren in overheidsdienst. Neem veel van die leiders weg en organisaties verzwakken, instellingen die je nodig hebt voor een goed functionerend democratisch systeem. Als je de massa niet langer in beweging brengt en de leiders almaar verder van de mensen af komen te staan, beginnen er allerlei dingen fout te lopen. Om democratische systemen in stand te houden heb je politieke organisaties nodig die degelijk gestructureerd zijn, in contact staan met de gewone mensen en duidelijke ideeën hebben over waar ze heen willen. Je hebt sterke vakbonden en sterke maatschappelijke organisaties nodig die zich inzetten voor deze processen. Je hebt intelligente en alerte media nodig — geen media die alleen maar uit zijn op spanning en sensatie — om de bevolking betrokken te houden bij het veranderingsproces.

Zodra demobilisatie een feit is, valt de druk van de bevolking op de regering weg. Dan krijg je mensen in de regering die in hun eigen belang gaan denken en niet in het belang van de mensen die hen hebben verkozen. Dat is een fundamenteel punt dat Zuid-Afrika van nabij heeft meegemaakt.

TIJDLIJN

Januari 1912: Het Zuid-Afrikaanse Native National Congress, het latere Afrikaans Nationaal Congres (ANC), wordt opgericht om discriminatie van zwarten te bestrijden.

Mei 1948: De Nasionale Partij (NP) komt aan de macht met een platform van segregatie dat Afrikaner blanken bevoordeelt. De regering verwijst zwarten naar afgelegen gebieden, voert segregatie door op scholen en in de openbare ruimte, schaft het beperkte stemrecht voor niet-blanken af en breidt haar bevoegdheden uit om tegenstanders te verbannen.

Juni 1955: Het ANC, de Zuid-Afrikaanse communistische partij (SACP) en bondgenoten stellen het Freedom Charter op en roepen op tot een niet-raciale democratie en tot radicale economische veranderingen.

April 1960: De regering verbiedt het ANC omdat het communistisch zou zijn. ANC-leiders vluchten of belanden in de gevangenis en overwegen een gewapende vleugel te vormen — Umkhonto we-Sizwe (MK) — die een jaar later inderdaad wordt opgericht onder de jongerenleider Nelson Mandela.

Augustus 1962: Mandela wordt gearresteerd en veroordeeld. Een jaar later komen er nog meer ANC-leiders in de gevangenis terecht. Een decennium lang is het ANC stuurloos.

Januari 1973: Een massale staking van fabrieksarbeiders in Durban illustreert de macht van de groeiende vakbondsbeweging.

Juni 1976: Bij massaal jongerenprotest in de zwarte township Soweto bij Johannesburg doodt de politie honderden mensen. MK voert de aanvallen vanuit de door zwarten bestuurde buurlanden op.

Oktober 1978: P.W. Botha wordt premier. Hij bevordert een 'totale strategie' van toenemende hervormingen in combinatie met gewelddadige onderdrukking en schuift veel bevoegdheden door naar de staatsveiligheidsraad.

Maart 1982: Onder aanvoering van Andries Treurnicht stappen tegenstanders van Botha's hervormingen uit de NP. Zij richten de rechtse Konserwatiewe Party (KP) op.

Augustus 1983: De kerken en activisten uit vakbonden en het maatschappelijk middenveld die de niet-raciale democratie aanhangen (velen van hen zijn geassocieerd met het ANC) lanceren het United Democratic Front (UDF).

November 1983: Blanke kiezers keuren een nieuwe grondwet goed met een presidentieel systeem en beperkte vertegenwoordiging voor Aziaten en kleurlingen in een uit drie kamers bestaand parlement. De KP en UDF verzetten zich tegen de nieuwe grondwet.

September 1984: De verkiezingen voor het uitgebreide parlement en de economische malaise leidden tot door het UDF gecoördineerde protesten. Ze laten zich inspireren door de oproep van het ANC om het land 'onbestuurbaar' te maken.

November 1985: Minister van Justitie Kobie Coetsee start geheime besprekingen met Mandela. Tijdens die ontmoetingen, en ook in gesprekken met Thabo Mbeki, die vanuit Lusaka de internationale zaken van het ANC aanstuurt, onderzoekt Coetsee onder welke voorwaarden het ANC kan worden gelegaliseerd.

December 1985: Antiapartheidsvakbonden stichten het Congres van Zuid-Afrikaanse Vakbonden.

Mei 1986: Zuid-Afrika bombardeert ANC-kampen in buurlanden en stoot daarmee de groep van eminente personen (EPG) van het Britse Gemenebest voor het hoofd, die oproept tot nieuwe internationale sancties.

Juni 1986: De onlusten onder de burgerbevolking nemen toe. De regering roept de noodtoestand uit en arresteert UDF-leiders, waardoor het UDF verlamd raakt. Stakingen en opstanden houden aan en de gelijkgestemde Mass Democratic Movement volgt het UDF op.

Oktober 1986: Na de afkondiging van de noodtoestand en het falen van de EPG stemt het Amerikaanse congres voor nieuwe sancties tegen Zuid-Afrika.

Februari 1989: Botha krijgt een beroerte en treedt af als partijleider. De partijorganisatie verkiest F.W. de Klerk, minister van Onderwijs, als nieuwe partijleider.

Augustus 1989: Het geweld houdt aan en De Klerk en het kabinet dwingen Botha af te treden als president. De Klerk volgt hem op.

December 1989: Na militaire nederlagen en diplomatieke onderhandelingen onder leiding van de VS gaat Zuid-Afrika akkoord met de onafhankelijkheid van Namibië, dat weer door zwarten zal worden bestuurd.

Februari 1990: In zijn eerste speech voor het parlement roept De Klerk op tot onderhandelingen over een nieuwe grondwet, de legalisering van het ANC en de SACP, en de vrijlating van Mandela en andere politieke gevangenen.

Mei 1990: Het ANC en de regering beloven een einde te maken aan het geweld en de gevangenen vrij te laten. Het geweld escaleert alsnog ten gevolge van een bedenkelijk politieoptreden en een gewapend conflict tussen het ANC en de Zoeloe-nationalistische Inkatha Vrijheidspartij (IFP) van Buthelezi.

December 1991: De conventie voor een democratisch Zuid-Afrika (CODESA) start de onderhandelingen over een nieuw politiek systeem. NP, ANC, IFP en andere groeperingen voeren meer dan een jaar gesprekken, maar bereiken geen consensus.

Maart 1992: Nadat de NP bij tussentijdse verkiezingen terrein heeft verloren aan de KP van Treurnicht, organiseert De Klerk een referendum uitsluitend voor blanken over de voortzetting van de gesprekken. Waarnemers verwachten een spannende race, maar 68 procent van de kiezers spreekt zich uit ten gunste van besprekingen en versterkt zo het mandaat van de Klerk.

Juni 1992: IFP-strijders vermoorden 45 ANC-aanhangers in de township Boipatong. Mandela beschuldigt de regering van steun aan de IFP en verwijt ze het gebrek aan politie in de townships. De constitutionele onderhandelingen zitten muurvast en Mandela maakt bekend dat het ANC zich terugtrekt uit CODESA.

September 1992: Het ANC en de regering tekenen een memorandum van begrip en hervatten de onderhandelingen. Het ANC gaat akkoord met een tijdelijke deling van de macht en beperkte amnestie. De NP belooft dat de politie verantwoording zal moeten afleggen.

Maart 1993: Het pluralistische onderhandelingsforum (MPNF), opvolger van CODESA, gaat van start. Het ANC en de NP streven naar 'toereikende consensus' tussen beide partijen en sluiten zo de IFP uit.

April 1993: Een blanke conservatief vermoordt ANC-kopstuk Chris Hani. Ondanks de woede onder de bevolking blijft het ANC onderhandelen en roept het op tot kalmte. De moord spoort de partijen aan verkiezingen te plannen in april 1994, een deadline die het tempo van de onderhandelingen opvoert.

Juni 1993: Blanke rechtse activisten bestormen het MPNF, maar de conservatieve leider en voormalige generaal Constand Viljoen overtuigt hen te vertrekken.

November 1993: De partijen keuren een interim-grondwet goed die voorziet in een bicameraal parlement, evenredige vertegenwoordiging en bindende 'constitutionele principes'. De pluralistische uitvoerende overgangsraad (TEC) wordt opgericht.

Maart 1994: Het leger van het thuisland Bophuthatswana slaat een aanval van extreemrechtse paramilitairen af. De nederlaag van de paramilitairen doorbreekt de onverzettelijkheid van de thuislandregering en de blanke conservatieven, en spoort Viljoen aan deel te nemen aan de verkiezingen.

April 1994: De IFP besluit niet deel te nemen aan de verkiezingen en zet hiermee het akkoord op de helling. Eén week voor de verkiezingen komen ze op deze beslissing terug. Bij de open verkiezingen wint het ANC 62 procent, de NP 20 en de IFP 10 procent van de stemmen. De partijen vormen een coalitie met Mandela als president, Mbeki en De Klerk als vicepresidenten en Buthelezi als minister van Binnenlandse Zaken.

Juli 1995: Het parlement stelt de waarheids- en verzoeningscommissie (TCC) in, voorgezeten door de anglicaanse aartsbisschop Desmond Tutu, om misdrijven onder het apartheidsregime te onderzoeken, op televisie uitgezonden hoorzittingen te houden en amnestie te verlenen in ruil voor het opbiechten van misdrijven.

Juni 1996: De NP trekt zich terug uit de regering uit protest tegen haar gebrek aan invloed. Mbeki wordt de enige vicepresident en krijgt de dagelijkse leiding over de regering. De regering introduceert een marktgericht en op billijkheid en herverdeling gericht economisch beleid dat zorgt voor economische groei en stabiliteit, maar dat de werkloosheid en ongelijkheid niet kan wegwerken.

December 1996: Een definitieve grondwet wordt getekend die de meeste voorlopige politieke instellingen handhaaft en de eerder afgesproken constitutionele principes respecteert.

September 1997: De Klerk legt zijn taken als partijleider neer en trekt zich terug uit de politiek.

Oktober 1998: De waarheids- en verzoeningscommissie presenteert een rapport dat alle partijen beschuldigt van schendingen van rechten. De TCC verleent amnestie in nog geen 20 procent van de gevallen.

Juni 1999: Er vinden verkiezingen plaats onder de nieuwe grondwet. Het ANC wint 66 procent van de stemmen en de liberale Democratische Partij (DP) wordt de grootste oppositiepartij. Mbeki wordt president en schept een leidende rol voor Zuid-Afrika in de regio.

September 1999: Mbeki en Zuid-Afrika zijn nauw betrokken bij de oprichting van de Afrikaanse Unie als opvolger van de Organisatie van Afrikaanse Eenheid.

Augustus 2003: Druk van het maatschappelijk middenveld en rechterlijke uitspraken zorgen ervoor dat Mbeki's besluit om geen antiretrovirale medicijnen te leveren aan staatsziekenhuizen wordt teruggedraaid.

Juni 2005: Mbeki ontslaat vicepresident Jacob Zuma, zijn gedoodverfde opvolger als president, na beschuldigingen van corruptie. Zuma's aanhangers bij het ANC zijn ontstemd.

December 2007: Zuma verslaat Mbeki in de strijd voor het ANC-partijleiderschap en verwerft de kandidatuur voor de volgende presidentsverkiezingen.

September 2008: Onder druk van de ANC-leiding treedt Mbeki af als president. Een interim-president neemt zijn functie waar totdat Zuma in 2009 de verkiezingen wint.

9
SPANJE: TRANSITIE DOOR OVERLEG

CHARLES POWELL

De bewogen politieke geschiedenis van Spanje leidde tot het begrip 'Spaans exceptionalisme', een notie die vaak in verband wordt gebracht met een vermeend structureel onvermogen om stabiele democratische instellingen te ontwikkelen. Dit begrip verhult echter dat de politieke ontwikkelingen in Spanje niet erg verschilden van die van vele andere Europese staten. De negentiende en twintigste eeuw kenmerkten zich inderdaad door grote onrust, ernstige dynastieke conflicten, talrijke militaire opstanden en extreme sociale en politieke polarisatie. De in 1874 gevestigde constitutionele monarchie zorgde decennialang voor stabiliteit en voorspoed, maar in 1923 maakte een geweldloze militaire staatsgreep een einde aan de democratiseringsinspanningen. De daaropvolgende dictatuur van Primo de Rivera slaagde er niet in belangrijke, diepgewortelde problemen op te lossen en zakte als een kaartenhuis in elkaar. De Tweede Republiek werd uitgeroepen (1931–1936). Deze eerste echte poging van Spanje om een democratie te vestigen kenmerkte zich door een chronisch instabiele regering, een versnipperd partijsysteem en ideologische polarisatie. De Republiek beloofde daarnaast ook verstrekkende sociaaleconomische hervormingen, maar kon die niet waarmaken. Desalniettemin ging de Tweede Republiek niet uit zichzelf ten onder; een slechts gedeeltelijk succesvolle militaire coup onder leiding van generaal Francisco Franco maakte er een gewelddadig einde aan en stortte Spanje in een bloedige burgeroorlog die drie jaar duurde (1936–1939) en 400.000 mensen het leven kostte.

HET FRANCO-REGIME

Na de nederlaag van de republikeinse legers in april 1939 vestigde Franco een autoritair, extreem confessioneel, halfhartig corporatistisch, uiterst conservatief, Spaans-nationalistisch regime. Franco oefende het opperste gezag uit als staatshoofd, opperbevelhebber van de strijdkrachten (*Generalissimo*) en leider van de kunstmatige enige partij die hij in 1937 bij decreet had opgericht. Deze organisatie – later bekend als 'de Beweging' – verloor langzaam veel van haar aanvankelijke invloed. Het politieke systeem van Franco ging later zelfs de boeken in als een partijloze staat. De kerkelijke hiërarchie, die de burgeroorlog beschouwde als een kruistocht tegen marxisme en atheïsme, was in het begin een van Franco's trouwste bondgenoten en werd in 1953 voor die steun beloond met een royaal concordaat. Na het Tweede Vaticaanse Concilie distantieerde de Kerk zich geleidelijk aan van het regime. Op buitenlands vlak was de VS de belangrijkste bondgenoot van Franco. Amerika bood vanaf 1953 aanzienlijke militaire en economische steun in ruil voor toegang tot Spaanse legerbases. De relatie van Spanje met de asmogendheden in de Tweede Wereldoorlog en het autoritarisme hielden het Franco-regime aanvankelijk buiten het Europese integratieproces, totdat de Europese Gemeenschap in 1970 een preferentiële handelsovereenkomst met Spanje goedkeurde.

Franco's regime is een zeldzaam voorbeeld van beperkte institutionalisering in combinatie met een relatief uitgebreide constitutionalisering. Hoewel de instellingen nooit echt een eigen leven hebben geleid, werden grondwettelijke bepalingen wél ernstig genomen; sommige ervan speelden zelfs een cruciale rol bij de transitie. Belangrijk was de opvolgingswet van 1947, die bepaalde dat Spanje een koninkrijk was met Franco als regent voor het leven, met de bevoegdheid zelf zijn opvolger te kiezen. (Die bepaling stelde hem in staat om in 1969 Juan Carlos tot zijn opvolger te benoemen.) De wet op de Principes van de Nationale Beweging van 1958 bepaalde dat de principes 'vast en onveranderlijk' waren, maar desondanks stelde de opvolgingswet dat alle fundamentele wetten herzienbaar waren als een tweederdemeerderheid van het parlement (de *cortes*) ermee instemde en als de bevolking dit nadien per referendum bekrachtigde. Tijdens de transitie werd die clausule optimaal benut.

Ondanks zijn conservatieve karakter bood het regime ruimte voor belangrijke sociale en economische veranderingen. De grootste veranderingen hadden plaats na de invoering van het Stabilisatieplan (1959), dat het antwoord vormde op het falen van het voormalige autarkische economische beleid van het regime. In de vijftien jaar die volgden beleefde Spanje een ongekende economische groei (gemiddeld 7,3 procent per jaar tussen 1960 en 1973) met een bruto binnenlands product (bbp) dat steeg van 300 naar 3260 dollar per capita. Tussen 1950 en 1975 daalde het percentage van de beroepsbevolking in de landbouw van 48 naar 22 procent, terwijl dat in de industrie en dienstensector steeg naar respectievelijk 38 en 40 procent. De veranderingen leidden tot een belangrijke aanwas van de middenklasse, van 14 tot 43 procent van de bevolking. Het opleidingsniveau verbeterde ook: het aantal analfabeten onder volwassen, in 1930 nog 44 procent, was in 1975 gedaald tot 5.

Tegen de jaren zeventig was Spanje een moderne, verstedelijkte en relatief welvarende samenleving met een politieke cultuur die wezenlijk verschilde van de cultuur in de jaren dertig. Deze transformatie resulteerde in een groeiende vraag naar democratie: tussen 1966 en 1976 steeg de steun voor democratische instellingen van 35 tot 78 procent. De hang naar democratie was vooral voelbaar bij de arbeidersklasse, die zich massaal afkeerde van revolutionaire ideologieën, maar ondanks de modernisering was de komst van de democratie geen uitgemaakte zaak. De economische groei heeft dit proces misschien zelfs vertraagd, aangezien die groei het regime aanvaardbaarder maakte voor een almaar welvarender bevolking.

Deze veranderingen hadden ook een beduidende impact op de rol en aard van de staat en de relatie van de staat met het regime. Naarmate de economische modernisering vorderde, werd het staatsbestuur steeds professioneler en meritocratischer – en voornamelijk apolitiek. Dat verklaart grotendeels waarom het bestuursapparaat de democratisering later niet zou belemmeren. De legerofficieren die aanvankelijk belangrijke posten binnen de bureaucratie bezetten, waren bovendien begin jaren zeventig overal vervangen, behalve in de top van de militaire ministeries. Bijgevolg was er tijdens de transitie geen zuivering van de bureaucratie nodig en hoefden er ook geen militairen uit de politieke arena te worden verwijderd.

Het regime had de complexe politieke gevolgen van deze ingrijpende veranderingen niet echt voorzien. De snelle groei van het universitaire onderwijs leidde tot de opkomst van een nieuwe studentenbeweging die Franco over het algemeen vijandig gezind was. De toenemende industrialisering faciliteerde de vorming van een nieuwe, almaar zelfbewustere arbeidersbeweging, onder leiding van de in 1967 verboden Comisiones Obreras (arbeiderscommissies). Het aantal stakingen (in theorie illegaal) nam sterk toe: van vijfhonderd in 1969 tot 3156 in 1975. Deze werkonderbrekingen leidden soms tot het gewelddadig optreden van de politie; tussen 1969 en 1974 vielen daarbij elf doden. In Catalonië en Baskenland gingen de komst van honderdduizenden immigranten uit armere streken in Spanje en een ongekende economische voorspoed gepaard met een hernieuwde belangstelling voor de autochtone taal en cultuur, vaak met actieve steun van de lokale katholieke geestelijken. Die opleving verklaart ook gedeeltelijk de radicalisering van de studenten die eind jaren vijftig de ETA (Euskadi Ta Askatasuna, Baskenland en Vrijheid) oprichtten. De ETA groeide snel uit tot een geoliede stedelijke terroristische organisatie die 45 slachtoffers eiste tussen 1960 en 1975.

Gedurende de laatste jaren van het regime werd ook de oppositie beduidend actiever. De grootste en best georganiseerde groep was de Spaanse communistische partij (PCE), die sterk vertegenwoordigd was in de arbeiders- en studentenbewegingen, en ook in de nieuwe buurtverenigingen die in de jaren zestig opkwamen. De PCE pleitte al sinds 1956 voor een beleid van nationale verzoening en omarmde in 1970 formeel het streven naar een 'pact voor de vrijheid' dat alle klassen van de samenleving moest omvatten. Het pact kreeg in 1974 eindelijk vorm als de Junta Democrática, maar slaagde er absoluut niet in het beoogde doel — het verenigen van de volledige democratische oppositie — te realiseren. Na de verkiezing van González als partijleider in oktober 1974 won de Socialistische Arbeiderspartij (PSOE) snel aan belang. Die partij kantte zich resoluut tegen pogingen van de PCE om de Spaanse linkervleugel te domineren. Ook de zustervakbond van de PSOE, de Unión General de Trabajadores (UGT), wantrouwde de communistische invloed in de Comisiones Obreras. González geloofde niet in de *ruptura democrática* (democratische breuk), een proces van grootschalige manifestaties dat volgens de PCE zou leiden tot de vreedzame omverwerping van het regime en de installatie van een representatieve voorlopige regering die verkiezingen voor een grondwettelijke vergadering zou organiseren. DE PSOE-voorman was voorstander van het idee om stelselmatig *parcelas de libertad* ('vrijheidspercelen') te veroveren. González' weigering om zich aan te sluiten bij de Junta Democrática en zijn besluit om medio 1975 een alternatief 'Plataforma de Convergencia Democrática' te steunen, bleek cruciaal om de autonomie van de PSOE tijdens de transitie te waarborgen.

Een aantal factoren vormden de directe aanleiding voor de crisis binnen het Franco-regime. De oliecrisis van 1973 maakte een einde aan de economische *boom* van de jaren zestig en leidde tot 'stagflatie' en groeiende sociale onrust. Er rezen nieuwe twijfels over het voortbestaan van het regime na de moord in december 1973 op Franco's alter ego, admiraal Luis Carrero Blanco, slechts zes maanden na zijn aanstelling als premier. In januari 1974 trad Carlos Arias Navarro aan als opvolger van Carrero

Blanco. Hij presenteerde een bescheiden blauwdruk voor liberalisering (*apertura*), maar vergrootte hiermee enkel de kloof tussen de haviken die het regime wilden handhaven in de vorm van een autoritaire monarchie onder Juan Carlos, en de duiven die meenden dat de toekomstige vorst het Spaanse politieke systeem moest afstemmen op dat van de Europese buren. Veel Spanjaarden zagen de ineenstorting van de Portugese dictatuur in april 1974 – het gevolg van koloniale oorlogen die Franco zelf grotendeels had vermeden – als een waarschuwing voor wat hunzelf te wachten stond als er niet onmiddellijk rigoureuze hervormingen kwamen. In september 1975 leidde de executie van vijf militante tegenstanders van het regime (een gevolg van de draconische antiterreurmaatregelen na de moord op Carrero Blanco) tot een tot dan toe ongekend internationaal protest. Het echte overgangsproces kwam echter pas op gang met de dood van Franco op 20 november 1975.

DE TRANSITIE NAAR DEMOCRATIE

Het democratiseringsproces in Spanje is een mooi voorbeeld van een 'transitie via overleg' met de volgende kenmerken: het (paradoxale) gebruik van de instellingen en grondwettelijke procedures van het regime om het democratiseringsproces te activeren, onderhandelingen tussen softliners binnen het oude autoritaire regime en vertegenwoordigers van de belangrijkste oppositiefracties, de betrokkenheid van vertegenwoordigers van alle belangrijke politieke groeperingen bij het besluitvormingsproces, en besloten onderhandelingen op cruciale momenten met een relatief klein aantal deelnemers. Volgens sommigen kenmerken transities via overleg zich ook door een relatief beperkte inbreng van de bevolking, maar de ervaring in Spanje leert dat er relatief veel druk 'van onderaf' kan zijn als de politieke spelers die druk met concessies 'van bovenaf' willen en kunnen regelen. Anderen menen dat transities via overleg alleen kans van slagen hebben als politiek geweld uitblijft. Toch vielen er 460 doden ten gevolge van de politieke onrust in de periode 1975–1980, en besloten de politieke elites eerst te onderhandelen uit angst dat het geweld het overgangsproces zou verstoren.

De relatief korte overgang naar democratie werd van bovenaf gelanceerd, maar versnelde onder toenemende druk van onderaf. De actoren waren voor het merendeel Spaans, maar de Europese Gemeenschap – en een aantal lidstaten, met name Duitsland – steunde het democratiseringsproces actief (via partijen, vakbonden en politieke instellingen). Het begin van de overgang weerspiegelt de politieke dilemma's van koning Juan Carlos, die een nieuwe en legitieme democratische basis nodig had om zijn overlevingskansen als staatshoofd en de continuïteit van zijn dynastie te waarborgen. (Het lot van zijn zwager Constantijn, die in 1967 van de Griekse troon was gestoten, was een heilzame waarschuwing.) De monarchie die Juan Carlos in 1975 erfde was niet de instelling die zijn grootvader Alfonso XIII tot 1931 had belichaamd, maar eerder een volledig kunstmatige autoritaire monarchie die het regime moest voortzetten. Franco had Juan Carlos echter niet de macht nagelaten: de organieke wet (1967) voorzag in een monarchie waarbij het gezag van de premier en de voorzitter van de cortes, die de effectieve controle over het politieke systeem deelden, de rol van de koning sterk beperkte. Paradoxaal genoeg betekende dit dat de koning van meet af aan belang had bij een grondwetswijziging die hem zou vrijwaren van de voogdij van niet-verkozen ambtenaren.

In de eerste fase van de transitie presenteerde premier Arias Navarro, die zich steeds meer met de haviken van het regime vereenzelvigde, een blauwdruk voor beperkte hervormingen die de verkiezing van een semidemocratisch parlement beoogde, en de legalisering van enkele partijen (zoals de PSOE); maar dus niet van allemaal (de PCE bijvoorbeeld). Een almaar actievere oppositie, massademonstraties (waarbij soms doden vielen), nieuwe mediakanalen en het Europees Parlement verwierpen dit plan meteen. Tijdens deze periode verscheen González echter geregeld in het openbaar en de UGT kon in april 1976 de eerste openbare manifestatie sinds de burgeroorlog organiseren.

Het besluit van de koning om Arias Navarro in juli 1976 te vervangen door Adolfo Suárez, een ambitieuze en drieste apparatsjik van het voormalige regime, vormde een keerpunt. De 44-jarige Suárez kwam al snel met een wet op politieke hervormingen die voorzag in de via algemeen kiesrecht verkozen en bicamerale cortes: een kamer van vertegenwoordigers, verkozen volgens de principes van de evenredige vertegenwoordiging, en een senaat, waarin het meerderheidsstelsel van toepassing was. Conform de in franquistische fundamentele wetten vastgelegde procedure, keurden de bestaande cortes in november de wet goed met 425 stemmen voor en 59 tegen. In december bekrachtigde de bevolking de wet. Bij het referendum, dat ondanks het besluit van de oppositie om zich te onthouden omdat ze niet betrokken was geweest bij het volledige proces, toch een opkomst van 77 procent registreerde, stemde 94 procent van de stembusgangers voor de wet. Geheime gesprekken tussen Suárez en González zorgden ervoor dat de PSOE onmiddellijk na het referendum haar partijcongres kon houden. De partij verwierf in februari 1977 een legale status.

Het referendum versterkte de positie van Suárez en pas na de volksraadpleging startte hij formele gesprekken met het zogeheten Comité van Negen van de oppositie, waarin onder meer González zetelde. De gesprekken gingen over zeven voorwaarden die de oppositie vervuld wilde zien voordat ze deel zou nemen aan toekomstige verkiezingen. Het betrof de legalisering van alle politieke partijen en vakbonden, de politieke neutraliteit van ambtenaren, een uitgebreide amnestieregeling, onderhandelingen over een nieuwe kieswet en de erkenning van regionale politieke identiteiten. González bevestigde later dat het geen formele onderhandelingen waren, maar dat Suárez luisterde naar de eisen van de oppositie en deze vervolgens slim in wetgeving vertaalde. Het belangrijkste was dat de gesprekken in april 1977 tot de legalisering van de communistische partij leidden. Het hele proces zou in de ogen van veel Spanjaarden onwettig zijn geweest als dat niet was gebeurd. Nu was de weg vrij voor de eerste democratische verkiezingen. Ze vonden plaats in juni 1977 en leverden het ideale resultaat op: de hoge opkomst (79 procent) bekrachtigde de legitimiteit en de goede resultaten van Suárez' Unión de Centro Democrático (UCD), die 34 procent van de stemmen en 165 van de 350 zetels won, en zorgde ervoor dat hij kon aanblijven als premier. De PSOE had met 29 procent van de stemmen en 118 zetels een ruime voorsprong op de PCE, die slechts 9 procent van de stemmen en twintig zetels kreeg en de grootste oppositiepartij werd.

De laatste fase van de transitie bestond uit een aantal akkoorden waarbij alle belangrijke politieke spelers waren betrokken. Als eerste was er het Pact van Moncloa, dat in oktober 1977 werd ondertekend en dat met verregaande structurele hervormingen en onderhandelingen over loonmatiging de groei van de zwakke economie trachtte te herstellen en de inflatie probeerde te beteugelen. In ruil voor loonmatiging kwam er een nieuw systeem voor de inkomstenbelasting dat in de jaren tachtig de spectaculaire uitbreiding van het Spaanse zorg- en onderwijssysteem grotendeels zou financieren. Daarnaast was er ook brede politieke consensus nodig voor de amnestiewet die van toepassing was op alle personen die voor de verkiezingen van 1977 veroordeeld waren voor politieke misdrijven tegen het Franco-regime – dus ook op veroordeelde ETA-leden. Conform die wet konden voormalige aanhangers van het regime niet onder verdenking worden gesteld en niet worden vervolgd voor vermeende mensenrechtenschendingen. Dit maakte het onmogelijk om de strijdkrachten, politie of rechterlijke macht te zuiveren. De laatste jaren neemt de kritiek op deze wet toe, maar destijds waren de grote linkse partijen de meest enthousiaste pleitbezorgers ervan.

Het belangrijkste resultaat van deze consensus was de nieuwe democratische grondwet waarover de bevolking zich, na zestien maanden onderhandelen tussen vertegenwoordigers van alle parlementaire fracties, in december 1978 in een referendum kon uitspreken. De voornaamste debatten in het grondwetgevende proces draaiden om dezelfde kwesties als destijds in de Tweede Republiek, maar nu ging men veel pragmatischer te werk. De socialisten legden aanvankelijk een amendement op tafel om Spanje om te vormen tot een republiek. De andere grote partijen (met inbegrip van de PCE die in ruil voor legalisering had toegestemd koning Juan Carlos te erkennen) verwierpen dit, waarna de PSOE zich neerlegde bij de nieuwe parlementaire monarchie. De grondwet hief de bijzondere status van de Kerk op en erkende tegelijkertijd het recht van alle kinderen op godsdienstonderwijs op openbare scholen en de plicht van de staat om godsdienstige onderwijsinstellingen te steunen. Op economisch vlak zocht de nieuwe grondwet naar een evenwicht tussen de voorkeuren van links en rechts. De grondwet erkende expliciet de markteconomie, beschermde privébezit en erfenisrechten tegen onwettige confiscatie, maar voorzag ook in waarborgen voor het stakingsrecht, de verplichting om een breed scala aan sociale voorzieningen te creëren zoals sociale zekerheid, gezondheidszorg, onderwijs, werkloosheids- en arbeidsongeschiktheidsuitkeringen, en de belofte van een meer egalitaire inkomensverdeling. De grondwet bevatte ook bepalingen voor de overdracht van bevoegdheden van de centrale regering naar de autonome gebieden en maakte zo de weg vrij voor de ontwikkeling van de toekomstige semifederale staat van de autonome regio's. Deze bepalingen volstonden voor de Catalaanse nationalisten, maar hun Baskische tegenhangers dachten daar anders over.

HET CONSOLIDEREN VAN EEN NIEUWE DEMOCRATIE: DE ROL VAN GONZÁLEZ

Felipe González speelde een voornamere rol in het consolideren van de democratie dan in het overgangsproces zelf, en dit vooral door zijn partij voor te bereiden op regeringsdeelname. Na een nipt verlies ten voordele van Suárez bij de tweede parlementsverkiezingen van maart 1979, kwam de PSOE bij lokale verkiezingen in april in verscheidene grote steden aan de macht. In mei stond González als partijleider onverwacht onder druk na zijn besluit om alle expliciete verwijzingen naar het marxisme uit het partijprogramma te schrappen. Uit protest legde hij zijn functie neer. In september werd hij echter herkozen tot secretaris-generaal en kreeg hij de vrijheid de partij te leiden op een manier die de PSOE aantrekkelijker zou maken voor de kiezer.

Bepaalde acties van González om de UCD-regering te ondermijnen hebben wellicht negatieve gevolgen gehad voor de politieke stabiliteit van Spanje als geheel. Zo provoceerde de PSOE begin 1980 Suárez met de eis Andalusië dezelfde mate van autonomie te verlenen als Catalonië en Baskenland, en moedigde hij effectief de uitbreiding aan van decentralisatie naar alle regio's. González uitte ook felle kritiek op Suárez' aanpak van de recessie na de wereldwijde oliecrisis van 1979 en diens onvermogen om de terreur van de ETA een halt toe te roepen. In mei 1980 diende hij zelfs een motie van wantrouwen in het parlement in, wetende dat deze beslist geen kans van slagen had.

In een poging de stabiliteit te herstellen stemde González er na het ontslag van Suárez en de couppoging van februari 1981 mee in om diens opvolger, Leopoldo Calvo Sotelo, te steunen. Opmerkelijk daarbij was dat de PSOE in juli 1982 een belangrijke wet steunde die het regionale decentralisatieproces inperkte, ook al werden belangrijke delen van die wet later ongrondwettelijk verklaard.

In weerwil van de steeds zwakkere regering verzette González zich heftig tegen het besluit om het NAVO-lidmaatschap aan te vragen, een zeer omstreden besluit dat het parlement in oktober 1981 had goedgekeurd. Daarnaast versnelden de socialisten ook het uiteenvallen van de regeringspartij door een aantal van de leiders van meer linkse signatuur een functie aan te bieden in een toekomstige PSOE-regering.

González trad pas echt op de voorgrond toen hij na een verpletterende overwinning in oktober 1982 premier werd. Eenmaal in functie was de consolidering van de democratie zijn eerste prioriteit, al trachtte hij ook zijn hervormingsgerichte sociaaldemocratische programma te realiseren. De eerste grote uitdaging was het leger volledig onder civiele controle te brengen. De defensiewet van 1984 verleende hem grotere bevoegdheden tegenover de strijdkrachten en het in 1985 geïntroduceerde militair wetboek beperkte de bevoegdheden van het leger tot de militaire sfeer. González was ook redelijk succesvol in zijn omgang met de Kerk, al waren zijn onderwijshervormingen en de legalisering van abortus in 1985 omstreden. Belangrijk was dat zijn regering de Spaanse economie moderniseerde en daarvoor de verlieslatende zware industrie afslankte (en vervolgens privatiseerde) en de banksector liberaliseerde. Dit proces was nodig voor, maar werd ook vergemakkelijkt door het vooruitzicht op het lidmaatschap van de EG. Hij realiseerde dat doel in januari 1986 — wellicht een van zijn grootste prestaties. Hervormingen maakten de weg vrij voor een periode van ongekende groei (1986–1991) die ook de snelle uitbreiding van de nog prille Spaanse verzorgingsstaat mogelijk maakte, al zaaide de zware recessie van 1992 tot 1994 twijfels over de levensvatbaarheid daarvan.

González' nalatenschap was niet altijd even positief. Hij kwam bijvoorbeeld onverwacht terug op zijn steun voor opzegging van het NAVO-lidmaatschap, en hij organiseerde en won in maart 1986 het referendum dat het Spaanse lidmaatschap bekrachtigde. Dat besluit polariseerde de samenleving onnodig. Tussen 1983 en 1987 had hij de illegale antiterreurmaatregelen van de UCD fel veroordeeld, maar nu gedoogde zijn regering een 'vuile oorlog' tegen de ETA — die niet het gewenste resultaat opleverde en de rechtsstaat ernstig ondermijnde. Op institutioneel vlak zorgde de langdurige absolute PSOE-meerderheid in het parlement (1982–1993) voor de broodnodige stabiliteit, maar ze leidde ook tot een politisering van justitie en van de staatsmedia, met negatieve gevolgen op lange termijn voor de Spaanse democratie. Het gebrek aan adequate controlemechanismen is grotendeels verantwoordelijk voor de talrijke corruptieschandalen die samen met de economische malaise in de jaren 1992 tot 1994 uiteindelijk resulteerden in een nederlaag voor González bij de verkiezingen van 1996.

De laatste jaren wordt er steeds kritischer gekeken naar de Spaanse transitie, die geregeld als oorzaak wordt aangeduid van de (reële of veronderstelde) tekortkomingen van het land — waaronder het onvermogen om het verleden onder ogen te zien, het falen van het semifederale systeem en de groeiende publieke onvrede met het politieke bestel. Een groot deel van deze kritiek is echter onterecht en misleidend, en gaat ervan uit dat de overgangsregeling in steen gebeiteld stond en dat opeenvolgende generaties Spanjaarden stil zouden blijven staan in de tijd.

BIOGRAFISCHE SCHETS VAN PREMIER FELIPE GONZÁLEZ (1982–1996)

Felipe González studeerde rechten aan de universiteiten van Sevilla en Leuven. Hij specialiseerde zich in arbeidsrecht en werd in 1964 lid van de toen nog verboden PSOE. Nadat hij zich als twintiger al een paar keer in de kijker had gespeeld in Spanje en in de Socialistische Internationale, daagde González op het partijcongres van 1970 het gevestigde leiderschap van de PSOE uit en veroorzaakte een breuk in de partij. De Socialistische Internationale erkende uiteindelijk González' factie. In 1974 werd hij verkozen tot partijleider en in 1975 werd hij korte tijd vastgehouden door de Spaanse politie. Met steun van de Duitse Friedrich-Ebert-Stiftung en op advies van Olof Palme en Willy Brandt zette hij dat jaar in Madrid de partijstructuur van de PSOE op. González weigerde zich aan te sluiten bij de communistisch geïnspireerde Junta Democrática en richtte het rivaliserende Plataforma de Convergencia Democrática op. Na Franco's dood zocht hij toenadering tot president Adolfo Suárez en maakte hij de weg vrij voor het eerste openbare congres van de PSOE in Spanje sinds de burgeroorlog van de jaren dertig. González was lid van het Comité van Negen dat de regels voor de eerste vrije nationale verkiezingen in 1977 vastlegde. Aangemoedigd door koning Juan Carlos speelde hij een belangrijke rol in de onderhandelingen met Suárez die leidden tot de Spaanse overgangsovereenkomst. Bij de verkiezingen van 1977 en 1979 zette hij indrukwekkende resultaten neer met de PSOE. De massale overwinning in 1982 leverde hem het Spaanse premierschap op.

Als minister-president van de Spaanse regering van 1982 tot 1986 consolideerde González de civiele controle op de strijdkrachten, onderhandelde hij over een complex semifederaal systeem voor decentralisering om de aanspraken op autonomie in Catalonië en Baskenland te temperen, en voerde hij een ambitieus moderniseringsprogramma dat zich richtte op de liberalisering van de economie, op sociale hervormingen, nieuwe zorg-, onderwijs- en pensioensystemen, toetreding tot de Europese Gemeenschap en — iets gevoeliger — voortzetting van het NAVO-lidmaatschap. Nadat hij en de PSOE bij de verkiezingen van 1986, 1989 en 1993 steevast de meerderheid hadden gehaald, volgde in 1996 de grote nederlaag. González en zijn partij betaalden de tol voor de zware economische recessie en een reeks corruptieschandalen. Veel landen raadplegen González over kwesties rond internationaal bestuur en transities.

INTERVIEW MET FELIPE GONZÁLEZ

Kunnen de ervaringen van Spanje nuttig zijn voor moderne transities?

De processen zullen nooit identiek zijn en daarom is het belangrijk vertrouwd te zijn met de individuele werking van elk land. Wat er in elk land gaat gebeuren, is afhankelijk van de manier waarop de politieke, sociale en economische krachten, die telkens anders zijn, reageren op kwesties die zich altijd zullen voordoen — toezicht op het leger bijvoorbeeld.

DE ROL VAN DE KONING

De koningen van de Golfstaten vroegen me naar de rol van de monarchie in Spanje, en ik vertelde hun iets wat niet in de geschiedenisboeken staat: de koning erfde alle bevoegdheden van de absolute monarchie van de dictatuur van Franco. Hij had niet alleen de macht van een absolute monarch, maar ook de macht van een persoonlijke dictatuur. Hij vervulde geen formele rol aangezien die niet was vastgelegd in de grondwet. Juan Carlos was een soort soldatenkoning, opperbevelhebber van de strijdkrachten en hoofd van de regering. Daardoor kreeg hij een paar maanden na de dood van Franco en het uitroepen van de monarchie de mogelijkheid om Adolfo Suárez als premier aan te wijzen. Er is niet veel onderzoek gedaan naar dit feit in de Spaanse transitie — de koning die de macht krijgt en besluit die niet absoluut uit te oefenen, maar te delegeren aan Adolfo Suárez — als ware de grondwet van kracht. De koning wees in juli 1976 Suárez aan als regeringsleider, hoewel die pas bij de verkiezingen van 1977 zou worden verkozen. Op dat moment fungeerde de koning als een constitutionele vorst terwijl er geen grondwet was. Het was een fantastische ingeving van een koning die, ondanks de absolute macht die hem was toebedeeld, verkoos die niet uit te oefenen. Adolfo Suárez begon zijn termijn ook als constitutioneel premier in termen van de verantwoordelijkheden die hij uitoefende.

Zo werd Suárez de belangrijkste speler in het volledige proces en in de dialoog, in wat we 'de Spaanse transitie' zouden kunnen noemen. De koning won prestige en ruimte als modererende factor en speelde een belangrijke rol als woordvoerder van de strijdkrachten.

VERSCHUIVING VAN MACHTSVERHOUDINGEN BINNEN HET AUTORITAIRE REGIME

Het geldt voor alle langdurige politieke regimes: na een periode van dertig tot veertig jaar, of in het geval van Spanje met Franco die — ondanks diverse facties binnen het regime — 35 jaar lang de autoritaire macht bekleedde, komt er mede om biologische redenen een einde aan elke persoonlijke dictatuur. De 'hervormers' binnen het systeem nemen een positie in. Eigenlijk volgen ze alleen een biologisch instinct — hun levensduur is langer dan die van de vertegenwoordigers van de dictatuur — en ze gokken op wat er komen gaat na het verdwijnen van de dictatuur. Zo werden dus de hervormers geboren, mensen die konden onderhandelen met de oppositie, en ontstond er iets wat je een 'overgangsproces naar democratie' zou kunnen noemen. In Spanje maakten Adolfo Suárez en zijn belangrijke minister Rodolfo Martín Villa deel uit van die groep veertigers in het regime van de zieke 75-jarige dictator Franco die begrepen dat zij de oude garde ruimschoots zouden overleven.

In alle landen zijn er positieve krachten in het spel; dat hebben ze allemaal met elkaar gemeen. Als je een autoritair regime onder de loep neemt — Cuba bijvoorbeeld — dan zie je een generatie politieke leiders van vijftigers, zestigers misschien, die verstoken zijn van macht. Die leiders weten dat hun eigen levensverwachting die van de gebroeders Castro overtreft. Daarom zoeken ze voorzichtig een positie van waaruit ze kunnen inspelen op toekomstige gebeurtenissen en een eventuele rol daarbij, én van waar ze kunnen vermijden dat ze samen met het regime worden geliquideerd. Dat creëert een positieve dynamiek van verzet die je moet bekijken in het licht van het specifieke functioneren van elk land.

Bij de rol van het leger maak ik een onderscheid tussen privilege en status. Als je kijkt naar Arabische landen zoals Marokko of Egypte, dan zie je een oligarchie die naast status ook enorme privileges geniet en die voorrechten koppelt aan het voortbestaan van het regime en de macht. Toch zijn er ook mensen die niet vechten uit angst hun privileges te verliezen, maar uit vrees iets bescheideners, maar toch zeer belangrijks te verspelen: hun status.

Neem de Guardia Civil, de federale politie met militaire status hier in Spanje, of neem de strijdkrachten in Egypte. En ik heb het niet over de commandanten van het leger, maar over gewone militairen met hun gemachtigden bij allerlei instanties, met hun bevoorrechte toegang tot zaken als huisvesting. In Chili zag je dat ook: militairen hadden en hielden ondanks alles een zekere status. We kunnen niet meer van privileges spreken, want vergeleken met vroeger hebben militairen het vandaag de dag beter, ook wat betreft carrièremogelijkheden. Toch was de angst om door toedoen van de democratisering hun status te verliezen groter dan de angst om andere dingen kwijt te raken. Daarom moet je precies weten hoe een land in elkaar zit en welke elementen weerstand tegen verandering zullen oproepen; soms raken die ook met elkaar verweven. In Spanje waren er twee sleutelelementen waarvan er één heel duidelijk zichtbaar was, het andere niet. Het was bekend dat het leger de status quo wilde behouden, maar daarachter ging de terreurdreiging schuil die de eenheid van Spanje ter discussie stelde. Dit was een fenomeen dat zichzelf versterkte: hoe meer terreuraanslagen, des te conservatiever het leger.

Tijdens de campagne van 1982 — voor de verkiezingen die ik won — klonk nog altijd het verwijt dat ik zelfs de aarde in de bloembakken nog zou nationaliseren. Er was weerstand van grootgrondbezitters en vanuit de industrie; men was bang voor veranderingen die onzekerheid zouden creëren. Dit moet je volgens mij in elk land onderzoeken: welke krachten kunnen deelnemen aan een min of meer gestructureerde veranderingsdynamiek, hoe bereik je consensus tussen die krachten en welke vormen van weerstand kun je verwachten?

HET BELANG VAN INLICHTINGENDIENSTEN BIJ DEMOCRATISCHE TRANSITIES

Toen we in 1990 voor het Chileense congres verschenen, een paar uur nadat Pinochet Aylwin de presidentiële sjerp had omgehangen — wij waren een paar uur later omdat ik die ceremonie niet wilde bijwonen — maakten alle aanwezige staatshoofden kennis met de pas geïnstalleerde president. Het waren stuk voor stuk aangename gesprekken. Aylwin was toen al een patriarch en ik zei tegen hem: 'Patricio, ik wil niet onbeleefd zijn, maar ik wil je toch iets voorleggen wat me zorgen baart bij deze nieuwe regering, omdat ik het zelf in Spanje heb meegemaakt en het me angstig heeft gestemd. Ik heb het met Adolfo Suárez ervaren en later ook zelf als premier.' Ik vertelde hem: 'Ik kan me moeilijk in Pinochets plaats stellen, maar je zult het echt moeten proberen. Als ik Pinochet was, het referendum heb verloren, de presidentiële sjerp om de schouders van een democraat heb moeten hangen en daarmee mijn regime – of toch het politieke gedeelte, omdat ik nog steeds opperbevelhebber van het leger ben – heb opgegeven, dan had ik de nodige maatregelen getroffen om te weten wat je minuut voor minuut uitvoert, wat je minister van Binnenlandse Zaken doet en wat er in het hele staatsapparaat gaande is. Als ik Pinochet was, had ik ervoor gezorgd dat ik over de nodige inlichtingendiensten beschikte. Omgekeerd zou ik het abnormaal vinden als Pinochet, als hij is wie ik denk dat hij is, dat níét heeft gedaan.'

Hij vond dat ik hem een ernstig probleem voorhield en vroeg me of ik dit scenario waarschijnlijk achtte, en dat beaamde ik. Vervolgens verzocht hij om mijn medewerking omdat ik tenslotte al met dat bijltje had gehakt. Aylwin dacht heus en absoluut te goeder trouw dat dit scenario ondenkbaar was. Mijn aanbod stond natuurlijk. Hij bedankte me, we bespraken andere zaken en ik bood opnieuw aan hem te helpen. Je moet zeker weten of je op veilige grond loopt of in een mijnenveld staat, en in het laatste geval moet je zo veel mogelijk mijnen onschadelijk maken.

Zo was er op 27 oktober 1982, de dag voor de verkiezingen die ik won, een laatste poging tot verzet in Spanje. Die dag was er een couppoging die onmiddellijk werd verijdeld. Calvo Sotelo was toen premier. Ik won de verkiezingen op 28 oktober met een absolute meerderheid, maar de dag voordien nog had men de verkiezingen willen tegenhouden. Reden genoeg dus om op mijn hoede te zijn.

Een jaar na het aantreden van Aylwin werd senator Jaime Guzmán vermoord, een adviseur van Pinochet. Aylwin had een trip naar Europa gepland en wilde onder andere Spanje en Brussel aandoen, maar de moord en de daaruit voortvloeiende situatie deden hem twijfelen of hij er wel goed aan deed om te vertrekken. Uiteindelijk besloot hij zijn reis niet uit te stellen, omdat dat de gebeurtenissen onnodig en te veel belang zou verlenen, alsof het democratische proces te stoppen was. Hij belde me om zijn komst aan te kondigen. Met ons gesprek tijdens zijn inauguratie in gedachten en in het licht van de recente gebeurtenissen wilde hij een en ander met me bespreken. We ontmoetten elkaar en hij vertelde me dat hij zich zorgen maakte over de mogelijke herkomst van de sabotage. Hij wist niet goed wat er gebeurde en verzocht me om mijn samenwerking aangezien hij vermoedde dat de aftredende regering systemen had om het staatsveiligheidsapparaat en ook de president in de gaten te houden en af te luisteren. Ik zei tegen Aylwin dat er ook een inlichtingenstructuur ten dienste van de president moest komen en een apparaat dat specifiek instond voor zijn veiligheid. Ik stuurde hem drie mensen die ik volledig vertrouwde. Ze controleerden of hij veilig in zijn kantoor kon praten of misschien werd afgeluisterd. Twee weken later had hij een rapport over alles wat er mis was gegaan, compleet met foto's van alle systemen waarmee hij in de gaten werd gehouden of afgeluisterd. Dat probleem komt vaak voor bij overgangsprocessen.

Volgens de Colombiaanse romancier en Nobelprijswinnaar García Márquez is een boek niet leerzaam als het geen anekdotes bevat waarmee mensen de dingen achter de anekdotes kunnen begrijpen. Zo was de voormalige Argentijnse president Raúl Alfonsín een politicus van de oude stempel voor wie inflatie en begrotingstekorten problemen waren voor technocraten en niet voor echte politici. Technocraten moesten zulke zaken maar aanpakken. Op dat moment stond men open voor democratisering en aangezien wij complexe situaties hadden meegemaakt, waren we maar al te bereid om samen te werken, om de democratie te versterken op fundamentele vlakken, zoals inlichtingendiensten, en om opgedane ervaring te begrijpen en te delen. Ik ben nooit zover gekomen met Raúl, al beweerde hij van wel. We waarschuwden hem dat de couppoging van La Tablada zou plaatsvinden.

Ik informeerde zelfs voormalig president Carlos Andrés Pérez van Venezuela. In november 1991 liet ik hem weten dat we belangrijke informatie hadden. We wisten dat er een coup zou worden gepleegd, en niet over een paar jaar, maar binnen een paar weken. Hij stuurde iemand met de boodschap dat hij op de hoogte was en dat we ons geen zorgen hoefden te maken. Dat was vijf of zes weken voor Hugo Chávez en compagnie zich al schietend toegang verschaften tot het paleis. En Pérez maar volhouden dat we ons geen zorgen moesten maken. Die informatie hadden we van vijf personen die de ETA volgden, mensen die uit Spanje verbannen waren, in Venezuela woonden en banden hadden met het Venezolaanse veiligheidssysteem. Ik bracht Pérez ervan op de hoogte, maar hij deed er niets mee. Iedere president heeft zijn eigen karakteristieke manier van werken. Voormalig Argentijns president Carlos Menem, bijvoorbeeld, wilde vanaf dag één van zijn ambtsperiode volledige controle over de activiteiten van de binnenlandse veiligheidsdienst.

Een andere anekdote die de verschillen in democratische overgangsprocessen illustreert, maakte ik mee met Václav Havel. De Tsjechen en Slowaken waren nog netjes getrouwd – de scheiding moest nog plaatsvinden – en onze relatie was gebaseerd op vertrouwen en genegenheid, ook al omdat Havel vanuit de wereld van cultuur en theater in de politiek was beland. Tijdens een bezoek speelde er een discussie over een belangrijke kwestie bij veranderingsprocessen. Onder voorzitterschap van Alexander Dubček, die aan het hoofd stond van de regering die in 1968 werd opgerold door de Sovjettanks, debatteerde het parlement over een wet die onderzoek naar functionarissen van de oude communistische regeringen mogelijk moest maken. Als zo'n wet onderwerp van debat is, ontstaat er een soort vooruit-achteruitdynamiek om te zien wie er om meer vraagt, want hoe meer je vraagt, des te democratischer lijk je te zijn. De minst democratische parlementariërs waren dus degenen die het meeste eisten. Diegenen die het hardste schreeuwden om verantwoording — zo hard zelfs dat ze Dubček zelf als regeringsleider in 1968 verantwoordelijk stelden! — waren degenen die iets te verliezen hadden. Dubček was parlementsvoorzitter en hij zou de desbetreffende wet moeten ondertekenen.

Tijdens een officieel bezoek ontmoette ik Havel in het Slowaakse deel van het land. Hij wist dat ik Dubček had gesproken en was benieuwd of ik ook hem kon vertellen wat de parlementsvoorzitter, naar verluidde, had gehoord over de Spaanse transitie. Ik aarzelde niet hem het verhaal te vertellen omdat ik het een anekdote vind die een paar kenmerken van de Spaanse transitie goed weergeeft. Ik werd premier op 2 december 1982, en op 5 januari 1983 overleed de vader van mijn vrouw. Ik reisde met het presidentiële vliegtuig van Madrid naar Sevilla om de begrafenis bij te wonen. Op de luchthaven van Sevilla werd ik begroet door een politiecommissaris die zich onder mijn bevel stelde als de persoon verantwoordelijk voor mijn veiligheid tijdens mijn verblijf. Ik gaf hem een hand en groette hem bij zijn naam. Hij reageerde verrast en vroeg of ik hem kende. Ik legde uit dat hij me had aangehouden in 1974. Eén jaar voor Franco's dood had die man mij gearresteerd toen ik vanuit Portugal aankwam in Sevilla. Ik was illegaal de grens overgestoken en in Sevilla stonden ze me op te wachten en arresteerden ze me voor een oude zaak die nog hangende was. De commissaris stond met zijn mond vol tanden. Daar stond hij dan, verantwoordelijk voor de veiligheid van de man die hij zeven jaar eerder had gearresteerd. Václav Havel antwoordde dat hij nu beter begreep hoe het zat in Spanje. De man die me moest beschermen was geen lid van de nationale politie die diefstallen onderzoekt, hij was lid van de politieke politie.

Je moet weten welke krachten de transitie een positief elan kunnen verlenen. Die krachten zijn afhankelijk van de interacties tussen machten binnen en buiten het regime en de oppositie, en van de vraag of je al dan niet de lijn trekt die stelt dat iedereen die ooit, wanneer ook, heeft meegewerkt met het vorige regime voorgoed is uitgesloten. Als dat het geval is, is het bijna onmogelijk om een breed nationaal akkoord te bereiken dat een ordelijke democratische transitie mogelijk maakt. Ik zeg niet dat het overal zo is. Ik heb het over min of meer geslaagde democratische transities.

MOGELIJKE TRANSITIE IN CUBA

U verwees naar het verschil in levensverwachting tussen de leiders van Cuba en een jongere generatie die nadenkt over de toekomst. De gebroeders Castro hebben nooit bruggen willen slaan naar de toekomst. Hoe beoordeelt u de omstandigheden voor een transitie in Cuba?

In Cuba speelde er nog iets opmerkelijks: de opkomst van Gorbatsjov met al zijn internationale successen en interne mislukkingen. Die kwamen hem zo duur te staan dat slechts één procent van de Russische publieke opinie hem nog wilde, terwijl 80 procent van de internationale publieke opinie hem de hemel in prees omdat hij een historische verandering teweeg had gebracht. Net als in Rusland had nog slechts één procent van de Cubanen een hoge pet van hem op. Tijdens de crisis van 1991, dus in de nasleep van Gorbatsjovs beleid en de val van de Berlijnse Muur, verloor Cuba de cruciale steun van het latere Rusland. Fidel zocht op zijn eigen manier naar oplossingen en stimuleerde de opkomst van een generatie met een andere visie die echter wel het revolutionaire discours bleef voeren. In 1991 en 1992 waren er verschillende pogingen om openingen te creëren, met wisselend resultaat. Als onze mensen zoals Carlos Solchaga,[106] die in de economische arena stonden, met Fidel spraken over een bepaalde mate van economische openheid, ontstak hij in woede omdat mensen met een bepaalde mate van privé-initiatief geld verdienden. En dus sneed hij die bron van 'kapitalistische corruptie' af en zette een stap achteruit.

In 1995, mijn laatste regeringsjaar, was Spanje EU-voorzitter en verantwoordelijk voor een poging om een bilaterale overeenkomst tussen de Europese Unie en Cuba te sluiten. Dit stuitte op hevig verzet van de VS. Het akkoord stoelde op een bestaand modelakkoord, de bilaterale overeenkomst tussen de EU en Vietnam. Raúl Castro's fascinatie voor het Vietnamese model was duidelijk zichtbaar. China was voor Raúl Castro nogal ver weg, maar hij begreep het belang van het Vietnamese succes. Hij zag dat het Vietnam economisch voor de wind ging terwijl er toch slechts één partij aan de macht was, dat er desondanks samenwerkingsakkoorden waren met de EU en dat het land Europese leningen en investeringen ontving.

Ik voerde nog een laatste gesprek over die mogelijke overeenkomst met Fidel Castro in het Argentijnse Bariloche, op een Ibero-Amerikaanse top in oktober 1995. In december stond de laatste bijeenkomst van de Europese Raad onder mijn voorzitterschap op de agenda. We bespraken onder meer de laatste kans voor Cuba om dit bilaterale akkoord met de EU te tekenen, een akkoord dat haalbaar was ondanks hevig verzet van de Oost-Europese landen tegen de relatie met Cuba. Het was voornamelijk een economisch en politiek akkoord. Op economisch vlak zouden de Cubanen de economie aan de basis openstellen naar het Vietnamese model van staatskapitalisme dat zo'n dynamische groei creëerde en het sociale welzijn sterk verbeterde. Op politiek vlak moest het strafwetboek worden hervormd, iets wat de Vietnamezen vlot hadden aanvaard. Het vergrijp van de 'misdaad tegen de revolutie' werd geschrapt — of misschien moet ik zeggen dat het de bedoeling was individuele vrijheid van meningsuiting te garanderen. Het akkoord voorzag niet in de mogelijkheid van meerdere politieke partijen, dat was in Vietnam ook niet aan de orde geweest. Er werd gewoon vastgelegd dat mensen die kritiek uitten op het regime niet vervolgd zouden worden. Het ging om vrijheid van meningsuiting en dus om de vrijheid om kritiek te geven. Er was al zo veel vooruitgang geboekt met de overeenkomst dat de Franse Raad van State al werkte aan een verslag over de hervormingsmaatregel. In dat gesprek in Bariloche in oktober 1995 — ook om andere redenen een lastig onderhoud — zette ik de voorwaarden voor de overeenkomst uiteen.

In december bracht ik verslag uit bij de Europese Raad en in februari besloot Fidel boven Havana twee vliegtuigjes uit Miami neer te halen die propagandafolders uitstrooiden. Daarna was elke kans op een akkoord of onderhandelingen verkeken. Zo voorkwam Fidel een verbintenis waarvan hij de uiteindelijke gevolgen niet kon overzien. Hij redeneerde dat de Cubanen zich toch al individuele vrijheden veroorloofden, ook al hadden ze die feitelijk niet, in tegenstelling tot Vietnam, dat een hiërarchische samenleving kent waar het collectieve belang het belang van het individu overstijgt en waar demonstraties voor vrijheden slechts radicale minderheden aantrekken, net als in China. Het is een compleet andere mentaliteit.

HEDENDAAGSE TRANSITIES

Is de ervaring van Spanje relevant voor moderne transities?

Je kunt niet veralgemenen, want elk geval is uniek. Ik was betrokken bij de ontwikkelingen in Tunesië, waar de situatie zich op een heel andere manier ontvouwde dan in Marokko. Net als in Chili. De meest representatieve elite was de Chileense gemeenschap in ballingschap. Weinig mensen hadden zich tegen de autoritaire regering verzet, de belangrijkste werden gedwongen het land te verlaten. Iets dergelijks gebeurde ook in Tunesië. Een deel van de Tunesische bourgeoisie was tegen het regime, maar het regime had niet de intentie die groep uit te schakelen omdat ze in hun ogen geen bedreiging vormde voor de stabiliteit, activiteiten of corruptie van het bewind. De regering concentreerde zich vooral op de eliminatie van oppositiebewegingen — 'terroristen' werden ze genoemd — en veegde die oppositie daadwerkelijk van de kaart. Nooit heeft het Westen geprobeerd het regime hiervoor verantwoordelijk te stellen; na de gebeurtenissen in Algerije reageerde men hier heel terughoudend.

Ik nam deel aan de gesprekken over een nieuw samenwerkingsbeleid met de landen rond de Middellandse Zee in het kader van het vredesplan in 1995 na de Eerste Golfoorlog. Er was een Europees plan voor bilaterale akkoorden met alle betrokken landen, van Marokko tot Syrië. Die akkoorden kenden drie componenten. De eerste richtte zich op economische samenwerking, opening en liberalisering; de tweede op veiligheid; en de derde component op de basisvoorwaarden voor democratisering. Respect voor de mensenrechten en democratische vrijheden kwam niet ter sprake omdat in de tweede helft van de jaren negentig voor het Westen alleen de dreiging van het internationale terrorisme telde. Als het ging om vrijheden keek het Westen de andere kant op bij staatshoofden en dictators die de veiligheid waarborgden. De dialoog met de elites die vrijheden en democratie wilden, verliep daarom moeizaam. Ik hield de dialoog open, maar ze waren enorm in de minderheid en bitter teleurgesteld toen ze zagen hoe de basisvoorwaarden voor democratisering overboord werden gegooid. Het feit dat Frankrijk de Tunesische transitie niet had gesteund, was dan ook een van de oorzaken van de interventie in Libië.

Mensen verwierpen de relatie van Frankrijk met Ben Ali en zijn regime. Voor Frankrijk heeft Tunesië een eigen territorium, een eigen cultuur. Toen de revolte begon, kon de Franse ambassadeur zich nergens laten zien, terwijl de Spaanse ambassadeur probleemloos publiekelijk optrad. Ik kon praten met jongeren die de opstand waren begonnen, die 'de geest uit de fles' hadden gehaald. Eigenlijk hadden zij de opstand niet geleid, maar de islamisten met hun territoriale structuur, en in zekere mate ook de traditionele politieke partijen die het vaak oneens waren. Ik was nauw betrokken bij dat proces en wist zeker dat de hoofdrolspelers die ik al kende van eerdere gelegenheden niet de hoofdrolspelers van de verandering zouden zijn. Ik sprak met de islamisten, die hun best deden gematigd en democratisch over te komen — ze beloofden bijvoorbeeld niet te tornen aan de rechten van de Tunesische vrouwen — als de meest vooruitstrevende lieden in de Arabische wereld. Toch verdwenen de hoofdrolspelers van de revolutie, ook in Egypte. Zij die op het Tahrirplein voortdurend opriepen tot… Nu ja, tot wat precies is niet echt duidelijk, aangezien de verkiezingen na de opstand legitimiteit verleenden aan de opkomende islamistische macht, die de steun kreeg van 40 procent van de gematigden en van 20 procent van de radicalen. Zelfs als de radicalen van de macht kunnen worden uitgesloten, moeten de gematigden toch een akkoord sluiten met de echte Egyptische machthebbers, en dat is nog steeds het leger, om stabiliteit te waarborgen.

Het is daarom moeilijk te zeggen wie de gesprekspartners zijn. Wat betreft Marokko was ik bitter teleurgesteld dat ik moest onderhandelen met de Marokkaanse sociaaldemocraten die al jaren meeregeerden. Na de dood van koning Hassan II kwamen ze vanuit de oppositie in de regering. Ze regeerden samen met de nationalistische partij en andere politieke krachten met een zekere democratische traditie. Onze gesprekken begonnen steevast met hetzelfde punt: zij vormden elites die zo goed opgeleid waren dat ze *trop Sorbonne* waren voor het land. De hervormingen en modernisering kwamen van mensen die opgeleid waren aan de Sorbonne, terwijl de werkelijkheid in Marokko weinig gemeen heeft met die Franse realiteit. Verrast keken ze toe hoe ik na aankomst in Marokko wijken en dorpen bezocht om te zien hoe mensen er woonden, hoe hun levens eruitzagen. Zijzelf kwamen daar nooit, ook niet tijdens verkiezingscampagnes. Het gevolg was dat bij de laatste verkiezingen, toen de stemmen voor het eerst echt werden geteld, een islamist premier werd. Bij vrije verkiezingen telt het aantal stemmen en na de parlementsverkiezingen bleek de premier een islamist te zijn, omdat de islamisten op plaatsen zaten waar de leiders in hun kostuums niet kwamen.

GERECHTIGHEID EN VERZOENING

Welke lering kunnen anderen trekken uit de Spaanse ervaringen op het vlak van gerechtigheid, verzoening en amnestie?

Amnestieregelingen krijgen tegenwoordig weer veel aandacht en kritiek, maar destijds wisten we dat dit ook ETA-gevangenen ten goede zou komen. We wilden mensen uit de gevangenis krijgen die nog steeds hun proces afwachtten, mijzelf inbegrepen. Ik keek aan tegen een gevangenisstraf van acht jaar en die eis wilde de openbare aanklager nog optrekken naar twintig jaar.

Het was de minister van Binnenlandse Zaken, Manuel Fraga, die opdracht gaf de zaak opnieuw te bekijken en de aanklacht tegen mij in te trekken na een persoonlijk gesprek. Ik ontmoette Fraga voor het eerst tijdens een diner. Er waren toen nog geen politieke partijen en er waren ook nog geen verkiezingen uitgeschreven. We ontmoetten elkaar op 30 april 1976. De sfeer was gespannen en hij bedreigde me. Maar ik stelde hem voor de keuze. Van mij mocht hij doen wat hij wilde, mocht hij zijn dreigement uitvoeren. Ik zou het hem niet moeilijk maken. Ik was voorwaardelijk vrij en er hing me een gevangenisstraf van acht jaar boven het hoofd die hij stante pede kon laten ingaan. Ik zei dat hij zijn dreigementen evenwel beter kon laten varen en er goed aan deed naar me te luisteren, want binnen acht jaar zou hij afhankelijker zijn van mij dan ik van hem.

Nu hoor je dat we amnestie boden voor misdrijven die onder de Francodictatuur zijn gepleegd en misschien ook voor vergrijpen van Fraga, maar feit is dat we de voorvechters van de democratie uit de gevangenis wilden krijgen en een einde wilden maken aan de gerechtelijke procedures. De communisten spraken al sinds de jaren zestig over nationale verzoening, over een overeenkomst daaromtrent. Het was hun voorstel, zij waren de pioniers. Op dat moment besefte niemand dat we verantwoording konden eisen voor misdrijven en vergrijpen van de dictatuur. Dat was ondenkbaar.

Uiteraard maak je bij amnestie geen onderscheid tussen een amnestie of een pardon. Het was duidelijk een vergissing om ETA-gevangenen vrij te laten in de veronderstelling dat ze de terreurgroep zouden ontmantelen en hun strijd tegen de staat zouden staken, louter omdat die staat hen op vrije voeten had gesteld en werkte aan een democratische grondwet. Tijdens de regeringsperiode van Suárez (1979–1980) pleegde de ETA een recordaantal misdrijven, zo'n negentig tot honderd per jaar. Tijdens mijn ambtstermijn zagen we een lichte daling, die iets uitgesprokener werd tegen het einde van die periode.

Wat betreft amnestie zien we nog elke dag hetzelfde in Zuid-Amerika. Gebeurtenissen van 25 jaar geleden worden uit hun historische context gehaald. Mensen bekijken de beslissingen niet in de context waarin ze werden genomen.

Het moeilijke aan politieke processen die lang na een transitie plaatsvinden, is dat je keer op keer op die kwestie moet terugkomen. In Uruguay bijvoorbeeld heeft men twee referenda gehouden en José Mujica was zelf ooit lid van de guerrilla. Als president begrijpt hij dat er gedeelde verantwoordelijkheid was en wil hij geen onderzoek naar functionarissen, omdat ook hij illegaal de wapens heeft opgepakt en zelfs de opkomst van regressieve krachten in de hand heeft gewerkt. In Spanje was er niet de minste intentie om personen te onderzoeken en aan te houden die mogelijk verantwoordelijk waren voor misdrijven onder de dictatuur.

DECENTRALISATIE

Naast de Baskische afscheidingsbeweging hebben verscheidene regio's gestreefd naar een bepaalde mate van autonomie. Hoe ging de regering met deze eisen om?

De tweevoudige transformatie omvatte de democratisering en de decentralisatie van de staat. Decentralisatie, en dan heb je het ook over autonomie, was een eis van slechts tweeënhalve gemeenschap: Catalonië en Baskenland, en in mindere mate Galicië. Ik verwijs hier naar gemeenschappen met een eigen taal, hoewel Galicië, zij het met een iets minder diepgeworteld gevoel, ten tijde van de Tweede Republiek (1931–1939) al iets had wat op autonomie leek. Het zag zichzelf als een zogeheten historische gemeenschap, al klonk er geen maatschappelijke roep om autonomie. In alle andere gemeenschappen speelde de vraag gewoon niet.

Er was een positief momentum van politieke decentralisatie, maar het leverde ook nadelige situaties op. Waarom zou Andalusië minder autonomie moeten genieten dan bijvoorbeeld Catalonië? Castilla-La Mancha vroeg geen autonomie, noch Murcia of andere Spaanse regio's. Daarom voorziet de grondwet in twee autonomieniveaus: een voor historische gemeenschappen en een andere voor gemeenschappen waar decentralisatie eerder ambtelijk dan politiek is, maar met een toegang tot de zogeheten categorie I-autonomieën. Bij de keuze tussen categorie I (politiek) en II (bestuurlijk) geeft iedereen de voorkeur aan de eerste. Zo creëer je een imitatiegolf en is politieke decentralisatie het gevolg. Terwijl dit al vele jaren positief is gebleken voor Spanje komt er een moment dat decentralisatie de decentrale machthebbers de kans geeft om hun rol als kleine vorsten op te nemen, wat een verzwakking van de nationale cohesie met zich meebrengt. Dit stadium hebben we nu bereikt in de nasleep van de economische crisis die dat proces ook heeft versneld.

Welke belangrijke problemen stonden de democratische transitie in de weg?

Sinds de negentiende eeuw hebben we een agenda gehad met 'vier basiskwesties'. Als eerste was er het militaire vraagstuk: hoe maak je de militaire macht ondergeschikt aan het civiele gezag, gezien de minachting die generaals altijd hebben gekoesterd voor burgerpolitici? Dat punt was onvermijdelijk. Ten tweede had je het maatschappelijke vraagstuk, de klassenverschillen die hebben bijgedragen tot de Spaanse Burgeroorlog, tot het drama van de republiek. Als derde was er de territoriale kwestie, het aanslepende probleem van Catalonië en Baskenland. Zelfs al ten tijde van de Eerste Republiek van 1873 tot 1874 was het de bedoeling dat Spanje een federatie zou vormen. Dat duurde twee jaar. De laatste vraag was religieus van aard: klerikalisme en antiklerikalisme en de rol van de Kerk.

Bij de transitie was het maatschappelijke vraagstuk het eenvoudigst op te lossen omdat de samenleving op dat vlak al aardig wat vooruitgang had geboekt. Daarom waren de sociale spanningen in Spanje, ook in crisissituaties, nooit heel groot. Het maatschappelijke vraagstuk was in Spanje het minst ingewikkeld.

HET LEGER ONDER CIVIEL GEZAG

Het militaire vraagstuk was heel complex, maar daar voorziet de grondwet toch in de beste oplossing door er een hervorming van Narcis Serra, mijn minister van Defensie, in vast te leggen. Voor het eerst in de moderne geschiedenis van de Spaanse staat was de militaire macht niet langer een aparte macht of tak van de staat, maar een instelling, en werden politici verantwoordelijk voor defensie en het militaire beleid. Mijn ervaringen met het leger waren goed, beter dan mijn ervaringen met het gerechtelijke apparaat.

Bent u tijdens uw regeringsperiode ooit bang geweest voor een militair ingrijpen zoals de interventies van 1981 en 1982?

Er was een poging in 1981, een tweede in oktober 1982 en nog eentje vlak voor de ondertekening van het EG-toetredingsverdrag, op de Dag van het Leger. Die laatste hebben de veiligheidsdiensten snel verijdeld. Er was een aanslag gepland in La Coruña, met als doel de tribune met alle gezagsdragers en de koninklijke familie op te blazen om zo een niet af te remmen proces op gang te brengen. Het moest een actie worden vergelijkbaar met de moordaanslag van de ETA op premier Carrero Blanco in december 1973.

De regering-Suárez stond op gespannen voet met het leger. Ik ontken niet dat er ook spanningen waren tijdens mijn regeringsperiode, maar die kon je volgens mij alleen aanpakken met hervormingen die zich verzekerd wisten van een grote meerderheid en veel steun in het parlement. We kregen alle militaire hervormingen door het parlement: het militair wetboek, de bevoegdheden van het leger, hervormingen qua opleiding en deelname aan internationale missies. Dat alles samen zorgde geleidelijk voor een complete transformatie van de strijdkrachten. Natuurlijk verliep dit niet zonder incidenten, maar die losten we met totaal andere middelen op, zoals in Valladolid.

Suárez had deel uitgemaakt van het staatsapparaat en hij was secretaris-generaal van de Movimiento Nacional, de enige partij toen de koning hem tot premier benoemde. Steeds wanneer iemand uit de legertop een impertinente uitspraak deed, had hij de neiging in discussie te gaan. Er ontsponnen zich veel verhitte debatten in het parlement. In het begin overkwam mij hetzelfde.

Dat gebeurde ook toen ik in Chili was. Ricardo Lagos zou zich kandidaat stellen en de pers vroeg Pinochet wat hij vond van mijn komst naar Chili om de kandidatuur van Lagos te steunen — niet met die precieze woorden, want ik was daar voor een seminar. In de Lions Club merkte Pinochet brutaal op dat de opkomst van een nieuwe socialistische kandidaat weleens zou kunnen leiden tot een nieuwe elfde september, de dag waarop hij in 1973 de democratisch verkozen regering van president Salvador Allende ten val had gebracht. Dat was zo'n typische, arrogante opmerking van hem. De media vroegen mij natuurlijk ook of ik gekomen was om Lagos te steunen, en ik zei dat het niet mijn bedoeling was Pinochet van repliek te dienen. Dat kon alleen als meneer Pinochet zijn wapen zou neerleggen. Zolang hij dat wapen vasthield, had hij de overhand en was er geen dialoog mogelijk. Als hij wilde meedingen bij de verkiezingen, moest hij zijn dreigementen staken. Het werd een heel schandaal.

In Spanje heb ik geen enkele discussie gevoerd met legerofficieren. Er waren één of twee uitspraken in Valladolid, een daarvan in een interview in het tijdschrift *Interviu*, die legerofficieren niet betaamden. Antonio Asensio, de eigenaar van het blad, stuurde me de verklaring van een officier die *Interviu* de eerstkomende maandag wilde publiceren. Hij was bang en wilde dat ik de geïnterviewde beleefd zou vragen zijn commentaar in te trekken. Ik weigerde omdat ik me niet wilde bezondigen aan censuur. Hij moest het publiceren en ik gaf hem verder geen uitleg. Ik belde echter de minister van Defensie en de vicepresident met de opdracht dat ze die maandag, op het moment dat het tijdschrift zou verschijnen, een decreet moesten tekenen om de man naar de reservisten over te plaatsen en hem te vervangen door een nieuwe *capitán-general de Valladolid*. De mensen zouden die maandag een verklaring lezen van iemand die al bij de reservetroepen zat omdat de regering dit bij decreet had besloten.

Dit overkwam me twee keer en de toenmalige junta van de chefs van staven bedankte me. Deze chefs van staven, met nog een paar onversneden franquisten in hun midden, bedankten me omdat ik niet in debat was gegaan en er geen publiek spektakel van had gemaakt. Een man die zijn verplichtingen als commandant niet nakwam, moest naar de reservisten en mocht zijn gezag inderdaad niet meer uitoefenen. Hij werd vervangen, en klaar. Sterker nog, ik nam de leden van de junta mee naar de inauguratie van president Sanguinetti in Uruguay. In het vliegtuig vroegen ze wat ik van hen verwachtte nu ze daar hun tegenhangers zouden ontmoeten die de macht zouden overdragen aan het einde van de dictatuur. Ik gaf geen instructies. Ze moesten maar gewoon met hen praten en die legertop uitnodigen om in Spanje te komen kijken hoe het daar ging.

Ik had maar twee van zulke couppogingen, terwijl Suárez er elke week of elke maand wel een had. Suárez ontbood me ooit op zijn kantoor en zei me dat hij besloten had een deel van het leger in Baskenland en Navarra aan de grens met Frankrijk in te zetten. Dat leek me geen goede zaak, maar hij deed het onder druk van het leger, niet vanwege de ETA. Ik verduidelijkte dat dat stuk grens al tijdens de Tweede Wereldoorlog moeilijk te controleren was geweest en dat een poging in die richting, met terroristen die tussen Frankrijk en Spanje pendelden, een vruchteloze onderneming en zelfs een vergissing zou zijn. Hij zou de ETA, die beweerde het gemunt te hebben op het leger, zo legitimiteit verlenen en daar was ik het niet mee eens. Suárez zelf was het hier ook niet mee eens, maar had naar eigen zeggen bij het leger geen ruimte om te manoeuvreren. Hij zou ze toestemming geven om ervan af te zijn — ze moesten weten dat dit niet opgelost kon worden zoals zij voorstelden — en wilde dat ze de verantwoordelijkheid zouden delen. Hij wist dat het geen zin had en dat de ETA misschien zelfs een paar soldaten zou vermoorden. Strategisch was het een fout, maar hij had geen politieke manoeuvreerruimte en het moest gebeuren. Met andere woorden: hij vroeg me niet om het met hem eens te zijn, maar eerder om geen kritiek te leveren. Ik antwoordde: 'Doe maar en ik zal mijn mond houden.'

We maakten dus afspraken, ook over dingen waarover we het niet eens waren. Dit is fundamenteel om te begrijpen waarom en hoe de transitie werkte. We hebben het militaire probleem goed opgelost, maar hebben nooit een bevredigende oplossing gevonden voor het religieuze vraagstuk.

ROL VAN DE VEILIGHEIDSDIENSTEN

Wat was de rol van de koning bij de democratische transitie en de invoering van de constitutionele monarchie? Waarom waren er couppogingen toen hij aan het hoofd van de regering stond?

Om dit te beantwoorden moet ik twee voor mij lastig bespreekbare dingen vertellen. Een bepaalde generatie van het leger was Franco trouw gebleven en de stappen richting democratisering van de koning zagen zij als een verraad aan Franco's erfenis. Niet de koning, maar zijn acties baarden hun zorgen. Ze verzetten zich tegen de regering en waren erover verbolgen dat de koning de taak van die regering vergemakkelijkte. Als opperbevelhebber van de strijdkrachten kon de koning daarnaast ook als bemiddelaar optreden. Er was verzet tegen de veranderingen en het is aannemelijk dat zonder de koning de coup gelukt zou zijn.

Tijdens de transitie ressorteerden alle inlichtingendiensten nog onder het leger. Later werden ze geïntegreerd met de civiele veiligheidsdiensten. In tegenstelling tot de Engelstalige wereld wilden democratische burgers in landen als Spanje hun handen niet vuil maken aan inlichtingenkwesties. De Britse geschiedenis heeft genoeg voorbeelden van beroemde intellectuelen die uit krachtige democratische overtuiging en zuiver patriottisme hun land op dit vlak hebben gediend. De kritiek van sommigen dat de inlichtingendiensten grotendeels militair waren, weerlegde ik steevast met de boodschap dat mensen zoals zij de belangen van de democratische staat nooit zouden verdedigen vanuit het inlichtingenapparaat. Dat is een feit, een overblijfsel uit het verleden, maar er speelt nog iets interessants.

Na de dood van Franco vielen de complexe inlichtingendiensten uiteen en heersten er twee duidelijke opvattingen. Volgens de eerste hadden de inlichtingendiensten de taak om het regime te verdedigen dat ze dienden. De andere opvatting was dat de inlichtingendiensten de Spaanse staat en niet het Franco-regime dienden, en dat het hun opdracht was de democratisering te steunen en de staat daarbij zo min mogelijk schade te berokkenen. Opmerkelijk was dat aanhangers van de tweede opvatting al voor Franco's dood contact met mij zochten. Die tweedeling veroorzaakte veel spanningen, maar was cruciaal voor het afdwingen van democratische voorstellen en het neutraliseren van regressieve tendensen.

ROL VAN HET MAATSCHAPPELIJK MIDDENVELD

Welke rol speelde de Kerk?

In de eerste fase van de transitie vormde de Kerk geen ernstig probleem. Het feit dat de staat als katholiek werd beschouwd, zorgde wel voor serieuze spanningen. De grondwet erkent het katholicisme als de religie van de meerderheid. Tijdens de democratische transitie had de Kerk, die oorspronkelijk het ideologische en godsdienstige kader van het Franco-regime vormde, een elite in haar midden die de dynamiek van verandering en democratisering steunde. De kerkelijke kwestie werd redelijk opgelost, maar niet definitief. In eerste instantie faciliteerde de kerkleiding de transitie. Sommigen herinneren zich nog de strijdkreet van extreemrechts: *Tarancón al paredón* ('Tarancón voor het vuurpeloton'). Kardinaal Tarancón was aartsbisschop van Madrid tussen 1971 en 1983, en bemiddelde tijdens de transitie.

Het aantreden van paus Johannes Paulus II markeerde het begin van een regressief proces voor een deel van de katholieke doctrine. Er werden stappen teruggezet met het krachtige verzet van de Kerk tegen de abortus- en echtscheidingswetgeving die de regering-Suárez aannam — met onze steun, want alleen was het hem niet gelukt. De Kerk staat van nature weigerachtig tegenover deze kwesties. Recentelijk keurde de regering-Zapatero nog de uitbreiding van een aantal vrijheden goed en het gevolg was dat bisschoppen en priesters de straat op kwamen om te protesteren tegen wetten die met een meerderheid in het parlement waren aangenomen. Zoiets was nog nooit vertoond.

Waarom lag de relatie met de Kerk moeilijk?

De Kerk heeft historisch altijd gemeend meer macht te hebben in Spanje dan in eender welk ander land. Veel meer dan in Italië. De Spaanse kerkleiding zag de burgeroorlog als een kruistocht, een oorlog tegen de ongelovigen. De relatie tussen kerk en staat was zelfs tijdens mijn regering vanuit economisch standpunt in Spanje veel voordeliger voor de Kerk dan in Italië, België of andere katholieke landen. De economische crisis heeft nu een kleine polemiek gecreëerd omdat de Kerk geen belasting op eigendommen betaalt, of het nu gaat om een appartement, een middelbare school, een bedrijfspand of om welk gehuurd gebouw dan ook — zelfs als daar gewoon ondernemingen in opereren.

Tijdens mijn regeerperiode kreeg ik bezoek van Agostino Casaroli, een man van het Tweede Vaticaans Concilie die na de verkiezing van Johannes Paulus II zijn functie van minister van Buitenlandse Zaken hield van 1979 tot 1990. Hij was een vooruitstrevende en intelligente man, en hij uitte zijn bezorgdheid over financiële kwesties die de nuntius in Spanje, Mario Tagliaferri, in een document had opgetekend. Ik antwoordde dat ik begreep dat de financiering van de Kerk hem zorgen baarde, maar dat ik dat eens en voor altijd zou oplossen. Zijn informanten, zei ik, goed wetende dat ze daar gewoon naast hem zaten, misleidden hem. 'Vraag eerst maar eens in welke mate de financiering van de Kerk is toegenomen sinds de socialisten, ongelovigen zoals ik, in de regering zitten.' Vervolgens vroeg ik hem ook met hoeveel landen het Vaticaan diplomatieke betrekkingen onderhield. Dat waren er 104. 'Zeg mij dan welk model uw voorkeur geniet en dan zal ik meteen de afspraken met de Heilige Stoel veranderen om te voldoen aan het model dat u verkiest.' Hij heeft het probleem nooit meer aangekaart. Dat was in 1986. Ik heb het in één gesprek, eens en voor altijd, opgelost.

SOCIALE MOBILISATIE

Wat betekende de sociale mobilisatie voor de transitie? Welke rol speelden vrouwen en vrouwenorganisaties?

Het succes van de transitie in Spanje is deels te danken aan een zeer breed en goed voorbereid maatschappelijk middenveld. De mobilisatie was intens en kon rekenen op de actieve betrokkenheid van vakbonden, studenten-, buurt- en gemeenschapsverenigingen. Er bestonden al jaren akkoorden tussen werknemers en werkgevers die buiten de controle vielen die de dictatuur op een aantal officiële vakbonden had. Als advocaat verdedigde ik werknemers vanuit in arbeidsrecht gespecialiseerde kantoren die buiten de officiële vakbondsstructuur van het regime opereerden en samenwerkten met de Comisiones Obreras, de arbeiderscommissies, en met de Unión General de Trabajadores, de algemene arbeidersbond, de twee grootste en destijds nog illegale bonden. De vertegenwoordigers van de werkgevers wisten dat ze aan de onderhandelingstafel niet praatten met de officiële, verticaal aangestuurde vakbond, maar met de echte vertegenwoordigers van de werknemers.

De transitie verliep geweldloos, met uitzondering van een aantal terreurdaden van extreemrechts. Het brede maatschappelijk middenveld was perfect voorbereid en klaar om de dialoog aan te gaan en het democratische leven te ondersteunen. Mensen kwamen de straat op, want de wijken waren heel goed georganiseerd. Veel wijkverenigingen, met inbegrip van vrouwenverenigingen, leidden die buurtmanifestaties.

Niet alleen in de feministische beweging die ijverde voor vrouwenrechten, maar ook in de vakbonden waren vrouwen goed vertegenwoordigd. Er was een aanzienlijke participatie van vrouwen, zozeer zelfs dat tijdens het democratiseringsproces Spanje heel snel de gelijke politieke vertegenwoordiging van vrouwen in het parlement bereikte, op een niveau dat vergelijkbaar was met dat in Zweden en Noorwegen. Vrouwen hadden rechtstreeks voordeel bij de democratische veranderingen. Waar ze voordien als 'onvolwaardig' werden beschouwd, kregen ze nu rechten. Onder Franco konden vrouwen geen appartement of auto kopen en ook geen lening afsluiten. Daar hadden ze hun echtgenoot of vader voor nodig. De democratische transitie maakte daaraan een einde.

REAGEREN OP ECONOMISCHE CRISISSITUATIES

Hoe beïnvloedde de economische situatie de transitie en wat was het belang van het Pact van Moncloa?

De onderhandelingen in het Moncloa-paleis maakten de weg vrij voor een groot constitutioneel pact. Dit nationale verdrag was een antwoord op een ernstige economische en deels politieke crisis die koren op de molen was voor de regressieve krachten. De economische problemen met een op hol geslagen inflatie die de Spaanse economie te gronde richtte, lagen aan de basis van het pact. Een deel van links en een aantal vakbonden gingen akkoord om salarisonderhandelingen mogelijk te maken op basis van de verwachte en niet de bestaande inflatiecijfers, om zo de geldontwaarding onder controle te krijgen. Cruciaal was dat de leiders van de regering die nog uit de Franco-dictatuur stamden, voor het eerst aan tafel zaten met leiders van buiten dit systeem. In oktober, kort na de eerste verkiezingen in juni 1977, startten zij de dialoog met het doel het land uit de economische crisis te halen. De regering was namelijk niet sterk genoeg en beschikte niet over de vereiste legitimiteit om zonder medewerking van de oppositie een economisch hervormingsbeleid door te voeren.

De vrees voor een terugval werd ingegeven door de economische malaise en versterkt door terreuraanslagen. Suárez' prioriteiten lagen op het politieke vlak. Bij de verankering van de transitie wilde hij de politieke valkuilen omzeilen met het opstellen en implementeren van een grondwet. De economie kwam op de tweede plaats. Hij wilde geen sociale onrust met massale stakingen en conflicten in een moeilijk beheersbare economische situatie. En aangezien hij het niet alleen kon, probeerde hij bepaalde akkoorden te bereiken.

De grootste verdienste van het Pact van Moncloa was dat de bevolking het signaal kreeg dat de oppositie, van communisten tot socialisten en christendemocraten, en de hervormers een akkoord hadden bereikt over de punten waarvoor consensus nodig was om verder te kunnen. Dat maakte een abrupt einde aan het sociale conflict op een moment dat de inflatie 26 of 27 procent bedroeg en nog bleef stijgen, terwijl de overheidsfinanciën totaal uit balans waren.

Je mag niet vergeten dat Franco net na de eerste oliecrisis is overleden. Landen als Nederland en Duitsland hadden net voor de crisis al hervormingen doorgevoerd, Spanje niet. De energieprijzen lagen dramatisch hoog en vormden een extra economische tegenslag boven op de eerder besproken politieke moeilijkheden.

Het Pact van Moncloa was primair een duidelijke intentieverklaring tegenover de bevolking dat de politieke krachten, van welke strekking ook, ruimte aan het creëren waren. Welke consensus is er nodig om het land te versterken? Je moet weten hoe je als goede ouder bepaalt wat er gegeten wordt en dat er niet met eten wordt gespeeld. Alle landen in de wereld die dit hebben gedaan, zij het niet altijd in de vorm van een formeel akkoord, hebben een solide democratie. De VS deed het zus, Groot-Brittannië zo. Er zijn kwesties die de partijbelangen overstijgen, die het landsbelang dienen en niet ter discussie worden gesteld. Dat noem ik de dingen die je eet, die bewaard moeten worden. Ze hebben te maken met buitenlands beleid, met enorme economische disbalansen of met de behoefte aan een overeenkomst over bijvoorbeeld de decentralisatie van de staat. In die zin heeft het Pact van Moncloa ons voorbereid op de onderhandelingen voor een grondwet.

ECONOMISCH BELEID VOOR ONTWIKKELING

Denkt u dat zo'n pact ook nu noodzakelijk en haalbaar is, gezien de huidige economische crisis in Spanje?

Zo'n pact is noodzakelijker dan voorheen, omdat het van invloed is op meerdere aspecten. De discussie over hoelang de transitie heeft geduurd, is er altijd geweest. Voor mij was de overgang afgelopen met de invoering van de grondwet en de eerste democratische machtswisseling. Toen wij in de regering kwamen, was de transitie een feit en waren de spelregels al bepaald. Dat hadden we samen met Suárez gedaan. Hij was de protagonist en de PSOE heeft daarbij zo goed mogelijk geholpen met het Pact van Moncloa, en de grondwet en zo meer.

We verankerden de democratie, moderniseerden het land en ontsloten Spanje voor de wereld. Mijn regeringsperiode zou je kunnen omschrijven als een fase van democratische consolidatie, hervorming van het leger en intensivering van de democratie — ontsluiting naar de rest van de wereld, lidmaatschap van de EU en het openstellen voor Latijns-Amerika en het Middellandse Zeegebied, onze belangrijkste werkgebieden, en de modernisering van het Spaanse productieapparaat door industriële herstructurering. Ik nam het roer over van premier Sotelo, volgens wie ik me geen illusies moest maken, aangezien Spanje om structurele redenen altijd een inflatie met dubbele cijfers zou hebben. In tegenstelling tot Duitsland of Frankrijk zouden we nooit lage inflatiecijfers halen, omdat Spanje een structureel en cultureel probleem heeft dat ons niet toestaat onder die *double digits* te duiken. Ik moest dus sleutelen aan de structuur en de cultuur. Bij mijn verkiezing bedroeg de inflatie 14 procent; het Pact van Moncloa had voor een verlaging gezorgd, want eerder was het 26 procent. Toen ik uit de regering stapte, was de inflatie vergelijkbaar met de inflatie na de regeringsperiode van Aznar en Zapatero (3,7 procent), en dat vond ik hoog.

DE AANPAK VAN BELANGENVERSTRENGELING

Bedreigden de nauw aan het Franco-regime verbonden zakelijke belangen de transitie?

Tijdens de verkiezingscampagne waren die belanghebbenden heel strijdbaar. Zo werd de militaire staatsgreep van 1981, waarbij ook burgers waren betrokken, uitgelegd als een poging om links buiten de regering te houden. Dat achtten ze namelijk heel waarschijnlijk. In 1979 voerden ze campagne, maar het werd moeilijk toen de UCD van Suárez het minder goed deed; voor het bedrijfsleven leek onze overwinning vrijwel onafwendbaar. Een van de leuzen uit hun campagne in 1982 was dat wij, zoals gezegd, zelfs de aarde uit de bloembakken nog zouden nationaliseren. Het was een meedogenloze en negatieve campagne, met advertenties van een worm die zich in een rotte appel boorde. Niemand schoot er iets mee op en ik heb er nooit veel aandacht aan besteed.

Bij mijn aantreden deed ik een paar dingen die mensen niet gewend waren. Sinds de negentiende eeuw hadden de banken onafgebroken de minister van Economie en Financiën benoemd. Er was ook nooit een minister van Industrie geweest die niet de steun van de elektriciteitsbedrijven genoot. Wij hebben met die traditie gebroken. Ik kon deze beslissingen volledig autonoom nemen.

Een conflict met de zusterbonden aangevoerd door Nicolás Redondo, secretaris-generaal van de UGT van 1971 tot 1994, maakte het lastiger om de autonomie van de regering ten opzichte van de vakcentrales te vestigen. De bonden wilden de traditie in ere houden en beslissen wie minister van Arbeid en Sociale Zaken werd. Mijn antwoord was dat er voor niemand quota bestonden. Ik bepaalde wie deel zou moeten uitmaken van het regeringsteam. Zo stond het in de grondwet. Natuurlijk waren er spanningen, maar de bedrijfslobby kreeg pas genoeg van de regering toen het tweede parlement het einde van zijn termijn bereikte.

Ricardo Lagos herinnert zich nog dat ze hem met mij vergeleken in zijn relatie met het zakenleven. 'Als Felipe González een goed referentiemodel was, zoals jullie zakenlieden beweren, vergeet dan niet dat de belastingdruk elk jaar dat hij in de regering zat met één procent van het bruto binnenlands product toenam', zei hij ooit tijdens een vergadering. En dat was ook zo. Ik heb veertien jaar in de regering gezeten en na mijn vertrek lag de belastingdruk 14 procent hoger dan toen ik aan het bewind kwam. Hoe hadden we ooit voor iedereen toegankelijk algemeen onderwijs en openbare gezondheidszorg kunnen opzetten als we dat niet hadden gedaan? Het bedrijfsleven wilde in 1988 al een andere regering, en wel in die mate dat de vakbonden voor de verkiezingen opriepen tot een algemene staking die massaal werd opgevolgd. Er was zelfs met de werkgevers afgesproken de verloren uren in te halen. De werkgevers faciliteerden de staking en het land lag volledig plat. Zelfs de Spaanse televisie ging op zwart. In 1989 waren er verkiezingen en ik won nogmaals een meerderheid in het parlement.

VERSCHILLEN BINNEN DE OPPOSITIE

Kijken we even naar de politieke partijen. Waarom deed de UCD het niet goed en kwam er een nieuwe rechtse partij, de Partido Popular, erfgenaam van Fraga's Alianza Popular? En hoe ging u met de communistische partij om?

Ik vertrouwde de communisten niet, maar ik was geen anticommunist. Ik heb de relatie met hen hersteld. Ik was de eerste die na dertig jaar contact zocht met Santiago Carrillo, secretaris-generaal van de communisten, in Frankrijk. Prompt ontving ik honderden en honderden brieven van socialistische collega's in ballingschap, maar ook in Spanje, die zich daartegen verzetten.

Destijds geloofde ik niet in Mitterrands theorie over de 'eenheid van links'. De voormalige Portugese premier en president Mário Soares kon niet anders; hij streefde naar een platform gebaseerd op de eenheid van links in Portugal en heel Zuid-Europa, en dat leverde hem het presidentschap op. Mitterrand kon niet geloven dat de communisten bij de eerste verkiezingen 9 procent van de stemmen wonnen en de PSOE 30 procent. Hij dacht dat we 12 of 14 procent zouden halen en de communisten het dubbele. Hoe vaak ik hem ook uitlegde dat Frankrijk Spanje niet was en dat wij voor elke stem op de communisten drie stemmen zouden binnenhalen, hij wilde het maar niet van me aannemen. Na de verkiezingen van 15 juli 1977 zag hij de dingen in een totaal ander perspectief en vier dagen later nodigde hij me uit voor zijn partijcongres.

Mitterrand was intelligent én sluw. Hij vormde een eenheid met de communisten om ze in te maken; zij brachten hem aan de macht en vervolgens dwong hij de communistische partij op de knieën. Daarna nationaliseerde hij wat er nog te nationaliseren viel van het banksysteem, de hightechbedrijven en de technologiereuzen. Op een paar uitzonderingen na nationaliseerde hij vooral bedrijven die hem niet hadden gesteund bij zijn verkiezingscampagne.

In juli 1982 ontving ik Kissinger in Madrid. Hij vermeldt dit ook in zijn memoires. Tijdens een lang gesprek zei hij dat ik Mitterrands voorbeeld zou volgen en het banksysteem zou nationaliseren. De Amerikanen waren bang voor het model-Mitterrand. Zijn overwinning in Frankrijk boezemde angst in en ze dachten dat Portugal, Griekenland, Zuid-Europa in het algemeen, met de strategie van de eenheid van links in de handen van de communisten zouden vallen. Dat zagen ze ook in Italië gebeuren. Het Amerikaanse ministerie van Buitenlandse Zaken had Kissinger gestuurd om met eigen ogen te zien wat er in Spanje gebeurde. Ze wisten niet veel van me en wilden weten welke kant mijn regering op zou gaan. Aan het einde van het gesprek grapte hij dat je geen echte socialist was als je het banksysteem en andere dingen niet nationaliseerde. Ik antwoordde dat hij een socialist met een domkop vergeleek, en dat die vergelijking niet altijd opgaat. Ik wilde de centrale bank autonomie geven en de banken met elkaar laten concurreren, met de nodige regels en controlemechanismen, maar ik ging ze niet nationaliseren. Ik wilde kredieten niet duurder maken of bureaucratiseren en ik had ook een plan om industrieën te denationaliseren die het Franco-regime had genationaliseerd. Voor mij was het onaanvaardbaar dat de staat auto's produceerde bij staatsbedrijf SEAT, terwijl particuliere ondernemingen snelwegen aanlegden. Ik zag het liever andersom. Bij zijn vertrek was hij onder de indruk van ons gesprek over de ontwikkelingen in Zuid-Europa.

Er bestaat een interessant fenomeen dat eerder generatiegebonden is en niet zozeer met een specifieke politieke intuïtie heeft te maken. Al meteen bij de eerste verkiezingen in 1977, na de jarenlange dictatuur, zag je dat de keuze voor centrumlinks tot centrumrechts gelijke tred hield met andere Europese landen die al veel langer verkiezingen hielden. Bij die verkiezingen haalde Suárez 34 procent van de stemmen en ik 29. Verder was er nog de gematigde socialistische partij van Tierno Galván die 4,4 procent van de stemmen haalde. De sociaaldemocraten samen haalden dus nagenoeg evenveel stemmen als Suárez en zijn UCD. De communisten wonnen meer stemmen dan Fraga met zijn Alianza Popular, de latere Partido Popular. Toch bleef de communistische partij een minderheidspartij, samen met de Catalaanse nationalisten. Bij de eerste stembusgang verwierf het regimegetrouwe blok 43 of 44 procent van alle stemmen en de oppositiepartijen ongeveer de helft. De kieswet bezorgde Suárez uiteindelijk de macht, maar niet de stemmen.

Dit is cruciaal als je Spanje wilt begrijpen. De uitslag is altijd een weergave van individuele soevereiniteit. Je stemt voor bepaalde afkortingen en een traditie, uit vertrouwde ideologische sympathieën, maar tegelijkertijd stem je voor een gezicht dat al dan niet vertrouwen inboezemt. De grootste verwezenlijking van de koning was dat de overgrote meerderheid van de bevolking Suárez, toch de voormalige secretaris-generaal van de profalangistische Movimiento, niet verantwoordelijk achtte voor het Franco-regime, de oorlog of de gevolgen daarvan. Het was een generatiegebonden keuze. Suárez en ik, beiden van de naoorlogse generatie, haalden samen een tweederdemeerderheid in het parlement. Carrillo, die de weerbarstige communistische partij vertegenwoordigde, haalde 9 procent van de stemmen, en Fraga 8 procent. Met andere woorden: de gezichten die mensen associeerden met het verleden kregen geen stemmen en de gezichten die zij identificeerden met de toekomst van Spanje als democratie wonnen de meerderheid. Het was een generatiegebonden verandering: de mensen stemden niet voor het verleden, ze stemden voor de toekomst. Carrillo en Fraga waren het verleden.

LEIDERSCHAPSKWALITEITEN

Ziet u politieke of intellectuele kwaliteiten als aangeboren of aangeleerd? En als het aangeleerd is, hoe heeft u ze dan verworven?

Er bestaat geen opleiding voor. Als je politieke macht uitoefent, of je nu institutionele macht geniet of niet, volg je geen bepaalde leiderschapstheorie. John Kennedy, een van de weinige presidenten met een opleiding politieke wetenschappen, voerde ooit een opmerkelijk gesprek met zijn minister van Defensie. McNamara weigerde de portefeuille van defensieminister. Hij wilde liever iets doen op handelsgebied, omdat hij niets van defensie afwist. 'Jij zegt me dat je niet voorbereid bent op de post van minister van Defensie? Wel, ik ben niet voorbereid op de functie van president van de Verenigde Staten', luidde het antwoord van Kennedy. Niemand is op zoiets 'voorbereid'. Op een of twee uitzonderingen na is niemand met een opleiding politieke wetenschappen ooit leider van een land geworden. Zij werden pientere politieke analisten of de nummer twee achter de leider van een land. Er bestaat geen opleiding tot leiderschap.

Een politiek leider moet zich sterk engageren voor zijn of haar voorstellen en er rotsvast in geloven. Zijn of haar engagement moet zo onbaatzuchtig mogelijk zijn. Een leider moet niet alleen een politiek, maar ook een sociaal leider zijn – denk aan moeder Teresa uit Calcutta, die haar hele leven heeft gegeven in ruil voor niets, zonder de geringste economische drijfveren. De geloofwaardigheid van een politiek, sociaal of zakelijk leider steunt fundamenteel op de serieuze bereidheid zich in te zetten voor zijn of haar plannen, voor de dingen waarin hij of zij gelooft zonder het minste eigenbelang.

Ten tweede moet een politiek leider weten wat anderen voelen en denken. Wat was de grote fout van Zapatero? Het hele land wist dat we in een vreselijke crisis zaten en toch beweerde hij keer op keer in het openbaar dat het niet ernstig was en dat er van een crisis geen sprake was. Hij deed geen moeite om het gevoel onder de mensen te peilen. Zodra je aan de macht bent, heb je als politiek leider de taak om het gevoel te veranderen. Zet een negatief gevoel om in een positief. Dat lukt je nooit als je niet weet wat er onder de mensen leeft. Steeds weer zie je dezelfde politieke blunders. Als een leider rekening houdt met het gevoel onder het volk en zich inzet, in ruil voor niets, om een oplossing aan te reiken waarbij alles op het spel staat, zal hij of zij in staat zijn om een negatief gevoel in een positief om te zetten. Daarin schuilt de magie van politiek: macht is uiteindelijk niets meer dan het beheren van verwachtingen.

De derde voorwaarde is dat je met moreel gezag en overtuiging je teams kiest en aanstuurt, niet met dreigementen, want de macht om te beslissen wie een kabinetspost krijgt of verliest is heel groot. Om een team van getalenteerde mensen te leiden, heb je niet alleen de politieke macht nodig om hen te benoemen, maar ook het morele gezag om hun respect af te dwingen. Dat verloor Suárez en het betekende het einde van de UDC. Hij verloor het morele gezag over zijn team. Zij waardeerden en respecteerden hem niet langer als moreel gezagsdrager. Ik had leden in mijn team die op hun gebied allemaal briljanter waren dan ik – mensen als Miguel Boyer, minister van Economie, Financiën en Handel; Alfonso Guerra, vicepremier; en José María Maravall, minister van Onderwijs en Wetenschappen. Stuk voor stuk eersteklasmedewerkers. Iemand zei me ooit: 'Je moet de beste mensen kiezen, ook de meest briljante, om je te helpen regeren, maar weet wel dat genieën een eigen karakter hebben en moeilijk in de omgang zijn. Ze stellen je geduld behoorlijk op de proef.' Een beter advies is er niet. Neem een toptalent als Boyer. Hoe dijk je de arrogantie van zo'n uitzonderlijk iemand in als je niet over het morele gezag beschikt om te beslissen zijn adviezen naast je neer te leggen en een ander plan of andere aanpak te volgen?

Sommige politieke leiders maken de fout dat ze bovenal willen vermijden dat medewerkers boven hen uitstijgen, slimmer zijn dan zij, omdat ze menen niet over voldoende moreel gezag te beschikken om hen te sturen. Het zou juist omgekeerd moeten zijn. President Reagan is een mooi voorbeeld van precies het tegenovergestelde. Hij was een man met beperkte academische kennis, maar in één ding was hij slimmer dan de rest. Hij stelde duidelijke prioriteiten en omringde zich met uitmuntende figuren om die te implementeren, te beginnen met de man die zijn imago vormgaf. Ik heb nooit een betere gezien. Hij zocht ook toptalenten voor de functies van minister van Buitenlandse Zaken en minister van Defensie. Hij wist misschien niet waar Paraguay lag ten opzichte van Argentinië, maar hij had een degelijk voorbereid team. Zijn kennis was zeer beperkt, maar dat wist hij en dat is de wijsheid die voortvloeit uit het adagium 'Ik weet dat ik niets weet'.

In de moderne, door de mondialisering en informatierevolutie getransformeerde samenleving is de notie 'informatie is macht' voor het eerst in de geschiedenis van de mens en van de politieke macht veranderd. Tegenwoordig is informatie een grondstof vergelijkbaar met lucht en dus voor iedereen beschikbaar. Alles wat er gebeurt, ook het meest geheime, is bekend. WikiLeaks is geen schandaal vanwege de onthullingen, maar omdat alles in één pakket naar buiten is gebracht. Als je dat pakket uitpakt, blijkt alles al bekend in de desbetreffende toepassingsgebieden. Informatie is als water, een grondstof zonder eigenaar en voor iedereen tegelijk beschikbaar. Die informatie moet je wel zo verwerken dat het je iets oplevert en dat is moeilijk. Inlichtingen verzamelen voor het leiderschap houdt in dat je overvloedige informatie coördineert en er een operationele betekenis aan geeft die je doel dient.

Een Amerikaanse parlementaire commissie oordeelde verrassend dat de VS over voldoende informatie beschikte voorafgaand aan de aanslagen van 11 september. Amerika is heel goed in het verzamelen van informatie. Het land beschikte over veel data, maar toch was het niet bij machte om te bepalen welke gegevens belangrijk waren om een aanslag te voorspellen en te voorkomen. Het probleem is dat informatie op zich geen macht biedt. De macht ligt in het coördineren van de juiste informatie ten dienste van je beleidsdoelen. Dat is de grote revolutie die heeft plaatsgehad en het is een van de belangrijkste oorzaken van de uitholling van het leiderschap.

Dit is een onderdeel van de hedendaagse leiderschapscrisis. Leiders hebben dezelfde *macht* als dertig jaar geleden, maar minder *autoriteit* in de samenleving. Dezelfde *potestas* (macht door dwang) bestaat nog, maar er is een crisis op het vlak van *auctoritas* (autoriteit, prestige). Leiderschap met alleen potestas en zonder auctoritas is broos. Er zijn politieke leiders die potestas uitvoeren met auctoritas en op het moment dat ze de macht niet meer hebben – als ze 'ex-' zijn – toch de auctoritas behouden, al hebben ze de potestas dus niet meer. Toch zijn er ook politieke leiders die alle potestas hebben gehad en dan aftreden en vervolgens geen potestas, maar ook geen auctoritas meer hebben. De wereld zit vol met zulke politieke figuren.

Je traint voor het leiderschap, dat is duidelijk. Sommige mensen zijn beter of slechter gekwalificeerd als je kijkt naar hun afkomst, dat klopt ook, maar je haalt het niet uit de boeken. Je leert het door daadwerkelijk leiding te geven. Je kunt kinderen in een boek fantastisch uitleggen hoe je de honderd meter loopt in tien seconden, maar als je ze niet aan het lopen krijgt, zullen ze nooit zo'n tijd neerzetten.

INTERNATIONALE INVLOED

Tijdens de transitie onderhield u buiten Spanje contact met onder meer Willy Brandt, Mário Soares, Olof Palme, François Mitterrand, en verder met mensen uit de NAVO en de Europese Unie. Welke invloed hadden deze externe spelers in Spanje? En welke conclusies kunt u trekken met betrekking tot de huidige transities?

De Spanjaarden wilden zijn zoals de rest van Europa, en niet alleen om economische redenen. Economische hervormingen en werkloosheid dwongen anderhalf miljoen Spanjaarden in de jaren zestig te emigreren en in Europa maakten ze kennis met vrijheden op het vlak van vakbonden, meningsuiting en politieke partijen. In hun kielzog volgden nog tien miljoen Spanjaarden: hun familieleden. Het verdrag voor toetreding tot de EG, dat toch lastige en ernstige voorwaarden oplegde juist omdat het een toetredingsverdrag was, werd daarom unaniem goedgekeurd in het parlement. Mensen die eerder niet in Europa hadden geloofd, kwamen onder invloed van de Spaanse filosoof Ortega y Gasset, die stelde dat Spanje het probleem was en Europa de oplossing.

Voor Spanje was Europa het internationale referentiekader, maar hoe vertaal je dat naar de huidige context? Het belang van Europa is drastisch afgenomen en ook de VS is minder belangrijk geworden, zij het misschien in iets mindere mate. Denk eens terug aan de uitspraak van de Braziliaanse president Lula in oktober 2011: 'Jullie hebben een Europees democratisch en sociaal model gebouwd dat wij als erfgoed voor het mensdom beschouwen. Jullie hebben het recht niet dit te verpesten.' Wel, we zijn het aan het verpesten. Met andere woorden: Europa faalt en wordt stilaan een kleine, steeds minder relevante uithoek in het zuidwesten van Eurazië. Dit geldt voor de sociaaldemocratie en voor de christendemocratie. Het geldt voor de politieke krachten die na de Tweede Wereldoorlog de samenleving, en het welzijn en het succes van Europa hebben bepaald.

Europa faalt en blijft falen omdat er tegenstrijdigheden zijn in de opbouw van de gedeelde openbare ruimte. Dat werd heel duidelijk bij de uitbraak van de mondiale financiële crisis. Die crisis liet zien dat het Westen — en dat zijn de Verenigde Staten en Europa, of wat wij het 'ontwikkelde Westen' noemen, omdat Latijns-Amerika het 'zich ontwikkelende Westen' is met groeipotentieel — had uitgegeven wat het de komende 25 jaar zal moeten betalen, terwijl het zich ontwikkelende Oosten en Westen gespaard hadden wat ze de komende 25 jaar zouden kunnen uitgeven. Dat is de grote verandering op wereldvlak.

Deze verandering maakt dat Europa aan belang inboet. De Tunesiërs wilden met behoud van eigen identiteit zijn zoals het Europa waarvan ze droomden toen ze emigreerden. Nu zien ze een verzwakt, vrij onbelangrijk werelddeel. Hetzelfde geldt voor de Egyptenaren of zelfs de Marokkanen, die nu graag tot de Europese Unie willen toetreden. Het is het enige land in de Arabische wereld dat deel wil uitmaken van Europa. De Turken zijn immers geen Arabieren en Turkije behoort tot het Europese continent. Toch heeft dat land, als gevolg van Europese fouten, steeds minder belangstelling voor toetreding tot de Europese Unie, omdat Turkije groeit terwijl de EU met een recessie kampt. Aansluiting bij Europa lag voor Turkije aan de horizon, maar is niet langer het grote doel.

Het komt heel slecht uit dat Europa als concept zijn vermogen is verloren om serieus invloed uit te oefenen op recente democratische transitieprocessen. De VS heeft die capaciteit ook grotendeels verloren. Tijdens de voorbereidingen voor een bezoek van Obama aan China beantwoordde Hillary Clinton, toenmalig minister van Buitenlandse Zaken, de vraag van de pers of de president het probleem van de mensenrechten in China zou aankaarten, met de uitspraak dat je geldschieters de les niet leest.

Spanje is een voorbeeld en niet alleen vanwege de transitie, maar ook vanwege het succes in de afgelopen dertig jaar. Toen ik in de regering kwam, bedroeg het inkomen per capita 4500 dollar. Toen ik vertrok was het 15.000 dollar en nu, in volle crisis, 30.000 dollar per capita. Dat bedrag zal dalen naar 25.000 dollar als gevolg van de crisis, maar een stijging van 4500 naar 25.000 dollar is toch een radicale verandering. Dat succes uitte zich in fysiek kapitaal, in de ontwikkeling van menselijk kapitaal dat een ijkpunt werd in Latijns-Amerika en Noord-Afrika. Toch verkeert het belang van Spanje als model in een diepe crisis.

Net als Spanje heeft ook Europa aan belang ingeboet. Al meer dan vijftien jaar realiseert het minder dan één procent groei in bbp. Spanje heeft Italië ingehaald qua bbp per capita. Groot-Brittannië is een geruïneerd industrieland. Daarom zit het Europese en democratische sociaaleconomische model, het erfgoed van het mensdom volgens Lula, in een zware crisis en de Europese leiders weten niet hoe ze uit het dal moeten komen. Ik stond tien jaar lang aan het Europese roer met Mitterrand,

Kohl en EU-commissievoorzitter Delors. Wij wisten hoe je besluiten streng en efficiënt moest doorvoeren. Die omstandigheden zijn totaal verdwenen.

De stem van de Europese landen bestaat niet in Egypte, wel in Tunesië. We zitten in een zeer ingewikkelde situatie als het gaat om het bieden van steun bij democratische processen, net als de Verenigde Staten. De VS heeft Moebarak na dertig jaar onvoorwaardelijke hulp als een baksteen laten vallen en de Saoedi's zijn tot de conclusie gekomen dat de Arabieren maar voor zichzelf moeten zorgen. Ze handelen dienovereenkomstig en sluiten onder meer akkoorden met China. Ze hebben een operationeel veiligheidsakkoord dat een wapen- en olieruil omvat. Ook dat is een ingrijpende kentering op wereldvlak. Revoluties met een democratiserende impuls—die, met uitzondering van Libië en Syrië, meestal vreedzaam verlopen omdat mensen hun buik vol hebben van een autoritair en corrupt bestuur dat 80 procent van de burgers onder de 35 jaar hopeloos stemt—missen serieuze ondersteuning. Er is geen leiding, geen referentiekader.

Om al die redenen zal de rol van het buitenland—zeker die van Europa en de VS—in de toekomst verder afnemen, maar zelfs in het verleden was de invloed van buitenaf maar goed voor 15 procent van wat er gebeurde, terwijl binnenlandse factoren verantwoordelijk waren voor 85 procent van de gebeurtenissen.

TIJDLIJN

April 1939: De Spaanse Burgeroorlog eindigt met een overwinning voor de nationalisten van Francisco Franco.

Juni 1968: De Baskische onafhankelijkheidsbeweging ETA start een reeks gewelddadige aanvallen tegen het Franco-regime met de moord op een politieagent.

Juli 1969: De 76-jarige Franco benoemt prins Juan Carlos tot zijn opvolger als staatshoofd; andere bevoegdheden wil hij aan de premier overdragen.

December 1970: In Burgos vindt het proces plaats tegen zestien ETA-aanhangers, onder wie twee priesters, beschuldigd van de moord op drie politieagenten. Onder druk van de Kerk en internationale regeringen zet Franco de doodsvonnissen om in levenslange gevangenisstraffen.

December 1973: De ETA vermoordt Franco's rechterhand, premier Luis Carrero Blanco. De voormalige minister van Binnenlandse Zaken Carlos Arias Navarro volgt hem op.

Februari 1974: Franco's gezondheid gaat achteruit en economisch gaat het niet goed met Spanje. Arias Navarro waagt een bescheiden (en uiteindelijk heilloze) poging om het regime te liberaliseren.

April 1974: Een linkse militaire staatsgreep werpt het rechtse regime in Portugal omver. Dit is de aanzet voor de democratisering van Portugal.

Juli 1974: De Spaanse Communistische Partij (PCE) vormt de Junta Democrática, een nieuw oppositieplatform.

September 1974: Elf mensen komen om bij een bomaanslag van de ETA in de buurt van een politiebureau. De aanslag zaait verdeeldheid binnen de ETA-gelederen, hetgeen leidt tot de opsplitsing in de ETA-M (militair) en de meer gematigde ETA-PM (politiek-militair).

Oktober 1974: De Spaanse socialistische arbeiderspartij (PSOE) verkiest de jonge, in arbeidsrecht gespecialiseerde advocaat en politicus Felipe González tot nieuwe leider.

September 1975: Het regime veroordeelt vijf militante tegenstanders (onder hen twee ETA-leden) tot de dood en voert de straf uit. Hierop volgt fel internationaal protest.

November 1975: Franco sterft en Juan Carlos wordt uitgeroepen tot koning. Arias Navarro zweert Franco's erfenis te zullen handhaven, maar wel hervormingen door te voeren.

Juli 1976: Juan Carlos dwingt de impopulaire Arias Navarro terug te treden en benoemt Adolfo Suárez tot premier. Suárez, een voormalige apparatsjik onder Franco, belooft belangrijke hervormingen, politieke amnestie en vrije verkiezingen.

November 1976: Het nog onder Franco samengestelde parlement neemt de cruciale wet op de politieke hervorming aan die de weg vrijmaakt voor democratische verkiezingen.

December 1976: Een referendum bekrachtigt de wet op de politieke hervorming. De in theorie nog illegale PSOE houdt zijn eerste partijcongres sinds de burgeroorlog.

Januari 1977: Fascistische guerrilla's vermoorden vijf arbeidsjuristen van de PCE in hun kantoor.

Februari 1977: De regering legaliseert de PSOE en andere politieke partijen.

Maart 1977: De regering aanvaardt het stakingsrecht, vaardigt een nieuwe kieswet uit en kondigt een gedeeltelijke amnestie af die de Baskische partijen ervan moet overtuigen deel te nemen aan de verkiezingen.

April 1977: Suárez legaliseert de PCE. In ruil daarvoor erkent de partij de verkiezingen en de monarchie.

Juni 1977: De eerste vrije verkiezingen sinds 1936 hebben plaats. Suárez en hervormers uit het Franco-tijdperk in de Unión de Centro Democrático (UCD) behalen de meerderheid. De PSOE wordt de grootste oppositiepartij. De PCE en de rechtse Alianza Popular (AP) halen beide nog geen 10 procent van de stemmen.

Juli 1977: Er komt een nieuw ministerie van Defensie onder leiding van vicepremier Manuel Gutiérrez Mellado. Spanje verzoekt om toetreding tot de Europese Gemeenschap.

September 1977: Suárez keurt een plan voor de autonomie van Catalonië goed. In ruil daarvoor erkennen de Catalaanse leiders de Spaanse staat en de monarchie.

Oktober 1977: Om de stagnerende economie een nieuw elan te geven sluiten de regering en de oppositie het Pact van Moncloa: in ruil voor loonmatiging, besparingen en belastingverhogingen komt er een nieuw systeem van sociale zekerheid. Het democratisch verkozen parlement neemt een amnestiewet aan.

November 1978: De regering verijdelt Operatie Galaxia, een militaire samenzwering. Om het leger niet te provoceren krijgen de coupleiders minimale straffen en gaan medeplichtigen vrijuit.

December 1978: Een referendum bekrachtigt de nieuwe, door het parlement opgestelde grondwet.

Maart 1979: De UCD haalt de meerderheid bij de verkiezingen en de PSOE consolideert haar status als belangrijkste oppositiepartij. De PCE en AP doen het slecht.

April 1979: De eerste gemeenteraadsverkiezingen hebben plaats. Nationaal wint de UCD, maar een lijstverbinding van de PSOE en de PCE brengt de socialisten in vele grote steden aan de macht.

Mei 1979: Felipe González verliest op het PSOE-congres de stemming over de opheffing van de marxistische identiteit van de partij en treedt terug als leider. In september wordt hij op zijn eigen voorwaarden herkozen.

Oktober 1979: Baskische en Catalaanse kiezers keuren per referendum de autonome status voor Baskenland en Catalonië goed met de steun van de respectieve reguliere nationalistische partijen.

Maart 1980: In Baskenland en Catalonië hebben de eerste regionale verkiezingen plaats. In beide regio's vormen de reguliere nationalisten een regering.

Mei 1980: De populariteit van de UCD taant. Suárez herschikt zijn kabinet ten faveure van de conservatieve facties en ten koste van de sociaaldemocraten. De PSOE dient in het parlement een motie van wantrouwen in die Suárez ternauwernood overleeft.

Januari 1981: Suárez neemt ontslag uit de UCD, die het voorwerp is van interne verdeeldheid en kampt met grote aantallen overlopers.

Februari 1981: Op 23 februari ondernemen legerofficieren in Valencia en leden van de paramilitaire Guardia Civil onder leiding van Tejero een poging tot staatsgreep die de boeken ingaat als '23-F'. Er kennelijk van overtuigd dat ze de steun van de koning genieten, proberen ze het parlement in zitting over te nemen. Koning Juan Carlos treedt in actie om de coup tegen te houden, officieren te overreden niet deel te nemen en de grondwet te eerbiedigen. Voormalig UDC-minister Leopoldo Calvo Sotelo vervangt Suárez als premier.

Oktober 1981: Het parlement stemt ondanks verzet van de PSOE en de PCE voor toetreding tot de NAVO en breidt de Spaanse samenwerking met de westerse krijgsmachten uit.

Februari 1982: Het proces tegen de 23-F-coupplegers gaat van start. De leiders van de poging tot staatsgreep krijgen uiteindelijk een gevangenisstraf van dertig jaar. Andere aangeklaagden komen er met lichtere straffen af.

Oktober 1982: De PSOE boekt een monsteroverwinning bij de verkiezingen en González wordt premier. De PCE en UCD worden gedecimeerd en de inmiddels gematigder AP wordt de tweede partij. Als premier stimuleert González de economische liberalisering en het sociaal welzijn, wat leidt tot bestendige economische groei.

Januari 1986: Spanje en Portugal treden toe tot de Europese Gemeenschap. Dit bevordert de economische groei en versterkt het democratiseringsproces.

Maart 1986: In een referendum spreken kiezers zich uit voor voortzetting van het lidmaatschap van de NATO. De PSOE, die inmiddels een andere koers heeft gekozen, voert campagne om NAVO-lid te blijven.

Juni 1986: De PSOE haalt voor de tweede maal de absolute meerderheid bij de algemene verkiezingen.

December 1988: Een algemene staking van één dag tegen het economische beleid van de PSOE-regering legt het land lam.

Oktober 1989: De PSOE wint voor de derde maal de algemene verkiezingen, maar haalt net geen absolute meerderheid in het parlement.

Juni 1993: Tegen de verwachting in wint de PSOE de vierde algemene verkiezingen, maar hun meerderheid is flink geslonken.

Maart 1996: De PSOE verliest de verkiezingen van José María Aznars Partido Popular, de opvolger van de AP. Een jaar later treedt Felipe González terug als partijleider.

10
VROUWENACTIVISTEN IN DEMOCRATISCHE TRANSITIES

GEORGINA WAYLEN

Dit hoofdstuk gaat in op de rol van vrouwenbewegingen en van belangrijke vrouwen die de transities van een autoritair bewind naar een democratischer bestuur aanmoedigden. Het beschrijft hoe zij de politieke participatie van verschillende vrouwenorganisaties ondersteunden en versterkten, en aanstuurden op een beleid dat de rechten van vrouwen en gendergelijkheid bevorderde. De transities in *De weg naar democratie* zijn meestal als 'geslaagd' aangemerkt, maar vertonen grote verschillen op het vlak van genderkwesties, een dimensie die de gebruikelijke analyses grotendeels hebben genegeerd. Het succes van een specifieke transitie kun je misschien anders beoordelen als er ook rekening wordt gehouden met juist die dimensie.[107] De geïnterviewde leiders in het project van International IDEA zijn allemaal mannen, omdat de hoofdrolspelers in de transities van de afgelopen dertig jaar nu eenmaal en vrijwel zonder uitzondering mannen waren. In de onmiddellijke nasleep van transities hebben maar weinig vrouwen de uitvoerende macht uitgeoefend. De paar uitzonderingen (zoals wijlen Cory Aquino van de Filipijnen en Megawati Sukarnoputri in Indonesië) zijn niet alleen verkozen op basis van hun politieke platform of partij, maar ook omdat ze nauw verwant waren met voormalige politieke leiders.

Toch hebben transities, net als alle andere politieke processen, een genderelement in zich. Mannen en vrouwen spelen daarin verschillende rollen en de processen hebben een andere impact op mannen dan op vrouwen.[108] In veel transities waren vrouwen belangrijk en trachtten ze, met wisselend succes, een voor vrouwen voordelig resultaat te bereiken. Die verschillen in succes zijn te wijten aan een aantal factoren: het belang van de mobilisatie van vrouwen, het vermogen van vrouwen om brede coalities te vormen en bondgenoten te vinden – in het bestuursapparaat, bij politieke partijen, het parlement en op het maatschappelijk middenveld – en het vermogen van activistes om hun kwesties effectief voor het voetlicht te brengen. Veel vrouwen die tijdens transities actief streefden naar positieve resultaten op het gendervlak waren actief in sociale bewegingen, de ambtenarij en de academische wereld, dus niet alleen in politieke partijen of in de kleine kring van mannen die na verkiezingen democratische presidenten werden — vrouwen hadden overigens relatief weinig toegang tot deze arena's. Naast aandacht voor de bredere literatuur over dit onderwerp omvat dit hoofdstuk interviews met een aantal vrouwelijke sleutelfiguren om te kijken welke strategieën zij inzetten en hoe doeltreffend ze die zelf achtten.

In de nasleep van de Arabische Lente en de gebeurtenissen in Myanmar bestaat er een hernieuwde belangstelling voor transities. Op het eerste gezicht vertonen veel nieuwe gevallen hetzelfde patroon van vrouwenactivisme en de daaropvolgende uitsluiting. Vrouwen kwamen bijvoorbeeld massaal op de been bij de demonstraties die de autoritaire regimes in Egypte en Tunesië ten val brachten, maar zoals bij eerdere transities werden weinig vrouwen verkozen bij de eerste verkiezingen of benoemd in kabinetten of grondwettelijke comités. In het geval van Egypte kenmerkte de periode tussen de eerste parlements- en presidentsverkiezingen in 2012 en de afzetting van de president van de Moslimbroederschap door het leger in juli 2013 zich door een enorme polarisatie tussen meer seculiere en religieuze sectoren, toenemend seksueel geweld en de goedkeuring van een grondwet die niet streeft naar gendergelijkheid. Dit doet vermoeden dat een vrouwvriendelijker beleid — met onder meer een minimumleeftijd voor het huwelijk — onder druk staat en dat de inspanningen om de sharia in te voeren vrouwen nu voor grotere uitdagingen stellen dan de activistes destijds.

Dit hoofdstuk bekijkt de ervaringen van vrouwelijke activisten tijdens de in dit project behandelde transities en beoogt te ontdekken waarom sommigen er wel en anderen er niet in slaagden resultaten te boeken (met grondwets-, beleids- en programmawijzigingen) die gelijke kansen voor vrouwen bevorderden. Om de complexe resultaten te verklaren is breed opgezet onderzoek nodig, dat meer doet dan het bestuderen van vrouwenbewegingen en hun interacties met instellingen — het thema waarop de literatuur over genderkwesties en transities zich aanvankelijk richtte. We moeten bepalen welke kansen en beperkingen voortvloeiden uit het voormalige autoritaire regime (en uit de timing en dynamiek van de transitie zelf) en bestuderen welke effecten de veranderingen hadden op verschillende groepen vrouwen die zich onderscheiden door maatschappelijke klasse, ras, etnische afkomst en seksuele geaardheid.

Dit boek analyseert een aantal overgangen uit de derde transitiegolf, die plaatshad van de jaren zeventig tot de jaren negentig. Sommige verliepen snel, andere duurden veel langer; sommige waren het resultaat van onderhandelingen, andere niet; een paar transities voltrokken zich in landen die al eerder democratie hadden gekend, terwijl andere landen nauwelijks of geen democratische ervaring hadden om op terug te vallen. En sommige transities hadden plaats in een context waarin de nadruk lag op mensenrechten en participatie van gemarginaliseerde groepen, met inbegrip van vrouwen. De gevallen verschilden qua niveau van sociale mobilisatie door vrouwen en wat betreft de mate waarin activistes die zich verzetten tegen de autoritaire heerschappij op de voorgrond traden. In een paar gevallen speelde de na de transitie aantredende regering, die positief stond tegenover genderhervormingen, een cruciale rol. Sommige transities leverden onmiddellijk resultaten op, bij andere was het vaak lang wachten. Het gebeurde ook geregeld dat aanvankelijke successen werden teruggedraaid. Veel feministes waren op verschillende vlakken zwaar teleurgesteld in het transitieproces, daar het niet tot de door hen gewenste resultaten had geleid. Dat deed sommigen concluderen dat transities naar democratie hadden gefaald voor vrouwen in het algemeen (en bepaalde groepen vrouwen in het bijzonder) en dat daarom de democratische belofte niet was vervuld.

Chili is een goed voorbeeld van zowel vooruitgang als tegenvallers. Georganiseerde vrouwengroepen speelden een belangrijke rol in de brede beweging die zich in de jaren tachtig verzette tegen Pinochet. Mensenrechtenorganisaties en brede volksbewegingen telden grote aantallen vrouwen onder hun leden, en dat waren niet allemaal feministes of vrouwen met linkse sympathieën.[109] Voorafgaand aan de verkiezingen van 1989 organiseerden vrouwelijke activisten zich om er zeker van te zijn dat hun eisen werden opgenomen in het manifest van de zegevierende centrumlinkse coalitie. Ze koesterden hoge verwachtingen ten aanzien van de nieuwe regering, die een ministerie voor Vrouwenzaken (SERNAM) instelde. Maar in tegenstelling tot tal van andere casussen was er geen grondwettelijke waarborg en in het eerste decennium na de transitie bleken veel hervormingen moeilijker te realiseren dan verwacht. Zo aanvaardde de Chileense volksvertegenwoordiging pas in 2004 de echtscheidingswet, terwijl dit elders in de regio al lang geregeld was.[110] De ontwikkelingen in Chili stonden in fel contrast met de gebeurtenissen in Zuid-Afrika, waar vrouwelijke activisten onmiddellijk na de transitie veel doelen bereikt leken te hebben — met onder meer een geïnstitutionaliseerd genderbeleid en beleidshervormingen op het vlak van reproductieve rechten.[111] In Zuid-Afrika kwamen relatief veel vrouwen in het parlement terecht en bevatte de nieuwe grondwet bepalingen inzake gendergelijkheid. Bij elke transitie staan vrouwelijke actoren echter voor verschillende kansen en uitdagingen, en voor andere institutionele en structurele obstakels. Sommige maken bepaalde hervormingen mogelijk en sommige juist niet. Dit hoofdstuk onderzoekt de strategieën die activistes inzetten bij deze uitdagingen en de context waarin de vrouwen opereerden, en het onderstreept het belang van bredere internationale actie om democratie en gendergelijkheid te bevorderen.

De uitdagingen in de jaren tachtig en negentig waren anders dan nu. Wijzigingen in de geopolitieke context na het einde van de Koude Oorlog en de ineenstorting van het staatssocialisme veranderden de ideologische breuk tussen links en rechts. Mondialisering heeft het niveau van ongelijkheid veranderd en neoliberale hervormingen hebben de rol van de staat verkleind, met wisselende gevolgen voor vrouwen. De War on Terror wijzigde het veiligheidskader en heeft geleid tot een voornamere rol voor leger en veiligheidsapparaat. In vroegere transities leunden veel activistes op hun relaties met linkse en sociaaldemocratische ideologieën, partijen en politieke praktijken. Een aantal sleutelfiguren keerden terug uit ballingschap met nieuwe feministische ideeën en strategieën. Zo maakte de Spaanse socialiste Carlota Bustelo kennis met het werk van Simone de Beauvoir toen ze in de jaren zestig in Frankrijk woonde, en beschrijft de Chileense activiste en socialistische afgevaardigde Adriana Muñoz haar 'politieke transformatie' als balling in Oostenrijk. Muñoz hing een marxistisch-leninistische stroming van de socialistische partij aan. In Europa raakte ze echter betrokken bij feministische organisaties en milieubewegingen. Ze besefte dat ze op een andere manier politiek kon bedrijven en ontgroeide het marxistisch-leninisme. Na haar terugkeer in Chili legde ze contacten met vrouwen die ook uit ballingschap waren teruggekeerd met deze nieuwe visie op het politieke bedrijf en op de positie, status en rol van vrouwen in politieke processen.

De VN-vrouwenconferentie van 1995 in Peking was een hoogtepunt voor de internationale vrouwenbeweging.[112] Vrouwenrechten werden erkend als mensenrechten en geweld tegen vrouwen ging gelden als een schending van die mensenrechten. Vrouwelijke activistes in transities konden nu gemakkelijker benadrukken dat hun gendereisen een versterking betekenden voor de democratie en de mensenrechten. In een aantal autoritaire regimes behoorden feministes tot de democratische oppositie die campagne voerde tegen het staatsgeweld. De versmelting van vrouwenrechten en mensenrechten zette genderkwesties op de politieke agenda van vele via transitie bereikte democratieën.[113] De transities in Oost- en Midden-Europa daarentegen verwierpen vaak het in het socialisme gewortelde principe van gelijkheid. Ze schaften quota voor vrouwen in het parlement af en beperkten de toegang tot abortus. Vrouwen verloren ook werkgelegenheid en door de staat gesubsidieerde kinderopvang.[114] Tegenwoordig staan vrouwelijke activistes voor nieuwe obstakels, nu het discours over universele mensenrechten is uitgehold en het verzet van politiek rechts en een aantal religieuze groeperingen groeit tegen genderprogressieve maatregelen (zoals betere reproductieve rechten). Zaken als kleding, bewegingsvrijheid en fysieke autonomie zijn omstreden in veel delen van de moderne wereld, zeker in gebieden waar fundamentalistische geloofsovertuigingen grote invloed uitoefenen.

Causale verbanden verklaren grotendeels de genderresultaten bij deze vroege transities. Onderzoek naar de verschillende betrokken actoren, het patroon van politieke mogelijkheden bij diverse transities en de strategieën die activistes toepasten, kan de resultaten op grondwettelijk, electoraal, ambtelijk en beleidstechnisch niveau duiden. Deze patronen helpen ons te beoordelen welke effecten de ervaringen van vrouwen tijdens eerdere transities hebben gehad op vrouwenrechten en hun participatie in huidige en toekomstige transities.

DE ORGANISATIE VAN VROUWEN IN TRANSITIES

In de meeste casussen in dit boek namen vrouwen actief en duidelijk zichtbaar deel aan het publieke verzet tegen het autoritaire regime. Ze stonden zij aan zij met de mannen tijdens massademonstraties (zoals de People Power in de Filipijnen) die leidden tot de val van het ondemocratische bewind.[115] Het aantal vrouwen dat zich organiseerde als *vrouwen* was kleiner en verschilde tijdens de diverse stadia van elke transitie. Ook het soort vrouwenorganisaties varieerde sterk: van religieuze en maatschappelijke groeperingen die zich organiseerden rond buurtkwesties en armoedebestrijding tot mensenrechtenorganisaties en openlijk feministische verenigingen. In Latijns-Amerika bevorderde de politieke onderdrukking de groei van vrouwenorganisaties toen sociale bewegingen en het maatschappelijk middenveld kernen van verzet en oppositie werden.[116] Vrouwelijke activistes in mensenrechtenorganisaties die de terugkeer van verdwenen familieleden eisten en feministen die bij demonstraties op Internationale Vrouwendag opriepen tot 'democratie in het land en thuis', waren belangrijke, vroege vertegenwoordigers van het openlijke verzet tegen de dictatuur in Chili.[117] En in sommige gevallen, zoals bij de Madres de la Plaza de Mayo in Argentinië, heeft het vrouwenactivisme belangrijke politieke impact gehad, hoewel dat effect niet noodzakelijkerwijs feministische perspectieven op de voorgrond stelde.

In Brazilië, Chili, de Filipijnen en Zuid-Afrika plaatsten vrouwenorganisaties, voorafgaand aan de transitie zelf, feministische kwesties op de agenda.[118] Volgens Sheila Meintjes — een Zuid-Afrikaanse die eind jaren tachtig actief was in de United Women's Organisation in Kaapstad — waren vrouwen ten tijde van de transitie goed georganiseerd in antiapartheidsorganisaties, als vrouw en als medestander van maatschappelijke organisaties zoals het United Democratic Front (UDF). Opmerkelijk was dat vrouwen binnen het UDF eisen hadden gesteld met betrekking tot gendergelijkheid en persoonlijke ontwikkeling. Ze wilden niet alleen gelijk, maar ook correct behandeld worden, thuis en in het openbaar.

De Braziliaanse Jacqueline Pitanguy, sinds de jaren zeventig actief als feministe, benadrukt dat de vrouwenbeweging in Brazilië een van de eerste sociale bewegingen was die zich in het debat over sociale rechtvaardigheid en democratie echt inspande om kwesties als de ongelijkheid van vrouwen voor de wet, en meer specifiek het geweld tegen vrouwen en de reproductieve rechten, naar voren te schuiven.

In sommige transities was het mogelijk genderkwesties strategisch te kaderen in het krachtige discours van mensenrechten en gelijkheid. Maar in Oost- en Midden-Europa gebeurde het tegenovergestelde, omdat veel vrouwelijke activistes het feminisme als het zoveelste 'isme' verwierpen. Ze verzetten zich tegen de van bovenaf opgelegde gelijkheid van vrouwen die ze in verband brachten met de socialistische regimes van na de Tweede Wereldoorlog.[119]

In regio's waar het zich organiseren van vrouwen nog redelijk recent en niet wijdverspreid was, kenmerkten de periodes van liberalisering onmiddellijk voorafgaand aan en tijdens de transities zich vaak door een enorme toename van het aantal vrouwenorganisaties — ook feministische —, ook als het aantal bestaande organisaties klein was, zoals in Ghana. Carlota Bustelo beschrijft hoe in Spanje twee weken na Franco's dood de eerste nationale conferentie voor de bevrijding van vrouwen clandestien plaatsvond in Madrid. Zo'n vijfhonderd vrouwen uit het hele land woonden de bijeenkomst bij. Aan het einde keurden ze twee verschillende manifesten goed — een 'gelijkheidsfeministisch' manifest (gelijkheid met mannen) en een 'verschilfeministisch' — die echter overeenstemden ten aanzien van specifieke eisen. Ze legden de manifesten voor aan de politieke partijen die toen werden opgericht of vernieuwd, om duidelijk te maken dat er ook in Spanje zoiets bestond als feminisme en dat ook vrouwen eisen stelden waarmee rekening gehouden diende te worden.[120]

In Indonesië vond het eerste congres voor vrouwen plaats in 1998, tijdens het transitieproces. Vrouwen uit vijfentwintig provincies namen deel aan het congres dat leidde tot de oprichting van de Vrouwencoalitie van Gerechtigheid en Democratie (WCJD).[121] De stichter, Nursyahbani Katjasungkana, beschrijft dat er bijna elke dag demonstraties van start gingen en dat ook studenten zich bij hen aansloten. Het protest groeide en in mei 1998 slaagden ze erin Soeharto te overtuigen af te treden. Ze vatte het plan op van een grootschalige organisatie en besprak dit met andere activisten. In Jakarta vormde ze met een twaalftal vrouwelijke activisten een commissie die het eerste grote congres rond de organisatie en mobilisatie van vrouwen voorbereidde. Het congres beoogde de participatie en vertegenwoordiging van vrouwen in de politiek te vergroten. In december schreef de Indonesische vrouwenbeweging geschiedenis met een congres dat bijna zeshonderd vrouwen uit heel Indonesië bijwoonden.

In Ghana maakten grootschalige moordpartijen op vrouwen eind jaren negentig dat vrouwen zich organiseerden.[122] In de aanloop naar de verkiezingen van 2000, waarbij oppositiekandidaat John Kufuor eindelijk de door Jerry Rawlings aangewezen opvolger versloeg, vormden ze brede coalities zoals NETRIGHT, het netwerk voor vrouwenrechten.[123] Dzodzi Tsikata, een van de oprichters van NETRIGHT, stelt dat er feitelijke twee transities waren in Ghana: de eerste in 1992 waarbij vrouwen nauwelijks een rol speelden, en de tweede in 2000 waarbij vrouwen veel actiever betrokken waren.

Het grondwettelijke stelsel zorgde in Ghana geleidelijk aan voor actiebereidheid aan de basis, wat leidde tot de oprichting van veel kleine organisaties. De bevolking stelde het beleid steeds meer ter discussie en de grondwet maakte dat hun vertrouwen groeide. Ze verkenden hun grenzen, stelden zich meer open. Tsikata meent dat vrouwen daar baat van ondervonden. Vrouwenorganisaties lieten van zich horen, drongen aan op de bevordering van vrouwenrechten en eisten aandacht voor andere, voor hen cruciale kwesties, zoals geweld tegen vrouwen. De organisaties werden zich bewust van hun zwakke punten: ze waren te klein, telden te weinig leden en konden weinig invloed uitoefenen op de staat. Om hun impact te vergroten besloten ze coalities met elkaar te vormen.

Zelfs als vrouwenorganisaties een bescheiden aandeel hadden in de druk die het maatschappelijk middenveld uitoefende om tot transities te komen, laten deze voorbeelden zien dat in bepaalde gevallen het overgangsproces zelf leidde tot de oprichting van vrouwenorganisaties, brede coalities en koepelorganisaties.

Vaak nam in de periode na de transitie de activiteit van veel grote maatschappelijke bewegingen af, dus ook die van de vrouwenbewegingen. In veel gevallen waar vrouwen zich stevig hadden georganiseerd, was het vaak weer terug naar de 'politiek zoals gebruikelijk' (waarbij partijen de voorkeur krijgen boven maatschappelijke bewegingen). In Brazilië, Chili en Zuid-Afrika verloren vrouwenorganisaties hun kopstukken wanneer deze activisten gingen zetelen in de regering (onder meer in de nieuw opgerichte ministeries voor Vrouwenzaken) en het nationale parlement.[124]

De Chileense feministe Teresa Valdés schrijft dat veel activistes vanuit de vrouwenbeweging in de regering, op ministeries en in lokale bestuursorganen terechtkwamen. In die zin — aldus Valdés — had de totstandkoming van een democratische regering een negatieve impact op de vrouwenbeweging; veel organisaties zagen hun leiders vertrekken. Daar kwam bij dat internationale organisaties middelen die voordien voor het maatschappelijk middenveld waren voorzien, nu direct deden toekomen aan de staat.

Volgens Pregs Govender was dit het lot van alle Zuid-Afrikaanse organisaties na de verkiezingen. Vertegenwoordigers van politieke bewegingen, politieke organisaties en maatschappelijke entiteiten kwamen in 1994 voor het eerst in de regering en het parlement. 'Die organisaties raakten hun leiders kwijt en waren daar niet op berekend. Daar hadden ze zich niet op voorbereid.'

De professionalisering — of 'ngo-isering' — van veel resterende vrouwenorganisaties (en hun afhankelijkheid van nationale en internationale subsidies) veranderde ook hun karakter en vervreemdde hen verder van hun achterban. De staat coöpteerde een aantal organisaties om diensten te verlenen en alle vrouwenorganisaties vochten voor hun deel van de almaar afnemende internationale steun.[125] Volgens Valdés onderhield de regering relaties met het maatschappelijk middenveld, vooral met vrouwenorganisaties, op voorwaarde dat die zich specialiseerden, expert werden in hun vakgebied, en hun voorstellen ontdeden van enige politieke boodschap. Al die factoren verkleinden het activisme van vrouwenorganisaties.

De mobilisatie van vrouwen alleen waarborgt niet dat ze op politiek vlak mee kunnen praten of dat de regering genderprogressieve maatregelen zal nemen. Ook het strategisch organisatietalent van sleutelfiguren en een gunstige institutionele context zijn cruciaal om resultaten te boeken en de actiebereidheid op peil te houden. In sommige landen vormden vrouwenorganisaties coalities voorafgaand aan de eerste vrije verkiezingen, maar meestal traden ze op in brede allianties die streefden naar beleidsveranderingen rond specifieke kwesties zoals huiselijk geweld. Genderactivisten vormden ook strategische allianties met vrouwen (en sympathiserende mannen) in het parlement, de regering, bij partijen, vrouwenorganisaties en koepelorganisaties. Op een paar uitzonderingen na behoorden deze vrouwen tot de politieke en economische elite en stonden zij dicht bij de mannelijke leiders. Vaak leidde dat ook tot verdeeldheid tussen vrouwelijke leiders en hun basis. Na de transitie bleek het moeilijk om dezelfde massale steun als voorafgaand aan de overgang te verwerven voor nieuwe wetten inzake genderkwesties of om te voorkomen dat nieuw beleid werd teruggeschroefd. De vrouwenbewegingen die betrokken waren bij (of voortkwamen uit) de transities waren zeer heterogeen: ze werden bevolkt door vrouwen met zeer verschillende maatschappelijke, raciale, seksuele en religieuze achtergronden. In Indonesië telden de feministes zowel seculiere als gelovige vrouwen in hun rangen, en in Zuid-Afrika speelden ras en maatschappelijke status een belangrijke rol.[126] Thenjiwe Mtintso, destijds activiste bij de gewapende tak van het ANC in ballingschap, herinnert zich dat zelfs onder vrouwelijke activistes rassenkwesties speelden — niet alleen tussen blank en zwart, maar ook onder zwarte vrouwen zelf was sprake van klassenverschillen.

Verschillen qua afkomst, levensovertuiging en ervaring veroorzaakten vaak conflicten over doelen, tactiek en strategie tussen de diverse vrouwelijke actoren en sectoren van de vrouwenbeweging. Niet alle vrouwen die bij transities de straat op waren gegaan, steunden feministische doelen (die inderdaad niet zelden omstreden waren), zeker als het ging om reproductieve rechten. Voor sommigen was het feminisme een westers concept dat alleen relevant was voor vrouwen van de 'elite'. Volgens Sheila Meintjes meenden de vrouwenorganisaties die opkwamen tegen apartheid dat feminisme een westers importproduct was, irrelevant voor Afrikaanse vrouwen, aangezien zij de problemen van westerse vrouwen met hun mannen niet deelden. In andere gevallen ontstonden conflicten tussen enerzijds vrouwen die 'autonomie' nastreefden, los van het politieke systeem, dat in hun ogen patriarchaal was en gedomineerd werd door mannen, en anderzijds vrouwen die nadrukkelijker wilden participeren en zichzelf vaak als feminist én als partijmilitant zagen.

In Brazilië en Chili (en in zekere mate ook in Spanje) zaaiden verschillen tussen politieke partijen verdeeldheid onder de vrouwelijke activisten. Teresa Valdés vertelt: 'We kenden een moeilijk moment bij Mujeres por la Vida (de groep waar ik toe behoorde) omdat de communistische partij en andere linkse geledingen het referendum van 1988 (voor of tegen Pinochet) verwierpen; zij wilden niet de institutionele route volgen, zoals was vastgelegd in de dictatoriale grondwet van 1980. Binnen onze groep moesten we dus een droevig en politiek moeilijk besluit nemen: of kiezen voor eensgezindheid binnen de groep of kiezen voor politieke belangenbehartiging binnen de coalitie die was gevormd, hetgeen de radicale partij en de partij van revolutionair links zou uitsluiten.'

In de casussen komen nog andere factoren naar voren die de omvang en vorm van het vrouwenactivisme bepaalden. De institutionele erfenis van niet-democratische regimes (en het genderbeleid dat deze belichaamden) verschilde aanzienlijk. De dictaturen in Chili en Spanje (en in mindere mate in Brazilië) namen bijvoorbeeld een conservatief standpunt in tegenover genderkwesties, terwijl andere niet-democratische regimes (in het bijzonder de socialistische) wetswijzigingen in het voordeel van vrouwen hadden doorgevoerd.[127] Diverse autoritaire regimes faciliteerden ook in verschillende mate de organisatie van vrouwen. Zo bood het staatssocialisme vrouwen weinig kansen om zich autonoom te organiseren.[128] In Polen gedoogde de staat alleen toegestane vrouwenorganisaties, zoals de Vrouwenliga, organisaties die deel uitmaakten van het communistische partijapparaat. Andere autoritaire regimes boden vrouwen dan weer onbedoeld de ruimte om zich autonoom te organiseren, weer andere coöpteerden met succes de grote vrouwenorganisaties, waardoor autonome organisaties weinig kans kregen om zich verder te ontwikkelen.[129]

Volgens Katjasungkana annexeerde Soeharto Kowani, de meest progressieve vrouwenorganisatie van voor de onafhankelijkheid. Ook steunde hij de nieuwe vrouwenbeweging Dharma Wanita, die het ibuïsme bevorderde – de staatsideologie die stelt dat een vrouw in de eerste plaats echtgenote moet zijn, dan moeder, dan opvoeder van kinderen, ten vierde maatschappelijk werker en tot slot burger.

Dit gebeurde ook in Ghana, waar de door de staat gefinancierde 31 December Womens' Movement een aantal jaren een dominante rol speelde, ook toen de transitie al behoorlijk gevorderd was.[130] Volgens

Tsikata verging het de Ghanese organisaties die het regime min of meer rechtstreeks steunden veel beter dan meer onafhankelijke verenigingen. Tegen 1984–1985 resteerde alleen nog de 31 December Womens' Movement, waarvan de vrouw van de president de leiding in handen nam. Vanaf dat moment had de organisatie vlot toegang tot het systeem, kreeg ze staatssteun en allerlei andere privileges, en werd ze de belangrijkste spreekbuis op het beleidsterrein van vrouwenkwesties. De vereniging kreeg ook steun van donoren en was weldra de enige organisatie waaraan de media aandacht besteedden. In zekere zin palmde de organisatie het volledige speelveld in en veel vrouwenorganisaties hadden het moeilijk hun problemen aan te kaarten of aandacht te vragen voor hun eigen activiteiten. Lange tijd leek het de enige organisatie op dit terrein. De onmiddellijke toegang tot de macht maakte dat de Womens' Movement alle andere vrouwenbewegingen overheerste.

Ook de ruimte binnen de oppositie om kritiek te uiten op het genderbeleid van niet-democratische regeringen verschilde aanzienlijk. Sommige oppositiepartijen en -bewegingen — in het linkse kamp en gericht op mensenrechtenschendingen bijvoorbeeld — stonden meer open voor vrouwenkwesties, aangezien die aansloten op een bredere agenda voor gelijkheid, rechten en gerechtigheid. Vrouwelijke activisten in de socialistische partijen van Spanje en Chili, in de sociaaldemocratische partij en de arbeiderspartij in Brazilië, en binnen het Zuid-Afrikaanse ANC organiseerden zich op grote schaal, vaak in afzonderlijke organen of in vrouwenafdelingen binnen de partijen zelf.[131]

Carlota Bustelo vertelt in dat verband over haar terugkeer naar Spanje: 'Ik zocht contact met de Spaanse socialistische arbeiderspartij (PSOE) waarbinnen we met een aantal vrouwen de groep Vrouwen en Socialisme oprichtten. Hiermee wilden we invloed uitoefenen op het partijbeleid ten aanzien van vrouwen. Onze debatten en acties wakkerden ons feminisme en onze strijdlust aan. Luis Gómez Llorente, verantwoordelijk voor het onderwijsbeleid en vertegenwoordiger van de linkervleugel van de PSOE, gaf ons een deel van zijn budget en moedigde onze inspanningen aan om opkomende organisaties te begeleiden. We gaven clandestien voordrachten en lezingen in verschillende Madrileense wijken, maar ook in andere steden, en hadden ook wat geld om brochures te maken waarmee we onze feministische ideeën konden verspreiden en gelijkgestemden de kans konden geven dat ook te doen.'

Thenjiwe Mtintso stelt dat gedurende de jaren tachtig een actieve vrouwenafdeling binnen het ANC een cruciaal onderdeel vormde van de strijd voor vrouwenrechten en participatie. Dat was mogelijk omdat deze afdeling voormalige vrouwelijke leden van de bevrijdingsbeweging zelf mobiliseerde en de bevrijdingsbeweging in haar geheel attent maakte op de plaats, rol en status van vrouwen, en ook op de noodzaak om de bevrijding van vrouwen en gendergelijkheid niet als een bijproduct te beschouwen.

Adriana Muñoz vertelt over de situatie in Chili: 'Sommige feministes nestelden zich in de politieke partijen terwijl andere zich daarbuiten hielden. Degenen van ons die lid waren van een politieke partij wilden bij de onderhandelingen zijn, omdat we dachten dat de vrouwenproblematiek niet aan bod zou komen als alleen mannen het programma van een Chileense transitie naar democratie zouden bepalen. Daarom trachtten we op alle partijniveaus vertegenwoordigd te zijn — ikzelf in de socialistische partij en de Partij voor Democratie. Samen met andere vrouwen waren we betrokken bij alle programmatische commissies en bepleitten we de vrouwenagenda en vrouwenrechten.'

Een aantal traditionele culturele en religieuze organisaties, zoals de Rooms-Katholieke Kerk, verzetten zich weliswaar tegen de autoritaire heerschappij, maar stonden minder open voor gendereisen (ze waren er eerder tegen gekant), zoals met name het geval was in Chili en Brazilië.

Ook het tempo van de overgangsprocessen speelde een rol. Met uitzondering van Indonesië en misschien de Filipijnen, waar het oude regime betrekkelijk snel viel, verliepen de meeste in dit boek besproken transities relatief langzaam — via onderhandelingen of 'begeleid' zoals in Brazilië, Chili, Ghana, Zuid-Afrika en Spanje. Overgangsakkoorden werden door een betrekkelijk kleine elite gesloten, waarbij sommige groeperingen meer openstonden voor de eisen van het maatschappelijke middenveld dan andere. In Chili, Ghana, Polen en Spanje hadden de oude regimes en hun bondgenoten aanzienlijke controle over de transitie en werden onderhandelingen in besloten kring (of zelfs in het geheim) gevoerd. Slechts weinig vrouwen waren betrokken bij dat proces. Brazilië en Zuid-Afrika voerden meer open en participatieve onderhandelingen en georganiseerde vrouwen hadden daar gemakkelijker toegang. Deze verschillen verklaren deels waarom sommige vrouwenbewegingen vrouwenzaken op de agenda kregen en een zekere mate van gendervriendelijke beleidsveranderingen en institutionele hervormingen bereikten, terwijl elders genderhervormingen uitgesloten waren of teruggedraaid werden.

RESULTATEN

DE GRONDWETTELIJKE ARENA

Institutionele vormgeving was een belangrijk aandachtspunt bij veel onderhandelingen die plaatshadden in het kader van onderhandelde of contractuele transities. In sommige gevallen trad het nieuw verkozen parlement op als grondwetgevende vergadering en moest de nieuwe grondwet de bredere doelen van de transitie verwezenlijken. In andere gevallen koos men voor de oude of aangepaste versie van de bestaande grondwet en waren er geen opmerkelijke hervormingen — zoals in Chili, waar het kiesstelsel was gebaseerd op de door het leger in 1980 aangenomen grondwet. De mate waarin georganiseerde vrouwen deze processen beïnvloedden, verschilde sterk. In Brazilië en Zuid-Afrika participeerden georganiseerde vrouwen actief in de formele processen en in de parlementen die optraden als grondwetgevende vergadering, en konden ze zo bijdragen tot de formulering van een gendervriendelijke grondwet. In Spanje en de Filipijnen lobbyden georganiseerde vrouwen en feministes weliswaar van buitenaf, maar ze waren geenszins rechtstreeks betrokken bij de opstelling van de ontwerpgrondwet. Er was ook amper inbreng van vrouwenorganisaties bij de beperkte Chileense onderhandelingen over de grondwet na het referendum (ondanks het bestaan van een actieve vrouwenbeweging). Vrouwen waren evenmin actief betrokken bij de redactie van de nieuwe Ghanese grondwet. En hoewel de grondwetten in Polen, Indonesië, de Filipijnen en Spanje bepalingen over een zekere mate van gendergelijkheid bevatten, hadden vrouwenorganisaties daar over het algemeen weinig invloed op.

Zowel in Brazilië als in Zuid-Afrika maakte het ontwerp van de grondwet deel uit van een geleidelijke, via onderhandelingen bereikte transitie. In Zuid-Afrika was de interim-grondwet van fundamenteel belang bij de inclusieve onderhandelingen van 1992 tot 1994, die werden overheerst door het ANC en de apartheidsregering. Er waren maar weinig vrouwen betrokken bij de eerste onderhandelingen van CODESA, en vrouwen (in het bijzonder die van het ANC) moesten vechten voor een plek in de onderhandelingsteams bij de daaropvolgende besprekingen tussen de verschillende partijen. De Women's National Coalition (WNC), een brede, onafhankelijke coalitie van vrouwenorganisaties, werd opgericht.[132] WNC-coördinator Pregs Govender (1992–1994) hierover: 'De WNC begon met de Vrouwenliga van het ANC en organiseerde een bijeenkomst met vrouwen van andere politieke partijen en uit allerlei organisaties in de brede samenleving om na te gaan in welke mate vrouwen uit het onderhandelingsproces werden geweerd en of ze terecht moesten vrezen dat, ondanks hun actieve strijd tegen apartheid, kwesties die hen rechtstreeks aangingen en van grote invloed waren op hun leven, volledig van de onderhandelingstafel zouden verdwijnen, en dat zaken als gendergelijkheid, materiële gendergelijkheid, sociaaleconomische rechten, lichamelijke integriteit en reproductieve rechten niet in de grondwet aan bod zouden komen. De combinatie van onderhandelaars, juristen, onderzoekers en mensen die goed konden mobiliseren en bedreven waren in het opzetten van vrouwenbewegingen bleek uitermate doeltreffend.'

De WNC speelde een sleutelrol in de onderhandelingen met de traditionele leiders over de relatie tussen het gewoonterecht en de gelijkheidsclausule.[133] Volgens Sheila Meintjes, lid van de onderzoeksgroep van de WNC, was dat een belangrijk moment voor de coalitie en speelden vrouwen een rol van betekenis in het waarborgen dat het gewoonterecht en dat wat de traditionele leiders wilden, de grondwet niet zouden ondermijnen. Die leiders wilden het gewoonterecht in stand houden, maar dat impliceerde dat alle Afrikaanse vrouwen voor de wet niet handelingsbekwaam zouden zijn. Het verkozen parlement, dat optrad als grondwetgevende vergadering, boog zich over de interim-grondwet. Vrouwelijke parlementsleden, vooral van het ANC, ijverden met succes voor de opname van specifieke bepalingen – over huiselijk geweld bijvoorbeeld – naast meer algemene toezeggingen op het vlak van gendergelijkheid.

Na de verkiezing van een burgerpresident in Brazilië in 1985 trad het nieuw verkozen parlement tussen 1986 en 1988 op als grondwetgevende vergadering. Vrouwelijke leden van politieke partijen pleegden overleg en kregen daarbij de steun van vrouwen uit het maatschappelijk middenveld. De nationale raad voor vrouwenrechten CNDM telde vertegenwoordigers uit de overheid en uit het maatschappelijk middenveld en fungeerde als vrouwenlobby. De raad coördineerde vrouwenorganisaties en feministische activistes om de grondwetgevende vergadering onder druk te zetten.[134] Jacqueline Pitanguy, voorzitter van het CNDM beschrijft hoe ze een orgaan opzetten dat zich specifiek concentreerde op de grondwet: 'We begonnen op het niveau van de deelstaten, brachten de vrouwenorganisaties daar in kaart, om vervolgens de krachten te bundelen met het oog op een campagne voor elke deelstaat. Ook het eigenaarschap van de campagne, hoewel geïnitieerd door de CNDM, berustte op deelstatelijk niveau.' Een van de initiatieven was de 'Brief van de Vrouwen', een pakket eisen geformuleerd door vrouwenorganisaties dat werd voorgelegd aan het nationale parlement en de aparte deelstaatparlementen. Ze zorgden er ook voor dat de leden van de vergadering strategisch werden benaderd op electoraal, regionaal en federaal niveau. Pitanguy over de persoonlijke contacten binnen de volksvertegenwoordiging: 'Elke dag kwamen we naar het congres en spraken we met de leiders van de politieke partijen. Ik weet nog goed hoe ik door de gangen liep. Aan één stuk door. We kregen ook telegrammen uit de deelstaten. We stonden voortdurend in contact met plaatselijke vrouwenverenigingen. Onze campagne beperkte zich niet tot het federale niveau, maar strekte zich uit tot de deelstaten. We bezochten dan afgevaardigde X, en als hij niet veel animo toonde voor de kwestie, namen we onmiddellijk contact op met de vrouwenbewegingen in de specifieke deelstaat van die parlementariër.'

Vrouwelijke parlementsleden (de 'lipsticklobby') van diverse partijen werkten ook samen binnen het congres en met de CNDM. Het resultaat was dat — volgens Pitanguy — 80 procent van hun eisen werd opgenomen in de grondwet van 1988 en dat pogingen werden verijdeld om 'het recht op leven' vast te leggen. De uiteindelijke grondwet was echter een log document dat specifieke wetgeving vereiste om effectief te kunnen zijn.

Bij de onderhandelde Spaanse transitie werd de nieuwe grondwet in 1977-1978 ontworpen door een verkozen parlement dat fungeerde als grondwetgevende vergadering. Weinig vrouwen waren betrokken bij het betrekkelijk gesloten en door elites gestuurde proces onder leiding van Adolfo Suárez, UDC-leider en premier.[135] Een exclusief mannelijk panel, verkozen uit de leden van de grondwetgevende vergadering, ontwierp de grondwet. Drie van de zeven leden kwamen uit de regerende centrumrechtse UCD, een van hen vertegenwoordigde de PSOE. De grondwet kwam voor een 35 leden tellende parlementaire constitutionele commissie waarin slechts één vrouw zetelde. Beide kamers van het parlement — met in totaal slechts 27 vrouwelijke leden — keurden het ontwerp goed. Feministische organisaties lobbyden van buitenaf en een aantal vrouwelijke afgevaardigden was intern actief. Bustelo merkt op dat ze samenwerkte met een van de redactiepanels aan het ontwerp van de artikelen 9 en 14, die verwijzen naar gelijkheid. Zo zijn er clausules over gelijkheid en echtscheiding opgenomen, maar hun inspanningen op het vlak van reproductieve rechten en gelijk eerstgeboorterecht hadden minder succes.[136]

In de Filipijnen benoemde Corazon Aquino na haar verkiezing een vijftig leden tellende constitutionele commissie (minder dan 15 procent was vrouw, maar wel met een vrouwelijke voorzitter) om een nieuwe grondwet op te stellen. Een brede coalitie van vrouwenorganisaties, waaronder de feministische groepering Gabriela, kwam samen om te lobbyen, zij het met gemengde resultaten. De opgenomen gelijkheidsclausule ging niet zo ver als het voorstel van de vrouwenorganisaties. Er was ook een clausule over het recht op leven, die gesteund werd door een sterke klerikale lobby en conservatieve vrouwenorganisaties, maar als toegeving aan de vrouwenorganisaties verwees de clausule zowel naar het recht op leven van de moeder als naar dat van het ongeboren kind vanaf de bevruchting.[137]

Indonesië veranderde de grondwet geleidelijk. Vrouwen uit ngo's en vrouwenorganisaties werden benoemd in de volksassemblee (MPR) die tussen 1999 en 2002 initiatieven nam voor veranderingen. Feministes zorgden voor de opname van positieve discriminatie in de grondwettelijke hervormingen, maar er werd weinig echte vooruitgang geboekt. Volgens Katjasungkana, die als vertegenwoordiger van advocatenverenigingen in de MPR zetelde, kregen ze het op basis van de ervaringen van de vrouwen in Zuid-Afrika wel voor elkaar een specifiek hoofdstuk in de grondwet te wijden aan de mensenrechten, met inbegrip van het principe van gelijke kansen en positieve discriminatie.

Aan het andere eind van het spectrum waren vrouwen niet betrokken bij de eerste Chileense grondwet die het leger in 1980 schreef, en het resultaat was dan ook een genderonvriendelijk document. Na het referendum voorafgaand aan de presidents- en parlementsverkiezingen van 1989 speelden vrouwen evenmin een rol bij de beperkte (gesloten) onderhandelingen tussen de belangrijkste politieke partijen en de militaire regering over de grondwet. Deze marginalisatie van vrouwen voltrok zich ondanks de actieve rol van een groot aantal vrouwenorganisaties, met inbegrip van betrekkelijk lang bestaande koepelorganisaties zoals Mujeres por la Vida en de vrouwelijke tak van de Concertación, opgericht als reactie op het lage aantal vrouwen dat aan die verkiezingen mocht deelnemen. Zij moesten ervoor zorgen dat gendergelijkheid op de agenda van de Concertación bleef staan.[138]

In Ghana ontwierp een door het regime-Rawlings opgerichte grondwetgevende vergadering in 1991 de grondwet, redelijk vroeg in het van bovenaf ingezette transitieproces. Bijgevolg trachtten weinig vrouwenorganisaties actief invloed uit te oefenen op het proces en kwamen genderkwesties niet voor in het slotdocument. Volgens Dzodzi Tsikata kwamen slechts weinig vrouwenissues aan bod in de grondwet. 'We waren niet actief betrokken bij het grondwettelijke proces. Er waren nauwelijks vrouwelijke activistes en ik herinner me geen discussies over de grondwet.'

In Polen, in de enigszins andere context van een transitie vanuit het staatssocialisme, hadden georganiseerde vrouwen ook geen grote inbreng bij het opstellen van de grondwet van 1997, hoewel sommige aan vrouwen gerelateerde ngo's — zoals het Centrum voor Vrouwenrechten — wel voorstellen indienden.[139] Het slotdocument bevatte clausules met waarborgen voor de gelijkheid van mannen en vrouwen, maar die waren moeilijk af te dwingen omdat ze niet geschraagd werden door specifieke regelgeving of het burgerlijk recht. Soms, zoals in het arbeidsrecht, druiste de wetgeving regelrecht in tegen de grondwet. Net als in een aantal andere Oost-Europese landen werd na veel controverse en debat een bepaling omtrent het recht op leven opgenomen in de nieuwe grondwet. De Kerk slaagde erin een passage over de bescherming van het ongeboren kind te laten opnemen, die later werd bekrachtigd door een grondwettelijk tribunaal.[140]

DE VERKIEZINGSARENA

De numerieke vertegenwoordiging van vrouwen in de parlementen na afronding van de transitie verschilt aanzienlijk. Vrouwen waren aanvankelijk slecht vertegenwoordigd in Brazilië, Chili, Ghana, Indonesië, Polen en Spanje (10 procent of minder). Zuid-Afrika vormde een opvallende uitzondering met 27,7 procent. Kenmerkend voor de derde transitieronde was dat het aantal vrouwen in de nationale parlementen mettertijd toenam, vooral in landen waar daadwerkelijk quota waren ingevoerd. In Zuid-Afrika bijvoorbeeld introduceerde het ANC een quotum van 33 procent voor de verkiezingen van 1994. Andere landen voerden verkiezingsquota in die vaak op zich al een belangrijke institutionele hervorming waren. In Brazilië had een slecht doordacht en geïmplementeerd quotum weinig invloed op de vertegenwoordiging van vrouwen: het aantal vrouwelijke leden lag in de senaat (waar geen quotum van toepassing was) hoger dan in de kamer (waar dat wel het geval was).[141] Het aantal vrouwen houdt ook verband met de aard van het kiesstelsel en met de mate waarin politieke partijen zijn geïnstitutionaliseerd.[142] Linkse partijen benoemen en verkiezen vaak meer vrouwen dan rechtse partijen, omdat ze met hun meer egalitaire ideologieën eerder geneigd zijn positieve maatregelen te nemen ten gunste van uitgesloten groepen, en zodoende vrouwenactivisme meer ruimte bieden.

We moeten echter niet alleen kijken naar het aantal vrouwen. De mate waarin vrouwelijke parlementsleden opkomen voor vrouwenbelangen (inhoudelijke vertegenwoordiging) in de verschillende transities is ook belangrijk. Dit kan verschillende vormen aannemen. Vrouwelijke parlementsleden kunnen wetsvoorstellen indienen ter verbetering van vrouwenrechten en gendergelijkheid of om de invoering van regressieve maatregelen te voorkomen. Zij kunnen zich binnen de wetgevende macht ook organiseren over partijgrenzen heen of allianties vormen met vrouwenorganisaties op het maatschappelijk middenveld. Ook die inhoudelijke vertegenwoordiging verschilde in onze casussen. In Ghana werden bijvoorbeeld weinig vrouwen verkozen. Ze hadden geen feministische ideeën of banden met georganiseerde vrouwen buiten de wetgevende macht en er gebeurde dus weinig op het vlak van genderkwesties. Volgens Dzodzi Tsikata was er een gebrek aan contacten, want 'het was eenrichtingsverkeer: activistes trachtten de vrouwen in het parlement te bereiken, andersom gebeurde dit niet'.

In Brazilië, Chili, Indonesië en Spanje werden weinig vrouwen verkozen, maar belangrijke feministes ijverden er wel intensief voor progressieve genderwetgeving. Hun succes was grotendeels afhankelijk van de al dan niet welwillende houding van de zittende regering.[143] Nursyahbani Katjasungkana vertelt dat zij tijdens haar ambtsperiode in het Indonesische parlement van 2004 tot 2009, samen met een kleine progressieve groep vrouwen van haar partij en met verscheidene anderen, aan de basis stond van minstens veertien wetten. In Brazilië en Zuid-Afrika bleek het organiseren van vrouwen in het parlement op bepaalde punten vruchten af te werpen. Zo speelde de lipsticklobby een belangrijke rol bij het opstellen van de Braziliaanse grondwet. In het eerste multiraciale Zuid-Afrikaanse parlement vormden vrouwelijke parlementsleden, vaak afkomstig uit het maatschappelijk middenveld en feministische organisaties (en die elkaar ook kenden vanuit dat activistische verleden in bijvoorbeeld de WNC), een beraad over de grenzen van de partijen heen, waarbij zij zich aanvankelijk bogen over een reeks genderkwesties, zoals geweld.[144] Thenjiwe Mtintso, parlementslid voor het ANC in het eerste parlement, bevestigt de blijvende impact van de WNC: 'Wij probeerden elkaar buiten de politieke partijen om te vinden en vormden een commissie voor de verbetering van de status en levenskwaliteit van vrouwen. Dat was geen gebruikelijke commissie, maar we wilden gewoon dat die er kwam. Het werk in het parlement werd vergemakkelijkt door wat we voordien hadden gedaan: onderhandelingen, de Vrouwencoalitie en het Vrouwenhandvest.'

Feministische parlementsleden hebben meestal veel contact met vrouwenorganisaties buiten het parlement en behoren vaak tot linkse partijen. De kracht van de partijdiscipline en het partijsysteem kan ook invloed hebben: organisatie over de partijgrenzen heen kan gemakkelijker zijn in versplinterde partijsystemen of bij een zwakke partijdiscipline. Het was relatief gemakkelijk in Brazilië, bijvoorbeeld, maar moeilijker vol te houden in Zuid-Afrika, waar de partijdiscipline en trouw aan de partij na de eerste paar jaar sterker werden. Er zijn ook maar weinig voorbeelden van doeltreffend vrouwelijk overleg binnen de partijen, met uitzondering van het ANC. De formele kamercommissie, de Joint Monitoring Committee on the Quality of Life and Status of Women, profiteerde in het eerste gekleurde parlement van het efficiënte leiderschap van belangrijke feministische actoren zoals Pregs Govender. Zij meent dat dit ertoe heeft geleid dat in 1999 80 procent van de genderwetgeving op hun agenda was ingevoerd.

Partijoverschrijdende organisatie was ook gemakkelijker voor bepaalde kwesties, huiselijk geweld bijvoorbeeld. Het tegenovergestelde gold voor reproductieve rechten waarover vrouwen (en mannen) verdeeld waren. In Chili bijvoorbeeld vormden vrouwen van rechts en links een coalitie ter ondersteuning van maatregelen voor het levensonderhoud van kinderen, en dat ondanks diepe verdeeldheid over reproductieve rechten. In Indonesië sloegen vrouwelijke parlementsleden vaak de handen ineen, maar niet ten aanzien van een wetsvoorstel tegen pornografie, dat seculiere en gematigde islamitische politica's en hun conservatievere collega's danig verdeelde.[145] Katjasungkana's eigen partij was verdeeld over het voorstel waartegen zij zich persoonlijk verzette. 'Voor mij was het debat over dat wetsvoorstel mijn moeilijkste moment in het parlement.'

DE BESTUURLIJKE ARENA

De mate en wijze van gendervriendelijke veranderingen op ambtelijk vlak varieerden ook sterk in het traject na de verschillende transities. In sommige landen hadden de oude regimes al in de jaren zeventig organen voor vrouwenbeleid (*women's policy agencies* of WPA's) opgezet onder invloed van de VN. Dit gebeurde in Ghana en de Filipijnen, waar Imelda Marcos zo'n agentschap (de National Commission on the Role of Filipino Women) leidde. In de loop der jaren werden in alle landen WPA's opgericht, heringericht en vervangen, en dat in een steeds gunstiger internationaal klimaat, zeker na de VN-conferentie in Peking in 1995. WPA's werden echter opgericht om verschillende redenen, met verschillende structuren, bevoegdheden en middelen – en dus verschillende mogelijkheden om de belangen van vrouwen in besluitvormingsprocessen te vertegenwoordigen. In Oost-Europa bijvoorbeeld richtte een aantal regeringen WPA's op om gemakkelijker toegang te krijgen tot de EU. Om het nut en de doeltreffendheid te bepalen moeten we weten hoe (en waarom) ze werden opgericht, welke middelen ze kregen, hoe ze verantwoording aflegden, welke groepen buiten de staat erin participeerden en in welke bredere politieke context ze opereerden.

In Brazilië, Chili en Zuid-Afrika waren de WPA's het directe gevolg van de activiteiten van georganiseerde vrouwen voorafgaand aan en tijdens het transitieproces, terwijl er in Spanje pas een agentschap werd opgezet in 1983 (geleid door Carlota Bustelo), na de verkiezing van een socialistische regering. Welwillende nieuwe regeringen zetten deze structuren op na campagnes van vrouwelijke activisten in politieke partijen, parlementen en vrouwenorganisaties. In Chili ijverde de vrouwelijke tak van de Concertación voorafgaand aan de eerste verkiezingen voor een ministerie van Vrouwenzaken.[146] Teresa Valdés, feministisch activiste en onderzoekster, herinnert zich dat een van de commissies die het genderprogramma binnen de vrouwelijke tak van de Concertación voorbereidde, 'het voorstel uitwerkte voor een institutioneel kader voor vrouwen, een soort dienstverlenend ministerie. De ervaringen van het Instituto de la Mujer in Spanje, de vrouwenraad in Brazilië en vrienden die uit ballingschap kwamen, leerden ons dat dit fundamenteel was.' Zuid-Afrika boog zich uitgebreid over de ervaringen van andere landen, wat leidde tot een pakket van aandachtspunten ten bate van overheidsinstellingen en van het parlement.

In Ghana richtte president Kufuor een nieuw ministerie van Vrouwen- en Kinderzaken (MOWAC) op, zij het tegen de zin van vrouwenorganisaties.[147] Tsikata vertelt over wat er gebeurde na de antiregeringscampagnes van vrouwen voorafgaand aan de verkiezingen van 2000: 'De nieuwe regering trad aan en zei vrouwen te willen belonen met dit ministerie. Onze reactie zorgde voor spanningen, omdat vrouwenorganisaties van mening waren, op basis van ervaringen met zulke ministeries elders op het continent, dat we zo'n ministerie niet nodig hadden, en al helemaal niet met een gering budget. Dat was onze redenering en volgens mij was de persoon die zou worden aangesteld als minister niet blij met onze inspanningen om het ministerie nog voor de start op te doeken. We zetten de foute toon en lange tijd ging het heel slecht.'

De antifeministische minister van MOWAC leverde haar volledige ambtstermijn, van 2001 tot 2005, strijd met vrouwenorganisaties. Ook organen die werden gesteund door vrouwelijke activistes ondervonden problemen. WPA's die over weinig middelen en macht beschikten, kampten vaak met hooggespannen verwachtingen en soms verstoorde relaties met groepen buiten de staat, terwijl hun controle over middelen ook bijdroeg tot de ngo-isering van vrouwenorganisaties die meer leunden op staatssteun en internationale fondsen dan op steun vanuit de basis. Ook de politieke context waarin WPA's opereerden was belangrijk. In minder geïnstitutionaliseerde politieke stelsels hadden regeringswisselingen en bredere ideologische trends soms negatieve gevolgen voor de agentschappen. Nieuwe of minder welwillende regeringen konden WPA's afschaffen, minder fondsen toebedelen of hun rol bagatelliseren. Bezuinigingen, verwaarlozing en marginalisatie verzwakten het Zuid-Afrikaanse genderapparaat (volgens Thenjiwe Mtintso, het eerste hoofd van de commissie voor gendergelijkheid). Dat gebeurde eind jaren tachtig ook in Brazilië, waar Pitanguy en haar collega's massaal hun mandaat neerlegden, en ook verscheidene malen in Polen ten gevolge van de vele machtswisselingen, in het bijzonder nadat de rechtse AWSP in 1997 de Democratische Linkse Alliantie (SLD) had verslagen.[148] Een WPA is wellicht veel doeltreffender als het deel uitmaakt van een regering die relatief positief staat tegenover gendergelijkheid. Dat was het geval in Chili, Spanje en Zuid-Afrika, al kon een WPA ook dan op aanzienlijke problemen stuiten.

HERVORMINGEN IN HET GENDERBELEID

Genderrechten vormen geen homogene categorie. Beleidsherzieningen zijn vaak gemakkelijker te realiseren rond minder controversiële genderrechten dan in de context van andere, meer omstreden rechten.[149]

Gendergerelateerd geweld, echtscheiding, kiesquota en eigendomsrechten zijn in het algemeen gemakkelijker te bespreken dan reproductieve rechten. Bepaalde genderrechten roepen fel protest op, in het bijzonder bij rechts georiënteerde personen of religieuze organisaties die zulke hervormingen zien als een bedreiging van de onaantastbaarheid van het gezin. Na de transitie zaaiden wetsvoorstellen voor abortus vaak verdeeldheid en bleek wetgeving op dat vlak onhaalbaar, ondanks mobilisatie en lobbywerk.

Van alle hier behandelde landen kwam er onmiddellijk na de transitie alleen een wetswijziging in Zuid-Afrika. En in Spanje een decennium later, na het aantreden van een socialistische regering. Er waren ook voorbeelden van achteruitgang. Zoals gezegd verloren vrouwen in Oost-Europa veel rechten die ze voorheen — in elk geval op papier — onder het socialisme wel hadden genoten. Zo werd in Polen de toegang tot abortus — die betrekkelijk wijdverspreid was — in 1993 streng beperkt.[150] En ondanks enige liberalisering in 1996 bleef het aantal abortussen laag. In Indonesië beperkte een decentralisatieprogramma die toegang in bepaalde gebieden waar (vaak meer islamitische) maatregelen werden geïntroduceerd.[151] Volgens Katjasungkana, oprichter van de vrouwenrechtenorganisatie APIK, stelde de nationale commissie inzake geweld tegen vrouwen dat ongeveer 250 strenge verordeningen bepaalde groepen discrimineren en 78 verordeningen specifiek vrouwen discrimineren. Het betreft bepalingen over kleding, sluiers, vrouwen die het huis niet uit mogen zonder mannelijk familielid, of geen eigendoms- of identiteitsdocumenten krijgen als ze niet gesluierd zijn. Ook wijzigingen van eigendomsrechten en maatregelen tegen huiselijk geweld hebben soms te kampen met stevige oppositie.

Waar hervormingen plaatsvonden, zijn initiatieven van belangrijke vrouwen om coalities te vormen in het bestuursapparaat, het parlement en het maatschappelijk middenveld, en een gunstige politieke context — vooral een welwillende regering — cruciale factoren.[152] Wetgeving tegen huiselijk geweld bewijst dat. Het is een kwestie die weerklank vindt bij feministes en die brede steun van vrouwen geniet over de grenzen van afkomst en ideologie heen. Vanaf het begin van het VN-decennium voor de vrouw (1976–1985) groeide de internationale consensus over de noodzaak om deze kwestie aan te pakken en de daarvoor vereiste mechanismen in te stellen. De snelheid waarmee en de mate waarin nieuwe regeringen wetgeving aannamen en beleidsmaatregelen troffen om huiselijk geweld te voorkomen, verschillen echter. In nagenoeg alle gevallen ontstonden er coalities van activisten, maar sommige bereikten meer dan andere. In Ghana werd er in 2002 een coalitie van activisten tegen huiselijk geweld gevormd door een hele reeks organisaties. Ondanks de steun van de procureur-generaal stagneerde de campagne, aangezien een van de belangrijkste tegenstanders het controversiële hoofd van MOWAC was. Pas in 2007, nadat een jongere en meer progressieve minister haar had vervangen, werd de wet ingevoerd.[153] Tsikata: 'De relaties met MOWAC verslechterden met de strijd over de wet tegen huiselijk geweld, omdat het vreemd was dat een minister de aandacht vestigde op dingen in de wet die niet goed waren voor mannen. Het kostte de coalitie zeven jaar om de wet tegen huiselijk geweld door het parlement te krijgen. Alle groepen drongen aan en aan en aan, maar de regering liet zich niet intimideren door de kracht van de coalitie en de eisen, en nam de tijd om de wet te passeren.'

In Chili bereikten een soms onrustige alliantie van feministes in en buiten het parlement en het ministerie voor vrouwen SERNAM de goedkeuring van de wet tegen huiselijk geweld in 1994.[154] Vrouwenorganisaties en feministische parlementsleden meenden echter dat SERNAM, dat werkte in een conservatieve politieke context en onder invloed van de christendemocratische regeringspartij (die zelf weer onder druk stond van de Kerk), het finale wetsvoorstel had afgezwakt. Adriana Muñoz, het socialistische kamerlid dat het originele wetsvoorstel indiende: 'Ons grootste probleem was onze situatie als centrumlinkse coalitie. We passeerden een wet tegen intrafamiliaal geweld. Het voorstel dat ik indiende verbood echter specifiek geweld tegen vrouwen (dus geweld tegen vrouwen omdat ze vrouw zijn). We kwamen niet verder op dat vlak omdat christendemocratische vrouwen het nodig achtten om dit als een probleem 'achter de voordeur' te benaderen. We moesten inbinden. Dit was een toegeving; we kwamen niet verder omdat we simpelweg de stemmen in het parlement niet hadden. Rechts vormde een barrière – een permanente oppositie – en de feministes en links hadden de christendemocratische stemmen nodig om toch zo ver mogelijk te komen.'

Nursyahbani Katjasungkana over Indonesië: 'Gelukkig werd de wet tegen huiselijk geweld ingediend door APIK. Ikzelf en anderen (natuurlijk betrokken we er andere groepen en onderzoekers bij) gebruikten een "driehoek van medezeggenschap" – vrouwelijke onderzoekers, activisten en "femocraten" moesten samen aan verandering werken. We vormden een coalitie om steun te krijgen voor de wet tegen huiselijk geweld. Van meet af aan echter stuitten we op verzet van religieuze groepen die stelden dat deze wet de harmonie binnen het gezin en het gezin als concept zou aantasten. Het kostte zeven jaar om van het wetsvoorstel van 1997 tot de bekrachtiging in 2004 te komen.'

Zuid-Afrika en Brazilië troffen gemakkelijker maatregelen tegen huiselijk geweld in het traject na de transitie. In beide gevallen hadden activistes huiselijk geweld op de agenda geplaatst voorafgaand aan en tijdens de transitie. In Zuid-Afrika namen de WNC, vrouwelijke activistes in het ANC en de vrouwenliga van het ANC, het initiatief. Het ANC legde een document ter zake voor bij de onderhandelingen over de grondwet en de ANC-regering besloot, als onderdeel van de voorbereidingen op de vrouwenconferentie in Peking, actie te ondernemen in samenwerking met een nationaal netwerk. De kamercommissie voor vrouwenzaken betoogde dat het eerste parlement een maatregel moest treffen en het overleg tussen vrouwen van het ANC versnelde de goedkeuring.[155] In Brazilië voorzag de grondwet in een clausule tegen huiselijk geweld en leidde feministisch activisme zowel binnen als buiten politieke partijen en de staat tot initiatieven op federaal niveau en in de deelstaten. Zo kwamen er in São Paulo vrouwelijke politiebureaus. Braziliaanse feministes speelden ook een sleutelrol bij het aankaarten van de kwestie op internationaal niveau.[156] De verzwakking van de nationale raad voor vrouwenrechten eind jaren tachtig had echter een nadelig effect op het gros van deze maatregelen. Net als andere wetten en grondwettelijke maatregelen is ook de regelgeving rond vrouwenrechten afhankelijk van een effectieve invoering. We zien dan ook aanzienlijke verschillen in de casussen die we hier hebben voorgesteld.

CONCLUSIE: LESSEN GELEERD?

Alle transities illustreren het centrale belang van de organisatie van vrouwen. Valdés stelt: 'Als er in verschillende situaties geen krachtmeting op straat was geweest, zou het nooit zijn gelukt om te krijgen wat we hebben gekregen van de transitie. De geleding van de sociale en politieke wereld zorgde voor de macht en kansen om democratische voorstellen van vrouwen op de agenda van de regering-Aylwin te krijgen.'

Pitanguy benadrukte ook het centrale belang dat de massale organisatie van vrouwen had voor het Braziliaanse maatschappelijke middenveld. Daarnaast wezen veel geïnterviewden op het gevaar het contact met de brede basis van de vrouwenbewegingen te verliezen, evenals het momentum en het engagement zodra vrouwelijke kopstukken regeringsfuncties gingen vervullen. Het duurzaam mobiliseren van vrouwen, een van de moeilijkste uitdagingen, bleek belangrijk voor positieve genderresultaten op de langere termijn.

Brede coalities met een scala aan actoren — academici, activistes van het maatschappelijk middenveld en politica's (in Zuid-Afrika sprak men van de drievoudige alliantie) — waren essentieel voor het bundelen van diverse kennis (al bleek dit in Zuid-Afrika en Indonesië een beladen proces). Katjasungkana benadrukte echter dat seculiere en islamitische feministes ondanks hun verschillen samenwerkten. Pregs Govender wees op de kracht van de WNC en het belang van het vermogen van de coalitie 'om elkaars talenten, ervaring en expertise aan te vullen — en de verschillende bijdragen te waarderen en samen te werken ondanks alle tegenstellingen'. Veel van de geïnterviewden (uit Zuid-Afrika bijvoorbeeld) beklemtoonden dat het partnerschap voorafgaand aan de transitie de samenwerking gemakkelijker had gemaakt, zelfs bij vrouwen met verschillende achtergronden en standpunten.

Het was ook belangrijk dat brede coalities een gemeenschappelijke agenda ontwikkelden die een hele reeks vrouwen aansprak (en mobiliseerde). Idealiter bestonden de brede coalities en koepelorganisaties uit feministes en niet-feministes, en uit vrouwen met verschillende politieke en religieuze overtuigingen: zij vormden de basis van succesvolle campagnes rond specifieke kwesties in Chili, Indonesië en Zuid-Afrika. Volgens Meintjes begrepen vrouwen binnen de WNC dat gendergelijkheid hen verenigde. 'Er waren verschillen waar iedereen mee kon leven, en moest leven, omdat het om politiek ging. Maar als we gendergelijkheid niet in de grondwet kregen, konden we wel inpakken.'

Muñoz wees erop dat er in Chili zelfs binnen de vrouwelijke tak van de Concertación verschillende politieke standpunten bestonden: 'Zeker, als socialistische feministes wilden we radicalere maatregelen zoals abortus en echtscheiding. Het was echter een centrumlinkse alliantie en de christendemocratische vrouwen hadden een andere visie. We vormden een gemeenschappelijk platform. Het was op dat moment nu eenmaal belangrijk een coalitie van partijen voor democratie en een vrouwelijke tak van de Concertación op te zetten met de bedoeling macht te vergaren en democratie te bevorderen voor vrouwen in elk van onze partijen. In dat opzicht waren we pragmatisch en stelden we dat eenheid, een verenigd platform, het belangrijkste was, en dat we alles wat ons verdeelde los moesten laten. Daarom hadden we het niet over echtscheiding, seksuele en reproductieve rechten, of abortus. We stapten af van alle kwesties die controverse opriepen tussen het centrum van de Concertación en de linkse en meer feministische vleugel om een gezamenlijk programma uit te werken dat ons voldoende macht zou geven om in elk van de politieke partijen onze doelstellingen in de onderhandelingen over het transitieprogramma te bepleiten.'

De Chileense casus in het bijzonder bewees dat het kaderen van kwesties zoals geweld en kinderrechten in de context van meer aandacht en zorg voor het gezin, leidde tot een breder draagvlak voor hervormingen over politieke scheidslijnen heen, ook al vonden veel feministes dat zaken als sociaaleconomische hervorming, herverdeling en de meer diepgaande transformatie van genderrelaties (met de empowerment van vrouwen én mannen) niet aan bod kwamen.

Vrouwenorganisaties bleken ook doeltreffender als hun platforms, voorstellen en eisen waren ontwikkeld voordat ze betrokken raakten bij politieke processen. Pitanguy benadrukte dat 'vrouwenorganisaties zelf coalities moeten opzetten en gewapend met een reeks eisen waarover niet te onderhandelen valt, en een aantal voorstellen waarbij dat wel mogelijk is, naar de grondwet moeten komen. De eerste zaak voor elke vrouwenbeweging in landen die een democratische transitie doormaken, is consensus bij de eigen basis. Ze kunnen geen tijd, energie en kracht verspillen aan het oplossen van interne conflicten. Ze moeten als een coherente groep de politieke arena betreden.'

Pitanguy benadrukt dat vrouwelijke actoren deel moeten uitmaken van het grondwettelijke proces. Actieve participatie in de oppositie en in processen tijdens het traject na de transitie was een fundamentele voorwaarde om genderclaims met succes te introduceren. Waar dit niet het geval was, in Ghana en Polen bijvoorbeeld, waren de genderresultaten minder positief. Ondanks de angst voor inlijving vonden sommige actoren dat vrouwen al in het beginstadium van de transitie tussenbeide moesten komen. Mtintso: 'De kwestie van de transformatie van gendergerelateerde machtsrelaties in de samenleving moet van het begin af aan deel uitmaken van theoretiserende, praktische en organisatorische overwegingen. Als dat niet gebeurt in de voorbereidende fase is het heel moeilijk te integreren in de fase van de transformatie zelf. Je moet jezelf voorbereiden en dat deden we bij het ANC. Niet helemaal naar tevredenheid, maar we deden het, en dat heeft het resultaat aanzienlijk beïnvloed: de grondwet, de wetgeving en de instellingen.' Pitanguy gelooft ook dat het heel belangrijk is het momentum niet te laten voorbijgaan: 'Politieke timing is cruciaal. Je moet voorbereid zijn op die timing, maar je moet je organiseren voor het zover is.'

Voor een succesvolle interventie in het algemeen moeten een paar voorwaarden zijn vervuld. In de eerste plaats moeten er gepaste strategieën en tactieken worden bedacht. Zo waren volgens de deelnemers de inspanningen om de Braziliaanse en Zuid-Afrikaanse grondwet vorm te geven betrekkelijk succesvol dankzij doelgericht lobbywerk, toezicht en coalitievorming met andere belangrijke actoren. Pitanguy: 'We kwamen met een missie, maar wisten ook hoe we moesten onderhandelen. We wisten hoe we coalities moesten vormen. We waren in zekere zin politici. We deden aan politiek. We werkten met de instrumenten van de politiek – niet met de instrumenten van autoritarisme of radicalisme, daar waren we tegen. We wisten hoe we moesten onderhandelen en coalities moesten vormen binnen de regering.'

Coalitievorming en interventiestrategieën zijn ook nodig om terugval te voorkomen of maatregelen die de vrouwenrechten bedreigen, zoals clausules over het 'recht op leven'. In landen als Indonesië – maar ook in Oost- en Midden-Europa en Latijns-Amerika, waar de Katholieke Kerk actief was in de oppositie – genoten gelovige conservatieven veel steun en was het moeilijk om tot overeenstemming te komen. Bondgenoten zoeken in andere arena's – bij invloedrijke politieke partijen, bij parlementen, hoge ambtenaren of ministers – was daarom belangrijk. Genderactoren moesten betrokken raken bij politieke partijen, moesten campagne voeren en die partijen van binnenuit en op elk niveau veranderen. Een beleidsherziening is gemakkelijker te bereiken als de regering en de partijen aan de macht redelijk welwillend staan tegenover genderprogressieve maatregelen. Sommige transities waren opener dan andere en wellicht maakte de organisatie van vrouwen daar meer kans op positieve effecten. Politieke partijen hebben daarom een sleutelrol gespeeld in dit proces. Hun openheid naar vrouwelijke activisten en genderkwesties verschilde sterk per land. Sommige partijen boden een positievere omgeving dan andere en maakten het voor vrouwen mogelijk om zich zowel binnen als buiten de partijen met succes te organiseren voor verandering – en in een aantal gevallen opmerkelijke resultaten te halen.

Tot slot is ook een gunstige internationale context fundamenteel. Veel vrouwelijke activisten vertelden dat ze hadden geleerd van de ervaringen van vrouwen elders, bijvoorbeeld hoe ze effectieve WPA's moesten opzetten. Ze beklemtoonden dat interactie met activistes uit andere landen in regionale en internationale fora stimulerend werkte en hun de kans bood strategieën te delen en haalbare doelen te stellen die pasten bij lokale politieke en culturele situaties. Pitanguy benadrukte het belang van transnationale coalities die 'elkaar versterken, zelfs als nationale groepen met nationale grondwetten bezig zijn'. Vrouwenorganisaties in Ghana onderhielden nauwe banden met andere Afrikaanse groepen en keken naar Botswana, Nigeria en Zuid-Afrika voor bruikbare modellen. Tsikata beschreef het belang van het voorbeeld van Botswana, dat de inspiratie vormde voor een vrouwenmanifest dat ze voorlegden aan de politieke partijen. En volgens Nursyahbani Katjasungkana werden Indonesische activistes beïnvloed door de conferentie van het Vrouwendecennium, door de VN-commissie inzake de bestrijding van alle vormen van discriminatie van vrouwen (CEDAW) en het Actieplatform van Peking, evenals door Indiase feministes en hun ideeën. Chileense feministes leerden van de Braziliaanse en Spaanse ervaringen. De meesten benadrukten het belang van internationale steun die zich niet beperkte tot financiële steun, maar er ook voor zorgde dat ze hun kennis konden delen. De vrouwelijke tak van de Concertación in Chili en de Zuid-Afrikaanse WNC ontvingen aanzienlijke financiële en technische steun uit het buitenland. De geïnterviewden uit Ghana, Indonesië en Zuid-Afrika vertelden dat de afname van internationale fondsen voor ngo's na de transitie de vrouwenorganisaties hard had geraakt, vaak omdat deze landen geen prioriteit meer vormden voor internationale donoren die hun aandacht naar andere regio's verplaatsten, of omdat ze te rijk werden geacht voor verdere steun. De internationale context was misschien gunstiger voor vrouwen tussen 1975 en 1995, toen de eerste transities plaatsvonden. Sindsdien doen factoren zoals het aanhoudende conservatieve standpunt van de Kerk over sociale kwesties en de toename van religieuze en etnische identiteit in de politiek vermoeden dat de internationale context minder welwillend is voor wie vandaag de dag voor gendergelijkheid vecht.

Belangrijke actoren die al in de vroegste stadia bij transities betrokken zijn, kunnen positieve genderresultaten bevorderen. Vrouwenorganisaties hebben duidelijke agenda's nodig die zijn opgesteld door allerlei belanghebbenden en die de steun genieten van brede coalities op het maatschappelijk middenveld. Ze moeten streven naar samenwerking met strategische bondgenoten — bijvoorbeeld in potentieel welwillende politieke partijen, regeringen en bestuursorganen — en, indien mogelijk, kwesties aan de orde stellen op een manier die aansluit op de centrale ideeën tijdens de transitie. Transities vanuit een niet-democratisch bewind kunnen een belangrijke opening bieden aan maatschappelijke bewegingen die de spelregels proberen te herschrijven. Ondanks tegenslagen en frustraties zijn er lessen te trekken uit potentieel doeltreffende strategieën. Hedendaagse transities kennen nieuwe en andere uitdagingen, maar kunnen ook belangrijke kansen bieden voor strategische tussenkomst en actie.

MOGELIJKE ACTIES

ACTIVISTEN EN PLEITBEZORGERS

- *Organiseer je bij overgangsprocessen zo vroeg mogelijk.* Hoe eerder vrouwen zich organiseren, des te groter de kans dat ze het transitieproces positief kunnen beïnvloeden. Idealiter organiseren vrouwen zich voordat het 'officiële' proces begint, zodat ze voorbereid zijn om input te leveren of betrokken te worden bij de fase voorafgaand aan de onderhandelingen (de 'besprekingen over besprekingen'). Zo hebben ze de tijd om een organisatorische infrastructuur op te zetten, coalities te vormen, vertrouwen te winnen en een gezamenlijke agenda en strategie te bepalen.
- *Vorm meerdere coalities.* Bewegingen die coalities vormen met meerdere actoren kunnen profiteren van grotere netwerken die meer mensen tot actie kunnen oproepen, druk kunnen uitoefenen op cruciale instellingen en individuen, en kunnen putten uit velerlei talenten en middelen. Brede coalities bestaan uit diverse vrouwenverenigingen en activistes (uit een zo breed mogelijk maatschappelijk middenveld, ook uit groepen die strategische steun kunnen bieden zoals verenigingen die zich inzetten voor sociale gerechtigheid en het milieu), feministische politici, academici en juristen, sympathiserende bondgenoten in politieke partijen, en vertegenwoordigers van de uitvoerende macht, zoals ministers en ambtenaren.
- *Raak betrokken bij het volledige scala van politieke processen.* Participeer in alle fases van het transitieproces – de formulering van de grondwet, de inhoudelijke opzet van instellingen en het uitvoeren van beslissingen – als leden van commissies voor grondwetsherzieningen, technische commissies en ontwerpcommissies, grondwetgevende vergaderingen en parlementen, als lobbyisten en pleitbezorgers. Activisme binnen politieke partijen die positief staan tegenover genderkwesties kan de selectie van vrouwelijke kandidaten stimuleren. Veel cruciale onderhandelingen hebben echter plaats buiten de formele structuren en procedures om. De toegang van vrouwen tot informele besluitvormingsprocessen is deels afhankelijk van de coalities die ze hebben gevormd.
- *Ontwikkel een platform dat verschillende vrouwenverenigingen bij elkaar kan brengen.* Er zijn verschillende standpunten over politieke, sociale en economische kwesties en het is onmogelijk om over elk doel over-

eenstemming te bereiken. Om een brede coalitie te kunnen handhaven — en strategisch tussenbeide te komen tijdens overgangsprocessen — is het nuttig een gemeenschappelijk platform van standpunten en doelen te omschrijven om diverse actoren op één lijn te krijgen en de inspanningen voor belangenbehartiging te bundelen.

- *Houd het momentum vast tijdens de invoerings- en consolideringsfase.* Aangezien regeringen vaak vrouwelijke kopstukken uit het maatschappelijk middenveld en academici rekruteren, is een goede opvolgingsplanning en ruimte bieden aan nieuwe generaties vrouwen fundamenteel binnen organisaties om te voorkomen dat bewegingen 'onthoofd' raken en dat het momentum na de transitie verdwijnt. Organisaties worden almaar professioneler en daarom is het belangrijk om contact te houden met bewegingen aan de basis en ervoor te zorgen dat die relevant blijven voor de behoeften van vrouwen op elk niveau.

LEIDERS EN POLITIEKE PARTIJEN

- *Zorg ervoor dat overgangsprocessen maximale ruimte bieden aan vrouwelijke actoren.* Vooral leiders en politieke partijen moeten erop toezien dat er vrouwen zijn in partijen, regeringen en bij onderhandelingen, vrouwen die op gelijke voet met mannen en op elk niveau deelnemen. Waar dit niet voor de hand ligt, zouden ze verplichte quota — voor onderhandelingsteams bijvoorbeeld — moeten invoeren met doeltreffende sancties om de aanwezigheid van vrouwen in actieve/sprekende rollen te waarborgen.
- *Zorg dat de grondwet, het beleid en de instellingen na de transitie gelijkheidskwesties weerspiegelen.* Die moeten goed geformuleerd en formeel vastgelegd worden, en wel zo dat ze duurzaam, ondubbelzinnig en afdwingbaar zijn.

INTERNATIONALE ACTOREN

- *Steun activistes die streven naar de agendering van genderkwesties tijdens transities.* Die steun moet bestaan uit financiële middelen, de stimulering van het overdragen en delen van kennis tussen activisten (zowel regionaal als internationaal) en capaciteitsversterkende initiatieven.
- *Koppel de steun aan genderactivistes los van bredere steun voor het land.* De steun aan genderactivistes mag niet afhankelijk zijn van de internationale steun waarvoor het land in aanmerking komt (bijvoorbeeld het

niveau van het bruto binnenlands product). Dergelijke steun maakt genderactivistes minder kwetsbaar voor veranderende voorkeuren van donoren en helpt vooruitgang te consolideren en achteruitgang te voorkomen.

- *Zet andere actoren onder druk.* Internationale spelers kunnen druk uitoefenen op politieke actoren en zorgen dat zij genderkwesties en vrouwelijke actoren betrekken bij overgangsprocessen en de uitkomsten daarvan.

BIOGRAFISCHE SCHETSEN VAN DE GEÏNTERVIEWDEN

Carlota Bustelo is een Spaanse politica en vrouwenrechtenactiviste. Sinds de jaren zeventig is ze een leidende figuur in de linkse feministische beweging in Spanje. Ze was betrokken bij de oprichting van het Spaanse bevrijdingsfront voor vrouwen en in 1974 werd ze lid van de PSOE. Van 1977 tot 1979 was Bustelo lid van de grondwetgevende vergadering en leverde ze belangrijke bijdragen aan het debat over seksuele en reproductieve rechten van vrouwen. In het congres was ze een sterke pleitbezorgster van genderquota en pariteit in politieke partijen, en speelde ze een cruciale rol bij de echtscheidingswet van 1981. Van 1983 tot 1988 was Bustelo de eerste directeur-generaal van het Instituto de la Mujer, een autonoom overheidsorgaan dat gelijke kansen voor vrouwen en mannen moet bevorderen. Bustelo was lid van de VN-commissie inzake de bestrijding van alle vormen van discriminatie van vrouwen.

Pregaluxmi (Pregs) Govender is sinds 2009 vicevoorzitter van de Zuid-Afrikaanse mensenrechtencommissie en daarbinnen verantwoordelijk voor de sociaaleconomische rechten, CEDAW en de wet op toegang tot informatie (AIA). Als politiek activiste tegen apartheid sinds 1974 sloot Govender zich in de jaren tachtig aan bij de vakbeweging en leidde ze het eerste Workers' College in Zuid-Afrika. Tijdens de transitie leidde Govender de Women's National Coalition die Zuid-Afrikaanse vrouwen bij elkaar bracht om ervoor te zorgen dat de eisen van vrouwen in de grondwet aan bod kwamen. Ze werkte ook voor het wederopbouw- en ontwikkelingsprogramma RDP, waar ze verantwoordelijk was voor de integratie van vrouwenkwesties in het RDP-beleid. In 1994 zetelde ze voor het ANC in het parlement. Ze was voorzitter van de kamercommissie voor vrouwenzaken en voerde het Women's Budget in. Onder president Mbeki was ze voorzitter van publieke hoorzittingen over hiv en aids. Als enig parlementslid tekende ze verzet aan tegen de wapentransactie in de begrotingsronde van 2001. Vervolgens nam ze ontslag.

Nursyahbani Katjasungkana is een Indonesische mensenrechtenadvocate, voormalig parlementslid en genderactiviste. Ze werkte dertig jaar met ngo's die zich richtten op mensen- en vrouwenrechten en op milieukwesties. Ze was de eerste secretaris-generaal van de Indonesische Women's Coalition for Justice and Democracy, de eerste grote vrouwenorganisatie in Indonesië sinds 1965. Katjasungkana is medeoprichter van de Indonesische Women's Association for Justice, die rechtsbijstand biedt aan slachtoffers van geweld en discriminatie. Ze stond mede aan de basis van het Kartini Network for Women's/Gender Studies in Azië en was lid van de adviesraad van de nationale mensenrechtencommissie. Ze richtte mede het Women's NGO Network op, dat toezicht hield op de implementatie van CEDAW in Indonesië. Van 1998 tot 2005 was ze commissaris in de commissie voor geweld tegen vrouwen en werd ze verkozen als lid van de beraadslagende volksassemblee MPR (1999–2009), waar ze de wet tegen huiselijk geweld opstelde.

Sheila Meintjes is een Zuid-Afrikaanse academica en vrouwenrechtenactiviste die sinds de jaren zeventig actief is in de feministische en vrouwengerelateerde politiek. In de jaren tachtig was ze lid van de United Women's Organisation, een brede maatschappelijke organisatie geaffilieerd met het United Democratic Front, een van de belangrijkste antiapartheidsorganisaties. Vanaf 1989 doceerde ze aan de universiteit van Witwatersrand in Johannesburg. Ze was onderzoekscoördinatrice voor de WNC, die een belangrijke rol speelde in de onderhandelingen over de transitie naar democratie in Zuid-Afrika. Meintjes werd benoemd tot commissaris van de commissie voor gendergelijkheid (2001–2004). Ze leidde het programma van de commissie en was verantwoordelijk voor de commissie in de provincie Gauteng. Als professor aan de universiteit van Witwatersrand doet ze onderzoek naar democratie in multiculturele samenlevingen, de theorie van het feminisme, genderpolitiek en geweld, en conflicttransformatie.

Thenjiwe Mtintso is een Zuid-Afrikaanse politica, voormalig diplomate en vrouwenrechtenactiviste. Ze werd geboren in Soweto en pakte als studente het activisme op in de Zuid-Afrikaanse studentenorganisatie en de Black Consciousness Movement. Vanwege haar politieke activiteiten werd ze in de jaren zeventig van de universiteit gestuurd, gedetineerd en gemarteld door de veiligheidsdiensten. Mtintso ging in 1978 in ballingschap, werd lid van het ANC en Umkhonto weSizwe, waarin ze bevelhebber werd. Ze keerde terug naar Zuid-Afrika in 1992 en kreeg een zetel in de Transitional Executive Committee. Ze nam deel aan de onderhandelingen in de conventie voor een democratisch Zuid-Afrika en werd bij de eerste democratische verkiezingen in 1994 verkozen in het parlement. In 1997 was ze de eerste voorzitster van de commissie voor gendergelijkheid. In 1998 werd ze verkozen als vicesecretaris-generaal van het ANC. Ze is lid van het National Executive Committee van het ANC en heeft gediend als Zuid-Afrikaans ambassadrice in Cuba en Italië.

Adriana Muñoz is een Chileense politica, sociologe en vrouwenrechtenactiviste. Muñoz werd in 1967 lid van de socialistische partij van Chili. Na de coup van 1973 ging ze in ballingschap in Oostenrijk. In 1982 keerde ze terug naar Chili en in 1986 werd ze lid van de politieke commissie van de socialistische partij. In 1987 stond ze mede aan de basis van de PPD, de partij voor democratie. Van 1988 tot 1990 was ze voorzitster van de federatie van socialistische vrouwen en tussen 1991 en 1992 vicevoorzitster van de PPD. Tussen 1990 en 1994, en vervolgens vanaf 1997 zetelde Muñoz als afgevaardigde voor de PPD in het Chileense lagerhuis. Ze was de eerste vrouwelijke kamervoorzitster (2002–2003). Als een in vrouwenrecht gespecialiseerde advocate heeft ze in de kamer wetsvoorstellen ingediend over echtscheiding, abortus en huiselijk geweld. In november 2013 werd ze verkozen voor de senaat, waar ze de regio Coquimbo vertegenwoordigde. Muñoz werkte ook als onderzoekster en was betrokken bij tal van gendergerelateerde projecten.

Jacqueline Pitanguy is een Braziliaanse academica, beleidsmaakster en genderactiviste. Pitanguy, een van de bekendste feministes in Brazilië, was een tegenstander van de militaire junta in Brazilië, vocht voor de democratisering van het land en streed tegelijkertijd voor vrouwenrechten. Na het herstel van het democratische bestuur in 1985 ijverde Pitanguy voor de opname van vrouwenkwesties in de nieuwe grondwet. Van 1986 tot 1989 was ze voorzitster van de nationale raad voor vrouwenrechten, een kabinetspositie waarbij ze beleidsmaatregelen uitwerkte en invoerde om de situatie van vrouwen te verbeteren. Pitanguy is mededirectrice van CEPIA (Citizenship, Studies, Information and Action), een ngo die ze in 1990 oprichtte en die zich bezighoudt met gezondheid, seksuele en reproductieve rechten, geweld en toegang tot justitie, en met armoede en werkgelegenheid vanuit genderperspectief.

Dzodzi Tsikata is een Ghanese academica en voorvechtster van genderkwesties. Tsikata is sinds de jaren tachtig actief in de Ghanese vrouwenbeweging. Ze is een van de oprichters van het netwerk voor vrouwenrechten in Ghana, was voorzitster van de bijeenkomsten van het netwerk en zetelt tegenwoordig in het directiecomité. Tsikata is hoofddocente aan het Institute of Statistical, Social and Economic Research en voormalig directrice van het Centre for Gender Studies and Advocacy van de universiteit van Ghana. Haar onderzoek richt zich op gender en levensonderhoud, gender en ontwikkelingsbeleid en -praktijk, landelijke en stedelijke systemen voor levensonderhoud en de politiek inzake grondbezit.

Teresa Valdés is een Chileense sociologe, mensenrechtenactiviste en pleitbezorgster van vrouwenrechten. Onder het regime van Pinochet zat zij vast voor haar politieke activiteiten. Na haar vrijlating werd ze leidster in de vrouwenbeweging en in 1983 richtte ze mede Mujeres por la Vida op, dat demonstraties tegen de dictatuur organiseerde. Ze was 25 jaar lang onderzoekster en professor aan de Latijns-Amerikaanse faculteit voor sociale wetenschappen in Chili, waar ze de Gender Studies Area oprichtte en coördineerde. Valdés was senior onderzoekster en lid van de raad van bestuur van het Center for the Study and Development of Women in Chili. Momenteel is ze coördinatrice van het Observatorio de Género y Equidad, een onafhankelijke stichting voor onderzoek en belangenbehartiging.

Referenties interviews

Briefwisseling auteur met Carlota Bustelo, april 2013
Interview auteur met Pregaluxmi Govender, januari 2013
Interview auteur met Nursyahbani Katjasungkana, januari 2013

Interview auteur met Sheila Meintjes, januari 2013
Interview auteur met Thenjiwe Mtintso, januari 2013
Interview auteur met Adriana Muñoz, december 2012
Interview auteur met Jacqucline Pitanguy, december 2012
Interview auteur met Dzodzi Tsikata, december 2012
Interview auteur met Teresa Valdes, december 2012

11

VAN AUTORITAIR REGIME NAAR DEMOCRATISCH BESTEL. DE TOEKOMST VORMGEVEN: LEREN VAN POLITIEKE LEIDERS

ABRAHAM F. LOWENTHAL EN SERGIO BITAR

In onderling zeer verschillende landen zoals Egypte, Tunesië, Jemen en Myanmar zijn oppositiebewegingen, veelal ijverend voor democratisering, de strijd aangegaan met autoritaire regeringen. Sommige van die regimes zijn gezwicht voor de druk, en ook andere zullen waarschijnlijk moeten toegeven, aangezien ondemocratische regeringen te maken (zullen) krijgen met steeds luider klinkende eisen op het vlak van participatie en vertegenwoordiging in Cuba, Oost- en West-Azië en Noord- en Sub-Saharisch Afrika.

Het opbouwen van een democratie ter vervanging van dergelijke regimes is geen gemakkelijke en snelle aangelegenheid, en zal dat ook nooit zijn. En toch zien we nu al enkele decennia en overal ter wereld dat stromingen die verandering nastreven, zij het soms als speelbal van onderstromen, doorgaans de richting nemen naar een politiek die opener en inclusiever is, en nadrukkelijker verplicht zich te verantwoorden. Toenemende verstedelijking, hogere inkomens, beter onderwijs en minder analfabetisme versterken dikwijls de hang naar persoonlijke autonomie en politieke medezeggenschap. Die tendens is op zijn beurt versneld door nieuwe informatie- en communicatietechnologieën die het gemakkelijker maken om oppositiebewegingen te mobiliseren.

Overal willen mensen dat hun stem wordt gehoord en dat er rekening met hen wordt gehouden. Dat verlangen naar vrijheid van (politieke) meningsuiting plaatst het vraagstuk van de transitie van autoritair regime naar democratie resoluut terug op de internationale agenda en maakt het opportuun om te bestuderen hoe eerdere democratische transities zich hebben voltrokken. Dat is vooral belangrijk omdat geslaagde transities in het verleden niet allemaal onafwendbaar waren en in veel gevallen de wereld verrasten.

Dit hoofdstuk is gebaseerd op interviews met dertien politieke leiders (twaalf ex-presidenten en één gewezen premier) uit negen landen die in het laatste kwart van de twintigste eeuw een einde hielpen maken aan een autocratisch bewind en bijdroegen tot het vormgeven van een democratisch bestel ter vervanging van dat regime.[157] Deze negen landen hebben alle een democratische bestuursvorm bereikt. Onderling verschillen de democratieën sterk en soms zijn ze nog onvolledig, maar ze zijn onomkeerbaar; er is geen weg terug.

Hoewel er verscheidene landen zijn waar pogingen tot een democratische transitie zijn mislukt, richten we onze aandacht op deze negen succesvolle gevallen om inzichten en standpunten te verzamelen van leiders — de meesten hebben zich allang teruggetrokken uit de partijpolitieke arena — die hun land aanvoerden op de weg naar democratie. Uit hun ervaringen willen we principes distilleren die nuttig kunnen zijn voor degenen die in de toekomst een transitie willen realiseren.[158]

We beginnen met een schets van de context waarin deze negen transities zich voltrokken, waarbij we de voornaamste overeenkomsten en verschillen belichten. We gaan dieper in op een aantal moeilijke kwesties die zich herhaaldelijk hebben voorgedaan, zij het in uiteenlopende gedaanten. Vervolgens laten we zien hoe politieke leiders — zowel zittende kopstukken van autoritaire regimes die bereid waren een transitie richting democratie te steunen als de uitdagers, de voorlieden van oppositiebewegingen die tot doel hadden tot een dergelijke transitie te komen — deze terugkerende kwesties duidden en aanpakten. We analyseren de strategieën die zij ontwikkelden, de obstakels waarop ze stuitten en welke lering we kunnen trekken uit hun ervaringen. We gaan na hoe de omstandigheden van hedendaagse en toekomstige transities (zullen) verschillen van de overgangstrajecten uit het einde van de twintigste eeuw, en wat die verschillen kunnen betekenen voor de toekomst. We sluiten af met een inventarisatie van de verschillende kwaliteiten van politiek leiderschap die worden belicht in de interviews en die in onze tijd zeer van node zijn. Leiders kunnen niet op eigen houtje tot een democratisch bestel komen, maar hun bijdragen zijn essentieel.

DE BREDE CONTOUREN VAN NEGEN SUCCESVOLLE TRANSITIES

- Deze transities van autoritair regime naar democratie waren voor het merendeel processen van lange adem en geen eenmalige gebeurtenissen. Indrukwekkende momenten van zichtbare verandering – de eedaflegging van Nelson Mandela in Zuid-Afrika, de overweldigende People Power-beweging in de Filipijnen, de doorslaggevende triomf van de NEE-campagne bij het Chileense referendum van 1988 of de verrassende nederlaag van de Poolse communisten in de gedeeltelijk vrije verkiezingen van 1989 – vestigden wereldwijd massale aandacht op zich. Maar deze transities en de meeste van de vijf andere voltrokken zich heel geleidelijk en gedurende een aanzienlijke tijdsspanne. Iconische gebeurtenissen kunnen een grote rol spelen als katalysator of symbool van politieke transformatie, maar de weg naar democratie begint vaak jaren voorafgaand aan die momenten – en strekt zich uit tot jaren daarna. Wie een democratische transitie in gang wil zetten of steunen doet er goed aan dat voor ogen te houden. De kiem van deze transities werd gezaaid lang voor het gedenkwaardige moment waarop er eindelijk een einde kwam aan het autoritaire regime. De eerste stappen op het transitiepad werden vaak in stilte en zelfs onzichtbaar gezet: in de schoot van de politieke oppositie, binnen het autoritaire bewind zelf, op het maatschappelijk middenveld of op verschillende plekken tegelijk. De stadia voorafgaand aan transities – waarbij soms politieke partijen, studiegroepen, denktanks, vakbonden, vrouwen- en studentenbewegingen en andere binnenlandse niet-gouvernementele organisaties betrokken waren – hielpen oppositiebewegingen om persoonlijke banden te creëren of te verstevigen, en schiepen vertrouwen tussen vaak fundamenteel van elkaar verschillende geledingen binnen de oppositie. In sommige gevallen verbeterde die voorfase ook de communicatie en bood ze de kans om wederzijds begrip te ontwikkelen tussen leiders binnen het autoritaire regime en leiders van de oppositie.
- Zodra ze op gang komen, voltrekken transities zich met diverse snelheden: met stappen voorwaarts en stappen terug, en vaak in een zigzagbeweging. Onverwachte gebeurtenissen kunnen verreikende effecten sorteren. De verkozen president van Brazilië, Tancredo Neves, die door de oppositiebeweging was aangewezen als kandidaat voor de indirecte verkiezingen van 1985, werd ziek en overleed aan de voor-

avond van zijn aantreden als eerste burgerpresident na twee decennia van militair bewind. Als gevolg van een politieke afspraak die was gemaakt met het oog op betere electorale vooruitzichten voor de oppositie, leidde de dood van Neves onverwacht tot het presidentschap van de als vicepresident verkozen José Sarney, een conservatieve burgerpoliticus in het militaire regime. Enerzijds vertraagde deze wending het transitieproces, anderzijds werd het er ook door bespoedigd. De mislukte moordaanslag door linkse extremisten op Augusto Pinochet in Chili in 1986 noodzaakte de democratische oppositie om definitief te breken met degenen die bereid waren geweld te gebruiken. De moord op Luis Carrero Blanco in Spanje, op Chris Hani in Zuid-Afrika en in de Filipijnen die op Benigno Aquino (de leider van de politieke oppositie tegen het Marcos-regime die werd doodgeschoten op het tarmac van de luchthaven toen hij uit ballingschap terugkeerde naar Manila in 1983) droegen ertoe bij dat belangrijke politieke keuzes werden getriggerd. De val van de Berlijnse Muur in 1989 — en ook de veranderingen die daarop volgden in de Sovjet-Unie, vooral de uiteindelijke ineenstorting — betekende voor het veranderingsproces in Polen en Zuid-Afrika een radicale kentering in de context, terwijl in Indonesië de Aziatische financiële crisis van 1997–1998 het bewind van Soeharto ondermijnde. Politieke leiders hadden deze verrassingen onmogelijk kunnen zien aankomen; verrassingen die vaak ook onverwachte obstakels vormden. Die gebeurtenissen vereisten alerte reacties, maar ze blokkeerden niet de mogelijkheden om tot een democratisch bestel te komen.

- In een paar zeldzame gevallen stortten autoritaire regimes abrupt ineen door toedoen van een economische crisis, zoals in Indonesië in 1998. Of door een massale volkswoede, op gang gebracht door provocerende gebeurtenissen, zoals de moord op Aquino, waarna de grove fraude plaatsvond rond de vervroegde verkiezingen die Marcos in 1986 uitschreef.[159] Maar zelfs in die uitzonderlijke gevallen hielp een langdurig proces van sociale mobilisatie tegen het regime, gevolgd door geheime of openlijke onderhandelingen, vaak om tot akkoorden te komen over de uitgangspunten en procedures die noodzakelijk waren om een democratisch bestuur mogelijk te maken. Democratieën zijn niet rechtstreeks ontsproten uit het protest van menigten op straat, hoe indrukwekkend die ook mogen zijn geweest.
- Het kostte de meeste van deze transities vele jaren om tot maturiteit en institutionalisering te komen. In sommige landen — onder andere

Brazilië, Chili, de Filipijnen, Polen, Zuid-Afrika en Spanje — waren er vele jaren van druk vanuit oppositiebewegingen nodig om een einde te maken aan de autoritaire heerschappij. Dat proces verliep in tal van stadia en kende van tijd tot tijd ook tegenslagen. In Brazilië, Ghana, Polen en Zuid-Afrika reikten autocratische regimes (of geledingen daarbinnen) gematigde oppositiegroeperingen de hand — deels ook om de internationale legitimiteit van die regimes te versterken of als reactie op druk van buitenaf — en bouwden ze aan relaties met oppositionele krachten die bereid waren te onderhandelen over de openstelling van die regimes. In Polen, Spanje en Zuid-Afrika bijvoorbeeld kwam het proces van dialoog en onderhandelingen tussen de hoofdpersonages, dat lang op zich had laten wachten, voort uit aanslepende conflicten, met bij tijd en wijle gewelddadig optreden door één of beide partijen. Bij die onderhandelingen werden parameters vastgelegd en die maakten de geleidelijke uitwerking mogelijk van kernprincipes en procedures waarmee democratische bewegingen een breed draagvlak konden verwerven en uiteindelijk voet aan de grond kregen.
- De transities hadden een paar kenmerken gemeen, maar ze verschilden wat betreft hun aanvang, de volgorde van gebeurtenissen en hun verloop. Ook de situaties waarin transities zich voltrokken, verschilden onderling sterk. Zo waren er de persoonlijke dictaturen met militaire steun in Indonesië, de Filipijnen en Spanje, institutionele militaire regimes in Brazilië en Chili, een quasi-militair bewind van een charismatische autocraat in Ghana, eenpartijstelsels van diverse aard in Mexico en Polen — het systeem in Polen werd in stand gehouden en qua mogelijkheden beperkt door externe bemoeienis van de Sovjet-Unie — en dan was er het exclusieve bewind van een blanke oligarchie die lange tijd de zwarte meerderheid in Zuid-Afrika onderdrukte.[160]

Deze regimes verschilden nog op een aantal andere manieren, die invloed uitoefenden op de wijze waarop ze werden beëindigd en waarop het democratiseringspad werd geëffend. Ze verschilden in de mate waarin ze hun grondgebied onder controle hadden en zich verzekerden van de loyaliteit van de burgers — ook burgers met een andere etnische achtergrond, andere geloofsovertuiging en met meer regionaal getinte aspiraties. Dergelijke verschillen zijn van aanzienlijke invloed geweest op de transities in Spanje, Zuid-Afrika, Ghana, Indonesië en de Filipijnen, waar bepaalde regio's en etnische groepen meer autonomie en eigen middelen eisten.

Verscheidene autoritaire regeringen waren redelijk succesvol op het vlak van economische ontwikkeling, sociaal welzijn en de bescherming van de landsgrenzen en van de bevolking — in elk geval van de overheersende maatschappelijke segmenten. Andere regimes slaagden daar juist niet in. Transities vanuit betrekkelijk succesvolle regimes en vanuit ernstig falende regimes kenden andere trajecten, afhankelijk van de relatieve macht van die regimes ten opzichte van de oppositionele krachten. De transities in Brazilië, Chili en Spanje bijvoorbeeld werden beïnvloed door het gepercipieerde succes van de zittende autoritaire regeringen op het vlak van economische groei en de veiligheid van de burgers.

Ook de mate van beroepsdiscipline en cohesie — en steun onder de bevolking — van strijdkrachten, politie, geheime diensten en andere veiligheidsinstanties bepaalden de vorm van deze transities. Ze werden voorts geconditioneerd door de relatieve kracht van civiele instellingen, waaronder politieke partijen, volksvertegenwoordigingen en gerechtelijke instanties. Het blijven bestaan van (of het herstel van vroegere) politieke partijen, instellingen en tradities bespoedigde de transities in Chili en Brazilië. Ook (grond)wettelijke normen en structuren uit het verleden waren belangrijk, bijvoorbeeld in Indonesië, de Filipijnen, Ghana, Mexico en Spanje. In sommige landen was verder de afkeer van recente ervaringen met geweld, repressie en corruptie, of juist heimwee naar gewaardeerde aspecten van het verleden, van invloed.

Transities werden tevens in meer of mindere mate beïnvloed door de relatieve kracht en verschillende kwaliteiten van maatschappelijke organisaties (cso's) zoals vakbonden, geloofsgenootschappen, studentenfederaties en vrouwenorganisaties. Het was ook van belang wat voor relaties die groepen onderhielden met het autoritaire regime, met de veiligheidsdiensten en het zakenleven. Het ANC in Zuid-Afrika; de NEE-coalitie en aansluitend de Concertación in Chili; de socialistische arbeiderspartij (PSOE) en de communistische partij (PCE) in Spanje; Solidarność in Polen; en andere partijen, politieke bewegingen en cso's in andere landen hielpen de druk op autoritaire regeringen te mobiliseren. Hoe breder het georganiseerde draagvlak voor de oppositiebeweging en haar kopstukken, des te groter de kans dat belangrijke concessies konden worden bedongen in openlijke of stille onderhandelingen met de autoritaire regering.

- Sommige van deze transities werden minstens voor een deel geïnitieerd doordat geledingen in de hoogste echelons van het autoritaire

regime en elementen van de oppositie toenadering tot elkaar zochten, zoals in Brazilië, Spanje, Mexico, Polen en Ghana. In sommige gevallen reageerden regimes hoofdzakelijk op druk die door sociale mobilisatie vanuit de bevolking groeide, bijvoorbeeld in Chili, Indonesië, de Filipijnen, Polen en Zuid-Afrika. Veel transities waren het resultaat van stille of openlijke onderhandelingen tussen personen van de zittende regering en vertegenwoordigers van de oppositie, zoals op uiteenlopende manieren gebeurde in Brazilië, Chili, Indonesië, Mexico, Polen, Spanje en Zuid-Afrika. Een paar transities (maar niet veel) gingen gepaard met formele afspraken tussen bestuurlijke en zakelijke elites — bijvoorbeeld in Spanje het Pact van Moncloa inzake economisch beleid — die later resulteerden in politieke akkoorden.
- Al deze transities waren het resultaat van binnenlandse krachten en processen, maar werden ook op allerlei manieren beïnvloed door de brede internationale context en door specifieke externe actoren. Regionale tendensen, geldende internationale ideologieën en relaties met lang gevestigde democratieën waren factoren van belang, evenals de aard en mate van de integratie van elk land in de wereldeconomie.[161] Hetzelfde geldt in sommige gevallen voor gerichte druk van grote mogendheden, buurlanden, internationale instellingen en andere externe spelers, waaronder ngo's, het bedrijfsleven, vakbonden, mediaorganisaties en de diaspora. In veel landen speelden persoonlijke buitenlandse ervaringen van politieke leiders, vaak in ballingschap, een rol, met de ideeën en netwerken die daarvan het resultaat waren, zoals blijkt uit de interviews met Cardoso, Habibie, Lagos en Mbeki.

In sommige, dus beslist niet alle gevallen hebben politieke leiders, politieke partijen en andere betrokkenen geleerd van de ervaringen van eerdere transities en de internationale uitwisseling van ideeën. Mbeki geeft aan hoe in Zuid-Afrika de adviezen van de Tanzaniaanse staatsman Julius Nyerere over de opbouw van een nieuwe grondwet de denktrant van het ANC beïnvloedden, en hoe de Chileense ervaringen met de waarheids- en verzoeningscommissie aldaar een bijdrage leverden aan de Zuid-Afrikaanse inspanningen op het vlak van transitional justice. Lagos vertelt hoe belangrijk de raad van de Spaanse ex-premier González was voor de Chilenen met betrekking tot de relaties met leger, politie en inlichtingendiensten. Mazowiecki en Kwaśniewski beschrijven beiden hoezeer de inval van de Sovjets in Tsjecho-Slowakije en Hongarije van invloed was op de handelwijze van zowel generaal Jaruzelski als die van de Poolse oppositie.

De Koude Oorlog, de wedloop tussen de Verenigde Staten en de Sovjet-Unie, en het einde daarvan hebben een diepgaand effect gehad op al deze transities. Hoewel internationale actoren op zich bij geen van de beschreven overgangstrajecten doorslaggevend zijn geweest, waren in nagenoeg alle gevallen internationale versterking van (en interactie met) actoren in de landen zelf en ook het staken van buitenlandse steun aan een autoritair regime van belang.

Maar die structurele, historische en contextuele factoren op zich hebben nooit bepaald wanneer en hoe er een einde kwam aan een autocratisch bewind, noch of en hoe een democratisch bestel uiteindelijk gestalte kon krijgen. Cruciale beslissingen moesten worden genomen door politieke leiders in regeringen, partijen en bewegingen, die vaak moesten kiezen uit onaantrekkelijke opties. Zowel politieke vaardigheden als geluk speelden een rol.

In deze negen landen leidden alle transities vanuit een autoritair regime tot een constitutionele democratie, geïnstitutionaliseerd door periodieke, grotendeels vrije en redelijk eerlijke verkiezingen, en gecombineerd met zinvolle beperkingen van de uitvoerende macht en met praktische garanties van elementaire politieke rechten — vooral de vrijheid van meningsuiting en vergadering, en individuele vrijheden.[162] Sommige van deze landen kampen nog altijd met belangrijke vraagstukken rond de aard of mate van doeltreffend democratisch bestuur, maar democratische basisinstellingen blijven in alle negen gevallen hun taken vervullen. Het feit dat al deze landen erin zijn geslaagd te komen tot een constitutionele democratie die niet binnen een generatie (of langer) is teruggeschroefd, maakt het bijzonder nuttig om te leren van de politieke leiders die bij deze historische transformaties een voortrekkersrol vervulden.

Aangezien de omstandigheden en het verloop van transities van autoritarisme naar democratie altijd zullen verschillen, bestaat er geen 'kant-en-klaar' recept of handboek met probate werkwijzen om een dergelijke overgang te realiseren. Maar we kunnen veel leren van de leiders die deze transities hebben vormgegeven, vooral door te inventariseren en te verkennen hoe zij de centrale vraagstukken percipieerden en aanpakten die in nagenoeg alle gevallen rezen.

TERUGKERENDE UITDAGINGEN BIJ TRANSITIES

De onvermijdelijke uitdagingen bij transities zijn onder te brengen in vier brede clusters: a) de transitie voorbereiden, b) een einde maken aan een autoritair regime, c) de machtsoverdracht realiseren en in goede banen leiden, en d) de nieuwe democratie stabiliseren en institutionaliseren. Deze uitdagingen dienen zich niet op lineaire wijze aan en volgen ook niet per se dezelfde chronologie, maar ze waren in alle behandelde casussen aan de orde en zullen dat waarschijnlijk ook bij toekomstige transities zijn.

DE TRANSITIE VOORBEREIDEN

Binnenlandse krachten die streefden naar de beëindiging van een autoritair regime moesten zich verzekeren van voldoende draagvlak, samenhang, legitimiteit en andere middelen om het besturend vermogen van het regime te betwisten en plausibele kandidaten te worden om de macht over te nemen. In sommige gevallen moesten ze ook aanvaardbare gesprekspartners worden voor degenen binnen het autoritaire regime die beseften dat het bewind een partner nodig had om een mogelijke exitstrategie te faciliteren. Soms moesten ze geloofwaardig worden voor internationale actoren die bereid waren een transitie te steunen. Om die doelen te bereiken moesten tussen de personen en groepen die zich verzetten tegen het autoritaire regime vaak diepe meningsverschillen worden overbrugd over doelen, strategieën, tactiek en leiderschap. Het was doorgaans niet gemakkelijk om uiteenlopende oppositiegroepen ervan te overtuigen oplossingen te vinden voor onderlinge verschillen van opvatting teneinde de confrontatie met een autoritair regime te kunnen aangaan. De opbouw van een brede coalitie die in staat zou zijn een autoritair regime ten val te brengen en die zich krachtig achter de belangrijkste democratische waarden schaarde, vereiste vaak noeste arbeid om de verschillen binnen de oppositie te overwinnen, terwijl het omgekeerd zaak was om aperte of latente meningsverschillen binnen het regime te begrijpen en ervan te profiteren. Weten hoe je eenheid creëert binnen de oppositie en hoe je verdeeldheid zaait binnen het regime was de crux bij veel transities. Zo vertelt Cardoso dat het niet zozeer zijn strategie was het leger uit het zadel te krijgen, maar meer om het leger zover te krijgen dat het toenadering zocht tot de oppositie met het doel gezamenlijk een exitstrategie te formuleren.

EEN EINDE MAKEN AAN HET AUTORITAIRE REGIME

Autoritaire regeringen lieten geen macht los voordat ten minste één belangrijke geleding binnen het regime inzag dat het opgeven van die macht de enige manier was om ingrijpende en ongewenste gevolgen te voorkomen: ernstig verlies van publieke steun, geweld onder de bevolking, afsplitsingen binnen de strijdkrachten, zware economische schade, internationale uitsluiting of bedreigingen van de territoriale integriteit van het land. De vernedering van een militaire nederlaag, economische ineenstorting of een electorale afgang versnelde soms de exit van een regime. Maar zulke trauma's leidden doorgaans alleen tot democratische transities wanneer segmenten van de autoritaire regering de roep om democratie van de oppositie duldden of steunden.

Oppositionele krachten moesten werkwijzen ontwikkelen om dergelijke elementen binnen de autoritaire regering ertoe te bewegen open te staan voor een transitie. Dit vereiste vaak de verzekering dat er geen massale wraakoefeningen tegen de voormalige heersers en hun voornaamste aanhangers zouden worden ondernomen; dat economische en andere belangen van gevestigde machtscentra zouden worden gerespecteerd, al zouden schaamteloze corruptie en bedenkelijke privileges niet worden aanvaard; en dat de individuele rechten van de voormalig heersende elite zouden worden beschermd zodra de nieuwe regering aan de macht was. Het was niet gemakkelijk om dergelijke beloften te verzoenen met de begrijpelijke aspiraties van oppositionele krachten, die lang buitengesloten waren geweest en grote risico's hadden genomen in hun strijd tegen het oude bewind. Maar dat bleek toch mogelijk en was in de ogen van transitieleiders, zowel van zittende regeringen als van oppositiebewegingen, ook noodzakelijk.

DE MACHTSOVERDRACHT REALISEREN EN IN GOEDE BANEN LEIDEN

De implementatie van succesvolle transities vereiste dat er oplossingen moesten worden gevonden voor tal van vaak gerelateerde spanningen en dilemma's. Degenen die de macht overnamen, moesten ijveren voor de openbare orde en een einde maken aan geweld, en zich er tegelijkertijd van verzekeren dat alle veiligheids- en inlichtingendiensten, ook organisaties die de kern vormden van de repressie in het verleden, voortaan zouden handelen binnen het kader van de wet en onder toezicht stonden van de nieuwe burgerlijke overheden.

Ze moesten ook het vertrouwen winnen van de eigen bevolking en internationale legitimiteit verwerven. In veel gevallen ging het daarbij om het opzetten van kiesprocedures die de wil van de meerderheid van de kiezers zou vastleggen en eerbiedigen, maar die ook belangrijke politieke minderheden (waarvan sommige gelieerd aan het uittredend regime) de zekerheid boden dat ze vertegenwoordigd zouden zijn en dat hun kernbelangen van rechtswege konden rekenen op bescherming.

Een derde vereiste was dat de nieuwe ambtsdragers in technisch en politiek opzicht goed voorbereid zouden zijn op hun nieuwe bestuurstaken, en wel door de nodige opleidingen te volgen en vaardigheden te verwerven, door mensen aan te trekken die al over die vaardigheden beschikten of door bepaalde functionarissen van het vorige regime op hun post te laten, zoals González, Mazowiecki en Mbeki vertelden. Voor een breed scala van kwesties — van macro-economisch beleid en sociale voorzieningen tot de missie om transitional justice te doen gelden — werden van bestuurders andere invalshoeken, vaardigheden en expertise vereist dan ze voorheen aan de dag hadden gelegd in de oppositie. In veel gevallen moest het vak van bestuurder in de praktijk worden geleerd.

Oppositiepartijen die regeringsverantwoordelijkheid kregen, moesten een balans zien te vinden tussen enerzijds de behoefte aan ambtelijke, technocratische, veiligheidstechnische en gerechtelijke deskundigheid en anderzijds hun doel om de invloed van het voormalige regime te kortwieken. Ze moesten bewerkstelligen dat ambtenaren, staatsveiligheidspersoneel en politiemensen 'omturnden' van personen die de macht van het regime waarborgden tot gewone burgers in overheidsdienst. Anderzijds moesten ze de bevolking ertoe bewegen een staat te aanvaarden en te vertrouwen die velen begrijpelijkerwijs hadden verworpen als illegitiem en vijandig.

Transitieleiders moesten ook een balans zien te vinden tussen hoogdringende taken die vaak botsten. Enerzijds moesten ze reageren op personen wier mensenrechten waren geschonden door het vorige regime en degenen ter verantwoording roepen die zich hadden bezondigd aan grootschalige schendingen, anderzijds moesten ze zich verzekeren van de loyaliteit van het veiligheidsapparaat (waarin personen actief waren die bij die schendingen betrokken waren geweest). Tegelijkertijd moesten ze de burgers ervan verzekeren dat deze diensten effectief konden optreden tegen misdaad en geweld, en in sommige gevallen tegen separatistische en rebellerende bewegingen. Ze moesten manieren vinden om groepen die voorheen elkaars bittere vijanden waren geweest te motiveren tot vreedzame wederzijdse aanvaarding, wat niet eenvoudig is.

De nieuwe democratische machthebbers zaten vaak opgescheept met een erfenis van diepgewortelde patronen van corruptie en straffeloosheid. Het was zaak dat ze de autonomie en het gezag van een onafhankelijke rechterlijke macht en van onafhankelijke media vestigden of beschermden, die personen binnen de uitvoerende macht en anderen aansprakelijk konden stellen, en ondertussen de vorming van 'vetocentra' vermijden die alle initiatieven van de nieuwe regering zouden kunnen blokkeren.

Ook moesten ze economische groei en werkgelegenheid realiseren en de inflatie beteugelen, terwijl tevens moest worden voorzien in een betere dienstverlening op het vlak van huisvesting, gezondheidszorg en onderwijs: openbare bestedingen moesten worden verhoogd om tegemoet te komen aan de lang verwaarloosde behoeften van de armen. Die ambities vereisten van de nieuwe overheden dat ze binnen- en buitenlandse investeerders voor zich wonnen, zonder de vrees te doen ontstaan dat ze hun democratische principes opzij zouden zetten ten gunste van bevoorrechte bevolkingsgroepen. Vaak moesten nieuwe regeringen een maatschappelijk draagvlak zien te creëren voor een macro-economisch beleid dat op langere termijn gunstige effecten beoogde op te leveren, maar dat de bevolking op korte termijn opzadelde met pijnlijke offers en onzekerheid. De voorlieden van al deze transities kozen voor een marktgerichte aanpak en voor een behoedzaam monetair en budgettair beleid. Ze accepteerden — zelfs degenen die daar aanvankelijk niet toe waren geneigd — dat die keuzes noodzakelijk waren in een almaar mondialer wordende economie en gepaard moesten gaan met een krachtig sociaal beleid dat zou leiden tot een rechtvaardigere economische ontwikkeling.

DE NIEUWE DEMOCRATIE STABILISEREN EN INSTITUTIONALISEREN

Naarmate een democratische transitie vastere voet aan de grond kreeg, kwamen politieke leiders dikwijls voor andere netelige kwesties te staan. Na een paar jaar gaf het publiek vaak democratische leiders — en soms de democratie zelf — de schuld van het feit dat ze er niet in slaagden te beantwoorden aan economische of politieke verwachtingen. Bewegingen die hun krachten hadden gebundeld om oppositie te voeren tegen het autoritaire regime vielen vaak uiteen, wat regeringen voor lastige uitdagingen stelde, en ook gebeurde het dat die bewegingen na verloop van tijd vervielen in conformisme en zelfgenoegzaamheid.

In dezelfde geest kwijnden enkele maatschappelijke organisaties die in belangrijke mate hadden bijgedragen tot het verzet tegen het oude regime — waaronder mensenrechtengroepen en vrouwenbewegingen — soms weg, of ze schoven op in de richting van extreme en al te radicale standpunten, nadat veel van hun meest getalenteerde en pragmatische leiders een rol waren gaan spelen in de regering of de partijpolitiek. Onder die omstandigheden was het niet gemakkelijk om actieve en onafhankelijke niet-gouvernementele organisaties in stand te houden. Het was evenmin eenvoudig om wederzijds waardevolle relaties op te bouwen tussen een nieuwe regering en nieuwe oppositiekrachten (waarvan leden van het voormalige regime soms deel uitmaakten) of om goede banden te smeden met onafhankelijke sociale krachten en maatschappelijke organisaties. Dat vergde vooral tact en voortdurende aandacht.

LEREN VAN POLITIEKE LEIDERS

In de bijzonder ongewisse situaties die een systeemtransitie kenmerken, moeten politieke leiders vaak beslissingen nemen op basis van beperkte informatie of zonder echte zekerheid over de consequenties.[163] Veel van de geïnterviewde politici vertelden over de vrees die hen ertoe aanzette om compromissen vorm te geven die door sommigen ten tijde van de overgang zelf (en soms ook door mensen van latere generaties) werden bekritiseerd als te angstig, te voorzichtig. Hun relaas licht toe hoe en waarom ze moeilijke keuzes maakten op het vlak van civiel-militaire relaties, transitionele gerechtigheid en 'voorbehouden domeinen'.[164] De vrees voor een terugkeer naar het oude bewind of voor gewelddadigheden was ook medebepalend voor hun werkwijze bij het opstellen van grondwettelijke bepalingen, het kiesstelsel en het economische beleid. Risico's, onzekerheden en moeilijke beslissingen waren onvermijdelijk, maar weerhielden leiders er niet per se van om acties te ondernemen die een patstelling konden opheffen.

Stapsgewijs vooruitgang boeken

Al deze leiders meenden dat het belangrijk was om te profiteren van zelfs halve kansen om vooruitgang te realiseren, in plaats van stapsgewijze vorderingen van de hand te wijzen in de hoop mogelijke (maar niet gegarandeerde) veranderingen van grotere omvang later te kunnen doorvoeren. Ze benadrukken dat ze er eerder op uit waren onwenselijke situaties voortgesproten uit het verleden te verbeteren dan manieren te bedenken om volledig van nul af aan te beginnen – of dan de lastige beperkingen die vooruitgang naar hun uiteindelijke doelen afremden, eenvoudig 'weg te wensen'.

Zo spreekt Aylwin over het debat binnen de Chileense oppositie over de vraag of (en onder welke voorwaarden) ze als tegenstanders van het regime wel moesten deelnemen aan het referendum van 1988, dat was gestipuleerd door de grondwet die Pinochet in 1980 had opgelegd, en over zijn uiteindelijk doorwegende argumenten om het regime binnen zijn eigen regels op de proef te stellen, in plaats van te blijven hameren op de illegitimiteit van dat bewind. Lagos herinnert zich het advies dat Felipe González hem en zijn collega's gaf, namelijk dat ze 'uit de put moesten klauteren' – dat wil zeggen meer kracht en invloed moesten verwerven – alvorens bijkomende eisen te formuleren. Cardoso legt uit waarom hij bereid was (en daarvoor veel kritiek kreeg van anderen in de Braziliaanse oppositie) om te aanvaarden dat het militaire regime geen rechtstreekse presidentsverkiezingen zou toestaan en waarom hij binnen de regels van het regime bleef werken om de verkiezingsstrijd van 1985 aan te gaan.

De Klerk en Mbeki hebben het over de cruciale beslissing om eerst een akkoord te bereiken over de hoofdlijnen van een voorlopige grondwet, alvorens het later te verkiezen congres het kader van de eerste nationale democratische verkiezingen zou bespreken, aanpassen en goedkeuren. Mazowiecki en Kwaśniewski vertellen beiden over het akkoord dat werd bereikt om in 1989 over te gaan tot gedeeltelijk vrije 'contractuele' verkiezingen in Polen op basis van voorwaarden die beoogden dat de communisten een gegarandeerde meerderheid van de zetels zouden bezetten en dat generaal Jaruzelski zou worden beëdigd als president, om zodoende tot een geleidelijk proces te komen. Kufuor legt uit waarom hij zich verzette tegen de beslissing van zijn partij om de Ghanese verkiezingen van 2000 te boycotten. Zedillo onderstreept het belang van de stapsgewijze hervormingen van de Mexicaanse kiesprocedures zoals voorgesteld door de PAN en aanvaard door de heersende PRI in de loop van ettelijke jaren voorafgaand aan zijn presidentschap, toen het er nog niet naar uitzag dat de partij ooit bereid zou zijn om de macht over Mexico af te staan.

Deze leiders gaven consequent voorrang aan het boeken van terreinwinst waar dat ook maar mogelijk was, zelfs als bepaalde vitale prioriteiten slechts gedeeltelijk konden worden gerealiseerd, en ook als belangrijke geledingen van hun achterban eisen formuleerden die de leiders als onhaalbaar beschouwden. Standpunten van het type 'alles of niets' afwijzen vergde soms meer politieke moed dan die bij te vallen of dan zich te voegen naar aanlokkelijke, maar mogelijk onwerkbare principes.

Om de strijd tegen repressie aan te gaan en om openingen binnen het regime te forceren, moesten oppositieleiders proteststemmen mobiliseren; de gevestigde orde en regels trotseren; de gevangenneming, foltering en uitwijzing van dissidenten aan de kaak stellen; en de nationale en internationale legitimiteit van het regime aanvechten. Ze moesten echter altijd bereid zijn om compromissen te sluiten die hun positie zouden verbeteren. Functionarissen van zittende autoritaire regimes die openstonden voor een democratische transitie, moesten op hun beurt manieren vinden om hun gezag en ook de steun van hun achterban te handhaven, en tegelijkertijd mensen van de oppositie ruimte gunnen. Ze moesten bereid zijn daarvoor risico's te nemen, zoals een De Klerk deed door een referendum voor alleen blanken uit te schrijven en te winnen, ter ondersteuning van zijn zienswijze op onderhandelingen met het ANC. Aylwin, Lagos, Cardoso, De Klerk, Mbeki, González en Mazowiecki beklemtonen allemaal, en vanuit verschillende invalshoeken, dat leiders van beide zijden het uitoefenen van continue druk moesten combineren met oprechte compromisbereidheid. Transities realiseren is geen werk voor dogmatici.

De noodzaak van een hoopgevende, inclusieve visie

Hoewel het soms noodzakelijk was om in te stemmen met onbevredigende compromissen, zagen deze leiders ook in hoe belangrijk het was om consequent blijk te geven van een hoopvolle en brede visie op wat de transitie zou betekenen. Ze benadrukten dat het veeleer ging om de weg voorwaarts dan om het hameren op misstanden en ellende uit het verleden. Een sterke en overtuigende visie op de toekomst van de hele samenleving, in combinatie met bescheiden beloften voor voordelen op kortere termijn, heeft complexe transities overeind gehouden in gespannen periodes waarin sprake was van gevaren, kosten en teleurstellingen. Zulke visies waren nodig om de vrees te bestrijden die mensen zou kunnen verlammen en die maatschappelijke organisaties ertoe zou kunnen bewegen hun actie te staken. Het overwinnen van wijdverspreide angst was een enorme uitdaging voor veel van deze leiders, zoals De Klerk, González, Lagos en Mazowiecki onderstrepen. De anekdote die Lagos vertelt, over een socialistische vrouw die met pijn in het hart besloot te stemmen op een conservatieve kandidaat om te voorkomen dat de polarisatie zou terugkeren, is daarvan een droevig voorbeeld.

Overeenstemming bereiken en coalities bouwen

Convergentie aanmoedigen, consensus creëren en coalities opbouwen binnen de bredere oppositie waren essentiële elementen om transities te kunnen realiseren en om te kunnen gaan bouwen aan een democratisch bestuur. Het was belangrijk dat de politieke actoren van de oppositie nauw gingen samenwerken met maatschappelijke bewegingen — vakbonden, studentenfederaties, vrouwenorganisaties, mensenrechtengroepen en religieuze instellingen — bij de formulering en verwezenlijking van de overkoepelende, algemene doelen van de oppositie. De relaties binnen de hoogste echelons waren uiteraard van groot belang, zowel binnen de oppositionele geledingen zelf als tussen de oppositie en mensen die gekant waren tegen een machtswisseling. Maar even belangrijk was het gevoel bij het brede publiek dat democratische bewegingen daadwerkelijk 'inclusief' waren en niet louter vehikels voor de belangen van bepaalde groepen of individuen. Het was cruciaal om te bouwen aan de participatie van maatschappelijke bewegingen bij het mobiliseren van verzet tegen het autoritaire regime en vervolgens bij het uittekenen van een nieuwe grondwet, bij de bescherming van mensenrechten en de opbouw van politieke partijen en van het maatschappelijk middenveld. In veel gevallen was de participatie van vrouwen en vrouwenorganisaties essentieel om die doelstellingen te halen, zoals Cardoso, Habibie, Lagos, Mbeki, Ramos en Rawlings aangeven en zoals uitvoerig wordt besproken in de bijdrage van Georgina Waylen (hoofdstuk 10).

Om te komen tot convergentie, tot gelijkgerichtheid, was het zaak om vooral te focussen op wat mensen verenigde en niet op wat hen verdeelde, iets wat Aylwin, González en anderen benadrukken. Maar in dat licht moesten er ook moeilijke beslissingen genomen worden om bepaalde groepen buiten het proces te houden; groepen die weigerden af te zien van geweld of bleven vasthouden aan compromisloze eisen ten aanzien van regionale, etnische of sektarische autonomie. Had men deze groepen wel opgenomen, dan zou dat waarschijnlijk de kans op een geslaagde transitie in Chili, Indonesië, de Filipijnen, Zuid-Afrika en Spanje ernstig hebben geschaad. Politieke leiders moesten wederzijdse aanvaarding stimuleren tussen de tegenstanders van een autoritair regime, die vaak vijandig tegenover elkaar stonden, en ook moesten ze manieren vinden om uiteenlopende standpunten met elkaar te verzoenen of een basis creëren voor wederzijdse tolerantie met personen van de zittende regering en hun aanhangers, en tegelijkertijd aan beide kanten — oppositie en regime — degenen isoleren die zich onbuigbaar bleven opstellen.

Oppositieleiders moesten vaak bruggen slaan richting gematigde elementen binnen het oude regime en naar andere machtscentra in de samenleving, vooral op het vlak van essentiële zakelijke belangen. In veel gevallen was het ook nodig om de standpunten te verzoenen van oppositieleden in ballingschap (of mensen die net teruggekeerd waren) met de ideeën van oppositiegroepen die zich in het betreffende land zelf hadden georganiseerd. Soms moest ook tussen die twee categorieën worden gekozen, zoals Cardoso, González, Lagos en Mbeki hebben ervaren.

Ook persoonlijke stijl en respect waren van belang om consensus te bereiken. Meteen na de val van Soeharto ging Habibie naar de MPR om de steun van de volksvertegenwoordiging te vragen en hij besloot dat generaal Wiranto de buitengewone volmachten in noodsituaties, hem door Soeharto verleend, moest behouden. Zo won hij diens loyaliteit. Ramos koos voor een benadering van raadpleging en overleg bij het formuleren van het beleid. Cardoso ging met zijn vrouw naar bevorderingsplechtigheden van Braziliaanse legerofficieren om de persoonlijke relaties te versterken die hij nodig zou hebben om volgens zijn plan de commandanten van de legeronderdelen uit het kabinet te zetten en een burgerpoliticus als minister van Defensie te benoemen. Voor de Chileense waarheids- en verzoeningscommissie rekruteerde Aylwin individueel en actief leden die konden bogen op voldoende geloofwaardigheid in verschillende maatschappelijke sectoren en hij ging daartoe soms persoonlijk naar het woonadres van die mensen. Om tot maximale consensus te komen zat Mazowiecki langdurige zittingen van zijn kabinet voor en spande hij zich onvermoeibaar in voor een zo inclusief mogelijk regeringsbeleid. Zedillo aanvaardde voorstellen van de oppositiepartijen PAN en PRD om de Mexicaanse kieswet en kiesprocedures te veranderen.

Al die initiatieven vereisten zelfvertrouwen, visie, geduld, doorzettingsvermogen en kostbare tijd. Ze gaven blijk van welbewuste en doordachte inspanningen om wedijverende groeperingen te doen inzien dat iedereen een stem zou krijgen in het nieuwe bestel.

Ruimte voor dialoog creëren en beschermen

Het scheppen en beschermen van ruimten voor de rechtstreekse dialoog tussen oppositiegroepen en tussen regering en oppositieleiders was vaak van eminent belang. Dergelijk verkenningswerk moest soms geheim worden gehouden, wat het wantrouwen tussen oppositiegroepen tijdelijk alleen maar vergrootte. Het was van vitaal belang om bruggen te slaan tussen politieke bewegingen en andere geledingen in de samenleving — waaronder het bedrijfsleven, beroepsverenigingen, religieuze instanties en maatschappelijke organisaties — waarvan sommige eerder hadden samengewerkt met het autoritaire regime, maar nu bereid leken om zich neutraal op te stellen of misschien wel om hun steun aan het regime op te zeggen. Deze leiders waren van mening dat het belangrijker was om te investeren in toekomstgerichte relaties dan je te richten op discussies over het verleden.

Zulke toekomstgerichte dialogen scherpten de visie en programma's van de oppositie vaak aan, droegen bij tot een beginnende consensus en leidden tot gemeenschappelijke opvattingen en ambities, onder meer wat betreft democratie en mensenrechten. Ook schiep dergelijk overleg helderheid rond thema's die het lastigst zouden worden bij onderhandelingen. Die dialogen boden ruimte voor ideeën en analyses, en hielpen zelfs bij de vormgeving van normen en spelregels die het uiteindelijke democratische bestuur zouden kenmerken. Dit werd geïllustreerd door de geheime 'besprekingen over besprekingen' die buiten Zuid-Afrika plaatshadden tussen regeringsfunctionarissen en ANC-leiders, en ook door de 'oerwoudsessies' die De Klerk hield met kopstukken van de NP om consensus te bereiken in de context van de onderhandelingen met het ANC. Andere voorbeelden zijn de rol van de Groep van 24, CIEPLAN en VECTOR in Chili; het Braziliaanse Analyse- en Planningcentrum (CEBRAP) en andere denktanks in Brazilië; de rondetafelgesprekken en de daaraan voorafgaande besloten besprekingen tussen Solidarność en de communistische regering in Polen; de gesprekken tussen Adolfo Suárez en het Comité van Negen voor de verkiezingen van 1977 in Spanje; en de rol van islamitische organisaties in Indonesië, en van de advocatenvereniging en andere maatschappelijke groeperingen in Ghana. Het was zaak om de langdurige besprekingen ernstig te nemen en ze niet af te kappen, aangezien ze vaak nodig waren om coalities te vormen en consensus te realiseren.

Grondwetten maken

Het opstellen van een nieuwe grondwet of het wijzigen van een bestaande was doorgaans een essentiële – maar moeilijke en soms gevaarlijke – opgave. Dat proces impliceerde steevast belangrijke debatten over fundamentele vraagstukken: van sociale en economische rechten tot de vormgeving en bijzonderheden van het kiesstelsel; van de rol van het leger tot de hervorming van het justitieel systeem; en in sommige gevallen speelde de kwestie van regionale autonomie. Vaak waren kiesstelsels en -procedures onderwerp van felle twist, net als de legalisering van voorheen verboden politieke groepen die autoritaire regeringen als subversief hadden beschouwd.

Bij de opstelling van een nieuwe grondwet zien we uiteenlopende benaderingen: een grondwetgevende vergadering verkiezen, een speciale commissie in het leven roepen of de redactietaak toevertrouwen aan het parlement. En soms werd de resulterende ontwerpgrondwet via een referendum ter goedkeuring voorgelegd aan de bevolking. Voor al die procedures is iets te zeggen, afhankelijk van de omstandigheden. En welke procedure ook werd gekozen, de leiders benadrukken hoe belangrijk het was om een zo breed mogelijke groep mensen te betrekken bij de formulering van de grondwet en om alles in het werk te stellen om tegemoet te komen aan de kerneisen van de voornaamste onderhandelingspartners.

Dit was essentieel, zelfs wanneer het betekende dat men schoorvoetend akkoord moest gaan (tenminste voor enige tijd) met logge, omslachtige procedures, zoals opgelegd door een aantal ondemocratische grondwettelijke bepalingen in Chili: de benoeming van senatoren en vooral het aanwijzen van voormalig president Pinochet als bevelhebber van de strijdkrachten gedurende acht jaar na zijn presidentschap en als senator voor het leven. In sommige gevallen bepaalden transitieleiders dat het creëren van een breed draagvlak voor een nieuwe grondwet de opname van bepaalde aspiraties vereiste die in een later stadium mogelijk zouden moeten worden herzien. Dat was bijvoorbeeld het geval met de nobele, maar begrotingstechnisch onhoudbare garanties op sociaaleconomisch vlak die de Braziliaanse grondwet van 1988 stipuleerde, en ook met de bepaling in diezelfde grondwet dat de verschillende legeronderdelen deel zouden uitmaken van het kabinet – wat werd herzien tijdens het presidentschap van Cardoso.

Soms kwam een grondwet pas tot stand nadat een hele reeks stadia was doorlopen. In Spanje verwierf de regering-Suárez goedkeuring voor de bepalingen die zorgden voor het uitschrijven van democratische verkiezingen van de zijde van een parlement dat nog altijd werd overheerst door aanhangers van de voormalige dictator Franco, en de opstelling van een nieuwe grondwet werd er uitgesteld tot na die verkiezingen. In Polen werden voorgestelde grondwetswijzigingen die niet waren goedgekeurd door het zittende parlement opnieuw op de agenda geplaatst door president Kwaśniewski en voorgelegd aan (en goedgekeurd door) het volgende, democratisch verkozen parlement. De ervaringen van Zuid-Afrika waren misschien wel het meest complex. De regering-de Klerk en het ANC onderhandelden over een voorlopige grondwet op basis van 34 overeengekomen grondwettelijke principes. Ze stelden de redactie van een definitieve tekst uit tot na het moment waarop het eerste democratisch verkozen parlement zichzelf had aangesteld als grondwetgevende vergadering, die op haar beurt een finale tekst ter goedkeuring voorlegde aan het constitutionele hof om zich ervan te vergewissen dat de tekst strookte met de 34 beginselen.

Al deze leiders begrepen dat de vraag of de grondwetstekst daadwerkelijk permanent zou zijn minder relevant was dan de vraag of de opstellers ervan brede acceptatie konden bereiken rond hoofdlijnen en legitimiteit, tot consensus zouden kunnen komen over een kader voor het vervolgtraject en over een manier — noch te gemakkelijk, noch praktisch onmogelijk — om het document te amenderen in een later stadium, wanneer de nodige voorwaarden geschapen waren. Hoewel de precieze bewoordingen van een grondwet uiteraard van belang zijn, is het evenzeer van belang hoe, wanneer en door wie die grondwet wordt aangenomen.[165]

Functionarissen en aanhangers van het voormalige regime garanties bieden dat hun economische en institutionele belangen — alsmede hun individuele rechten — zouden worden beschermd, was vaak een vitaal element in het grondwetscheppend proces, ondanks de voorspelbare protesten die zulke garanties uitlokten bij mensen die voorheen waren uitgesloten (en vaak onderdrukt). Een belangrijk uitgangspunt was dat garanties transparant moesten zijn en dienden te stroken met democratische en grondwettelijke procedures, teneinde de mogelijkheid open te houden om krachtens die procedures deze afspraken in een later stadium nader te onderzoeken. Netelige kwesties zoals transitional justice en civiel-militaire relaties hoefden niet per se in één grote stap te worden opgelost, maar konden mettertijd stapsgewijs behandeld worden. Toen bijvoorbeeld Aylwin in 1990 de oprichting van de Chileense waarheids- en verzoeningscommissie bekendmaakte, beloofde hij gerechtigheid te zullen nastreven 'in de mate van het mogelijke', maar hij hoopte dat wat 'mogelijk' was mettertijd breder zou worden — en dat werd uiteindelijk ook bewaarheid.

Het was belangrijker om overeenstemming te bereiken over procedures rond het wedijveren om en verkrijgen van politieke macht dan om van tevoren de precieze bijzonderheden van politieke vertegenwoordiging vast te leggen. Vaak moesten er compromissen worden gesloten om te komen tot brede deelname aan het politieke proces, zelfs als die compromissen het gezag van verkozen functionarissen verkleinden en de noodzaak van verdere aanpassingen in de toekomst deden ontstaan.

Er wordt tot op de dag van vandaag gediscussieerd over de vraag of die compromissen niet te ver gingen. In Chili bijvoorbeeld veranderde de grondwetsherziening van 2005 niets aan het binomiale kiesstelsel, ingevoerd onder Pinochet na het referendum van 1988, maar voordat de Concertación aan de macht kwam. Het bezorgde een minderheidspartij die een derde van de stemmen in een district verwierf, een even grote vertegenwoordiging in het congres als de meerderheidspartij die 60 procent van de stemmen won, wat het voor een president moeilijk maakt om een comfortabele meerderheid in de volksvertegenwoordiging te behalen. Totdat het eindelijk werd gewijzigd door het Chileense congres in januari 2015 — vijfentwintig jaar na de democratische transitie. Het lijdt echter geen twijfel dat zulke compromissen ertoe bijdroegen dat zeer gepolariseerde bewegingen gingen meedingen in een vreedzame verkiezingsstrijd en op die manier hielpen bij de bouw van stabiele democratieën die openstonden voor verdere ontwikkelingen in latere stadia.

De politieke economie van transities

De Aziatische financiële crisis van 1997–1998 leidde tot de versnelde val van Soeharto en daarmee tot de Indonesische transitie richting democratie. In Brazilië, Polen en Zuid-Afrika overtuigden langdurige economische stagnatie, een snelle neergang, begrotingstekorten en hoge inflatiecijfers bepaalde belangrijke economische groepen die het ten tijde van het autoritarisme voor de wind was gegaan ervan dat politieke verandering noodzakelijk was of ten minste aanvaardbaar, zoals Cardoso uiteenzet. Ook mobiliseerden werkloosheid, recessie en in sommige gevallen inflatie veel mensen om in verzet te komen tegen autoritaire regeringen. De factoren die transities versnelden waren meestal eerder politiek dan materieel van aard, maar ongunstige economische omstandigheden hebben bepaalde autoritaire regimes zeker verzwakt.

Hoe een transitie ook aanving, zodra er een nieuwe regering aan de macht was, werden economische kwesties een prioriteit. In Polen (en in andere voormalige communistische economieën) werden voor de meeste bevolkingsgroepen sociale uitkeringen verlaagd of afgeschaft om de begroting in balans te krijgen. De noodzaak om armoede te verlichten en de gevolgen van financiële crises en werkloosheid te temperen botste in veel landen met de noodzaak om economische hervormingen en begrotingsdiscipline op te leggen teneinde toekomstige groei te bevorderen, zoals onder anderen Habibie en Mbeki benadrukken. Maar overheidsbezuinigingen droegen het risico van zware politieke consequenties in zich, zoals Mazowiecki en Zedillo toelichten. González, Habibie en Mazowiecki wijzen op de noodzaak van snelle actie om armoede te verlichten en ingrijpende economische hervormingen te ondernemen zolang er onder de bevolking een breed draagvlak is voor politieke verandering. Aylwin en Lagos benadrukken dat de beloften van de Concertación om de armoede terug te dringen en te komen tot economische 'groei met gelijkheid' kon rekenen op steun van werkgevers en vakbonden, terwijl het de regering het politieke gezag bood om looneisen binnen de perken te houden – bijvoorbeeld de eisen van de machtige mijnwerkersbond.[166] In veel gevallen waren bijzondere sociale maatregelen nodig om armoede en ellende onder de kwetsbaarsten enigszins te verzachten.

Het belang van politieke partijen

Politieke partijen, oude en nieuwe, speelden een voorname rol bij de meeste transities. Op nationaal en regionaal niveau bouwden ze netwerken op, ze gingen banden aan met sociale bewegingen en maatschappelijke organisaties, hielpen bij het ontwerpen en uitvoeren van strategieën om het autoritaire regime te bestrijden en mobiliseerden internationale steun. Partijen hielpen bij de organisatie van verkiezingen en nomineerden kandidaten, ze bereidden platforms en programma's voor ter ondersteuning van electorale processen, leidden kaderpersoneel op voor de openbare dienstverlening, bemiddelden in conflicten tussen politieke bondgenoten, en zorgden ervoor dat regeringen voeling bleven houden met de bevolking.

Autoritaire regimes verboden politieke partijen meestal, of ze probeerden die te verzwakken of vernietigen. Bij wijze van uitzondering, zoals in Brazilië en Indonesië, richtten die regimes 'officiële' partijen op ter ondersteuning van zichzelf. Soms stonden ze beperkte activiteit van een officiële 'oppositiepartij' toe om de hegemonie van de heersende partij te legitimeren, zoals in de genoemde landen en in Polen en Mexico. Autoritaire regimes beperkten meestal de toegang van zulke oppositiepartijen tot campagnefinanciering en tot de media, en vaak onderdrukten of intimideerden ze de leiders van die oppositie. In het algemeen stelden autoritaire regimes de politiek, politici en politieke partijen in een kwaad daglicht en blokkeerden ze hun functioneren.

De meeste leiders die ijverden voor de beëindiging van een autoritair regime en voor de invoering van een democratisch bestel begonnen met de oprichting of revitalisering van politieke partijen. Ze streefden ernaar die partijen te legaliseren en hun toegang tot de media en campagnefinanciering te verzekeren. Ook hielpen ze de partijen om wegkwijnen, verdeeldheid of marginalisatie tegen te gaan. In diverse gevallen mobiliseerden leiders internationale steun en solidariteit met het oog op al die doelen. Ze staken veel werk in de ontwikkeling van regels en procedures rond verkiezingen om partijen te helpen versplintering te vermijden en om ze in staat te stellen hun boodschap breder te laten weerklinken en te institutionaliseren. Aylwin, Lagos, Cardoso, De Klerk, Mbeki, González, Habibie, Kufuor, Rawlings en Ramos investeerden zwaar in de opbouw van partijen. (Mazowiecki maakte tijdens zijn korte tijd als premier geen prioriteit van dat doel en bestempelde dat achteraf als een fout.) Zedillo, van de jarenlang oppermachtige PRI, speelde een belangrijke rol bij de Mexicaanse transitie door zich voorstander te tonen van hervormingen die gunstiger omstandigheden creëerden voor oppositiepartijen. Zo hielp hij die om sterk genoeg te worden en de concurrentie met de PRI te kunnen aangaan. Hij introduceerde ook voorverkiezingen als een manier om de presidentskandidaat namens de PRI te kiezen — zodoende hakte hij zijn vinger (*dedo*) af om een einde te maken aan de *dedocracia* waarin gedurende meer dan zes decennia de Mexicaanse president persoonlijk zijn opvolger had aangewezen.

Indonesië, Ghana, Polen en de Filipijnen illustreren de problemen waarmee democratieën te kampen krijgen wanneer zich geen sterke partijen ontwikkelen. Politieke partijen hebben ingeboet aan geloofwaardigheid en kracht, zelfs in veel gevestigde democratieën, en aanvallen op *partidocracia* zijn in veel landen schering en inslag. Maar partijen kunnen een belangrijke en positieve rol spelen — en hebben dat ook gedaan — wanneer ze niet louter de vehikels zijn van individuele politieke figuren en hun trawanten. De institutionalisering van partijen vergt tijd en voortdurende aandacht, maar vroege en constante investeringen kunnen een waardevol dividend opleveren.

Democratisch civiel toezicht op leger, politie en inlichtingendiensten realiseren

Bijna altijd was het een van de grootste uitdagingen om de strijdkrachten en andere veiligheidsinstellingen onder civiel gezag te stellen en tegelijkertijd hun legitieme rollen te erkennen, hun redelijke aanspraken op financiële en andere middelen te honoreren en hun bescherming te garanderen tegen represailles van voormalige oppositiegroepen.[167] Deze materie werd van geval tot geval anders aangepakt, maar het was doorgaans noodzakelijk om topofficieren die verantwoordelijk waren geweest voor marteling en wrede repressie te ontslaan of met pensioen te sturen, om de hoogste bevelhebbers onder het directe gezag van civiele ministers van Defensie te plaatsen, en om er streng op toe te zien dat legerofficieren in actieve dienst zich zouden onthouden van politiek getint commentaar en van partijpolitieke activiteiten. Aylwin, Lagos, Cardoso, De Klerk, Mbeki, González, Habibie, Kufuor, Kwaśniewski, Mazowiecki en Ramos doen hun fascinerende relaas over de wijze waarop deze belangrijke doelen onder heel verschillende omstandigheden werden bereikt. De anekdotes die de leiders aanhalen over hun eigen relaties met militaire leiders spreken boekdelen over de kwaliteiten die nodig zijn om die moeilijke taak tot een goed einde te brengen. Inschattingsvermogen en moed waren nodig om te bepalen of een hoge militair moest worden ontslagen, wanneer een bepaald optreden door de vingers kon worden gezien en, meer in het algemeen, hoe je militaire discipline kon inzetten om het democratisch bestuur te versterken.

Het was zaak om het professionalisme en het gevoel van eigenwaarde binnen het leger te erkennen en te vergroten, om het te helpen zich meer toe te leggen op landsverdediging dan op binnenlandse veiligheid en om het leger het materieel en de voorzieningen te geven die het nodig had. Het was ook belangrijk dat hoge civiele functionarissen belast met het defensiebeleid goed op de hoogte waren van veiligheidskwesties en respectvol samenwerkten met hun militaire collega's. Dat was een geduchte opgave in landen waar democratische bewegingen op gewelddadige wijze in aanvaring waren gekomen met de strijdkrachten en waar sprake was van hardnekkig wederzijds wantrouwen en zelfs minachting.

González, Habibie, Mbeki en Ramos benadrukken allemaal hoe belangrijk het is om zowel de politie als het binnenlandse inlichtingenapparaat te scheiden van de strijdkrachten. Het was cruciaal om de politie te reorganiseren en haar rol te herdefiniëren en te beperken door een grondige mentaliteitsverandering, gekenmerkt door een andere houding jegens de bevolking, te realiseren en de repressieve focus te vervangen door een beschermende — met handhaving van de capaciteit om gewelddadige groepen te neutraliseren. Ook de binnenlandse veiligheidsdiensten moesten onder burgergezag komen. Dat was beslist geen sinecure. Burgers moesten worden aangemoedigd om te gaan werken voor de inlichtingendiensten, wat in het verleden niet werd beschouwd als een fatsoenlijke professionele loopbaan, zoals González benadrukt.

Een consequent heldere communicatie — en het besef van de noodzaak daarvan — over al die punten was van levensbelang voor de opbouw van een democratisch bestuur. Alle veiligheids- en inlichtingeninstanties onder een krachtig burgergezag stellen was vaak een van de meest tijdverslindende uitdagingen waarvoor nieuwe democratieën stonden. Er deden zich soms langdurige confrontaties voor tussen democratische regeringen en elementen van het leger, de politie en inlichtingendiensten — sommige zeer zichtbaar, andere niet — alvorens het veiligheidsapparaat onder strikt civiele controle kwam te staan. Iemand als Aylwin volgde aanvankelijk niet de raad van González op om een eigen inlichtingenapparaat op te zetten, maar mettertijd is hij de wijsheid van die raad gaan inzien.

Transitional justice bereiken

In alle gevallen was er krachtige politieke en sociale druk om de leden van het voormalige autoritaire regime ter verantwoording te roepen voor mensenrechtenschendingen en schaamteloze corruptie. Het was echter cruciaal om een balans te vinden tussen enerzijds de behoefte aan waarheidsvinding en gerechtigheid, en anderzijds de noodzaak om zekerheden en veiligheid te verschaffen aan degenen die de macht afstonden. In sommige gevallen ging het daarbij om transparante juridische processen, die jaren konden duren, om (in de mate van het mogelijke) de waarheid aan het licht te brengen omtrent schendingen van rechten, om slachtoffers te erkennen en zelfs hun schade te vergoeden, en indien haalbaar, om de grootste schenders voor de rechter te brengen. Het was ook belangrijk om het oude regime te garanderen dat er geen massale vervolging van voormalige functionarissen zou komen.

Er was geen eenvoudige formule voor de aanpak van die complexe kwesties. De interviews onderstrepen hoe belangrijk het was om openheid te betrachten, met zowel aandacht voor de erkenning van slachtoffers als voor maatregelen, teneinde te komen tot een wederzijds dulden en misschien zelfs tot verzoening. In Brazilië en Spanje stelden amnestieregelingen leden van de democratische oppositie die tot dan toe clandestien hadden geopereerd, in staat om de politieke arena te betreden. In Chili, Ghana en Zuid-Afrika werden met waarheids- en verzoeningscommissies en met de erkenning van schendingen belangrijke stappen gezet. Het spanningsveld tussen enerzijds het trekken van een 'dikke streep' tussen verleden en heden (zoals Mazowiecki en Kufuor benadrukten) en anderzijds schendingen van vroeger erkennen en herdenken zodat ze niet zouden worden herhaald (een argument aangehaald door Aylwin, Lagos, De Klerk en Mbeki) is niet gemakkelijk op te heffen. Het kostte deze leiders doorgaans veel moeite om beide doelstellingen na te streven en met elkaar te verzoenen. In Indonesië, waar mensenrechtenschendingen onder het tapijt werden geveegd, blijven deze onopgeloste kwesties voor problemen zorgen.

STEUN VAN BUITENAF MOBILISEREN

Externe actoren — regeringen, internationale en multilaterale instellingen, ondernemingen, vakbonden, religieuze organisaties, internationale verbonden van politieke partijen en andere non-gouvernementele instanties — hebben hulp geboden bij vrijwel alle transities. Soms zorgden ze voor geschikte locaties en omstandigheden voor gesprekken tussen de verschillende geledingen binnen de oppositie en ook tussen vertegenwoordigers van de oppositie en die van het autoritaire regime en van sociale organisaties. Die externe bijdragen werden heel zichtbaar in Zuid-Afrika, waar een grote mijnbouwcorporatie instond voor de financiering en veilige gesprekslocaties buiten het land beschikbaar stelde voor geheime ontmoetingen tussen regeringsfunctionarissen en ANC-leiders, zoals Mbeki aangeeft. Een dergelijke inbreng was eveneens van betekenis in Spanje en Chili.

Door deskundigheid te delen en door aanmoediging en steun te bieden, droegen externe actoren bovendien bij tot een versterking van maatschappelijke organisaties — vaak al lange tijd voordat het verzet tegen een autoritair bewind daadwerkelijk gestalte kreeg of voor het moment van de machtswisseling zich aandiende. Externe actoren maakten de uitwisseling mogelijk van ervaringen uit verschillende landen over de organisatie van politieke partijen, over kiesstelsels, de praktische organisatie van verkiezingen, het smeden van coalities, de opstelling van een grondwet en het bevorderen van vrouwenrechten. Ze verzorgden trainingen op het vlak van de organisatie van gemeenschappen, van communicatie en informatie, opiniepeilingen, de opzet van exitpolls en *quick counts*, toezicht op verkiezingen en andere praktische aspecten van het opbouwen van een democratie. In sommige landen versterkten internationale waarnemersmissies de geloofwaardigheid van verkiezingen en hun uitslagen. Ook boden externe organisaties mogelijkheden op het vlak van educatie en netwerkvorming rond inhoudelijke thema's die kaderfiguren van de oppositie voorbereidden op hun uiteindelijke bestuursverantwoordelijkheden. Dergelijke activiteiten waren bijvoorbeeld belangrijk in Polen, waar een generatie economen was opgeleid in het buitenland en daar aandacht had besteed aan thema's als het liberaliseren van een ondoeltreffende staatseconomie en het bevorderen van marktwerking. De beleidsbeslissing om de stap naar de markteconomie te wagen werd in Polen zelf genomen, maar dankzij internationale samenwerking kon dat systeem ook daadwerkelijk in werking treden.

Internationale actoren boden de gelegenheid om gebruik te maken van ervaringen uit het verleden met steeds terugkerende kwesties die een risico zijn voor transities: civiel-militaire relaties, transitional justice, het houden van geloofwaardige verkiezingen, hervormingen van politiediensten en het toezicht op veiligheidsdiensten, tot en met bijzonderheden rond het onschadelijk maken van vijandige bewakings- en inlichtingenactiviteiten – zoals González die levendig beschrijft. Ook faciliteerden ze communicatie- en opleidingsmogelijkheden voor peergroepen met tegenhangers binnen het leger, bij werkgevers- en werknemersorganisaties, beroepsverenigingen en andere instanties die soms bijdroegen tot een krachtiger democratiegezinde houding en dito gedrag binnen en tussen die groepen. Ook stelden ze oppositiegroepen gerust en boden ze algemene raad en af en toe gerichte praktische adviezen.[168]

Collectieve externe druk om onderdrukking te bestrijden en naleving van de mensenrechten af te dingen, waaronder de vrijheid van meningsuiting en het recht van vergadering, was vaak een factor van betekenis. Economische sancties waren dan weer cruciaal in Zuid-Afrika en Polen. Uiteenlopende samenwerkingsprogramma's op het gebied van handel, investeringen en hulp aan de bevolking waren van belang in Polen, Indonesië, Ghana en de Filipijnen. Naast de druk die op hem werd uitgeoefend, versterkte de internationale erkenning van Rawlings – voor diens aanvaarding van meerpartijenverkiezingen, redelijk eerlijke verkiezingsprocedures en een beperking van zittingstermijnen – de bijdragen van de voormalige dictator aan de democratische transitie in Ghana.

Tot slot speelden internationale organisaties, regeringen, stichtingen en ngo's soms een rol van betekenis als het ging om reacties op kritieke sociale en economische behoeften gedurende het overgangstraject. In Ghana, Polen, Spanje en Zuid-Afrika voorzagen ze in middelen om de sociale impact van noodzakelijke economische hervormingen te temperen, investeerden ze in infrastructurele ontwikkeling en capaciteitsopbouw, en boden ze andere financiële en technische hulp. In de jaren negentig waren de Europese Unie en de Amerikaanse regering cruciaal vanwege hun hulp aan Polen (en andere Midden- en Oost-Europese landen) om met succes het pad naar de democratie te bewandelen. Zulke internationale economische steun kan doorslaggevend zijn wanneer die wordt geboden als reactie op lokale behoeften in samenwerking met plaatselijke actoren, en wanneer beleidskeuzes worden overgelaten aan het politieke debat en de daaruit voortvloeiende besluitvorming.

Ambitieuze initiatoren van transities en externe actoren moeten zowel de mogelijke bijdragen als de beperkingen van buitenlandse betrokkenheid inzien. Democratie kan pas wortelen in een samenleving als het de meest aanvaarde manier wordt om te dingen naar politieke macht. Internationale actoren kunnen veel doen – geduldig, rustig en op verzoek van de actoren ter plaatse – om beweging in die richting te stimuleren, maar ze kunnen nooit de plaats innemen van de spelers in het land zelf. Een breder begrip van de vele moeilijke uitdagingen en obstakels die men onder ogen moet zien, en van de aanzienlijke tijdspanne die nodig kan zijn alvorens een democratisch bestel echt postvat, zou internationale actoren moeten helpen om ongeduldig, ondoeltreffend en contraproductief optreden te vermijden en hen juist in staat moeten stellen om op een meer consistente wijze en op langere termijn hun bijdragen te leveren. De kans op succes neemt voor hen toe als ze luisteren, als ze vragen te berde brengen die voortspruiten uit de vergelijking met eerdere ervaringen, en als ze plaatselijke actoren aanmoedigen om kwesties te bekijken vanuit verschillende invalshoeken, in plaats van voorverpakte antwoorden op te dringen.

EEN VERANDERENDE CONTEXT VOOR TRANSITIES

De context waarin het verzet tegen autoritaire regimes nu en in de toekomst gestalte krijgt, verschilt sterk van de omstandigheden waarin de transities van het einde van de twintigste eeuw zich voltrokken. De wereld blijft veranderen, en almaar sneller.

Een nieuwe geopolitiek en nieuwe internationale normen

De oppositie tegen autocratische regimes is tegenwoordig niet meer belast met de druk van de Koude Oorlog die sociale mobilisatie aan banden legde, veranderingen in eigendomsverhoudingen beperkte en politieke afstemming tussen landen poogde te bereiken in het licht van internationale geopolitieke machtsrelaties. Sinds het einde van de Koude Oorlog zijn de grote mogendheden minder geneigd om politieke veranderingen bij autocratische bondgenoten als bedreigend te beschouwen, waardoor democratiseringsbewegingen meer speelruimte krijgen, maar waardoor misschien ook, in specifieke situaties, internationale steun voor dergelijke krachten afneemt.

Almaar krachtiger internationale rechtsnormen en instellingen voor de bescherming van individuele mensenrechten en de vervolging van misdrijven tegen de menselijkheid, alsmede de oprichting van het Internationaal Strafhof, hebben de mogelijkheid enigszins verkleind dat ongebreidelde onderdrukking kan plaatshebben zonder scherpe verwerping of sancties. In een paar notoire gevallen blijft wrede repressie bestaan, maar er zijn tenminste internationale normen die dergelijke praktijken in zekere mate ontmoedigen. Het uiteenvallen van de Sovjet-Unie en de recentelijk geslonken internationale invloed van de VS hebben ertoe geleid dat het bipolaire internationale systeem eerder multipolair is geworden. Internationaal verzet tegen democratiseringsbewegingen is afgenomen, maar dat geldt ook voor de internationale capaciteit om te reageren op binnenlands geweld en grove onderdrukking, of om te helpen tot oplossingen te komen. Bepaalde rechten, waaronder vrouwenrechten, worden op veel bredere schaal aanvaard.

De ineenstorting van het economische Sovjetsysteem en China's opkomst in de internationale economie hebben ervoor gezorgd dat landen overal ter wereld zich richten op economische liberalisering, marktgerichte hervormingen, particuliere buitenlandse investeringen en op de globalisering van industrie, geldwezen en handel. Tegenwoordig streven de meeste regeringen naar een uitbreiding van hun internationale handelsverkeer en nemen ze internationale normen en regels in acht ten aanzien van financieel beleid en investeringen, waardoor er in de wereldeconomie nog maar weinig ruimte rest voor gesloten economieën — vooral als het kleine en middelgrote landen betreft. Sommige landen hebben de rol van de staat vergroot om economische concentratie te vermijden, een eerlijker inkomensverdeling te bereiken, regionale ontwikkeling te bevorderen en om het milieu te beschermen.

Democratisch bestuur is internationaal veel breder gaan gelden als de legitiemste basis voor politieke orde. Maar er zijn verschillende opvattingen over wat democratie inhoudt en vereist. 'Competitief-autoritaire' regimes zijn gevestigd in diverse landen. Daarbij gaat het niet om onvolledige of afbrokkelende democratieën, maar eerder om welbewuste inspanningen die alternatieven aanreiken voor een liberaal-democratisch bestuur, en wel door redelijk vrije volksraadplegingen te combineren met een autoritair bewind.[169] De druk van de mondialisering, de openstelling voor internationale invloed die daarvan het gevolg is, en de versterking van internationale regelgeving en instellingen maken het mettertijd moeilijker voor autoritaire regeringen om antidemocratische praktijken stelselmatig te handhaven en mensenrechten met voeten te treden, waaronder de rechten van vrouwen, maar vooralsnog is dat beslist niet het geval.

De erfenis van eerdere ervaringen met democratisering

Veel autoritaire regimes in de jaren zeventig en tachtig, en een paar in de jaren negentig, kwamen ten val in landen die in het verleden enige ervaring hadden opgedaan met een constitutioneel democratisch bestuur. In een aantal gevallen waren bepaalde democratische instellingen formeel zelfs blijven bestaan. Politieke actoren in die landen hadden netwerken, ervaring in het onderhandelen over en vormgeven van compromissen, en ze hadden het vertrouwen om met succes te kunnen wedijveren binnen het stramien van democratische regels. Toekomstige transities van autocratie naar democratie zullen veelal plaatshebben in landen waar niet of nauwelijks sprake is van eerdere ervaringen, en soms in landen met leiders die andersdenkenden lange tijd hebben onderdrukt. Bepaalde nationale tradities met een 'luisterende' overheid — op lokaal niveau bijvoorbeeld — kunnen dergelijke regimes als een spiegel worden voorgehouden. Ook de universele en intense aantrekkingskracht van deelname aan zelfbestuur, die misschien toeneemt met hogere inkomens en met ruimere mogelijkheden tot politieke expressie, kan stimulerend werken. Maar het ontwikkelen van de cultuur en de instellingen die een democratische politiek impliceert, kost tijd, moeite en deskundigheid.[170]

Sociaaleconomische, klassengerelateerde en demografische verschillen

De transities van de jaren zeventig en tachtig en enkele in de jaren negentig voltrokken zich voornamelijk in landen met een groeiende en geschoolde middenklasse, die vaak positief stond tegenover een verruiming van de politieke meningsuiting en die een juridische, bestuurskundige of economische opleiding had genoten, hetgeen de opbouw van een doeltreffend democratisch bestuur bespoedigde. In landen met lage inkomens- en ontwikkelingsniveaus, broze vakbonden en maatschappelijke organisaties, een kleine middenklasse, met een zwakke overheid die niet in staat is sociale diensten te verstrekken en de veiligheid van haar burgers te garanderen, en met maar weinig mensen die zijn opgeleid voor het openbaar bestuur, zullen transitiepogingen waarschijnlijk moeizamer verlopen, vooral als de bevolking aandringt op snelle, onmiddellijk merkbare economische winst. Andere pogingen – vooral in de Golfstaten, het Midden-Oosten en Noord-Afrika – zullen zich voordoen in 'bemiddelde' landen met hoge inkomens en een snelgroeiende middenklasse. Veel van die landen kennen echter ook inadequate overheden en kenmerken zich door grootschalige corruptie en cliëntelisme. Vanwege geopolitieke redenen die verband houden met hun strategische ligging of natuurlijke rijkdommen ondervinden die landen weinig externe druk om hun politieke systeem open te stellen. Zulke regimes zijn dan ook gemakkelijker in staat om oppositiebewegingen om te kopen of in de kiem te smoren.

Veel hedendaagse autoritaire regimes in Azië en Afrika vinden we in samenlevingen met een uitgesproken verdeeldheid en ongelijkheid – op etnisch, religieus of regionaal vlak – die polarisatie in de hand werken. In sommige van die landen leven toenemende aantallen gefrustreerde en goed opgeleide jongeren die er niet in slagen nuttig en degelijk beloond werk te vinden en die daarom gemakkelijk zijn te mobiliseren om te protesteren. Jonge mensen betrekken in politieke organisaties, partijen en andere instellingen – en ze niet alleen oproepen om te betogen op straat – is in veel landen een belangrijke uitdaging voor bestuurders, ook in gevestigde democratieën. De leiders van vandaag moeten een goede band opbouwen met de jongere generaties en die aanmoedigen zich op democratische wijze te organiseren en betrokken te blijven.

Al deze en andere moeilijkheden, zoals de aanwezigheid van machtige misdaadsyndicaten en transnationale extremistische politieke bewegingen, zetten zwakke politieke instellingen onder grote druk. Het zal daarom een enorme uitdaging zijn om beleidslijnen te formuleren en instellingen op te bouwen die dialoog en convergentie mogelijk maken, die controle- en verantwoordingsmechanismen vastleggen, die instaan voor de rechtsstaat en de onafhankelijkheid van de rechterlijke macht, die het gehele veiligheidsapparaat onder civiele controle stellen en andere grondslagen leggen voor een degelijk democratisch bestel. Een democratisch bestuur zal moeilijker te bereiken zijn in landen met een zwakke overheid en dito instellingen, maar dat het te realiseren is, blijkt uit het voorbeeld van Ghana.

Internationale inspanningen ter bevordering van de democratie

Veel Europese transities, waaronder die van Spanje en Polen (en andere landen in Midden- en Oost-Europa), ondervonden krachtige steun van het vooruitzicht te worden opgenomen in de EU en van economische hulp die de EU en de VS toezegden, mits tot politieke hervormingen werd overgegaan. Diverse Latijns-Amerikaanse openingen richting democratie, onder meer die in Chili, werden eerst gefaciliteerd door de nieuwe nadruk die de Amerikaanse regering eind jaren zeventig (onder president Carter) legde op mensenrechten en vervolgens door de terugkeer halverwege de jaren tachtig, tijdens de tweede regering-Reagan, van het beleid van de VS om democratie en mensenrechten actief te bevorderen. Democratische openingen kregen ook extra momentum door de consensus rond mensenrechten en politieke vrijheden die werd bereikt binnen de Organisatie van Amerikaanse Staten en doordat internationale rechtsnormen en -instellingen aan kracht wonnen — waaronder de Inter-Amerikaanse Mensenrechtencommissie (IACHR) en het Internationaal Strafhof. Mexico's democratisering kreeg een extra impuls door de algemene versmelting van arbeidsmarkten, productieprocessen en populaire cultuur in Mexico en de Verenigde Staten, en door de mobilisatie van Amerikaanse en Mexicaanse bedrijven en ngo's om de democratische opening in Mexico en de rechtsstaat aldaar te steunen, wat in 1994 nog werd versterkt door de totstandkoming van de Noord-Amerikaanse Vrijhandelsovereenkomst (NAFTA).

Regionale instellingen, vandaag en in de toekomst, kunnen democratische bestuursvormen in gelijke mate, krachtiger of in sommige gevallen (zoals binnen de Samenwerkingsraad van de Arabische Golfstaten [GCC]) in geringere mate ondersteunen. Het langzame maar groeiende engagement van regionale intergouvernementele organisaties bevordert en beschermt het ordelijke en integere verloop van verkiezingen. Het *Charter on Democracy, Elections and Governance* van de Afrikaanse Unie is volledig van kracht geworden. De *Political and Security Blueprint* van de Associatie van Zuidoost-Aziatische Naties (ASEAN) bevat zeer duidelijke taal over democratische normen, en het secretariaat van ASEAN stuurde waarnemers naar de tussentijdse verkiezingen van 2012 in Myanmar. Dergelijke regionale partnerverbanden bieden waardevolle middelen waar transitieleiders veel baat bij kunnen hebben.

Regionale en culturele verschillen

Een aantal potentiële transities (zullen) worden ondernomen in landen met een islamitische meerderheid, in een tijd waarin aanzienlijke verdeeldheid heerst tussen fundamentalistische en gematigde interpretaties van de islam en waarin scherp wordt gedebatteerd over de rechtsstaat, de rol van de strijdkrachten en de soevereiniteit van het volk. Indonesië, het land met de grootste moslimmeerderheid ter wereld, heeft in de loop van de vorige generatie een almaar doeltreffender democratisch bestel opgebouwd en ook in veel andere landen met een islamitische meerderheid hebben democratiegezinde geledingen aanzienlijke invloed. In weer andere landen echter stellen machtige conservatieve groeperingen dat het recht uitsluitend of primair gebaseerd dient te zijn op de sharia en dat de staat moet waken over godsdienstige orthodoxie en traditionele genderrollen. Zowel religieuze conservatieven als seculiere liberalen zien compromissen ten aanzien van de rol van godsdienstwetten en de status van vrouwen als moreel onaanvaardbaar. Dat maakt dat beide kampen voorstander kunnen zijn van autoritaire oplossingen, zij het in verschillende gedaanten en om tegengestelde redenen.

Krijgsmachten in het Midden-Oosten hebben zich voor het merendeel gecommitteerd aan de seculiere en niet tot de godsdienstige staat, en tegenwoordig worden die legers zowel door seculiere democraten als door religieuze fundamentalisten onder druk gezet. Internationale collegiale besprekingen tussen militaire leiders zouden zich moeten toespitsen op principes en werkwijzen die de grootste kans hebben om te leiden tot zowel duurzame politieke stabiliteit als tot samenhang en integriteit van militaire instituties zelf.

Religieuze instellingen zijn vaak bolwerken van autoritaire regimes geweest, maar tegen het einde van de twintigste eeuw toonden ze zich soms voorstander van democratisering, in het bijzonder in katholieke landen zoals Brazilië, Chili, de Filipijnen, Polen en Spanje. Van aanzienlijk belang was de rol van de kardinalen Raúl Silva Henríquez en Juan Francisco Fresno in Chili, Paulo Evaristo Arns in Brazilië, Vicente Enrique y Tarancón in Spanje, Jaime Sin in de Filipijnen en ook die van paus Johannes Paulus II in zijn geboorteland Polen. In Zuid-Afrika steunden bisschop Desmond Tutu, de Anglicaanse Kerk en geestelijken van andere kerken, onder meer een aantal Nederlandse gereformeerde dominees, eveneens de transitie naar een inclusief democratisch bestuur. Islamitische organisaties, bewegingen, partijen en individuen in Indonesië droegen ook bij tot de niet-sektarische democratie in dat land – de rol van Abdurrahman Wahid (Gus Dur) verdient in dat verband speciale vermelding.

Islamitische autoriteiten zullen in andere landen ongetwijfeld een voorname rol spelen, maar die rol zal waarschijnlijk van geval tot geval verschillen – waarbij de vraag relevant is of de transitie een Arabische of niet-Arabische cultuur betreft – zoals ook de rol van politieke leiders van diverse christelijke gezindten per land (en soms binnen een land) anders is geweest. Manieren vinden om moslimleiders te motiveren zich actiever in te spannen ten gunste van de democratie is een belangrijke uitdaging. Een dergelijk engagement kan ook baat ondervinden van de internationale uitwisseling van nuttige ervaringen, met inbegrip van overleg over de aangewezen houding ten opzichte van transnationale organisaties met extremistische standpunten, die het gebruik van geweld aanmoedigen ter ondersteuning van hun sektarische doelen.

De ICT-revolutie

De revoluties op het vlak van informatie- en communicatietechnologie hebben het vermogen van regeringen uitgehold om informatie te beheersen, hebben het verspreiden van opvattingen en nieuws goedkoper gemaakt, maken het mogelijk om vanuit de bevolking zaken te organiseren en maken het gemakkelijker om buitenlandse sympathie en steun te verwerven. Iedereen met een mobiele telefoon met camera kan waar dan ook protestreacties uitlokken door laakbaar gedrag vast te leggen. Die processen zullen versnellen naarmate meer mensen – vooral jongeren – beschikken over een smartphone en breedband. Als het om besturen gaat, kunnen sociale netwerken die zich bedienen van deze technologieën niet de plaats innemen van politieke organisaties, maar ze kunnen wel zorgen voor beroering in politieke systemen, waardoor politieke partijen en instellingen voor de keuze komen te staan: of zich aanpassen of ernstig verzwakt raken.

Vernieuwingen op ICT-gebied zijn echter niet altijd goed voor democratiseringsprocessen. Ze kunnen helpen bij het creëren van een kortstondige opflakkering van betrokkenheid van de bevolking en zo democratische organisatoren ten onrechte de indruk geven dat ze vooruitgang kunnen boeken op de ingeslagen weg zonder voortdurende en georganiseerde onderhandelingen of zonder compromissen. Die innovaties kunnen echter ook extremisten de mogelijkheid geven om hun draagvlak te verbreden en de perceptie doen ontstaan dat groepen in de marge van processen belangrijke actoren zouden zijn. Technologisch goed uitgeruste regeringen, soms geholpen door multinationals, kunnen dezelfde ICT-technologieën gebruiken om burgers te onderdrukken. Regeringen kunnen tegenwoordig elektronisch berichtenverkeer onderscheppen, demonstranten opsporen die zijn gefilmd met veiligheidscamera's, en mensen van de oppositie bedreigen of gevangenzetten.

Degenen die democratische transities willen initiëren of ondersteunen, moeten leren hoe ze nieuwe technologieën kunnen inzetten en hoe ze die moeten combineren met meer tijdrovende maar vitale processen van overleg, onderhandelingen, coalitievorming en het realiseren van compromissen en consensus. Ze moeten ook leren hoe democratische krachten zijn te beschermen tegen de manipulatieve inzet van ICT, zowel door autoritaire regimes als door antidemocratische en extremistische entiteiten.

LEIDERSCHAPSKWALITEITEN

Er is geen voorgeschreven model, geen vast profiel waaraan een transitieleider moet voldoen. Bij de leiders die wij hebben geïnterviewd — zowel opponenten van het bewind als leden van zittende autoritaire regeringen — zien we ervaren politici, juristen en economen, een hoge en een lagere legerofficier, een journalist, een docerende socioloog en een vliegtuigbouwkundig ingenieur. Ze verschillen sterk wat levensovertuiging betreft — we spraken met katholieken, protestanten, atheïsten en een moslim — en ook qua uiterlijk en persoonlijke stijl waren ze zeer uiteenlopend.

Sommigen waren zelfs geen democraat – niet qua karakter of overtuiging, noch qua ervaring of reputatie. Jerry Rawlings heerste tien jaar als militaire dictator en stemde er, onder binnen- en buitenlandse druk, pas mee in open meerpartijenverkiezingen uit te schrijven toen geheime peilingen aantoonden dat hij die stembusgang gemakkelijk zou winnen. Het interview laat zien wat voor complexe positie Rawlings innam, en nog altijd inneemt ten opzichte van een representatieve liberale democratie. F.W. de Klerk was vele jaren toegewijd aan de apartheid en daarmee aan de uitsluiting van de overgrote zwarte meerderheid in Zuid-Afrika, totdat hij – zij het tamelijk laat – ervan overtuigd raakte dat het apartheidssysteem om economische, politieke en morele redenen niet langer houdbaar was. B.J. Habibie was een trouwe bondgenoot van Soeharto, die Indonesië jarenlang als dictator regeerde. Van Habibies respect voor democratische instellingen, kennelijk ontstaan in de twintig jaar die hij in Duitsland doorbracht als vliegtuigbouwkundig ingenieur, was nooit veel te zien geweest, totdat hij door de val van Soeharto de rol van staatshoofd kreeg toebedeeld. Habibie ging van start zonder enig politiek draagvlak, zonder achterban van betekenis, maar hij handelde snel om legitimiteit te verwerven via een aantal ingrijpende stappen richting democratie.

Aleksander Kwaśniewski, een jonge minister in de communistische regering van Polen die een belangrijke rol speelde als vertegenwoordiger van dat regime bij de rondetafelgesprekken, richtte later een sociaaldemocratische partij op, werd na de transitie verkozen als president en droeg uiteindelijk bij tot de consolidatie van de nieuwe democratische instellingen en handelwijzen in Polen. Opeenvolgende Poolse politieke leiders wendden sterk uiteenlopende eigenschappen aan om de veranderende uitdagingen van de transitie het hoofd te bieden. Lech Wałęsa was een dissidente vakbondsleider die drieste eisen verwoordde en de bevolking massaal op de been wist te krijgen, maar die later veel van zijn legitimiteit verloor door al te nadrukkelijk aan te sturen op meer persoonlijke macht. Mazowiecki focuste op moeilijke beleidskeuzes op politiek en economisch vlak, op medezeggenschap van en verzoening met het oude regime, en op het onderhouden van Polens vitale band met het Vaticaan en van de delicate relaties met de Sovjet-Unie. Kwaśniewski concentreerde zich dan weer hoofdzakelijk op de doeltreffendheid van het landsbestuur en de opbouw van instellingen.

Ernesto Zedillo koesterde al op jonge leeftijd democratische dromen, maar bekleedde belangrijke posities in de heersende PRI in de tijd waarin die partij al decennia achtereen nagenoeg alle politieke posities in Mexico beheerste. Eerdere kiesprocedures waren zo opgezet dat die dominantie van de PRI zou blijven bestaan. Zedillo's bereidheid om als president in te stemmen met veranderingen in de procedures en met nieuwe voorwaarden op electoraal vlak effende de weg naar een machtswisseling in Mexico en naar een doeltreffend democratisch bestuur — naar wat Zedillo 'normale democratie' noemde.

Al deze leiders — ook degenen met een autocratische achtergrond — kwamen om uiteenlopende redenen tot de slotsom dat een landsbestuur op basis van volkssoevereiniteit en grondwettelijke spelregels een beter pad was voor hun land en henzelf dan de beschikbare alternatieven. Sommigen huldigden krachtige democratische principes. Anderen ontwikkelden of versterkten hun democratische ijver als reactie op sociale druk naarmate de situatie zich scherper aftekende. Weer anderen maakten zich pas sterk voor democratiseringsgerichte initiatieven toen dat politiek voordelig voor hen werd. Geen van de geïnterviewde leiders was een heilige. Het waren stuk voor stuk pragmatische politici die op zoek waren naar manieren om invloed te krijgen of te houden en problemen op te lossen. Zij gokten op democratische processen om dat doel te bereiken en hielpen zo hun land de koers richting democratie te kiezen.

Wat hun achtergronden of motieven ook waren, deze leiders hadden een aantal eigenschappen en kwaliteiten gemeen die hebben bijgedragen tot hun succes.

- Ze hadden allemaal — sommigen van het begin af aan, anderen mettertijd — een strategisch richtingsgevoel dat hen bewoog naar een inclusief en zich verantwoordend bestuur. Daarbij toonden ze een fundamentele voorkeur voor een vreedzame en geleidelijke transformatie boven een gewelddadige en geforceerde ommekeer.
- Ze voelden de stemming en houding van de bevolking aan en intensiveerden de inspanningen van politieke partijen en maatschappelijke organisaties op het pad naar democratie.
- Ze zorgden voor diversificatie en verbreding van hun eigen achterban en deden hun best om onbuigzame elementen te verzwakken, zowel binnen het regime als binnen de oppositie. Ze waren in staat de belangen en de invloed te beoordelen van tal van machtscentra en belangengroepen, en wisten vaak het pad te vinden naar politieke compromissen en tegemoetkomingen.
- Velen gaven blijk van vastberadenheid en moed, waarbij ze soms zelfs hun leven riskeerden in een klimaat van polarisatie en geweld, dat collega's daadwerkelijk het leven had gekost. Vaak legden deze leiders

een groot geduld, hardnekkigheid en uithoudingsvermogen aan de dag als ze werden geconfronteerd met verzet, obstakels en tegenslag, en wisten ze anderen te overtuigen de moed erin te houden.

- Ze beschikten over het noodzakelijke zelfvertrouwen om met bedaarde overtuiging moeilijke, doorslaggevende en tijdige beslissingen te nemen. Sommigen waren van nature zeer analytisch en bedachtzaam ingesteld, maar zelfs zij slaagden er steevast in om vooruit te blikken in plaats van lang te blijven stilstaan bij eerdere beslissingen.
- De meesten leunden zwaar op kundige partners die dezelfde politieke waarden deelden en beschikten over specifieke deskundigheid om moeilijke vraagstukken op te lossen. Hoewel ze cruciale keuzes persoonlijk konden maken (en dat ook deden) concentreerden de meesten van hen zich vooral op het bewerkstelligen van consensus, het smeden van coalities, de bouw van politieke bruggen en op voortdurende communicatie met de betrokken actoren en het brede publiek.
- Over het algemeen waren ze in staat anderen ervan te overtuigen hun beslissingen te aanvaarden. Hoewel sommigen welbespraakt of charismatisch waren, deden ze dat voornamelijk door de kernbelangen van de verschillende gesprekspartners, ook van tegenstanders, te begrijpen en mee te wegen – niet door per decreet te handelen of de kracht van hun persoonlijkheid te doen gelden.
- Hoewel ze diepgeworteld waren in de cultuur van hun respectieve landen en hoofdzakelijk steunden op hun binnenlandse relaties, wisten al deze leiders hoe ze externe steun moesten mobiliseren zonder een instrument van buitenlandse entiteiten te worden.
- Maar vóór alles slaagden deze leiders erin zich snel te voegen naar de gebeurtenissen en konden ze onverwachte ontwikkelingen aangrijpen om het initiatief te nemen. Ze navigeerden in woelige wateren: tegen de stroom in, nu eens naar links en dan weer naar rechts koersend, een stuk vooruit en dan weer terug, al naargelang de stroomversnellingen dat vereisten. Maar uiteindelijk bewogen ze wel voorwaarts. Zij waren het niet die de richting en het tempo van de stromingen bepaalden, maar ze slaagden er wel in hun landen naar kalmer vaarwater te loodsen, en uiteindelijk naar een democratisch bestel.

Het is moeilijk voor te stellen dat deze transities even succesvol zouden zijn geweest zonder deze leiders en hun beslissingen. Zij en andere individuele voorlieden in die landen – we noemen Nelson Mandela, Roelf Meyer, Cyril Ramaphosa, Oliver Tambo en Desmond Tutu in Zuid-Afrika;

Corazon Aquino in de Filipijnen; Lech Wałęsa, Wojciech Jaruzelski, Czesław Kiszczak en Adam Michnik in Polen; Ulysses Guimarães, Tancredo Neves, Luiz Inácio (Lula) da Silva en de generaals Golbery do Couto e Silva, João Figueiredo en Ernesto Geisel in Brazilië; Clodomiro Almeyda, Manuel Bustos, Gabriel Valdés en Andrés Zaldívar in Chili; Cuauhtémoc Cárdenas, Manuel Clouthier, Porfirio Muñoz Ledo, Ernesto Ruffo en Vicente Fox in Mexico; koning Juan Carlos, Santiago Carrillo, Manuel Fraga en Adolfo Suárez in Spanje – hielpen in hun land de weg naar democratie te effenen.[171] De politieke zwaargewichten werkten niet als solisten en ze hadden nooit succes kunnen boeken zonder de sociale, politieke en maatschappelijke krachten. Creatief en constructief werkten ze met vele anderen samen, met alle beperkingen van dien, om te bouwen aan een nieuwe realiteit.

De vooruitzichten voor de vestiging van democratieën in andere landen, nu en in de toekomst, hangen grotendeels af van de verschijning en het optreden van zulke leiders. Samuel Huntington schreef: 'Een democratisch bestel wordt niet door tendensen, maar door mensen ingesteld. Democratieën worden niet door oorzaken geschapen, maar door veroorzakers.'[172] Deze interviews leveren daarvoor ruimschoots bewijs.

KIJKEN NAAR DE TOEKOMST

In zijn interview noemt Felipe González twee zaken die de moeite waard zijn om nog eens te benadrukken. Hij stelt dat leiderschap niet iets is wat je aan de universiteit leert, maar in de dagelijkse praktijk, en wel door brede basisprincipes toe te passen op concrete situaties. En met een citaat van Gabriel García Márquez geeft González aan dat mensen die brede basisprincipes vaak leren van anekdotes, van het relaas van ervaringen die zijn bijgebleven. Dat is het meest elementaire uitgangspunt van dit boek.

Nieuwe actoren, technologieën, instellingen, normen, uitdagingen en kansen dienen zich aan en zullen zich altijd blijven aandienen. Maar waar actoren en technologieën snel veranderen, blijkt de noodzaak van politieke expressie en actie veel permanenter van aard. Het zullen altijd vitale prioriteiten blijven: de gemoederen mobiliseren voor politieke vrijheid, ruimte creëren voor dialoog, gelijkgerichtheid en consensus realiseren, overeenstemming bereiken over procedures en werkwijzen, en zich verzettende krachten geruststellen dat hun fundamentele belangen worden beschermd. Zoals ook de centrale uitdagingen dezelfde blijven: mechanismen in het leven roepen die instaan voor kwesties rond transitional justice en herdenking; leger, politie en inlichtingendiensten onder civiel toezicht brengen; en de maatschappelijke orde en individuele mensenrechten beschermen. Dat geldt zowel voor wie streeft naar beëindiging van een autoritaire regering als voor degenen die proberen te beletten dat de democratische klok wordt teruggedraaid door regeringen die eerlijk zijn verkozen, maar vervolgens verzwakken of de democratische controlemechanismen negeren.

Sociale bewegingen en middenveldorganisaties zullen, nog versterkt door elektronische netwerkvorming, druk uitoefenen op regeringen en andere instellingen. Maar hoewel die actoren en hun technieken mogelijk nuttig zijn, kunnen ze nooit de plaats innemen van politieke partijen, sociale organisaties en politieke leiders als het gaat om moeilijke opdrachten zoals de vorming van lijstverbindingen en regeringscoalities, het creëren van een draagvlak bij de bevolking, de voorbereiding van een werkbaar overheidsbeleid, oproepen tot economische offers in het belang van de samenleving, mensen doen inzien dat democratie mogelijk is en doeltreffend besturen. Het belang van visie, geduld, volharding en compromisbereidheid blijft daarom onverminderd van kracht.

Toekomstige leiders moeten zorgvuldig afwegen welke aspecten van eerdere ervaringen elders van belang zijn in het licht van de specifieke omstandigheden van hun eigen land. De wetenschap dat veel van de kwesties waarmee zij kampen elders eerder hebben gespeeld en de kennis van de verschillende manieren waarop die vraagstukken zijn opgelost, zouden een gigantische steun in de rug moeten zijn. We hopen dat zij inspiratie putten uit de vaardigheden en prestaties van de politieke leiders die dit boek in de schijnwerpers zet.

DANKWOORD

International IDEA en de redacteuren van dit project, Sergio Bitar en Abraham Lowenthal, zijn de dertien politieke leiders die een interview hebben toegestaan enorm erkentelijk. We danken ook hun persoonlijke medewerkers en andere collega's die deze ontmoetingen en de uiteindelijke teksten mogelijk hebben gemaakt.

We danken ook de negen deskundigen. Zij voorzagen de interviews van een inleiding waarin ze de specifieke context verduidelijkten, en beoordeelden en verbeterden de tijdlijnen en de lijsten met aanbevolen literatuur. Ook hielpen ze de redacteuren bij de voorbereiding van de interviews en keken ze de teksten na. Bijna allemaal hebben ze de inleiding en het slothoofdstuk van opmerkingen voorzien.

Professor Georgina Waylens leverde met haar essay (hoofdstuk 10) over vrouwen in democratische transities een fundamentele bijdrage aan dit project. Wij danken de negen opmerkelijke vrouwen die hun ervaringen en inzichten over de rol van vrouwen in democratische transities met professor Waylen hebben gedeeld. Dank ook aan de schrijvers die haar de achtergrondinformatie over de landen bezorgden voor dit hoofdstuk: Maráa Esther del Campo Garcáa, Jean Franco, Marta Pajarán Garcáa, Takyiwaa Manuh en Ani Soetjipto.

We danken Laurence Whitehead en Alfred Stepan, de belangrijkste adviseurs bij dit project, die bij de voorbereidingen van de interviews de redacteuren hebben geholpen met het in kaart brengen van problemen en als klankbord dienden voor hun ideeën. Dank ook aan onze belangrijkste onderzoeksassistent, Benjamin Mainwaring, die de afsluitende literatuurlijst mede samenstelde, specifieke kwesties onderzocht, een opzet maakte voor de tijdlijnen en de lijstjes van aanbevolen literatuur per hoofdstuk, en ook redactionele tips gaf. James Loxton, Carolina Larriera, Victor Saavedra en Consuelo Amat hebben ons fantastisch geholpen bij het onderzoek. Dank ook aan Enrzej Rossa, die simultaan vertaalde bij de Poolse interviews; aan Charles Roberts, die diverse interviews uit het Spaans vertaalde; aan Kelley Friel, die het manuscript heeft geredigeerd; en aan de fotografen wier naam bij elke foto is vermeld.

We zijn Mariana Aylwin bijzonder erkentelijk voor haar hulp bij het interview met haar vader, en ook Sergio Fausto voor zijn inbreng bij het redigeren en comprimeren van het uitzonderlijke, vijfenhalf uur durende interview met president Cardoso. Dank ook aan de mensen die ons meer achtergrondinformatie verstrekten, zoals Alejandro Foxley in Chili, Adam Michnik in Polen, P.V. Obeng in Ghana, Leon Wessels in Zuid-Afrika, Carolina Hernandez in de Filipijnen, José Luis Maraval in Spanje en Lázaro Cárdenas, Jeffrey Davidow, Carla Hills, Santiago Levy, Luis Maira, Kevin Middlebrook, Carlos Portales en Carlos Manuel Sada, die met ons het buitengewone interview met president Ernesto Zedillo hebben voorbereid.

International IDEA is Sergio Bitar en Abraham Lowenthal zeer dankbaar voor de fantastische manier waarop ze dit uitdagende project hebben geleid. Dank ook aan onze medewerkers en de International Advisory Board voor de vele nuttige suggesties. International IDEA en de redacteuren danken ook Jane Jaquette voor haar uitgebreide bijdrage aan dit project en haar uitgebreide tips voor het hoofdstuk over vrouwen in democratische transities.

Senator Bitar en dr. Lowenthal danken International IDEA en zijn voormalige secretaris-generaal Vidar Helgesen voor het initiëren en ondersteunen van deze studie. Zij zijn blij dat hij hen uitkoos om dit project uit te voeren. Dank ook aan de huidige secretaris-generaal Yves Leterme voor zijn steun en vooral voor zijn beslissing dit boek in meerdere talen te laten vertalen en aldus het bereik en de impact ervan te vergroten. We danken de vele uitstekende stafleden van International IDEA voor hun inbreng, in het bijzonder programmabeheerder Melanie Allen, die met haar buitengewone inhoudelijke en administratieve bijdragen de lat op een inspirerende en veeleisende hoogte heeft gelegd. Melanie behandelde talloze gedetailleerde logistieke, diplomatieke en redactionele problemen met niet-aflatende moed en stiptheid, deed tal van inhoudelijke en redactionele suggesties, leverde een belangrijke bijdrage aan het uitschrijven van de interviews en verwerkte ook materiaal uit de notities van president Ramos bij zijn interview.

We zijn Katarina Jörgensen en Jenefrieda Isberg erkentelijk voor hun uitmuntende logistieke steun. Nyla Grace Prieto gaf deskundig advies over de Filipijnen, Theophilus Dowetin verduidelijkte de Ghanese transitie, Enrew Ellis stond ons bij met informatie over de transities in de Filipijnen en Indonesië, en Rumbidzai Kenawasvika-Nhundu legde mede de basis voor hoofdstuk 10 over de rol van vrouwen in transities. Hamdi

Hassan en Domenico Tuccinardi vergaarden respectievelijk achtergrondinformatie over religieuze en seculiere standpunten en de vooruitzichten voor democratisch bestuur in West-Azië en Noord-Afrika, en over de invloed van de moderne informatie- en communicatietechnologie op de democratie. Nadia Henal Zener gaf waardevolle praktische ondersteuning aan het project en dankzij James Lenahan werd de feitelijke publicatie realiteit. Wij hebben bijzonder veel waardering voor Kristen Sample en Helen Kavanagh-Berglund, die alle hoofdstukken grondig lazen en het hele project van begin tot eind steunden. We danken ook Brechtje Kemp, die de publicatie van dit werk mede mogelijk maakte.

We danken eveneens de volgende personen (in alfabetische volgorde) die in de loop van het project delen van het manuscript hebben beoordeeld: Manuel Alcantara, Genaro Arriagada, Ayman Ayoub, Mariano Bertucci, Archie Brown, Joe Clark, Jane Curry, Jorge Dominguez, Bahtiar Effendy, Louise Frechette, Stephen Friedman, Frances Hagopian, Evelyne Huber, Stephen Levitsky, Soledad Loaeza, Michael Lowenthal, Scott Mainwaring, Cynthia McClintock, Kevin Middlebrook, Gerardo Munsck, Philip Oxhorn, Philippe Schmitter, Richard Snyder, Leena Rikkila Tamang, Matthew Taylor, Massimo Tommasoli, Peter Winn, Daniel Zovatto en deelnemers aan seminars van de universiteiten Brown, Harvard en McGill en het Occidental College. Sergio Bitar dankt ook het National Democratic Institute, met name directeur Kenneth Wollack en zijn medewerkers in Caïro, die zijn bezoeken aan Egypte en de gesprekken met politieke leiders aldaar hebben georganiseerd.

Ten slotte danken Sergio en Abe elkaar én hun fantastische en geduldige echtgenotes. Dit was een enorm verrijkende ervaring.

DE REDACTEUREN EN MEDEWERKERS

REDACTEUREN

Sergio Bitar is ingenieur, econoom en politicus. Hij was in Chili minister in de regering-Allende. Na de coup was hij politiek gevangene en ging hij in ballingschap. Later diende hij als senator, voorzitter van de Partido por la Democracia en als minister in de regeringen van Lagos en Bachelet. Hij is voorzitter van de Fundación por la Democracia in Chili en senior fellow van het Inter-American Dialogue, waar hij het project Global Trends and Latin America's Future leidt. (MPP (master openbaar bestuur), Harvard University)

Abraham F. Lowenthal is professor emeritus internationale betrekkingen aan de University of Southern California en oprichter van het Latin America Program van het Woodrow Wilson Center, het Inter-American Dialogue en de Pacific Council on International Policy. Hij is de auteur van verscheidene publicaties over Latijns-Amerikaanse politiek, inter-Amerikaanse relaties, democratisch bestuur en het Amerikaanse buitenlandse beleid. (PhD, Harvard University)

MEDEWERKERS

Genaro Arriagada is politicoloog en politicus. Hij diende als staatssecretaris in het kabinet van Eduardo Frei Ruiz-Tagle en als Chileens ambassadeur in de Verenigde Staten. Hij was de CEO van de NEE-campagne voor het referendum van 1988, waarmee er een einde kwam aan het Pinochet-regime. Hij was secretaris-generaal en vicepresident van de Partido Demócrata Cristiano en is auteur van meerdere publicaties over de Chileense en Latijns-Amerikaanse politiek.

Jane L. Curry is hoogleraar in de politieke wetenschappen aan de Santa Clara University. Ze bestudeerde de Poolse transitie en is ook gespecialiseerd in Midden- en Oost-Europese journalistiek. Ze heeft meer dan tweehonderd interviews gehouden met Georgische, Poolse, Servische en Oekraïense actoren in de transitie van hun land na het communistisch bewind. (PhD, Columbia University)

Bahtiar Effendy is decaan van de faculteit politieke en sociale wetenschappen van de Islamitische Staatsuniversiteit van Jakarta. Als hoogleraar heeft hij veel gepubliceerd over de democratie in Indonesië, de relatie tussen godsdienst en staat, en de politiek in de islamitische wereld. (PhD, Ohio State University)

Steven Friedman is directeur van het Centre for the Study of Democracy aan de Rhodes University en de University of Johannesburg. Als voormalig vakbondsman, journalist en academicus heeft hij veel geschreven over de Zuid-Afrikaanse transitie naar democratie, in het bijzonder over de rol van burgers bij het versterken van de democratie. (PhD, Rhodes University)

Frances Hagopian bezet als gasthoogleraar de Jorge Paulo Lemann-leerstoel voor Braziliaanse studies aan de bestuurskundefaculteit aan Harvard University. Ze heeft tal van publicaties op haar naam staan over vergelijkende politiek in Latijns-Amerika, met nadruk op democratisering, politieke vertegenwoordiging, politieke economie, en de relatie tussen godsdienst en politiek. (PhD, Massachusetts Institute of Technology)

Soledad Loaeza is hoogleraar aan het Center of International Studies van El Colegio de México. Zij is gespecialiseerd in politieke systemen en verkiezingen, en in presidentiële macht en democratisering in Mexico. Ze is lid van de Board of Advisers van International IDEA. (PhD, Institut d'études politiques de Paris)

Kwame A. Ninsin is professor emeritus politieke wetenschappen aan de universiteit van Ghana en gastdocent aan het Institute for Democratic Governance in Accra. Hij heeft zich bekwaamd in de politieke economie van Ghana, de democratische transitie in Ghana en globalisering in Afrika. (PhD, Boston University)

Mutiara Pertiwi is junior onderzoekster bij het Instituut voor Internationale Studies van de Islamitische Staatsuniversiteit van Jakarta. Zij is auteur van meerdere publicaties over de Indonesische democratie, niet-traditionele Aziatische veiligheidskwesties, internationale betrekkingen in Zuidoost-Azië, *global governance* en humanitarisme. (MA (Hons), Australian National University)

Charles Powell is directeur van het Real Instituto Elcano in Madrid. Hij is gespecialiseerd in de Spaanse transitie naar democratie, de rol van de koning in de transitie, Spaanse politiek, en de politieke en veiligheidsgerelateerde relaties tussen Spanje en de Verenigde Staten. (PhD, Oxford University)

Mark R. Thompson is directeur van het Southeast Asia Research Centre en hoogleraar politicologie aan het Department of Asian and International Studies van de City University of Hong Kong. Hij is gespecialiseerd in autoritaire regimes en vergelijkende democratisering, in het bijzonder in Zuidoost-Azië en Oost-Europa. (PhD, Yale University)

Georgina Waylen is hoogleraar politicologie aan de University of Manchester. Ze is deskundige op het vlak van vergelijkende politiek en in het bijzonder gender en politiek, internationale politieke economie, transities naar democratie, en openbaar bestuur en instellingen. Zij is mededirectrice van het Feminism and Institutionalism International Network.

NOTEN

1. Omdat we pas in 2012 zijn gestart met dit project, konden we geen grote historische figuren in deze casussen interviewen, onder wie Nelson Mandela, Corazon Aquino, Wojciech Jaruzelski, en Ulysses Guimarães. Ook was het te laat voor een gesprek met opmerkelijke leiders van andere in het oog springende democratische transities uit deze periode, zoals Václav Havel of Raúl Alfonsín.
2. Hoe politieke leiders (of anderen) tegenwoordig denken over hun beslissingen en hun inschatting van de gevolgen van hun acties, is niet noodzakelijkerwijze volledig accuraat. Ook al trachten zij oprecht een eerlijk beeld te geven, toch herinneren ze zich niet altijd de exacte situatie of omstandigheden die ze destijds hebben ervaren en hoe ze daarnaar hebben gehandeld. Ze hebben misschien ook de krachten die toen speelden verkeerd beoordeeld. Door de bank genomen bevatten deze interviews toch een kern van authenticiteit en bieden ze waardevolle perspectieven die vaak niet in andere bronnen te vinden zijn. Misschien bagatelliseren de leiders hun fouten en onderstrepen ze hun resultaten, maar ze belichten de besluitvorming en acties op een manier die niet altijd duidelijk naar voren komt bij andere onderzoeksmethoden. Diepgaande interviews zijn de enige manier om dergelijke unieke bronnen aan te boren.
3. Er bestaat verrassend weinig literatuur over politiek leiderschap, misschien omdat het zo moeilijk te vatten is via de instrumenten en methoden van de moderne politieke wetenschap. Een opvallende uitzondering is Juan J. Linz, 'Innovative Leadership in the Transition to Democracy and a New Democracy: The Case of Spain', in: *Innovative Leadership in International Politics*, onder redactie van Gabriel Sheffer (Albany, State University of New York Press, 1993). Zie ook de recente uitgave van Archie Brown, *The Myth of the Strong Leader: Political Leadership in the Modern Age* (Londen, Bodley Head, 2014). Brown stelt dat de politieke figuren die hij als 'herdefiniërende' of 'transformationele' leiders beschrijft, eerder uitzondering dan regel zijn, maar wel een groot verschil kunnen maken. Hij benadrukt de risico's verbonden aan het vertrouwen op een 'sterke man' en pleit voor collegiaal en inclusief leiderschap. In een persoonlijke briefwisseling schrijft Brown dat dit type leiders onontbeerlijk is bij een transitie, een constatering die deze interviews illustreren. Marshall Ganz biedt een andere invalshoek in 'Leading Change: Leadership, Organization and Social Movements', in: *Handbook of Leadership and Practice*, Nitin Nohria en Rakesh Khurena (red.) (Boston, Harvard Business Press, 2010). Ganz beschrijft leiderschap als 'het aanvaarden van de ver-

antwoordelijkheid om de voorwaarden te scheppen waarin anderen de kans krijgen gemeenschappelijke doelen te bereiken in tijden van onzekerheid.' De meeste geïnterviewde leiders in deze publicatie belichamen dat concept.

4. Het decreet AI-5 verleende de president de macht om de werkzaamheden van het congres op te schorten, zich de wetgevende macht toe te eigenen, de pers te censureren en het habeas corpus voor 'politiek geïnspireerde misdrijven' op te schorten.
5. De Democratische Alliantie – aanvankelijk een coalitie van christendemocraten, radicalen, enkele socialisten, de MAPU, christelijk links en persoonlijkheden van rechts – wilde alle partijen verenigen die zich verzetten tegen Pinochet en die de gewapende strijd verwierpen.
6. Artikel 8 van Pinochets grondwet van 1980 bepaalde dat individuen strafrechtelijk vervolgd konden worden voor hun overtuigingen: 'Politieke partijen en organisaties die tegen het gezin zijn, geweld gebruiken of totalitaire concepten propageren zijn ongrondwettelijk.' Dit verschafte het regime een basis voor repressie, waarbij ze de rechterlijke macht konden omzeilen.
7. Tegen die tijd (1987) was González al premier van Spanje, na Suárez, de eerste Spaanse premier na de dood van Franco, te hebben verslagen.
8. De katholieke bisschop Sergio Valech was voorzitter van de nationale commissie inzake politieke detentie en foltering – de commissie-Valech. Hij leidde de mensenrechtenorganisatie La Vicaría de la Solidaridad (Vicariaat van de Solidariteit) die werkzaam was ten tijde van het regime-Pinochet.
9. Movement For Freedom and Justice, 'Announcement of the Formation of a Broad-Based National Movement: The Movement for Freedom and Justice', persconferentie d.d. 1 augustus 1990.
10. *Ibid.*
11. De initiatiefnemers waren onder meer professor A. Adu Boahen, B.J. Da Rocha, dr. Hilla Limann (president van de Derde Republiek en afgezet bij de staatsgreep van Rawlings op 31 december 1981), Kojo Botsio, dr. Kwame Safo-Adu, Alhaji Mohmmed Farl en Bawa Dy-Yaka, die behoorden tot de politieke school van Danquah-Busia en Kwame Nkrumah.
12. Steven Levitsky en Lucan A. Way, *Competitive Authoritarianism: Hybrid Regimes after the Cold War* (New York, Cambridge University Press, 2010).
13. Kwame Boafo-Arthur, 'The Quest for National Reconciliation in Ghana: Challenges and Prospects', in: *Voting for Democracy in Ghana: The 2004 Elections in Perspectives*, Thematic Studies 1, onder redactie van Kwame Boafo-Arthur (Accra, Freedom Publications, 2006), blz. 136.
14. Eboe Hutchful, *Democratic Governance of Security: Facing Up to Ghana's Fragility* (Accra, IDEG, 2007), blz. 23.
15. Artikel 64(1) van de grondwet staat zo'n betwisting toe binnen 21 dagen na bekendmaking van de verkiezingsuitslagen. Op 29 september 2013 oordeelde het hooggerechtshof, na ongeveer acht maanden beraadslaging, met een 'meerderheid' van de stemmen, dat John Mahama de wettig verkozen president van Ghana was. De presidentskandidaat namens de NPP, Nana Addo Dankwa Akufo-Addo en zijn medestanders accepteerden die uitspraak – naar eigen zeggen con-

form hun verknochtheid aan democratische principes en de rechtsstaat.

16. *The Stolen Verdict* is een rapport over de presidentsverkiezingen van 1992, opgesteld door de in hetzelfde jaar opgerichte New Patriotic Party, waarin bewijzen verzameld zijn voor verkiezingsbedrog.
17. R. William Liddle, 'Indonesia's Democratic Past and Future', in: *Leadership and Culture in Indonesian Politics* (Sydney, Allen & Unwin, 1996), blz. 181. En ook: Herbert Feith, *The Decline of Constitutional Democracy in Indonesia* (Ithaca, Cornell University Press, 1962), blz. 27.
18. Als hoogste orgaan omvat de MPR (het parlement) de leden van de DPR (het lagerhuis) en vertegenwoordigers van de regio's, beroepsorganisaties en het leger. De hoofdtaken van de MPR zijn: a) de verkiezing van de president en de vicepresident, b) het opvolgen van het functioneren van de president, c) het amenderen van de grondwet, en d) het formuleren van de grote lijnen van het staatsbeleid.
19. De Pancasila, door Soekarno geïntroduceerd op 1 juni 1945, omvat vijf grondbeginselen: (1) het geloof in één God, (2) rechtvaardige en beschaafde menselijkheid, (3) de nationale eenheid van Indonesië, (4) democratie geleid door innerlijke wijsheid en consensus voortspruitend uit overleg, en (5) sociale gerechtigheid voor de gehele Indonesische bevolking.
20. Feith, *Decline of Constitutional Democracy*.
21. De algemene verkiezingen hadden plaats op 29 september en 15 december 1955. De eerste waren bedoeld om de leden van het lagerhuis (DPR) te kiezen; de tweede voor de verkiezing van de leden van de grondwetgevende vergadering. Zie: Herbert Feith, *The Indonesian Elections of 1955* (Ithaca, N.Y.: Modern Indonesian Project, Southeast Asia Program, Cornell University, 1951).
22. De grondwetgevende vergadering had tot taak de staatsideologie te formuleren en de grondwet te schrijven.
23. Herbert Feith, *Indonesian Elections of 1955*, blz. 58–59.
24. Hamish McDonald, *Suharto's Indonesia* (Blackburn, Dominion Press, 1980).
25. De lezingen verschillen wat betreft het aantal doden. Schattingen variëren van 80.000 tot 3 miljoen. Als gematigde raming wordt doorgaans een aantal van 500.000 slachtoffers aangehouden. Zie: Robert Cribb (red.), *The Indonesian Killings 1965–1966: Studies from Java en Bali* (Clayton, Vict.: Monash University, Centre for Southeast Asian Studies, 1990). En ook: Douglas Kammen en Katherine McGregor, *The Contours of Mass Violence in Indonesia, 1965–1968* (Singapore: National University of Singapore Press, 2012).
26. De formulering is ontleend aan Herbert Feith, 'Repressive-Developmentalist Regimes in Asia: Old Strengths, New Vulnerabilities', *Prisma* 19 (1980), blz. 39–55.
27. John Bresnan, *Managing Indonesia: The Modern Political Economy* (New York, Columbia University Press, 1993).
28. Andrew Macintyre, 'Power, Prosperity and Patrimonialism: Business and Government in Indonesia', in: *Business and Government in Industrializing Asia*, onder redactie van Andrew Macintyre (St. Leonard, Allen & Unwin, 1994), blz. 244.
29. Richard Mann, *Economic Crisis in Indonesia: The Full Story* (Singapore, Times Books, 1998).

30. Zie bijdragen over dit thema in: Geoff Forrester en R.J. May (red.), *The Fall of Soeharto* (Singapore: Select Books, 1999).
31. Bacharuddin Jusuf Habibie, *Detik-detik yang Menentukan Jalan Panjang Indonesia Menuju Demokrasi* [Doorslaggevende momenten op de lange weg van Indonesië richting democratie] (Jakarta, Habibie Center Mandiri, 2006), blz. 55–58 en blz. 78–80.
32. 'Wiranto: Tidak Ada Perintah Menarik Pasukan', *Tempo*, 25 mei 2003; en ook: Habibie, *Detik-detik yang Menentukan*, blz. 61.
33. 'Current Data on the Indonesian Military Elite', *Indonesia* 67 (april 1999), blz. 136–139; en ook: Geoffrey Forrester, 'Introduction', in: *Fall of Soeharto*, blz. 19–22.
34. Op 22 mei deed het gerucht de ronde dat het leger het parlement zou bezetten. Zie: Geoffrey Forrester, 'A Jakarta Diary, May 1998', in: *Fall of Soeharto*, red. Geoffrey Forrester en R.J. Mays (Londen, C. Hurst, 1998), blz. 55 en blz. 58–64.
35. Habibie, *Detik-detik yang Menentukan*, blz. 149–156.
36. Marcus Mietzner, 'Between Pesantren and Palace: Nahdlatul Ulama and Its Role in the Transition', in: *Fall of Soeharto*, blz. 197.
37. Habibie, *Detik-detik yang Menentukan*, blz. 151.
38. 'Mampukah Habibie Menjinakkan', *Tempo*, 24 november 1998.
39. De totale bevolking beliep in 1998 ongeveer 204 miljoen. Zie: Badan Pusat Statistik, *Tabel Laju Pertumbuhan Penduduk* [Tabel van de bevolkingsgroei] (Jakarta: Badan Pusat Statistik, 2012), http://bps.go.id/tab_sub/view.php?tabel=1&daftar=1&id_subyek=12¬ab=2; en ook: Badan Pusat Statistik, *Penduduk Indonesia* [Tabel van de Indonesische bevolking] (Jakarta: Badan Pusat Statistik, 2012), http://bps.go.id/tab_sub/view.php?kat=1&tabel=1&daftar=1&id_subyek=12 ¬ab=1.
40. Richard Robison, 'Indonesia after Soeharto: More of the Same, Descent into Chaos or a Shift to Reform?', in: *Fall of Soeharto*, blz. 229.
41. Bilveer Singh, *Habibie and the Democratization of Indonesia* (Sydney, Book House, 2001), blz. 131.
42. Geoffrey Forrester, 'A Jakarta Diary, May 1998', blz. 61.
43. Singh, *Habibie and the Democratization of Indonesia*, blz. 94–97.
44. Er waren verscheidene meldingen over verkrachtingen van Chinese vrouwen in Jakarta en vele andere steden tijdens de onlusten in mei. Voor meer achtergronden, zie: 'Peta Amuk di Kota Hantu', *Tempo*, 19–25 mei 2003. En ook: *The May 1998 Tragedy in the Course of the Nation's Journey: In Denial* (Jakarta: Komnas Perempuan, 2003).
45. Deze organisatie heet tegenwoordig Komisi Nasional Perempuan (nationale commissie voor vrouwenrechten). In 1999 ratificeerde Habibie ook het facultatieve protocol van het VN-verdrag inzake de bestrijding van alle vormen van discriminatie jegens vrouwen (CEDAW). Zie: *Independent Report of Non-government Organizations Concerning the Implementation of the Convention on the Elimination of All Forms of Discrimination against Women* (CEDAW) *in Indonesia* (Jakarta: CEDAW Working Group Initiative, 2007).
46. Benjamin Smith, 'The Origins of Regional Autonomy in Indonesia', in:

Journal of East Asian Studies 8, nr. 2 (mei/augustus 2008), blz. 221–223.

47. Het vraagstuk van de onafhankelijkheid van Atjeh werd uiteindelijk opgelost met een andere regeling gedurende de regering van Yudhoyono en Kalla. Een vreedzaam akkoord tussen de regering en de GAM, waarbij de Finse ex-president Martti Ahtisaari optrad als bemiddelaar, werd in augustus 2005 bereikt op initiatief en onder leiding van vicepresident Jusuf Kalla. Op basis van dat akkoord blijft Atjeh onderdeel van de eenheidsstaat Indonesië, maar de provincie verwierf de autonomie om haar aangelegenheden te regelen op basis van islamitisch recht. Zie: Fachry Ali, Suharso Monoarfa en Bahtiar Effendy, *Kalla & Perdamaian Aceh* (Jakarta, Lspeu Indonesia, 2008).
48. Fachry Ali, Bahtiar Effendy, Umar Juoro en Musfihin Dahlan, *The Politics of Central Bank* (Jakarta, Lspeu Indonesia, 2003), blz. 14–54 en blz. 76–77.
49. *Ibid.*, blz. 72–73.
50. Kamarudin, *Partai Politik Islam di Pentas Reformasi* [Islamitische politieke partijen ten tijde van de hervorming] (Jakarta, Visi, 2003), blz. 143.
51. R. William Liddle, 'Indonesia's Unexpected Failure of Leadership', in: *The Politics of Post-Suharto Indonesia*, onder redactie van Adam Schwarz en Jonathan Paris (New York, Council on Foreign Relations Press, 1999), blz. 20.
52. 'Pertanggungjawaban Habibie', *Tempo*, 11–17 oktober 1999.
53. Habibie, *Detik-detik yang Menentukan*, blz. 127.
54. *Ibid.*
55. *Ibid.*, blz. 345–353.
56. IIFTIHAR, het internationaal islamitisch forum ter ontwikkeling van wetenschap, technologie en human resources, is een in 1996 opgerichte ngo gevestigd in Jakarta.
57. Fidel V. Ramos, *Towards Our Better Future: Seize the Opportunities* (Manila, Ramos Peace and Development Foundation, 2012), blz. 23.
58. *Ibid.*
59. Fidel V., Ramos, SONA (deel 6), *Bulletin of* FVR *Sermons* (Manila, Manila Bulletin Publication, 2011), blz. 50.
60. Ramos 2012, blz. 59.
61. Melandrew T. Velasco, Rafael M. Alunan III, en Reynaldo V. Velasco, *Silver Linings: 25 Years of the 1986* EDSA *People Power Revolution* (Manila, Ramos Peace and Development Foundation and Media Touchstone Ventures, 2012), blz. 183–185.
62. Ramos 2012, blz. 25.
63. Velasco 2012, blz. 182.
64. Fidel V. Ramos, *Empowering the People* (deel 2), *Bulletin of* FVR *Sermons* (Manila, Ramos Peace and Development Foundation and the *Manila Bulletin*, 2008), blz. 114.
65. Artikel 12, lid 13 van de Filipijnse grondwet van 1987 stelt dat de echtgenoot van de president en bloedverwanten en aanverwanten binnen de vierde graad van het staatshoofd, tijdens zijn of haar ambtsperiode niet mogen worden aangesteld als lid van door de grondwet ingestelde commissies, dat ze niet mogen worden benoemd in het ambt van nationaal ombudsman of mogen zetelen als minister, staatssecretaris, bestuursvoorzitter of hoofd van een overheidsdienst of -bureau, met inbegrip van ondernemingen in handen of onder controle van de staat en dochtermaatschappijen daarvan.
66. Ramos 2012, blz. 12.
67. *Ibid.*
68. Ramos 2008, blz. 116.

69. Ramos 2012, blz. 46.
70. Ramos 2011, blz. 53.
71. Melandrew T. Velasco, *10 Years of* RPDEV*: Teamwork for Enduring Peace and Sustainable Development* (Manila, Ramos Peace and Development Foundation, 2010), blz. 103.
72. Velasco 2012, blz. 293.
73. Ramos 2011, blz. 112.
74. *Ibid.*, blz. 115.
75. *Ibid.*, blz. 54.
76. *Ibid.*, blz. 115.
77. *Ibid.*, blz. 17.
78. Velasco 2012, blz. 291.
79. Ramos 2011, blz. 114.
80. *Ibid.*, blz. 65.
81. *Ibid.*, blz. 55.
82. Velasco 2010, blz. 76.
83. Ramos 2012, blz. 41.
84. Velasco 2010, blz. 76–77.
85. Ramos 2008, blz. 145–146.
86. Velasco 2010, blz. 76–77.
87. *Ibid.*, blz. 91.
88. Ramos 2011, blz. 49.
89. Velasco 2010, blz. 76–78.
90. Ramos 2008, blz. 149.
91. *Ibid.*, blz. 147.
92. *Ibid.*
93. Ramos 2012, blz. 41.
94. Ramos 2008, blz. 142.
95. Velasco 2012, blz. 266.
96. *Ibid.*, blz. 83.
97. Velasco 2010, blz. 84.
98. Ramos 2012, blz. 29.
99. Velasco 2012, blz. 283–84.
100. Wojciech Jaruzelski (1989–1990), Lech Wałęsa (1990–1995) en Aleksander Kwaśniewski (1995–2005).
101. Antoni Dudek, *Historia Polityczna Polski 1989–2012* (Krakau, Wydawnictwo 'Znak', 2013), blz. 75.
102. *Ibid.*, blz. 77.
103. Tadeusz Kowalik, *From Solidarity to Sellout* (New York, Monthly Review Press, 2011).
104. Leszek Balcerowicz (1947) was vicepremier en minister van Financiën in 1989–1991 en 1997–2000. Hij was de architect van het shocktherapieplan voor economische hervormingen, bekend als het Balcerowicz-plan.
105. Dankwart A. Rustow, 'Transitions to Democracy: Toward a Dynamic Model', in: *Comparative Politics* 2, nr. 3 (1970), blz. 337–363.
106. Carlos Solchaga, Spaans minister van Industrie en Energie (1982–1985) en minister van Economie en Financiën (1985–1993).
107. Pamela Paxton, 'Women's Suffrage in the Measurement of Democracy: Problems of Operationalization', in: *Studies in Comparative International Development* 35 (2000).
108. Georgina Waylen, *Engendering Transitions: Women's Mobilization, Institutions and Gender Outcomes* (Oxford, Oxford University Press, 2007), vooral blz. 163.
109. Lisa Baldez, *Why Women Protest: Women's Movements in Chile* (Cambridge, Cambridge University Press, 2002).
110. Liesl Haas, *Feminist Policymaking in Chile* (University Park, Pennsylvania State University Press, 2010).
111. Georgina Waylen, 'Gendering Policy and Politics in Transitions to Democracy: Chile and South Africa Compared', in: *Policy and Politics* 38, nr. 3 (2010), blz. 337–352.
112. Maxine Molyneux, en Shahra Razavi, 'Beijing plus Ten: An Ambivalent Record on Gender Justice', in: *Development and Change* 36, nr. 6 (2005), blz. 983–1010.
113. Georgina Waylen, 'Women and Democratization: Conceptualizing Gender Relations in Transition Politics', in: *World Politics* 46, nr. 3 (1994), blz. 327–354.

114. Jane Jaquette, en Sharon Wolchik (red.), *Women and Democracy: Latin America and Central and Eastern Europe* (Baltimore, Johns Hopkins University Press, 1998).
115. Mina Roces, 'Century of Women's Activism in the Philippines', in: *Women's Movements in Asia: Feminisms and Transnational Activism*, onder redactie van Mina Roces en Louise Edwards. (Londen, Routledge, 2010).
116. Jane Jaquette (red.), *The Women's Movement in Latin America: Participation and Democracy* (Boulder, Westview Press, 1994).
117. Waylen 1994.
118. Sonia Alvarez, *Engendering Democracy in Brazil* (Princeton, Princeton University Press, 1990); Belinda Aquino, 'Philippine Feminism in Historical Perspective', in: *Women and Politics Worldwide*, onder redactie van Barbara Nelson en Najma Chowdhury, blz. 591–604 (New Haven, Yale University Press, 1994); Baldez 2002; Shireen Hassim, *Women's Organizations and Democracy in South Africa: Contesting Authority* (Madison, University of Wisconsin Press, 2006); Lilia Quindoza Santiago, 'Rebirthing Babaye: The Women's Movement in the Philippines', in: *The Challenge of Local Feminisms*, onder redactie van Amrita Basu, blz. 110–30 (Boulder, Westview Press, 1995).
119. Barbara Einhorn, *Cinderella Goes to Market: Citizenship, Gender and Women's Movements in East Central Europe* (Londen, Verso, 1993); Susan Gal, en Gail Kligman (red.), *Reproducing Gender: Politics, Publics, and Everyday Life after Socialism* (Princeton, Princeton University Press, 2000).
120. Zie ook: Maria Angeles Duran, en Maria Teresa Gallego, 'The Women's Movement and the New Spanish Democracy', in: *The New Women's Movement*, onder redactie van Drude Dahlerup, blz. 200–216 (Londen, Sage, 1986).
121. Susan Blackburn, 'Gender Violence and the Indonesian Political Transition', in: *Asian Studies Review* 23, nr. 4 (1999), blz. 433–448.
122. Kathleen M. Fallon, 'Transforming Women's Citizenship Rights within an Emerging Democratic State: The Case of Ghana', in: *Gender and Society* 17, nr. 4 (2003), blz 525–543.
123. Amina Mama, 'In Conversation: The Ghanaian Women's Manifesto Movement', in: *Feminist Africa* 4 (2005).
124. Alvarez 1990; Susan Franceschet, *Women and Politics in Chile* (Boulder, Lynn Rienner, 2005); Hassim 2006.
125. Sonia Alvarez, 'Advocating Feminism: The Latin American Feminist NGO Boom', in: *International Feminist Journal of Politics* 1, nr. 2 (1999), blz. 181–209.
126. Susan Blackburn, 'Feminism and the Women's Movement in the World's Largest Islamic Nation', in: *Women's Movements in Asia*, onder redactie van Mina Roces en Louise Edwards, blz. 21–33 (Londen, Routledge, 2010).
127. Mala Htun, *Sex and the State: Abortion, Divorce, and the Family under Latin American Dictatorships and Democracy* (Cambridge, Cambridge University Press, 2003); Monica Threlfall, 'Gendering the Transition to Democracy: Reassessing the Impact of Women's Activism', in: *Gendering Spanish Democracy*, onder redactie van Monica Threlfall, Christine Cousins en Celia Valiente (Londen, Routledge, 2004).
128. Einhorn 1993.
129. Zie: Blackburn 2010.
130. Mama 2005.

131. Celia Valiente, 'The Feminist Movement and the Reconfigured State in Spain', in: *Women's Movements Facing the Reconfigured State*, onder redactie van Lee Ann Banaszak, Karen Beckwith en Dieter Rucht, blz. 30–47. (Cambridge, Cambridge University Press, 2003); Georgina Waylen, *Engendering Transitions: Women's Mobilization, Institutions and Gender Outcomes*. (Oxford, Oxford University Press, 2007), vooral blz. 163.
132. Cathi Albertyn, 'Women and the Transition to Democracy in South Africa', in: *Gender and the New South African Legal Order*, onder redactie van Felicity Kaganas en Christina Murray, blz. 39–63. (Cape Town, Juta, 1994).
133. *Ibid.*
134. Alvarez 1990; Htun 2003.
135. Threlfall 2004.
136. Andrea Bonime-Blanc, *Spain's Transition to Democracy: The Politics of Constitution Making* (Boulder, Westview Press, 1987), blz. 95.
137. Carmel Abao, en Elizabeth Yang, *Women in Politics, Limits and Possibilities: The Philippines Case* (Manila, Friedrich Ebert Stiftung, 2001).
138. Baldez 2002.
139. Waylen 2007.
140. *Ibid.*
141. Jutta Marx, Jutta Borner, en Maria Caminiotti, 'Gender Quotas, Candidate Selection and Electoral Campaigns', in: *Feminist Agendas and Democracy in Latin America*, onder redactie van Jane Jaquette, blz. 45–64. (Durham, Duke University Press, 2009).
142. Waylen 2007.
143. Blackburn 2010; Haas 2010; Valiente 2003.
144. Gisela Geisler, 'Parliament Is Another Terrain of Struggle: Women, Men and Politics in South Africa', in: *Journal of Modern African Studies* 38, nr. 4 (2000), blz. 616–619.
145. Susanne Brenner, 'Private Moralities in the Public Sphere: Democratization, Islam and Gender in Indonesia', in: *American Anthropologist* 113, nr. 3 (2011), blz. 478–490; Saskia Wieringa, 'Islamization in Indonesia: Women Activists' Discourses', in: *Signs* 32, nr. 1 (2006), blz. 1–8.
146. Franceschet 2005.
147. Mama 2005.
148. Matynia, Elizabieta, 'Provincializing Global Feminism the Polish Case', in: *Social Research* 70, nr. 2 (2003), blz. 454–471.
149. Htun, Mala, en Laurel Weldon, 'When Do Governments Promote Women's Rights: A Framework for the Comparative Analysis of Sex Equality Policy', in: *Perspectives on Politics* 8, nr. 1 (2010), blz. 210–217.
150. Zielinska, E., 'Between Ideology, Politics and Commonsense: The Discourse of Reproductive Rights in Poland', in: *Reproducing Gender: Politics, Publics, and Everyday Life after Socialism*, onder redactie van Susan Gal en Gail Kligman (Princeton, Princeton University Press, 2000).
151. Brenner 2011; Wieringa 2006.
152. Tripp, Aili Mari, 'Political Systems and Gender', in: *Oxford Handbook of Gender and Politics*, onder redactie van Georgina Waylen, Karen Celis, Johanna Kantola en Laurel Weldon, blz. 514–29 (Oxford, Oxford University Press, 2013).
153. Tsikata, D., 'Women's Organizing in Ghana since the 1990s: From Individual Organizations to Three Coalitions', in: *Development* 52, nr. 2 (2009), blz. 185–192.
154. Haas 2010.

155. Hassim 2006.
156. Alvarez 1990.
157. Tussen januari 2012 en juni 2013 voerden we interviews onder vier ogen met Fernando Henrique Cardoso (Brazilië), Patricio Aylwin en Ricardo Lagos (Chili), Fidel Ramos (Filipijnen), John Kufuor en Jerry Rawlings (Ghana), B.J. Habibie (Indonesië), Ernesto Zedillo (Mexico), Aleksander Kwaśniewski en Tadeusz Mazowiecki (Polen), Felipe González (Spanje) en met F.W. de Klerk en Thabo Mbeki (Zuid-Afrika).
158. Dit essay wil geen bijdrage zijn tot de literatuur van de politieke wetenschappen; dat zou andere methoden en meer casestudy's vereisen. Veeleer is het ons doel te leren over de manier waarop politieke sleutelfiguren in belangrijke mate hebben bijgedragen tot geslaagde democratische transities en hun politieke wijsheid en vakmanschap toegankelijk te maken voor onze lezers.
159. In een aantal gevallen die we hier buiten beschouwing laten, zijn autoritaire regimes ineengestort na een militaire nederlaag, zoals in Argentinië, Griekenland en Portugal. De perceptie in de Filipijnen dat de opstand van het New People's Army (NPA) aan kracht won, droeg bij tot de verzwakking van het Marcos-regime en tot de oprichting van de beweging Hervorm de Strijdkrachten (RAM), die Marcos mede uit het zadel lichtte.
160. In andere gevallen hebben transities zich voltrokken na burgeroorlogen of na beëindiging van een buitenlandse bezetting, of zijn ze voortgesproten uit monarchieën of overgeërfde regimes. Al die verschillende transities kenden hun eigen bijzondere vraagstukken, maar veel van de steeds terugkerende uitdagingen die hier worden besproken waren eveneens relevant.
161. Voor een vergelijkende studie over de rol van externe factoren bij democratische transities, zie: K. Stoner en M. McFaul, *Transitions to Democracy: a Comparative Perspective* (Baltimore, Johns Hopkins University Press, 2013).
162. Andere transities in deze jaren hebben tot verschillende resultaten geleid, onder meer tot hybride semiautoritaire regimes die competitieve verkiezingen combineren met ernstige en voortdurende schendingen van democratische procedures, en zeer ongelijke en onvolledige democratische regeringen wier democratisch gehalte is teruggeschroefd. Zie: S. Levitsky en L.A. Way, *Competitive Authoritarianism: Hybrid Regimes after the Cold War* (New York, Cambridge University Press, 2010).
163. In hun grensverleggende studie over transities vanuit autoritaire regimes benadrukken Guillermo O'Donnell en Philippe Schmitter de specifieke onzekerheden tijdens transitieperioden en leggen ze uit hoe en waarom deze afwijken van ongewisse situaties in de 'normale politiek'. Zie: G. O'Donnell en P. Schmitter, *Transitions from Authoritarian Rule: Tentative Conclusions about Uncertain Democracies* (Baltimore, Johns Hopkins University Press, 1986; heruitgegeven met een nieuw voorwoord van Cynthia Arnson en Abraham F. Lowenthal, Johns Hopkins University Press, 2013).
164. Voorbehouden domeinen (*reserved domains*) zijn bijzondere concessies aan groepen die voorheen de macht hadden, waarbij bepaalde privileges behouden blijven. Voorbeelden zijn ge-

garandeerde begrotingsniveaus voor militaire instellingen, het plaatsen van onderdelen van de economie onder controle van specifieke groepen en verzekerde politieke vertegenwoordiging aan specifieke individuen, instellingen of belangengroepen.

165. Philippe Schmitter beklemtoont dat punt in 'Contrasting Approaches to Political Engineering: Constitutionalization en Democratization' (niet uitgegeven manuscript, februari 2001).

166. Voor een verhelderende uiteenzetting van de politieke economie van transities die de markt doen opengaan, zie: T. Besley en R. Zagba (red.), *Development Challenges in the 1990s: Leading Policymakers Speak from Experience* (Washington D.C. en New York, World Bank en Oxford University Press, 2005).

167. Een recente en zeer uitvoerige studie over civiel-militaire betrekkingen en het belang daarvan voor de opbouw en consolidatie van een democratie is: Z. Barany, *The Soldier and the Changing State: Building Democratic Armies in Africa, Asia, Europe and the Americas* (Princeton, N.J., Princeton University Press, 2012).

168. Buitenlandse regeringen boden asiel aan bedreigde oppositieleiders en later aan vertrekkende leden van autoritaire regimes (zoals gebeurde met de Filipijnse dictator Marcos). Ze leverden geavanceerde stemcomputers en technieken voor het identificeren van kiezers om schone verkiezingen mogelijk te maken (zoals in Ghana) en ze drongen er bij de autoriteiten van het land op aan om te verzekeren dat de oppositie normale toegang tot de media zou krijgen (zoals bij het Chileense referendum van 1988). Internationale organisaties boden technische hulp op het vlak van economisch beheer (zoals de Duitse centrale bank en het IMF deden in Indonesië), en ze voerden de druk op om vrije en eerlijke meerpartijenverkiezingen te organiseren (onder meer in Ghana en Mexico).

169. Zie voor de volledige bespreking van dit fenomeen: Levitsky en Way, *Competitive Authoritarianism*.

170. De Duits-Britse socioloog Ralf Dahrendorf (1929–2009) schrijft in zijn *Reflections on the Revolution in Europe: In a Letter Intended to Have Been Sent to a Gentleman in Warsaw*: 'Het formele proces van een grondwetsherziening vergt minstens zes maanden; een algemeen gevoel dat de zaken er gunstig voor staan als gevolg van een economische hervorming zal naar alle waarschijnlijkheid niet postvatten voordat er zes jaar zijn verstreken; de derde voorwaarde van het pad naar vrijheid is zorgen voor het sociale fundament dat maakt dat de grondwet en de economie zich transformeren van mooiweerinstellingen tot instituties die bestand zijn tegen stormen die binnen of buiten opsteken, en om dat fundament te leggen volstaan zestig jaren nauwelijks.' (New York, Times Books, 1990), blz. 99–100.

171. Zo wordt de rol van koning Juan Carlos in Spanje beknopt behandeld door Charles Powell in 'Abdication Is the King's Final Gift to a Grateful Spain', *Financial Times*, 4 juni 2014.

172. Samuel P. Huntington, *The Third Wave: Democratization in the Late Twentieth Century* (Norman, University of Oklahoma Press, 1991), blz. 107.

LITERATUUR

Deze literatuurlijst bevat vergelijkende en theoretische literatuur (in het Engels) over transities van een autoritair bewind en de invoering van een democratisch bestuur.

Alagappa, Muthiah (red.), *Civil Society and Political Change in Asia: Expanding and Contracting Democratic Space.* Stanford, Stanford University Press, 2004.

Barahona de Brito, Alexandra, Carmen González-Enriquez, en Paloma Aguilar (red.), *The Politics of Memory: Transitional Justice in Democratizing Societies.* Cambridge, Cambridge University Press, 2001.

Barany, Zoltan, *The Soldier and the Changing State: Building Democratic Armies in Africa, Asia, Europe, and the Americas.* Princeton, Princeton University Press, 2012.

Bellin, Eva, 'Reconsidering the Robustness of Authoritarianism in the Middle East: Lessons from the Arab Spring', in: *Comparative Politics* 44, nr. 2 (2012), blz. 127–149.

Bermeo, Nancy, 'Myths of Moderation: Confrontation and Conflict during Democratic Transitions', in: *Comparative Politics* 29, nr. 3 (1997), blz. 305–322.

Besley, Timothy, en Roberto Zagha (red.), *Development Challenges in the 1990s: Leading Policymakers Speak from Experience.* Washington D.C., World Bank; New York, Oxford University Press, 2005.

Bratton, Michael, en Eric C.C. Chang, 'State-Building and Democratization in Sub-Saharan Africa: Forwards, Backwards, or Together', in: *Comparative Political Studies* 39, nr. 9 (2006), blz. 1059–1083.

Bratton, Michael, en Nicolas van de Walle, *Democratic Experiments in Africa: Regime Transitions in Comparative Perspective.* Cambridge, Cambridge University Press, 1997.

Brinks, Daniel, en Michael Coppedge, 'Diffusion Is No Illusion: Neighborhood Emulation in the Third Wave of Democratization', in: *Comparative Political Studies* 39, nr. 4 (2006), blz. 463–489.

Brownlee, Jason, *Authoritarianism in an Age of Democratization.* New York, Cambridge University Press, 2007.

Bunce, Valerie, Michael McFaul, en Kathryn Stoner-Weiss (red.), *Democracy and Authoritarianism in the Postcommunist World.* New York, Cambridge University Press, 2010.

Bunce, Valerie, en Sharon Wolchik, *Defeating Authoritarian Leaders in Post-Communist Countries.* New York, Cambridge University Press, 2011.

Burnell, Peter, en Richard Youngs (red.), *New Challenges to Democratization.* Abingdon, Routledge, 2010.

Carothers, Thomas, *Aiding Democracy Abroad: The Learning Curve.* Washington D.C., Carnegie Endowment for International Peace, 1999.

—, 'The End of the Transition Paradigm', in: *Journal of Democracy* 13, nr. 1 (2002), blz. 5–21.

Chalmers, Douglas, en Scott Mainwaring, *Problems Confronting Contemporary Democracies*. Notre Dame, University of Notre Dame Press, 2012.

Coleman, Isobel, en Terra Lawson-Remer (red.), *Pathways to Freedom: Political and Economic Lessons from Democratic Transitions*. New York, Council on Foreign Relations, 2013.

Collier, Ruth Berins, *Paths toward Democracy: The Working Class and Elites in Western Europe and South America*. Cambridge, Cambridge University Press, 1999.

Collombier, Virginie, *The Political Economy of Transitions: Comparative Experiences*. Oslo, United Nations Development Programme, Oslo Governance Centre, 2013.

Crawford, Gordon, *Foreign Aid and Political Reform: A Comparative Analysis of Democracy Assistance and Political Conditionality*. Houndsmill, Palgrave, 2001.

Diamond, Larry, *The Spirit of Democracy: The Struggle to Build Free Societies throughout the World*. New York, Times Books, 2008.

Diamond, Larry, en Leonardo Morlino (red.), *Assessing the Quality of Democracy*. Baltimore, Johns Hopkins University Press en the National Endowment for Democracy, 2005.

Dobson, William J., *The Dictator's Learning Curve: Inside the Global Battle for Democracy*. New York, Anchor Books, 2012.

Ethier, Diane, 'Is Democracy Promotion Effective? Comparing Conditionality and Incentives', in: *Democratization* 10, nr. 1 (2003), blz. 99–120.

Fish, Steven M., 'Stronger Legislatures, Stronger Democracies', in: *Journal of Democracy* 17, nr. 1 (2006), blz. 5–20.

Genhi, Jennifer, en Ellen Lust-Okar, 'Elections under Authoritarianism', in: *Annual Review of Political Science* 12 (2009), blz. 403–422.

Geddes, Barbara, 'What Do We Know about Democratization after Twenty Years?', in: *Annual Review of Political Science* 2, nr. 1 (1999), blz. 115–144.

Gunther, Richard, en Anthony Mughan (red.), *Democracy and the Media: A Comparative Perspective*. Cambridge, Cambridge University Press, 2000.

Haggard, Stephan, en Robert R. Kaufman, *The Political Economy of Democratic Transitions*. Princeton, Princeton University Press, 1995.

Hamid, Shadi, *Temptations of Power: Islamists and Illiberal Democracy in a New Middle East*. New York, Oxford University Press, 2014.

Hayner, Priscilla B., *Unspeakable Truths: Transitional Justice and the Challenge of Truth Commissions*. New York, Routledge, 2001.

Hobson, Christopher, en Milja Kurki (red.), *The Conceptual Politics of Democracy Promotion*. Abingdon, Routledge, 2012.

Howard, Philip N., en Muzammil M. Hussain, *Democracy's Fourth Wave? Digital Media and the Arab Spring*. New York, Oxford University Press, 2013.

Huntington, Samuel P., *The Third Wave: Democratization in the Late Twentieth Century*. Norman, University of Oklahoma Press, 1991.

Karl, Terry Lynn, 'Dilemmas of Democratization in Latin America', *Comparative Politics* 23, nr. 1 (1990), blz. 1–21.

Kuran, Timur, 'Now Out of Never: The Element of Surprise in the East European Revolution of 1989', in: *World Politics* 44, nr. 1 (1991), blz. 7–48.

Levitsky, Steven, en Maria Victoria Murillo, 'Building Institutions on Weak Foundations', in: *Journal of Democracy* 24, nr. 2 (2013), blz. 93–107.

Levitsky, Steven, en Lucan A. Way, *Competitive Authoritarianism: Hybrid Regimes after the Cold War.* New York, Cambridge University Press, 2010.

Lijphart, Arend, *Patterns of Democracy: Government Forms and Performance in Thirty-Six Countries.* New Haven, Yale University Press, 1999.

Lindberg, Staffan I., *Democracy and Elections in Africa.* Baltimore, Johns Hopkins University Press, 2006.

Linz, Juan J., en H.E. Chehabi (red.), *Sultanistic Regimes.* Baltimore, Johns Hopkins University Press, 1998.

Linz, Juan J., en Alfred Stepan, *Problems of Democratic Transition and Consolidation: Southern Europe, South America, and Post-Communist Europe.* Baltimore, Johns Hopkins University Press, 1996.

Mainwaring, Scott, en Anibal Perez-Liñán, *The Rise and Fall of Democracies and Dictatorships: Latin America since 1900.* Cambridge, Cambridge University Press, 2013.

McAdam, Doug, Sidney Tarrow, en Charles Tilly, *Dynamics of Contention.* Cambridge, Cambridge University Press, 2001.

McFaul, Michael, en Kathryn Stoner-Weiss, *After the Collapse of Communism: Comparative Lessons of Transition.* Cambridge, Cambridge University Press, 2004.

Miller, Laurel E., Jeffrey Martini, F. Stephen Larrabee, Angel Rabasa, Stephanie Pezard, Julie E. Taylor, en Tewodaj Mengistu, *Democratization in the Arab World: Prospects and Lessons from Around the Globe.* Santa Monica, REN, 2012.

Morlino, Leonardo, *Changes for Democracy: Actors, Structures, Processes.* Oxford, Oxford University Press, 2011.

Munck, Gerardo L., en Carol Skalnik Leff, 'Modes of Transition and Democratization: South America and Eastern Europe in Comparative Perspective', in: *Comparative Politics* 29, nr. 3 (1997), blz. 343–362.

O'Donnell, Guillermo, en Philippe C. Schmitter, *Transitions from Authoritarian Rule: Tentative Conclusions about Uncertain Democracies.* Baltimore, Johns Hopkins University Press, 1986; heruitgegeven met een nieuw voorwoord van Cynthia Arnson en Abraham F. Lowenthal, Johns Hopkins University Press, 2013.

O'Donnell, Guillermo, Philippe C. Schmitter, en Laurence Whitehead, *Transitions from Authoritarian Rule*, 4 delen, Baltimore, Johns Hopkins University Press, 1986.

Ottaway, Marina, *Democracy Challenged: The Rise of Semi-Authoritarianism.* Washington D.C., Carnegie Endowment for International Peace, 2003.

Pevehouse, Jon C., *Democracy from Above: Regional Organizations and Democratization.* New York, Cambridge University Press, 2005.

Philpott, Daniel, 'Explaining the Political Ambivalence of Religion', in: *American Political Science Review* 101, nr. 3 (2007), blz. 505–525.

Pridham, G., en P.G. Lewis (red.), *Stabilizing Fragile Democracies: Comparing New Party Systems in Southern and Eastern Europe.* Londen, Routledge, 1996.

Przeworski, Adam, *Democracy and the Market: Political and Economic Reforms in Eastern Europe and Latin America.*

Cambridge, Cambridge University Press, 1991.
Przeworski, Adam, en Ferneno Limongi, 'Modernization: Theories and Facts', in: *World Politics* 49, nr. 2 (1997), blz. 155–183.
Reynolds, Enrew (red.), *The Architecture of Democracy: Constitutional Design, Conflict Management, and Democracy.* Oxford, Oxford University Press, 2002.
Risse, Thomas, Stephen C. Ropp, en Kathryn Sikkink (red.), *The Power of Human Rights: International Norms and Domestic Change.* Cambridge, Cambridge University Press, 1999.
Rustow, Dankwart A., 'Transitions to Democracy: Toward a Dynamic Model', in: *Comparative Politics* 2, nr. 3 (1970), blz. 337–363.
Sadiki, Larbi, *Rethinking Arab Democratization: Elections without Democracy.* Oxford, Oxford University Press, 2009.
Sartori, Giovani, *Comparative Constitutional Engineering: An Inquiry into Structures, Incentives, and Outcomes.* New York, New York University Press, 1994.
Schedler, Enreas (red.), *Electoral Authoritarianism: The Dynamics of Unfree Competition.* Boulder, Colo., Lynne Rienner, 2006.
Sen, Amartya K. 'Democracy as a Universal Value', in: *Journal of Democracy* 10, nr. 3 (1999), blz. 3–17.
Stepan, Alfred, en Juan J. Linz, 'Democratization Theory and the "Arab Spring"', in: *Journal of Democracy* 24, nr. 2 (2013), blz. 15–29.
Stoner, Kathryn, en Michael McFaul (red.), *Transitions to Democracy: A Comparative Perspective.* Baltimore, Johns Hopkins University Press, 2013.
Svolik, Milan W., *The Politics of Authoritarian Rule.* New York, Cambridge University Press, 2012.
Teorell, Jan, *Determinants of Democratization: Explaining Regime Change in the World, 1972–2006.* Cambridge, Cambridge University Press, 2010.
Welzel, Christian, en Ronald Inglehart, 'The Role of Ordinary People in Democratization', in: *Journal of Democracy* 19, nr. 1 (2008), blz. 126–140.
Whitehead, Laurence, *Democratization: Theory and Experience.* Oxford, Oxford University Press, 2002.
Whitehead, Laurence (red.), *The International Dimensions of Democratization: Europe and the Americas.* Oxford, Oxford University Press, 1996.

AANBEVOLEN LITERATUUR

HOOFDSTUK 1: BRAZILIË

Cardoso, Fernando Henrique, 'Entrepreneurs and the Transition Process: The Brazilian Case', in: *Transitions from Authoritarian Rule: Comparative Perspectives*, onder redactie van Guillermo O'Donnell, Philippe Schmitter en Laurence Whitehead. Baltimore, Johns Hopkins University Press, 1986.

Cardoso, Fernando Henrique, *A Arte da Politica: A História que Vivi* [De kunst van de politiek: de geschiedenis die ik heb beleefd]. Rio de Janeiro, Civilização Brasileira, 2006.

Cardoso, Fernando Henrique, 'Reconciling the Brazilian Military with Democracy: The Power of Alfred Stepan's Ideas', in: *Problems Confronting Contemporary Democracy: Essays in Honor of Alfred Stepan*, onder redactie van Douglas Chalmers en Scott Mainwaring. Notre Dame, University of Notre Dame Press, 2012.

Cardoso, Fernando Henrique, en Brian Winter, *The Accidental President of Brazil: A Memoir*. New York, Public Affairs, 2006.

D'Incao, Maria Ângela, en Hermínio Martins (red.), *Democracia, Crise, e Reforma: Estudos Sobre a Era Fernando Henrique Cardoso* [Democratie, crisis en hervorming: studies over het tijdperk van Fernando Henrique Cardoso]. São Paulo, Paz e Terra, 2009. Zie in het bijzonder de hoofdstukken van Hurrell en Whitehead.

Fishlow, Albert, *Starting Over: Brazil since 1985*. Washington D.C., Brookings Institution Press, 2011.

Gaspari, Elio, *A Ditadura Derrotada* [Een verslagen dictatuur]. São Paulo, Companhia das Letras, 2004. Vierde deel van een gezaghebbende geschiedenis van het militaire regime, waarin de ontspanning (*distensão*) en de opening (*abertura*) worden geanalyseerd.

Hagopian, Frances, *Traditional Politics and Regime Change in Brazil*. Cambridge, Cambridge University Press, 1996.

Hunter, Wendy, *Eroding Military Influence in Brazil*. Chapel Hill, University of North Carolina Press, 1997.

Hunter, Wendy, *The Transformation of the Workers' Party in Brazil, 1989–2009*. New York, Cambridge University Press, 2010.

Hurrell, Andrew, 'The International Dimension of Democratization in Latin America: The Case of Brazil', in: *The International Dimensions of Democratization: Europe and the Americas*, onder redactie van Laurence Whitehead. Oxford, Oxford University Press, 1996.

Kingstone, Peter R., en Timothy J. Power (red.), *Democratic Brazil: Actors, Institutions, and Processes*. Pittsburgh, University of Pittsburgh Press, 2000.

Lamounier, Bolivar, en Rachel Meneguello, *Partidos Políticos e Consolidação Democrática: O Caso Brasileiro* [Politieke partijen en democratische transitie: het geval Brazilië]. São Paulo, Editora Brasiliense, 1986.

Moisés, José Alvaro, *Os Brasileiros ea Democracia: Bases Sócio-Políticas da Legitimidade Democrática* [Brazilianen en democratie: sociaalpolitieke grondslagen van democratische legitimiteit]. São Paulo, Attica Press, 1995.

Payne, Leigh A., 'Working Class Strategies in the Transition to Democracy in Brazil', in: *Comparative Politics*, 23, nr. 2 (1991), blz 221–238.

Skidmore, Thomas, *The Politics of Military Rule in Brazil, 1965–1985*. New York, Oxford University Press, 1988.

Sola, Lourdes, 'The State, Structural Reform, and Democratization in Brazil', in: *Democracy, Markets, and Structural Reform in Latin America: Argentina, Bolivia, Brazil, Chile, and Mexico*, onder redactie van William C. Smith, Carlos H. Acuña en Eduardo A. Gamarra. Boulder, Lynne Rienner, 1994.

Stepan, Alfred, *Rethinking Military Politics: Brazil and the Southern Cone*. Princeton, Princeton University Press, 1988.

Stepan, Alfred, (red.), *Democratizing Brazil: Problems of Transition and Consolidation*. New York, Oxford University Press, 1989.

Weyland, Kurt, *Democracy without Equity: Failures of Reform in Brazil*. Pittsburgh, University of Pittsburgh Press, 1996.

HOOFDSTUK 2: CHILI

Arriagada, Genaro, *Pinochet: The Politics of Power*. Boston, Unwin Hyman, 1988. Door de leider van de NEE-coalitie.

Aylwin, Patricio, *El Reencuentro de los Demócratas: Del Golpe al Triunfo del No* [De hereniging van de Democraten: van staatsgreep tot de zege van NEE]. Santiago, Ediciones Grupo Zeta, 1998.

Aylwin, Patricio, Serrano Peréz, Ascanio Cavallo en Karin Niklander, *El Poder de la Paradoja: 14 Lecciones Políticas de la Vida de Patricio Aylwin* [De macht van de paradox: 14 politieke lessen uit het leven van Patricio Aylwin]. Santiago, Grupo Editorial Norma, 2006.

Barahona de Brito, Alexandra, *Human Rights and Democratization in Latin America: Uruguay and Chile*. Oxford, Oxford University Press, 1997.

Bitar, Sergio, *Transición, Socialismo y Democracia: La Experiencia Chilena* [Transitie, socialisme en democratie: de Chileense ervaring]. Buenos Aires, Siglo Veintiuno Editores, 1979.

Drake, Paul W., en Iván Jaksic (red.), *The Struggle for Democracy in Chile*. Lincoln, University of Nebraska Press, 1991.

Fleet, Michael, en Brian H. Smith, *The Catholic Church and Democracy in Chile and Peru*. Notre Dame, University of Notre Dame Press, 1998.

Foxley, Alejandro, 'Lessons from Chile's Development in the 1990s', in: *Development Challenges in the 1990s: Leading Policymakers Speak from Experience*, onder redactie van Timothy Besley en Roberto Zagha. Washington D.C., Wereldbank, 2005. Door de leider van de christendemocratische denktank en minister van Financiën onder Aylwin.

Garretón, Manuel Antonio, *Reconstruir la Política: Transición Consolidación Democrática en Chile* [De politiek wederopbouwen: de democratische transitie in Chili consolideren]. Santiago, Editorial Andante, 1987.

Huneeus, Carlos, *The Pinochet Regime*. Boulder, Lynne Rienner, 2007.

Lagos, Ricardo, i.s.m. Blake Hounshell en Elizabeth Dickinson, *The Southern Tiger: Chile's Fight for a Democratic and Prosperous Future*. New York, Palgrave Macmillan, 2012. Door de voormalige president en leider van de Concertación.

Muñoz, Heraldo. 'Chile: The Limits of Success', in: *Exporting Democracy: The United States and Latin America*, onder redactie van Abraham F. Lowenthal. Baltimore, Johns Hopkins University Press, 1991.

Ominami, Carlos, *Secretos de la Concertación: Recuerdos Para el Futuro* [Geheimen van de Concertación: Herinneringen voor de toekomst]. Santiago, Editorial Planeta, 2011.

Oxhorn, Philip, *Organizing Civil Society: The Popular Sectors and the Struggle for Democracy in Chile*. University Park, Pennsylvania State University Press, 1995.

Puryear, Jeffrey M., *Thinking Politics: Intellectuals and Democracy in Chile, 1973–1988*. Baltimore, Johns Hopkins University Press, 1994.

Silva, Patricio, 'Searching for Civilian Supremacy: The Concertación Governments and the Military in Chile', in: *Bulletin of Latin American Research* 21, nr. 3 (2002), blz. 375–395.

Tironi, Eugenio, en Guillermo Sunkel, 'The Modernization of Communications: The Media in the Transition to Democracy in Chile', in: *Democracy and the Media: A Comparative Perspective*, onder redactie van Richard Gunther en Anthony Mughan. Cambridge, Cambridge University Press, 2000.

Valenzuela, J. Samuel, en Timothy R. Scully, 'Electoral Choices and the Party System in Chile: Continuities and Changes at the Recovery of Democracy', in: *Comparative Politics* 29, nr. 4 (1997), blz. 511–527.

HOOFDSTUK 3: GHANA

Agyeman-Duah, Ivor, *Between Faith and History: A Biography of J.A. Kufuor*. Trenton, Africa World Press, 2003.

Boafo-Arthur, Kwame, 'Ghana: Structural Adjustment, Democratization, and the Politics of Continuity', in: *African Studies Review* 42, nr. 2 (1999), blz. 41–72.

– (red.), *Ghana: One Decade of the Liberal State*. Dakar, Council for the Development of Social Science Research in Africa, 2007.

Bratton, Michael, Peter Lewis, en E. Gyimah-Boadi, 'Constituencies for Reform in Ghana', in: *Journal of Modern African Studies* 39, nr. 2 (2001), blz. 231–259.

Chazan, Naomi, *An Anatomy of Ghanaian Politics: Managing Political Recession, 1969–1972*. Boulder, Westview Press, 1983.

Crawford, Gordon, 'The European Union and Democracy Promotion in Africa: The Case of Ghana', in: *European Journal of Development Research* 17, nr. 4 (2005), blz. 571–600.

Crook, Richard C., '"No-Party" Politics and Local Democracy in Africa: Rawlings' Ghana in the 1990s and the "Ugandan Model"', in: *Democratization* 6, nr. 4 (1999), blz. 114–138.

Frempong, Alex K.D., *Electoral Politics in Ghana's Fourth Republic: In the Context of Post Cold War Africa*. Accra, A.K.D. Frempong, 2012.

Gyimah-Boadi, E., 'Another Step Forward for Ghana', in: *Journal of Democracy* 20, nr. 2 (2009), blz. 138–152.

– (red.), *Ghana under PNDC Rule*. Dakar, Council for the Development of Social Science Research in Africa, 1993.

Handley, Antoinette, 'Ghana: Democratic Transition, Presidential Power, and the World Bank', in: *Transitions to Democracy: A Comparative Perspective*, onder redactie van Kathryn Stoner en Michael McFaul, blz. 221–243. Baltimore, Johns Hopkins University Press, 2013.

Hearn, Julie, 'The US Democratic Experiment in Ghana', in: *Africa in Crisis: New Challenges and Possibilities*, onder redactie van Tunde Zack-Williams, Diane Frost en Alex Thomson. Londen, Pluto Press, 2002.

Herbst, Jeffrey, *The Politics of Reform in Ghana, 1982–1991*. Berkeley, University of California Press, 1993.

Hutchful, Eboe, 'Pulling Back from the Brink: Ghana's Experience', in: *Governing Insecurity: Democratic Control of Military and Security Establishments in Transitional Democracies*, onder redactie van Gavin Cawthra en Robin Luckham. Londen, Zed Books, 2003.

Morrison, Minion K.C., 'Political Parties in Ghana through Four Republics: A Path to Democratic Consolidation', in: *Comparative Politics* 36, nr. 4 (2004), blz. 421–442.

Ninsin, Kwame (red.), *Ghana: Transition to Democracy*. Dakar, Council for the Development of Social Science Research in Africa, 1998.

Quarshigah, Edward Kofi, 'Constitutional Reform and Democratic Governance in Ghana: An IDEG 10th Anniversary Lecture'. Accra, Institute for Democratic Governance, 2010.

Sandbrook, Richard, en Jay Oelbaum, 'Reforming Dysfunctional Institutions through Democratization? Reflections on Ghana', in: *Journal of Modern Africa Studies* 35, nr. 4 (2007), blz. 603–646.

HOOFDSTUK 4: INDONESIË

Aspinall, Edward, *Opposing Suharto: Compromise, Resistance, and Regime Change in Indonesia*. Stanford, Stanford University Press, 2005.

Aspinall, Edward, en Marcus Mietzner, 'Economic Crisis, Foreign Pressure, and Regime Change', in: *Transitions to Democracy: A Comparative Perspective*, onder redactie van Kathryn Stoner en Michael McFaul. Baltimore, Johns Hopkins University Press, 2013.

Bilveer, Singh, *Habibie and the Democratisation of Indonesia*. Sydney, Book House, 2001.

Chandra, Siddharth, en Douglas Kammen, 'Generating Reforms and Reforming Generations: Military Politics in Indonesia's Democratic Transition and Consolidation', in: *World Politics* 55, nr. 1 (2002), blz. 96–136.

Effendy, Bahtiar, *Islam and the State in Indonesia*. Athens, Ohio University Press, 2004.

Habibie, Bacharuddin Jusuf, *Decisive Moments: Indonesia's Long Road to Democracy*. Jakarta, Ilthabi Rekatma, 2006.

Hadiz, Vedi R., 'Decentralization and Democracy in Indonesia: A Critique of Neo-Institutionalist Perspectives', in: *Development and Change* 35, nr. 4 (2004), blz. 697–718.

Hefner, Robert W., *Civil Islam: Muslims and Democratization in Indonesia*. Princeton, Princeton University Press, 2000.

Hill, David T., en Krishna Sen, *Media, Culture, and Politics in Indonesia*. Oxford, Oxford University Press, 2000.

Horowitz, Donald, *Constitutional Change and Democracy in Indonesia*. New York, Cambridge University Press, 2013.

Künkler, Mirjam, en Alfred Stepan (red.), *Indonesia, Islam, and Democracy: Comparative Perspectives*. New York, Columbia University Press, 2013.

Mietzner, Marcus, 'The Ambivalence of Weak Legitimacy: Habibie's Interregnum Revisited', in: *Review of Indonesian and Malaysian Affairs* 42, nr. 2 (2008), blz. 1–33.

—, *Military Politics, Islam, and the State in Indonesia: From Turbulent Transition to*

Democratic Consolidation. Singapore, Institute of Southeast Asian Studies, 2009.

Mietzner, Marcus, en Edward Aspinall (red.), *Problems of Democratisation in Indonesia: Elections, Institutions and Society*. Singapore, Institute of Southeast Asian Studies, 2010.

O'Rourke, Kevin, *Reformasi: The Struggle for Power in Post-Suharto Indonesia*. Crow's Nest (AU), Allen & Unwin, 2002.

Robison, Richard, en Vedi R. Hadiz, *Reorganizing Power in Indonesia: The Politics of Oligarchy in an Age of Markets*. Londen, Routledge Curzon, 2004.

Sulistiyanto, Priyambudi, 'Politics of Justice and Reconciliation in Post-Suharto Indonesia', in: *Journal of Contemporary Asia* 37, nr. 1 (2007), blz. 73–94.

Uhlin, Anders, *Indonesia and the 'Third Wave of Democratization': The Indonesian Pro-Democracy Movement in a Changing World*. New York, St. Martin's Press, 1997.

Van Klinken, Gerry, *Communal Violence and Democratization in Indonesia: Small Town Wars*. Abingdon, Routledge, 2007.

HOOFDSTUK 5: MEXICO

Aguayo Quezada, Sergio, 'Electoral Observation and Democracy in Mexico', in: *Electoral Observation and Democratic Transition in Latin America*, onder redactie van Kevin J. Middlebrook. Boulder, Lynne Rienner, 1998. Door een vooraanstaande activist van het maatschappelijk middenveld.

Aristegui, Carmen, en Ricardo Trabulsi (red.), *Transición: Conversaciones y Retratos de lo Que se Hizo y se Dejó de Hacer por la Democracia en México* [Transitie: gesprekken en portretten van hetgeen wel en hetgeen niet is gedaan voor de Mexicaanse democratie]. Mexico-Stad, Random House Mondadori, 2010.

Becerra, Ricardo, Pedro Salazar, en José Woldenberg (red.), *La Mecánica del Cambio Político en México: Elecciones, Partidos y Reformas* [De mechaniek van politieke verandering in Mexico: verkiezingen, partijen en hervormingen]. Mexico-Stad, Editorial Aguilar, 2000.

Bruhn, Kathleen, Daniel C. Levy, en Emilio Zebadúa, *Mexico: The Struggle for Democratic Development*. Berkeley, University of California Press, 2006.

Centeno, Miguel Angel, *Democracy within Reason: Technocratic Revolution in Mexico*. University Park, Pennsylvania State University Press, 1994.

Eisenstadt, Todd A., *Courting Democracy in Mexico: Party Strategies and Electoral Institutions*. New York, Cambridge University Press, 2004.

Fox, Jonathan, 'The Difficult Transition from Clientelism to Citizenship: Lessons from Mexico', in: *World Politics* 46, nr. 2 (1994), blz. 151–184.

Greene, Kenneth F., *Why Dominant Parties Lose: Mexico's Democratization in Comparative Perspective*. New York, Cambridge University Press, 2007.

Loaeza, Soledad, *El Partido Acción Nacional: La Larga Marcha, 1939–1994: Oposición Leal y Partido de Protesta* [De Nationale Actiepartij: de lange mars, 1939–1994. Loyale oppositie en protestpartij]. Mexico-Stad, Fondo de Cultura Económica, 1999.

Lujambio, Alonso, *El Poder Compartido: Un Ensayo Sobre la Democratización Mexicana* [De macht gedeeld: een essay over de Mexicaanse democratisering]. Mexico-Stad, Océano, 2000.

Magaloni, Beatriz, *Voting for Autocracy: Hegemonic Party Survival and Its*

Demise in Mexico. Stanford, Stanford University Press, 2008.

Mazza, Jacqueline, *Don't Disturb the Neighbors: The United States and Democracy in Mexico, 1980–1995*. New York, Routledge, 2002.

Middlebrook, Kevin J. (red.), *Dilemmas of Political Change in Mexico*. Washington D.C., Brookings Institution Press, 2004. Zie in het bijzonder Ai Camp over het leger en Lawson over de media.

Preston, Julia, en Samuel Dillon, *Opening Mexico: The Making of a Democracy*. New York, Farrar, Straus & Giroux, 2004.

Ríos-Figueroa, Julio, 'Fragmentation of Power and the Emergence of an Effective Judiciary in Mexico, 1994–2002', in: *Latin American Politics and Society* 49, nr. 1 (2007), blz. 31–57.

Selee, Andrew, en Jacqueline Peschard (red.), *Mexico's Democratic Challenges: Politics, Government, and Society*. Washington D.C., Woodrow Wilson International Center for Scholars; Stanford, Stanford University Press, 2010.

Shirk, David A., *Mexico's New Politics: The* PAN *and Democratic Change*. Boulder, Lynne Rienner, 2005.

Trejo, Guillermo, *Popular Movements in Autocracies: Religion, Repression, and Indigenous Collective Action in Mexico*. New York, Cambridge University Press, 2012.

HOOFDSTUK 6: DE FILIPIJNEN

Abinales, Patricio N., en Donna J. Amoroso, 'The Withering of Philippine Democracy', in: *Current History* 105, nr. 692 (2006), blz. 290–295.

Anderson, Benedict, 'Cacique Democracy and the Philippines: Origins and Dreams', in: *New Left Review* 1, nr. 169 (1988), blz. 3–31.

Bonner, Raymond, *Waltzing with a Dictator: The Marcoses and the Making of American Policy*. New York, Vintage, 1988.

Clarke, Gerald, *The Politics of NGOs in South-East Asia: Participation and Protest in the Philippines*. Londen, Routledge, 1998.

Franco, Jennifer C., *Elections and Democratization in the Philippines*. New York, Routledge, 2001.

Hedman, Eva-Lotta E., 'The Spectre of Populism in Philippine Politics and Society: Artista, Masa, Eraption!', in: *South East Asia Research* 9, nr. 1 (2001), blz. 5–44.

Hernandez, Carolina G., en Maria Cecilia T. Ubarra, *Restoring and Strengthening Civilian Control: Best Practices in Civil-Military Relationships in the Philippines*. Quezon City (PH), Institute for Strategic and Development Studies en het National Democratic Institute, 1999.

Hutchcroft, Paul D., 'Reflections on a Reverse Image: South Korea under Park Jung Hee and the Philippines under Ferdinand Marcos', in: *The Park Chung Hee Era: The Transformation of South Korea*, onder redactie van Byung-Kook Kim en Ezra F. Vogel. Cambridge, Harvard University Press, 2011.

Miranda, Felipe B., Temario C. Rivera, Malaya C. Ronas, en Ronald D. Holmes, *Chasing the Wind: Assessing Philippine Democracy*. Quezon City, Philippine Commission on Human Rights en UNDP, 2011.

Paredes, Ruby R., *Philippine Colonial Democracy*. New Haven, Yale University Southeast Asian Studies, 1989.

Putzel, James, 'Survival of an Imperfect Democracy in the Philippines', in: *Democratization* 6, nr. 1 (1999), blz. 198–223.

Quimpo, Nathan Gilbert, 'Oligarchic Patrimonialism, Bossism, Electoral Clientelism, and Contested Democracy in the Philippines', in: *Comparative Politics* 37, nr. 2 (2005), blz. 229–250.

Riedinger, Jeffrey M., *Agrarian Reform in the Philippines: Democratic Transitions and Redistributive Reform*. Stanford, Stanford University Press, 1995.

Rufo, Aries C., *Altar of Secrets: Sex, Politics and Money in the Philippine Catholic Church*. Manila, Journalism for Nation Building Foundation, 2013.

Sheridan, Greg., '"Steady Eddie" Ramos: People Power Mark II', in: *Tigers: Leaders of the New Asia-Pacific*, onder redactie van Greg Sheridan. St. Leonard's, Allen & Unwin, 1997.

Staniland, Martin, 'The Philippines: The Fall of Ferdinand C. Marcos, 1985–1986', in: *Falling Friends: The United States and Regime Change Abroad*, onder redactie van Martin Staniland. Boulder, Westview, 1991.

Teehankee, Julio C., 'Electoral Politics in the Philippines', in: *Electoral Politics in Southeast and East Asia*, onder redactie van Aurel Croissant, Gabriele Bruns en Merei John, blz. 149–202. Singapore, Friedrich Ebert Stiftung, 2002.

Thompson, Mark R., *The Anti-Marcos Struggle: Personalistic Rule and Democratic Transition in the Philippines*. New Haven, Yale University Press, 1995.

Thompson, W. Scott, en Federico M. Macaranas, *Democracy and Discipline: Fidel V. Ramos and His Philippine Presidency*. Manila, University of Santo Tomas, 2007.

Youngblood, Robert L., *Marcos against the Church: Economic Development and Political Repression in the Philippines*. Ithaca, Cornell University Press, 1990.

HOOFDSTUK 7: POLEN

Ash, Timothy Garton, *The Polish Revolution: Solidarity*. New Haven, Yale University Press, 1983.

Bernhard, Michael, *The Origins of Democratization in Poland*. New York, Columbia University Press, 1993.

Blejer, Mario I., en Fabrizio Coricelli, *The Making of Economic Reform in Eastern Europe: Conversations with Leading Reformers in Poland, Hungary, and the Czech Republic*. Brookfield, Aldershot, 1995.

Castle, Marjorie, *Triggering Communism's Collapse: Perception and Power in Poland's Transition*. Lanham, Rowman & Littlefield, 2003.

Coughlan, Elizabeth P., 'Democratizing Civilian Control: The Polish Case', in: *Armed Forces and Society* 24, nr. 4 (1998), blz. 519–533.

Curry, Jane, en Luba Jafjer (red.), *Poland's Permanent Revolution: People vs. Elites, 1956 to the Present*. Washington D.C., American University Press, 1996.

Domber, Gregory F., 'International Pressures for a Negotiated Transition, 1981–1989', in: *Transitions to Democracy: A Comparative Perspective*, onder redactie van Kathryn Stoner en Michael McFaul. Baltimore, Johns Hopkins University Press.

Ekiert, Grzegorz, en Jan Kubik, *Rebellious Civil Society: Popular Protest and Democratic Consolidation in Poland, 1989–1993*. Ann Arbor, University of Michigan Press, 1999.

Fitzmaurice, John, 'General Wojciech Jaruzelski: Hardline Patriot', in: *Leaders of Transition*, onder redactie van Martin Westlake. New York, St. Martin's Press, 2000.

Goodwyn, Lawrence, *Breaking the Barrier: The Rise of Solidarity in Poland*. New York, Oxford University Press, 1991.

Kubik, Jan, 'Who Done It: Workers, Intellectuals, or Someone Else? Controversy over Solidarity's Origins and Social Composition', in: *Theory and Society* 23, nr. 3 (1994), blz. 441–466.

Lewis, Paul G., 'Political Institutionalisation and Party Development in Post-Communist Poland', in: *Europe-Asia Studies* 46, nr. 3 (1994), blz. 779–799.

Michnik, Adam, *The Church and the Left*. Chicago, University of Chicago Press, 1993.

Ost, David, *Solidarity and the Politics of Anti-Politics: Opposition and Reform in Poland since 1968*. Philadelphia, University of Pennsylvania Press, 1990.

Sachs, Jeffrey, *Poland's Jump to the Market Economy*. Cambridge, Massachusetts Institute of Technology Press, 1994.

Szczerbiak, Aleks, 'Dealing with the Communist Past or the Politics of the Present? Lustration in Post-Communist Poland', in: *Europe-Asia Studies* 54, nr. 4 (2002), blz. 553–572.

Taras, Raymond, *Consolidating Democracy in Poland*. Boulder, Westview, 1995. Over gebeurtenissen vanaf de jaren zeventig.

Wałęsa, Lech, *The Struggle and Triumph: An Autobiography*. New York, Arcade, 1994.

HOOFDSTUK 8: ZUID-AFRIKA

Adler, Glenn, en Edward Webster (red.), *Trade Unions and Democratization in South Africa, 1985–1997*. New York, Palgrave MacMillan, 2000.

De Klerk, F.W., *The Last Trek — a New Beginning: The Autobiography*. New York, St. Martin's Press, 1999.

Dlamini, Jacob, *Native Nostalgia*. Auckland Park, South Africa, Jacana Media, 2009. Over townships ten tijde van de apartheid en van de transitie.

Friedman, Steven (red.), *The Long Journey: South Africa's Quest for a Negotiated Settlement*. Johannesburg, Ravan Press, 1993.

Friedman, Steven, en Doreen Atkinson (red.), *The Small Miracle: South Africa's Negotiated Settlement*. Johannesburg, Ravan Press, 1994.

Gevisser, Mark, *A Legacy of Liberation: Thabo Mbeki and the Future of the South African Dream*. New York, Palgrave MacMillan, 2010.

Gilliomee, Hermann, 'Democratization in South Africa', in: *Political Science Quarterly* 110, nr. 1 (1995), blz. 83–104.

Habib, Adam, Devan Pillay, en Ashwin Desai, 'South Africa and the Global Order: The Structural Conditioning of a Transition to Democracy', in: *Journal of Contemporary African Studies* 16, nr. 1 (1998), blz. 95–115.

Jung, Courtney, en Ian Shapiro, 'South Africa's Negotiated Transition: Democracy, Opposition, and the New Constitutional Order', in: *Politics and Society* 23, nr. 3 (1995), blz. 269–308.

Lodge, Tom, *Politics in South Africa: From Mandela to Mbeki*. Oxford, James Curry Press, 2003.

Lyman, Princeton, *Partner to History: The US Role in South Africa's Transition to Democracy*. Washington D.C., US Institute of Peace, 2002.

Mandela, Nelson, *Long Walk to Freedom: The Autobiography of Nelson Mandela*. New York, Little, Brown, 1995.

Marais, Hein, *South Africa: Limits to Change — the Political Economy of Transition*. Kenwyn, University of Cape Town Press, 1998.

Massie, Robert, *Loosing the Bonds: The United States and South Africa in the Apartheid Years*. New York, Nan A. Talese/Doubleday, 1997.

Sparks, Allistair, *Tomorrow Is Another Country: The Inside Story of South Africa's Road to Change*. Chicago, University of Chicago Press, 1996. Journalistiek overzicht.

Welsh, David, en Jack Spence, 'F.W. de Klerk: Enlightened Conservative', in: *Leaders of Transition*, onder redactie van Martin Westlake. New York, St. Martin's Press, 2000.

Wilson, Richard A., *The Politics of Truth and Reconciliation in South Africa: Legitimizing the Post-Apartheid State*. Cambridge, Cambridge University Press, 2001.

Wood, Elisabeth Jean, *Forging Democracy from Below: Insurgent Transitions in South African and El Salvador*. Cambridge, Cambridge University Press, 2000.

HOOFDSTUK 9: SPANJE

Aguilar, Paloma, *Memory and Amnesia: The Role of the Civil War in the Transition to Democracy*. New York, Berghahn Books, 2002.

Bermeo, Nancy, 'Sacrifice, Sequence, and Strength in Successful Dual Transitions: Lessons from Spain', in: *Journal of Politics* 56, nr. 3 (1994), blz. 601–627.

Encarnación, Omar G., 'Social Concertation in Democratic and Market Transitions: Comparative Lessons from Spain', in: *Comparative Political Studies* 30, nr. 4 (1997), blz. 387–419.

Fishman, Robert, *Working-Class Organization and the Return to Democracy in Spain*. Ithaca, Cornell University Press, 1990.

Gunther, Richard, José Ramón Montero, en Joan Botella, *Democracy in Modern Spain*. New Haven, Yale University Press, 2004.

Gunther, Richard, José Ramón Montero, en José Ignacio Wert, 'The Media and Politics in Spain: From Dictatorship to Democracy', in: *Democracy and the Media: A Comparative Perspective*, onder redactie van Richard Gunther en Anthony Mughan. Cambridge, Cambridge University Press, 2000.

Harrison, Joseph, 'Economic Crisis and Democratic Consolidation in Spain, 1973–1982'. Werkdocumenten over economische geschiedenis. Madrid, Universidad Carlos III de Madrid, 2006.

Linz, Juan J., 'Innovative Leadership In the Transition to Democracy and a New Democracy: The Case of Spain', in: *Innovative Leaders in International Politics*, onder redactie van Gabriel Scheffer. Albany, State University of New York Press, 1993.

Linz, Juan J., en Alfred Stepan, 'The Paradigmatic Case of Reforma Pactada-Ruptura Pactada: Spain', in: *Problems of Democratic Transition and Consolidation: Southern Europe, South America, and Post-Communist Europe*, onder redactie van Juan Linz en Alfred Stepan. Baltimore, Johns Hopkins University Press, 1996.

McDonough, Peter, Samuel H. Barnes, en Antonio López Pina, *The Cultural Dynamics of Democratization in Spain*. Ithaca, Cornell University Press, 1998.

Muro, Diego, en Gregorio Alonso (red.), *The Politics and Memory of Democratic Transition: The Spanish Model*. New York, Routledge, 2010.

Pérez-Díaz, Victor, *The Return of Civil Society: The Emergence of Democratic Spain*. Cambridge, Harvard University Press, 1993.

Powell, Charles, *Juan Carlos of Spain: Self-Made Monarch*. New York, Palgrave, 1996.

—, 'International Aspects of Democratization: The Case of Spain', in: *The International Dimensions of Democratization: Europe and the Americas*, onder redactie van Laurence Whitehead. Oxford, Oxford University Press, 2001.

Preston, Paul, *The Triumph of Democracy in Spain*. Londen, Methuen, 1986.

Serra, Narcis, *The Military Transition: Democratic Reform of the Armed Forces*. Cambridge, Cambridge University Press, 2010. Door een voormalige minister van Defensie.

Tezanos, José Félix, Ramon Cotarelo, en Andrés de Blas (red.), *La Transición Democrática Española*. Madrid, Sistema, 1989.

HOOFDSTUK 10

Abao, Carmel, en Elizabeth Yang, *Women in Politics, Limits and Possibilities: The Philippines Case*. Manila, Friedrich Ebert Stiftung, 2001.

Albertyn, Cathi, 'Women and the Transition to Democracy in South Africa', in: *Gender and the New South African Legal Order*, onder redactie van Felicity Kaganas en Christina Murray, blz. 39–63. Cape Town, Juta, 1994.

Alvarez, Sonia, *Engendering Democracy in Brazil*. Princeton, Princeton University Press, 1990.

Alvarez, Sonia, 'Advocating Feminism: The Latin American Feminist NGO Boom', in: *International Feminist Journal of Politics* 1, nr. 2 (1999), blz. 181–209.

Aquino, Belinda, 'Philippine Feminism in Historical Perspective', in: *Women and Politics Worldwide*, onder redactie van Barbara Nelson en Najma Chowdhury, blz. 591–604. New Haven, Yale University Press, 1994.

Baldez, Lisa, *Why Women Protest: Women's Movements in Chile*. Cambridge, Cambridge University Press, 2002.

Blackburn, Susan, 'Gender Violence and the Indonesian Political Transition', in: *Asian Studies Review* 23, nr. 4 (1999), blz. 433–448.

Blackburn, Susan, 'Feminism and the Women's Movement in the World's Largest Islamic Nation', in: *Women's Movements in Asia*, onder redactie van Mina Roces en Louise Edwards, blz. 21–33. Londen, Routledge, 2010.

Bonime-Blanc, Andrea, *Spain's Transition to Democracy: The Politics of Constitution Making*. Boulder, Westview Press, 1987.

Brenner, Susanne, 'Private Moralities in the Public Sphere: Democratization, Islam and Gender in Indonesia', in: *American Anthropologist* 113, nr. 3 (2011), blz. 478–490.

Duran, Maria Angeles, en Maria Teresa Gallego, 'The Women's Movement and the New Spanish Democracy', in: *The New Women's Movement*, onder redactie van Drude Dahlerup, blz. 200–216. Londen, Sage, 1986.

Einhorn, Barbara, *Cinderella Goes to Market: Citizenship, Gender and Women's Movements in East Central Europe*. Londen, Verso, 1993.

Fallon, Kathleen M., 'Transforming Women's Citizenship Rights within an Emerging Democratic State: The Case of Ghana', in: *Gender and Society* 17, nr. 4 (2003), blz 525–543.

Franceschet, Susan, *Women and Politics in Chile*. Boulder, Lynn Rienner, 2005.

Gal, Susan, en Gail Kligman (red.), *Reproducing Gender: Politics, Publics, and Everyday Life after Socialism*. Princeton, Princeton University Press, 2000.

Geisler, Gisela, 'Parliament Is Another Terrain of Struggle: Women, Men and Politics in South Africa', in: *Journal of Modern African Studies* 38, nr. 4 (2000), blz. 616–619.

Haas, Liesl, *Feminist Policymaking in Chile*. University Park, Pennsylvania State University Press, 2010.

Hassim, Shireen, *Women's Organizations and Democracy in South Africa: Contesting Authority*. Madison, University of Wisconsin Press, 2006.

Htun, Mala, *Sex and the State: Abortion, Divorce, and the Family under Latin American Dictatorships and Democracy*. Cambridge, Cambridge University Press, 2003.

Htun, Mala, en Laurel Weldon, 'When Do Governments Promote Women's Rights: A Framework for the Comparative Analysis of Sex Equality Policy', in: *Perspectives on Politics* 8, nr. 1 (2010), blz. 210–217.

Jaquette, Jane (red.), *The Women's Movement in Latin America: Participation and Democracy*. Boulder, Westview Press, 1994.

Jaquette, Jane, en Sharon Wolchik (red.), *Women and Democracy: Latin America and Central and Eastern Europe*. Baltimore, Johns Hopkins University Press, 1998.

Mama, Amina, 'In Conversation: The Ghanaian Women's Manifesto Movement', in: *Feminist Africa* 4 (2005).

Marx, Jutta, Jutta Borner, en Maria Caminiotti, 'Gender Quotas, Candidate election and Electoral Campaigns', in: *Feminist Agendas and Democracy in Latin America*, onder redactie van Jane Jaquette, blz. 45–64. Durham, Duke University Press, 2009.

Matynia, Elizabieta, 'Provincializing Global Feminism the Polish Case', in: *Social Research* 70, nr. 2 (2003), blz. 454–471.

Molyneux, Maxine, en Shahra Razavi, 'Beijing plus Ten: An Ambivalent Record on Gender Justice', in: *Development and Change* 36, nr. 6 (2005), blz. 983–1010.

Paxton, Pamela, 'Women's Suffrage in the Measurement of Democracy: Problems of Operationalization', in: *Studies in Comparative International Development* 35 (2000).

Quindoza Santiago, Lilia, 'Rebirthing Babaye: The Women's Movement in the Philippines', in: *The Challenge of Local Feminisms*, onder redactie van Amrita Basu, blz. 110–30. Boulder, Westview Press, 1995.

Roces, Mina, 'Century of Women's Activism in the Philippines', in: *Women's Movements in Asia: Feminisms and Transnational Activism*, onder redactie van Mina Roces en Louise Edwards. Londen, Routledge, 2010.

Threlfall, Monica, 'Gendering the Transition to Democracy: Reassessing the Impact of Women's Activism', in: *Gendering Spanish Democracy*, onder redactie van Monica Threlfall, Christine Cousins en Celia Valiente. Londen, Routledge, 2004.

Tripp, Aili Mari, 'Political Systems and Gender', in: *Oxford Handbook of Gender and Politics*, onder redactie van Georgina Waylen, Karen Celis, Johanna Kantola en Laurel Weldon, blz. 514–29. Oxford, Oxford University Press, 2013.

Tsikata, D., 'Women's Organizing in Ghana since the 1990s: From Individual Organizations to Three Coalitions', in: *Development* 52, nr. 2 (2009), blz. 185–192.

Valiente, Celia, 'The Feminist Movement and the Reconfigured State in Spain', in: *Women's Movements Facing the Reconfigured State*, onder redactie van Lee Ann Banaszak, Karen Beckwith en Dieter Rucht, blz. 30–47. Cambridge, Cambridge University Press, 2003.

Waylen, Georgina, 'Women and Democratization: Conceptualizing Gender Relations in Transition Politics', in: *World Politics* 46, nr. 3 (1994), blz. 327–354.

Waylen, Georgina, *Engendering Transitions: Women's Mobilization, Institutions and Gender Outcomes*. Oxford, Oxford University Press, 2007, vooral blz. 163.

Waylen, Georgina, 'Gendering Policy and Politics in Transitions to Democracy: Chile and South Africa Compared', in: *Policy and Politics* 38, nr. 3 (2010), blz. 337–352.

Wieringa, Saskia, 'Islamization in Indonesia: Women Activists' Discourses', in: *Signs* 32, nr. 1 (2006), blz. 1–8.

Zielinska, Eleonora, 'Between Ideology, Politics and Commonsense: The Discourse of Reproductive Rights in Poland', in: *Reproducing Gender: Politics, Publics, and Everyday Life after Socialism*, onder redactie van Susan Gal en Gail Kligman. Princeton, Princeton University Press, 2000.

PERSOONSREGISTER

Dit boek kwam tot stand onder
auspiciën van het International Institute
for Democracy and Electoral Assistance
(International IDEA).
www.idea.int

Uitgeverij Polis
Maarschalk Gérardstraat 4a
2000 Antwerpen
uitgeverij@polis.be

Vertegenwoordiging in Nederland:
New Book Collective
Herengracht 166
1016 BP Amsterdam
www.newbookcollective.com

Vertaling: Hans van Riemsdijk
Oospronkelijke titel:
Democratic Transitions. Conversations with World Leaders
(John Hopkins University Press, 2015)
Boekverzorging: Stijn Dams
Zetwerk: Karakters, Gent
Omslagbeeld:
David Degner (boven)
Magnum/Raymond Depardon (boven)

ISBN 978 94 6310 036 6
D/2016/13631/1
NUR 680

Voor informatie
over onze auteurs en hun boeken:

www.polis.be
www.facebook.com/UitgeverijPolis
www.twitter.com/UitgeverijPolis